in 20 Bänden

Band 15

Religionen
Glauben, Riten, Heilige

A–Kir

Herausgeber
Peter-Matthias Gaede, GEO
Bibliographisches Institut & F. A. Brockhaus AG

Redaktionsleitung Gabriele Gassen (BIFAB) und Michael Schaper (GEO)

A–Z-Teil
Projektleitung Ulrike Emrich
Realisation Michael Venhoff (Redaktionsgruppe LOOP)
unter Mitarbeit von Birgit Bödeker und Manfred Brocks (Bildredaktion), Elke Eßmann
Autoren Harald Baer, Dr. Andreas Bendlin, Dr. Anne Conrad, Dr. Ulrich Dehn,
Dr. Karl-Heinz Golzio, Markus Hattstein, Dr. Reinhard Hempelmann, Prof. Dr. Lothar
Käser, Dr. Carola Krieg, Lutz Krupke, PD Dr. Bernhard Maier, PD Dr. Angelika Malinar,
Paul Metzger, Prof. Dr. Werner Nell, Prof. Dr. Karl-Heinz Ohlig, Dr. Matthias Pöhlmann,
Prof. Dr. Jörg Rüpke, HD Dr. Michael Tilly, Dr. Matthias Wallich, Prof. Dr. Hans Wißmann
Grafik und Karten Dipl.-Ing. (FH) Jörg Radtke

GEO Dossier
Redaktion Malte Henk, Jens Schröder
Schlussredaktion Jan Pust, Hannelore Koehl (Assistenz)
Bildredaktion Christian und Susanne Gargerle
Technische Realisation Rainer Droste
Kartografie GEO-Kartografie

Layout Horst Bachmann, Barbara Exner, Sigrid Hecker, Tatjana Lorenz
Einband und Umschlag glas ag, Seeheim-Jugenheim
Herstellung Constanze Sonntag

Bibliografische Information der Deutschen Nationalbibliothek
Die Deutsche Nationalbibliothek verzeichnet diese Publikation
in der Deutschen Nationalbibliografie; detaillierte bibliografische
Daten sind im Internet über http://dnb.ddb.de abrufbar.

Namen und Kennzeichen, die als Marke bekannt sind und entsprechenden Schutz
genießen, sind durch das Zeichen ® gekennzeichnet. Handelsnamen ohne
Markencharakter sind nicht gekennzeichnet. Aus dem Fehlen des Zeichens ® darf
im Einzelfall nicht geschlossen werden, dass ein Name oder Zeichen frei ist.
Eine Haftung für ein etwaiges Fehlen des Zeichens ® wird ausgeschlossen.

Alle Rechte vorbehalten. Nachdruck, auch auszugsweise, verboten.
Das Werk einschließlich aller seiner Teile ist urheberrechtlich geschützt.
Jede Verwertung außerhalb der engen Grenzen des Urheberrechts-
gesetzes ist ohne Zustimmung des Verlags unzulässig und strafbar. Das gilt
insbesondere für Vervielfältigungen, Übersetzungen, Mikroverfilmungen
und die Einspeicherung und Verarbeitung in elektronischen Systemen.

© GEO, Gruner+Jahr AG & Co KG, 2007
  Bibliographisches Institut, Mannheim 2007

Satz A–Z Satztechnik, Mannheim
Druck und Bindung MOHN Media Mohndruck GmbH, Gütersloh
Printed in Germany

ISBN-10: Gesamtwerk 3-7653-9420-3   ISBN-13: Gesamtwerk 978-3-7653-9420-1
ISBN-10: Band 15   3-7653-9435-1   ISBN-13: Band 15   978-3-7653-9435-5

Abbildung auf dem Einband Hand mit Rosenkranz: picture-alliance/dpa, Frankfurt am Main

Editorial

Liebe Leserin, lieber Leser,

was verbindet den türkischen Derwisch, der sich in einer Moschee die Gnade Gottes ertanzt, mit dem indischen Asketen, der nach morgendlicher Meditation in die schmutzigen Fluten des Ganges taucht? Was mit jenen orthodoxen Christen Äthiopiens, die sich als Zeichen ihres Glaubens ein Kreuz auf die Stirn tätowieren? Was mit einer tibetischen Bäuerin, die durch unwirtliches Hochland um einen heiligen Gipfel pilgert, um den Mittelpunkt ihrer Welt, 48 Tage lang? Was mit einem bayerischen Lehrer, der stundenlang in einer Schlange ansteht, um ein einziges Mal dem Papst auf dem Petersplatz zuzujubeln? Was mit dem sogenannten U-Boot-Christen, der immerhin noch an Weihnachten in der Kirche auftaucht? Und: was mit uns?

Die Sehnsucht nach einer übergeordneten Kraft ist universal, ein Wesenszug des Menschlichen. Der Glaube an eine göttliche Existenz lebt in allen bekannten Kulturen. Überall hat er Geschichte geprägt und Werte geformt. Hat segensreiche Entwicklungen befördert – und auch schreckliche Auseinandersetzungen. Ein Geflecht aus Traditionen, Riten und »absoluten« Wahrheiten ist in seinem Namen entstanden. Und die Aufgabe, sie alle in einer globalisierten Welt nebeneinander, miteinander zu achten. Wenn nicht gar zu verstehen.

Die Bände 15 und 16 unseres GEO Themenlexikons haben wir dem Thema Religionen gewidmet: weil es über sie weit mehr zu berichten, zu erklären, zu erzählen gibt als eine bloß folkloristische Bestandsaufnahme der jeweiligen Sitten und Gebräuche.

Auch diese schwierige Materie haben unsere Partner von der Brockhaus-Redaktion mithilfe anerkannter Experten in einem fundierten A–Z-Teil systematisch erschlossen – vom Abendländischen Schisma über den Koran bis hin zum Wirken des Reformators Zwingli. In den GEO Dossiers haben wir zudem wie immer eine Auswahl unserer besten Reportagen zusammengestellt, um das lexikalische Faktenwissen mit Erlebnissen und Erklärungen anzureichern.

Im vorliegenden Band etwa befassen sich unsere Reporter im GEO Dossier mit den »Geheimnissen des Glaubens«: Sie gehen mit Hirn-

Editorial

forschern und Theologen auf die Suche nach den Wurzeln der Spiritualität, beschreiben auf Haiti den Voodoo-Kult. Und sie ergründen mithilfe des Dalai Lama die Tiefe der buddhistischen Lehren.

Das GEO Dossier in Band 16 ist dann den »Orten der Verehrung« gewidmet. Unsere Autoren sind nach Mekka und nach Varanasi gereist, auf den Tempelberg gestiegen und zum tibetischen Kailash gewandert, um zu verstehen, was diese Stätten im Glaubenskosmos der Menschen heilig macht.

Verständnis, ja tiefen Respekt für das Fremde zu empfinden – im Bereich des Glaubens mit seinen oft starren Dogmen und Geboten ist das vermutlich besonders schwierig. Dass es aber geht, davon hat zum Beispiel Mahatma Gandhi Zeugnis abgelegt. Von ihm, dem Hindu, sind die Sätze überliefert: »Ich darf sagen, dass mich der historische Jesus nie beschäftigt hat. Es würde mich nicht einmal kümmern, wenn jemand nachgewiesen hätte, dass ein Mensch mit dem Namen Jesus nie gelebt habe – die Bergpredigt bleibt für mich dennoch immer wahr.«

Bergpredigt? Schlagen Sie nach unter B. Und zum historischen Jesus lesen Sie im GEO Dossier die Geschichte über jenen ganz realen Handwerkersohn Jesus von Nazareth, dessen 34 Lebensjahre ausgereicht haben, die Welt zu bewegen.

Herzlich Ihr

Peter-Matthias Gaede
Chefredakteur GEO

Gesamtübersicht

Bände 1 bis 3 **Unsere Erde**
Länder, Völker, Kulturen

Bände 4 und 5 **Astronomie**
Planeten, Sterne, Galaxien

Bände 6 bis 8 **Naturwissenschaften und Technik**
Begriffe, Methoden, Zusammenhänge

Bände 9 bis 11 **Medizin und Gesundheit**
Diagnose, Heilkunst, Arzneien

Bände 12 und 13 **Psychologie**
Denken, Fühlen, Handeln

Band 14 **Philosophie**
Ideen, Denker, Visionen

Bände 15 und 16 **Religionen**
Glauben, Riten, Heilige

Bände 17 bis 19 **Geschichte**
Epochen, Menschen, Zeitenwenden

Band 20 **Atlas zur Geschichte**
Epochen, Menschen, Zeitenwenden

Hinweise für den Leser

- Die Bände 15 und 16 des GEO Themenlexikons präsentieren alles Wissenswerte zu den Religionen in enzyklopädisch umfassender Gesamtschau: Dabei informieren sie über Glaubensvorstellungen und Weltanschauungen, über Riten, Feste und Symbole, über Heilige und Götter, Religionsstifter und Theologen, über Lehre und Dogmatik, heilige Stätten und heilige Schriften.

- Das zweibändige Lexikon enthält rund 3 500 Artikel und vermittelt in Wort und Bild Wissen über Glaubensrichtungen und Glaubensinhalte von der Antike bis zur Gegenwart. Sonderartikel widmen sich zentralen Themen wie etwa der Esoterik oder der Medienreligion. Etliche Artikel werden in den GEO Dossiers vertieft durch ausgewählte Reports und Reportagen.

- Ein klares Verweissystem sorgt für die Verzahnung zwischen Lexikon und GEO Dossier: Von den Lexikonartikeln führen Verweise zu den vertiefenden Informationen in den GEO-Reportagen. Umgekehrt leiten Verweise im GEO Dossier zu denjenigen Einträgen im Lexikon, die Hintergrundfakten zum journalistischen Bericht sowie Anregungen zur weiteren Lektüre enthalten. So kann man bequem zwischen Fakten und Interpretation, zwischen Lexikon und Reportage hin- und herspringen.

- Alle Daten, Fakten und Zusammenhänge wurden mit äußerster Akribie und in Zusammenarbeit mit zahlreichen namhaften Experten erarbeitet und auf den neuesten Stand gebracht. Dennoch kann es zu Varianzen bei Daten, Fakten und wissenschaftlichen Schlussfolgerungen kommen, denn die Forschung ist zum einen ständig in Bewegung, zum anderen kann sie zu durchaus unterschiedlichen Sichtweisen führen. Lexikografische wie journalistische Sorgfalt gebieten es, dies wertungsfrei abzubilden.

ab Seite 11   **A–Z-Teil Religion**

Sonderartikel

- Esoterik   170
- Glaube   210
- Hoffnung   254
- Idole   266
- Jenseitsvorstellungen   294

ab Seite 353   **GEO Dossier:**

Warum glaubt der Mensch?   354

Wer war Jesus?   374

Der Teufel und seine Handlanger 402

Der gute Mensch von Lhasa   420

Unterwegs in magischen Welten   436

Glaube, Liebe, Hoffnung?   456

Abaelardus, Petrus, **Peter Abälard**, französisch **Pierre Abélard**, französischer scholastischer Philosoph, *Le Pallet (bei Nantes) 1079, †Kloster Saint-Marcel (bei Chalon-sur-Saône) 21. 4. 1142; war Schüler von Roscelin von Compiègne (*um 1045, †nach 1120), dem Begründer des Nominalismus, und Wilhelm von Champeaux, der den Realismus vertrat. Im →Universalienstreit zwischen beiden Schulen nahm er eine eher vermittelnde Haltung ein. Nach Abaelardus haben die Allgemeinbegriffe zwar keine selbstständige Existenz, sind aber geistige Vorstellungen, die von der menschlichen Vernunft in den Wörtern adäquat nach der »Natur der Dinge« abstrahiert wurden. Die Begriffsinhalte bestehen aber schon vor der Erschaffung der Dinge als Ideen im göttlichen Geist. Abaelardus gründete eine eigene, viel besuchte Schule auf dem Berg Sainte-Geneviève bei Paris.

Nach dem unglücklich verlaufenen Liebesverhältnis mit Héloise, der Nichte des Kanonikus Fulbert, der ihn entmannen ließ, wurde er Mönch in Saint-Denis. Sein weiteres Leben führte ihn als Lehrer an verschiedene Orte. Sein kritisches Denken und sein unverträglicher Charakter bewirkten eine mehrfache kirchliche Verurteilung seiner Lehren.

Abba [aramäisch »Vater«], *N. T.:* Anrede Gottes im Gebet, die das besondere Gottesverhältnis Jesu ausdrückt (Mk. 14, 36) und als urchristlicher Gebetsruf durch Paulus überliefert ist (Röm. 8, 15; Gal. 4, 6). Sie ging später über das Griechische und Lateinische als Anrede und Titel geistlicher Väter (besonders der Klostervorsteher) in den kirchlichen Sprachgebrauch des Abendlandes ein: deutsch →Abt, französisch Abbé, italienisch Abate. Im *A. T.* kommt das Wort Abba nicht vor, und die rabbinische Literatur verwendet es als familiäre Anrede und Ehrentitel, bezieht es jedoch niemals auf Gott.

Abdallah, Vater Mohammeds, der wahrscheinlich schon vor dessen Geburt um 570, der Überlieferung nach mit 25 Jahren, starb.

Abduh, Mohammed, ägyptischer Gelehrter, islamischer Reformtheologe, *in Unterägypten 1849, †Kairo 11. 7. 1905; studierte 1866–77 an der Azhar-Universität in Kairo und wurde 1882 als Vertreter der Ideen Djamal al-Afghanis, dessen Schüler er war, aus Ägypten ausgewiesen. 1888 konnte er nach Ägypten zurückkehren und wurde 1889 Obermufti des Landes. In diesem Amt engagierte er sich v. a. für die Umgestaltung der Azhar-Universität (→Azhar-Moschee) in eine an europäischen Vorbildern orientierte moderne islamische Hochschule. Unter Rückgriff auf islamisches und europäisches Gedankengut (u. a. →Mutasiliten, Auguste Comte und Charles Darwin, *1809, †1882) stellte Abduh den Islam als Religion dar, mit der bis dahin in der islamischen Welt weitgehend als fremd empfundene moderne Entwicklungen der europäischen Wissenschaft und Zivilisation zu vereinbaren sind. Auf der anderen Seite sah er den Islam durch bestimmte Vorstellungen und Praktiken wie z. B. die der Sufi-Orden verfälscht. Das Zentrum seines Denkens bildet der Begriff des »wahren Islam« als die Voraussetzung für gesellschaftlichen Fortschritt und die Einheit aller Muslime.

Abel [hebr. heṿel »Hauch«, »Vergänglichkeit«], Gestalt des A. T.; zweiter Sohn Adams und Evas. Abel war Hirte und wurde von seinem Bruder Kain aus Neid erschlagen, nachdem Gott Abels Opfer angenommen, seines aber nicht beachtet hatte (1. Mos. 4, 1–16). Er repräsentiert das in der altisraelitischen Tradition gegenüber dem sesshaften Ackerbauerntum höher bewertete Hirtennomadentum und gilt im N. T. sowie in der frühchristlichen Literatur als Urtyp des um seines Glaubens willen unschuldig getöteten Gerechten (Mt. 23, 35; Hebr. 11, 4). In der rabbinischen Tradition begegnet er als Gegenstand zahlreicher Midraschim, jüdisch-rabbinischer Bibelauslegungen.

Abendländisches Schisma [auch ˈsçısma], die Kirchenspaltung der →lateinischen Kirche von 1378 bis 1417. Das Abendländische Schisma wurde durch die Doppelpapstwahl von 1378 (Urban VI. in Rom, Klemens VII. in Avignon) ausgelöst und hatte zur Folge, dass die abendländische Kirche durch zwei Päpste regiert wurde, die in Rom (Urban VI., Bonifatius IX., Innozenz VII., Gregor XII.) und Avignon (Klemens VII., Benedikt XIII.) residierten. Das 1409 zur Beendigung des Schismas einberufene Konzil von Pisa setzte Benedikt XIII. und Gregor XII. ab

Abendländisches Schisma.
1414 berief König Siegmund das Konstanzer Konzil ein, da die Kirche nicht in der Lage war, ihre Spaltung aus eigener Kraft zu beenden. Hier sieht man den Papst mit einem Kardinal und drei Bischöfen an seiner Seite, vor ihnen sitzen eifrig disputierende Theologen (Miniatur aus der Chronik des Ulrich von Richenthal, 15. Jh.; Madrid, Biblioteca Nacional).

Abendmahl

und wählte Alexander V. zum Papst, der sich jedoch nicht gegen sie durchsetzen konnte.

Zur Wiederherstellung der kirchlichen Einheit veranlasste König Siegmund 1414 die Einberufung des Konzils von Konstanz. Die gegenüber allen drei Päpsten erhobene Rücktrittsforderung wurde unterschiedlich aufgenommen: Zunächst zum Rücktritt bereit, verweigerte Johannes XXIII., der Nachfolger Alexanders V., diesen, worauf er am 29. 5. 1415 abgesetzt wurde. Gregor XII. erklärte am 4. 7. 1415 seinen Amtsverzicht, und Benedikt XIII. wurde nach erfolglosen Verhandlungen am 26. 7. 1417 abgesetzt. Mit der Wahl Martins V. am 11. 11. 1417 war das Abendländische Schisma im kirchenrechtlichen Sinn beendet. Benedikt hielt jedoch von Spanien aus seinen Anspruch aufrecht. Nach seinem Tod wählten seine Anhänger mit Klemens VIII. und Benedikt XIV. noch zwei Gegenpäpste, sodass das Abendländische Schisma faktisch erst mit dem Tod des Letzteren 1430 beendet war.

Abendmahl 2).
Die wohl berühmteste Darstellung vom letzten Abendmahl Jesu mit seinen Jüngern stammt von Leonardo da Vinci (Wandgemälde, 1495–97; Mailand, Kloster Maria delle Grazie). Bei diesem Abschiedsmahl soll Jesus die heute noch verwendeten Einsetzungsworte gesprochen haben: »Das ist mein Leib für euch. Tut dies zu meinem Gedächtnis!«

Abendmahl, 1) das letzte Mahl Jesu mit seinen Jüngern am Abend vor seiner Gefangennahme. Es ist in fünf Texten des N. T. überliefert (Mk. 14,12–25; Mt. 26,17–29; Lk. 22,7–23; Joh. 13,1–30; 1. Kor. 11,23–26), deren Zentrum (außer bei Johannes) die Einsetzungsberichte mit den »Einsetzungsworten« Jesu über Brot und Wein bzw. über den Kelch bilden: Mk. 14,22–24; Mt. 26,26–28; Lk. 22,19 f. und 1. Kor. 11,23–25. Hinsichtlich ihres Grundbestandes geht die Forschung von echten Jesusworten aus und nimmt zwei eigenständige Überlieferungsstränge an, die aus ihrem liturgischen Gebrauch in den urchristlichen Gemeinden erwachsen sind. Die stark stilisierte Matthäusfassung ist literarisch von der Fassung des Markus abhängig. Die Lukasfassung steht dagegen in literarischer Nähe zur Fassung des Paulus im 1. Korintherbrief.

Historisch steht das Abendmahl in der Tradition des →Passah und den mit diesem Fest verbundenen Festmahlssitten, etwa Tischgebet, Brotbrechen und Dankgebet über dem das Passahmahl beschließenden Segensbecher. Die Besonderheit des Abendmahls Jesu besteht in der Deutung von Brot und Wein (Kelch) durch Jesus, der Prophezeiung seines nahen Todes überliefert – nur bei Paulus überliefert – der Aufforderung an die Jünger, das Mahl »zu seinem Gedächtnis« zu wiederholen.

Theologisch wird das Abendmahl als vorweggenommenes messianisches Mahl beschrieben (Mk. 14,25), in dem Jesus als der Auferstandene die besondere Gemeinschaft mit seiner Gemeinde fortführt.

2) die kultische Wiederholung des letzten Mahles Jesu im christlichen Gottesdienst. Das Abendmahl wurde bereits in der urchristlichen Gemeinden gefeiert und schloss neben dem Gedächtnis an den Tod Jesu als **Herrenmahl** (griechisch kyriakon, 1. Kor. 11,20) die Verkündigung Christi als des kommenden Herrn ein. Zunächst war das Abendmahl mit dem abendlichen Gemeinschaftsmahl der Christen (→Agape) verbunden. Anfang des 2. Jh. wurde das sakramentale Abendmahl davon abgetrennt und mit dem sonntäglichen Gebetsgottesdienst vereinigt. Ein dem Abendmahl vorangestellter Wortgottesdienst ist erstmals um 150 durch Justin bezeugt (1. Apologie). Die um 215 verfasste »Apostolische Überlieferung« des Kirchenschriftstellers Hippolyt enthält das erste vollständige Formular einer liturgischen Abendmahlfeier (→Eucharistie). Deren Grundgestalt wurde bis zum 4. Jh. ausgebildet und fand in den folgenden Jahrhunderten in den Liturgien der Ostkirchen und der lateinischen Kirche endgültige Gestaltungen. Die Kirchen der Reformation nahmen für die Feier der Eucharistie den ursprünglichen Begriff Abendmahl wieder auf.

Als **Abendmahlsstreit** werden die theologischen Auseinandersetzungen um das Wesen des Abendmahls und um die Frage, ob Christus in den Elementen Brot und Wein leiblich oder symbolisch anwesend sei, bezeichnet. So lehrte etwa Luther in Abgrenzung zur kath. Lehre der substanziellen Verwandlung von Brot und Wein (→Transsubstantiation) bei der Feier der Eucharistie die »wirkliche Gegenwart« (Realpräsenz) Jesu Christi im Abendmahl: Christus ist in Brot und Wein gegenwärtig. Dagegen sah Zwingli in den Elementen »Zeichen«, die den Menschen symbolisch an das durch Jesus Christus erworbene Heil erinnern: Brot und Wein bedeuten Leib und Blut Christi. Nach Calvin wird die Realpräsenz Christi durch den Heiligen Geist nur bei denjenigen bewirkt, die das Abendmahl gläubig empfangen.

Aberglaube [zu spätmittelhochdt. aber »falsch«, »gegen«, »verkehrt«], im 15. Jh. aufgekommen, seit dem 16. Jh. allgemein verbreiteter abwertender Begriff für »falsche«, d. h. von den offiziellen christlichen Glaubenslehren abweichende Glaubensinhalte und -formen, die als Bestandteil vorchristlicher Religionen und vom christlichen Standpunkt als überwunden galten.

■ **Begriff** Nach heute üblicher Definition bezeichnet Aberglaube einen zu allen Zeiten und bei allen Völkern verbreiteten, in seinen Inhalten stark wechselnden Glauben an die Wirkung magischer, naturgesetzlich unerklärter Kräfte und damit verbundene illusionäre Praktiken, z. B. Wahrsagen, Orakel, Beschwören, Zauberbräuche. Die historisch arbeitende Volkskunde bezieht den Begriff Aberglaube in den →Volksglauben ein, ohne dass beide Begriffe deckungsgleich sind. Im überlieferungsgebundenen Aberglauben sieht sie u. a. gesunkenes Kulturgut einer früheren gesellschaftlichen Oberschicht. Nach Auffassung der mythologischen Forschung des 19. Jh. mischen sich im deutschen Volksglauben Spuren altgermanischen Heidentums mit griechisch-römischem Götterglauben. Mythische Wesen sind dämonisiert und zu Teufeln und bösen Geistern (z. B. Werwolf, wilde Jagd, Poltergeister, Albdämonen) geworden. In den Praktiken und Überzeugungsinhalten des Aberglaubens leben in Volksmedizin, Wahrsagerei, der volkstümlichen Astrologie u. a. Überbleibsel veralteter Wissenschaften nach.

■ **Geschichte** Begriff und Sache waren im Europa des Spätmittelalters und der frühen Neuzeit zunächst kirchlich geprägt (lateinisch »superstitio«). Neben der bis in die Gegenwart als Volksfrömmigkeit »stillschweigend« geduldeten Verquickung von kirchlichen und abergläubischen Vorstellungen, etwa in den vielfältigen Formen der Heiligenverehrung, stand immer auch die Bekämpfung des Aberglaubens als Häresie, wie es sich z. B. in den durch die Theologie der mittelalterlichen Kirche mitverursachten Hexenverfolgungen im 15.–17. Jh. zeigte. Erst im Zeitalter der Aufklärung wurde Aberglaube zum Gegensatz vernünftigen Wissens erklärt und damit als ein historisches und soziales Bildungsproblem angesehen.

Gründend in einer magischen Weltanschauung, in der der Mensch meint, durch außergewöhnliche Handlungen Einfluss auf übersinnliche Mächte nehmen zu können, und im Wunsch des Menschen nach äußerer und innerer Sicherheit im alltäglichen Leben, sind viele Bräuche auf das Erreichen bestimmter Ziele ausgerichtet. Dazu gehörten etwa Abwehr oder Herbeizaubern von Schaden bzw. Heil, Schutz vor Gefahren oder Krankheiten, Bann von Angst, Unglück oder Tod. Andere Bräuche wie etwa Horoskope, Bleigießen, Kartenlegen u. a. zielen auf die Befragung der Zukunft. Deshalb vermag sich der Aberglaube auch im modernen Leben lebendig zu erhalten: Wo der Mensch in Gefährdungen, Notsituationen und Gewissensentscheidungen wissenschaftlich-rationaler Erklärung bzw. Orientierungshilfe entbehrt, »flüchtet« er zuweilen auch noch heute in die »Beratung« von Hellsehern oder Astrologen oder erhofft »Segen« von allerlei vermeintlichen Glücksbringern. Das gegen Ende des 20. Jh. zunehmende Interesse für Esoterik und die »Geheimwissenschaften« des →Okkultismus ist in diesem Zusammenhang zu nennen.

Abhidhammapiṭaka [Sanskrit abhidharma, Pali abhidhamma »besondere Lehre«, pitaka »Korb«], dritter und jüngster Teil des buddhistischen Kanons (→Tipitaka), der seit dem 3. Jh. v. Chr. mündlich überliefert und in seiner endgültigen Form zwischen 400 und 450 n. Chr. kodifiziert wurde. Es entfaltet in sieben Büchern die verschiedenen Aspekte der buddhistischen Lehre (→Dharma) und gilt als das erste Kompendium buddhistischer Philosophie und Psychologie.

Abhidharma [Sanskrit »besondere Lehre«, »Metaphysik«], Pali **Abhidhamma**, im Buddhismus die zumeist analytischen Betrachtungen über die Bedeutung der Lehre des Buddha. Im Allgemeinen beschäftigt sich der Abhidharma mit der Definition und Analyse der Manifestationen (→Dharma), die die Erscheinungen konstituieren, sowie mit dem Prozess des bedingten Entstehens der Phänomene. Die entsprechenden Texte finden sich im Abhidhammapitaka.

Abhinavagupta, indischer Poetologe, Philosoph, Theologe und Asket, lebte um 1000 n. Chr. in Kaschmir. Abhinavagupta gilt innerhalb des →Shivaismus als bedeutendster Vertreter der Pratyabhijna-Schule, die Shiva als Manifestation der einen (»letzten«) Wirklichkeit lehrt, deren »Qualität« als Identität von individueller und Allseele gedacht wird. Als einer der ersten Denker in Indien sah er in der ästhetischen Erfahrung eine eigenständige Grundform philosophischer Erkenntnis.

Ablass, lateinisch **Indulgentia**, *kath. Kirchenrecht:* der »Nachlass zeitlicher Strafen vor Gott für Sünden, deren Schuld schon getilgt ist«. Er wird formal außerhalb des →Bußsakraments gewährt und ist an folgende Bedingungen gebunden: Taufe, Freisein von Exkommunikation und die Absicht, Ablass zu erlangen, sowie Beichte, Kommunion, Gebet und die Erfüllung des mit dem Ablass versehenen Werkes. Die Gewährung kann als **Teilablass** oder **vollkommener Ablass** erfolgen, je nachdem, ob der Ablass teilweise oder ganz von der zeitlichen Sündenstrafe befreit. Der Gläubige kann diese Ablässe für sich selbst gewinnen oder fürbittweise Verstorbenen zuwenden. Die Vollmacht, Ablass zu gewähren, liegt beim Papst, während die Diözesanbischöfe, Metropoliten, Patriarchen und Kardinäle beschränkte Ablassvollmachten haben.

■ **Theologie** Hintergrund des Ablasses ist die kath. Bußlehre mit ihrer Unterscheidung zwischen Sündenschuld und Sündenstrafe, wobei zwischen zeitlicher und ewiger Sündenstrafe (Hölle) unterschieden wird. Im Bußsakrament werden die Sündenschuld und die ewige Sündenstrafe mit einem Teil der zeitli-

A Aborigines

Aborigines.
Seit gut 10 000 Jahren halten die Aborigines in ihrer Felsmalerei eine Malweise lebendig, die wir heute Röntgenstil nennen. Die hier abgebildete Gestalt könnte die Darstellung einer »Schöpferkraft« aus der »Traumzeit« sein (steinzeitliche Felsmalerei am Nourlangie Rock im Kakadu-Nationalpark auf Arnhemland im Northern Territory Australiens).

chen vergeben. Der noch ausstehende Teil der zeitlichen Strafe muss noch im irdischen Leben durch auferlegte Bußwerke oder im →Fegefeuer »abgebüßt« werden. Ersatzweise kann die Kirche kraft ihrer Verfügungsgewalt über den Kirchenschatz diesen Teil für die Sünder »bezahlen«. Die neuere kath. Theologie (Karl Rahner) interpretiert den Ablass v. a. geistlich-personal als Hilfe der Kirche zur intensiveren Buße, die neue Chancen christlicher Lebensgestaltung eröffnen hilft.

■ **Geschichte** Der Ablass entstand auf dem Boden der frühmittelalterlichen Bußpraxis in der lateinischen Kirche und wurde erstmals im 11. Jh. in Frankreich gewährt. Zunächst noch mit dem Bußsakrament verbunden, wurde er im 13. Jh. von diesem abgetrennt und in der Folge oft als »Bußersatz« missverstanden. Die Kommerzialisierung des Ablasses durch den Verkauf von Beichtbriefen setzte im 14. Jh. ein und erreichte am Anfang des 16. Jh. im planmäßigen, von der Kirche geförderten **Ablasshandel** ihren Höhepunkt.

Gegen diese Praxis trat Luther 1517 mit seinen 95 Thesen gegen den Ablass auf. Der Missbrauch wurde jedoch erst durch das Konzil von Trient (1545–63) abgestellt. Die 1967 erfolgte Neuordnung des Ablasswesens durch Papst Paul VI. betont den Ablass als jurisdiktionellen Hoheitsakt der Kirche.

Die Ostkirchen kennen den Ablass nicht. Die ev. Kirchen lehnen ihn ab als unzulässigen Eingriff in Gottes Gnadenhandeln, der nicht mit der Bibel begründet werden kann.

Aborigines [æbəˈrɪdʒɪniːz, engl., zu latein. Aborigines, Aboriginer], die Ureinwohner Australiens. Die Religionen der australischen Ethnien weisen aufgrund der unterschiedlichen Umwelten (Wüste, Grasländer, tropische Waldgebiete) erhebliche regionale Unterschiede auf. Trotzdem gibt es viele Gemeinsamkeiten. So sind sie gekennzeichnet durch ausgeprägte Vorstellungen von der Einheit des Göttlichen, der Sphäre des Menschen und der Natur. Besonders auffällig ist die Dominanz des Maskulinen in ihren Religionsformen, bedingt durch die wildbeuterische, nur ganz im Norden pflanzerische Lebensweise der Aborigines.

■ **Mythologie** Die Entstehung der Erde wird ohne die ursprüngliche Mitwirkung eines Schöpferwesens vorgestellt. Sie blieb zunächst leer und wurde in der Frühzeit (»Traumzeit«) von übermenschlichen mythischen Vorfahren nach und nach ergänzt. Landschaften, Flüsse, Bäume, Menschen und Tiere entstanden, indem diese Wesen die Welt durchstreiften, Pfade, Quellen und Erscheinungen wie den berühmten Ayer's Rock hinterließen. In der Mythologie spielt die Regenbogenschlange als ein die ursprünglich geschaffene Welt ergänzendes übermenschliches Wesen eine zentrale Rolle. Auch die so genannten Wondjina, die Menschen, die in der Traumzeit lebten, gehören dazu. Sie finden sich in stilisierter Form verbreitet auf Felszeichnungen. Charakteristisch ist das Menschenbild der Aborigines, das von einer schon vor der Geburt existierenden Seele (→Geistkind) ausgeht.

■ **Rituale** Von großer Bedeutung sind in den australischen Religionen Ritualgegenstände, z. B. die Tjurungas (meist in der Form eines Fadenkreuzes), fetischartige materielle Repräsentationen von Gottheiten und Träger von →Mana, ebenso Schwirrhölzer und Musikinstrumente. Fast alle Kulturelemente in australischen Gesellschaften lassen einen Gegensatz heilig/profan erkennen. Dieser zeigt sich in komplexen Ritualen, die Zyklen bilden und Monate dauern können. Zu den wichtigsten gehören Initiationen, in denen Stammeswissen an die männlichen und weiblichen Initianden weitervermittelt wird. Zentrale Einheit der Religionsausübung ist die Verwandtschaftsgruppe.

Aboth, Pirqe Abot [hebr. »(Sprüche der) Väter«], altjüdische hebräische Sammlung von

---

Aborigines   Die »Traumzeit«

Der Begriff Traumzeit ist eine freie Übersetzung des Wortes »Alcheringa« der zentralaustralischen Aranda-Stämme. Er kann eine mythische Urzeit meinen, in der schöpferische Mächte und Wesen wirkten, denen die heutigen Lebensformen – auch der Mensch – ihre Existenz verdanken und deren Schöpferkraft sich auch in den gegenwärtigen Kulten manifestiert. So verehren etwa die Stämme im Südosten Australiens den Adlerfalken Bunjil als »Unseren Vater«, der in der Traumzeit als Kulturheros auf Erden wandelte und die Menschen ihre Gebräuche und Regeln lehrte. Weniger als Vorzeit denn als Gegen- oder Parallelwelt zur real bestehenden Welt fassen die Aranda-Stämme die Traumzeit auf. Ihr »Großer Vater« führt ein eigenes Leben in einem eigenen Kosmos im Himmel und hat mit der Entwicklung der Menschen nichts zu tun. Diese existierten in einer Art Dämmerzustand als embryoartige und unfertige Vorformen und wurden erst durch die Totem-Ahnen der heutigen Menschen – einer Verbindung von Menschen, Tieren und Pflanzen – zum vollen Menschenleben geführt.

Spruchgut und ethischen Maximen, die als Traktat in der →Mischna überliefert ist. Sie enthält Lehrauffassungen (Sentenzen) der maßgeblichen rabbinischen Lehrer des 1. und 2. Jh. und gilt deshalb als Quintessenz des rabbinischen Judentums (→Pharisäer). Der Aboth wurde seither von fast allen großen jüdischen Religionsgelehrten kommentiert und fand als einziger Traktat Eingang in die Ordnung des synagogalen Gottesdienstes.

> An den Urvater des Volkes Israel, **Abraham**, ergeht in 1. Mos. 17, 4–7 die Verheißung Gottes:
>
> *»Das ist mein Bund mit dir: Du wirst Stammvater einer Menge von Völkern. Man wird dich nicht mehr Abram nennen. Abraham (Vater der Menge) wirst du heißen; denn zum Stammvater einer Menge von Völkern habe ich dich bestimmt. Ich mache dich sehr fruchtbar und lasse Völker aus dir entstehen; Könige werden von dir abstammen. Ich schließe meinen Bund zwischen mir und dir samt deinen Nachkommen, Generation um Generation, einen ewigen Bund: Dir und deinen Nachkommen werde ich Gott sein.«*

Abraham [hebr. avraham, Etymologie unsicher: »Vater (Gott) ist erhaben« (?), »Vater einer Menge« (?)], Gestalt des A.T. und erster der biblischen →Erzväter; Vater Ismaels und Isaaks. Nach der biblischen Überlieferung (1. Mos. 11, 27–25, 10) wanderte Abraham aufgrund einer Berufung Gottes aus Ur in Chaldäa nach Kanaan. Die Historizität Abrahams wird heute kaum noch bestritten. Die Forschung beschreibt ihn als Oberhaupt einer Sippe, die als Vieh züchtende (Halb-)Nomaden am Rand des mesopotamischen Kulturlandes lebte. Einem polytheistischen Clan entstammend (Josua 24, 2), wurde er nach seiner Einwanderung in Kanaan, die wahrscheinlich in der ersten Hälfte des 2. Jt. v. Chr. stattfand, zum Stifter eines monotheistischen Kults (1. Mos. 12, 6 f.), in dessen Rahmen →Jahwe verehrt wurde. Nach 1. Mos. 17 schließt Gott mit Abraham einen ewigen Bund, dessen äußeres Zeichen die →Beschneidung ist, womit er zum Stammvater des Volkes Israel wird. Das A.T. betont v. a. seinen Gehorsam gegenüber Gott, da Abraham bereit ist, auch seinen eigenen Sohn zu opfern (1. Mos. 22). Das N.T. beschreibt ihn als Urbild des wahrhaft Glaubenden (Röm. 4).

Die Muslime verehren Abraham als den Vater Ismaels, der als Ahnherr arabischer Stämme (Ismaeliten) gilt, und betonen v. a. seinen Glauben an einen einzigen Gott. Der Koran bezeichnet Abraham als den ersten Glaubenden, der zusammen mit seinem Sohn Ismael die Kaaba gegründet habe (Sure 2, 124 ff. und 3, 67, 95 ff.). Abraham ist für die Muslime das Vorbild des Glaubens schlechthin. Des auch im Koran überlieferten Opfers seines Sohnes wird bei dem mit der Wallfahrt nach Mekka verbundenen Opferfest (→Id al-Adha) gedacht.

Abraham Ben David, jüdischer Religionsgelehrter, * Narbonne um 1125, † Posquières 1198; unterhielt eine eigene Talmudschule und kommentierte den gesamten Talmud. Er kritisierte die der »Mischne thora« des Maimonides zugrunde liegende wissenschaftliche Methode, nämlich die Kodifizierung auch quellenmäßig nicht gesicherter Überlieferungen der Halacha.

Abraham Ben David Ibn Daud, spanisch-jüdischer Historiograf, * Córdoba 1110, † Toledo zwischen 1170 und 1180; erster jüdischer Aristoteliker vor Maimonides. In seinem religionsphilosophischen Werk suchte er die Identität von aristotelischer Philosophie und biblischer Offenbarung nachzuweisen. Damit gelang es ihm als Erstem, den Aristotelismus in die bis dahin fast ausschließlich vom Neuplatonismus geprägte jüdische Philosophie einzubringen.

Abraham Ben Meir Ibn Esra, spanisch-jüdischer Bibelkommentator, Grammatiker, Astrologe, Dichter und Philosoph, * Toledo um 1092, † Calahorra (Aragonien) 1167; führte ein entbehrungsreiches Wanderleben, erlangte v. a. als Bibelkommentator Bedeutung und hinterließ ein enzyklopädisches Werk. Abraham Ben Meir Ibn Esra gilt als Vorläufer der (text)kritischen Exegese, in die er jedoch philosophische Erwägungen über den Schriftsinn einschloss. Sein Pentateuchkommentar wurde in den rabbinischen Bibelausgaben mit abgedruckt und ist in der Folge selbst oft kommentiert worden. Seine religionsphilosophischen Gedanken sind stark durch Ibn Sina beeinflusst. Als Übersetzer zahlreicher wissenschaftlicher Werke aus dem Arabischen ins Hebräische war er einer der bedeutenden Kulturmittler seiner Zeit. Er wurde auch als Dich-

Abraham
→ GEO Dossier
Allahs größtes Aufgebot, Bd. 16

Abraham.
Der biblische Erzvater Abraham verstieß seine Nebenfrau Hagar und ihren gemeinsamen Sohn Ismael, nachdem seine Hauptfrau Sara mit Isaak schwanger geworden war. Ismael, im Alten Testament der Gründer eines Verbandes von Nomadenstämmen, gilt im Islam als Stammvater der Araber. Gott errettete Hagar und Ismael in der Wüste durch die Quelle Samsam (Stich von Gustave Doré, 19. Jh.).

A

Abt.
Der Abt als Vorsteher eines Klosters findet sich auch in nicht christlichen Religionen, und zwar v. a. im Buddhismus. So stand etwa Ishin Sūden im 17. Jh. als Abt dem Nanzenji-Tempel in Kyōto vor, einem bedeutenden Zentrum der Schule Rinzai-shū des japanischen Zen-Buddhismus.

Absolutheitsanspruch

ter durch religiöse und weltliche Gedichte bekannt.

Absolutheitsanspruch, Begriff, der auf Georg Wilhelm Friedrich Hegels Charakterisierung des Christentums als »absolute Religion« zurückgeht. Mit ihm verband er die Behauptung, alle nicht christlichen Religionen seien Vorstufen und unvollkommene Ausdrucksformen von Religion, während das Christentum alle Möglichkeiten von Religion in ihrer Vollkommenheit enthalte und damit Schluss- und Höhepunkt der Religionsgeschichte sei.

Im allgemeinen Sprachgebrauch meint Absolutheitsanspruch, dass eine Religion beansprucht, ausschließlich und uneingeschränkt wahr und allgemein und für immer gültig zu sein. Ein solcher Absolutheitsanspruch ist in den verschiedenen Religionen in unterschiedlicher Weise ausgeprägt und wird unterschiedlich begründet. Gestiftete Religionen wie etwa Christentum, Islam, Manichäismus und Buddhismus neigen eher dazu, die vorgefundenen Religionen durch die Stiftung der eigenen Religion für überwunden zu erklären, während z. B. deren jeweilige mystische Ausprägungen (→Mystik) dazu neigen, Grenzen zwischen gegebenen Religionen zu negieren oder für irrelevant zu erklären und damit etwaige Abgrenzungen aufzuheben.

Begründet wird der Absolutheitsanspruch einer Religion z. B. mit dem Hinweis darauf, dass die eigene Offenbarung die spätere oder letzte sei, angesichts derer alle anderen Offenbarungen höchstens als Teiloffenbarungen gelten können. Dies wird z. B. vom Islam und dem Manichäismus vertreten. Auch wird der Absolutheitsanspruch mit dem Inhalt der Offenbarung begründet, z. B. im Christentum mit dem Hinweis darauf, dass eine höhere und vollkommenere Offenbarung als die Selbstoffenbarung Gottes in der Menschwerdung in Jesus Christus nicht möglich sei. In der interreligiösen Auseinandersetzung stellt sich oft das Problem von einander ausschließenden Absolutheitsansprüchen und damit verbunden die Frage nach der Fähigkeit von Religionen zur Toleranz.

Absolution [latein. absolutio »Freisprechung«], *christliche Kirchen:* die Lossprechung von Sünden. In der kath. Kirche und den Ostkirchen ist die Absolution über den geistlichen Bezug hinaus der formale Rechtsakt im Rahmen des Bußsakraments, in den ev. Kirchen der v. a. seelsorgerlich verstandene fürbittende Zuspruch der Sündenvergebung im Anschluss an die gottesdienstliche (allgemeine) und individuelle Beichte.

Abt [zu Abba], das geistliche Vaterschaft und rechtliche Leitung verbindende Amt des Klostervorstehers in den älteren kath. Orden. In den Ostkirchen entspricht dem Abt der Archimandrit (auch Hegumenos). Der vom Priester- und Laienmönche umfassenden Konvent auf Lebenszeit gewählte regierende Abt hat Jurisdiktion über die Angehörigen seiner →Abtei oder auch über ihr Gebiet und hat das Recht der Pontifikalien, kann also u. a. die Firmung und die Weihen spenden sowie die Feier des Pontifikalamtes durchführen. In einzelnen ev. (lutherischen) Anstalten, die auf ehemalige Klöster zurückgehen, blieb der Titel eines Abtes erhalten (Loccum, Bursfelde). Die Vorsteherin einer Abtei weiblicher Ordensmitglieder heißt **Äbtissin**.

Abtei, *kath. Kirche:* von einem Abt oder einer Äbtissin geleitetes, selbstständiges Kloster. Die **Gebietsabtei (abbatia territorialis,** früher **abbatia nullius)** ist eine Abtei mit selbstständigem, von einem Bistum unabhängigem Territorium unter der Jurisdiktion eines Abtes.

Abu, Berg in Rajasthan, Indien, heilige Stätte des Jainismus, →Dilwara.

Abu Abd Allah asch-Schafii, Gründer der Rechtsschule der →Schafiiten.

Abu Bakr, Abu Bekr, genannt **as-Siddik** (»der Aufrichtige«), * Mekka um 573, † Medina 23. 8. 634; einer der ersten Anhänger Mohammeds und Vater von dessen Lieblingsfrau Aischa. Nach der Überlieferung begleitete er Mohammed als Einziger auf der Hidjra von Mekka nach Medina. Nach Mohammeds Tod regierte er 632–634 als erster Kalif. Er unterdrückte Bestrebungen arabischer Stämme, wieder vom islamischen Gemeinwesen abzufallen, und leitete mit militärischen Vorstößen nach Irak und Syrien die islamischen Eroberungszüge ein.

Abu Hanifa, islamischer Theologe, Stifter der Rechtsschule der →Hanefiten.

Abu Muslim, Führer einer Volksbewegung gegen die Omajjaden, † (ermordet) Kufa Februar 755; war ursprünglich wohl persischer Sklave und leitete seit 737 in Persien den Aufstand, der 749/750 den Abbasiden zum Thron verhalf. Danach wurde er Statthalter von Khorasan. Kalif Mansur ließ ihn ermorden, da Abu Muslim von seinen Anhängern als Kalif verehrt wurde. Sein Schicksal lebte in Legenden über Jahrhunderte fort.

Abwehrauge, →böser Blick.

Abwehrzauber, apotropäischer Zauber, im Aberglauben ein Zauber, der böse Geister, Tote, Hexen, den bösen Blick, Krankheit und Unheil abwehren soll. Durch Lärmen, Schießen und Ähnliches will man die Geister abschrecken, durch Reiben, Waschen sich reinigen, durch Abwehrmittel sich dauernden Schutz verschaffen und durch Abwehrriten und Gebärden akute Gefahr bannen. In den Hochreligionen tritt der Abwehrzauber zurück, doch erhält sich auch hier die Tendenz, Unheil jeglicher Art bannen zu wollen. Bisweilen werden religiöse Zeichen und Rituale der Hochreligion als Abwehrzauber verwendet.

acht, im Altertum besonders angesehene Zahl, die wie die Drei als eine vollkommene Zahl galt. Acht Hauptwinde und acht Weltgegenden oder Himmelsrichtungen und -sphären zeugen von der Harmonie des Kosmos, die sich nach Pythagoras (6. Jh.) auch in der Musik spiegelt: Acht Töne ergeben eine Oktave. So konnte auch im Sakralbau das Oktogon ein symbolhaltiger Grundriss werden. In Mythos und Religion des Orients spielt die Acht eine große Rolle. Acht Menschen überleben nach dem Bericht des A. T. die Sintflut. Am achten Tage nach der Geburt findet die jüdische Beschneidung statt. Der Name Jesu wird in hellenistischen Zahlenübersetzungen mit 888 wiedergegeben. Die Unterwelt hat acht Tore.

achtfacher Weg, Sanskrit **Ashtagkamārga,** Pali **Atthangikamagga,** im Buddhismus der Pfad, der zur Erlösung vom Leiden (→Duhkha) führt und die letzte der vier edlen →Wahrheiten. Bei diesen acht Gliedern handelt es sich um: 1) rechte Anschauung der Dinge, 2) rechte Gesinnung, 3) rechte Rede, 4) rechtes Handeln, 5) rechte Lebensführung, 6) rechte Anstrengung, 7) rechte Achtsamkeit, 8) rechte Konzentration, besonders bei der Meditation.

Achtzehngebet, Achtzehnbittengebet, →Schemone Esre.

Acosta, Uriel, eigtl. **Gabriel da Costa,** jüdischer Religionsphilosoph, *Porto um 1585, †(Selbstmord) Amsterdam April 1640; stammte aus einer zum Katholizismus übergetretenen jüdischen Familie und kehrte in Amsterdam (1620) zum jüdischen Glauben zurück. Seine Kritik der jüdischen (rabbinischen) Tradition und die daraus resultierende Preisgabe religiöser Vorschriften sowie die Ablehnung des nach seiner Auffassung im Widerspruch zur hebräischen Bibel stehenden Unsterblichkeitsglaubens führten zu seinem Ausschluss aus der Gemeinde durch den Bann.

Adad, Adda, Addu, aramäisch **Hadad,** Name des babylonischen Regen- und Gewittergottes. Während in Südbabylonien Adad in seinem negativen Wirken als Gewittersturm, Hagel und Überschwemmung hervortrat, galt er in den Regenfeldbaugebieten Nordmesopotamiens als Gott der Fruchtbarkeit. Seine Erscheinungsform und sein Symboltier waren der Stier, sein Symbolzeichen das Blitzbündel.

Adam und Eva, nach dem A. T. (1. Mos. 1–4) erstes Menschenpaar und Stammeltern aller Menschen (→Schöpfung). Entsprechend dem Namen Adam (hebräisch »Mensch«) steht der erste Mensch für die gesamte Menschheit. Nach 1. Mos. 3 führte der Genuss der verbotenen Frucht vom Baum der Erkenntnis zum Verlust des Standes der naiven Unschuld und zur Fähigkeit zur Unterscheidung von Gut und Böse. Weitere Folgen waren die Vertreibung aus dem Garten Eden (→Paradies), die Mühen des Mannes beim Ackerbau

Adam und Eva. Im Bild zeigt die Hand am Hals Adams, dass dieser die Sünde bereits begangen hat (Altarbild in der Iglesia de Sant Andreu de Sagàs, Berguedà, 12. Jh.; Solsona, Museo Diocesano y Comarcal).

und die Schmerzen der Frau bei der Geburt. Bei Paulus steht Adam als Urheber von Sünde und Tod Christus als neuem Adam gegenüber, der den Menschen gerecht machen und mit Gott versöhnen soll (Röm. 5).

Im *Koran* wird die Frau des ersten Menschen Adam nicht namentlich genannt. In der Auslegung heißt sie Hauwa.

Adhan [arab.], der vom Muezzin vorgetragene Aufruf zu den täglichen fünf Gebeten des Islam. Er besteht bei den Sunniten aus sieben, bei den Schiiten aus acht größtenteils mehrfach gesungenen Formeln, die bei Tagesanbruch um den Satz erweitert werden: »Das Gebet ist besser als der Schlaf.«

Adibuddha [zu Sanskrit adi »ur…«, »Anfang«], *Buddhismus:* Ur-Buddha mancher Richtungen des späten Mahayana und Vajrayana. Von ihm wird angenommen, dass er durch Meditation alles hervorbringt, besonders die transzendenten Buddhas.

Adigrantha [Sanskrit adi »ur…«, »Anfang« und granth »Buch«], die heilige Schrift der Sikhs, die oft »Herr Buch«, »Lehrer Buch« oder **(Guru Granth Sahib)** oder nur »Buch« **(Granth)** genannt wird. Der Adigrantha umfasst fast 6000 Hymnen verschiedener Verfasser. Diese waren hinduistische Heilige und v. a. die Gurus, die ersten religiösen Führer der Sikhs. Die Zusammenstellung des Adigrantha wurde vom fünften Guru, Arjan, 1604 begonnen und vom zehnten Guru, Govind, 1704 abgeschlossen und kanonisiert. Trotz verschiedener Sprachen (vorwiegend Althindi, aber auch Punjabi und Persisch) ist der ganze Adigrantha in der Schrift Gurmukhi geschrieben. Abschriften werden in den Tempeln der Sikhs (Gurudvara, »Haus des Lehrers«) kultisch verehrt. Das Original verbrannte 1984 bei den Tempelunruhen in Amritsar.

Adonai [hebr. »mein Herr«], Anrede Gottes im A. T. und im jüdischen Gebet. Sie wird anstelle des eigentlichen Gottesnamens →Jahwe verwendet.

Adonis, aus Syrien stammender, als schöner Jüngling gedachter Vegetationsgott, der von König Theias mit seiner Tochter Smyrna

(Myrrha) gezeugt und zum Begleiter der Aphrodite wurde. Der in griechischer Sprache überlieferte, aber auf altorientalische Traditionen zurückgehende Mythos berichtet vom jahreszeitlichen Sterben (im Hochsommer nach der Ernte) und Wiederauferstehen (im Frühling) des Gottes. In den Adonisfesten wurde sein Tod mit Klageriten, sein Wiederauferstehen mit Jubelriten gefeiert. Entsprechend finden sich im Kult des Gottes die **Adonisgärten**, in Töpfe gebettete Pflanzen, die schnell aufsprossen und ebenso schnell verwelkten. Hauptkultorte waren Byblos und Aphaka.

Adoptianismus, die in der *Kirchengeschichte* mehrfach aufgetretene Lehrmeinung, Jesus sei nur ein durch sündloses Leben bewährter, in der Taufe zum Gottessohn adoptierter Mensch gewesen, nicht aber von Anbeginn göttlicher Natur. Hauptanliegen des Adoptianismus war die unbedingte Sicherung des →Monotheismus. Seine erste Ausformung begegnet im Umkreis der →Ebioniten, als theologischer Begründer gilt aber Theodotus der Ältere (um 200). Zum **Adoptianischen Streit** kam es Ende des 8. Jh. im Frankenreich. Er gipfelte im Glaubensdisput zwischen Alkuin und Bischof Felix von Urgel auf der Aachener Synode von 800 und endete mit der Zurückweisung des Adoptianismus und der Verbannung des Felix.

Adrasteia, thrakische Göttin, die als Hüterin der Gerechtigkeit und Rächerin allen Unrechts der →Nemesis verwandt war und auch als Totenrichterin galt. Sie wurde in Athen zusammen mit Bendis verehrt.

Advaita [Sanskrit »das ohne ein Zweites ist«], Bezeichnung der monistisch-illusionistischen Schule der indischen Vedanta-Philosophie und ihrer Lehre, die sagt, dass nur →Brahman wirklich ist, während die Welt als bloße Illusion gilt. Die älteste erhaltene systematische Darstellung der Advaitaphilosophie stammt von Shankara (etwa 7.–8. Jh.).

Advent [latein. »Ankunft«], *christliche Kirchen:* die seit dem 5. Jh. bezeugte Zeit des Fastens und der Vorbereitung auf das Fest der Geburt Christi und auf seine endzeitliche Wiederkunft. Die liturgische Farbe des Advents ist Violett. Mit dem ersten Advent, dem vierten Sonntag vor Weihnachten, beginnt in den westlichen Kirchen auch das Kirchenjahr.

Adventisten, Selbstbezeichnung eines kleinen Zweiges des Protestantismus, der aus einer endzeitlichen Erweckungsbewegung in den USA hervorgegangen ist. Der baptistische Prediger William Miller (*1782, †1849) hatte aus der Bibel die »Zweite Ankunft des Herrn« und damit das Ende dieser Weltzeit für 1843/44 berechnet. Nach der »großen Enttäuschung« über das Ausbleiben blieben verschiedene adventistische Splittergruppen übrig, von denen nur die 1863 gegründete Gemeinschaft der **Siebenten-Tags-Adventisten** (Abkürzung STA) Bedeutung erlangte. Diese wird synodal geleitet. Der Sitz der STA-Generalkonferenz (Weltkirchenleitung) ist Washington (D. C.).

Die Glaubenslehre der Adventisten entwickelte sich wesentlich unter dem Einfluss der Schriften von Ellen Gould Harmon White (*1827, †1915), die den STA als Prophetin galt. Grundelemente der Glaubenslehre sind: Heiligung des Sabbats (Samstag) als siebenten Wochentags (daher der Name), strenger Bibelglaube, Praxis der Erwachsenentaufe, die als bewusst vollzogener individueller Bekenntnisakt verstanden wird, ein stark entwickeltes Gesetzes- und Ordnungsdenken (Speise- und Lebensvorschriften), starke missionarische Aktivität und Endzeitbewusstsein. Gemäß apokalyptischem Heilsplan soll Christus 1844 im »Himmlischen Heiligtum« das »Untersuchungsgericht« begonnen haben, und die Adventisten verstehen sich als (einzige) biblische Endzeitgemeinde. Kennzeichnend sind außerdem ein großes Engagement auf sozialem und humanitärem Gebiet. Für die Ausbildung der Prediger bestehen eigene Ausbildungsstätten, z. B. in Friedensau bei Magdeburg. Die dortige, heute einzige adventistische theologische Hochschule in Europa wurde 1899 als Theologisches Seminar gegründet. Weltweit zählt die Gemeinschaft der Siebenten-Tags-Adventisten (2005) über dreizehn Millionen getaufte erwachsene Mitglieder, davon rund 36 000 in Deutschland, rund 3 500 in Österreich und rund 4 000 in der Schweiz.

Affengott, im Hinduismus →Hanuman, insofern ihm kultische Verehrung zuteil wird.

Afghani, Djamal ad-Din al-Afghani [dʒ-], Schriftsteller und Publizist, *Asadabad (bei Kabul, Afghanistan) 1838 oder 1839, †Konstantinopel 9. 3. 1897; islamischer Ideologe und politischer Agitator, der für die Abwehr des Kolonialismus durch Einigung aller Muslime, die Einführung von Verfassungen in islamischen Ländern und einen rationalistischen Reformislam eintrat. Er war (schiitischer) Perser, bezeichnete sich jedoch aus taktischen Gründen als (sunnitischen) Afghanen. Afghani lebte u. a. in Indien, Afghanistan, Ägypten, wo unter seinen Schülern Mohammed Abduh war, Europa, Persien und seit 1892 in Konstantinopel, wo er vom osmanischen Sultan gegen seinen Willen festgehalten wurde. Afghani gilt als einer der einflussreichsten Vertreter des →Panislamismus.

afrikanische Religionen. Im heutigen Afrika leben fremde und einheimische Religionen. Einige der fremden Religionen, wie Islam und Christentum, missionieren »heidnische« Afrikaner, andere, wie hinduistische Religionen oder der Sikhismus, suchen kaum Konvertiten. Viele Afrikaner sind Muslime oder Christen. Missionierende Religionen haben auch ungewollte Reaktionen hervorgerufen: religiöse Proteste und Religionsmischung.

afrikanische Religionen

Proteste gegen das Christentum und gegen die Weißen fielen häufig zusammen. Religionsmischung ist das Ergebnis afrikanischer Versuche, Christentum und Islam heimisch zu machen.

■ **Grundzüge** Afrikaner nennen traditionelle Religionen »Weg unserer Väter«, was bedeutet, dass ihr Glaube allein für die Nachfahren bestimmter Stammeseltern gilt, denen Sprache, Geschichte und Kultur gemeinsam sind. Solche *Religionsgemeinschaften* können ganze Völker sein oder lediglich Sippen.

»Die« afrikanischen Religionen kann es folglich nicht geben: Schon die Geografie bewirkt Unterschiede zwischen Stadt und Dorf, Gebirge und Flussdelta, Grasland und Regenwald. Die Umwelt prägt die Lebensform, die wiederum mit Lebensart und Religion eng verzahnt bleibt. Auch Geschichtliches ist mitunter bis heute wirksam: ehemalige Feinde oder Freunde als Nachbarn, aufgezwungene oder gewollte fremde Religiosität. Seher verkünden Neues, Reformatoren lenken zurück zum Echten und Alten. In Einzelheiten unterscheiden sich einheimische Religionen auf einer Skala von »ganz ähnlich« bis »ganz und gar anders«. Doch es lassen sich charakteristische Merkmale finden, die so gut wie allen jenen Religionen gemeinsam sind:

1) Sie werden geprägt von religiösem Tun, von Weisung und Gesetz. Ein Bekenntnis zu bestimmten Glaubenssätzen spielt dagegen keine Rolle. Darin gleichen sie außerafrikanischen Religionen wie dem Hinduismus.

2) Ihre Lehre bleibt Priesterwissen, esoterische Theologie. Insofern gleichen sie den Mysterienreligionen anderer Kulturen. Afrikanische Priester haben bislang erst wenige Weiße der Einweihung in ihre Geheimnisse für würdig befunden. Was diese etwa von den Religionen der →Dogon, →Yoruba oder →Zulu berichten, enthüllt eine religiöse Systematik, die an Komplexität außerafrikanischen Theologien nicht nachsteht.

3) Afrikaner sind anderen Religionen gegenüber tolerant. Sie sehen fremden Glauben nur als anders an. Diese Haltung folgt aus ihrer Exklusivität: Zu ihrer Religion gehört, wer zum Stamm gehört. Konvertiten sind höchst selten, und es gibt keine Mission. Insofern gleichen die afrikanischen Religionen Volksreligionen wie der chinesischen oder der japanischen.

4) In afrikanischen Kulturen ist Religion keine Privatsache: Sie ist Angelegenheit der Gemeinschaft. Diese umschließt Lebende und Tote: *Ahnen* werden tief verehrt, sogar angebetet. Die Ahnenkette verbindet die gegenwärtige Generation über den Gründer des Stammes mit dem Schöpfer. Ahnen stehen in Gottes Dienst, geben ihren Familien Leben und Kraft, schenken Kinder und gute Ernten und wachen über Sitte und Sittlichkeit der Lebenden, deren Verhalten sie belohnen oder bestrafen. Sie reden mit den Lebenden in Träumen und durch Visionen. Die Lebenden lieben und verehren ihre Ahnen. So gedenken viele Afrikaner zuerst der Ahnen, bevor sie etwas essen oder trinken. Sie feiern Feste für sie und mit ihnen, sprechen zu ihnen, erstatten Bericht, nennen ihre Preisnamen, bitten um Segen.

5) Neben Sittenwächtern rechnen die Gläubigen auch mit *Mächten*, die die europäischen Beobachter »Götter« nennen. Sie herrschen über bestimmte Bereiche wie Feldfrüchte, Tierarten, Krankheiten. Auch dingliche Machtträger sind wichtig. Weiße haben diese früher »Fetische« genannt, heute spricht man hingegen von »Medizin«. Man könnte sie aber auch »Sakramentalien« nennen, geweihte Gegenstände, die Schutzbedürftiges konsekrieren. Schließlich verehren sie eine höchste Macht. Viele Afrikaner stellen sie sich nicht als Person vor. Daher werden sie meist als Höchste Wesen bezeichnet.

Offen bleibt, ob die Trennung von »Ahnen« und »Göttern« auch für Afrikaner zutreffend ist. Zwar folgern die meisten, dass über unterschiedliche Funktionen und unterschiedliche Gruppen auch verschiedene Schutzmächte wachen: jeweils andere für Familien, Sippen, den Stamm oder die Menschheit. Sogar der Schöpfer der Menschheit wird oft mit dem Urahn des Stammes gleichgesetzt.

Afrikanische Priester sehen, wie Machtvolles zusammenhängt, wie sich verschiedene außergewöhnliche Kräfte in alle Seinsbereiche hin verzweigen: von übermenschlichen Wesen zu bestimmten Menschen und weiter zu Exemplaren der Tier-, Pflanzen- und Mineralienwelt. Dieses Phänomen nannten Weiße, in

> Auch in den **afrikanischen Religionen** gibt es Erzählungen über die Erschaffung des Menschen, so etwa im Mythos der Bakongo im Kongo:
>
> *»Nzambi schuf den ersten Mann und die erste Frau. Nzambi sagte dem Paar, was es tun solle, und ließ es in die Welt hinaus. Es baute sich eine Hütte, und zur gegebenen Zeit bekam es ein Kind. Nzambi besuchte dieses Paar und sprach zu ihm: ›Wenn das Baby stirbt, begrabt es nicht, sondern bedeckt die Leiche mit Brennholz. Nach drei Tagen wird es wieder zum Leben erwachen.‹*
> *Am nächsten Tag starb das Baby, und die Eltern legten es unter das Brennholz, aber nach einer Zeit begann es übel zu riechen, und sie begruben es doch. Nzambi kam wieder und sagte: ›Ihr werdet weitere Kinder haben, aber sie werden alle sterben, und kein Kind wird nach diesem wieder zum Leben erwachen. Schaut zum Mond empor! Jeden Monat rufe ich ihn in seine alte Pracht zurück.‹«*

afrikanische Religionen. In den afrikanischen Religionen können Menschen, Natur oder Dinge (Fetische) Träger von Macht sein. Besonders Letztere haben oft apotropäische, also Unheil abwendende Funktion. So soll der abgebildete Fetisch aus Loango im Kongo schwangeren Frauen Schutz bieten.

afroamerikanische Religionen

Unkenntnis traditionell-afrikanischer Systematisierung, →Animismus.

6) Geordnetes Tun, Sittlichkeit und Riten bilden eine Brücke zwischen Menschenwelt und Übermenschlichem. Die Gläubigen empfinden Ehrfurcht, die sie in Gebeten und Opfern zum Ausdruck bringen. Die Jenseitigen lenken die Irdischen zum Heil, indem sie durch Medien und Orakel oder in Träumen zu ihnen reden.

afrikanische Religionen. Bei den Yoruba war besonders der geheime Ogboni-Bund ein wichtiger Machtfaktor. Unter dessen Kultgegenständen spielt das abgebildete Edan-Ogboni-Paar eine wichtige Rolle. Wenn ein Novize in den Bund aufgenommen werden soll, nimmt er es in die Hand und schwört, dass er kein Detail der Lehre verraten werde.

7) Heil und Unheil bleiben nicht verborgen und sind kein Mysterium, das erst im Jenseits offenbar wird. Darum richten Afrikaner ihr Interesse nicht auf Himmel und Hölle. Heil und Unheil sind hier, sichtbar, erfahrbar.

8) Diesseitig bleibt auch das Böse. Die Sünde wird identifiziert mit Eigenschaften wie Geltungsdrang, Neid, Hab- oder Rachgier, die sich gegen die Gemeinschaft richten. Meist dienen dabei Zauberei und Hexerei als Mittel.

■ **Neuere Entwicklung** Solange die alte Ordnung ungestört funktionieren konnte, herrschten traditionelle religiöse Werte unangefochten. Noch heute bietet die alte Ordnung Gewissheit und Geborgenheit, wogegen die Orientierung an den Weißen negative Konsequenzen hat. Landflucht, Großstadtelend, Abhängigkeit von Vorgesetzten aus fremden Stämmen oder von Weißen erzeugen Korruption, Angst und Misstrauen. In solcher Lage bieten afrikanische Propheten Rettung, und dies im Allgemeinen nicht nur Stammesbrüdern. Sie wollen christliche Propheten sein, werden jedoch von den meisten Missionaren nicht als christlich anerkannt.

Von der Bibel zieht Afrikaner besonders das A. T. an, weil vieles wie etwa Beschneidung, Vielehe und Sozialstruktur an afrikanische Traditionen erinnert. Dort fand man auch das Modell des Propheten. Afrikanische Propheten sind Männer oder Frauen, von Gott berufen und von ihm mit Macht ausgestattet, wie sie weiße Missionare offensichtlich nicht besitzen. Die Propheten können durch Handauflegen oder mit geweihtem Wasser und Öl Kranke heilen, Angst fortnehmen, Richter, Prüfer und Vorgesetzte gewogen machen und Feindselige abschrecken.

Nach 1890 begann ein »religiöser Protest«. Damals verlangten schwarze Christen schwarze Kirchenobere anstelle der weißen. Als sie nichts erreichten, verbanden sie sich mit schwarzen Kirchenführern aus den USA und trennten sich von ihren weißen Missionaren. Ihre neuen Kirchen nannten sie »äthiopisch«, weil Äthiopien länger christlich war als Europa. Ein weiterer Höhepunkt war um 1940 erreicht, als afrikanische Nationalisten die Religion der Weißen ablehnten, den »Schwarzen Gott Afrikas« verehren und eigenen Idealen folgen wollten. Heute bemüht man sich um Afrikanisierung christlicher Gottesdienste und Gemeindeordnungen. Auch Christen helfen inzwischen mit, Traditionen ihrer »heidnischen« Väter zu erhalten. Andere Afrikaner fordern von ihren afrikanischen Regierungen die gleichen öffentlich-rechtlichen Privilegien für ihre traditionellen Religionen, wie sie islamischen und christlichen Gemeinden seit jeher gewährt werden. (→Stammesreligionen)

afroamerikanische Religionen, in der Zeit der Versklavung der Afrikaner entstandene, mit nicht afrikanischen Religionen vermischte synkretistische Religionen oder Mischreligionen. Von ihrer angestammten Religion konnten Sklaven nur Erinnerungen mitnehmen. In Amerika wurden Afrikaner unterschiedlicher Herkunft vermischt und verloren mit der Zeit ihre Stammesidentität. Weil ihre Herren »heidnische« Riten verboten, andererseits nur oberflächlich auf christlicher Unterweisung der Sklaven bestanden, mussten sie Gottesdienste heimlich halten, oder aber sie lernten, afrikanische Götter als christliche Heilige zu tarnen oder sie mit ihnen zu identifizieren. Ungestraft ausüben durften sie ihren Glauben erst nach der Sklavenbefreiung. Es zeigte sich nun, dass vielerorts die Religion eines bestimmten afrikanischen Volkes vorherrschte, wie im →Wodu die Religion der Fon oder im →Xango die der Yoruba. Manchmal hatte sich Christliches von bloßer Tarnung zum wesentlichen Anteil entwickelt. Andere Einflüsse kamen später hinzu. Vertragsarbeiter aus Afrika brachten neue religiöse Impulse, so u. a. nach Trinidad. In Südamerika gewann der europäische Spiritismus große Bedeutung und prägte z. B. in Brasilien →Candomblé, →Macumba und →Umbanda. Nachweisbar sind hier auch Reste indianischer Religion. In Venezuela entstand →Maria Lionza. Afrika blieb für viele nach wie vor das Ziel ihrer Sehnsüchte, woraus auf Jamaika die Religion der →Rastafari entstanden ist.

Aga Khan, Aga Chan, Titel, der dem 46. (?) Oberhaupt (→Imam) der islamischen Sekte der nizaritischen →Ismailiten, Hassan Ali

Schah (* 1800, † 1881), im frühen 19. Jh. vom Schah Persiens verliehen und nach seiner Flucht nach Indien von den Briten bestätigt wurde. Seither wird dieser Titel unter seinen Nachfolgern weitervererbt. Zweiter Aga Khan war Hassan Alis Sohn Ali Schah († 1885), dritter dessen Sohn Sultan Mohammed Schah (* 1877, † 1957), der sich besonders für die politischen und sozialen Belange der indischen Muslime einsetzte und Indien 1932 sowie 1934–37 im Völkerbund vertrat. Vierter Aga Khan (Enkel des dritten) ist seit 1957 Karim al-Hussaini Schah.

Agama [Sanskrit »Quelle der Lehre«], Sammelbezeichnung für religiöses Schrifttum Indiens, die aber auch für die einzelnen Texte verwendet wird:

1) kanonisches Schrifttum nicht vedischer Lehren (→Veda), v. a. des →Shivaismus, der 28 Agamas besitzt, die als von dem Gott Shiva geoffenbart gelten. Sie behandeln in enzyklopädischer Form vier religiöse Gebiete: Glaubenslehre, Yoga, Ritual und Ethik. Außerdem enthalten die zum Tantrismus (→Tantra) gehörenden Textsammlungen, ebenfalls als Agamas bezeichnet, Anweisungen für Tempelbau und Ikonografie in Südindien, deren kulturelle Ausstrahlung bis Polynesien reicht.

2) Bezeichnung für die chinesischen und die Sanskritfassungen der fünf Sammlungen des →Suttapitaka im buddhistischen Kanon.

3) Bezeichnung für den Kanon des →Jainismus. Der jainistische Kanon ist in Ardhamagadhi, einer mittelindischen Sprache (Prakrit), abgefasst und wurde im 5. Jh. n. Chr. gesammelt und niedergeschrieben, wobei er älteres Material enthält. Von den →Digambaras wurde er im Gegensatz zu den →Shvetambaras nicht anerkannt, da der ursprüngliche Kanon verloren sei. Man unterscheidet sechs Gruppen: elf Anga (Vorschriften für Mönche und Laien, Dogmatik, Reallexikon, Legenden), zwölf Upanga (Systematik, Dogmatik, Klassifikationen, Kosmografie, Geografie, Zeitrechnung, Legenden), zehn Prakirna (Verschiedenes), sechs Chedasutra (Ordensdisziplin, Lebensbeschreibung →Mahaviras und der anderen Jaina), vier Mulasutra (Asketendichtungen, Predigten) und vier Einzeltexte (Enzyklopädien).

Agape [griech. »Liebe«], **1)** die (Nächsten-)Liebe als wichtigste Grundforderung der christlichen Ethik (1. Kor. 13, 13).

2) das Liebesmahl im frühen Christentum. Die Bezeichnung des →Abendmahls als Agape ist im N. T. nur in Jud. 12, sonst z. B. bei Ignatius von Antiochia († zwischen 107 und 117) belegt und bezieht sich auf den ursprünglich auch sozialen Aspekt dieser Feier. Mit dem sakramentalen Genuss von Brot und Wein (→Eucharistie) war, ähnlich wie beim jüdischen Passahmahl, anfangs eine sättigende Mahlzeit verbunden (vgl. Didache 10, 1), zu der die Wohlhabenden Lebensmittel mitbrachten. Auch Almosen wurden bei dieser Gelegenheit ausgeteilt (vgl. Apg. 6, 1 f.). Erst aufgrund der falschen Entwicklung der Mahlfeier (1. Kor. 11, 20–22; Jud. 12) empfahl Paulus die Trennung des Sättigungsmahls von der sakramentalen Feier (1. Kor. 11, 34). In der Folge ging der Name Agape auf das verselbstständigte Sättigungsmahl über. In vielen christlichen Gemeinden gewinnt zurzeit die Agape wieder an Bedeutung als Gemeinschaftsmahl im Anschluss an einen Gottesdienst.

Agathe Tyche [griech.], *griechische Mythologie:* das als weibliche Gottheit personifizierte »Gütige Geschick«.

Agathos Daimon [griech. »der gute Geist«], *griechische Mythologie:* Schutzgeist, besonders des häuslichen Gedeihens. Ihm wurden beim Mahl Spenden dargebracht.

Ägir, *nordische Mythologie:* Gott des Meeres, Gatte der →Ran. Ägir gibt den Göttern ein Gelage, das in der Liederedda (»Lokasenna« und »Hymirlied«) dargestellt ist.

Agni [Sanskrit »Feuer«], der Gott des Feuers der →vedischen Religion. Er bringt das im Opferfeuer Verbrannte zu den Göttern. Der Agni-Mythos spricht von verschiedenen Geburten des Gottes oder von seinen Erscheinungsformen am Himmel im Blitz und auf Erden als Feuer aus geriebenen Hölzern oder Steinen. In der hinduistischen Mythologie tritt Agni in menschenähnlicher Gestalt auf.

Agnostos Theos [griech. »der unbekannte Gott«]. Aus Furcht, im Kult eine Gottheit zu vernachlässigen, wurden im griechisch-römischen Altertum auch für unbekannte Götter – sie sind auf Inschriften nur im Plural nachweisbar – Altäre und Ähnliches gebaut. Nach Apg. 17, 13 befand sich eine solche Inschrift auch auf einem Altar in Athen. Daran knüpfte Paulus in seiner Rede vor Philosophen in Athen (Areopagrede; Apg. 17, 16 ff.) an.

Agnus Dei [latein. »Lamm Gottes«], *kath. Liturgie:* im N. T. Bezeichnung Jesu Christi als →Lamm Gottes.

ägyptische Religion. Seit dem 4. Jt. v. Chr. werden im alten Ägypten religiöse Vorstellungen greifbar, in denen anfangs göttliche Mächte in Gestalt von Tieren und Fetischen, seit etwa 3000 v. Chr. auch in Menschengestalt begegnen. Der alte tierische Aspekt bleibt als Attribut erhalten und wird bevorzugt an die Stelle des Kopfes gesetzt. So entstehen die typischen Mischwesen aus Menschenleib und Tierkopf wie der falkenköpfige →Horus, der widderköpfige →Amun und die löwenköpfige →Sachmet.

■ **Pantheon und Kosmogonie** Die Fülle der Gottheiten wird gern zu Dreiheiten (Triaden) und Neunheiten geordnet. Ein wirklicher Hauptgott fehlt in der älteren Zeit, wenn auch der Sonnengott →Re seit der vierten Dynastie (2590–2470 v. Chr.) eine bevorzugte Stellung hat und sich später mit Amun zum »Reichs-

ägyptische Religion

ägyptische Religion: Götter (Auswahl)

Götter	Zuständigkeiten	Attribute/Gestalt
Aker	Gott der Erde	Löwenkopf oder 2 Löwen, mit dem Rücken zueinander
Amun	Windgott, Schöpfergott, Gott der Verborgenheit, verschmilzt später mit Re	Widder, Federkrone, Geißel, Götterzepter, Krummschwert
Anch	Göttin des Wassers, des Lebens und der Wahrheit	Anch-Zeichen (Lebensschleife, Henkelkreuz)
Anubis	Gott des Todes, Schutzherr der Gräber	Schakal
Apis	Gott der Fruchtbarkeit	Stier
Apophis	Feind des Sonnengottes	Schlange
Atchet	Schutzgöttin der Kinder	
Athor	Göttin des Lichts	
Aton	Sonnengott, von Echnaton (Amenophis IV.) zur alleinigen Gottheit erklärt	Sonnenscheibe
Atum	Urgott und Weltschöpfer, später Erscheinungsform des Re	Doppelkrone
Bastet	Mondgöttin, Göttin der Musik, der Freude und der Fruchtbarkeit	Katze
Bes	Schutzgottheit, Beschützer bei Geburt, Spender von Geschlechtskraft	Schwert, Trompete, Schlangen, Sa-Schleife
Chens	Mond- und Orakelgott	Falkenkopf, Mondsichel, Sonne
Chepre	Sonnengott, Urgott	Skarabäus
Chnum	Schutzgott, Schöpfergott, »Der Menschbildner«	Widderkopf mit doppelt gedrehtem Gehörn
Chons	Mondgott, Schutzgott, »Der Durchwandler«	Falkenkopf, Sichel, Mondscheibe, Zepter
Geb	Erdgott, früher »Vater der Götter«	Gans, Krone
Hah	personifizierte Endlosigkeit und Luftraum	kniender Himmelsträger mit erhobenen Armen
Hapi	Flussgott des Nil, Fruchtbarkeitsgott	menschliche androgyne Gestalt
Harachte	Verschmelzung von Horus mit dem Sonnengott Re	Menschgestalt mit Falkenkopf und Sonnenscheibe
Harmachis	Erscheinungsform des Horus	
Harpokrates	Erscheinungsform des Horus	Kind
Hathor	Himmelsgöttin, Liebesgöttin, Totengöttin, Göttin des Tanzes und der Musik	Kuhgehörn mit Sonnenscheibe, auch als Löwin
Horus	Himmelsgott, Königsgott	Falke
Imhotep	Gott der Heilkunst, Kulturheros	Priester, Papyrusrolle
Isis	Schutzgöttin	Schriftzeichen des Herrscherthrones auf dem Kopf, Kuhgehörn mit der Sonnenscheibe
Maat	personifizierte Weltordnung und Gerechtigkeit	Thronsockel
Mafdet	Herrin des Gerichts und der strafenden Gewalt	Leopardengestalt
Min	Gott der Fruchtbarkeit und Vegetation	Kappe, Geißel, Phallus
Mut	Gemahlin des Amun, »Auge des Re«	Doppelkrone, Löwenkopf
Nechbet	Geier- und Landesgöttin von Oberägypten, Muttergöttin, Schutzgöttin des Königs	Geier, Geierhaube
Neith	Kriegsgöttin, eine der Schutzgöttinnen der Toten	Krone Unterägyptens, Bogen, Pfeile und Schild
Nephthys		Papyrusstängel, Lebenszeichen, Hieroglyphe
Nun	Vater verschiedener Gottheiten	Froschkopf
Nut	Himmelsgöttin	säugendes Mutterschwein
Osiris	Totengott, Gott der Vegetation und der Gestirne, nächtliche Gestalt des Sonnengottes	Mumie, Federkrone, Zepter, Geißel
Ptah	Schöpfergott, Gott der Handwerker und Künstler	Stier, Zepter
Re	Sonnengott, Schöpfergott, Weltenlenker	Zepter, Federkrone, Krummstab, Peitsche, Geißel, Falke
Sachmet	Göttin, die Krankheiten schickt, aber auch heilt, »Die Mächtige«	Löwenkopf, Pfeile
Sarapis	Fruchtbarkeitsgott, Weltherrscher	Getreidemaß, korbähnliche Kopfbedeckung

ägyptische Religion

ägyptische Religion: Götter (Auswahl; Fortsetzung)

Götter	Zuständigkeiten	Attribute/Gestalt
Schu	Luftgott, Sinnbild des Lebens	Himmelsträger mit Löwenkopf
Selket	Schutzgöttin der Medizin, Heilerin	Skorpion, Zaubersprüche
Seth	Schutzgott des ägyptischen Königs, Gott der Wüste, Dürre, der Stürme und des Unwetters sowie der Metalle	Fabeltier, Doppelkrone, verschiedene Tiere als Begleiter
Sobek	Gott des Gewässer auf Nilinseln	Krokodil
Sothis	Göttin der Fruchtbarkeit	Stern auf dem Kopf
Tefnut	Göttin der Feuchtigkeit und der Hitze, »Das Mondauge«	Löwin
Thot	Mondgott, Gott der Schreibkunst, der Wissenschaft, Götterbote und Seelenführer	Ibis, Pavian
Uräus	Schutzgöttin, Symbol des Königtums	Schlange (Kobra), um die Krone gewunden

gott« Amun-Re verbindet. Nur Amenophis IV. (Echnaton) versuchte, die alleinige Verehrung eines Gottes (→Aton) durchzusetzen und ihn nicht mehr menschen- oder tiergestaltig, sondern durch ein abstraktes Symbol (Sonne mit Händen) darzustellen, doch setzte sich nach ihm der Polytheismus wieder durch.

Die Entstehung der Welt dachte man sich als Entfaltung einer differenzierten Vielheit aus anfänglicher Einheit, für die der Gott →Atum steht. Aus ihm gehen zunächst das erste Götterpaar Schu und Tefnut und schließlich die Götterneunheit von →Heliopolis hervor. Andere Vorstellungen setzten an den Anfang Wasser und Finsternis, aus denen der Urhügel als Basis der Schöpfung auftauchte. Die Trennung von Himmel und Erde durch Schu schafft den Raum, den das Licht der Sonne ausfüllen und gestalten kann. Die anfängliche Vollkommenheit der Schöpfung geht durch das Altern des Sonnengottes verloren. Die Menschen empören sich und werden z. T. durch Feuer vernichtet, die Götter ziehen sich von der Erde in den Himmel zurück.

■ **Totenkult** Dem Alter und dem Tod sind in Ägypten auch die Götter unterworfen. →Osiris, der von seinem Bruder →Seth getötet und zerstückelt wurde, verkörpert das Todesschicksal in besonders grausamer Form. Doch nach dem Tod zeugt er mit →Isis Horus, der durch den herrschenden Pharao verkörpert wird. Der Totenglaube spielte eine herausragende Rolle. Durch gewaltige Grabbauten wie Pyramiden, Mastabas und später Felsgräber, die man seit dem Alten Reich (2660–2160 v. Chr.) errichtete, durch die sorgfältige Einbalsamierung (Mumifizierung) der Toten und durch reiche Grabbeigaben sollte die Fortsetzung des irdischen Lebens im Totenreich ermöglicht werden.

Das ägyptische Jenseits umfasste Himmel und Unterwelt, wobei sich der Akzent immer stärker auf die Unterwelt (Duat) verlagerte, die der Sonnengott jede Nacht durchfährt, um sich mit Osiris zu vereinen und die Toten durch sein Licht und sein Schöpferwort zu neuem, verjüngtem Dasein aufzuwecken. Der Leib der Toten bleibt in der Unterwelt, während sich ihre Seele (Ba) frei bewegen und mit der Sonne auch zum Himmel emporsteigen kann. Durch die Vereinigung von Körper und Ba kann das Leben immer wieder erneuert werden.

ägyptische Religion. In der ägyptischen Religion ist das Motiv des Lebens aus dem Tod von besonderer Bedeutung. Es findet v. a. im Mythos von Isis und Osiris seinen Niederschlag: Der erschlagene Osiris gewinnt durch die zauberkräftigen Klagelieder der Isis seine Zeugungskraft zurück (4. Jh. v. Chr., Basaltsarkophag des Nes-Schu-Tefnut aus Sakkara; Wien, Kunsthistorisches Museum).

Seit dem späten Alten Reich ist die Vorstellung von einem allgemeinen Totengericht zu belegen, dem sich jeder Verstorbene vor Osiris oder vor dem Sonnengott Re zu unterwerfen hat. Hier werden sein Tun und seine Gesinnung auf ihre Übereinstimmung mit der →Maat, der richtigen Ordnung der Welt, überprüft. Daher wird in den ausführlichen Schilderungen der Unterwelt – besonders in den »Unterweltsbüchern« des Neuen Reiches (1552–1070 v. Chr.) – neben dem glücklichen Los der seligen Toten, die mit allem Nötigen versorgt sind, auch die vielfältige Bestrafung der Verdammten beschrieben. Diese geschieht v. a. durch Feuer und reicht bis zur völligen Vernichtung ihrer Existenz. Vor einem solchen Schicksal und vor manchen anderen Gefahren des Jenseits suchte man sich durch Ritual- und Zaubersprüche zu schützen, wie sie v. a. im

Ahimsa

→Totenbuch zusammengestellt sind. Durch die Macht des gesprochenen und geschriebenen Wortes sollte der Tote zusätzlich gesichert und vom Fortbestand der Beigaben und Opfer unabhängig gemacht werden. Zaubersprüche garantierten ihm Schutz, Versorgung, Atemluft und freie Bewegung.

■ **Religiöse Praxis** Der Zauber spielte nicht nur für die Toten, sondern auch für die Lebenden eine wichtige Rolle, um Gefahren zu bannen und bestimmte Ziele zu erreichen. Bei den Völkern der Antike stand die ägyptische Zauberkunst in hohem Ansehen. Sie spiegelt sich noch im modernen Glauben an einen »Fluch der Pharaonen«. Gern wurde der Zauber durch machtgeladene Gegenstände (Amulette) unterstützt, wie auch der Tempelkult die symbolische Bedeutung bestimmter Gegenstände benutzte.

Erst in einer späteren Entwicklung zur »persönlichen Frömmigkeit« trat der Mensch direkt und spontan mit Gottheiten in Verbindung, um sie durch Gebet und Opfer z. B. als Nothelfer anzurufen. In der älteren Zeit verließ man sich auf den König als Mittler, der durch Opfer und Rituale die Götter gnädig stimmte und die richtige Ordnung der Welt garantierte. In den Tempeln wurde immer nur der König vor den Göttern dargestellt, denn der Kult war staatlich, und die Priester handelten im Auftrag des Pharaos. Dieser wurde trotz seiner göttlichen Herkunft nur in Ausnahmefällen selber als Gott verehrt. Da die Götter im Himmel oder in der Unterwelt gedacht wurden, verehrte man sie im Inneren der Tempel in Gestalt ihres Kultbildes, einer Statue aus kostbarem Material. An den großen Festen wurde das Götterbild in den Hof des Tempels und zu anderen Heiligtümern getragen und war dann nicht nur für die Priester, sondern für alle Menschen ansprechbar. Bei solchen Anlässen konnten ihm auch Orakelfragen zur Entscheidung vorgelegt werden.

■ **Tierkult** Durch das Schwinden der königlichen Macht und Bedeutung traten schon im späten Neuen Reich andere Mittlerwesen in den Vordergrund: vergöttlichte »Weise« und hl. Tiere. So entstand als Spätform der ägyptischen Religion ein Tierkult, der nicht nur einzelne Exemplare (wie den →Apis und andere hl. Stiere), sondern alle Tiere bestimmter Gattungen als Mittler zwischen Göttern und Menschen verehrte. Dazu gehörten u. a. Katzen, Ibisse und Krokodile, die nach ihrem Tod wie Menschen mumifiziert und in Friedhöfen beigesetzt wurden. In ihnen als lebendigen Bildern stand die ferne, unsichtbare Gottheit den Menschen vor Augen, wie in ihren Kultstatuen und im göttlichen König. In der Spätzeit erhielten auch die lokalen Traditionen und Besonderheiten stärkeres Gewicht. Griechischer Einfluss führte zur Entstehung von Mysterienkulten v. a. um Isis, Osiris, Sarapis und Hermes Trismegistos, die in der gesamten hellenistischen Welt verbreitet waren. Ägyptische theologische Reflexion hat auch die christliche Theologie beeinflusst.

Ahịmsa [Sanskrit »Nichtverletzen«], wichtiger Bestandteil der brahmanischen Ethik. Er ist kennzeichnend für das Leben des Entsagers (Samnyasi, →Yoga) und wurde als ethische Grundforderung von Jainismus, Buddhismus und Hinduismus übernommen. Im engeren Sinn bedeutet Ahimsa Tötungsverbot (Vegetarismus). Im weiteren Sinn schließt es wohlwollende Gesinnung gegen alle Lebewesen ein. Mahatma Gandhi identifizierte Ahimsa und Gewaltlosigkeit und machte sie zum Bestandteil politischer Auseinandersetzung.

Ahl al-Kitạb [ˈaxəl-; arab. »Leute des Buches«, »Schriftbesitzer«], im Islam ursprünglich die Bezeichnung für Christen und Juden, da sie im Besitz einer heiligen Schrift als Offenbarungsurkunde sind. Der Koran geht davon aus, dass Thora und Evangelium wie der Koran selbst von Gott stammen, die Juden und Christen sich aber der Schriftverfälschung schuldig gemacht hätten. Den Ahl al-Kitab wurde in islamisch beherrschten Ländern gegen Zahlung einer Kopfsteuer (Djisja) freie Religionsausübung zugestanden. Der Kreis der geduldeten Religionen mit heiligen Schriften wurde später erweitert, z. B. um die Mandäer und Sabier.

Ahl-e Hakk [ˈæhlɛ ˈhæɣɣ, pers.], Selbstbezeichnung einer schiitischen Geheimreligion; →Ali Ilahi.

Ahmad al-Bạdawi [ˈax-], Sajjid, der volkstümlichste islamische Heilige Ägyptens, * um 1200, † Tanta 24. 8. 1276; gründete einen →Derwischorden, die Ahmadija.

Ahmadija [ˈax-], **1)** Name des →Derwischordens des Ahmad al-Badawi.

2) aus dem sunnitischen Islam hervorgegangene Glaubensgemeinschaft. Sie wurde 1889 von Mirsa Ghulam Ahmad aus Kadijan im Punjab gegründet. Er erklärte, ein zur Bestätigung des Korans gekommener neuer Prophet, aber auch der wiedergekehrte Messias (Jesus) und der →Mahdi zu sein. Nach seinem Tod spaltete sich die Gemeinschaft in zwei Zweige: Der kleinere (die **Lahori-Gruppe**) mit Hauptsitz in Lahore betrachtet Ghulam Ahmad nur als religiösen Reformer, der größere (die **Kadijani-Gruppe**) mit Hauptsitz in der durch sie 1947 gegründeten Stadt Rabwa erkennt ihn als zur Bestätigung des Korans gekommenen neuen Propheten an. Seine Nachfolger tragen den Titel »Kalif«. Leiter der Gemeinschaft ist seit 1982 der im britischen Exil lebende vierte Kalif Hazrat Mirza Tahir Ahmad. Zentrum der Ahmadija-Bewegung ist Pakistan.

Die Bewegung betreibt weltweit Mission, gegenwärtig v. a. in Indien und Westafrika, und zählt nach Eigenangaben rund zwölf Millionen Mitglieder in über 100 Ländern. Inner-

Ahnenverehrung. In den Stammesreligionen unterbricht der Tod nicht die Verbundenheit der Toten mit ihren Nachkommen. Die Lebenden erweisen den Toten Verehrung und erhalten dafür Schutz für Haus und Familie (geschnitzte Ahnenmaske der Dan; Abidjan, Nationalmuseum).

halb des Weltislam gilt die Ahmadijabewegung v.a. wegen der Proklamation eines Prophetenamtes nach Mohammed als häretisch.

Ahnenbild, Abbild der Vorfahren. Als Gegenstand der Ahnenverehrung finden sich Ahnenbilder besonders ausgeprägt bei Bauernvölkern Afrikas und Ozeaniens. In Afrika werden Ahnenfiguren von vielen Stämmen aus Holz geschnitzt, um die im Jenseits lebenden Ahnen bei kultischen Handlungen greifbar um sich zu haben. Das Ahnenbild ist jedoch nur Abbild des Ahnen, nicht (wie das Seelengefäß) sein Aufenthaltsort.

In Ozeanien, v.a. in Melanesien, werden v.a. für Totengedenkfeiern Masken und Figuren der Verstorbenen hergestellt. Daneben werden oft auch nicht wirkliche Vorfahren dargestellt, Figuren der mythischen Schöpfungszeit, mit denen die Menschen durch die lange Kette der Ahnen verbunden gedacht sind.

Ahnenverehrung, Ahnenkult, die über die ganze Erde verbreitete Sitte der Verehrung der verstorbenen Vorfahren des eigenen Geschlechts oder Stammes. Sie ist besonders bei Chinesen und bei Japanern (→Shintō) verbreitet und auch in den →afrikanischen Religionen ein wesentlicher Teil der Religion. Im Hinduismus ist die Ahnenverehrung wichtige Pflicht der Söhne. Sie gilt den männlichen Vorfahren und besteht darin, zunächst nach einem Todesfall, später jährlich für die Vorfahren von drei (oder sieben) Generationen Speiseopfer (Wasserspenden, Reisbällchen) darzubringen, durch die rituell ein neuer Leib für die Ahnen hergestellt wird. Dadurch soll Gefahr vonseiten der Verstorbenen (Geister) abgewendet und ihr Weg ins Jenseits gesichert werden. Entstanden ist die Ahnenverehrung wohl einerseits aus dem allgemeinen Glauben an ein Fortleben der Toten, andererseits aus dem Bewusstsein der Konstanz der Familien- und Sippengemeinschaft über den Tod ihrer Mitglieder hinaus. Die Ahnen bilden den unsichtbaren Teil der Familie. Sie können Unheil stiften oder Heil verleihen.

Ahriman [mittelpers. für avest. angra mainyu »Böser Geist«], von Zarathustra geprägte Benennung für den Widersacher. Ansonsten meist als **Angra Mainyu** (Böser Geist) bezeichnet, ist er der von →Ahura Masda aus dem Himmel gestürzte Zwillingsbruder des »Heiligen Geistes« (Spenta Mainyu). Ahriman setzt jeder Schöpfung eine Gegenschöpfung entgegen, sodass auch im Menschen immer eine Doppelheit an Gedanken, Worten und Werken um die Macht ringt (→Parsismus).

Ahu, auf der Osterinsel aus Steinplatten und Blöcken gebaute, erhöht gelegene Kult- und Versammlungsplätze der Männer, auf der die →Moai stehen.

Ahura Masda [avest. »der Herr Weisheit«, freier »der allweise Herr«], Name des vom Propheten Zarathustra verkündeten einzigen Gottes, der die gesamte Weltentwicklung als Erster und Letzter umschließt und ursprünglich über dem Gegensatzpaar des »Heiligen Geistes« und des »Bösen Geistes« waltete. Er wurde im späteren Parsismus mit dem »Heiligen Geist« identifiziert und unmittelbar dem →Ahriman gegenübergestellt. Ahura Masda ist der sittlich gute Gott und Herr der durch ihn entstandenen guten Schöpfung, der im Kampf mit Ahriman und seiner bösen Schöpfung das Endziel des Weltgeschehens, sein Reich, verwirklichen wird (→Parsismus). Ahura Masda wurde in einem geflügelten Ring (Sonne oder Mond) dargestellt.

Aischa, Ayesha [ˈaːjeʃa], Tochter des Abu Bakr und Lieblingsfrau Mohammeds (nach dem Tod der Chadidja), *um 613/614, †Medina 13.7.678; erlangte nach Mohammeds Tod großen politischen und religiösen Einfluss in der jungen islamischen Gemeinde. Sie bekämpfte den vierten Kalifen Ali Ibn Abi Talib, der sie 656 in der »Kamelschlacht« (so genannt, weil Aischa auf ihrem Kamel selbst am Gefecht teilnahm) gefangen nahm. Später lebte sie zurückgezogen in Medina.

Ajatollah, →Ayatollah.

Ajivika [-dʒ-, Sanskrit »Anhänger des rechten Lebensunterhalts«], indische Erlösungslehre, die im 6. Jh. v. Chr. (?) von Goshala begründet wurde. Kennzeichnend sind Atheismus und Determinismus: der Glaube, dass der Weg durch Wiedergeburten zur Erlösung nicht beeinflussbar ist. Von den Mönchen wurde strenge Askese gefordert. Später zeigten sich Ähnlichkeiten zum →Mahayana. Das Ajivika erlosch im 14. Jahrhundert.

Akali [Panjabi; Sanskrit »Anhänger des Zeitlosen (Gottes)«], militante, nationalistische Richtung des Sikhismus in Indien, die ursprünglich die Mogulkaiser bekämpfte (u.a. durch militärische Selbstmordeinheiten). Um 1690 erstmals in Erscheinung getreten, kam der Name wieder während der 1920er-Jahre auf, als eine paramilitärische Freiwilligentruppe zum Widerstand gegen die britische Kolonialregierung gebildet wurde. Danach übernahm die Bewegung der Akali die Führung im Kampf für einen unabhängigen Sikh-Staat (»Khalistan«). In dem für die Sikhs 1966 gegründeten indischen Bundesstaat Punjab errang die politisch-religiöse Partei der Akali

> In einem Hadith zeigt sich **Aischa**, die Lieblingsfrau des Propheten Mohammed, als selbstbewusste Frau:
>
> *»In Aischas Gegenwart zählte ein Mann auf, was ein Gebet unterbrechen würde. Er nannte Hunde, Esel und Frauen. Da rief Aischa voller Entrüstung aus: Was? Ihr stellt uns Eseln und Hunden gleich? Bei Gott, der Prophet betete, während ich auf dem Bett lag, zwischen ihm und der Gebetsrichtung!«*

Ahnenverehrung
→ GEO Dossier
Glaube, Liebe, Hoffnung?, Bd. 15

Ahura Masda. Der persische Prophet Zarathustra lehrte den Glauben an den guten Gott Ahura Masda. Der Ausschnitt des Reliefs der Felswand von Bisutun zeigt König Dareios den Großen, der anbetend seine Rechte zu Ahura Masda erhebt. Seinen linken Fuß setzt der König auf den Körper seines am Boden liegenden ersten Widersachers, des Magiers Gaumata, der flehend beide Hände zu ihm emporstreckt.

A | Akbar

Al-Aksa-Moschee.
Auf die berühmte Al-Aksa-Moschee auf dem Tempelberg in Jerusalem wird häufig die in Sure 17 des Korans beschriebene Nachtreise des Propheten Mohammed bezogen, die von Mekka zur »fernsten Moschee« (al-aksa) führt. Abgebildet ist das Gebet anlässlich des Festes Id al-Fitr, mit dem das Ende des Fastenmonats Ramadan begangen wird.

al-Aksa-Moschee
→ **GEO Dossier**
Das heilige Herz des Zorns, Bd. 16

(Shiromani Akali Dal) mit ihren fundamentalistischen Forderungen bestimmenden Einfluss.

Akbar [arab. »der Große«], eigentlich **Djalal ad-Din Mohammed,** Großmogul von Indien (seit 1556), *Umarkot (Sind, heute zu Pakistan) 15. 10. 1542, †Agra 26. 10. 1605; folgte als 13-Jähriger seinem Vater Humayun auf den Thron, der nur in einem Teil des Punjab und im Gebiet um Delhi geherrscht hatte. Akbar eroberte in Kämpfen gegen andere Thronbewerber die Macht über Nordindien zurück und gewann neue Gebiete, besonders im Nordwesten. Um v. a. Muslime und Hindus zu versöhnen, versuchte er die Stiftung einer neuen Religion (Din Ilahi, »göttliche Religion«), die Elemente aus allen ihm bekannten Religionen aufnahm. Basis dieses Unternehmens waren neben Erwägungen der Staatsräson – er wollte sich die Loyalität der nicht islamischen Mehrheit seiner Untertanen sichern – Ideen der islamischen Mystik.

Akiba (Aqiba) Ben Josef, Rabbi, jüdischer Schriftgelehrter und Politiker in Palästina, †um 136 als Märtyrer nach dem Aufstand des Bar Kochba gegen die römische Besatzungsmacht. Er schuf neben Rabbi Meir durch Systematisierung der jüdischen Lehrtradition (Halacha und Midrasch) die Grundlage der →Mischna.

Akshobhya [akˈʃobia; Sanskrit »unerschütterlich«], im Buddhismus einer der fünf Jainas oder Meditations-Buddhas, der im reinen Land des Ostens (Abhirati) wohnt, das dem »Reinen Land des Buddha Amitabha entspricht, einem Paradies ohne Übel.

Al-Aksa-Moschee, Moschee in Jerusalem, die zusammen mit dem Felsendom und dem ihn umgebenden hl. Bezirk die wichtigste hl. Stätte der Muslime nach denen von Mekka und Medina ist. Erbaut über den Trümmern des jüdischen Tempelberges, stammen älteste Teile aus der Zeit des Omaijadenkalifen Walid I. (705–715). Sie wurde erneuert und erweitert im späten 8. Jh. und erhielt ihre heutige Gestalt v. a. im 11. Jahrhundert. Nach der Besetzung (1967) und Annexion (1980) Ostjerusalems durch Israel war die Al-Aksa-Moschee mehrfach Ziel von Anschlägen. Eine Brandstiftung führte 1969 zur Einberufung der ersten Islamischen Gipfelkonferenz.

al-Aschari, islamischer Theologe, →Aschari.

Alawiten, Alauiten, islamische Religionsgemeinschaft; →Nusairier.

al-Bakillani, islamischer Theologe, →Bakillani.

al-Banna, religiös-politischer Führer des Islam, →Banna.

al-Basri, arabischer Gelehrter, →Basri.

Albertus Magnus, Albert der Große, fälschlich **Graf von Bollstedt,** Naturforscher, Philosoph und Theologe, *Lauingen (Donau) um 1200, †Köln 15. 11. 1280; studierte in Padua, schloss sich 1223 (oder 1229) dem Dominikanerorden an, erwarb den Doktorgrad in Paris und wurde 1246 Magister der Theologie. Zwei Jahre später wurde er als Leiter an das neu gegründete Studium generale (Ordenshochschule) nach Köln berufen, wo u. a. Thomas von Aquino und Ulrich von Straßburg zu seinen Schülern zählten. 1254–57 war Albertus Magnus Oberer der deutschen Ordensprovinz (Teutonia) und 1260–62 Bischof von Regensburg. 1270 kehrte er, nach Zwischenaufenthalten in Würzburg und Straßburg, nach Köln zurück. Auf dem Konzil von Lyon (1274) trat er für die päpstliche Anerkennung Rudolfs I. von Habsburg (1273–91) als deutscher König ein. Er wurde 1622 durch Gregor XV. selig- und 1931 durch Pius XI. heiliggesprochen sowie zum Kirchenlehrer erhoben.

Mehr als alle anderen Gelehrten des 13. Jh. zeichnete sich Albertus Magnus durch Vielseitigkeit und ein universelles Wissen aus, weswegen ihm von seinen Zeitgenossen der Ehrentitel »Doctor universalis« verliehen wurde. Er verhalf dem Aristotelismus zum Durchbruch durch umfängliche Texterklärungen und Paraphrasen aristotelischer Schriften, wobei er in kritischer Auseinandersetzung mit arabischen Kommentatoren die Vereinbarkeit von aristotelischem Denken, besonders der Naturphilosophie, und christlichem Glauben zu beweisen suchte. Auch in seinen theologischen Schriften bemühte sich Albertus Magnus um eine kompromissbereite Haltung. Im →Universalienstreit bezog er eine vermittelnde Position, auch sah er im Neuplatonismus und im augustinischen Gedankengut keinen Widerspruch zum Aristotelismus. Seine für die damalige Zeit ungewöhnlichen naturwissenschaftlichen Kenntnisse verschafften ihm den fragwürdigen Ruf eines Alchimisten und Zauberers. – Heiliger (Tag: 15. 11., in Österreich: 16. 1.).

Albigenser [nach der französischen Stadt Albi], im Mittelalter gebräuchlicher Name für einen Zweig der →Katharer, die im 12. und

13. Jh. besonders im Süden Frankreichs verbreitet waren. Die Albigenser vertraten radikale dualistische Anschauungen und stellten strenge asketische Forderungen. Sie wurden in den **Albigenserkriegen** (1209–29) blutig verfolgt, zu denen Papst Innozenz III. aufgerufen hatte.

al-Bistami, islamischer Mystiker, →Bistami.

Albo, Josef, jüdischer Religionsphilosoph, *Spanien 2. Hälfte des 14. Jh., †1. Hälfte des 15. Jh.; nahm als Abgesandter der Gemeinde von Daroca (Aragon) an der Religionsdisputation von Tortosa (1413/14) teil. In Soria (Kastilien) verfasste er um 1425 sein bedeutendes Hauptwerk »Sefer ha-Ikkarim« (deutsch »Buch der Glaubensgrundsätze«), in dem er den Versuch einer philosophischen Systematik des Judentums unternimmt und dabei drei zentrale Grundlehren nennt, die allen monotheistischen Religionen gemeinsam sind: 1) die Existenz Gottes, 2) die Offenbarung am Sinai, 3) Lohn und Strafe für das Tun des Menschen.

al-Buchari, arabischer Traditionsgelehrter, →Buchari.

Alcis [-ts-], bei Tacitus (»Germania«, Kapitel 43,3) überlieferte, etymologisch ungeklärte Bezeichnung zweier germanischer Götter. Sie wurden in einem hl. Hain des (nur hier erwähnten) Stammes der Nahanarvaler zwischen Oder und Weichsel verehrt. Tacitus setzt sie mit den Dioskuren Castor und Pollux gleich und betont die Bildlosigkeit des Kults.

Aleviten, Alevis, schiitische Religionsgemeinschaft; →Nusairier.

Alexander VI., Papst (1492–1503), früher **Rodrigo de Borja** (Borgia), *Játiva (bei Valencia) 1430 (?), †Rom 18. 8. 1503; gelangte durch Stimmenkauf auf den päpstlichen Stuhl. Alexander begriff das Papsttum, dessen »Verweltlichung« unter seinem Pontifikat ein Höchstmaß erreichte, v. a. als politische Institution. Als machtbewusster Politiker wahrte er konsequent die päpstlichen Interessen gegenüber den europäischen Mächten und mühte sich um ein Gleichgewicht zwischen den verschiedenen politischen Kräften und Machtinteressen in Italien.

Ausdruck seiner politischen Stellung in Europa wurde v. a. der Schiedsspruch von 1493, mit dem er im spanisch-portugiesischen Kolonialstreit die Demarkationslinie zwischen den spanischen und den portugiesischen Besitzungen festlegte (1494 bestätigt im Vertrag von Tordesillas). Der Aufbau einer Hausmacht seiner Familie in Rom war ein wesentliches Element seiner Politik. Unter seinen neun Kindern (mit verschiedenen Mätressen) verschaffte er v. a. Lucrezia und Cesare (Borgia) Reichtum und Einfluss, der zunehmend die päpstliche Politik lenkte. Der schärfste Kritiker Alexanders war der Bußprediger Girolamo Savonarola, der den »sittenlosen« Papst 1495 der Häresie beschuldigte. Alexander gilt als klassischer Typus des Renaissancepolitikers, der machtbewusst und skrupellos seine politischen Ziele verfolgt, zu-

Albertus Magnus. Als einer der großen Gelehrten des Mittelalters machte sich Albertus Magnus besonders um die Interpretation des Aristoteles verdient, den er seiner stark durch Platon geprägten Zeit nahebringen wollte (Fresko von Tommaso da Modena, 1352; Treviso, ehemaliges Dominikanerkloster).

Ali Ibn Abi Talib — Der bedrängte Kalif

Bereits vor seiner Wahl zum Kalifen 656 war Ali, der Vetter des Propheten Mohammed, als tapferer Kämpfer und Dichter hoch geachtet, doch stand er seit Beginn seines Kalifats unter politischem Druck. Denn gleich nachdem er die Herrschaft angetreten hatte, wandten sich frühere Verbündete gegen ihn, vor allem aber die umtriebige Prophetenwitwe Aischa, die er in der »Kamelschlacht« 656 besiegte. Sodann erhob sich sein mächtigster Gegner, der syrische Statthalter Moawija, ein Verwandter des dritten Kalifen Othman, der Ansprüche auf die Herrschaft geltend machte. Ali bekämpfte ihn in der Schlacht von Siffin 657 und hätte beinahe den Sieg davongetragen, doch als die Truppen Moawijas Koranseiten an ihre Lanzen hefteten, geriet das Heer Alis in Verwirrung. Ali willigte in ein Schiedsgericht ein, was die erste Abspaltung des Islam provozierte, die der Charidjiten, der »Ausziehenden«. Auch in der Folgezeit musste Ali mehrere Aufstände niederschlagen und wurde im Januar 661 in Kufa von einem Charidjiten erdolcht. Moawija bestieg den Kalifenthron und begründete die erste Kalifendynastie der Omaijaden. Die Miniatur zeigt Ali (rechts) mit Mohammed (vorne) und Chadidja (Türkei 1594; Istanbul, Topkapı Sarail).

Algazel

Allah
→ GEO **Dossier**
Das heilige Herz des Zorns, Bd. 16

gleich jedoch als Förderer der Künste hervortritt.

Algazel [-ˈzeːl], **al-Ghasali,** islamischer Theologe, Philosoph und Mystiker, →Ghasali.

Aliden, die Nachkommen des vierten Kalifen Ali Ibn Abi Talib. Wichtige Dynastien sind die Fatimiden, die Hasaniden und die →Zaiditen.

Ali Ibn Abi Talib, der vierte Kalif (656–661), * Mekka um 600, † (ermordet) Kufa 24. 1. 661, Vetter Mohammeds; ∞ mit dessen Tochter Fatima aus der Ehe mit Chadidja. Ali beanspruchte nach Mohammeds Tod die Nachfolge, wurde aber erst nach der Ermordung des dritten Kalifen, Othman Ibn Affan, in Medina zum Kalifen ausgerufen. In den Kämpfen mit seinen Gegnern konnte er zwar den von Mohammeds Witwe Aischa angeführten Aufstand 656 in der »Kamelschlacht« niederschlagen, aber gegen seinen Gegenspieler, den Omaijaden Moawija I., keinen entscheidenden Erfolg erringen. Von seinen Anhängern spalteten sich die →Charidjiten ab. Ali und seine Nachkommen (Aliden) werden von den →Schiiten als die rechtmäßigen Nachfolger Mohammeds verehrt.

Ali Ilahi [arab. »Ali-Vergöttlicher«], volkstümliche Bezeichnung für mehrere extreme schiitische Sondergemeinschaften, die Ali Ibn Abi Talib als Manifestation Gottes betrachten, besonders für die Geheimreligion mit der Selbstbezeichnung **Ahl-e Hakk** (»Besitzer der Wahrheit«), die in Westiran, Nordirak und Aserbaidschan verbreitet ist.

Alija [hebr. »Aufstieg«], *Judentum:* 1) die Auswanderung aus der Diaspora nach Israel; 2) der Aufruf eines Versammlungsmitgliedes in der Synagoge zur Thoralesung oder zum Sprechen von Segenssprüchen; 3) die Wallfahrt nach Jerusalem.

Alkuin, latinisiert **Alcuinus,** angelsächsischer Theologe, * York um 730, † Tours 19. 5. 804; seit 796 Abt des dortigen Benediktinerklosters St. Martin. 781 ins Frankenreich berufen, war Alkuin als Leiter der Aachener Hofschule Karls des Großen und als dessen einflussreicher Berater in allen kirchlichen und kulturellen Fragen einer der Träger der karolingischen Renaissance. Über seine Schriften und Briefe beeinflusste er maßgeblich die Organisation des Studien- und Unterrichtswesens im Frankenreich und vermittelte als Gelehrter seiner Zeit das überkommene philosophisch-theologische Wissen. Unter seinen Schülern ragt besonders Hrabanus Maurus hervor.

Allah [arab., wohl kontrahiert aus al-ilāʰ »der Gott« oder aramäisch alệlāḥā »der Gott«], nach islamischem Verständnis und dem Wortsinn nicht Eigenname eines spezifisch islamischen Gottes, sondern Bezeichnung für Gott schlechthin, wie ihn auch Juden und Christen verehren. Bereits die vorislamischen Araber kannten Allah, aber nicht als einzigen Gott, sondern als Hochgott, der, obgleich Schöpfer der Welt, im Kult hinter anderen Göttern zurücktrat. Im →Islam ist Allah Schöpfer der Welt und Richter der Menschen am Jüngsten Tag. Ihm allein gebühren Anbetung und Ergebung (arabisch »islam«) der Menschen.

Allahu akbar [arab. »Gott ist größer«], Formel, die, als »Takbir« (Verherrlichung) bezeichnet, als eine Kurzform des islamischen Glaubensbekenntnisses gilt. Mit ihr eröffnet der Muezzin den Gebetsruf (Adhan). Sie bildet außerdem Anfang und Ende des Pflichtgebe-

Allah: Auswahl aus den 99 schönsten Namen (Auswahl)	
Allah	Gott
al-Achir	der Letzte
al-Adl	der Gerechte
al-Ahad	der Einzige
al-Ali	der Hohe
al-Alim	der Allwissende
al-Auwal	der Erste
al-Aziz	der Allmächtige
al-Batin	der Verborgene
al-Chalik	der Schöpfer
al-Djabbar	der Unterwerfer
al-Djalil	der Majestätische
al-Djami	der alle Menschen am Jüngsten Tag versammeln wird
al-Ghaffar	der große Verzeiher
al-Hadi	der Führer
al-Hafiz	der Erhalter und Beschützer
al-Hakk	der Wahrhaftige
al-Kabir	der Große
al-Karim	der Großzügige
al-Kuddus	der Heilige
al-Malik	der König
al-Mudjib	der Erhörer
al-Muhaimin	der Wachsame
al-Muhyi	der Lebensspendende
al-Mumin	der Gläubige
al-Mutakabbir	der Stolze
an-Nur	das Licht
ar-Rauf	der Gnädige
as-Sabur	der Geduldige
as-Salam	der Friedensstifter
as-Samad	der von allem und jedem Unabhängige
al-Schahid	der Weise
al-Wadud	der Liebevolle
al-Wahhab	der Verleiher und Geber
al-Wahid	der Eine
al-Wakil	der Vertrauenswürdige
al-Zahir	der Offenbare
Dhu l-Djalal wal-Ikram	der, dem die Majestät und die Ehre eigen sind

tes (Salat). Der volkstümliche Islam schreibt der Formel eine schützende und Unheil abwendende Wirkung zu, weshalb sie auch bei Geburt, Hochzeit und Tod gesprochen wird. Allahu akbar ist eine der am häufigsten in der Kalligrafie dargestellten Wendungen.

Allat [arab. al-lat »die Göttin«], Göttin der vorislamischen Araber. Sie galt als eine der Töchter des vorislamischen Allah und wurde v. a. in At-Taif (südöstlich von Mekka) verehrt. Ihre Verehrung wurde zusammen mit dem vorislamischen Polytheismus von Mohammed bekämpft.

Allerheiligen, kath. Kirche: festlicher Gedächtnistag aller Heiligen, der in der lateinischen Kirche seit Ende des 8. Jh. am 1. 11. gefeiert wird (zuerst in England und Irland). Allerheiligen entwickelte sich aus dem später allgemein kirchlich begangenen Fest der Weihe des →Pantheon als christliche Kirche zu Ehren Marias und aller Märtyrer. Vorläufer war der heute noch in den orth. Kirchen des byzantinischen Ritus am ersten Sonntag nach Pfingsten begangene »Herrentag aller Heiligen«.

Allerheiligstes, im *A. T.* der innerste Raum der →Stiftshütte, danach auch Bezeichnung des würfelförmigen westlichen Hinterraumes im salomonischen Tempel. Er war der Aufbewahrungsort der →Bundeslade, galt als Erscheinungsort Gottes und durfte nur vom Hohepriester am Versöhnungstag betreten werden.

Allerseelen, kath. Kirche: am 2. 11. gefeierter Gedächtnistag für alle verstorbenen Gläubigen. Er wurde seit dem 10. Jh. besonders durch Abt Odilo von Cluny und dessen Reformbewegung verbreitet. Seit 1311 ist er im römischen Kalendarium als Bestätigung älterer Gewohnheiten vermerkt, während er der byzantinischen Liturgie und anderen östlichen Liturgien bis heute unbekannt blieb.

al-Mahdi, islamischer Reformator und Staatsgründer, →Mahdi.

Alma Mater [lateinisch »die nährende Mutter«], ursprünglich Beiwort für die römischen Göttinnen der fördernden Naturkräfte wie Tellus, Ceres u. a. Heute wird Alma Mater v. a. in übertragener Bedeutung als Bezeichnung für Universität gebraucht.

Almemor [hebr., verderbt aus arab. al-minbar »Kanzel«], hebräisch **Bimah,** Podium für die Thoralesung in Synagogen.

Almosen [zu griech. eleēmosýnē »Erbarmen«, »Mitleid«], Spenden, die in zahlreichen Religionen freiwillig gegeben, erbeten (z. B. in den außerchristlichen und christlichen Bettelorden) oder als religiöse Pflicht gefordert (z. B. im Islam die →Zakat) werden. Sie kommen entweder dem Unterhalt asketisch und in Besitzlosigkeit lebender Mönche oder als religiös verdienstvolle Leistung den Armen zugute. Das A. T. und die jüdische Ethik beschreiben das Almosen als Verpflichtung, die sich aus der Gerechtigkeit Gottes gegenüber seinem Volk ergibt, und stellen es als von Gott gewolltes gerechtes Handeln über die religiösen Pflichten des Fastens und des Opfers (Jes. 58, 6 ff., Spr. 21, 3). Die spätere jüdische (Lehr-)Tradition sieht im Almosen auch ein Mittel der Sündenvergebung (Tob. 4, 11).

Für das N. T. und die christliche Ethik ist das Almosen ein Gebot der →Nächstenliebe gegenüber der Not leidenden Mitmenschen. Es soll allein aus Liebe und ohne Selbstüberhebung gegeben werden (Mt. 6, 1–4) und bildet seinerseits das Maß beim endzeitlichen Gericht Gottes (Mt. 25, 35–41). Bemessungsgrundlage für das Almosen ist nach Thomas von Aquino (»Summa theologica« 2 IIq. 32) einerseits die reale Bedürftigkeit des Notleidenden, andererseits die Möglichkeit, die der Geber hat, zu helfen.

altamerikanische Religionen, →vorkolumbische Religionen.

Altar [latein. altaria »Aufsatz auf dem Opfertisch«, zu latein. altus »hoch«], Sammelbezeichnung für eine erhöhte Opfer- und Ritualstätte, die in den meisten Religionen vorkommt und nach örtlichen Gegebenheiten und kultischen Bedürfnissen unterschiedlich gestaltet wird.

■ **Alte Kulturen** Der platten- oder schalenförmige, z. T. mit figürlichen Elementen kombinierte Altar aus Ton ist durch Originalfunde (z. T. mit Feuerspuren) und zahlreiche Modelle, besonders aus Südosteuropa, schon für die Jungsteinzeit bezeugt. Die in Nordeuropa bis zur Eisenzeit benutzten Schalensteine können als eine Art Altar gelten, sonst sind gebaute Altäre aus Bronze- und Eisenzeit in Europa nur im Mittelmeerraum bekannt.

Im *Alten Orient* sind verschiedene Altarformen zu unterscheiden: Der **Brandopferaltar** war meist eine einfache Feuerstelle im Tempelhof, der aber auch aus kubischen Blöcken zusammengesetzt sein konnte. Der **Schlachtaltar** hatte eine Platte zur Zurichtung des Opfertiers (oft mit Blutrinne). Der **Räucheraltar** war häufig ein schlanker Ständer aus Ton oder Metall mit Öffnungen zur Frischluftzufuhr. Der **Libationsaltar,** jeweils vor einer Gottheit aufgestellt, hatte eine sanduhrartige Form. Der Altar konnte auch Podest oder Steinsockel zur Aufstellung des Götterbildes oder eines Symbols der Gottheit sein, z. B. Kultsockel des Tukulti-Ninurta I. aus Assur.

Im alten *Ägypten* wurden die Opfer ursprünglich auf Matten, später meist auf flache Steinplatten oder bewegliche Tische gelegt. Daneben begegnen gemauerte, blockartige Altäre in Tempelhöfen. An größere Altäre ist eine Treppe angebaut. Auf ihr stehend weihte der Opfernde seine Gabe.

Im alten *China* war der **Himmelsaltar** rund und mit Terrassen versehen, der Altar der vier-

Altar.
Der 1530 erbaute »Altar des Himmelsrunds« in Peking mit seinen drei Terrassen ist einer der bedeutendsten Kultplätze des chinesischen Kaiserreiches. Bis 1912 opferte der chinesische Monarch mit dem Titel »Sohn des Himmels« auf der obersten Plattform zu jeder Wintersonnenwende dem Himmel.

A Altar

Altar. Der christliche Altar nimmt Bezug auf den jüdischen Opferaltar, hat aber meist eine Tischform, die an die Tafel des letzten Abendmahls gemahnt. Die Abbildung zeigt den Altar der zweiten Kreuzwegstation im prachtvoll ausgestatteten Innenraum der Jerusalemer Grabeskirche, die Kaiser Konstantin I. zu Beginn des 4. Jh. errichten ließ.

eckig gedachten Erde in viereckiger Form. In der altvedischen Opferreligion *Indiens* finden sich relativ früh Altäre, deren Bau hinsichtlich der Zahl der zu verwendenden Steine genau beschrieben wird. Ihre am Sonnenlauf orientierte kosmografische Symbolik übertrug sich auf die späteren Mandalas und Kultbauten (Stupas, Tempel) der buddhistischen und hinduistischen Bilderverehrung.

In den *vorkolumbischen Kulturen Amerikas* sind Altäre frei stehende Steinformen, häufig skulptiert oder plastisch ausgearbeitet, z. B. zoomorph in Quiriguá. Sie kommen in keiner verbindlichen Form vor, stehen in Innenhöfen von Gebäuden oder auf Tempelplattformen. Im Mayagebiet sind sie häufig den Stelen zugeordnet und dienten möglicherweise als Herrscherpodeste.

Die *Griechen* und *Römer* der Antike kannten (neben dem Herdaltar und dem Aschenaltar) an den Stätten der Götter- und Heroenkulte schon in früher Zeit neben natürlichen Opferablagen (Felsblöcken) künstlich errichtete Altäre aus Stein, meist rechteckig über einem Stufenunterbau (für Brandopfer). **Tempelaltäre** standen vor der Ostfront des jeweiligen Tempels im Blickfeld des Kultbilds. Die Altäre erreichten z. T. monumentale Ausmaße, z. B. auf Samos, in Syrakus oder Ephesos. Die Brüstung wird ab dem 4. Jh. v. Chr. zu Reliefwänden oder Hallen ausgebildet, z. B. in Magnesia, Priene oder Pergamon sowie später in Rom (Ara Pacis Augustae).

Der Altar im alten *Israel* war ursprünglich nur eine aus Erde oder unbehauenen Steinen aufgeschichtete Feuerstätte, auf der die Opfergaben verbrannt wurden (Brandopferaltar), später ein transportables, erzüberzogenes Holzgerüst ohne Boden und Deckplatte, das vor der Stiftshütte aufgestellt wurde. Er trug an den vier Ecken Hörner als Symbol der Stärke Jahwes. Der im Vorhof des salomonischen Tempels errichtete Brandopferaltar war aus Erz und wurde nach dem Babylonischen Exil wohl aus (unbehauenen) Steinen wiedererrichtet.

■ **Christentum** Im Christentum entwickelte sich der Tisch des Abendmahls der Urgemeinde (1. Kor. 10, 21) aufgrund der theologischen Entfaltung des Opfergedankens zum Altar und wurde seit etwa 110 n. Chr. in den christlichen Kirchen auch so bezeichnet. Er besteht aus der meist rechteckigen Platte (Mensa) und dem Träger (Stipes). Die Entwicklung brachte vier Typen hervor: den noch auf vorkonstantinische Zeit zurückgehenden **Tischaltar**, den besonders in Italien gebräuchlichen **Kastenaltar** (sein Inneres ist hohl und bietet damit Zugang zu dem darunter befindlichen Reliquiengrab oder Reliquiar), den seit der karolingischen Zeit v. a. üblichen **Blockaltar** mit massivem Stipes und den seit dem Barock häufigen **Sarkophagaltar**. Eine Sonderform bilden die kleinen **Tragaltäre (Portatile)** seit dem 12. Jahrhundert.

In der *kath. Kirche* führten die liturgischen Reformen seit dem 2. Vatikanischen Konzil dazu, dass der Altar von der Rückwand des Kirchenbaus getrennt wurde und nun zentraler aufgestellt wird, z. B. auf einer Altarinsel in der Mitte des Raumes. Damit wurde die vorher geübte Praxis aufgegeben, die Messe mit dem Rücken zur Gemeinde zu zelebrieren. Weitere Vorschriften des neuen Kirchenrechts von 1983 knüpfen an die kirchliche Tradition an: Der Altar bedarf als hl. Ort der Weihe. Er soll als fester Altar eine Tischplatte haben, die in der Regel aus einem einzigen Naturstein angefertigt ist, er soll Reliquien von Märtyrern in sich bergen, und unter dem Altar darf kein Leichnam aufbewahrt werden. Bewegliche oder Tragaltäre müssen geweiht oder gesegnet sein. Kreuz, Leuchter und Blumenschmuck dürfen auf dem Altar stehen, Heiligenbilder und -figuren nicht.

Die *ev. Kirchen* kennen seit der Reformation grundsätzlich nur den Altartisch als Abendmahlstisch. Im Unterschied zu den reformierten Kirchen behielt die lutherische Kirche die schon bestehenden Altäre meist bei. Der Schmuck neuerer Altäre war meist spärlich und auf einfache Symbolik beschränkt. Die Sonderform der Verbindung von Kanzel und Altar (**Kanzelaltar**) blieb selten. Während sich das 19. Jh. in der Konzeption von Altären an frühere Stile anlehnte, sucht die Gegenwart im modernen Kirchenbau auch nach einer Erneuerung von Form und Stellung des Altars im Kirchenraum.

In den *Ostkirchen* ist der Altar durch die Bilderwand (Ikonostase) vom Gemeinderaum getrennt. Es handelt sich um einen frei stehenden **Steinaltar**, der aus einer quadratischen (selten rechteckigen) Steinplatte besteht, die auf einem kubischen Block ruht.

Das Kirchenrecht der Ostkirchen und der ev. Kirchen lässt in altkirchlicher Tradition nur einen Altar pro Kirche zu. Das kath. Kirchenrecht lässt neben dem **Hauptaltar** einer Kirche auch **Nebenaltäre** zu, von deren Neuerrichtung jedoch nach Möglichkeit Abstand genommen werden sollte.

Altarsakrament, →Eucharistie.

Alter Bund, *christliche Theologie:* Bezeichnung für die Zeit vor Jesus Christus. Neben dem Gedanken der Erwählung (→auserwähltes Volk) meint der Begriff auch das besondere Bundesverhältnis zwischen Gott und seinem Volk Israel. Als Vertrag zwischen zwei ungleichen Partnern begründete der Bund ein besonderes Rechtsverhältnis, das einerseits Schutz gewährte, andererseits dem Volk die Verpflichtung der Bundestreue auferlegte. Gott schloss den Bund mit Israel am Sinai (2. Mos. 19–34), nachdem Bundesschlüsse mit Noah (1. Mos. 9) und Abraham (1. Mos. 17) vorausgegangen waren. Die prophetische Vorstellung vom Bruch des Bundes führte zu der Erwartung eines neuen Bundes (Jer. 31, 31–34). Im N.T. gilt der verheißene **Neue Bund** als in Jesus Christus erfüllt, womit der Alte Bund abgelöst ist.

Alter Ego [latein. »das andere (zweite) Ich«], Bezeichnung für einen Typ von Seelenvorstellungen, bei dem die Seele als Doppelgänger – realisiert z.B. in Tier, Pflanze, Schatten, (Spiegel-)Bild – verstanden wird. Das Alter Ego bildet zusammen mit Freiseele und Traumseele insofern eine gemeinsame Gruppe von Seelenvorstellungen, als →Seele hier unabhängig von den körperlichen Funktionen der konkreten Person (Körperseele) gedacht wird. Das Tier als Alter Ego ist eine Idee, die sich im Schamanismus und in amerikanischen Stammeskulturen besonders ausgeprägt findet (→Nagualismus).

Alter vom Berge, übliche Übersetzung des Titels »Scheich al-Djebel« (»Gebieter des Gebirges«) des Oberhauptes der syrischen →Assassinen.

Altes Testament, Teil der →Bibel.

Altgläubige, Selbstbezeichnung der russisch-orth. Christen, die sich im 17. Jh. von der Staatskirche trennten und von dieser daher als »Spalter«, als Raskolniki, bezeichnet wurden.

Alt-Katholiken, Altkatholiken, Katholiken, die sich wegen der Dogmatisierung der päpstlichen Unfehlbarkeit und des päpstlichen Jurisdiktionsprimats durch das 1. Vatikanische Konzil (1870) von der kath. Kirche getrennt und selbstständige Bistümer in Europa und Nordamerika gebildet haben. Die alt-katholische Kirche in Deutschland formierte sich nach dem ersten alt-katholischen Kongress in München (1871). Führende Persönlichkeiten waren Ignaz von Döllinger und Johann Friedrich von Schulte (*1827, †1914). 1873 wurde Joseph Hubert Reinkens (*1821, †1896) zum Bischof gewählt und durch einen Bischof der schon 1723 von Rom getrennten **Utrechter Kirche** in Rotterdam geweiht.

■ **Bekenntnis und Beziehung zu anderen Kirchen** Die Alt-Katholiken bekennen sich zum Glauben der alten ungeteilten Kirche des 1. Jahrtausends. Sie erkennen den Ehrenprimat des Bischofs von Rom an, halten an den dogmatischen Aussagen der ersten sieben Konzile fest, erkennen die Siebenzahl der Sakramente an und lehnen das Pflichtzölibat für Diakone, Priester und Bischöfe ab. Laien haben Mitspracherecht auf der Veranstaltungsebene von Pfarrgemeinde und Diözese.

Volle Sakramentsgemeinschaft besteht seit 1931 mit der Anglikanischen Kirchengemeinschaft, seit 1965 mit der »Philippinischen Unabhängigen Katholischen Kirche«, mit der »Lusitanisch-Katholischen Kirche« Portugals und mit der »Spanischen Reformierten Episkopalkirche«. Mit der Evangelischen Kirche in Deutschland (EKD) wurde 1985 eine »gegenseitige Einladung« zum Abendmahl vereinbart. Mit der kath. Kirche in Deutschland besteht seit 1999 eine Vereinbarung, die im Falle des Übertritts die Übernahme von kath. bzw. alt-katholischen Geistlichen in den Dienst der anderen Kirche regelt. 1994 beschloss die Synode der alt-katholischen Kirche in Deutschland die Zulassung von Frauen zum geistlichen Amt.

■ **Verbreitung** Gegenwärtig hat die alt-katholische Kirche in Deutschland rund 25 000 Mitglieder. Bischofssitz ist Bonn mit alt-katholischem Priesterseminar. In der *Schweiz* entstand 1872 die »Christkatholische Kirche der Schweiz« (Bischofssitz Bern; rund 13 000 Mitglieder), in *Österreich* 1871 die »Alt-katholische Kirche in Österreich« (Bischofssitz Wien; rund 14 500 Mitglieder). Von den weltweit über sechs Millionen Alt-Katholiken gehören rund 500 000 den in der **Utrechter Union** (gegründet 1889) zusammengeschlossenen alt-katholischen Kirchen an.

Altlutheraner, die Mitglieder der ev.-lutherischen Freikirchen, die im 19. Jh. auf dem Boden der deutschen ev. Landeskirchen aus dem Bestreben heraus entstanden sind, das theologische Erbe der Reformation Martin Luthers v. a. gegen die staatlich verordneten Kirchenunionen, aber auch gegenüber (nach altlutherischem Verständnis) nicht bekenntnisgemäßen kirchlichen und theologischen Strömungen zu bewahren.

■ **Geschichte und Verbreitung in Preußen** Die Bildung lutherischer Freikirchen begann im Jahr 1830, dem Jubiläumsjahr des Augsburgischen Bekenntnisses. Rund 2 500 Breslauer Lutheraner erklärten ihre kirchliche Unabhängigkeit von der durch Friedrich Wilhelm III. eingeführten Unionskirche und bildeten die erste altlutherische Gemeinde. 1841 konstituierte sich in Breslau auf einer lutherischen Generalsynode die »Evangelisch-luthe-

Altes Testament
→ GEO **Dossier**
Wer war Jesus?, Bd. 15

Alt-Katholiken.
Der katholische Kirchenrechtler Johann Friedrich von Schulte war einer der führenden Alt-Katholiken. Als Gelehrter erlangte er durch Standardwerke zum Kirchenrecht und zur Geschichte des Alt-Katholizismus Bedeutung.

Amaterasu

rische Kirche in Preußen«. Zunächst juristisch und polizeilich durch den preußischen Staat bekämpft, erhielten die Altlutheraner 1845 durch Friedrich Wilhelm IV. für ihre Gemeinden Korporationsrechte und das Recht einer eigenen, von den landeskirchlichen Behörden unabhängigen Kirchenleitung (Oberkirchenkollegium) zugestanden. Altlutherische Gemeinden bestanden v.a. in den preußischen Ostprovinzen, aber auch in der Rheinprovinz. Unterschiedliche Auffassungen zu Fragen der Kirchenleitung führten zur zeitweiligen Spaltung (1862–1904) der Altlutheraner in Preußen. In der Folge des Zweiten Weltkriegs ging mit den Gemeinden östlich der Oder und Neiße mehr als die Hälfte aller altlutherischen Gemeinden unter. 1954 benannte sich die Kirche in »Evangelisch-lutherische (altlutherische) Kirche« um.

■ **Geschichte und Verbreitung außerhalb Preußens** Außerhalb Preußens entstanden ev.-lutherische Freikirchen in Hannover, Hessen, Baden und Sachsen. In Baden, Nassau, Waldeck und Hessen-Darmstadt führten der Widerstand gegen eine unionistische Kirchenverfassung, im Regierungsbezirk Kassel der Widerstand (die »Renitenz«) gegen die Bildung eines Gesamtkonsistoriums (1873), in Hannover die Ablehnung des anlässlich des Zivilstandsgesetzes eingeführten Trauformulars (1878) zur Bildung selbstständiger lutherischer Kirchen. In Sachsen ist die »Evangelisch-Lutherische Freikirche« (1877 als »Evangelisch-Lutherische Freikirche in Sachsen und anderen Staaten« gegründet) aus einer Laienbewegung hervorgegangen, die zunächst noch innerhalb der (nach altlutherischem Verständnis nur nominell) lutherischen Landeskirche dem lutherischen Bekenntnis wieder Geltung verschaffen wollte. Ihr schlossen sich die selbstständigen Lutheraner in Nassau an. In ihrer Verfassung und Theologie ist die Kirche stark von der lutherischen Missouri-Synode (USA) beeinflusst. Mitglieder der 1924 in Lodz gegründeten ev.-lutherischen Freikirche in Polen organisierten sich 1946 im Gebiet der späteren Bundesrepublik Deutschland als »Evangelisch-Lutherische Flüchtlingsmissionskirche« neu (seit 1951 »Evangelisch-Lutherische Bekenntniskirche«).

Einigungsbemühungen zwischen den ev.-lutherischen Freikirchen seit Anfang des 20. Jh. führten über verschiedene Formen der Zusammenarbeit und kirchlichen Gemeinschaft 1972 zur Bildung der »Selbständigen Evangelisch-Lutherischen Kirche«.

Amaterasu [japan. »vom Himmel leuchtend«], **Amaterasu Ōmikami** [»Amaterasu, die große erhabene Gottheit«], Hauptgottheit des →Shintō, Sonnengöttin, Herrscherin über den Himmel, Schutz- und Ahnengottheit des japanischen Kaiserhauses.

Ambika [Sanskrit »Mutter«], Name der hinduistischen Göttin Parvati (Gattin →Shivas) und Erscheinungsform der →Devi. Ambika ist außerdem der Name einer Göttin im Jainismus.

Ambrosius, lateinischer Kirchenlehrer, * Trier um 340, † Mailand 4. 4. 397; stammte aus römischem Adel und wurde, noch ungetauft, als hoher Beamter (Statthalter der Provinz Liguria und Aemilia) 374 zum Bischof von Mailand gewählt. Als bedeutender Prediger, Theologe und Seelsorger beherrschende Gestalt der abendländischen Kirche seiner Zeit, kämpfte er erfolgreich gegen arianische und heidnische Restaurationsbestrebungen. Im Mittelpunkt seiner seelsorgerisch-praktisch ausgerichteten Schriften steht die v.a. allegorische Auslegung der Bibel. Seine Hymnen und der nach östlichem (wohl syrischem) Vorbild eingeführte Kirchengesang (ambrosianischer Gesang) wurden zur Keimzelle der liturgischen Entwicklung. Unter dem Einfluss seiner Predigten bekehrte sich Augustinus zum Christentum und ließ sich 387 von Ambrosius taufen. Als Exeget gehört Ambrosius zu den Wiederentdeckern des Paulus im Abendland. – Heiliger (Tag: 7. 12.).

Amen [hebr. »Ja, gewiss!«], die aus dem A. T. in das N. T., in die christlichen Liturgien und auch in den islamischen Kult übernommene Zustimmungsformel der Gemeinde zu Rede, Gebet und Segen. Es bildet allgemein den Gebetsschluss.

Amenophis IV., ägyptischer Herrscher, →Echnaton.

Amescha spentas [altiran. »die hl. Unsterblichen«], im Zoroastrismus bzw. Parsismus eine Gruppe von ursprünglich sechs göttlichen Wesen, die um →Ahura Masda kreisen und Aspekte seines Wesens darstellen, in denen die Idealwerte der zoroastrischen Glaubenswelt personal verkörpert sind: Vohu Manah (»gutes Sinnen«), Ascha vahischta (»beste Wahrheit«), Chschathra varya (»ersehnte Herrschaft«), Armati (»Andacht«), Haurvatat (»Gesundheit«) und Ameretat (»Unsterblichkeit«). Im späten Zoroastrismus erscheinen die Amescha spentas den Elementen vorgeordnet: Vohu Manah den Lebewesen, die Folgenden dem Feuer, den Metallen, der Erde, den Gewässern und den Pflanzen. Als siebenter hl. Unsterblicher erscheint zuletzt Sraoscha (»Gehorsam«), der bei Zarathustra eine Engelsgestalt ist, nach Ahura Masda selbst. Gemäß späterer Lehrentwicklung entsprechen den guten Amescha spentas ebenso viele böse Mächte in der ursprünglich gut geschaffenen geistigen und körperlichen Welt. Die Vorstellung von Amescha spentas hat möglicherweise die spätere jüdische und damit auch die christliche Engellehre beeinflusst.

Am Haarez [hebr. »Volk des Landes«], im A. T. Bezeichnung für das Volk im Unterschied zum König und dessen Beamten, aber auch für den mit Grundbesitz, politischen und militä-

Amaterasu.
Amaterasu ist die oberste Gottheit des Shintō. Als Ahnherrin des Yamato-Kaisergeschlechts avancierte sie nach dessen Machtübernahme im 7. Jh. zur Schutzgöttin des japanischen Reiches (Paris, Musée National des Arts Asiatiques Guimet).

rischen Rechten ausgestatteten Landadel, der in Krisenzeiten oft eine Stütze der davidischen Dynastie bildete. Im späteren Judentum wurde sie auch für den Einzelnen verwendet, der nicht in der pharisäisch-rabbinischen Tradition ausgebildet ist und der v. a. die jüdischen Reinheits- und Speisegebote nicht befolgt.

Amida, japanische Form für Amitabha.

Amische, *Plural,* englisch **Amish** [ˈeɪmɪʃ, auch ˈɑːmɪʃ], eine Gruppe der Mennoniten, die sich wegen ihrer strengeren Auffassung von Kirchenzucht 1693 von den übrigen Mennoniten trennte und seither eine eigene religiöse Gemeinschaft bildet; benannt nach ihrem ersten Ältesten Jakob Amman (* 1644, † vor 1730; Mennonitenältester im Emmental). Seit Anfang des 18. Jahrhunderts wanderten die Amischen nach Nordamerika (besonders Pennsylvania) aus, wo sie bis heute in eigenen Siedlungen leben, Lebensart und Sprache (Pennsylvaniadeutsch) ihrer Vorfahren bewahren und überwiegend als Farmer, aber auch als Handwerker tätig sind.

Die wirtschaftliche Tätigkeit ist auf maximale Selbstversorgung ausgerichtet. Ihre sozialen Beziehungen (gegenseitige Unterstützung, Heirat untereinander, eigener Schulunterricht) begreifen sie als authentischen Ausdruck ihrer Glaubensbrüderschaft. Die Amischen betreiben keine Mission, verhalten sich in Konflikten gewaltlos und zahlen pünktlich Steuern. Sie führen ein einfaches Leben, in dem sie unter Berufung auf die Bibel bewusst auf technische Errungenschaften (landwirtschaftliche Maschinen, Telefon, Elektrogeräte) verzichten. Die konservativen Gemeinden, die rd. 80 % aller Amischen umfassen, verstehen diesen Verzicht allumfassend, während »liberalere« Gemeinden im begrenzten Umfang auch »Neuerungen« zulassen (Fahrräder, gummibereifte Pferdewagen, motorgetriebene Melkmaschinen, Traktoren).

Die Kleidung der Amischen ist durch Tradition und Vorschriften bestimmt. Die Frauen tragen zu einer schlichten, meist dunklen Kleidung schwarze Kapotthüte oder weiße Musselinhäubchen; für die Männer sind schwarze, breitkrempige Hüte charakteristisch. Heute umfassen die Amischen eine Bevölkerungsgruppe von etwa 140 000 Menschen in den USA (v. a. in Pennsylvania [Lancaster County], Nordostindiana und Nordohio) und in Kanada (Ontario); Gemeindemitglieder im rechtlichen Sinn sind die rd. 40 000 getauften erwachsenen Amischen.

Amitabha [Sanskrit »von unermesslichem Lichtglanz«], japanisch **Amida,** auch **Amitayus** (»von unermesslicher Lebenszeit«), im Mahayana- und Vajrayana-Buddhismus ein Buddha, der die ihm gläubig Ergebenen nach dem Tod in sein Reich, das »Westliche Paradies« oder →Reine Land, aufnimmt. In ihren Ursprüngen in Indien wurzelnd, ge-

Amitabha. Auf diesem tibetischen Thangka wird der Buddha Amitabha als Herr des Westlichen Paradieses (Sukhavati) und als Seelenretter dargestellt. Er ist einfach gekleidet und an seinem in Schneckenlöckchen gelegten Haar, dem Schädelauswuchs und den lang gezogenen Ohren als Buddha erkennbar (18. Jh.; Köln, Privatsammlung).

langte diese Lehre über China (4.–6. Jh.) nach Japan (11. und 12. Jh.). In beiden Ländern mit unterschiedlichen Akzentuierungen zur »Schule des Reinen Landes« ausgebildet, bildet die Verehrung des gnadenspendenden, Erbarmen und Weisheit symbolisierenden Buddha Amitabha seither ein wesentliches Moment des chinesischen und japanischen Buddhismus. In der buddhistischen (Volks-)Frömmigkeit ist Amitabha einer der am meisten verehrten Buddhas. Im tibetischen Buddhismus gilt der →Pantschen-Lama als Inkarnation des Buddha-Amitabha.

Ammon, Amon, →Amun.

Amoghasiddhi [Sanskrit »der unfehlbar sein Ziel erreicht«], einer der transzendentalen Buddhas im Mahayana-Buddhismus. Seine →Mudra ist die der Furchtlosigkeit, sein Symbol ist der Vajra (Diamant), der für das Absolute und Unzerstörbare steht.

Amor, dem griechischen Gott →Eros entsprechender römischer Gott der Liebe.

Amoräer [hebr. »Sagende«], Überlieferer und Kommentatoren der rabbinischen Schultraditionen Palästinas und Babyloniens seit Abschluss der Mischna bis zum Ende der talmudischen Epoche (ca. 3.–6. Jh.), traditionell eingeteilt in fünf (Palästina) bzw. sieben (Babylonien) Generationen. Hauptaufgabe der amoräischen Gelehrten und ihrer Schülerkreise waren Studium, Auslegung und Anwendung der Thora. Ihre Autorität basierte zunächst allein auf ihrer durch Charisma und Kompetenz erworbenen Reputation. Erhalten sind ihre Überlieferungen und Lehrmeinungen im palästinischen und im babylonischen Talmud sowie in den (amoräischen) Midraschim.

Amos [hebr. ʿĀmôs, eigtl. »der (von Gott) Getragene«], *A. T.:* ältester Schriftprophet, aus Tekoa in Juda, der um 760 v. Chr. unter König Jerobeam II. am Heiligtum in Bet-El auftrat. Amos war von Beruf Vieh- und Maulbeerfeigenzüchter. Orientiert an Israel als einer Rechts- und Kultgemeinschaft, geißelte er die soziale Missstände als Missachtung der Gebote Gottes und sagte ein Strafgericht Gottes voraus, dem nur wenige entkommen würden (3,12; 5,3). Das **Buch Amos** gehört zum →Zwölfprophetenbuch. In seinem Kernbestand geht es auf eine Spruchsammlung aus der Mitte des 8. Jahrhunderts v. Chr. zurück, in der die ursprünglich einzeln überlieferten Prophetenworte des Amos zusammengefasst worden waren. Die im A. T. vorliegende Form entstand durch mehrfache Überarbeitung und Redaktion und enthält neben echten Amosworten zahlreiche sekundäre Zusätze.

Amritsar, religiöses Zentrum der Religionsgemeinschaft der →Sikhs im indischen Bundesstaat Punjab und Standort ihres Haupheiligtums, des inmitten eines hl. Sees gelegenen »Goldenen Tempels«. Dort wird ihr hl. Buch, der →Adigrantha, kultisch verehrt.

Amun [»der Verborgene«], griechisch **Amon** oder **Ammon,** ägyptischer Gott, ursprünglich wohl der unsichtbare Wind, der seit der elften Dynastie (2040–1991 v. Chr.) v. a. im Tempel von →Karnak verehrt wurde. Durch die Verbindung mit dem Sonnengott als **Amun-Re** wird er zum Götterkönig und Weltschöpfer, als **Min** und **Kamutef** (»Stier seiner Mutter«) zu einer Verkörperung der Fruchtbarkeit. Dargestellt wird Amun als Mensch mit hoher Federkrone, seltener als Widder. Seine hl. Stadt war Theben. Seine entschiedene Ablehnung durch Echnaton (Amenophis IV.) hatte keine bleibende Wirkung. So begründeten die Priester des Amun um 1100 v. Chr. in Theben eine Theokratie. Noch den Griechen und Römern war Amun als Orakelgott der Oase Siwa vertraut und wurde mit Zeus bzw. Jupiter gleichgesetzt.

Anabaptisten, →Täufer.

Anachoret [-xo-, -ço- oder -ko-, zu griech. anachōreîn »sich zurückziehen«], Einsiedler; in vollkommener Einsamkeit lebender christlicher Asket, besonders im →Mönchtum der frühen Kirche.

Anahita [altpers. »die Unbefleckte«], griechisch **Anaitis,** iranische Fruchtbarkeitsgöttin und zugleich Siegeshelferin und Herrin des Wassers, die inschriftlich unter Artaxerxes II. (404–359/358 v. Chr.) bezeugt ist. Sie wird als adelige, hoch gegürtete Jungfrau mit goldglänzendem Bibermantel, Hermelinpelz, Diadem und Juwelen geschildert. Anahita wurde zusammen mit Mithra (→Mithras) in das Pantheon des Parsismus aufgenommen.

Analogiezauber, Form der magischen Praxis, mit der eine Wirkung durch Nachahmung erreicht werden soll, z. B. Beschwörungsformeln und Zauberriten nach den Prinzipien analoger Darstellung der erhofften Wirkungen; im weiteren Sinn auch der Heilzauber nach dem Grundsatz »similia similibus curentur«, d. h., Ähnliches soll durch Ähnliches geheilt werden.

Ananda, Mönch und Leibdiener →Buddhas. Er gilt als einer der zehn bedeutendsten Schüler Buddhas und soll dessen Lehrreden (→Suttapitaka) überliefert haben.

Ananda Marga [Sanskrit »Weg der Glückseligkeit«], eine ordensähnlich strukturierte religiös-politische Bewegung, die 1955 von dem Westbengalen Prabhat Ranjan Sarkar, genannt Sri Anandamurti, gegründet wurde. Die Lehre Sarkars verbindet indische, vorwiegend durch den →Tantrismus geprägte Spiritualität (Guruverehrung, Meditation, Yoga, Tänze) mit gesellschaftspolitischen Reformvorstellungen. In Auseinandersetzung mit Kommunismus und Kapitalismus entwickelte er eine »Progressive Nutzungstheorie« (englische Abkürzung PROUT), nach der eine Elite spirituell fortschrittlich denkender Menschen (»Sadvipras«) zur Führung der Welt in einer Weltregierung berufen sei. Ihren gesellschaftspolitischen Anspruch versucht die Bewegung über zahlreiche soziale Einrichtungen und Aktivitäten zu realisieren (u. a. Waisenhäuser, Kindergärten, Bioläden).

Die Organisation des Ananda Marga ist streng zentralistisch und hierarchisch. Den eigentlichen Kern der Gemeinschaft bilden die vom Leiter des Ananda Marga ernannten Avadhutas (»Weltentrückte«). Die Mitglieder **(Margis)** sind unterschieden in Mitglieder, die weiter ihrem Beruf nachgehen und in ihren Familien leben (die Eingeweihten), und die Vollzeitmitglieder, die als Unverheiratete in »spirituellen Wohngemeinschaften« leben. Aus ihnen werden die Lehrer (Acaryas) ausgewählt, die die neuen Mitglieder in das spirituelle Leben einführen. Seit Ende der 1960er-Jahre breitete sich Ananda Marga über Indien hinaus auch in Nordamerika und Westeuropa aus und zählt heute nach Eigenangaben weltweit rd. 2,5 Millionen Anhänger.

Anandatirtha, indischer Philosoph, →Madhva.

Ananta [Sanskrit »endlos«], auch **Shesha** (»Rest«), mythische Schlangengottheit, die bei der »Quirlung des Milchozeans« als Seil verwendet wurde und half, wichtige Bestandteile des Kosmos zu bergen. Auf dieser Schlange schläft der Gott Vishnu, wenn die Welt in den Fluten untergegangen ist (»kosmische Nacht«). Sie symbolisiert Zeit und Ewigkeit.

Anat, altsyrisch-westsemitische Göttin der Fruchtbarkeit, die in der Mythologie der kanaanäischen Stadt Ugarit als eine ekstatische Liebes- und Kriegsgöttin erschien. Sie galt als Tochter des Himmelsgottes →El sowie als Schwester und auch Geliebte des →Baal, in dessen Mythenzyklus sie eine bedeutende Rolle spielt.

Wohl mit den Hyksos, Königen asiatischer Herkunft, die um 1650 v. Chr. Ägypten eroberten, gelangte ihr Kult in der ersten Hälfte des 2. Jt. v. Chr. nach Ägypten. Im A. T. finden sich

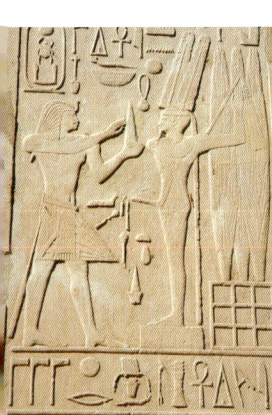

Amun.
Der ägyptische Gott Amun war zunächst nur ein Lokalgott, avancierte aber zu einem der wichtigsten Götter des Reiches. Hier opfert Sesostris I. (1971–26 v. Chr.) dem Amun, der durch sein Attribut, die zwei langen Federn auf seiner Krone, zu identifizieren ist.

Anglikanische Kirchengemeinschaft

noch verschiedentlich Anklänge an Anat. In späterer Zeit verband sich ihr Bild mit dem der →Aschirat und →Astarte. Auf einer Elfenbeinplatte aus Ugarit ist sie mit einem doppelten Paar Flügel, mit Hathorlocken und zwei Hörnern dargestellt.

Anathema [griech.], ursprünglich das Weihgeschenk an einen Gott, das durch die Weihung menschlichem Gebrauch entzogen wurde. Dann wurde der Begriff als Übersetzung des hebräischen Worts für Bannfluch (→Bann), das Verfluchte, mit dem Tod Bedrohte, verwendet und schließlich, im christlichen Sprachgebrauch, für die Verdammung als Häretiker und den Ausschluss aus der Religionsgemeinschaft (→Exkommunikation).

Anatta-Lehre [Pali »Nicht-Selbst«], Lehre der meisten Schulen des älteren →Buddhismus, dass es keine für sich bestehende Ich-Wesenheit, Persönlichkeit oder Seele (→Atman) gibt. Was konventionell als »Ich« oder Ähnliches bezeichnet wird, ist nur eine Konstellation von materiellen und Bewusstseinsfaktoren. Wiedergeburt ist deshalb keine »Seelenwanderung«, Erlösung nicht die Erlösung einer Person.

Andacht, allgemein das innere Gesammeltsein zur Aufnahme heiliger oder erhabener Inhalte, die als Symbol erlebt werden, sowie das Aufmerken auf die Gegenwart Gottes als besonderes Kennzeichen des Gebets. Im *Christentum* wird der Begriff übertragen auf die Feier, in der Andacht geübt wird. Sie kann im Familienkreis, in Bruderschaften oder in geistlichen Gemeinschaften stattfinden. In der kath. Kirche sind Andachtsübungen (pia exercitia) insbesondere eine Ergänzung der amtlichen Liturgie und werden hinsichtlich ihrer Formen und Formulare von den Bischöfen im Rahmen der teilkirchlichen »Diözesanliturgie« geregelt.

andine Religionen, die Religionen der vorkolumbischen Kulturen (u. a. der Inka) an der Westseite Südamerikas, →vorkolumbische Religionen.

Anfechtung, →Versuchung.

Angela von Foligno [ˈandʒela - foˈliɲo], italienische Mystikerin, *Foligno (Umbrien) um 1248, †ebenda 1309; war verheiratet und hatte mehrere Kinder. Nach dem Tod ihres Mannes wurde sie Franziskanerterziarin und führte ein asketisches Leben. Im Alter von 37 Jahren hatte sie ein mystisches Bekehrungserlebnis und erlebte in visionärer und ekstatischer Form eine Liebesmystik oft erotischer Ausprägung. Ihre Erfahrungen erzählte sie einem »Bruder A.« (Arnaldus?), der sie in lateinischer Sprache aufzeichnete. Dieses Erinnerungsbuch (»Memoriale«) beschreibt den Weg der Buße, den die Seele zu Gott zurücklegt, in 30 Schritten.

Angelologie [griech.], die Lehre von den →Engeln.

Angkor Vat, Tempelkomplex in Kambodscha, der unter Suryavarman II. (1113–50) im Südosten des alten Yashodharapura (Angkor) im klassischen Khmerstil erbaut wurde. Er war ursprünglich dem hinduistischen Vishnu geweiht. Jayavarman VII. (1181–1219) wandelte ihn in einen buddhistischen Tempel um. Der nach Westen orientierte Tempel bildet den Mittelpunkt des heiligen Bezirks von 1 500 m × 1 300 m, der von einem 200 m breiten Wassergraben umgeben ist. Das Zentrum der Anlage wird aus fünf Schreinen mit hohen, steil ansteigenden Gopurams (Torbauten mit Türmen) gebildet. Das Ganze symbolisiert den Kosmos mit seinen Kontinenten und Ozeanen, die um den Meru gruppiert sind. Relieffriese zeigen Szenen aus den indischen Epen Mahabharata und Ramayana, Hindugottheiten, Devatas und Apsaras, Szenen vom Jüngsten Gericht sowie Suryavarman II. mit seinem Hofstaat und an der Spitze seines Heeres. Vermutlich war der Angkor Vat auch als dessen Grabtempel gedacht.

Anglikanische Kirchengemeinschaft, englisch **Anglican Communion,** die Gemeinschaft der aus der →Kirche von England hervorgegangenen, rechtlich jedoch selbstständigen National- und Partikularkirchen (Provinzen). Sie sehen ihre Einheit in Liturgie, Lehre, Verfassung und kirchlicher Ordnung (→Common Prayer Book) und sind besonders auf dem Gebiet des ehemaligen British Empire verbreitet.

■ **Bekenntnis und Beziehung zu anderen Kirchen** Kennzeichnend für die Anglikanische Kirchengemeinschaft sind die 1888 von der »Chicago Lambeth Quadrilateral« angenommenen Grundlagen für die Einigung mit den nicht zur englischen Staatskirche gehörenden Gruppen, den Dissenters (1920 ergänzt und endgültig formuliert): Anerkennung der Bibel als Zeugnis der göttlichen Offenbarung, das Apostolische Glaubensbekenntnis als Aussage des christlichen Glaubens, die beiden

Angkor Vat. Die zentrale Tempelanlage der ehemaligen Khmer-Hauptstadt Angkor soll der Legende nach von keinem Geringeren als dem himmlischen Architekten und Bruder Shivas, Vishvakarman, erbaut worden sein. Die gesamte Ruinenstätte, die im Dschungel nordwestlich der kambodschanischen Hauptstadt Phnom Penh liegt, gehört heute zum Weltkulturerbe.

Angra Mainyu

Anglikanische Kirchengemeinschaft. Feierlicher Einzug von Würdenträgern der Anglikanischen Kirchengemeinschaft, darunter George Carey (1991–2002 Erzbischof von Canterbury), in die Kathedrale von Canterbury zum Eröffnungsgottesdienst der 13. Lambeth-Konferenz (1998)

von Christus selbst eingesetzten Sakramente Taufe und Abendmahl und das historische (d. h. ursprüngliche) Bischofsamt. Seit den 1980er-Jahren sind in Kanada, Neuseeland und den USA Frauen zum Priesteramt zugelassen, seit 1993 (gegen harte Widerstände) auch in der Kirche von England.

Im weiteren Sinn gehört die Anglikanische Kirchengemeinschaft zum →Protestantismus, doch betont sie nachdrücklich ihre Katholizität (anglikanische →Weihen, →apostolische Sukzession). Sie ist daher besonders aufgeschlossen für die ökumenische Bewegung. So steht die Anglikanische Kirchengemeinschaft mit anderen Kirchen teils in Abendmahlsgemeinschaft (z. B. mit den lutherischen Kirchen Skandinaviens), teils in voller Kirchengemeinschaft (z. B. mit den →Alt-Katholiken).

■ **Organisation** Die Mitgliedskirchen der Anglikanischen Kirchengemeinschaft sind bischöflich verfasst und haben, außer der englischen Mutterkirche, den Status von Freikirchen. Die leitenden Bischöfe der National- und Partikularkirchen bilden seit 1978 die Konferenz der Kirchenführer, die als zweites gesamtanglikanisch beratendes Gremium neben die 1969 gegründete Anglikanische Konsultativkonferenz trat, zu der jede Mitgliedskirche je einen Bischof, Priester und Laien entsendet. Folgende National- und Partikularkirchen (Provinzen) bilden die Anglikanische Kirchengemeinschaft: Die Kirche von England (mit den beiden Provinzen Canterbury und York); die schottische Episkopalkirche, die Kirchen von Wales und Irland (als autonome Provinz in der Diaspora); die Provinzen Australien, Brasilien, Birma, Burundi, Indischer Ozean, Japan, Jerusalem und Mittlerer Osten, Kanada, Kenia, Demokratische Republik Kongo, Korea, Melanesien, Mexiko, Neuseeland, Nigeria, Ostasien (mit Sitz in Hongkong), Papua-Neuguinea, Philippinen, Ruanda, Sri Lanka, Sudan, Südafrika, Südostasien (mit Sitz in Singapur), Südspitze Amerikas, Tansania, Uganda, Westafrika, Westindien, Zentralafrika; die Protestantische Episkopalkirche in den USA (→Protestant Episcopal Church) und die anglikanischen Kirchen von Bangladesch, Kuba, Pakistan, Nord- und Südindien. Seit 1980 gehören der Anglikanischen Kirchengemeinschaft auch die »Lusitanische Katholische Apostolische Evangelische Kirche« Portugals und die »Spanische Reformierte Bischöfliche Kirche« an. Zur Beratung der gemeinsamen Fragen dient die internationale anglikanische Bischofskonferenz (**Lambeth-Konferenz**) unter dem Vorsitz des Erzbischofs von Canterbury, dem damit ein gewisser Ehrenprimat und Loyalitätsanspruch zukommt. Die Beschlüsse dieser Konferenz, die in der Regel alle zehn Jahre zusammentritt, haben empfehlenden Charakter. Zwischen diesen Konferenzen tagen die Konferenz der Kirchenführer und die Anglikanische Konsultativkonferenz. Weltweit gibt es heute rund 78 Millionen anglikanische Christen. Anglikanische Gemeinden bestehen in über 160 Ländern.

Angra Mainyu [-ˈmaːnju], Bezeichnung im Parsismus für den bösen Geist, →Ahriman.

Anicca [-tʃ-; Pali, »unbeständig«, »nicht dauerhaft«], im Buddhismus die Lehre von der Unbeständigkeit oder Vergänglichkeit aller Dinge, der geistigen wie der natürlichen. Die »Unbeständigkeit« zeigt sich u. a. dadurch, dass das Denken und Fühlen niemals gleich bleiben, sondern in einem ständigen Fluss sind; außerdem in der Tatsache, dass alle Dinge in Abhängigkeit von anderen existieren, aus etwas entstehen und zu irgendetwas anderem werden.

Animịsmus [zu latein. anima »Seele«], **Animatịsmus,** *Religionswissenschaft:* von dem britischen Ethnologen Edward Burnett

Animismus. In der mittlerweile überkommenen Theorie des Animismus gilt als entscheidendes Merkmal einer »primitiven« Religion der Glaube an die Beseeltheit von Tieren, Pflanzen und Gegenständen. »Primitiv« ist dieser Theorie nach auch die Vorstellung, dass die Götter selbst in diesen balinesischen Götterfiguren wohnen (Nordbali, um 1800).

Tylor (* 1832, † 1917) entwickelte Theorie über den Ursprung von Religion aus dem Glauben an Seelen und Geister in der Umwelt der Menschen. Von der traditionellen abendländischen Seelenvorstellung ausgehend, vertrat Tylor die These, der »primitive Mensch« habe sich nicht nur Menschen, sondern auch Tiere, Pflanzen und Gegenstände mit »Seelen« begabt vorgestellt. Im Lauf der Entwicklung habe man sich diese »Seelen« zunehmend selbstständiger gedacht: Dies sei der Ursprung der Vorstellung von Geistern, Dämonen und schließlich auch Göttern und damit von Religion insgesamt.

Diese Theorie, die die Diskussion über den Ursprung von Religion im letzten Drittel des 19. Jh. wesentlich bestimmte, wurde durch die These des **Präanimismus** oder **Animatismus** erweitert und schließlich abgelöst. Danach seien der Ursprung und das Wesen der Religion in verallgemeinerten Vorstellungen von Leben und Kraft zu sehen, die zunächst unpersönlich wirkend, später personalisiert und handelnd gedacht worden seien. Unter den Begriffen →Dynamismus oder Manaismus hat die Theorie des Präanimismus eine weitreichende Wirkung gehabt.

Die religionswissenschaftliche und ethnologische Kritik an der Animismustheorie verwies auf die unreflektierte Verwendung des Begriffs von »Seele« sowie die Beschränkung von Religion auf kognitive Prozesse. Generell ist schließlich die Erwartung aufgegeben worden, zu den Ursprüngen von Religion wissenschaftlich vordringen zu können. Im allgemeinen Sprachgebrauch wird gelegentlich Animismus mit traditionellen Religionen (den so genannten »primitiven« Religionen) gleichgesetzt, insofern diesen angeblich eine anthropomorph orientierte Sicht der Wirklichkeit und damit der Glaube an menschengestaltig gedachte Mächte (z. B. Geister) eigen sei.

Annapurṇa [Sanskrit »mit Nahrung gefüllt«], hinduistische weibliche Gottheit, zu der um Nahrungsversorgung gebetet wird. Sie ist eine der Hauptgottheiten, die in Varanasi verehrt werden.

Annuntiation [latein.], **Verkündigung Mariä,** die im N.T. (Lk. 1, 26–38) berichtete Mitteilung des Engels Gabriel an Maria über die Empfängnis Jesu.

Annwn ['annun], in der mittelalterlichen walisischen Literatur die Bezeichnung einer der sichtbaren Welt entgegengesetzten und zugleich parallelen »anderen Welt« der Geister. Das Wort ist etymologisch ungeklärt und ohne gesicherte irische oder festlandkeltische Parallelen. Frühe Quellen schildern Annwn als eine wunderbare Region entweder jenseits des Meeres oder unter der Erde, während jüngere Texte Annwn auch als Bezeichnung der christlichen Hölle verwenden.

Anselm von Canterbury [-ˈkæntəbəri], scholastischer Theologe und Philosoph, * Aosta 1033, † Canterbury 21. 4. 1109; Kirchenlehrer, war 1078–93 Abt des Benediktinerklosters Bec in der Normandie und dann bis zu seinem Tod Erzbischof von Canterbury. Reiche spekulative Begabung und mystische Frömmigkeit machten Anselm zum »Vater« der mittelalterlichen Scholastik und Mystik. Sein auf Augustinus zurückgehender Grundsatz »Credo, ut intelligam« (»Ich glaube, um zu erkennen«) bedeutet, dass die Vernunft den Glaubensinhalt so weit wie möglich rational durchleuchten und systematisieren soll. In diesem Sinn behandelte Anselm die Existenz Gottes, Schöpfung und Trinität. Berühmt ist sein ontologischer →Gottesbeweis. – Heiliger (Tag: 21. 4.).

Antichrist, Widerchrist, bei Martin Luther **Endchrist,** nach altjüdischer und christlicher Vorstellung der der Ankunft des →Messias (griechisch: Christos) vorausgehende teuflische Gegenspieler, der von den Juden als »Antimessias« zumeist mit einem heidnischen Herrscher (z. B. Antiochus IV. Epiphanes, 175–164 v. Chr.) gleichgesetzt wurde. Die griechische Bezeichnung »antichristos« findet sich im N. T. nur in den Johannesbriefen (1. Joh. 2, 18. 22; 4, 3; 2. Joh. 7), wo derjenige als Antichrist bezeichnet wird, der die Messianität und Leiblichkeit Jesu leugnet. Der Sache nach begegnet der Antichrist als endzeitlicher Gegenspieler Christi auch in der »synoptischen Apokalypse« (Mk. 13 mit Parallelen), in 2. Thess. 2, 3–12 und in der »Apokalypse des Johannes (besonders Kapitel 13). Nach Apk. 16, 13 und 20, 10 bilden die zwei antichristlichen, auf den römischen Kaiser und die Priesterschaft seines Kultes zu deutenden Tiere von Kapitel 13 mit dem teuflischen Drachen von Apk. 12 eine Art Antitrinität, die vom erhöhten Christus überwunden und vernichtet werden wird (Apk. 17, 14; 19, 15–21; 20, 10; vgl. 2. Thess. 2, 8).

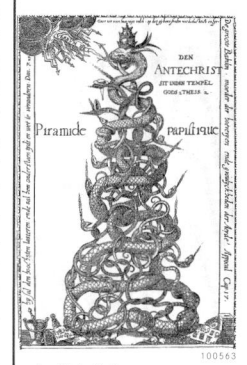

Im Lauf der Zeit ist der Antichrist mit vielen Erscheinungen und Personen identifiziert worden: u. a. mit dem römischen Kaiser Nero, mit Mohammed oder dem reich und politisch mächtig gewordenen Papst als Person (so von den Franziskanerspiritualen u. a. Oppositionsgruppen des Mittelalters: z. B. John Wycliffe, Jan Hus) und dem das Evangelium unterdrückenden und sich über Gott stellenden Papsttum als Institution (so von Luther und der Reformation). Ob die neutestamentlichen Autoren mit dem Antichrist eine Figur ihrer Zeit meinten, ist unsicher.

Antijudaismus, ältere, (bis ins 19. Jh.) traditionelle (religiöse) Form der Judenfeindschaft, die von der Theologie der christlichen Kirche mitbegründet wurde. Sie beinhaltete v. a. die Diskriminierung der Juden als angebliche Feinde Christi. Der Antijudaismus ist eine Vorform des modernen →Antisemitismus.

Anselm von Canterbury

Antichrist. Der Antichrist erscheint in der Bibel als endzeitlicher Widersacher Christi. Ein beliebtes Motiv antikatholischer Propaganda zur Zeit der Reformation war die Darstellung des Papstes als Antichrist. Mit den anderen Schlangen bildet die Schlange des Antichrists die kirchliche Hierarchie (Kupferstich von 1580).

A antike Festspiele

Antisemitismus. Als Personifikationen des Neuen und Alten Testaments erscheinen in der Kunst Ecclesia und Synagoge. Während die Ecclesia eine Krone auf dem Haupt trägt, hat die Synagoge verbundene Augen und hält einen zerbrochenen Fahnenstab in den Händen. Dies kann als Ausdruck von religiös motiviertem Antisemitismus aufgefasst werden.

Rechte Seite: Der 447 bis 432 erbaute Parthenontempel auf der Akropolis in Athen

antike Festspiele, öffentliche Wettkämpfe in der griechisch-römischen Antike (mindestens seit 800 v. Chr. bis 400 n. Chr.), die in enger Verbindung mit religiösen Festen zu Ehren von Göttern oder göttergleich verehrten Heroen, meistens in regelmäßigem Zyklus, veranstaltet wurden. Die angesehensten unter ihnen waren die panhellenischen Spiele, die von allen griechischen Stadtstaaten anerkannt und beschickt wurden: die Olympischen Spiele, die Pythischen Spiele zu Ehren Apolls und des von ihm besiegten und getöteten Drachen Python in Delphi, die Isthmischen Spiele zu Ehren des Poseidon von Korinth und die Nemeischen Spiele zu Ehren des nemeischen Zeus im Heiligtum von Nemea.

Im republikanischen Rom und später durch die römischen Kaiser wurde der Festkalender beträchtlich ausgeweitet. Die wichtigsten Spiele (Ludi) der römischen Republik waren die Ludi Romani zu Ehren des Iuppiter Optimus Maximus, die →Säkularspiele, die Ludi plebeii zu Ehren Jupiters, die Ludi Apollinares zu Ehren Apollons, die Ludi Ceriales zu Ehren der Ceres, die Ludi Megalenses zu Ehren der Magna Mater und die Ludi Florales zu Ehren der Flora. Einige der von den Kaisern gestifteten Spiele, z. B. die Ludi Augustales und Ludi Capitolini, erlangten besondere Berühmtheit. Von großer Bedeutung und äußerer Pracht waren auch die Panathenäen in Athen (ab 566 v. Chr. alle 4 Jahre).

antike Religionen. Unter antiken Religionen werden zumeist die polytheistischen Religionen der Stadtstaaten des antiken Mittelmeerraums verstanden, insbesondere die →griechische Religion und die →römische Religion. Die Hauptmerkmale dieser Religionen – Verehrung unterschiedlicher, weiblich und männlich aufgefasster Gottheiten in Tempeln, aufwendiger Opferkult, Gelübde und Divinationsverfahren in Krisensituationen, Besetzung der Priesterpositionen durch Angehörige der herrschenden Adelsschicht – finden sich aber auch im altorientalischen Bereich und z. B. im (späteren) hinduistischen Indien. Als Epochenbegriff umfassen die antiken Religionen auch das antike Juden- und Christentum: In einer solchen Betrachtungsweise werden die von allen Kulturen des antiken Mittelmeerraums geteilten Grundannahmen über göttliches Wirken und Formen menschlicher Verehrung deutlich. Die Beteiligung von Christen an »heidnischen« Kulten oder jüdischen Banketten ist dann ebenso wenig verwunderlich wie die Verehrung von Christus durch einen römischen Kaiser wie Elagabal, den höchsten Sonnenpriester des Reiches.

■ Siehe auch

SACHBEGRIFFE →ägyptische Religion · Auspizien · babylonisch-assyrische Religionen · Delphi · etruskische Religion · Gilgamesch · Herrscherkult · iranische Religionen · Kapitol · minoische Religion · Mysterien · Pontifex · Tempel · Zoroastrismus

PERSONEN →Apoll · Baal · Demeter · Dionysos · Hera · Hermes · Horus · Ischtar · Isis · Juno · Jupiter · Kybele · Marduk · Mithras · Osiris · Poseidon · Venus · Zeus

Antinoos, schöner Jüngling aus Bithynien, *110 n. Chr.; Liebling des römischen Kaisers Hadrian, der 130 n. Chr. im Nil ertrank. Hadrian ließ ihn als göttlich verehren und durch Festspiele (Antinoea) feiern. An seinem Todesort gründete er 132 die Stadt Antinoe (Antinupolis in Mittelägypten). Zahlreiche antike Statuen und Reliefs zeigen Antinoos teils in idealer Nacktheit, teils mit Attributen von Göttern wie Dionysos und Vertumnus.

Antisemitismus, seit etwa 1880 verbreiteter politisch-ideologischer Begriff, der sowohl die Abneigung oder Feindseligkeit gegen Juden als auch (nationalistische) Bewegungen mit ausgeprägten judenfeindlichen Tendenzen bezeichnet. Heute wird er v. a. als Sammelbegriff zur Kennzeichnung unterschiedlich motivierter individueller und kollektiver antijüdischer Einstellungen und Handlungen verwendet. Er wurde vielfach mit einem stark negativen Akzent versehen und als abwertende Bezeichnung für Geist und Lebensart des →Judentums gebraucht. Der Begriff ist insofern irreführend, da nicht die Gesamtheit der semitischen Völker (z. B. auch Araber) gemeint ist.

■ **Ältere Formen** Bereits in der Spätantike, besonders jedoch im Hoch- und Spätmittelalter, lösten das aus dem religiösen Anspruch der Juden auf Exklusivität (→auserwähltes Volk) erwachsende innerjüdische Zusammengehörigkeitsgefühl sowie ihre Bemühungen, als Minderheit ihre kulturelle, v. a. religiöse Identität in Abgrenzung gegen die nicht jüdische Umwelt auch in der Diaspora zu bewahren, Diskriminierungen und Verfolgungen aus. Christliche Eiferer beriefen sich auf verschiedene Bibelstellen (z. B. 1. Thess. 2, 15; Joh. 8, 44), wenn sie die Juden kollektiv für den Tod Jesu Christi verantwortlich machten (»Gottesmord«-Vorwurf). In mehreren Ländern Europas kam es oft zu Pogromen und Vertreibungen. Die Judenfeindlichkeit richtete sich gegen das religiös-kulturelle Sonderdasein der Juden in christlichen und in geringem Maße auch in muslimischen Kulturen. Der Jude, der sich taufen ließ, wurde daher zumeist als vollgültiges Mitglied der Kirche anerkannt. Zwangsbekehrung der Juden zum »wahren« Glauben war so das vordergründige Ziel der mittelalterlichen christlichen und seit dem 11./12. Jh. auch der muslimischen Gesellschaft.

Neben das religiöse Moment trat in dieser Zeit auch ein wirtschaftliches. Da den Juden aufgrund von Konzilsbeschlüssen der Kirche

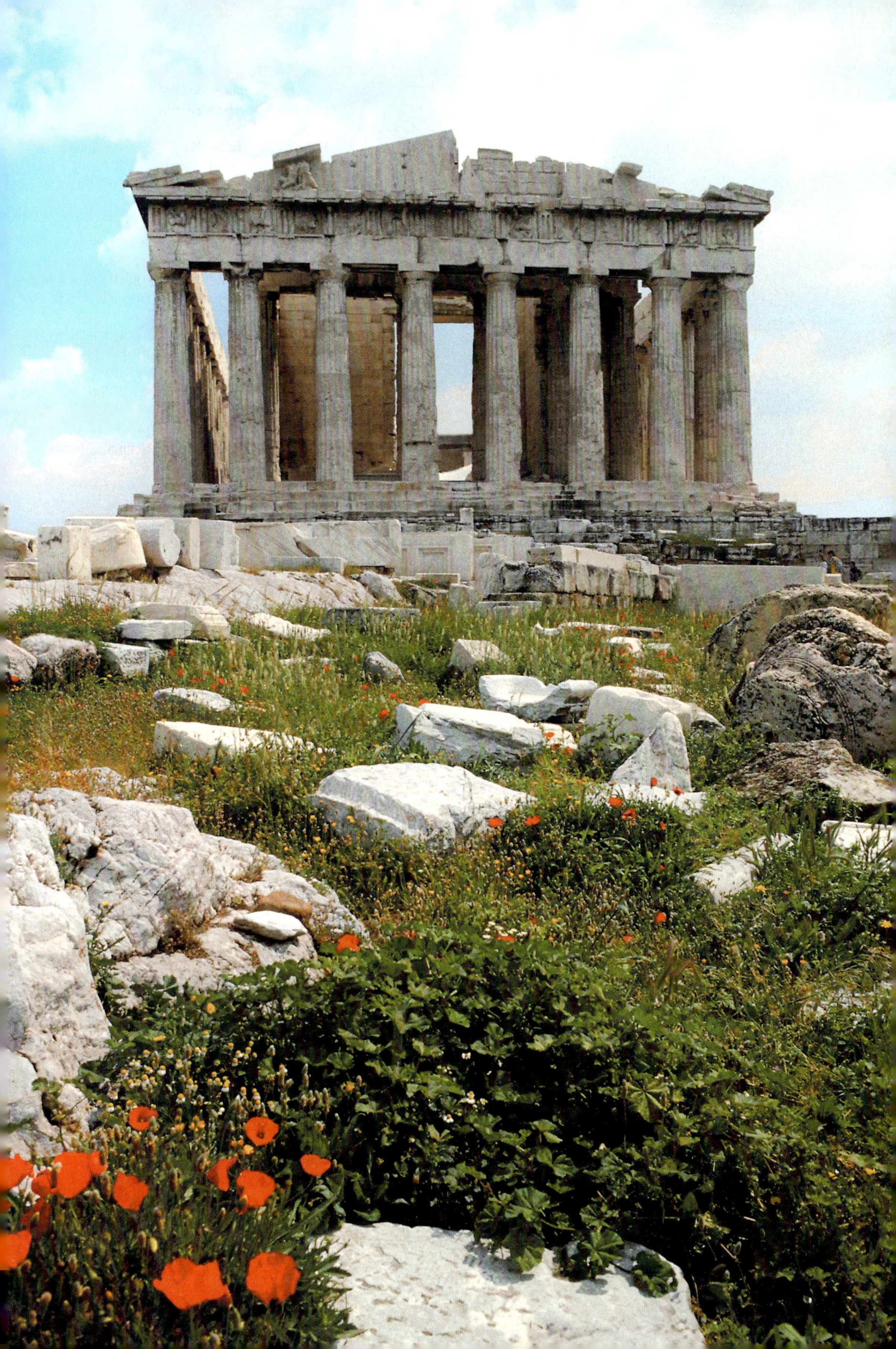

Antistes

Antisemitismus.
Die Verbrennung von Juden – wie auf diesem Holzschnitt von Michael Wolgemut in der Schedelschen Weltchronik aus dem Jahr 1493 – wurde als Vorwegnahme ihrer Höllenqualen angesehen.

Grundbesitzerwerb, Ackerbau und die Ausübung vieler handwerklicher Berufe untersagt waren, ihnen aber zugleich das den Christen verbotene Zinsnehmen erlaubt wurde, sahen sie sich oft dem Vorwurf des Wuchers ausgesetzt. Die Judenfeindlichkeit im Mittelalter entzündete sich also primär an der religiösen und sozialen Absonderung der Juden in der Gesellschaft und zielte auf die religiöse und soziale Assimilation der jüdischen Minderheit. Diese traditionelle Judenfeindschaft (→Antijudaismus) ist vom modernen Antisemitismus zu unterscheiden. Der christlich-jüdische Antagonismus führte zu vielfältigen Formen der Diffamierung der Juden (u. a. Anschuldigungen der Brunnenvergiftung oder des Blut- und Ritualmordes), zu Ausgrenzungen (u. a. Isolierung durch Getto, Judenkennzeichen, mindere rechtliche Stellung) und schließlich zu ihrer Dämonisierung (personifizierter Teufel oder Antichrist; Teufelssohnschaft), verbunden mit vielfältigen abergläubischen Vorstellungen (Verteufelung des Talmud, der Kabbala usw.).

Die Abwertung des jüdischen Glaubens und zahlreiche judenfeindliche Stereotypen begegnen auch bei Humanisten und Reformatoren.

■ **Moderner Antisemitismus** Mit der Veränderung der gesellschaftlichen und politischen Strukturen in Europa in der zweiten Hälfte des 19. Jh. entstand eine neue, areligiöse Form der Judenfeindschaft. Dieser moderne, völkisch-rassistische Antisemitismus richtet sich primär gegen den Menschen jüdischer Herkunft, erst sekundär gegen den Angehörigen der jüdischen Religion. Auch ein zum Christentum übergetretener Angehöriger der jüdischen Religion gilt dem modernen Antisemitismus weiterhin als Jude.

Der moderne Antisemitismus ist historisch gesehen eine feindliche Reaktion auf die Emanzipation, d. h. die bürgerliche Gleichstellung der Juden seit dem 18. Jh., die durch die Aufklärung vorbereitet, durch die Französische Revolution von 1789 politisch gefördert und bis ins 19. Jh. hinein auf rechtlichem Gebiet weitgehend verwirklicht worden war. Größeren Einfluss gewann der moderne Antisemitismus im späten 19. Jh. im Zusammenhang mit den ernsten Wirtschaftskrisen der großen Depression (1873 bis 1895/96) und der durch die industrielle Revolution eingeleiteten sozialen Umschichtung. Gleichzeitig mit dem modernen Antisemitismus in Europa – und als Reaktion darauf – entstand Ende des 19. Jh. der →Zionismus.

■ **Bekämpfung des Antisemitismus** Der Genozid am europäischen Judentum, den der Nationalsozialismus in Europa in Gang setzte, führte zu einer weltweiten Ächtung des Antisemitismus.

Der Bekämpfung des Antisemitismus dienen u. a. internationale Verträge, die Bemühungen der UNO zur Gewährleistung der Menschenrechte und die innerstaatlichen Verbote der unterschiedlichen Behandlung wegen Abstammung, Rasse, Herkunft, Glauben, religiöser oder politischer Anschauung.

Die christlichen Kirchen waren nach 1945 zu einer grundlegenden Überprüfung ihres früher uneinheitlichen Standpunktes bereit. Im Stuttgarter Schuldbekenntnis (1945) erklärte der Rat der Evangelischen Kirche in Deutschland (EKD) die Mitschuld der ev. Christenheit in Deutschland an den Vorgängen in der Zeit des Nationalsozialismus. Die kath. Kirche verwarf auf dem 2. Vatikanischen Konzil (1962–65) in der Erklärung »Nostra aetate« vom 28. 10. 1965 den Antisemitismus. Einen bedeutenden Beitrag zur Überwindung religiös begründeter antijüdischer Vorurteile leistet seit 1946 der →christlich-jüdische Dialog. Zur ersten christlich-jüdischen Begegnung auf internationaler Ebene (International Conference of Christians und Jews) kam es 1946 in Oxford. 1948 definierte die erste Vollversammlung des Ökumenischen Rates der Kirchen in Amsterdam den Antisemitismus als »Sünde gegen Gott und Menschen«. In der Folge versuchten verschiedene kirchliche Studien und Beschlüsse das Verhältnis zwischen Juden und Christen theologisch neu zu bestimmen. 1990 erklärten 14 europäische lutherische Kirchen, dieses v. a. durch Verzicht auf Judenmission im traditionellen Sinn und eine selbstkritische Auseinandersetzung mit antijüdischen Elementen der eigenen Theologie zu suchen (»Hannover-Erklärung« der Lutherischen Europäischen Kommission Kirche und Judentum).

Antistes [latein. »Vorsteher«], Priestertitel in der Antike; außerdem Ehrentitel für kath. Bischöfe und Äbte und in der Schweiz früher der Titel eines Oberpfarrers der reformierten Kirche.

Antonius der Große, Eremit in der libyschen und ägyptischen Wüste, *Kome (heute Keman, Mittelägypten) 251/252, †356; zog um 285 in die Wüste, wo er ohne Besitz zurückgezogen lebte. Sein Ruhm machte ihn zu einem gesuchten Ratgeber mit einer großen Jüngerschaft. Mit ihnen begründete er die Einsied-

Antonius der Große
→ GEO Dossier
Glaube, Liebe, Hoffnung?, Bd. 15

Aphrodite

Antonius der Große — Die Versuchungen des Heiligen

Zahlreichen Versuchungen war der Wüstenvater Antonius in seinem Leben ausgesetzt, von denen die Heiligenlegendensammlung »Legenda Aurea« des Jacopo da Voragine (1230–1298) ausführlich berichtet. So schickte ihm der Teufel etwa einen schwarzen Lustknaben, den »Dämon der Unzucht«, oder er ließ ihn Goldklumpen und Silberschüsseln finden, um seine Habgier zu reizen. Mehrfach kämpfen Dämonen gegen Engel um den Leib des Antonius, der bei den Kämpfen oft schwere Wunden am Körper erlitt oder gar wie tot am Boden liegen blieb. Doch der Heilige blieb in seinem Glauben fest. Als einmal die Dämonen »in Gestalt wilder Tiere« mit Zähnen, Hörnern und Krallen an ihm rissen, bemerkte Antonius mit einem Mal, dass Christus anwesend war, und rief: »Wo warst du, guter Jesus, wo warst du? Warum bist du nicht von Anfang an hier gewesen, um mir zu helfen und meine Wunden zu heilen?« Da antwortete ihm Christus: »Antonius, ich bin immer da gewesen, aber ich wollte deinen Kampf sehen; nun aber hast du tapfer gekämpft und ich werde dir auf der ganzen Welt einen Namen bereiten!« (Ausschnitt aus dem Gemälde von Joachim Patinir, 1524; Madrid, Prado).

---

lerkolonien, eine Vorform des →Mönchtums. Sein Leben und Wirken ist durch →Athanasios überliefert. – Heiliger (Tag: 17.1.). Zu seinen Attributen zählt ein Stab mit T-förmigem Kreuz (**Antoniuskreuz**). In der Kunst sind häufig die Versuchungen des Antonius dargestellt worden.

Antonius von Padua, Franziskaner, *Lissabon 15.8.(?) 1195, † Arcella (heute zu Padua) 13.6.1231; war Lehrer der Theologie in Bologna und Volksprediger in Südfrankreich, wo er sich v.a. gegen die →Albigenser wandte, und in Italien. Als Wundertäter ist er hochverehrt, namentlich als Helfer bei verlorenen Sachen. Bereits ein Jahr nach seinem Tod wurde er heiliggesprochen und der Bau seiner Grabkirche Sant' Antonio (genannt »Il Santo«) in Padua begonnen. 1946 wurde er zum Kirchenlehrer erhoben. – Heiliger (Tag: 13.6.).

Anu, Anum [akkadisierte Form aus sumerisch An »oben«, »Himmel«], oberster Gott des sumerischen und babylonischen Pantheons. Anu ist der Vater zahlreicher Götter und Dämonen. Seine Gemahlin ist ursprünglich die Erde, später Antu(m), was eine aus Anu abgeleitete Form ist. Der Kult des den Menschen meist feindlich gesinnten Himmelsgottes war v.a. im südmesopotamischen Stadtstaat Uruk heimisch. Eine Wiederbelebung erfuhr der dortige Kult in seleukidischer Zeit (312–364 v.Chr.).

Anubis, ägyptischer Gott in Gestalt eines schwarzen Hundes, der oft als Schakal bezeichnet wird, oder als Mensch mit Hundekopf. Seit der Frühzeit wurde Anubis als Totengott verehrt, der v.a. für die Mumifizierung zuständig ist und als Schutzherr der Gräber gilt. Er ist auch beim Totengericht anwesend. In hellenistischer Zeit identifizierte man ihn mit Hermes. Als **Hermanubis** wurde er zum Seelengeleiter.

Anuradhapura, alte Hauptstadt des buddhistischen Reiches in Sri Lanka, heute eine Hauptstätte des Hinayana-Buddhismus. Zu den Heiligtümern von Anuradhapura gehören u.a. die Thuparama-Dagoba, die Ruanweli-Dagoba und das Issurumuniya-Kloster mit Elefantenrelief. Nach singhalesischer Tradition wurde Anuradhapura im 5.Jh. v.Chr. gegründet. Seit dem 3.Jh. v.Chr. entwickelte es sich zu einem religiösen Zentrum und war von etwa 380 v.Chr. bis 993 n.Chr. Residenz der altsinghalesischen Könige.

Aphrodite, *griechische Mythologie:* Göttin der Liebe, Schönheit und Verführung, des anmutigen Reizes, allgemein des blühenden Lebens im vegetativen und animalischen Bereich. Die Göttin ist semitischen Ursprungs und wurde von den Griechen wohl in mykeni-

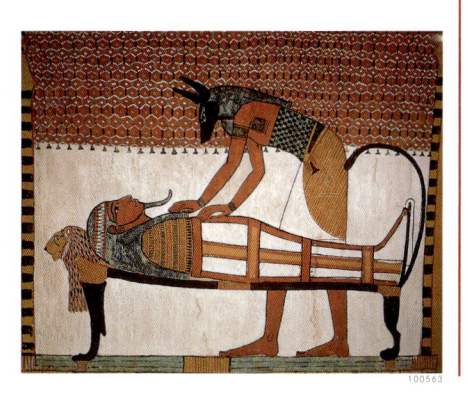

Anubis. Der hundsköpfige Gott Anubis ist der ägyptische Gott der Mumifizierung. Er vollzieht an dem auf dem Löwenbett ruhenden Toten das Ritual der Einbalsamierung, das nicht nur den Körper konservieren, sondern den ganzen Menschen in die Götterwelt einführen soll (13. Jh.; Theben, Grab des Sennedjem).

A | **Apis**

Apokalypse des Johannes.
Apokalypsen sind oft Träume oder Schreckensvisionen. Die endzeitlichen Erscheinungen des Bösen wie Pest, Hunger, Krieg und Tod, für die die abgebildeten vier apokalyptischen Reiter symbolisch stehen, gelten als »messianische Wehen«, die das Kommen des Erlösers vorbereiten (kolorierter Holzstich von Albrecht Dürer, 1498; Venedig, Museo Correr e Quadreria Correr).

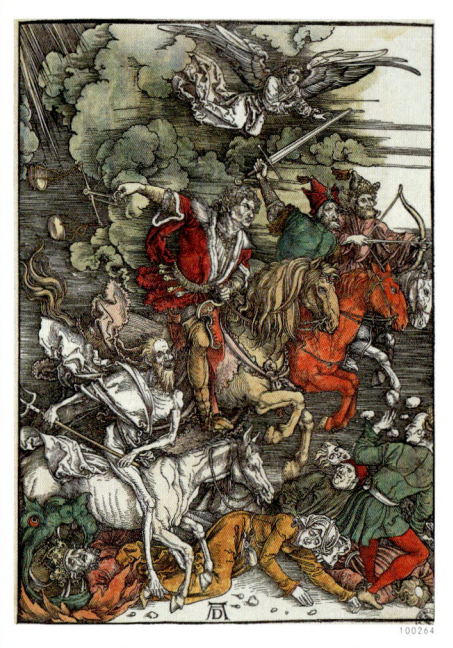

Apokalyptik
→ **GEO** Dossier
Wer war Jesus?, Bd. 15

scher Zeit über Zypern und die Kykladen übernommen. Für diese Annahme sprechen: der mit Aphrodite besonders verbundene hl. Ort, die Insel Zypern (Beiname »Kypris«), und die mit Aphrodite verbundenen Chariten, ursprünglich alte Gottheiten der Kykladen. Die semitische Herkunft – wohl von der Göttin Astarte und der babylonischen Göttin Ischtar – zeigt die in Korinth mit orientalischer Tempelprostitution geehrte Aphrodite Urania (griechisch »die Himmlische«). Vieldeutig sind die Versionen ihrer Geburt: Nach einer Variante ist sie aus dem Schaum des Meeres entstanden und erhält in diesem Zusammenhang auch den griechischen Namen »Anadyomene«, »die aus dem Meer Aufsteigende«, »die Schaumgeborene«. Nach einer anderen Version wurde sie von Zeus mit Dione gezeugt. Als die Schönste ist Aphrodite mit dem Kunstreichsten, Hephaistos, oder mit dem Stärksten, Ares, verbunden. Dem Ares gebar sie Eros, Anteros, Harmonia, Deimos und Phobos. Aphrodite ist auch die Geliebte des →Adonis. Als **Aphrodite Aineias** war sie Mutter des Trojaners Äneas und damit Stammmutter des julisch-claudischen Kaiserhauses.
Aphrodite wurde in zahlreichen Kultstätten, v. a. in Korinth, verehrt. Bei den Römern entsprach der Aphrodite die Göttin Venus. Der Gürtel ist ihr Attribut, zugeordnet sind ihr u. a. Apfel (Granatapfel), Rose, Taube, Sperling und Delfin.

Apis, ägyptisch **Hapi**, *ägyptische Mythologie:* hl. Stier, der seit der Frühzeit in Memphis als Erscheinungsform des Gottes →Ptah verehrt wurde. Seit dem Neuen Reich (1552–1070 v. Chr.) wurde ein verstorbener Apis einbalsamiert und in den Grüften des Serapeums in Sakkara beigesetzt. Zahllose Weihgaben aus Bronze zeigen den Apis als Stier mit der Sonnenscheibe zwischen den Hörnern. Durch seine Verbindung mit →Sarapis stand er noch in der hellenistischen Welt in hohem Ansehen.

Apokalypse des Johannes, Offenbarung des Johannes, Abk. **Apk.,** das letzte Buch des Neuen Testaments. Es enthält die Christusvision eines Mannes, der sich selbst Johannes nennt, auf der Insel Patmos. Darin gibt ihm der erhöhte Christus eine Anweisung an die sieben kleinasiatischen Gemeinden, die »Sendschreiben« (Kapitel 2–3), und ein Bild der kommenden Schreckenszeit, der Herrschaft des Antichrists und seiner Anhänger, sowie seiner Überwindung durch die Herrschaft Gottes. In ihren sprachlichen Bildern steht die Apokalypse des Johannes in der Tradition der →Apokalyptik: Drei Visionsgruppen zu je sieben Akten (Siegel-, Posaunen- und Schalenvision) sind kunstvoll miteinander verwoben. Ihnen folgen Bilder der Hure Babylon, einer Metapher für Rom, der Braut und der Messiasschlacht gegen den Drachen. Sie umreißen das Drama von Vernichtung und Neuwerdung der Welt. Tausendjähriges Reich, Totenauferstehung und Gericht sind seine Zielpunkte.
Sprache und Gedankenwelt der Apokalypse des Johannes sind dem A. T. verpflichtet, übernehmen aber auch Denkvoraussetzungen und Darstellungsmittel der jüdischen Apokalyptik. Iranische Einflüsse dagegen sind umstritten. Entstanden ist die Apokalypse des Johannes um 96 n. Chr. zur Zeit der Verfolgung unter Kaiser Domitian (81–96). Auf ihn und besonders den Kaiserkult, der in Ephesos ausgeübt wurde, beziehen sich viele Anspielungen der Schrift (v. a. in Kapitel 13). Der Verfasser wurde schon im 2. Jh. mit Johannes, dem Jünger Jesu, identifiziert. Eine Identität mit dem Verfasser des Johannesevangeliums ist ausgeschlossen, besonders wegen starker Abweichungen in Sprache und Anschauungen.
Die Apokalypse des Johannes hat sich zunächst nur in der Kirche des Westens behaupten können. In der Kirche des Ostens wurde sie bis zum 4. Jh. abgelehnt. Von der Lebendigkeit der Enderwartung in einer Epoche hängt jeweils das Ansehen der Apokalypse des Johannes ab: Zu Zeiten angespannter Enderwartung (um das Jahr 1000, 1033 usw.) und in den davon bestimmten Kreisen (z. B. bei Joachim von Fiore, den Franziskanerspiritualen, Täufern, »radikalen« Gruppen innerhalb des Pietismus) wurde und wird sie als eine Darstellung der Weltgeschichte angesehen, aus der sich Zeitpunkt und Art des Weltendes errechnen lassen.

Apokalyptik, allgemein eine religiös begründete Sonderform der →Eschatologie, in deren Mittelpunkt die kosmischen Ereignisse am Ende der Welt oder einer Weltperiode stehen. Diesen Anschauungen liegt eine negative Wertung der gegenwärtigen Welt zugrunde,

Apokryphen

deren Untergang herbeigesehnt wird. Meist wird der Begriff Apokalyptik eingeschränkt gebraucht zur Bezeichnung einer im nachexilischen Judentum (von etwa 200 v. Chr. bis in frühchristliche Zeit) entstandenen Geisteshaltung, die – mit Auswirkungen auf das frühe Christentum – eine Literaturgattung, die Apokalypsen, hervorgebracht hatte. Die Eigenart der Apokalyptik liegt darin, dass in ihr mehr oder weniger deutlich erkennbar eine Entsprechung von Urzeit und Endzeit mit der Erwartung einer neuen Schöpfung nach dem Ende der alten vorausgesetzt wird. Mit dieser Erwartung ist oft die Hoffnung auf ein irdisches Reich des Friedens und der Gerechtigkeit verbunden (→Chiliasmus). Beispiele für Apokalyptik finden sich außerhalb von Judentum und frühem Christentum u. a. in der iranischen Religionsgeschichte (→Saoschyant), im Islam (z. B. Suren 81, 82 und 99 des Korans) und in der germanischen Religion (→Ragnarök, →Völuspá).

Apokryphen [zu griech. apókryphos »versteckt«, »heimlich«], im hellenistischen Sprachgebrauch geheim gehaltene hl. Bücher, besonders der Mysterienreligionen. Im jüdischen und christlichen Sprachgebrauch sind Apokryphen nicht vollwertige, doch den anerkannten biblischen Büchern (→Kanon) nach Anlage und Inhalt ähnliche Schriften. In der alten Kirche waren sie vom öffentlichen Gebrauch ausgeschlossen.

■ **Apokryphen des Alten Testaments** Sie sind nach *ev. Verständnis* etwa zwischen 200 v. Chr. und 200 n. Chr. entstanden. Im Zuge der jüdischen Kanonisierung der biblischen Bücher (um 100 n. Chr.) wurden sie jedoch nicht in den Kanon aufgenommen, da nur Bücher aus der Zeit von Mose bis Esra anerkannt wurden. Diese Apokryphen finden sich daher nur in der Septuaginta und nicht in der hebräischen Bibel. Auch sind sie in der Vulgata enthalten und wurden von der kath. Kirche auf dem Konzil von Trient in der Mehrzahl als kanonisch anerkannt. Sie werden daher von ihr »deuterokanonisch« genannt. Martin Luther nahm die Apokryphen als nützlich in den Anhang der Bibel auf. Die reformierte Kirche führt sie ebenso wie die anglikanische Kirche nicht in ihren Bibelübersetzungen auf.

Nach *kath. Verständnis* sind Apokryphen des A.T. jüdische Schriften der gleichen Zeit, die mittels falscher Überschriften kanonische Geltung anstrebten, doch weder in die Septuaginta noch in die Vulgata gelangten (→Pseudepigrafen).

■ **Apokryphen des Neuen Testaments** Sie sind Schriften, die verschiedene Formen der neutestamentlichen Literatur nachahmen, inhaltlich aber vom Geist ihrer eigenen Zeit, von der Gnosis, von Wunderglauben und der Freude an der legendarischen Ausgestaltung bestimmt sind. Einst waren sie weit verbreitet und hatten z. T. in einzelnen Nationalkirchen kanonische Geltung. Heute sind sie nur zum geringen Teil, oft bruchstückhaft, erhalten. Für die Geschichte des Urchristentums ist ihr Wert gering, für die Erforschung der altkirchlichen

Apokalyptik
→ GEO **Dossier**
Das heilige Herz des Zorns, Bd. 16

Apokryphen   Das Thomasevangelium

Unter dem Namen des Apostels Thomas sind verschiedene apokryphe Texte überliefert. Eines davon ist das »Kindheitsevangelium Jesu« aus dem 2. Jahrhundert. Es handelt sich dabei um eine Sammlung von Anekdoten aus der Kindheit Jesu, als er im Alter zwischen 5 und 12 Jahren war, die mit der auch in der Bibel berichteten Geschichte vom 12-jährigen Jesus im Tempel abschließt (kolorierter Holzschnitt von Julius Schnorr von Carolsfeld, um 1860). Einige andere sind vollkommen unbekannt. Jesus gebraucht etwa seine Kraft, um vom Dach gefallene Kinder wiederzuerwecken, er macht Menschen krank, die ihm Unrecht tun, oder zieht für seinen Vater Joseph in der Zimmermannswerkstatt die Bretter auf die gleiche Länge, wofür dieser Gott preist. Ein wichtiges Zeitdokument stellen die »Thomas-Akten« dar, die einzige vollständig erhaltene Sammlung apokrypher Apostelakten aus dem Kreis der Manichäer. Das lange nur dem Namen nach bekannte »Thomasevangelium« wurde 1946 von einem Bauern in einem ägyptischen Grab bei Nag Hammadi gefunden. Es enthält eine Sammlung von 114 lose aneinandergereihten Aussprüchen, Seligpreisungen und Gleichnissen Jesu.

Apoll

Apoll.
Ihn verehrte man nicht nur als Gott der schönen Künste, der die Leier schlägt, sondern v. a. als Orakelgeber, dessen Weissagungen in der Krise des Staates den Weg weisen sollen. Ein Wandbild aus Rom zeigt Apoll auf dem heiligen, von Binden umwundenen Stein in Delphi (Rom, Antiquarium auf dem Palatin).

Theologie und Frömmigkeit aber groß. Sie blieben außerhalb des großkirchlichen Kanons.

1945/46 wurden in Ägypten (Nag Hammadi) neue gnostische Apokryphen aufgefunden. Besonders bedeutsam ist eine gnostisierende Sammlung von Worten Jesu (»Thomasevangelium«) sowie eine Sammlung von gnostischen Sprüchen (»Evangelium nach Philippus«).

Apoll, Apollon, Apollo, griechischer Gott, Sohn des Zeus und der Leto, Zwillingsbruder der Artemis. Sein Ursprung ist nicht eindeutig geklärt, doch wahrscheinlich stammt er aus Kleinasien. Auf orientalische Herkunft könnte sein Name deuten, in dem das babylonische Wort »abullu« (Tor) vermutet wird. Hüter der Tore war (wie auch Apoll) der babylonische Sonnengott Schamasch. Ihm waren die Löwen heilig, die auf Delos Symbol des Apoll sind. Für die babylonische Herkunft Apolls spräche auch die Verbreitung des lunisolaren (auf Mond und Sonne beruhenden) und aus Babylon stammenden Kalenders durch Delphi, den späteren Hauptkultort Apolls. Vermittelt wurde diese babylonische Gottesvorstellung wohl durch die Hethiter. Ihr »Apulunas« wurde in Steinkegeln verehrt, die vor den Toren Trojas ausgegraben wurden.

■ **Mythos** Dem griechischen Mythos zufolge wurde Apoll auf der Insel Delos geboren, wo Leto Zuflucht vor der eifersüchtigen Hera gefunden hatte. Bald nach seiner Geburt besiegte er den Pythondrachen, der das Orakel in Delphi bewachte, nahm das Orakel in Besitz und richtete die Pythischen Spiele zur Erinnerung an dieses Ereignis ein.

Apolls Wesen ist vielschichtig und mehrdeutig. So galt er als Heil- und Sühnegott. Er wirkte als Arzt, eine Funktion, die später Asklepios (→Äskulap) als sein Sohn übernahm. Seine Pfeile konnten jedoch auch Krankheit und Tod bringen. Er überzog das griechische Heer vor Troja mit der Pest und lenkte den tödlichen Pfeil auf die Ferse des Achill, brachte die Söhne der Niobe um und ließ Marsyas enthäuten. Mit seinem Wesen als Heilgott verbunden waren die von ihm ausgesprochenen Weissagungen und damit die Orakelstätten. So sprach er z. B. durch die Pythia in Delphi zu den ihn verehrenden Menschen. Auch konnte er die Gabe der Weissagung verleihen.

Im Zusammenhang mit seiner Übel abwehrenden Funktion (in Gestalt eines steinernen Pfeilers an Häusern konnte er z. B. das Gebäude und dessen Bewohner schützen) steht auch seine Verehrung in der Landwirtschaft. So schützt er z. B. vor Mäusen, Heuschrecken und Wölfen. Seine Funktion als Sonnengott und Gott des Lichtes (Helios) ist seit dem 5. Jh. v. Chr. nachweisbar. Die Griechen verehrten in ihm den Gott, der nicht nur das religiöse Leben ordnete und die Einhaltung kultischer Gebote überwachte, sondern Recht und sittliche Ordnung allgemein und damit das rechte Maß in allen Dingen gewährleistete. Sein Beiname »Phoibos« (griechisch »der Lichte«, »der Reine«), ursprünglich nur kultisch gemeint, erhielt zunehmend auch sittliche Bedeutung. Damit eng verbunden ist seine Verehrung als Gott der Wissenschaften und der Künste, v. a. der Musik, und als Führer der Musen (**Apollon Musagetes**).

■ **Kultus** Apoll war der Herr mehrerer Orakelstätten, darunter in Kleinasien Gryneia bei Myrina, Klaros bei Kolophon und Didyma bei Milet, in Griechenland Delos und besonders Delphi.

Von den Römern wurde Apoll schon im frühen 5. Jh. übernommen. Der Kult des Apoll in Cumae war mit dem Orakel der dortigen Sibylle verbunden. Bald nach der Schlacht bei Aktium (31 v. Chr.) ließ Augustus ihm einen prächtigen Tempel errichten. Apoll wurde von der kaiserlichen Familie besonders verehrt.

Der griechische Apoll besitzt noch viele jener Wesenszüge, als deren Überwinder er dem modernen Bildungsbewusstsein erscheint. Die Verehrung als Gott des Lichtes setzte verhältnismäßig spät ein. Im Zusammenhang etwa mit dem Orakel in Delphi wurde Apoll eine Ordnung stiftende Kraft zugeschrieben. So wurde der Besuch dieser Stätten von den in Stadtstaaten zersplitterten Griechen als gemeinschaftsbildendes Moment, die Kolonisation als wesentlich von Apoll gelenkt verstanden. Doch gerade durch dieses Orakel wird Apoll auch in die Nähe des Dionysos gerückt. Die Pythia, Priesterin des Apoll, sprach »mit rasendem Munde« aus einer Art Verzückung heraus. Dem Mythos zufolge überließ Apoll Delphi während der Wintermonate dem Dionysos und zog zu den Hyperboreern, einem am Rand der Erde lebenden Volk, dessen Land ein Ort des Friedens, des Lichts und der Seligkeit war.

Apollinaris, Apollinarios, Bischof von Laodicea (Syrien), † um 390. Er suchte gegen den →Arianismus die volle Gottheit Christi durch die Annahme zu verteidigen, in Jesus Christus habe sich der Sohn Gottes mit einem belebten, aber der Geistseele entbehrenden Menschenleib vereinigt. Seit dem 5. Jh. wird **Apollinarismus** auch synonym mit Monophysitismus verwedet.

Apologet [zu griech. apologesthai »sich verteidigen«], Verteidiger einer Anschauung; im engeren Sinn Sammelbezeichnung für griechisch schreibende Theologen der zweiten Hälfte des 2. Jh., von deren Schrifttum nur oder überwiegend die Verteidigungsschriften für das Christentum erhalten geblieben sind. Zu ihnen gehören u. a. Aristides, Justin, Tatian, Athenagoras und Theophilus. Auch die Lateiner Tertullian und Minucius Felix (Anfang des 3. Jh.) werden zuweilen als Apologeten bezeichnet.

Apologetik [zu griech. apologesthai »sich verteidigen«], 1) *Christentum:* theologisches Lehrfach, das die Glaubwürdigkeit der christlichen Offenbarung nachzuweisen sucht. Momente der Apologetik finden sich bereits im N.T. und in der alten Kirche. Ihre stärkste Ausbildung erhielt sie im 19. Jh. als Instrument zur konfessionellen Abgrenzung.

2) *Judentum:* Rechtfertigung der eigenen Besonderheit gegenüber der nicht jüdischen Umwelt. In der Antike geschah dies teils in Form von Geschichtsschreibung, besonders durch Josephus Flavius, teils als direkte Widerlegung judenfeindlicher Schriften. In Mittelalter und Neuzeit entstanden antichristliche und seltener antiislamische theologische Werke, vorrangig zu internem Gebrauch, seltener im Zusammenhang mit (meist erzwungenen) Disputationen.

Apophis, Apopis, *ägyptische Religion:* Feind des Sonnengottes in der Gestalt einer riesigen Schlange, die den Lauf der Sonne vorübergehend zum Stillstand bringt. In den Tempeln wurde seine Überwindung rituell vollzogen.

Apostasie [griech. »Abfall«], die Abwendung vom Glauben, häufig unter äußerem Druck oder um weltlicher Vorteile willen. Im kath. Kirchenrecht gilt Apostasie als Glaubensdelikt, das vorliegt, wenn ein Getaufter den christlichen Glauben völlig preisgibt oder grundlegende Aussagen der christlichen Glaubenslehre wie z. B. die Gottheit Christi oder die Trinität leugnet. Wird die Apostasie durch Wort oder Tat nach außen bekundet, z. B. durch Beitritt zu einer atheistischen Vereinigung, den Übertritt zu einer anderen Religion oder Kirchenaustritt, zieht sie die von selbst eintretende Strafe der →Exkommunikation nach sich. Deren Lossprechung ist dem Bischof vorbehalten (Rekonziliation). Die Apostasie zählt seit dem Urchristentum zu den schweren Sünden. Im *Ordensrecht* wurde früher auch der widerrechtliche Austritt aus einem Kloster oder einer Ordensgemeinschaft Apostasie genannt und mit Kirchenstrafen belegt.

Im *Islam* ist der Abfall vom Glauben die schwerste Sünde, die im Koran strengstens verurteilt wird und nach islamischem Recht mit dem Tod bestraft werden soll.

Apostel [griech. apóstolos »Sendbote«], im N.T. gebräuchliche Bezeichnung der »Zwölf« (1. Kor. 15,7), d. h. der von Jesus berufenen Jünger (Mk. 3,13–19 mit den Parallelen Mt. 10,1–4; Lk. 6,12–16; vgl. Apg. 1,13), die zu eschatologischen »Richtern« der wiederhergestellten zwölf Stämme Israels bestimmt wurden (Mt. 19,28; Lk. 22,30): Simon Petrus, Andreas, Jakobus der Ältere (Zebedäi), Johannes, Philippus, Bartholomäus, Matthäus, Thomas, Jakobus der Jüngere (Alphäi), Thaddäus, Simon (Zelotes) und Judas Ischariot. Mit Thaddäus ist möglicherweise identisch der in Lk. 6,16 und Apg. 1,13 genannte Judas (Jakobi). In Joh. 1,45–49 und 21,2 begegnet noch Nathanael, der vielleicht mit Bartholomäus oder, wegen der Bedeutungsgleichheit des Namens, mit Matthäus gleichgesetzt werden darf. Nach Verrat und Tod des Judas Ischariot wird der Zwölferkreis durch Matthias ergänzt (Apg.

Apostel: Jünger Jesu

Name	Attribute in der Kunst
Petrus	Schlüssel
Paulus	Schwert
Andreas	Schrägbalkenkreuz
Bartholomäus	Messer
Jakobus der Ältere	Pilgerstab
Jakobus der Jüngere	Walkerstab
Johannes	Kelch mit Giftschlange
Judas	Judasbaum
Matthäus	Schwert, Hellebarde
Matthias	Beil
Philippus	Kreuzstab
Simon	Säge
Thomas	Winkelmaß

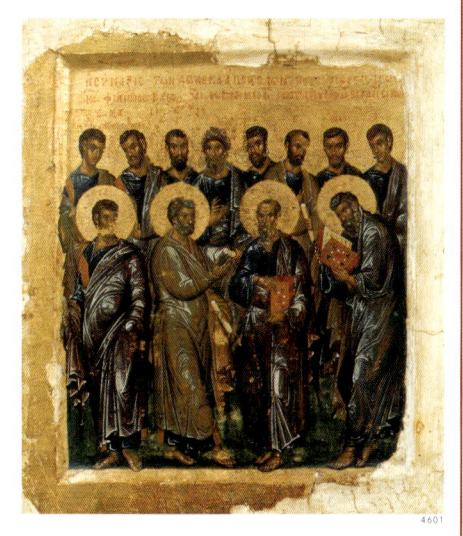

Apostel. Im ursprünglichen Sinn werden die zwölf Jünger Jesu als Apostel bezeichnet, die er zu Beginn seines Wirkens zu sich rief. Sie begleiteten ihn auf seinem Weg bis zum Kreuz und erhielten nach der Auferstehung den Befehl, allen Völkern das Evangelium zu verkünden. Später wurden auch andere Missionare – allen voran Paulus – Apostel genannt (byzantinische Ikone, 1. Drittel des 14. Jh.; Moskau, Puschkin-Museum).

Apostel
→ **GEO** Dossier
Wer war Jesus?, Bd. 15

Apostel
→ **GEO** Dossier
Glaube, Liebe, Hoffnung?, Bd. 15

Apostelgeschichte

1, 26). Während Lukas den Apostelnamen den vom irdischen Jesus berufenen Zwölfen vorbehält, nimmt ihn gerade der vom Auferstandenen berufene Apostel Paulus für sich in Anspruch (Röm. 1,1; 1. Kor. 1,1; Gal. 1,1; vgl. 1. Kor. 9,1–5; 15,9; Gal. 1,15–17).

Das Apostelamt ist ein Amt (Predigt, Mission, Ordination) der nachösterlichen Gemeinde (vgl. 1. Kor. 12,28f.; Eph. 4,11). Auf dem Fundament der »zwölf Apostel« sieht die nachapostolische Zeit die Kirche gegründet (Apk. 21,14; vgl. Eph. 2,20). Indem die Kirche ihr Bischofs- oder Priesteramt über die Ordination auf die Apostel selbst zurückführte, entwickelte sie die Lehre von der →apostolischen Sukzession.

In späterer Zeit wurde der Begriff Apostel auch allgemein für einen christlichen Sendboten oder Missionar angewandt, so z.B. auf Bonifatius, den Apostel der Deutschen, oder die Slawenapostel Kyrillos und Methodios.

Apostelgeschichte, griechisch **Praxeis Apostolon**, lateinisch **Acta** (Vulgata: **Actus) Apostolorum,** im N.T. der zweite Teil des Evangelium und Apostelgeschichte umfassenden »lukanischen Doppelwerks«, das um 85 n.Chr. entstanden ist. Als Verfasser gilt seit dem 2. Jh. der Arzt Lukas (Kol. 4,14; 2. Tim. 4,11), der Reisebegleiter des Paulus. Der Titel des Buches ist nicht ursprünglich und erst seit etwa 180 n.Chr. bezeugt. Die Apostelgeschichte beschreibt nicht die Geschichte aller zwölf Apostel, sondern allenfalls der Apostel Petrus (Kapitel 1–12) und Paulus (Kapitel 13–28), v.a. aber schildert sie den Weg der Christusbotschaft von Jerusalem (Kapitel 1) in die Welthauptstadt Rom (Kapitel 28). Eigenart, Herkunft und Abgrenzung der von Lukas benutzten Quellen sind umstritten. Obgleich die Apostelgeschichte nicht frei ist von theologisch oder auch schriftstellerisch bedingten Verzeichnungen, besitzt sie doch einen außerordentlich hohen Wert für die Kirchen- und Missionsgeschichte des 1. Jahrhunderts. Die Chronologie des Paulus wäre ohne die Apostelgeschichte unmöglich.

Apostellehre, →Didache.

Apostolat [von griech. apostélein »aussenden«], kath. Kirche: die in Taufe und Firmung begründete Sendung des Christen, den Glauben zu bezeugen und für ihn zu werben. In Wort und Tat sollen Christen die »Menschenfreundlichkeit Gottes« (Tit. 3,4) für andere erfahrbar machen. Das geschieht im persönlichen Zeugnis wie auch in institutionalisierter Form. Als **Laienapostolat** wird die im kath. Kirchenrecht festgelegte allgemeine Pflicht und das Recht der Laien bezeichnet, als Einzelne oder in Vereinigungen zur Verbreitung des Glaubens beizutragen.

Apostolischer Stuhl, 1) der Bischofssitz des Papstes als Nachfolger des Apostels Petrus in Rom;

2) die päpstliche Regierung (→römische Kurie).

Apostolisches Glaubensbekenntnis, Apostolikum, Apostolicum, das der kath. Kirche und den ev. Kirchen (einschließlich der anglikanischen Kirche) gemeinsame Bekenntnis. Das Apostolische Glaubensbekenntnis ist eines der ältesten christlichen Bekenntnisse und soll nach einer bei dem christlichen Schriftsteller Rufinus (*um 345, †410 oder 411) überlieferten Legende auf die Apostel selbst zurückgehen. Historisch basiert das Apostolische Glaubensbekenntnis jedoch vermutlich auf frühchristlichen Glaubensformeln, zu denen sich der Taufbewerber vor der Taufe bekennen musste. Wahrscheinlich seit dem 2. Jh. wurden diese Formeln zu Texten zusammengefasst, die die wesentlichen Aussagen des christlichen Glaubens beinhalteten. Als solches wird das Apostolische Glaubensbekenntnis erstmals in einem Brief der Synode von Mailand (390) an Papst Siricius erwähnt. In der Folge fand es Eingang in die westliche Kirche und wurde unter Karl dem Großen offizielles Taufbekenntnis im Fränkischen Reich. Die östliche Kirche dagegen hat das Bekenntnis nicht übernommen. Heute löst das Apostolische Glaubensbekenntnis in der Sonntagsliturgie meist das längere →Nicänische Glaubensbekenntnis ab. 1971 wurde für die kath. Kirche, die alt-katholische Kirche und die ev. Kirchen des deutschen Sprachraums ein (mit einer Ausnahme) einheitlicher Text eingeführt.

apostolische Sukzession [latein. successio »Nachfolge«], die Amtsnachfolge der Bischöfe in einer auf die Apostel zurückgeführten direkten und ununterbrochenen Reihenfolge, die die Legitimität des Amtsträgers und damit die Apostolizität der Kirche und ihren Wahrheitsanspruch gewährleisten soll. Wesentlich für die apostolische Sukzession sind Weihe und Handauflegung, durch die das kirchliche Amt vermittelt wird. Als zentral für den Seinsbestand ihrer Kirchen werten die kath., die anglikanische sowie die orth. Kirche die apostolische Sukzession, die Kirchen der Reformation dagegen die Sukzession der Evangeliumsverkündigung.

Apostolisches Zeitalter, die vom Wirken der →Apostel bestimmte Zeit des Urchristentums vom Tod Jesu bis zum Anfang des 2. Jahrhunderts.

apostolische Väter, Sammelbezeichnung für eine nicht genau definierte Gruppe christlicher Schriften aus den Jahren 95 bis 150. Dazu zählen heute v.a. der 1. und 2. Klemensbrief, sieben Ignatiusbriefe, Polykarpbrief(e), Didache, Barnabasbrief, Hirt des Hermas und die Papiasfragmente. In der alten Kirche wurden sie zum Teil zum neutestamentlichen Kanon gerechnet.

Apotheose [griech. »Vergötterung«], seit dem Hellenismus gebräuchlicher Begriff im

Kontext des altorientalischen Gottkönigtums. Er bezeichnet im engeren Sinn die Zuerkennung von göttlichen Ehren an einen Menschen oder die Feststellung seiner Vergöttlichung. Die Gleichsetzung des Königs mit dem Stadt- oder Reichsgott, wie in Akkad oder im Ägypten des Alten Reichs, ergibt sich dabei unmittelbar aus der Stellung des Königs. Unter politisch und theologisch komplizierteren Verhältnissen treten später Konzepte auf, bei denen der König nur noch eine Erscheinungsform des höchsten Gottes ist, der Sohn des Gottes oder uneingeschränkt Gott erst nach seinem Tod.

Für den hellenistischen Bereich ist die Gestalt Alexanders des Großen (336–323 v. Chr.) der Punkt, an dem griechische, persische und ägyptische Traditionen zusammenfließen und einen →Herrscherkult in einem neuen politischen und theologischen Rahmen einleiten. Neben die altorientalischen Modelle treten hier die den Griechen geläufigen der Heroisierung (→Heroenkult), bei der eine kultische Verehrung erst nach dem Tod praktiziert wird. Die Nachfolger Alexanders übernahmen diesen Rahmen und gestalteten ihn weiter aus. Ptolemaios II. (283–246 v. Chr.) war der Erste, der für sich und seine Gattin Arsinoe zu Lebzeiten eine Apotheosierung und einen Tempelkult in Anspruch nahm. In Rom wurde Caesar (*100, †44 v. Chr.) als Erster zu seinen Lebzeiten »wie ein Gott« verehrt und nach seinem Tod zum »Divus Iulius« mit eigenem Priester (Flamen) erhoben. Die römischen Kaiser der Folgezeit verlangten mit unterschiedlichen Ansprüchen eine Apotheosierung (Divinisierung) schon zu Lebzeiten – was die Ausnahme war – oder setzten sich in ein bestimmtes Verhältnis zu einem Gott, etwa Merkur oder Apoll. Die posthume Apotheose wurde seit Augustus als Rechtsakt konzipiert: Aufgrund des Eides eines Zeugen, der die Himmelfahrt des Kaisers gesehen zu haben behauptete, beschloss der Senat die Aufnahme des toten Kaisers unter die »Divi Imperatores«.

Aranyaka [Sanskrit »Waldbuch«], an die Brahmanatexte anschließende Textgattung des →Veda. Sie schließen oft ältere →Upanishaden ein.

Archiereis [griech. »Erzpriester«], die Verantwortlichen für den Kult des römischen Kaisers in einer Provinz. Sie wurden jeweils auf ein Jahr gewählt. Amtszeichen war eine Krone, die in der Mitte der Vorderseite ein Kopfbild des Kaisers zeigte. Der Begriff dient außerdem als Übersetzung des lateinischen →Pontifex maximus.

Archimandrit [zu griech. archi... »erster«, »Ober...«, »Haupt...« und mándra »Kloster«], *Ostkirchen:* der Abt eines Klosters oder eines Klosterverbandes sowie Ehrentitel von Mönchspriestern mit besonderen Aufgaben.

Ardhanarishvara [-ʃ-; Sanskrit »Gott als halb Frau«], Erscheinungsform der hinduistischen Gottheit Shiva, die das Zusammenwirken von Geist und Materie im asketischen und geschlechtlichen Schöpfungsakt symbolisiert: Die rechte Körperhälfte wird meist männlich, die linke weiblich dargestellt.

Arduinna, mit der römischen Diana gleichgesetzte keltische Göttin. Ihr Name ist identisch mit dem des Gebirgszugs der Ardennen und erscheint in mehreren lateinischen Weihinschriften. Eine bildliche Darstellung vermutet man in der vielleicht aus den Ardennen stammenden Bronzestatuette einer Göttin, die auf einem Wildschwein reitet.

Areopagrede, im N.T. die Rede, die der Apostel Paulus nach der Apostelgeschichte während seiner 2. Missionsreise auf dem Areopag in Athen gehalten hat (Apg. 17, 22–31), überliefert in der Form einer hellenistisch-jüdischen Missionspredigt. Ausgehend von der Altarinschrift »Dem unbekannten Gott«, legte Paulus die Grundzüge des christlichen Glaubens dar. Dabei stieß besonders die Lehre von der Auferstehung der Toten bei den epikureisch und stoisch gebildeten Zuhörern auf Ablehnung. Die Areopagrede ist das erste Zeugnis einer bewussten Auseinandersetzung des christlichen Glaubens mit der griechischen Philosophie.

Ares, *griechische Mythologie:* Gott des Krieges, der ursprünglich im barbarischen Thrakien heimisch war. Seine Begleiter sind Eris (Streit), Deimos (Schrecken) und Phobos (Furcht). Er ist der Sohn des Zeus und der Hera und Liebhaber der →Aphrodite, wird aber auch mit griechenfeindlichen Stämmen oder Gestalten in genealogischen Zusammenhang gebracht, z. B. als Vater von Amazonen. Ares hatte in Griechenland nur wenige Kultstätten.

Apotheose.
Die Apotheose ist die wohl höchste Form der Verehrung eines Menschen, eines Helden, eines Herrschers oder auch eines Künstlers (wie des Dichters Homer auf dem Gemälde von Jean-Auguste-Dominique Ingres, 1827; Paris, Louvre). Sie hatte v. a. im Zusammenhang mit dem Herrscherkult im Alten Orient, der später auch in Rom eingeführt wurde, Bedeutung.

Arhat

Die Römer setzten den Gott Mars dem Ares gleich.

Arhat [Sanskrit »ehrwürdig«], ein buddhistischer Heiliger, der auf dem Weg der Lehre die höchste Stufe erreicht hat und als Erlöser in der Gewissheit vollkommener Erkenntnis und Freiheit von allen Begierden unmittelbar nach seinem Tod ins Nirvana eingeht. Er verkörpert das Ideal des →Jainismus und des älteren Buddhismus (→Hinayana). Der Mahayana-Buddhismus setzt dem Ideal des (nur) nach eigener Erlösung strebenden Arhat das Ideal des auch seine Mitmenschen zur Erlösung führenden Bodhisattva entgegen.

Arianismus, *frühes Christentum:* erstmalig bei Gregor von Nazianz belegte Bezeichnung für die Lehre des Arius und deren Fortentwicklung während der Glaubensstreitigkeiten um die göttliche Dreifaltigkeit (→Trinität). Die Frage, wie der Glaube an einen einzigen Gott in Einklang zu bringen sei mit der Vorstellung von Christus als einem (weiteren) göttlichen Wesen, hatte Arius in seiner Schrift »Thalia« (»Gastmahl«) mit der Aussage beantwortet, Gott im Vollsinne sei nur *Einer,* er sei ungeworden und unteilbar. Der Sohn sei ein durch göttlichen Willen vor aller Zeit aus dem Nichts geschaffenes Wesen, er sei deshalb dem Vater wesensfremd und unähnlich (griechisch anhomoios). Damit wurde das mit der Menschheit Gottes begründete Heil für die Menschen verringert. Der Streit brach offen aus, als Alexander, der Patriarch von Alexandria, Arius 318 exkommunizieren ließ. Um diesen **Arianischen Streit** zu beenden, berief Kaiser Konstantin das erste ökumenische Konzil nach Nicäa (325). Obwohl der überwiegende Teil der 318 Konzilsväter einen abgemilderten Arianismus vertrat, wonach der Sohn dem Vater wesensähnlich (griechisch homoiusios) sei, beschloss man die Formel, Vater und Sohn seien wesensidentisch (griechisch homousios). Damit waren alle Formen des Arianismus abgewiesen.

Nach Konstantins Tod brach der Streit erneut auf. Die Versuche seiner Söhne, durch die Synode von Serdica die Spannungen abzubauen, führten ins Schisma. Als Kaiser Constantius II. (324–361), ein überzeugter Anhänger des Arianismus, zur Alleinherrschaft gelangte, versuchte er auf mehreren Synoden, das »homousios« durch die Formel »ähnlich gemäß der Schrift« zu ersetzen. Dem widersetzte sich Athanasios mit allem Nachdruck. Kaiser Julian (361–363) überließ den Streit den Theologen. In deren Auseinandersetzung wurde der Arianismus durch die Scheidung der Begriffe Usia (Wesen) und Hypostase (Wesenswirklichkeit) überwunden, mit deren Hilfe man dann das allgemein akzeptierte Bekenntnis »eine Usia in drei Hypostasen« formulieren konnte (Konzil von Konstantinopel,

Arianismus Germanischer »Irrglaube«

Beim Untergang des Weströmischen Reiches (476) war es nicht ausgemacht, dass sich der Katholizismus in Westeuropa durchsetzen würde. Denn sein Oberhaupt, der Papst in Rom, war politisch vom orthodoxen Kaiser in Byzanz abhängig und in Westeuropa von Germanenvölkern umgeben, die dem Arianismus anhingen. Dies war dem unermüdlichen Wirken Wulfilas zu verdanken, der über 40 Jahre als Bischof unter den Goten im Balkanraum lebte und als entschiedener Arianer den Goten das Christentum in ihrer eigenen Sprache nahebrachte (Handschrift aus dem 6. Jh.; Uppsala, Universitätsbibliothek). Der Arianismus verbreitete sich rasch unter den West- und Ostgoten, die zu Beginn des 5. Jahrhunderts nach Italien, Südfrankreich und Spanien zogen. Von dort griff er auch auf die nachrückenden Germanenvölker in Oberitalien und Südostdeutschland über. Besonders die Langobarden setzten den Katholizismus mit dem Römertum gleich und bekämpften beides. Rettungsanker für den Papst waren die Franken, deren König Chlodwig I. 498 das Christentum in katholischer Form annahm und bereits 507 die Westgoten wegen ihres »arianischen Irrglaubens« angriff, bis die Westgoten 586 und die Langobarden 680 zum Katholizismus übertraten.

381). Kaiser Theodosius I. (379–395) setzte gegen den Arianismus die Ketzergesetzgebung in Gang.

Die zur Zeit der Völkerwanderung in das Römische Reich eindringenden Germanen übernahmen das Christentum in der arianischen Form. Hier hielt sich der Arianismus bis ins 7. Jh., besonders bei den Langobarden.

Arius, griechisch **Areios,** Presbyter in Alexandria, * um 260, † Konstantinopel 336; Schüler Lukians von Antiochia, der wegen seiner theologischen Position (→Arianismus) 318 als Häretiker exkommuniziert, 335 durch Kaiser Konstantin rehabilitiert wurde.

Armageddon [wohl aus hebräisch har-Magiddô »Berg von Megiddo«], →Harmagedon.

armenische Kirche, 1) **Armenische Apostolische Kirche,** die christliche Kirche der Armenier. Sie führt ihren Ursprung auf die Apostel Bartholomäus und Thaddäus zurück. Zum eigentlichen Begründer und Organisator der armenischen Kirche wurde jedoch der Missionar Armeniens, Gregor der Erleuchter (4. Jh.), weshalb sie auch **gregorianische Kirche** genannt wird. Unter seinem Einfluss nahm König Tiridates III. das Christentum an und proklamierte es zur Staatsreligion (nach der armenischen Geschichtsschreibung im Jahr 301), womit die armenische Kirche die erste christliche Staatskirche wurde. Die Bibelübersetzung des armenischen Kirchenvaters Mesrop (* 360, † 440) förderte den nationalen Charakter der armenischen Kirche. Seitdem verkörpert sie für die Armenier die nationale Identität ihres Volkes. Ab 1990 erlangte die armenische Kirche das Verfügungsrecht über ihr Eigentum zurück, eröffnete zahlreiche Kirchen und Klöster wieder oder neu und nimmt heute als die »nationale Kirche Armeniens«, so im armenischen Religionsgesetz von 1991 (novelliert 1997) formuliert, eine herausgehobene Stellung im öffentlichen Leben Armeniens ein.

Seit dem Ende des 4. Jh. faktisch von der byzantinischen Reichskirche getrennt, bildete die armenische Kirche eine eigene, nicht chalcedonische Lehrtradition aus. Die christologische Lehrauffassung wird jedoch nicht als »monophysitisch«, sondern als »miaphysitisch« (eine vereinigte Natur Christi) beschrieben. Zu den liturgischen Besonderheiten der armenischen Kirche gehört die Feier der Geburt Jesu am 6. 1., dem ursprünglichen Geburtsfest (Epiphanias). Die liturgische Sprache ist Altarmenisch.

Die armenische Kirche umfasst zwei Jurisdiktionen (Katholikate): Etschmiadsin und das selbstständige Katholikat von Kilikien (Sis), seit 1929 mit Sitz in Antelyas (Libanon). Von den etwa acht Millionen Armeniern gehören rund 95 % der Armenischen Apostolischen Kirche an. Zentren der weltweit fast fünf Millionen zählenden armenischen Diaspora sind Russland, Nordamerika und Frankreich. Für die in Deutschland lebenden Armenier besteht seit 1992 ein eigenes Bistum mit Sitz in Köln.

2) die Gemeinschaft der mit der kath. Kirche unierten armenischen Christen. Sie ging im 18. Jh. aus Unionsbestrebungen hervor, die 1740 zur Wahl eines kath. armenischen Patriarchen und nach seiner päpstlichen Bestätigung 1742 zur Bildung des **Armenischen Katholischen Patriarchats von Kilikien (Sis)** führten. Bedeutsam wurde besonders der nach seinem Gründer Mechithar (* 1676, † 1749) benannte Orden der Mechitharisten.

Sitz des Patriarchen ist seit 1928 Beirut, vorher (seit 1867) Konstantinopel. Heute gehören der unierten armenischen Kirche rund 360 000 Armenier an.

Armut. Armut ist im Laufe der Geschichte immer eine Bedrohung eines großen Teils der Menschheit gewesen. Dennoch hat es daneben lange Zeit eine religiös motivierte freiwillige Armut gegeben, die zum einen als der Versuch angesehen werden kann, asketisch die von den eigentlichen Heilszielen ablenkenden Formen des Lebens- und Daseinsgenusses zu überwinden (so im frühen Buddhismus). Zum anderen war sie etwa im frühen Christentum und in den Armutsbewegungen des Mittelalters von der Intention bestimmt, dem weltüberwindenden Vorbild des sich freiwillig erniedrigenden Christus nachzueifern, dessen Wirken in der Welt als Solidarität mit den Armen und Erniedrigten aufgefasst wurde. Diese Auffassung vertraten u. a. die Waldenser und Franziskaner. Jene freiwillige Armut wurde als Möglichkeit gesehen, das Heil über den Weg der Bedürfnislosigkeit und der Solidarität mit den unfreiwillig Armen zu erlangen. Im Mittelalter trafen diese Bestrebungen auf den Widerstand der Kirche und führten zum **Armutsstreit** innerhalb des Franziskanerordens (2. Hälfte 13. Jh./1. Hälfte 14. Jh.). Die radikale Lehre, dass Christus und die Apostel besitzunfähig gewesen seien, wurde von Papst Johannes XXII. 1323 verurteilt, und die Wortführer Michael von Cesena († 1342) und Wilhelm von Ockham mussten fliehen.

Arnold von Brescia [-ˈbreʃʃa], Augustinerchorherr, * Brescia um 1100, † Rom um 1155; Schüler des scholastischen Philosophen Petrus Abaelardus in Paris. Er predigte in Brescia gegen die Verweltlichung der Geistlichkeit und für die apostolische Armut der Kirche sowie später in Rom gegen die weltliche Herrschaft des Papsttums. Als Führer der demokratisch-republikanischen Partei wurde er 1155 von Papst Hadrian IV. aus Rom verdrängt, von Kaiser Friedrich I. Barbarossa an den Papst ausgeliefert und vom päpstlichen Stadtpräfekten hingerichtet.

Aron ha-kodesch [hebr. »heiliger Schrein«], Thoraschrein; →Thora.

Artemis, *griechische Mythologie:* jungfräuliche Göttin, Tochter des Zeus und der Leto,

---

Armut
→ GEO **Dossier**
Glaube, Liebe, Hoffnung?, Bd. 15

Artemis.
Artemis (rechts) zusammen mit ihrem Zwillingsbruder Apoll und dem Meeresgott Poseidon, dargestellt als Zuschauer bei den Panathenäen, dem Hauptfest der Göttin Athene; das Relief stammt vom Ostfries des Parthenon (5. Jh. v. Chr.; Athen, Akropolis-Museum).

Zwillingsschwester Apolls und Herrin der wilden Tiere, des Waldes und der Jagd. Wie Apoll heilte sie und sandte mit ihren Pfeilen sanften Tod oder jähes Verderben. Sie war schrecklich in ihrem Zorn, forderte Menschenopfer (Iphigenie), beschützte aber auch unschuldig Verfolgte. Auf die alte Funktion der Artemis als Fruchtbarkeitsgöttin verweist ihre Gleichsetzung mit der Geburtsgöttin Eileithyia. Später, als auch Apoll mit Helios gleichgesetzt wurde, erfolgte die Verschmelzung mit der Mondgöttin Selene. In der römischen Mythologie entsprach ihr die Göttin Diana. Der Artemiskult war wohl minoischen Ursprungs. In Kleinasien deckte sich ihr Kult mit dem der Großen Mutter. In Griechenland bestanden – entsprechend den unterschiedlichen Funktionen der Artemis – auch sehr verschiedenartige Kulte. Das **Artemision von Ephesos,** ursprünglich ein ionischer Großtempel, wurde zu den sieben Weltwundern gezählt.

Die Attribute der Artemis sind Bogen, Pfeil und Köcher, Fackel, auch Tierfelle und Tiere (Hirschkuh).

Artha [Sanskrit], das Streben nach Nützlichem, d. h. nach dem Gewinn weltlicher Güter. Es ist eines der vier Lebensziele eines Hindu (zusammen mit →Kama, →Moksha und →Dharma).

Artio [zu kelt. artos »Bär«], keltische Göttin, deren Kult durch eine Weihinschrift aus der Nähe von Trier und eine weitere aus Muri bei Bern bezeugt ist. Letztere befindet sich auf dem Sockel einer etwa 20 cm hohen Bronzeplastik, welche die Göttin in sitzender Haltung vor einem Bären darstellt.

Arvalbrüder, lateinisch **Fratres arvales** (»Saatfeldbrüder«), römische Priestergenossenschaft im Dienst eines Ackerbaukultes, die durch Augustus (vor 21 v. Chr.) erneuert wurde. Sie bestand seitdem aus Mitgliedern der vornehmsten senatorischen Familien. Ihr Vorsitzender war der Kaiser. Die Kulthandlungen, genannt **Ambarvalia** (Flurumgang im Mai mit Gesang und Tanz), galten der Dea Dia sowie dem Kaiser. Inschriftlich haben sich Reste der Arvalakten erhalten, u. a. das Arvallied aus dem 5. Jh. v. Chr., das aber erst 218 n. Chr. aufgezeichnet wurde.

Aryasamaj [arjaza'ma:dʒ; Sanskrit »Gesellschaft der Edlen«], 1875 von Dayananda Sarasvati gegründete hinduistische Reformbewegung, deren Anhänger in Lehre und Kult die ursprüngliche (»reine«) vedische Religion wiederherstellen wollen. Alle Lehren des Aryasamaj werden durch teils eigenwillige Auslegungen aus dem Rigveda (→Veda) abgeleitet, der Kult wird auf die vedischen Opferzeremonien begrenzt. Das Kastensystem und spätere Entwicklungen des Hinduismus, wie etwa Polytheismus und Bilderverehrung, werden abgelehnt. Seit seiner Gründung verfolgt der Aryasamaj ein Missionskonzept, das alle Inder (»Arier«) für den so verstandenen »wahren« Hinduismus (zurück)gewinnen will, und tritt gegen soziale Missstände der Hindugesellschaft auf.

Von Anfang an konnten ihm Kastenlose und ehemalige indische Christen und Muslime, später auch – nach einem speziellen Reinigungsritual – Ausländer beitreten. Wegen der Verurteilung aller nicht vedischen (religiösen) Anschauungen als Irrlehren, aber auch wegen seiner Verbindungen zu nationalistisch orientierten Hindubewegungen beschreiben v. a. westliche Kritiker den Aryasamaj als fundamentalistische Bewegung innerhalb eines kulturellen, seit Ende der 1980er-Jahre zunehmend auch politisch organisierten hinduistischen Fundamentalismus. Der Aryasamaj ist v. a. in Nord- und Westindien verbreitet und engagiert sich in Sozialreform und Erziehungswesen u. a. mit eigenen Schulen und Häusern für Witwen und Waisen. Außerhalb Indiens gibt es größere Gemeinden in Surinam und den Niederlanden.

Asana, eine Stufe des →Yoga.

Āsava [Pali »Ausfluss«], im Buddhismus eine Anzahl von grundsätzlichen Mängeln oder Verunreinigungen, die für die ständigen Wiedergeburten verantwortlich sind. Es handelt sich dabei um sinnliche Begierden, die Begierde nach einer dauerhaften Existenz, falsche Anschauungen und das Nichterkennen der Wahrheit. Sie bilden die Hindernisse auf dem Weg zur Erleuchtung und müssen daher beseitigt werden.

Aschari, Abu l-Hasan **al-Aschari,** mittelalterlicher islamischer Theologe, *Basra 873 (874?), †Bagdad 935 (936?); war zunächst Schüler des Mutasiliten al-Djubbai, bekehrte sich aber 912/913 zu den traditionalistischen Auffassungen der hanbalitischen Rechtsschule (→Hanbaliten; →Sunniten). Diese verteidigte er mit den rationalistischen Methoden der Mutasiliten und wurde so zum Wegbereiter einer der Scholastik ähnlichen philosophischen Theologie (→Kalam) im sunnitischen Islam.

Aschariten, islamische Theologenschule, die das Gedankengut al-Ascharis fortentwickelte. Charakteristisch für sie ist das Bestreben, zwischen traditionalistischen Positionen und dem Rationalismus der Mutasiliten zu vermitteln. Gegen die mutasilitische Theologie lehren die Aschariten den Koran als ewiges und unerschaffenes Wort Gottes, unterziehen jedoch im Unterschied zur traditionalistischen Theologie die aus Koran und Überlieferung (Hadith) abgeleiteten Glaubenssätze der kritischen Kontrolle durch die Vernunft. Wichtige Vertreter sind u. a. al-Bakillani und al-Ghasali.

Aschermittwoch, lateinisch **Feria quarta cinerum,** *kath. Kirche:* der erste Tag der 40-tägigen Fastenzeit, an dem der Priester die Asche der Palmen vom Palmsonntag des vergangenen Jahres weiht **(Aschenweihe)** und sie als Zeichen der Buße auf Scheitel oder Stirn der Gläubigen streut.

Aschirat, Athirat, Aschera(h), westsemitische Fruchtbarkeitsgöttin, die der →Astarte verwandt ist. Sie wurde u. a. in Babylon zur Zeit Hammurapis (18. Jh. v. Chr.) verehrt. In den aus dem kanaanäischen Ugarit überlieferten Texten erscheint sie als ranghöchste Göttin.

Aschkenas, im A. T. (1. Mos. 10,3) Name eines Volksstamms. Im mittelalterlichen *Judentum* ist Aschkenas die Bezeichnung für Mitteleuropa und Deutschland, später auch für Osteuropa und deren Bewohner allgemein, auch speziell für die Juden dieser Gebiete. **Aschkenasisch** nennt man ferner die dortige hebräische Sprachtradition und einen bestimmten Typus von jüdischer Liturgie und Ritus im Unterschied zum sefardischen Ritus (→Sefarad).

Aschur, akkadischer Name des assyrischen Gottes →Assur.

Aschura, der zehnte Tag des islamischen Monats Muharram. Er ist für die Schiiten der Höhepunkt des zehntägigen (am 1. Muharram beginnenden) Trauerzyklus, an welchem mit Geißlerprozessionen und Theaterspielen (Taziye) des Martyriums ihres Imams Husain bei Kerbela im Jahre 680 gedacht wird. Als solcher wird er seit 963 als offizieller Feiertag begangen. Im Maghreb feiert man an Aschura das Neujahrsfest mit lokal unterschiedlichen Bräuchen, die zumeist mit Feuer- und Wasserriten, Reinigungen und Bitten um Fruchtbarkeit verbunden sind. Bei den Sunniten gilt Aschura u. a. als der Tag, an dem Noah nach der Sintflut die Arche verließ.

Asen, *nordische Mythologie:* das mächtigste (nordgermanische) Göttergeschlecht. Wohnsitz der Asen im Mittelpunkt der Welt ist **Asgard.** Ihr Haupt ist Odin. Außerdem gehören Thor, Baldr, Tý, Heimdall, Loki und die Göttinnen Frigg, Nanna, Sif zu den Asen. Ihr Kampf gegen das ältere Göttergeschlecht, die →Vanen, endet unentschieden. Die Asen erhalten sich ihre ewige Jugend durch die goldenen Äpfel der →Idun. Sie werden von Chaosungeheuern bedroht und gehen in einer Endzeitschlacht (→Ragnarök) gegen die Riesen zugrunde. Nach dem Weltbrand kehren einige Götter (→Baldr) in eine neue, friedliche Welt zurück. Namen und Geschichten der Asen sind in der →Edda überliefert.

Asgard, *nordische Mythologie:* der Sitz der Asen.

Ashoka [-ʃ-], **Aschoka, Asoka,** indischer Kaiser (273/um 268–232 v. Chr.) aus der Mauryadynastie, † 232 v. Chr.; schuf das erste indische Großreich, das fast den gesamten indischen Subkontinent mit Ausnahme einiger zentraler und südlicher Territorien sowie große Teile Afghanistans umfasste. Nach der blutigen Eroberung von Kalinga (heute Orissa) wurde er Anhänger und Förderer des Buddhismus und betrieb nun eine friedliche Außenpolitik. Seinen Untertanen verkündete er die buddhistische Ethik in vielen Felsinschriften und Säulenedikten (Ashoka-Inschriften). Sie geben ein lebendiges Bild des von ihm erstrebten Wohlfahrtsstaates mit Hospitälern für Menschen und Tiere. Ashoka förderte die Ausbreitung des Buddhismus durch Mission. Er übte und forderte Toleranz gegenüber anderen Religionen.

Ashrama [ˈaːʃ-; Sanskrit »Ort der (religiösen) Bemühung«], **Ashram, 1)** Stätte, an der hinduistische Lehrer und Führer ihre Anhänger zu gemeinsamem Leben versammeln.

2) Bezeichnung der vier Lebensstadien im Hinduismus: Brahmacharya (»Enthaltsamkeit«, Einübung in die Grundlagen des spirituellen Denkens und Handelns), Grihastha (»Haushälter«, Heirat, Gründung einer Familie und Sorge um sie), Vanaprasta (»Waldeinsamkeit«, Rückzug aus der Familie, Studium der heiligen Schriften und Meditation) und Sannyasa (»Entsagung«, Aufgabe aller irdischer Bindungen und Vorbereitung auf das Einswerden mit dem Göttlichen).

Ashvaghosha [aʃvaˈgoːʃa], altindischer Dichter, 2. Jh. n. Chr.; nach der Tradition Hofdichter des Kushana-Königs Kanishka und Autor von buddhistischen Werken in Sanskrit. Sein berühmtestes Werk ist die (erste vollständige) Buddha-Biografie »Buddhacarita« (»Buddhas Wandel«), eine poetisch verklärte Lebensgeschichte, die stark zur literarischen Ausformung der Buddha-Legende beigetragen hat. Zu seinen weiteren Werken gehören »Saundarananda« und »Shariputraprakarana«.

Ashvins [-ʃ-; Sanskrit »Pferdebesitzer«], Zwillingsgötter der altindischen Mythologie. Im Veda erscheinen die Ashvins bei Sonnenaufgang am Himmel in einem Wagen, der von

---

Ashoka
reg. 273/um 268–232 v. Chr.

- schuf das erste indische Großreich, das fast den ganzen indischen Subkontinent umfasste
- bekehrte sich zum Buddhismus und förderte dessen Verbreitung
- übte und forderte Toleranz gegenüber anderen Religionen
- ließ seine ethischen Prinzipien auf Säulen, Felsen und Höhlenwänden verbreiten

A Askese

Askese
→ GEO **Dossier**
Warum glaubt der Mensch?, Bd. 15

Äskulap.
Das Symbol des griechischen Heilgottes Äskulap, die um einen Stab gewundene Schlange, steht bis heute für Pharmazie, Medizin und Ärzteschaft.

Pferden gezogen wird. Im Hinduismus gelten sie als Bewahrer vor Unglück und Not.

Askese [griech. »(körperliche und geistige) Übung«, »Lebensweise«], allgemein die religiös-ethisch begründete Enthaltsamkeit mit verschiedenen Ausprägungen und Stufen: Enthaltung von bestimmten Speisen und Getränken, von Geschlechtsverkehr, von lustbezogenen Verhaltensweisen und Konsummöglichkeiten, Ablegen von (wärmender) Kleidung (z. B. die Digambaras des →Jainismus), völlige Abkehr von weltlichen Freuden auch auf der psychisch-kognitiven Ebene und von der Gemeinschaft (Einsamkeit, Schweigen) bis hin zu rigoristischen und z. T. pathologischen Übertreibungen (z. B. →Flagellanten).

■ **Religionsgeschichte** Askese ist allen Kulturen bekannt. Besonders von den Trägern kultischer Akte (Medizinmänner, Schamanen, Priester) kann zur Vorbereitung und Durchführung kultischer Handlungen eine besondere Askese gefordert sein. Sie wird oft als Mittel, magische Kraft (→Mana) zu konzentrieren, verstanden. In *Hinduismus* und *Buddhismus* spielt Askese eine überragende Rolle, da →Erlösung die Überwindung von Begierden jeglicher Art und damit das Freisein von allen Bindungen voraussetzt. In den Hochkulturen, v. a. in den Religionen der Völker des Mittelmeerraums, verstärkt sich die Tendenz, Askese nicht nur im Blick auf begrenzte kultische Anlässe, sondern für jedermann und für das ganze Leben zu verlangen. Die Entwicklung wurde besonders von religiösen Konzepten gefördert, die im Einflussbereich antiker dualistischer Philosophie Ich und Welt oder Seele und Leib in einen Gegensatz stellen (→Dualismus), sodass Askese als Mittel verstanden wird, die unsterbliche Seele aus der Materie, dem Ursprung des Übels, zu befreien. Die *jüdische Religion* kennt diese Form der Askese nicht, wenngleich auch hier vereinzelt (z. B. in der Gemeinschaft von Qumran, bei den →Nasiräern, bei Philon von Alexandria) Enthaltsamkeits-, meist Fastenforderungen erhoben wurden. Ähnlich kennt der *Islam* in seinen Anfängen Askese nur in der typisch morgenländischen Form des Fastens (→Ramadan). Erst mit dem Aufkommen einer islamischen Mystik (→Sufismus), später nachhaltig getragen von den Derwischorden, gewinnt die Askese einen höheren Stellenwert.

■ **Christentum** Im Christentum kann sich die Askese nur bedingt auf Jesus berufen (z. B. Fasten, Mk. 2, 20; aber dagegen Mt. 11, 19). Aus der hellenistischen Philosophie, der Gnosis und der Tradition der Gemeinschaft von Qumran drangen allerdings asketische Züge in das Frühchristentum ein, die dann in Mönchtum, Orden und Mystik ihre volle Ausprägung erfuhren. Askese (jetzt meist **Aszese** genannt) spielte nunmehr als bewusstes Streben nach Vollkommenheit, Abwendung von Sünde und (oft auch) Welt, Hinwendung zu Gott und Einübung der Tugenden eine so wichtige Rolle, dass es in der *kath. Kirche* zur Ausbildung einer eigenen theologischen Disziplin, der **Aszetik**, kam, die zunächst (seit dem 17./18. Jh.) in Ordensschulen praktiziert und 1931 in den kirchlichen Studienplan aufgenommen wurde. Der Einfluss der aus dem →Manichäismus kommenden Leibfeindlichkeit auf die Geschichte der Askese ist nicht zu übersehen. Eine bis heute verwendete systematische Anweisung zur meditativen Askese bilden die »Geistlichen Übungen« (Exercitia spiritualia) des Ignatius von Loyola.

Die Stellung der Kirchen der *Reformation* zur Askese ist einerseits von dem Kampf der Reformatoren gegen die Werkgerechtigkeit bestimmt, andererseits wurde jedoch, v. a. von der calvinistisch-puritanischen Ethik, ein Berufsethos – Rechtfertigung rastloser Berufsarbeit, ökonomisch-rationale Lebensführung, Sparsamkeit und Kapitalbildung (zum »Ruhme Gottes«) – entwickelt, das starke asketische Züge trägt.

Äskulap, griechisch **Asklepios**, lateinisch **Aesculapius**, *griechische Mythologie:* Gott der Heilkunde, der wohl aus Thessalien stammte. Er galt als Sohn des Apoll und der Koronis. Äskulap war ursprünglich ein Heros und wurde von dem Kentauren Cheiron zum Arzt ausgebildet. Zeus tötete ihn, weil er einen Toten wieder zum Leben erweckt hatte. Sein Kult (**Asklepieion**) verbreitete sich im späten 6. Jh. v. Chr. von Epidauros aus, löste im 5. Jh. v. Chr. den des Apoll als Heilgott ab und wurde 420 v. Chr. in Athen, anlässlich einer Pest 293 v. Chr. in Rom eingeführt. Der hellenistische Äskulap wurde mit der Göttin Hygieia verehrt. In der römischen Kaiserzeit war Äskulap einer der am meisten verehrten Götter. Bei der Neugründung eines Kultorts wurde das Symbol des Äskulap, die Schlange, in einer Prozession an die neue Kultstätte gebracht. Das Attribut des Gottes war der **Äskulapstab,** ein von der hl. Schlange umringelter Stab, der dann zum Sinnbild für den Heilberuf wurde.

Assara Be-Tewet, der zehnte Tag des jüdischen Monats Tewet (Dezember/Januar), Fast- und Trauertag zur Erinnerung an den Beginn der Belagerung Jerusalems durch Nebukadnezar 586 v. Chr. (Jer. 52, 4; 2. Kön. 25, 1).

Assassinen [arab. »Haschischraucher«], die wohl erst später üblich gewordene Bezeichnung eines im 11. Jh. von den schiitischen →Ismailiten abgespaltenen Geheimbundes, der nach zeitgenössischen Quellen 60 000 Anhänger (arabisch »fidaijun«) hatte. Die Assassinen waren ihren Führern zu blindem Gehorsam verpflichtet. Umstritten ist, ob sie durch Haschisch zu ihren Taten angeregt und damit belohnt wurden. Ihr Gründer war der Perser Hasan Ibn Sabbah († 1124). Er bemächtigte sich 1090 der nordpersischen Bergfestung Alamut. Von diesem Stützpunkt aus bedrohten er und seine Nachfolger die muslimischen Fürsten und die Kreuzfahrer mithilfe von Meuchelmördern (daher das französische Wort assassin »Mörder«). Der Führer der Assassinen im syrischen Bergland wurde Alter vom Berge genannt. Zur Erhaltung der eigenen Macht suchte er die Kreuzfahrer und den Sultan Saladin gegeneinander auszuspielen. Der persische Zweig der Assassinen wurde 1256 von den Mongolen vernichtet, in Syrien wurde ihrer Macht 1272 von den Mamelucken ein Ende gesetzt. Kleine religiöse Gruppen der seit langem friedlichen Assassinen leben noch heute in Syrien.

Assur, akkadisch **Aschur,** ursprünglich Lokalgottheit und Vergöttlichung der Stadt Assur, die im Zuge des politischen Aufstiegs der Assyrer mehr und mehr zum Kriegsgott wurde. Der wachsenden politischen Macht Assyriens entsprechend, wurde der Gott mit dem sumerisch-babylonischen Landesgott Enlil identifiziert, später übernahm er Züge des babylonischen Stadtgottes Marduk. Darstellungen zeigen Assur als bogenschießenden Gott in der geflügelten Sonnenscheibe.

Assur, altorientalische Stadt, heute der Ruinenhügel Kalat Scherkat am rechten Tigrisufer im Irak. Seit dem 3. Jt. besiedelt, war Assur Ausgangspunkt und bis ins 9. Jh. v. Chr. auch Hauptstadt Assyriens.

Bei Ausgrabungen wurden zahlreiche Funde gemacht und wichtige Denkmäler der assyrischen Religion freigelegt: der bis ins 3. Jt. v. Chr. zurückgehende Tempel der Ischtar, der Tempel des Gottes Assur mit einer großen Zikkurat, der Tempel des Nabu, die Doppeltempel der Götter Anu und Adad sowie der Götter Sin und Schamasch, vor den Mauern im Nordwesten ein Festhaus, zu dem ursprünglich ein hl. Hain gehörte, sowie zahlreiche Keilschrifttafeln.

assyrische Religion, →babylonisch-assyrische Religionen.

Astarte, keilinschriftlich **Aschtirat,** nach den Texten des babylonischen Königs Hammurapi (1728–1686 v. Chr.) die »Herrin von Üppigkeit und Wollust«, im A. T. **Aschtoret,** neben →Anat und →Aschirat die fast immer nackt dargestellte jungfräuliche Fruchtbarkeits- und Kriegsgöttin Palästina-Syriens. Neben ihr steht die besonders in Südarabien verehrte männliche Erscheinungsform **Aschtar** oder **Astar.** In Babylonien entspricht ihr →Ischtar. In hellenistischer Zeit wurde sie – mit Anat im Namen verschmolzen – als →Atargatis oder Attarate verehrt. In Ägypten war Astarte als Kriegsgöttin bekannt und wurde oft als nackte Reiterin dargestellt. In Palästina war sie neben Baal mit ihrem sinnlichen Kult (kultische Prostitution) die Hauptgottheit. Sie besaß bis 622 v. Chr. bei Jerusalem ein Heiligtum (2. Kön. 23, 13).

Astralmythologie, Astralreligion, religiöse Gestirnverehrung, die in den Gestirnen Götter oder Sitze von Göttern sieht. Die meisten polytheistischen Religionen haben Sterngötter in ihrem Pantheon.

Assur   Aufruf zur Weltherrschaft

Der Reichsgott Assur galt bei den Assyrern als höchster Herrscher und Kriegsgott, der sie mit der Durchsetzung der Weltherrschaft ihres Volkes beauftragte. Für altorientalische Gottesvorstellungen völlig unüblich, gab es in der Frühzeit keine Legenden oder Mythen um Assur, und er wurde auch nicht in Beziehung zu anderen Göttern gesetzt. Erst in der Spätzeit Assyriens erscheint Assur in Texten der berühmten Tontafel-Bibliothek von Ninive als allen anderen orientalischen Göttern übergeordnet. Auf einer Steinstele aus Kalach-Nimrud bezeichnet sich König Adad-nirari III. (hier beim Gebet vor Symbolen der Götter auf einem Flachrelief, 8. Jh. v. Chr.; Istanbul, Museum orientalischer Altertümer) als Auserkorener des Assur, der ihm ein unvergleichliches Königtum verliehen und sein »Hirtentum« (Herrscheramt) gesegnet hat. Der König war der »reine Priester« des Gottes und von diesem beauftragt, die »Herrscher der vier Weltgegenden« zu unterwerfen. Die Assyrer gingen gegen Aufstände der unterworfenen Völker mit großer Grausamkeit und barbarischen Strafaktionen vor, weil sie jeden Aufruhr als religiösen Frevel gegen den Weltherrschaftsauftrag ihres Gottes Assur begriffen.

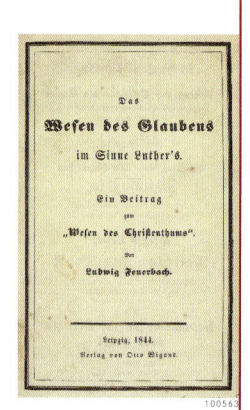

Atheismus. In »Das Wesen des Christentums« (1841) begründet Ludwig Feuerbach den Atheismus, indem er das Phänomen Religion so erklärt: Menschliche Ängste und Sehnsüchte werden in der Religion vom Menschen abgelöst und ins Jenseits projiziert, von wo aus sie als Götter, Teufel oder Dämonen den Menschen beherrschen.

Ausgeprägte Gestirnreligionen besaßen Assyrer und Babylonier. Astralkultische Züge finden sich bei den alten Ägyptern, Arabern, Phönikern, bei den Hebräern und in den altamerikanischen Hochkulturen. Die orientalischen Sternreligionen eroberten sich im Hellenismus die griechische und römische Welt. Die hellenistischen Mischreligionen waren von astralen Bestandteilen durchsetzt, so u. a. der Mithras- und Isiskult und die Gnosis des Hermes Trismegistos. Die griechischen Astralmythen krönten die Tierkreiszeichen mit Schutzgöttern (»tutelae«) und lockerten damit den erstarrten Schicksalszwang des babylonischen Gestirnkultes. In der germanischen Mythologie scheinen die zwölf (den Asen in Asgard zugewiesenen) Häuser, die verschiedene Lebenssphären bezeichnen, mit den Tierkreiszeichen, den zwölf Häusern der Sonne, in Beziehung zu stehen.

Lehren und Kult der Astralmythologie, die zugleich eine Frühform der Astronomie bilden, waren in den frühen Hochkulturen üblicherweise den Königen und besonderen Priestern vorbehalten. In der Ordnung der Gestirne und in der Hierarchie der Gestirngötter sah sich die Ordnung des Staatswesens in politischem Anspruch und Kult vorgebildet.

Asura, im Veda eine Götterklasse, die sachlich und etymologisch identisch mit →Ahura Masda ist. Im späteren Hinduismus wird die Klasse von in stetem Kampf mit den Göttern liegenden Dämonen als Asura bezeichnet.

A. T., AT, Abkürzung für **A**ltes **T**estament (→Bibel).

Atar [altiran. »Feuer«], zentrales Element im Kult der Zoroastrier (→Parsismus). Der Feuerkult reicht weit in die arische Vorgeschichte der Iraner zurück und wurde von Zarathustra übernommen. Als reinigend und lebenserneuernd wird das Feuer im →Avesta als Sohn des →Ahura Masda verehrt.

Atargatis, lateinisch **Dea Syria,** in Askalon auch **Derketo** genannt, eine Muttergottheit, die um 300 v. Chr. bis 300 n. Chr. v. a. in Syrien, aber auch in Kleinasien und Griechenland verehrt wurde. Atargatis bildete mit Hadad und Simios eine göttliche Dreiheit und war Nachfolgerin der →Astarte (Ischtar). Hauptkultort war Hierapolis-Bambyke in Nordsyrien, wo zweimal jährlich Feste mit einem Fruchtbarkeitsritus stattfanden. Ferner fand dort ein Frühlingsfest statt, das stark orgiastische Züge trug. Hierbei soll es zur Selbstentmannung besonderer Verehrer der Atargatis, der »Gallen«, gekommen sein (so nach Lukians Schrift »De Dea Syria«). In hellenistischer Zeit war ihr Kult, teilweise unter den griechischen Namen der Aphrodite oder Artemis, in Vorderasien weit verbreitet. In Syrien und in Kleinasien gehörte es zum Wesen ihres Kultes, dass ihr ein Begleiter (»Paredros«) beigesellt wurde: so in Phrygien der Hirte Anchises, auf Zypern Pygmalion. Kultbilder zeigen Atargatis im engen Futteralgewand mit Fruchtbarkeitssymbolen auf einem Löwen stehend und mit einer Mauerkrone auf dem Kopf.

Athanasianisches Glaubensbekenntnis, →Quicumque.

Athanasios, griechischer Kirchenvater, * Alexandria (?) um 295, † ebenda 2. 5. 373; wurde mit 33 Jahren (?) Patriarch von Alexandria, nachdem er bereits 319 als Bischofssekretär (auch in Nicäa) im Dienste seines Vorgängers Alexander gestanden hatte. Dennoch ist seine Wahl nicht zweifelsfrei erfolgt. Intrigen der Anhänger des Meletius von Antiochia brachten ihm u. a. Anklagen und kaiserliche Untersuchungen wegen Hochverrats und Mordes ein. Offenbar war sein Ruf nicht über jeden Verdacht erhaben. Im Kampf gegen den →Arianismus war er der Hort der Orthodoxie im Sinne des Konzils von Nicäa. Selbst den Kaisern trat Athanasios bis zur Gefährdung der eigenen Existenz entgegen. Fünfmal wurde er in die Verbannung geschickt. Das begründete seinen Ruf als Vorkämpfer für die Kirchenfreiheit. Seine Lebensbeschreibung Antonius' des Großen trug entscheidend zur kirchlichen Anerkennung und Integration des Mönchtums bei. Das große Ansehen, das er in Alexandria schon zu Lebzeiten genoss, führte nach seinem Tod zu zahlreichen Schriften, die unter seinem Namen umliefen, was es bis heute schwer macht, echte Werke von unechten zu unterscheiden. – Heiliger (Tag: 2. 5).

Atharvaveda, altindische Lieder- und Zauberspruchsammlung, →Veda.

Atheismus [zu griech. átheos »ohne Gott«; humanistische Wortbildung des 16. Jh.], die Leugnung Gottes, einer göttlichen Weltordnung oder auch nur des geltenden Gottesbegriffs (im Gegensatz zum →Theismus, →Polytheismus und →Pantheismus). Atheismus ist nicht unbedingt gleichzusetzen mit Unglauben und zu unterscheiden vom Agnostizismus, der die Frage der Existenz Gottes offenlässt.

Aus allgemeinen und erkenntnistheoretischen Erwägungen, der wissenschaftlichen Beanstandung der →Gottesbeweise, einer absoluten Wissenschaftsgläubigkeit oder einer Betonung der Würde und Freiheit des Menschen, mit der eine Gottesvorstellung unvereinbar sei, zieht der **theoretische Atheismus** die Folgerung, dass es Gott nicht gebe. Der meist unphilosophische **praktische Atheismus** nimmt an, dass Gott mit weltlichen Dingen nichts zu tun habe, oder allgemeiner, dass die menschliche Existenz von der Gottesfrage nicht berührt wird. Als **kämpferischer Atheismus** versteht sich die Lehre, die jede Religion als für das Glück der Menschen schädliche Verirrung begreift.

In der *Religionswissenschaft* wird die Frage diskutiert, ob zum Begriff Religion notwendig der Glaube an einen persönlich gedachten Gott oder an persönlich gedachte Götter gehöre. So begegnet Atheismus in den ältesten Upanishaden, in denen das Absolute (Atman-Brahman) unpersönlich gefasst wird. Bekanntestes Beispiel für eine Religion, die zwar die Existenz persönlich gedachter Götter annimmt, diesen aber die Eigenschaften von absoluten und transzendenten Wesen bestreitet, ist der ältere Buddhismus, dem deshalb gelegentlich die Qualität einer Religion abgesprochen wird. Ebenso ist für die Anhänger des →Jainismus die Anschauung von Göttern für das Heilsziel der Erlösung entbehrlich.

■ **Antike** Schon im A. T. begegnen die Abwehr atheistischer Anschauungen (Ps. 14, 1; Ps. 53, 2) und ihre Qualifizierung als »Torheit«. »Atheoi« nannten die alten Griechen jene Bürger, die nicht dem öffentlichen Kult zugeneigt waren. Von hier aus sind die verschiedenen Asebie-(Gottlosen-)Prozesse zu verstehen, z. B. gegen den Philosophen Sokrates. Xenophanes (*570 v. Chr., †470 v. Chr.) übte moralische Kritik an der Götterwelt Hesiods und Homers, Kritias (†403 v. Chr.) schließlich suchte als Erster die Religion psychologisch zu erklären: Sie sei von einem klugen Mann zur Wahrung des Rechts und der Gesetze erfunden worden. Für Platon (*427 v. Chr., †348/347 v. Chr.) galt Atheismus als unsittlich, weshalb seine »Gesetze« für »unbelehrbaren« Atheismus die Todesstrafe forderten. Verschiedenen antiken Denkern wurde Atheismus nachgesagt (Euhemeros, *um 340 v. Chr., †um 260 v. Chr.; Epikur, *341 v. Chr.; †271 v. Chr.; Lukian, *um 120, †nach 180 n. Chr., u. a.), wie überhaupt Atheismus in der Geistesgeschichte oft als Vorwurf gegen jene erhoben wurde, die lediglich die überkommene Religion in freier Weise, oft in pantheistischem Sinn, umdeuteten. Dazu gehörten u. a. Baruch de Spinoza (*1632, †1677) und Johann Gottlieb Fichte (*1762, †1814). Epikur allerdings wandte gegen diesen Vorwurf ein, nicht wer die Götter des Volkes beseitige, sei gottlos, sondern wer die Vorstellungen der Menge den Göttern zuschreibe. Als »atheoi« wurden Juden wie Christen von ihren Gegnern bezeichnet. Lukian reihte die Christen geradezu mit den Epikureern unter die Atheisten ein.

■ **Mittelalter und Neuzeit** Im christlichen Mittelalter galt Atheismus als Häresie und wurde entsprechend geahndet. In der neueren Zeit forderte der französische Philosoph Pierre Bayle (*1647, †1706) Toleranz jedem Atheismus gegenüber. Es sei ein Irrtum, das Verhalten der Menschen auf theoretische Ideen, etwa die Gottesvorstellung, zurückzuführen. Sittlichkeit sei ohne den Glauben an die Existenz Gottes möglich. Die Französische Revolution proklamierte schließlich als Göttin die Vernunft.

Im 19. Jh. wurde jeder Gottesglaube problematisch. In den verschiedensten Formen suchte man den Atheismus zu begründen: 1) als Bejahung des vom Gottesglauben emanzipierten Daseins (Friedrich Nietzsche und zahlreiche Nachfolger), 2) als Desillusionierungsanspruch: Gottesidee und Jenseitsvorstellungen werden als Projektionen menschlicher Wünsche und Ängste gedeutet (Ludwig Feuerbach »Das Wesen des Christentums«, 1841), 3) als historischen Materialismus: Die Religion wird als Bedürfnis der ausgebeuteten Volksmassen (»Opium des Volkes«) und als ideologisches Mittel der Manipulierung und Rechtfertigung der bestehenden Zustände durch die herrschenden Klassen hingestellt (Karl Marx), 4) als absoluten Pessimismus (Arthur Schopenhauer, *1788, †1860): die Welt als Überfluss eines bösen Willens, die keinen Platz für Gott habe, oder 5) als Freidenkertum in organisierten Verbänden, das unter Berufung auf die moderne Naturwissenschaft ein religiöses Verhalten als Mangel an wirklichem Aufgeklärtsein ablehnte. Ende des 19. Jh. verkündete der Naturphilosoph Ernst Haeckel, ausgehend vom Darwinismus, eine atheistische Naturreligion als Ergebnis der Wissenschaft.

■ **Moderne** Im 20. Jh. neigte der Existenzialismus, besonders in seiner französischen Form, stark zum Atheismus: Nach Jean-Paul Sartre (»L'existentialisme est un humanisme«, 1946) ist freie menschliche Existenz nur möglich, wenn es keinen Gott gibt. Ihm stellte Martin Heidegger 1951 seine Schrift »Über den Humanismus« gegenüber. Einen Argumentationsfortschritt im Sinne der Absicherung der bereits herangezogenen Argumente bietet schließlich die methodisch betriebene Sprachkritik durch den englischen Philosophen Bertrand Russell (*1872, †1970), den österreichisch-englischen Philosophen Ludwig Wittgenstein (*1889, †1951) und die Philosophen des Wiener Kreises, in der die Verwendung auch der theologischen Begriffe auf ihre Begründung hin analysiert wird. Im Übrigen aber ist die Rede von Gott heute kaum mehr das Streitobjekt der Philosophen, sondern das Thema der praktisch atheistischen Psychoanalyse und Ideologiekritik, die die Entstehung solchen atheistischen Redens aus psychischen und/oder gesellschaftlichen Verhältnissen zu verstehen suchen. Selbst die Theologie begreift zunehmend die durch den Atheismus aufgeworfenen Fragen als ein eigenes theologisches Problem und versucht, im Dialog mit dem Atheismus die christliche Rede von Gott auf biblischer Grundlage neu zu durchdenken.

Athene, Pallas Athene, griechisch auch **Athena,** *griechische Mythologie:* Göttin, Tochter des Zeus, ursprünglich wohl eine friedliche minoische Hausgöttin, dann kriegerische my-

Athene. Der jungfräulichen Stadtgöttin Athens wurde besonders die Eigenschaft der Weisheit zugesprochen. Als Symbol dafür erhielt sie die Eule als Attribut (Ausschnitt eines griechischen Reliefs, 460 v. Chr.; Athen, Akropolismuseum).

A   äthiopische Kirche

äthiopische Kirche 1). Die größeren Kirchen Äthiopiens sind stets mit Bildern geschmückt, weisen aber keine Skulpturen auf. Das Allerheiligste und der Hauptaltar stehen in der Mitte des Raumes, und immer gibt es noch einen weiteren Altar für die Jungfrau Maria. Das Bild zeigt die Kirche des heiligen Georg, die letzte von elf in Felsen hineingehauenen Kirchen, die im 12. und 13. Jh. in Lalibela erbaut wurden.

kenische Palastgöttin. In Griechenland wurde sie zur Stadtgöttin, besonders der Stadt Athen (**Polias** »Städteschützerin«).

■ **Mythos** Nach Hesiod soll Zeus seine schwangere Gemahlin Metis aus Furcht vor einem Sohn, der ihm gefährlich werden könnte (ein Motiv aus kleinasiatischen Mythen), verschlungen und Athene selbst geboren haben. In nachhesiodeischer Version des Mythos wird sie von Zeus ganz allein gezeugt. Hephaistos spaltete Zeus' Haupt mit seiner Axt, und Athene entsprang dem Haupt des Vaters bereits in voller Rüstung.

Athene ist Göttin des Krieges und des Friedens zugleich. Als Kriegsgöttin (**Promachos** »Vorkämpferin«) streitet sie aufseiten der olympischen Götter gegen die Giganten, steht den Griechen im Trojanischen Krieg bei und unterstützt einzelne Helden (z. B. Herakles, Theseus, Odysseus, Perseus und Achill). Sie schützt aber auch die griechischen Stadtstaaten, besonders Athen, gegen Feinde und bewahrt den inneren Frieden. So setzt sie z. B. einen Gerichtshof auf dem Areopag ein. Ihr friedliches Wirken bekundet sie auch als Bewahrerin handwerklicher Kunstfertigkeit (**Ergane** »die Werkkundige«). Sie lehrt die Frauen das Weben, Spinnen und Töpfern, die Männer das Zimmern (z. B. von Schiffen) und die bildenden Künste (z. B. Bau des Trojanischen Pferdes, Goldschmiedearbeiten). Auch soll sie den Menschen den Pflug gebracht und den Ackerbau vermittelt haben. Attika wurde ihr nach einer Auseinandersetzung mit Poseidon zugesprochen, weil sie dem Land den ersten Ölbaum geschenkt hatte.

Athene war keine mütterliche Göttin und ging als die Jungfräuliche (**Parthenos**) kein Liebesbündnis ein. Sie war auch Schutzherrin der Heilkunst und der Musiker und soll die Flöte erfunden haben. Bei Platon erscheint Athene als Göttin, die, zusammen mit Hephaistos, den Menschen die Kultur gebracht und ihnen den Sinn für die Ordnung des Staatswesens geschenkt hatte.

■ **Kult** Im Mittelpunkt ihres Kultes, v. a. als Schutzherrin von Burgen und Städten, stand ihr Bild, das **Palladion** (nach ihrem Beinamen **Pallas** »Mädchen«). Als Stadtgöttin von Athen wurde sie als »Athene Parthenos« jährlich in den **Panathenäen** gefeiert. Dabei erhielt das Palladion jeweils ein neues Gewand (Peplos). Ihr wurde der bedeutendste Tempel auf der Akropolis, der Parthenon, erbaut. Sie wurde auch Schirmherrin und Siegesgöttin des Perikleischen Reiches (»Athene Nike«), die am Aufgang der Burg einen eigenen Tempel erhielt. Neben der Aigis, einer von Hephaistos geschmiedeten Waffe, und dem Ölbaum sind ihre Attribute Schild, Speer, Helm und Eule (als klügster Vogel). Die Römer setzten Athene der →Minerva gleich.

äthiopische Kirche, 1) äthiopische orthodoxe Kirche, früher **abessinische Kirche**, die christliche Nationalkirche Äthiopiens. Sie führt ihren Ursprung auf die Missionstätigkeit der alexandrinischen Brüder Frumentios (Abba Sälama) und Aidesios am Anfang des 4. Jh. zurück.

■ **Geschichte** Mit der Annahme des Christentums durch König Ezana (341?) wurde die äthiopische Kirche Staatskirche. Als solche bestand sie, mit großem Landbesitz und zahlreichen Privilegien ausgestattet, ununterbrochen bis zum Militärputsch Mengistu Haile Mariams 1974. Oberhaupt der äthiopischen Kirche war bis 1959 der koptische Patriarch von Alexandria. Die kirchliche Leitung erfolgte durch einen von ihm ernannten koptischen Bischof. 1951 wurde unter maßgeblicher politischer Einflussnahme des Kaisers erstmals ein Äthiopier zum leitenden Bischof (Abuna) ernannt. Seit 1959 besitzt die äthiopische Kirche die Autokephalie und wird von einem eigenen Patriarch-Katholikos mit Sitz in Addis Abeba geleitet. Als Tochterkirche der →koptischen Kirche erkennt die äthiopische Kirche den Ehrenvorrang des koptischen Patriarchen an. Nach 1974 kam es zur Trennung von Staat und Kirche.

■ **Lehre und Praxis** Die Lehrtradition der äthiopischen Kirche erkennt die Aussagen der ersten drei →ökumenischen Konzile an, nicht aber die Beschlüsse von Chalkedon (451). Das christologische Verständnis wird jedoch nicht als »monophysitisch«, sondern als »miaphysitisch« (eine vereinigte Natur Christi) beschrieben. Der äthiopische Bibelkanon umfasst auch die alttestamentlichen Apokryphen und den »Hirten des Hermas«, eine frühchristliche Mahnschrift über die Buße der Christen und die Heiligkeit der Kirche. Das liturgische Leben ist reich ausgestaltet. Als traditionellen Zentren des geistlichen Lebens kommt dabei den über 800 Klöstern eine überragende Bedeutung zu. Liturgische Sprache ist das Geez.

Unter 20 Liturgieformularen ist v. a. die auf die alexandrinische »Markusliturgie« (4. Jh.) zurückgehende Liturgie der zwölf Apostel in Gebrauch. Auf dem Land ist neben der Sonntagsauch die Sabbatheiligung verbreitet. Die Volksfrömmigkeit zeigt Riten und Gebräuche, die teilweise schwer von der Magie abzugrenzen sind. Oberhaupt der äthiopischen Kirche ist seit 1992 Paulos (Gebre Yohannes), Ausbildungsstätte das Theologische Seminar der Heiligen Dreifaltigkeit in Addis Abeba.

Die orth. Christen in Eritrea unterstehen seit 1998 der Jurisdiktion eines eigenen Patriarchen. Seiner Weihe durch den koptischen Papst und Patriarchen Shenouda III. gingen seit 1994 die Weihen von sechs eritreischen Bischöfen voraus. Liturgisch und dogmatisch versteht sich die mit der Patriarchenweihe konstituierte **eritreische orthodoxe Kirche** als Tochterkirche der koptischen Kirche und Schwesterkirche der äthiopischen Kirche.

2) unierte äthiopische Kirche, die Gemeinschaft der mit der kath. Kirche unierten äthiopischen Christen. Die 1626 unter dem Einfluss des Jesuitenordens zustande gekommene Union hatte keinen Bestand. Erst die Missionstätigkeit der Lazaristen und Kapuziner im 19. Jh. führte zu einer dauerhaften Union. 1930 wurde ein Äthiopier zum Bischof der Unierten berufen und 1961 ein kath.-äthiopischer Metropolitanverband geschaffen. Sitz des Metropoliten ist Addis Abeba. Erzbischof ist seit 1999 Berhane-Yesus Demerew Souraphiel. Gegenwärtig umfasst die unierte äthiopische Kirche rund 68 000 Gläubige in Äthiopien (zwei Bistümer) und rund 133 000 in Eritrea (drei Bistümer).

Athos, griechisch **Hagion Oros, Agion Oros** (»Heiliger Berg«), neugriechisch **Ajion Oros,** im Altertum **Akte,** die östlichste der Chalkidike-Halbinseln in Nordgriechenland, die von der **Mönchsrepublik Athos** eingenommen wird. Sie ist 336 km² groß und hat 1 500 Einwohner. Politisch ist sie ein autonomer, unter Selbstverwaltung stehender Teil des griechischen Staates. Kirchlich untersteht sie der Jurisdiktion des Ökumenischen Patriarchen und wird von der jährlich von den 20 Großklöstern neu gewählten »Hiera Epistasia« (Heilige Aufsicht) unter Leitung des »Protos« verwaltet. 13 dieser Großklöster verschiedener orthodoxer Kirchen haben die koinobitische Lebensordnung (→Koinobion) und weitere sieben folgen der idiorrhythmischen Ordnung (→Idiorrhythmie).

■ **Geschichte** In dem seit dem 9. Jh. von Einsiedlern bewohnten Gebiet wurde 963 das erste Kloster gegründet, und seit 980 entstanden weitere Klöster, Skiten (Mönchsdörfer) und Kellia (abseits gelegene kleinste Mönchsgemeinschaften) verschiedener orthodoxer Kirchen. Der Athos wurde damit zu einem religiösen Mittelpunkt der Orthodoxie.

Gegenwärtig leben über 1 500 Mönche auf dem Athos. Seit der politischen Öffnung Anfang der 1990er-Jahre kamen viele Novizen aus Russland, der Ukraine, aus Bulgarien, Georgien, Rumänien und Serbien in die Mönchsrepublik. Die Weigerung einiger nationaler Mönchsgruppen und Klöster, die Rechte des Ökumenischen Patriarchen über den Athos anzuerkennen, führte 1994 zu einer schweren Belastung der Beziehungen mit dem Ökumenischen Patriarchat.

Atman [Sanskrit »Seele«, »Hauch«], zentraler Begriff der indischen Philosophie, die den unvergänglichen Wesenskern des Menschen (sein individuelles Selbst) bezeichnet, der sich in Lebenskraft, Bewusstsein, Erkenntnis ausdrückt. Die verschiedenen Schulen der indischen Philosophie sind sich über Eigenschaften und Funktionen des Atmans nicht einig. Nach der monistischen Lehre des Advaita-Vedanta sind Atman und Brahman, das geistige Absolute, identisch. Die Erkenntnis dieser Identität führt zur Erlösung. In theistischen Systemen kann der Begriff des »höchsten Selbst« (Paramatma) auf Gott angewendet werden.

Aton [ägypt. »Sonnenscheibe«], ägyptischer Gott, der von Echnaton (Amenophis IV.) um 1350 v. Chr. zur alleinigen Gottheit erklärt wurde. Er ist damit der erste bekannte Gott der Religionsgeschichte, der monotheistisch gedacht und verehrt wurde. Darstellungen zeigen ihn als Sonnenscheibe, deren Strahlen in Hände auslaufen, die dem König das Schriftzeichen »Leben« reichen.

Atthagikamagga, Pali für →achtfacher Weg.

Attis, *griechische Mythologie:* ein schöner Hirte, den Kybele liebte und zur Strafe für die Verletzung des ihr gegebenen Keuschheitsversprechens in Raserei versetzte, sodass er sich entmannte. In dem von entmannten Priestern

Athos.
Der orthodoxen Mönchsrepublik Athos wird bis heute vom griechischen Staat Souveränität garantiert. Es gilt das byzantinische Kirchenrecht. Frauen ist der Besuch untersagt. Die Zahl der Mönche, die in den 1970er-Jahren einen Tiefpunkt erreichte, steigt heute wieder an.

Auferstehung Christi.
Besonders in Zeiten der Bedrängnis war die Auferstehung Christi ein Symbol für die nahe Rettung, auf die alle hoffen dürfen. Matthias Grünewalds Gemälde vom Isenheimer Altar zeigt den Gekreuzigten im Strahlenkranz göttlichen Lichts (um 1513–15; Colmar, Musée d'Unterlinden).

Auferstehung Christi
→ GEO Dossier
Wer war Jesus?, Bd. 15

gefeierten orgiastischen Kult der kleinasiatischen Göttin Kybele war Attis ein sterbender und wiederauferstehender Gott. Seine orgiastischen Mysterien mit kultischer Mahlzeit und dem Taurobolium, der Taufe im Kult der Kybele mit dem Blut des Opferstiers, waren in der römischen Kaiserzeit bis nach Gallien verbreitet.

Atum, ägyptischer Urgott und Weltschöpfer, der durch Selbstbegattung das erste Götterpaar Schu und Tefnut hervorbrachte. Er wurde in menschlicher Gestalt v. a. in Heliopolis verehrt, später meist als Erscheinungsform (Abendsonne) des Sonnengottes Re angesehen.

Audhumla, *altnordische Mythologie:* das älteste Lebewesen, in Kuhgestalt. Die vier Milchströme ihres Euters nähren den Urriesen Ymir. Aus salzigen Eisblöcken leckt Audhumla das erste menschenähnliche Wesen, Buri, hervor, das zum Stammvater der Götter wird.

Audition [zu latein. audire »hören«], ein übernatürliches Hören bzw. eine über das Gehör geschehende Offenbarung an Propheten oder Ekstatiker. Die Audition ist die neben der →Vision verbreitetste Form intuitiver Mantik. Dem Mantiker offenbart sich der Gott hier nicht (nur) in einer ihm sichtbaren Weise, als »Gesicht«, sondern (auch) in Tönen oder als Stimme. Auditionen können in eine Verbalinspiration (→Inspiration) einmünden und gelten dann als Legitimation einer Anweisung und eines Textes (→Prophet).

Auferstehung Christi, grundlegendes Bekenntnis des christlichen Glaubens: Gott hat Jesus von den Toten auferweckt (Röm. 10,9). Jesus ist gestorben und auferstanden (1. Thess. 4,14). Als Erster bezeugt Paulus, dass der Gekreuzigte nicht im Tod geblieben, sondern nach seiner Auferweckung am dritten Tage in verschiedenen Visionen den Auferstehungszeugen erschienen sei (1. Kor. 15,4–8). Die Evangelien berichten dann gleichfalls von Erscheinungen des Auferstandenen (Mt. 28,9 f.; Lk. 24,13 ff. u. a.), aber auch von der Auffindung des leeren Grabes (Mk. 16,1–8 mit Parallelen). Auch das Damaskuserlebnis des Paulus (Apg. 9,3–9) ist nach 1. Kor. 15,8 eine Ostervision. Im strengen Sinne »historisch« – im Gegensatz etwa zur apologetischen Legende von den Grabeswächtern (Mt. 27,62–66) – sind an der Auferstehung Christi lediglich die Visionen des auferstandenen Christus. Als deren Augenzeugen versteht das N. T. besonders die Apostel (Apg. 1,22), doch gehörten zu ihnen auch Skeptiker wie Jakobus, der Bruder Jesu (Joh. 7,5), und ursprüngliche Gegner Jesu wie Paulus (1. Kor. 15,7 f.), sodass man die Entstehung des Osterglaubens nicht aus dem Wunschdenken der Jünger erklären kann. Aus der Auferstehung Christi leiten die Christen die Gewissheit ihrer eigenen Auferstehung vom Tod ab (Röm. 8,11; 1. Kor. 15,20–22; 1. Thess. 4,14).

Die Historizität der Auferstehung Christi ist seit der Aufklärung, v. a. innerhalb der →Leben-Jesu-Forschung, u. a. mit Hinweis auf bestimmte Bibelstellen (Mt. 27,64 und 28,12 ff., Leichendiebstahlshypothese), von verschiedenen protestantischen Theologen bestritten und als lediglich geglaubter »Sachverhalt« beschrieben worden.

Auferstehung der Toten, die Vorstellung, dass am Weltende alle verstorbenen Menschen mit Leib und Seele zu neuem, nicht mehr endendem Leben auferstehen. Diese Anschauung impliziert den Glauben an die Unzerstörbarkeit der Person, deren Leben sich in einer dem irdischen Leben vergleichbaren oder ihm ähnlichen Weise fortsetzt (häufig verbunden mit Jenseitsvorstellungen) und die in einem eschatologischen Gericht zur Verantwortung für die irdischen Taten gezogen werden kann (z. B. neben Christentum, Judentum und Islam auch im Parsismus und in der ägyptischen Religion). Begrifflich davon zu scheiden ist der Glaube an die Unsterblichkeit der Seele, der sich gleichwohl mit dem Glauben an die Auferstehung der Toten verbinden kann. Der Glaube an die Unsterblichkeit der Seele liegt z. B. der indischen Vorstellung vom Kreislauf der Wiedergeburten zugrunde, bei der (besonders im Buddhismus) die personale Identität aufgehoben gedacht sein kann.

Im Bereich der *altorientalischen* und *mediterranen Religionen* begegnet die Vorstellung einer Auferstehung als vollständiger Rückkehr in den Status vor dem Tod zunächst bei Vegetations- und Sonnengöttern (Marduk, Osiris, Tammuz, Adonis). Der Kult der sterbenden und auferstehenden Götter (→Gott) soll in verschiedenen Kultzyklen die Wiederkehr von Vegetation und Sonne sichern. Gefeiert wird die Rückkehr der Götter aus lebensfeindlichen Bereichen (→Höllenfahrt). In den Mysterienreligionen des Hellenismus wurde das Schicksal dieser Kultgötter Modell und Verheißung für das Schicksal der Eingeweihten (Mysten): Sie können am Sieg des Gottes über den Tod teilhaben.

Für das *Christentum* ist die Auferstehung der Toten Gegenstand der christlichen Hoffnung, die u. a. im letzten Satz des Apostolischen Glaubensbekenntnisses ihren Ausdruck findet. Sie gründet sich auf die Auferstehung Christi als Verheißung für jeden Menschen. Nach kath. Glaubenslehre werden am Jüngsten Tag alle Toten in ihrem »Fleisch« auferstehen, und dieser Auferstehungsleib ist als Leib der unsterblichen Seele der gleiche wie ihr irdischer, wenn er auch nunmehr unsterblich und unverweslich ist. Die ev. Theologie versteht die Auferstehung der Toten als Bewahrung der Persönlichkeit in neuer Gestalt und als ihre Vollendung in der Gemeinschaft mit Gott.

Augsburger Religionsfriede, am 25. 9. 1555 nach Verhandlungen zwischen König Ferdinand I. und den Reichsständen auf dem Augsburger Reichstag als Reichsgesetz für das Heilige Römische Reich verkündete Einigung: Den Anhängern des Augsburgischen Bekenntnisses wurden der Friede und der gegenwärtige Besitzstand gesichert. Den weltlichen Reichsständen wurde die Religionsfreiheit gewährt, wobei sie zugleich für die Untertanen entschieden, denen das Recht auf Auswanderung eingeräumt wurde (Cuius regio, eius religio). Geistliche Fürsten verloren jedoch beim Glaubenswechsel ihre Würde (Reservatum ecclesiasticum). Die Reformierten erhielten erst im Westfälischen Frieden 1648 die Gleichberechtigung mit den Katholiken und Lutheranern, doch wird der Augsburger Religionsfriede im Allgemeinen als Abschluss des Reformationszeitalters in Deutschland betrachtet.

Augsburgisches Bekenntnis, lateinisch **Confessio Augustana,** Abk. **CA,** die grundlegende Bekenntnisschrift der lutherischen Kirche, die im ersten Teil (Artikel 1–21) von Glauben und Lehre der ev., im zweiten (Artikel 22–28) von abgestellten Missbräuchen der kath. Kirche handelt. Sie wurde als Vorschlag zur Verständigung mit den Katholiken von Philipp Melanchthon lateinisch und deutsch verfasst und am 25. 6. 1530 in deutscher Sprache vor dem Reichstag verlesen und Kaiser Karl V. von den Protestanten überreicht. Melanchthon änderte mehrfach den Text des Augsburgischen Bekenntnisses in den späteren Drucken. Dogmatisch bedeutsam wurden die Änderungen in der lateinischen Ausgabe von 1540 (»Confessio Augustana variata«, kurz »Variata«), in der v. a. Artikel 10 vom Abendmahl eine der reformierten Auffassung angenäherte Formulierung enthielt, in der aber auch in anderen Artikeln die Auffassung Luthers gelockert wurde. Erst seit dem Naumburger Fürstentag (1561) griff die lutherische Orthodoxie auf das unveränderte Augsburgische Bekenntnis (»Confessio Augustana invariata«) als den allein gültigen Ausdruck der neuen Lehre zurück und erklärte die veränderte Fassung für ungültig. In der Konkordienformel von 1577 erlangte das Augsburgische Bekenntnis offizielle Anerkennung und wurde in das »Konkordienbuch« (1580), die bis heute gültige Sammlung lutherischer Bekenntnisschriften, aufgenommen. Die Anerkennung der »Confessio Augustana variata« durch Calvin (1541) ermöglichte es andererseits, im Westfälischen Frieden (1648) auch die Reformierten als »Augsburgische Konfessionsverwandte« anzuerkennen.

Auguren [latein. augures »Vogelschauer«, »Seher«], Singular **Augur,** eines der angesehensten altrömischen Priesterkollegien, das das Heil der römischen Gemeinde mehren und bei wichtigen Staatshandlungen den Willen der Götter erkunden sollte. Dazu grenzte der Augur mit dem Krummstab (Lituus) einen bestimmten Bezirk ab (Templum) und bestimmte, was vorn, hinten, rechts und links sein sollte. Hierauf bezogen, deutete dann die Stellung der erwarteten Himmelszeichen (→Auspizien) Zustimmung oder Ablehnung der Gottheit an. Vornehmlich wurden Vogelzeichen beobachtet. Den Dienst tuenden Beamten gab man gewöhnlich Auguren bei, die sofort die nötigen Gutachten liefern sowie durch Meldung ungünstiger Zeichen eine Amtshandlung anregen oder aufheben konnten.

Augustiner, zusammenfassende Bezeichnung für zahlreiche nach der →Augustinusregel lebende männliche und weibliche Ordensgemeinschaften, besonders für den kath. Orden der Augustiner, früher **Augustinereremiten,** der im 13. Jh. als Zusammenschluss kleinerer Eremitenvereine entstand. Heute bestehen drei Zweige: 1) Augustiner (lateinisch Ordo Fratrum Sancti Augustini, Abkürzung OSA, Orden der Brüder des hl. Augustinus), bis 1963: Augustinereremiten (lateinisch Ordo Fratrum Eremitarum Sancti Augustini, Abkürzung OESA), mit dem Sitz des Generalpriors in Rom und (2005) rund 2 800 Mitgliedern. Sie sind in Seelsorge und Unterricht tätig und auch in Deutschland verbreitet.

2) Augustinerrekollekten, der im 16. Jh. entstandene unbeschuhte, d. h. besonderen Armutsgelübden unterliegende, spanische Zweig. Er ist seit 1912 ein eigener Orden (lateinisch Ordo Augustinianorum Recollectorum, Abkürzung OAR) mit Sitz des Generalpriors in Rom und etwa 1 200 Mitgliedern, der sich durch eine sehr strenge, asketisch-beschauliche Lebensweise und Tätigkeit in Mission und Unterricht auszeichnet.

3) Augustinerbarfüßer, der im 16. Jh. entstandene unbeschuhte italienische Zweig mit dem Sitz des Generalpriors in Rom und rund 290 Mitgliedern, dessen Kennzeichen strenge Askese und Seelsorgetätigkeit sind.

Augustinus, Aurelius, lateinischer Kirchenlehrer des christlichen Altertums, *Tagaste (Numidien) 13. 11. 354, †Hippo Regius 28. 8. 430; einer der einflussreichsten Theologen der alten Kirche.

■ **Leben** Sein Vater, ein Beamter, war Anhänger des spätrömischen Götterglaubens, seine Mutter, die heiliggesprochene Monnika, eine Christin, die den Lebensweg ihres Sohnes maßgeblich mitbestimmte. Augustinus studierte in Karthago klassische Literatur und Rhetorik. Großen Eindruck hinterließ Ciceros (verloren gegangene) Schrift »Hortensius«, die ihn zur Beschäftigung mit der Philosophie anregte. Im Gegensatz dazu fand er zur christlichen Lehre keinen Zugang und erklärte die Bibel für intellektuell wertlos. Die Zeit seines Studiums beschreibt Augustinus in seinen »Confessiones« als Zeit sexueller Ausschweifungen. Den Gewohnheiten seiner Zeit gemäß wählte er sich mit 17 Jahren eine ständige Le-

---

Augustinus
→ **GEO** Dossier
Gott und die Welt, Bd. 16

Augustinus
*354, †430

■ zählt zu den Kirchenvätern der abendländischen Kirche

■ bekehrte sich unter dem Einfluss des Ambrosius 386 zum Christentum

■ wurde Bischof von Hippo Regius (dem heutigen Annaba in Algerien)

■ verfasste über 100 Werke, darunter die »Confessiones« und »De civitate Dei«

bensgefährtin, deren Namen er geheim hielt und die ihm einen Sohn, Adeodat, gebar. Unter dem Druck seiner Mutter und im Hinblick auf eine zukünftige Ehe trennte sich Augustinus später von ihr.

Seine geistige Entwicklung wurde bestimmt durch seinen Anschluss an den →Manichäismus, der ihn intellektuell und ästhetisch faszinierte. Immanente Widersprüche in dessen Lehre führten Augustinus jedoch zum Skeptizismus der mittleren Akademie, einer Philosophenschule bei Athen, die unter Berufung auf Sokrates die Position eines wissenden Nichtwissens vertrat.

Die entscheidende Wende in Augustinus' Leben brachte seine Berufung als kaiserlicher Rhetor nach Mailand, wo er die von einem christlichen Platonismus geprägten Predigten des Ambrosius hörte. Die dadurch angeregte Beschäftigung mit dem Neuplatonismus mündete in die von Augustinus später selbst literarisch gestaltete Bekehrung zum Christentum durch ein mit einer Audition verbundenes Bekehrungserlebnis, das »Gartenereignis« von Mailand (August 386, »Confessiones« VIII; 12, 28). 387 ließ er sich von Ambrosius taufen und brach seine weltliche Laufbahn ab, um im engsten Kreis seiner Schüler und Freunde ein dem christlich-asketischen Ideal verpflichtetes, philosophisch inspiriertes Leben zu führen, zunächst in Cassiciacum und Mailand, dann, nach dem Tod seiner Mutter 387, in Rom und Tagaste. Trotz seiner Abneigung, sein zurückgezogenes Leben zugunsten eines kirchlichen Amtes aufzugeben, wurde Augustinus anlässlich einer Reise nach Hippo Regius (heute Nordostalgerien) erst zum Priester und fünf Jahre darauf zum Nachfolger des alternden Bischofs Valerius berufen. Von 396 bis zu seinem Tod (und der Belagerung der Bischofsstadt durch die Wandalen) führte er die bischöflichen Amtsgeschäfte, die durch innerkirchliche Streitigkeiten geprägt waren. Hierzu zählen v.a. die z.T. gewaltsam durch staatlichen Eingriff beendeten Auseinandersetzungen mit den →Donatisten über Fragen der Sakramente und dem →Pelagianismus über Fragen der Sünden- und Gnadenlehre.

■ **Lehre und Werk** Die Theologie und Philosophie des Augustinus haben sich in seinen über 100 Werken (autobiografische, dogmatische und exegetische Schriften, Dialoge, Selbstgespräche und philosophische Traktate) niedergeschlagen. In seiner heute wohl bekanntesten Schrift, den »Bekenntnissen« (»Confessiones«, 397–401), legt Augustinus Zeugnis ab über seinen Lebensweg, seine Irrtümer, seine Sünden und seine Suche nach göttlicher Wahrheit. Gegen den Vorwurf der Manichäer, der christliche Glaube entbehre vernünftiger Gründe und basiere auf bloßer Autorität und Wunderglauben, berief sich Augustinus auf eine neuplatonisch inspirierte, Wissen und Glauben dialektisch vermittelnde Erkenntnislehre, für die er in den »Sermones« (418?) die berühmt gewordene Formel prägte: »Crede, ut intelligas; intellige, ut credas« (Glaube, um zu erkennen; erkenne, um zu glauben). Die Seele des Menschen ist durch göttliche Erleuchtung (Illumination) zur Erkenntnis befähigt und von der Erleuchtung in der Weise abhängig wie das Auge vom Licht. In der Auseinandersetzung mit dem Pelagianismus hat Augustinus Ursünde und Erbsünde und die Wirkung der göttlichen Gnade und Auserwählung in einer z.T. übersteigerten Prädestinationslehre hinsichtlich der menschlichen Willensfreiheit bisweilen einseitig gesehen. Der allgemeine Heilswille Gottes gegenüber der schuldigen Menschheit steht bei Augustinus nicht im Vordergrund. Gott schenkt, wem er will, göttliche Liebe, die die Begehrlichkeit der Welt überwindet und durch die Glaube des Menschen erst seine Rechtfertigung erhält. Die in Adam schuldig gewordene Menschheit steht der in Christus erlösten gegenüber. Die Gemeinschaft der Erlösten ist die Kirche, die mit Christus einen Leib bildet. Außerhalb dieser einen Kirche gibt es kein Heil. In ihr leben Heilige und Sünder. Liebe zu Gott und zum Mitmenschen sind entscheidend für den Christen.

■ **Wirkung** Augustinus hat für seine Zeit und für die nachfolgenden Jahrhunderte nicht nur für die Kirche, sondern für das gesamte Abendland größte Bedeutung erlangt, besonders durch seine Geschichtsphilosophie und Geschichtstheologie. Das geschichtsphilosophische Modell, das er in »De civitate Dei« (413–426), der letzten großen christlichen Apologie der Antike, entwickelte, ist gekennzeichnet durch den Gegensatz und den Kampf zwischen der »Civitas Dei«, der Gemeinschaft der Erwählten, der Gottesbürger, und der »Civitas terrena«, der irdischen Bürgerschaft der Selbstliebe«. Die Weltgeschichte wird nicht in antiker Sicht als ein sich ewig wiederholender Kreislauf interpretiert, sondern als Abfolge von sechs heilsgeschichtlichen Perioden mit einem sich sukzessive verschärfenden Kampf zwischen den beiden »Reichen« mit dem Ziel der Trennung im göttlichen Endgericht. Augustinus' Gedanken prägten in hohem Maße die scholastische Theologie (Augustinismus) und beeinflussten wesentlich den Staatsbegriff der abendländischen Kirche. Auch heute noch sind der Einfluss von Augustinus und die Auseinandersetzung mit seinen Werken nicht abgeschlossen. – Heiliger (Tag: 28. 8.).

Augustinusregel, Augustinerregel, eine nach Augustinus benannte Ordnung des Klosterlebens, die Armut, Gehorsam und Verzicht auf Ehe beinhaltet. Sie ist überliefert in drei Texten, die mindestens bis ins 6./7. Jh., in Teilen vielleicht bis auf Augustinus zurückreichen. Die Augustinusregel ist weit über die

Augustiner hinaus von zahlreichen anderen Ordensgemeinschaften als Grundlage der eigenen Konstitutionen übernommen worden, z. B. von den Prämonstratensern und von den Dominikanern.

Augustus, ursprünglich **Gaius Octavius,** nach seiner Adoption **Octavian(us),** der erste römische Kaiser, * Rom 23. 9. 63 v. Chr., † Nola 19. 8. 14 n. Chr.; Sohn des Gaius Octavius (Oktavier), der von seinem Großonkel Caesar testamentarisch adoptiert und zum Haupterben eingesetzt wurde. Nach dessen Ermordung (44 v. Chr.) nahm er selbst den Namen Gaius Iulius Caesar an, nannte sich seit 40 v. Chr. Imperator Caesar Divi filius und erhielt 27 v. Chr. den Titel Augustus.

Die von ihm gestiftete Pax Romana als der von Rom ausgehende Friede in der Welt strebte eine religiöse und kulturelle Einigung der unterworfenen Völker an und führte zur Verbreitung des Staatskultes.

Augustus ist der Begründer des römischen Kaisertums. Seine Machtstellung beruhte auf dem Oberbefehl über das Heer, einer ausgedehnten Klientel und einem riesigen Privatvermögen sowie auf dem Ansehen, das er sich als Sohn Caesars, als oberster Priester sowie durch seine Taten erworben hatte. Mit Augustus nahm der römische Kaiserkult mit Verehrung seines Genius und posthumer Apotheose seinen Anfang.

Aum-Sekte [o:m-], japanisch **Om-Shinrikyo** (»erhabene Wahrheit«), japanische neureligiöse Gemeinschaft, die sich als auserwählte →Endzeitgemeinschaft versteht.

Aurobindo [oro-], Sri, eigtl. **Aurobindo Ghose,** indischer Philosoph, * Kalkutta 15. 8. 1872, † Pondicherry 5. 12. 1950; Repräsentant des modernen Hinduismus, den er z. T. mit abendländischem Denken verband. Aurobindo engagierte sich revolutionär-politisch für die Unabhängigkeit Indiens und war deshalb 1908/09 inhaftiert. 1910 gründete er in dem damals französischen Pondichéry (heute Pondicherry) einen Ashram, der ab 1926 von der als »Mutter« verehrten Mira Richard geleitet wurde. Für Aurobindo ist Erlösung ein gesellschaftlich-kosmisches Ereignis im Sinne einer neuen Stufe in der Evolution des Menschen, die mittels Yoga vorbereitet wird. Seine wichtigsten Werke in diesem Sinne sind: »The life divine« (1940; deutsch u. a. »Das göttliche Leben«) und »The synthesis of yoga« (1948; deutsch u. a. »Die Synthese des Yoga«).

auserwähltes Volk, A. T.: Bezeichnung für das Volk Israel, das schon früh sein besonderes Gottesverhältnis mit dem Gedanken der Erwählung begründet hat: In freiem Entschluss hat Gott sich sein eigenes Volk ausersehen, das damit sein Eigentum ist (vgl. 2. Mos. 19, 5 ff.; 5. Mos. 14, 2). Israel verdankt seine Existenz dem Eingreifen Gottes und ist damit das von allen Völkern auserwählte Volk. Diese Erwählung wird bei den Propheten mit dem Auszug aus Ägypten verbunden, wobei gelegentlich die Erwählung bereits mit den Erzvätern beginnt, doch können beide Anschauungen auch miteinander verbunden werden.

Im N. T. wird die Erwählung auf die Gemeinschaft der Christen übertragen (Röm. 11, 7; 1. Petr. 2, 9), aber auch auf bestimmte Gruppen oder Einzelpersonen (Jak. 2, 5; 1. Petr. 5, 13; 2. Joh. 13).

auserwähltes Volk. Im Alten Testament ist Israel das auserwählte Volk Gottes, das er aus der Sklaverei in Ägypten führt und auf seiner Wüstenwanderung begleitet (französische Buchmalerei, Anfang des 14. Jh., aus der »Bible historiale« von Guiart Desmoulins).

Auspizi|en [latein. auspicium »Vogelschau«], Singular **Auspizium,** ein Brauch der alten Römer zur Erkundung des göttlichen Willens. Es wurde v. a. der Vogelflug beobachtet, wobei man u. a. auf Richtung und Art des Fluges achtete, auf die Gattung der Vögel und ihre Stimme. Besonders im Krieg befragte man die hl. Hühner, so galt es als günstiges Zeichen, wenn sie von dem vorgeworfenen Futter fraßen. Andere Zeichen waren Blitz, Verhalten von Vierfüßern und Ähnliches. Öffentliche Auspizien wurden von den Beamten vor wichtigen politischen oder militärischen Entscheidungen eingeholt. Die Beamten ließen sich dabei von den →Auguren beraten, waren aber in ihren Entscheidungen frei. Ein Formfehler in Beobachtung und Ausdeutung der Auspizien konnte eine Amtshandlung ungültig machen. Es gab erbetene und nicht erbetene Zeichen.

australische Religionen, die Religionen der →Aborigines.

Autokephalie [zu griech. kephalé »Haupt«], die kirchenrechtlich begründete Unabhängigkeit der regionalen orth. Volkskirchen vom Patriarchat von Konstantinopel in Organisation und Weiterentwicklung einzelner Kultformen (z. B. eigener Kultsprache). Die

Avalokiteshvara
→ **GEO Dossier**
Der gute Mensch von Lhasa, Bd. 15

autokephalen Kirchen erkennen den Ehrenprimat des Ökumenischen Patriarchen von Konstantinopel an und bewahren untereinander die dogmatische und kultische Einheit. Äußere Kennzeichen der Autokephalie sind u. a. die Wahl des Patriarchen und der Metropoliten (Bischöfe) aus dem Bereich der eigenen Kirche, selbstständige Gesetzgebung und Kanonisierung von Heiligen.

Avalokiteshvara [-'teʃ-; Sanskrit »der gnädig herabblickende Herr«], auch **Padmapani,** ein im Mahayana-Buddhismus viel verehrter →Bodhisattva des Mitleids. In Tibet wird der Bodhisattva Avalokiteshvara als Schirmherr des Buddhismus verehrt, der sich nach tibetisch-buddhistischer Auffassung im →Dalai-Lama verkörpert. In China und Japan wird der Avalokiteshvara meist als weibliche Gottheit aufgefasst und unter den Namen **Guanyin** bzw. **Kannon** verehrt.

Azhar-Moschee.
Blick in den Innenhof. Al-Azhar heißt »die Glänzendste«. Tatsächlich strahlen der Einfluss und die Bedeutung der Moschee mit angegliederter Universität über die ganze islamische Welt. Gegründet von der Dynastie der schiitischen Fatimiden, verbreitete die Azhar-Universität zunächst die ismailitische Lehre, wurde aber Ende des 13. Jh. Zentrum des sunnitischen Islam.

Avalon [engl. 'ævələn], *keltische Mythologie:* die im Deutschen, Englischen und Französischen übliche Form des lateinischen Namens **Insula Avallonis.** Damit bezeichnete der englische Geschichtsschreiber Geoffrey von Monmouth in seiner »Historia regum Britanniae« (1136/38; »Geschichte der Könige Britanniens«) und in seiner »Vita Merlini« (1150; »Leben des Zauberers Merlin«) eine geheimnisvolle Insel der Apfelbäume (Insula pomorum), auf der die sagenhafte König Arthur (Artus) entrückt worden sei. Seit dem ausgehenden 12. Jh. identifizierte man Avalon mit der Abtei Glastonbury in Somerset. Der Name und das Motiv finden Entsprechungen in der frühen irischen Literatur und stammen vermutlich aus der vorchristlichen inselkeltischen Mythologie.

Avatara [Sanskrit »Herabkunft«], *indische Religionen:* die Verkörperungen eines Gottes auf Erden, besonders die Verkörperung des Vishnu. Er nimmt auf der Erde Gestalt an, um die bedrohte Weltordnung (Dharma) zu schützen oder wiederherzustellen. In einer späten Systematisierung werden die folgenden Verkörperungsformen Vishnus in einer aufsteigenden Wertigkeit zusammengestellt: als Matsya (Fisch), Kurma (Schildkröte), Varaha (Eber), Narasimha (halb Mann, halb Löwe), Vamana (Zwerg), Parashurama (Rama mit dem Beil), Rama (Held des Epos »Ramayana«), Balarama (Halbbruder Krishnas), Krishna (Hirtenknabe und Kriegerheld) und als Kalkin (zukünftige Verkörperung als apokalyptischer Reiter). Die Zahl der Avatara schwankt. Auch der Buddha wird unter die Avatara gerechnet.

Averroes, arabischer Philosoph und Arzt, →Ibn Ruschd.

Avesta [von mittelpers. apastak »Grund(-Schrift)«], **Awesta,** die heilige Schrift der Zoroastrier, die in verschiedenen, oft nicht leicht verständlichen altiranischen Dialekten (Sammelbezeichnung »Avestisch«) abgefasst ist. Sammlungs- und Redaktionsgeschichte sind umstritten. Außer Zweifel steht, dass die einzelnen Texte sehr lange mündlich tradiert wurden. Die erste Sammlung dürfte jedoch schon in der Achaimenidenzeit (700–330 v. Chr.) vorgenommen worden sein. In seiner jetzigen Form wurde der Text im 5. Jh. n. Chr. niedergeschrieben. Er soll etwa ein Viertel der ursprünglichen Sammlung umfassen. Das Avesta enthält drei längere Teile: Yasna, das liturgische Hauptbuch der Zoroastrier, das zur Ehre aller Gottheiten rezitiert wird und auch die →Gathas des →Zarathustra enthält; Yascht, 21 Gebete an verschiedene Gottheiten und →Videvdat. Kürzere Teile des Avestas bilden: Vispered, eine Sammlung von Zusatzstücken zum Yasna; Nyaischs, kleine Gebete u. a. an Sonne, Mond, Wasser, Feuer; Gahs, Gebete an die fünf Genien der Tageszeiten; Siroze, Gebete an die Tagesgötter, sowie Afringans, Segenssprüche.

Avicenna, persischer Philosoph und Arzt, →Ibn Sina.

Avidya [Sanskrit »Unwissenheit«, z. B. bezüglich des Atman, Brahman, des »wahren« Gottes, des rechten Verhaltens], die »Nicht-Erkenntnis«, die in der indischen Philosophie die Bindung des Menschen an den Kreislauf der Wiedergeburten bewirkt.

Awesta, →Avesta.

Ayatollah [pers. ājatu'llāh »Zeichen (Wunder, Spiegelbild) Gottes«], **Ajatollah,** bei den Zwölferschiiten (→Schiiten) Irans Ehrentitel der führenden, zum →Idjtihad befähigten Religionsgelehrten. Der ranghöchste von ihnen wird **Ayatollah al-usma,** »größtes Wunderzeichen Gottes«, genannt.

Az|har-Moschee [-z-], **Ashar-Moschee,** von den Fatimiden 972 in Kairo gegründete Moschee und zugleich Hochschule für Theologie und islamisches Recht, die sich seit dem 13. Jh. zu einer der bedeutendsten Lehrstätten

Azteken Die Opferriten

Im Jahr 1519 landeten die Spanier unter Führung von Hernán Cortés in Mexiko und fanden die Kultur der Azteken vor. Die Azteken hielten sich für Soldaten der Sonne. Sie glaubten, dass sich das Leben spendende Gestirn jeden Tag gegen die Mächte der Finsternis, Mond und Sterne, durchsetzen müsse. Deshalb nährten sie es mit dem wertvollsten Elixier, das sie kannten: mit menschlichem Blut. Bei religiösen Zeremonien wurden häufig Menschen geopfert (dargestellt im Codex Fiorentino aus der frühen Kolonialzeit; Florenz, Biblioteca Nazionale Centrale), manchmal bis zu 2 000. Während in der Heimat die Scheiterhaufen der Inquisition loderten und Tausende von »Ketzern« und »Hexen« im Namen eines ungnädigen Christengottes verbrannten, wurden die Opferriten der Azteken als besonders abstoßend empfunden und zur Rechtfertigung für Unterwerfung und Ausrottung herangezogen. Von ihnen berichtete Hernán Cortés 1520 Folgendes: »Die Büsten und Statuen der Götzen, an die diese Leute glauben, sind weit über Menschengröße. Sie werden aus einer gemahlenen und gekneteten Masse aller Sämereien und Gemüse verfertigt, angefeuchtet mit dem Herzblut menschlicher Schlachtopfer, denen sie lebendig die Brust öffnen und das Herz herausreißen.«

des sunnitischen Islam mit Studenten aus vielen Ländern entwickelte. Reformen des 19. und 20. Jh. glichen den Lehrbetrieb demjenigen moderner Institutionen an. Seit 1961 ist die Hochschule staatliche Universität (**Azhar-Universität**), die neben Fakultäten für religiöse Disziplinen z. B. auch solche für Medizin und Landwirtschaft besitzt. Ihr Rektor, stets ein Religionsgelehrter, ist für Ägypten und den ganzen sunnitischen Islam eine wichtige Autorität.

Azteken, nach ihrem mythischen Ursprungsort Aztlan (»Reiherland«) benanntes, später in Mexica umbenanntes Volk, das erst im 14. Jh. n. Chr. in das Hochland von Mexiko einwanderte und um 1370 die Hauptstadt Mexico bzw. Tenochtitlán gründete. Diese wurde im Laufe von nur 150 Jahren bis zu ihrer Zerstörung 1521 durch die Spanier zur ganz Mesoamerika beherrschenden Großmacht. Mit der Ausdehnung ihrer Herrschaft hatten die Azteken in das Pantheon ihrer Götter zahlreiche Gottheiten anderer oder früherer Religionen aufgenommen. Wichtigste Gottheiten waren der in ganz Mesoamerika verehrte Quetzalcoatl, der aztekische Kriegs- und spätere Sonnengott Huitzilopochtli, der als unberechenbar gefürchtete Tezcatlipoca, der den Regen bewirkende und damit für die Vegetation bedeutsame Tlaloc, neben Vegetationsgottheiten wie Xipe Totec, dem Maisgott, Cinteotl und dem Frühlingsgott Xochipilli. Vor allem dem Sonnengott mussten Menschen, zumeist Kriegsgefangene, geopfert werden, um mit deren Blut die aufgehende Sonne zu ernähren und zu stärken. Dem Gewinnen von Kriegsgefangenen diente der sakrale →Blumenkrieg. Die Opfer und anderen kultischen Riten wurden von Priestern vollzogen, die auch für die Kalenderberechnung zuständig waren.

Die Azteken kannten mehrere Jenseitsreiche, in die man nach dem Tod je nach Todesursache gelangte, so das »Haus der Sonne am Himmel« für im Krieg Gefallene oder im Kindbett gestorbene Frauen, das Reich Tlalocs für die durch Wasser Umgekommenen und das allgemeine Totenreich Mictlan für alle anderen Verstorbenen. Neben der polytheistischen Verehrung zahlreicher Götter sind mit der alleinigen Verehrung des Gottes Ipalnemoa monotheistische Tendenzen erkennbar, der auch als »wahrer« oder »einziger Gott« bezeichnet wird. An diese Tendenzen versuchte die christliche Mission seit 1524 anzuknüpfen.

Charakteristisch für die Sakralarchitektur der Azteken war der Doppeltempel: zwei Bauten in der gleichen Höhe und Form nebeneinander auf einer Pyramide, zu denen zwei parallele Treppen hinaufführen.

B

Ba [ägypt. »Widder«, auch »Seele«], im alten Ägypten einer der vielen Aspekte der göttlichen und menschlichen Person. Er trennt sich im Tod vom Menschen, folgt tags der Sonne am Himmel und vereint sich nachts in der Unterwelt wieder mit dem Körper. Er wird als Storch oder mehrköpfiger Vogel dargestellt, um die freie Beweglichkeit anzudeuten. Der nächtliche Sonnengott hatte als »Großer Ba« Widdergestalt.

Baader, Franz Xaver von, deutscher kath. Philosoph und Theologe, *München 27. 3. 1765, †ebenda 23. 5. 1841, seit 1826 Professor in München. In theosophischer, von Jakob Böhme beeinflusster Philosophie lehrte er die Selbstentwicklung Gottes im Menschen als Selbstbefreiung aus einem dunklen Urgrund. Baader wirkte stark auf Friedrich Wilhelm von Schelling und die Romantik. Er forderte in seiner Sozialphilosophie eine an Gott gebundene Ständeordnung, in der das Proletariat seinen entsprechenden Anteil an der gesellschaftlichen Willensbildung erhalten sollte.

Baal.
Auf dem Relief des Baal-Tempels in Palmyra ist die Göttertrias abgebildet, bestehend aus Baal (zweiter von links) und Jarhibol und Aglibol zu seinen Seiten. Ganz rechts erkennt man Arsu, den Schutzgott der Kamelführer, an Brustpanzer, Helm und Schild (1. Jh. n. Chr.; Palmyra, Museum).

Baal [westsemit. baʻlu, hebr. baʻal »Herr«], bei den Westsemiten die Bezeichnung für einen Gott. Die feminine Form für eine Göttin lautet **Baalat** (Balat). In Verbindung mit einem Ortsnamen bezeichnete Baal lokale Götter, u. a. Baal-Hazor, Baal-Libanon und Baal-Tyrus (Melkart). Mit dem Appellativ Baal wurden in Mesopotamien die großen Götter Enlil, Marduk von Babylon und Assur (Aschur) bezeichnet. Zu den weiblichen Entsprechungen Baalat gehörte u. a. die Baalat Gebal, die »Herrin von Gubla« (Byblos). In Syrien wurde der amoritische Wettergott als Baal bezeichnet.

Dieser Wettergott, der »Fürst« und »Herr der Erde«, galt als der Sohn des Himmelsgottes El oder auch des →Dagon. Seine Erscheinungsform war der Stier, das Symbol der Fruchtbarkeit. Als sein Wohnsitz wurde der Berg Sapan (Zaphon, der Djebel el-Agra) mit dem Palast des Baal angenommen. Im Mythos des kanaanäischen Stadtstaates Ugarit ist der Todesgott Mot Gegenspieler des Baal, der Mot zunächst unterliegt. →Anat aber richtet Mot zugrunde und befreit Baal, der wieder aufersteht und in seinen Palast zurückkehrt. Dieser Wechsel der Herrschaft zwischen Baal und Mot steht im Zusammenhang mit dem Zyklus der Jahreszeiten und dem Wechsel von Fruchtbarkeit und Dürre.

Der Kult des Baal gelangte zur Zeit der 18. Dynastie (1552–1306 v. Chr.) auch nach Ägypten. In der Zeit der Ramessiden (1306–1070 v. Chr.) wurde Baal mit Seth gleichgesetzt.

Aufgrund der ausgeprägten syrisch-kanaanäischen Baalkulte nahm zunächst auch der israelitische Jahwe Züge des Baal und des Baalkultes an, sodass auch dieser als Baal bezeichnet werden konnte. Der in Israel von der Priesterschaft stets heftig bekämpfte Baalkult erlosch nach der unter prophetischem Einfluss durchgeführten Revolution König Jehus (845–818 v. Chr.). In Syrien setzte erst das Christentum dem Baalkult ein Ende.

Baalbek, Balbek, Stadt in Libanon, die wegen des Sonnengottkultes in hellenistischer Zeit →Heliopolis genannt wurde. Ihre Blütezeit erlebte die Stadt im 2. und 3. Jahrhundert. Von den Tempelanlagen der Römer (1.–3. Jh.) zeugen noch mächtige Ruinen. Der Haupttempelbezirk (270 × 120 m) war Jupiter, später der Trias Jupiter, Venus und Merkur geweiht.

Baal Schem Tov, eigtl. **Israel ben Eliezer Baal Schem Tov,** Abk. **Bescht,** charismatische Gestalt des osteuropäischen Judentums, *Okop (bei Kamenez-Podolskij) um 1700, †Międzyboż (Podolien) 1760. Über sein Leben ist kaum Sicheres bekannt. Anfangs Lehrer, Synagogendiener, ritueller Schlächter und Amulettschreiber, galt er als großer Wundertäter, um dessen Wirken sich viele Legenden bildeten. Er befand sich viel auf Wanderschaft und scharte zahlreiche Anhänger um sich. Die daraus entstehende religiöse Bewegung nahm Züge einer populären Protestbewegung gegen die rabbinischen Autoritäten an. Getragen von Nachwirkungen der popularisierten späten →Kabbala in Gestalt des Sabbatianismus, entstand daraus der osteuropäische →Chassidismus. Baal Schem Tov hinterließ keine schriftlichen Werke. Teile seiner Lehren sind in den Schriften seiner Schüler erhalten. Im deutschsprachigen Raum ist er v. a. durch Martin Buber bekannt geworden.

Babismus, aus dem schiitischen Islam hervorgegangene religiöse Bewegung in Persien. Sie wurde von Sajjid Ali Mohammed, genannt Bab, gegründet. Bab, nach schiitischem Wortgebrauch »Tor« zum verborgenen →Imam, nach seinem Selbstverständnis »Vorläufer« eines kommenden Propheten bedeutend, legte Korantexte allegorisch aus, forderte die Gleichstellung der Frau und sagte sich 1848 mit seinen Anhängern förmlich vom Islam los. Nach seinem Tod schlossen sich seine Anhänger mehrheitlich der →Bahai-Religion an.

Babylonisches Exil

Babylon, babylonisch **Babilu,** hebräisch **Babel,** altorientalische Stadt im zentralen Mesopotamien beiderseits eines alten Euphratlaufes in Irak. Erstmals gegen Ende des 3. Jt. v. Chr. erwähnt, entwickelte sich Babylon seit Anfang des 2. Jt. zum kulturellen Zentrum der gesamten vorderasiatischen Welt. Seine Vormachtstellung wurde um 1700 v. Chr. von König Hammurapi begründet, der Babylon zur Hauptstadt Babyloniens machte. Nach 1250 v. Chr. fiel Babylon mehrfach in assyrische Hand. Die größte Blüte erlebte die Stadt unter den Herrschern Nabopolassar (626–605) und Nebukadnezar II. (605–562). Unter den Achaimeniden war Babylon eine der drei Hauptstädte des Perserreiches.

Als Zentrum des babylonischen Reiches war Babylon auch kultisches Zentrum. Die neubabylonische Stadt am Euphrat war ein Rechteck, eingefasst von einer doppelten Lehmziegelmauer mit neun Toren sowie einem Wassergraben. Das berühmte Tor der Ischtar war eine monumentale doppeltorige Anlage. Hindurch führte eine gepflasterte Prozessionsstraße nach Süden zum Mardukheiligtum Esangila mit dem Tempelturm Etemenanki, dann nach Westen zur Euphratbrücke. Nördlich vom Ischtartor verlief die Prozessionsstraße zwischen der Hauptburg und einer gewaltigen Befestigungsanlage. Südlich der Hauptburg lag der Palast Nebukadnezars II. mit den »Hängenden Gärten«.

babylonisch-assyrische Religionen. Die babylonische Religion entstand wesentlich in der sumerischen Zeit, also im letzten Drittel des 4. und im 3. Jt. vor Christus. Jede Stadt verehrte ihre eigene Gottheit, der ein »Hofstaat« kleinerer »Dienergottheiten« beigegeben war. Die Vielzahl der örtlichen Kulte wurde seit Mitte des 3. Jt. v. Chr. in Götterkreise zusammengefasst. Die später einwandernden Semiten übernahmen die Götter des neuen Landes oder glichen sie ihrem Verständnis an. So galt Enlil von Nippur weiterhin als Götterherr. Enki, Gott des unterirdischen Süßwasserozeans, lebte als Ea, Vater des Marduk und Gott der Weisheit, weiter. Inanna, Tochter des Himmelsgottes An von Uruk, entsprach schon in sumerischer Zeit dem Bild der sinnlich-erotischen Ischtar der Semiten. Betont wurde jetzt ihre kriegerische Eigenschaft. Ihr Geliebter Dumuzi wurde als Tammuz weiterhin verehrt. Stärker wurden die neuen Einflüsse bei anderen Gottheiten bemerkbar: Der Sonnengott Utu fand nun als Schamasch, Herr der Weissagung und des Gerichts, als Inbild der Segen spendenden Kräfte der Sonne große Verehrung. Der Sturm- und Gewittergott Ischkur, bei den Sumerern unbedeutend, wurde als Adad oder Mer Bringer der Fruchtbarkeit und eine Zentralgestalt des Pantheons. Marduk, der Stadtgott von Babylon, wurde schließlich mit der Erhebung Babylons zur Hauptstadt um 1700 v. Chr. zum obersten Reichsgott.

Den Kult besorgte eine reich gestufte, mächtige Priesterschaft. Die babylonischen Mythen um Weltschöpfung und Sintflut wirkten auf viele vorderasiatische Völker, v. a. die Assyrer, aber auch auf die Juden.

Babylonisches Exil, Babylonische Gefangenschaft, 1) der Aufenthalt der Juden in Babylon nach der Zerstörung Jerusalems und der Deportation der Könige Jojachin (597 v. Chr.) und Zedekia (587 v. Chr.) durch Nebukadnezar II. bis zur von Kyros II., dem Großen, erlaubten Rückkehr (538 v. Chr.). Das Babylonische Exil ist im A. T. in 2. Kön. 24 f. und 2. Chron. 36 überliefert.

2) übertragen: der Aufenthalt der Päpste in Avignon (1309–76).

Babylon. Die »Hure Babylon« gilt im Alten Testament als Zentrum einer gottesfeindlichen Weltmacht, in der Sünde und Amoralität herrschen. Besonders die Geschichte vom Turmbau zu Babel wurde zum Symbol für Hochmut und Gottesvergessenheit des Menschen, der seine Erniedrigung selbst heraufbeschwört (Gemälde von Pieter Brueghel dem Älteren, 1563; Wien, Kunsthistorisches Museum).

babylonisch-assyrische Religionen. Im Alten Orient und damit auch in den babylonisch-assyrischen Religionen bezeugen Figuren und Bilder schon seit frühester Zeit einen Stierkult. Der Stier war Erscheinungsform des hurritischen und hethitischen Wettergottes Teschub, des babylonischen Adad und des amoritischen Baal (Wandmalerei aus dem Palast des Zimrilim in Mari, 18. Jh. v. Chr.; Aleppo, Nationalmuseum).

Bacchanalien

Bacchanali|en [-x-], **Bachanali|en,** Singular **Bacchanal,** die vom Orient beeinflussten rauschhaften und häufig mit sexuellen Exzessen verbundenen Kultfeiern des Gottes Bacchus (→Dionysos). Durch Vermittlung der Griechen verbreiteten sie sich seit dem 6. oder 5. Jh. v. Chr. als mystische Geheimriten über Italien hin und wurden nach einem vorübergehenden Verbot durch den römischen Senat im Jahr 186 v. Chr. bis etwa 200 n. Chr. in eingeschränkter Form begangen.

Bacchanten [-x-; zu lateinisch bacchari »wild umherschweifen«, eigtl. »das Bacchusfest feiern«], Singular **Bacchant,** die Teilnehmer und besonders die Teilnehmerinnen, also die **Bacchantinnen** (→Mänaden), an den orgiastischen Feiern des Bacchus (→Dionysos) sowie auch die Begleiter des Gottes.

Bacchus [-x-], *römische Mythologie:* Gott der Fruchtbarkeit und des Weins, der dem griechischen →Dionysos entspricht.

Bachja Ben Joseph Ibn Paquda [-ˈkuː-], jüdischer Religionsphilosoph und hebräischer Dichter des 11. Jh.; lebte in Spanien und schrieb in arabischer Sprache. Er war beeinflusst von der islamischen Mystik und vom Neuplatonismus. In seinem »Buch der Herzenspflichten«, das in hebräischer Übersetzung bis heute gelesen wird, vertritt er eine Frömmigkeit, die in der lauteren inneren Gesinnung die Voraussetzung für die rechte Befolgung der »äußeren« religiösen Gebote sieht. Zu dieser Gesinnung zählt er die Herzenspflichten wie Buße, Demut, Vertrauen auf Gott.

Baeck [bɛk], Leo, deutscher Rabbiner, Gelehrter und liberaler Theologe, *Lissa (heute in der Wojwodschaft Poznań) 23. 5. 1873, †London 2. 11. 1956; amtierte in Oppeln, Düsseldorf und ab 1912 in Berlin, wo er auch Dozent an der Hochschule für die Wissenschaft des Judentums war. In zahlreichen Gremien tätig, galt er als führender Repräsentant des deutschen Judentums. Seit 1933 war er Präsident der »Reichsvertretung der deutschen Juden« und wurde 1943 nach Theresienstadt deportiert. Nach der Befreiung lebte er in London und lehrte zeitweilig in den USA am Hebrew Union College in Cincinnati. Außerdem war er an der Wiederaufnahme der deutsch-jüdischen Gespräche beteiligt. Baeck verfasste 1905 in Auseinandersetzung mit der Darstellung des Judentums in Adolf von Harnacks Buch »Das Wesen des Christentums« (1900) unter dem Titel »Das Wesen des Judentums« eine Darstellung der jüdischen Religion, mit der er zu einem vertieften Verständnis des Judentums unter Juden und Christen beitragen wollte.

Ihm zu Ehren wurde 1954 das erste Leo-Baeck-Institut gegründet.

Weitere Werke: Wege im Judentum. Aufsätze und Reden (1933); Dieses Volk. Jüdische Existenz, 2 Teile (1955–57); Aus drei Jahrtausenden (1958).

Leo Baeck
* 1873, † 1956

- gilt als einer der führenden Repräsentanten des deutschen Judentums
- vertrat als Rabbiner und Gelehrter eine liberale Theologie
- wurde 1943 nach Theresienstadt deportiert
- lebte und lehrte nach Kriegsende in London und den USA

Bahai-Religion, den Gedanken der Humanität, des sozialen Fortschritts und des Zusammenwachsens der Menschen zu einer Menschheit verpflichtete Religionsgemeinschaft, gegründet von Mirza Husain Ali (* 1817, † 1892), genannt Baha'ullah (»Herrlichkeit Gottes«). In ihrer Lehre ist die Bahai-Religion stark durch Ideen des →Babismus geprägt. Der Religionsgründer, der 1863 als der vom Bab (dem Begründer des Babismus) angekündigte Bote Gottes an die Öffentlichkeit trat, wurde daraufhin aus seiner Heimat Persien ausgewiesen und lebte seit 1868 in osmanischer Internierung in Akka. Die von Baha'ullah hinterlassene heilige Schrift, das »Kitab-i Akdas« (»Hochheiliges Buch«) bildet die Grundlage der Lehre der Bahai-Religion, die sein Sohn Abbas Efendi, genannt Abdul Baha (»Diener der Herrlichkeit«), auf seinen Reisen in Ägypten, Europa und Amerika bekannt machte. Nach ihm leitete sein Sohn Shogi Efendi bis zu seinem Tod 1957 die Religionsgemeinschaft.

Heute zählt die Bahai-Religion nach eigenen Angaben weltweit über sieben Millionen Mitglieder, davon rund ein Drittel in Indien. Daneben bestehen größere Bahai-Gemeinschaften in den USA (rund 750 000) und in Iran (rund 460 000). In Deutschland bekennen sich rund 12 000, in der Schweiz und in Österreich jeweils rd. 3 700 Menschen zur Bahai-Religion. In Ländern mit einer größeren Anzahl von Ortsgemeinden wird jährlich ein Nationaler Geistiger Rat gewählt. Diese Räte wählen seit 1963 alle fünf Jahre ein neunköpfiges oberstes Leitungsgremium, das »Universale Haus der Gerechtigkeit« mit Sitz in Haifa. Sitz des nationalen Zentrums in Deutschland ist Langenhain (zu Hofheim am Taunus).

■ **Lehre und Kultus** Die Bahai-Religion versteht sich als vernunft- und wissenschaftsgemäß. Nach ihrer Lehre ist Gott transzendent und die aus ihm hervorgehende Welt ewig. Gott manifestierte sich in Propheten, u. a. Zarathustra, Jesus, Mohammed und Baha'ullah. Auf Letzteren können mit fortschreitender Menschheitsentwicklung noch weitere folgen. Die Bahai-Religion vertritt die Gleichheit und gegenseitige Liebe aller Menschen ohne Ansehen von Geschlecht, Rasse und Nation. Zu ihren Zielen gehören die Förderung der allgemeinen Erziehung, des sozialen Fortschritts und des Friedens sowie die Errichtung eines Weltgerichtshofs und die Einführung einer Weltsprache.

Es besteht kein gottesdienstliches Ritual. An jedem Ersten ihrer 19 Monate zu je 19 Tagen versammeln sich die Gläubigen zu Lesungen aus den heiligen Schriften (auch aus Bibel und Koran), Besprechung von Gemeindeangelegenheiten und gemeinsamem Mahl (»Neunzehntagefest«). Pflichten sind außerdem das tägliche Gebet, Fasten im letzten der 19 Monate nach Art des Ramadan sowie der Verzicht auf Alkohol und Drogen.

In ihrem Ursprungsland Iran bilden die Bahai die größte religiöse Minderheit, sind jedoch rechtlich nicht als Religionsgemeinschaft anerkannt und als dem Islam »Abtrünnige« in der Wahrnehmung verfassungsmäßiger Rechte de facto eingeschränkt.

Bahir, Buch der jüdischen Mystik aus dem 12. Jh., das ältere Texte enthält und daher als ein frühes gnostisch-kabbalistisches Dokument gilt (→Kabbala).

Bai Jia [-'dʒia; chines. »Hundert Schulen«], Bezeichnung für führende Richtungen der chinesischen Philosophie zwischen dem 7. und 3. Jh. v.Chr., die miteinander wetteiferten und sich mit nahezu allen Fragen der Philosophie, Religion und des Staates auseinandersetzten. Die unzähligen Schulen lassen sich in neun Hauptrichtungen einteilen, deren wichtigste neben dem Konfuzianismus und Daoismus waren: die Schule der Legalisten (Fa Jia), die eine strenge Gesetzgebung und straffe Staatsverwaltung forderten; die von Mo Di gegründeten sozialrevolutionären Mohisten (Mo Jia), die eine praktisch-technische Ausbildung des Menschen »zum gegenseitigen Nutzen« und eine egalitäre »allgemeine Menschenliebe« anstrebten, und die Landwirtschaftsschule (Nong Jia), die die Aufhebung der Arbeitsteilung und praktische Landbebauung durch die Herrscher propagierte. Mit der Durchsetzung des Konfuzianismus als Staatslehre im 2. Jh. v.Chr. verloren die Bai Jia ihre Bedeutung, ihre Schriften gelten aber bis heute als »Klassiker«.

Baker ['beɪkə], Mary, Mädchenname von **Mary Baker-Eddy,** der Gründerin der Christian Science; →Eddy, Mary.

Bakillani, al-Bakillani, islamischer Theologe aus der Schule der Ascharīten, †1013; bekanntester, aber nicht erster Vertreter des islamischen Atomismus, nach dem Gott die kleinsten Bausteine der Realität und deren Akzidenzien in jedem Augenblick nach Belieben neu schafft, sodass in der Natur keine Gesetze, sondern allenfalls Gewohnheiten Gottes walten.

Balarama, in der *hinduistischen Mythologie* der ältere Halbbruder Krishnas, der als →Avatara Vishnus oder Verkörperung der Weltschlange Shesha gilt. Bildliche Darstellungen gibt es seit dem 2. Jh. v.Chr., seine ikonografischen Attribute sind Pflug, Mörserkeule, Becher, helle Haut und Schlangenhaube.

Baldr, Balder, Baldur, *germanische Mythologie:* Gott des Lichts und der Fruchtbarkeit, Verkörperung des Guten und der Gerechtigkeit, Sohn Odins und der Frigg. Nach der Edda und der Skaldendichtung war er tapfer, milde und schön. Da das Schicksal der Götter vom Leben Baldrs abhängt, nimmt Frigg allen Wesen und Dingen einen Eid ab, Baldr nicht zu verletzen. Loki erfährt durch eine List, dass allein die Mistel nicht vereidigt ist, und gibt diese als Wurfgeschoss dem blinden Hödr, einem Bruder Baldrs, der ihn damit tötet. Ein zweiter Bruder, Hermod, unternimmt den Versuch, ihn aus dem Totenreich zurückzuholen. Hel, die Göttin der Unterwelt, will Baldr freigeben, wenn alle Wesen um ihn weinen, aber Lokis List vereitelt auch dies. Nach dem Untergang der Götter (→Ragnarök) und der Erneuerung der Welt kehren Baldr und Hödr gemeinsam zurück und bewohnen in Frieden die Sitze der Götter. Diese Wendung des Mythos ist wohl schon christlich beeinflusst.

Ballspiel. Die Ursprünge des Ballspiels sind eng mit kultischen Vorstellungen verknüpft. In nahezu allen Kulturkreisen symbolisierte das Ballspiel den Streit zwischen Gut und Böse, zwischen Sonne und Mond und gewann bei manchen religiösen Riten auch magische Bedeutung. Besonders bei den Ureinwohnern Amerikas standen die Ballspiele in hohem Ansehen. In den mesoamerikanischen Hochkulturen wurden sie zu religiösen Kultakten mit dazugehörenden Ritualgegenständen. Die Verlierer wurden gelegentlich geopfert, v.a. bei einer auf den Treppenstufen der Tempelpyramiden gespielten Variante bei den Maya. Auch in Europa waren die Ballspiele bis ins Mittelalter nicht frei von religiösen Überlieferungen und Verbindungen zu Mythen.

baltische Religion, die vorchristliche Religion der baltischen Völker, der Letten, Litauer und Altpreußen (Prußen). Originalquellen der baltischen Religion sind nicht erhalten, doch geben – bei kritischer Wertung – kirchliche Verordnungen gegen das baltische Heidentum Auskunft, ebenso folkloristische Quellen, die jedoch mit fremden, z.T. christlichen Elementen durchsetzt sind.

Als Hauptgottheit verehrten die baltischen Völker den Himmelsgott (lettisch Dievs, litauisch Dievas, altpreußisch Deiws), den sich die Bauern als Hofbesitzer und Viehzüchter dachten. Ihm zur Seite stand der Donnergott (let-

Bahai-Religion. Der 1986 in der indischen Hauptstadt Delhi errichtete – und damit neueste – Tempel der aus dem Babismus hervorgegangenen Bahai-Religion entwickelte sich zu einem wahren Magneten für Besucher der unterschiedlichsten Glaubensrichtungen. In Form einer riesigen Lotosblüte konzipiert, stellt er ein architektonisches Kunstwerk dar.

Bamian

Baptisten.
Die Baptisten gehören zu den christlichen Heiligungs- und Erweckungsbewegungen, die sich durch starke Mitwirkung von Laien auszeichnen und in den USA besonders unter den ärmeren und farbigen Bevölkerungsschichten großen Zulauf haben. An der Ebenezer Baptist Church in Atlanta (Georgia) wurde 1960 der bekannte Bürgerrechtler Martin Luther King Hilfspastor seines Vaters; das Bild zeigt den Trauergottesdienst in dieser Kirche nach seiner Ermordung.

Baptisten
→ GEO **Dossier**
Glaube, Liebe, Hoffnung?, Bd. 15

tisch Pērkons, litauisch Perkūnas, altpreußisch Percunis), der die Fruchtbarkeit förderte und die Lebensordnung bestimmte. Später, wohl unter christlichem Einfluss, wurde er zum Gegner des Teufels und Vernichter des Bösen. Eine bedeutsame Rolle spielte die Sonnengöttin Saule (litauisch Saulé). Bisweilen trat sie in Beziehung zur Mondgottheit (lettisch Mēness, litauisch Mēnuo/Menulis, altpreußisch Menins). Von besonderem Gewicht war auch die Schicksalsgöttin Laima. Sie verlieh Glück und Erfolg, gab Fruchtbarkeit für Acker und Vieh.

Neben den höheren gab es niedere Gottheiten wie die der Erde, der Berge, Bäume, Steine, Flüsse. Die Kultfeiern, u. a. Lichtkulte, deren Erinnerung noch die Johannisfeier am 23./24. Juni bewahrt, hängen alle mit dem bäuerlichen Leben zusammen.

Bamian, im 3. bis 7. Jh. eine bedeutende buddhistische Klostersiedlung im heutigen Afghanistan. Aus dem das Tal von Bamian begrenzenden senkrechten Felshang wurden im 5./6. Jh. zwei 53 und 36 m hohe Buddhastatuen herausgemeißelt. Hunderte von Kult- und Wohnhöhlen für Mönche tragen Freskomalereien auf Lehmputz in indisch-iranischem Stil. Die Buddhastatuen wurden seit März 2001 – ungeachtet weltweiter Proteste – auf Anweisung der afghanischen Taliban-Führung zerstört.

Bann, 1) allgemein das →Anathema;
2) Bannfluch (hebräisch cherem), im A. T. allgemein die Aussonderung für Jahwe. Das Gebannte kann zur Vernichtung bestimmt sein, wie die Kriegsbeute, Menschen und Vieh (1. Sam. 15,3) oder die Götzendiener (5. Mos. 13, 13–18). Bann kann aber auch dauerhafte Weihung z. B. von Menschen, Vieh oder Dingen bedeuten (3. Mos. 27, 28). Im späteren Judentum umfasst der Bann vier Grade, vom Verweis bis zum Verbot des privaten und geschäftlichen Verkehrs sowie Ausschluss aus dem Gemeindegebet außer am Versöhnungstag.

Banna, Hasan **al-Banna,** religiös-politischer Führer des Islam, * Mahmudiya (Ägypten) 1906, † Kairo 12. 2. 1949 (ermordet); war zunächst als Grundschullehrer und Journalist tätig und gründete 1928 die →Muslimbruderschaft, die in den folgenden Jahren unter seiner charismatischen Leitung zur Massenorganisation wurde. Er propagierte eine allein auf Koran und Sunna basierende »islamische Ordnung« und geriet in zunehmende Opposition zur Regierung. Nach der Ermordung des ägyptischen Ministerpräsidenten durch ein Mitglied der Bruderschaft im Dezember 1948 war al-Banna eines der ersten Opfer der Vergeltungsmaßnahmen der ägyptischen Geheimpolizei.

Baptisten [engl.; von griech. baptistés »Täufer«], die Mitglieder der größten protestantischen Freikirche. Die Baptisten üben die Erwachsenentaufe, weil ihrer Auffassung nach nur der bewusst an Christus Glaubende die Taufe empfangen sollte. Getauft wird meist durch Untertauchen. Die Baptisten treten für die Unabhängigkeit der Kirche vom Staat ein und lehnen eine kirchliche Hierarchie ab. Die Gemeinden sind selbstständig, arbeiten aber in Unionen und Bünden zusammen. Der Gottesdienst besteht in Predigt, freiem Gesang und Gebet ohne liturgische Ordnung. Ein einheitliches baptistisches Glaubensbekenntnis gibt es nicht. Die Bibel, die jeder Gläubige unter Leitung des Heiligen Geistes auslegen kann, gilt als alleinige Richtschnur für Glaube, Gemeindeordnung und Leben. Die Gotteshäuser sind ohne Schmuck. In ihnen stehen nur Abendmahlstisch, Kanzel und ein großes Taufbecken.

■ **Geschichte** Der Baptismus hat seine Wurzeln im englischen »Independentismus«, der gegenüber der anglikanischen Kirche völlige Unabhängigkeit der einzelnen Gemeinden forderte, da allein Jesus Christus als »Bischof« anerkannt wurde. Die ersten Gemeinden entstanden 1609 im Amsterdamer Exil unter Führung von John Smyth († 1612) und Thomas Helwys († 1616; General Baptists) sowie 1640 in London (Particular Baptists). Nach längerer Verfolgung wurden sie mit der Toleranzakte unter König Wilhelm III. anerkannt, jedoch standen ihnen erst seit 1829 die staatlichen Ämter offen. Seit 1891 besteht in Großbritannien eine Union zwischen den General Baptists und den Particular Baptists, die Baptist Union of Great Britain and Ireland, der heute (2005) rund 550 000 Baptisten angehören.

■ **Verbreitung** In *Amerika* gründete der aus England eingewanderte Roger Williams (* um 1603, † 1683; Mitbegründer des Staates Rhode Island) 1639 die erste Baptistengemeinde. Zusammen mit der Erweckungsbewegung des protestantischen Missionars Jonathan Edwards (* 1703, † 1758) breiteten sich die Baptisten seit dem 18. Jh. in den USA aus. Sie wirkten u. a. für Religionsfreiheit, Beseitigung des Sklavenhandels, für äußere und innere Mission und Bibelverbreitung. Unterschiedliche Auffassungen über Mission, Abendmahlsgemeinschaft mit anderen Kirchengemeinschaften sowie ethnische Fragen führten zur Entstehung von über 30 Gruppen. Die größten sind die theologisch konservativen Südlichen Baptisten (Southern Baptist Convention) mit rund 20 Millionen Mitgliedern, die liberaleren Nördlichen Baptisten (American Baptist Churches in den USA) mit rund 2,3 Millionen Mitgliedern und der von Afroamerikanern gegründete Baptistenbund (National Baptist Convention of the USA) mit rund 9,6 Millionen Mitgliedern. Mit insgesamt über 41 Millionen Mitgliedern sind die Baptisten die zahlenmäßig stärkste ev. Gemeinschaft in den USA.

In *Deutschland* gründete Johann Gerhard Oncken (* 1800, † 1884; seit 1822 Missionsarbeiter für verschiedene Bibelgesellschaften) 1834 die erste Gemeinde in Hamburg. 1849 entstand der »Bund der Baptistengemeinden in Deutschland«, der sich 1941 mit dem »Bund freikirchlicher Christen« (Christliche Versammlung) zum »Bund Evangelisch-Freikirchlicher Gemeinden in Deutschland« zusammenschloss. Dieser hat heute über 120 000 Mitglieder in rund 900 Gemeinden.

In *Russland* entstanden in der zweiten Hälfte des 19. Jh., von Deutschland ausgehend, zahlreiche Baptistengemeinden. 1944 wurden sie als Freikirche unter einem »Allunionsrat der Evangeliumschristenbaptisten« staatlich anerkannt. Mit nach eigenen Angaben über 500 000 registrierten und zahlreichen »illegalen« Mitgliedern bildete sie nach der russisch-orth. Kirche die größte und am stärksten wachsende christliche Religionsgemeinschaft in der Sowjetunion. Seit dem Zerfall der UdSSR (1991) erfuhren die baptistischen Gemeinden, in vielfältiger Weise durch westeuropäische und amerikanische Baptisten unterstützt, besonders in der Ukraine (heute rund 400 000 Baptisten) und in Russland (rund 350 000 Baptisten) ein starkes Wachstum.

Auf internationaler Ebene sind die Bünde und Unionen der Baptisten seit 1905 im »Weltbund der Baptisten« (Baptist World Alliance, Sitz: Washington, D. C.) zusammengeschlossen. Dem Weltbund gehören (2006) 214 Baptistenbünde und -unionen mit rd. 80 Millionen Baptisten (davon über 34 Millionen getaufte Erwachsene) an.

Baraka [arab. »Segen«], im Islam eine positive Kraft, die von Gott kommt, jedoch auf Menschen und Gegenstände übertragen werden kann. So sind besonders Mohammed und die Propheten sowie heilige Stätten und mit der Religionsausübung verbundene Gegenstände mit Baraka behaftet. Baraka spielt besonders im volkstümlichen Islam und in den Sufiorden eine große Rolle. Baraka kann z. B. durch die Berührung eines hl. Gegenstandes erlangt oder von einem Sufimeister auf seine Schüler übertragen werden.

Barbara [zu griech. bárbaros »fremd«], legendarische Heilige, angeblich aus Nikomedien stammend, † 306; Tochter eines gewissen Dioskoros, der sie der Legende nach in einem Turm gefangen hielt und sie 306 nach zahlreichen Martyrien als Christin enthauptete. Barbara gehört zu den 14 Nothelfern und wird allgemein als Fürbitterin gegen jähen Tod, besonders als Patronin der Bau- und Bergleute, der Kanoniere, der Feuerwehrleute und Glöckner verehrt. – Tag: 4. 12. (seit 1969 nicht mehr im Festkalender der kath. Kirche).

Bar Kochba [hebr. »der Sternensohn«], Beiname des **Simon (Schimon) ben Kosiba,** jüdischer Freiheitsheld, † (gefallen) Bethar (bei Jerusalem) 135 n. Chr.; Führer des Aufstandes der palästinensischen Juden gegen die Römer (132–135). Dieser entzündete sich u. a. an Kaiser Hadrians Plan, Jerusalem zur römischen Kolonie (Aelia Capitolina) zu machen und an der Stelle des von Titus zerstörten Tempels ein Jupiterheiligtum zu errichten. Nach der Wiedereroberung Jerusalems wurde Bar Kochba zum Messias ausgerufen. Er regierte etwa drei Jahre in Judäa, wurde dann aber von einem großen römischen Heer geschlagen und fiel im Kampf um die Festung Bethar. Tausende seiner Anhänger wurden hingerichtet oder als Sklaven verkauft. Briefe des Bar Kochba wurden Anfang der 1950er-Jahre südlich von Qumran und am Toten Meer gefunden.

Barmer Theologische Erklärung, theologisch bedeutsamstes Dokument des Kirchenkampfes im nationalsozialistischen Deutschland, der Beschluss der ersten Bekenntnissynode der Deutschen Evangelischen Kirche in Barmen (1934), auf es zur Konstitution der →Bekennenden Kirche kam. Die Barmer Theologische Erklärung betont gegenüber den Anschauungen der »Deutschen Christen« die Ausschließlichkeit der Offenbarung und der Herrschaft Christi sowie das Wesen der Kirche und wendet sich gegen den staatlichen Totalitätsanspruch gegenüber der Kirche. Die Erklärung war zunächst umstritten, bewährte sich jedoch auch in anderen historischen Situationen und hat damit den Charakter einer Bekenntnisschrift. In den Kirchen der ehemaligen →Evangelischen Kirche der Union (EKU), der Evangelischen Kirche in Hessen und Nassau und der Evangelischen Landeskirche in Baden ist sie Teil des Ordinationsgelübdes.

Barmherzigkeit, der dem Gefühl des →Mitleids entspringende Ausdruck der christlichen →Nächstenliebe. Menschliche Barmherzigkeit gründet auf der im *N. T.* von Jesus für das Reich Gottes erhobenen Forderung (Mt. 9, 13; 23, 23). Im *A. T.* wird die Barmherzigkeit Gottes gerühmt, die v. a. aus seiner Treue und seinem Gnadenwillen gegenüber den Menschen rührt und häufig in Zusam-

Barbara.
Das Martyrium der heiligen Barbara hat reiche legendarische Ausgestaltung erfahren. Während ihres Martyriums spürte sie keine Schmerzen und wurde von einem Engel in ein schneeweißes leuchtendes Gewand gehüllt (Ikone, 2. Hälfte des 14. Jh.; Moskau, Tretjakow-Galerie).

Bar-Mizwa

Bar-Mizwa.
Mit 13 Jahren feiert ein jüdischer Junge seine Bar-Mizwa (ein Mädchen die Bat-Mizwa mit 12 Jahren). Danach gilt er als religionsmündig und der Tradition nach auch als rechtsfähig. Im Verlauf der Zeremonie, die gewöhnlich am Sabbat nach seinem 13. Geburtstag stattfindet, wird er erstmals aufgerufen, aus der Thora vorzulesen.

menhang mit der Errettung aus der Sünde erwähnt wird. Auch im *Koran* wird Gott häufig als »der Barmherzige« (arabisch: ar-Rahman) beschrieben, so in der →Basmala.

Bar-Mizwa [hebr. »Sohn des Gebots«], *Judentum:* 1) der männliche Jude nach Vollendung des 13. Lebensjahres, der auf die religiösen Vorschriften des Judentums verpflichtet ist. Im Reformjudentum in Anlehnung an die protestantische Konfirmation wurde die Bezeichnung z.T. auch auf Mädchen (**Bat-Mizwa**, »Tochter des Gebots«) erweitert.
2) die Feier, die in der Synagoge durch erstmaligen Aufruf des Bar-Mizwa-Knaben zur Schriftlesung sowie, daran anschließend, im Familienkreis begangen wird. Im Zentrum der familiären Feier steht ein kleiner Vortrag, in dem der Bar-Mizwa einen Abschnitt aus der hebräischen Bibel auslegt.

Barth, Karl, schweizerischer reformierter Theologe, *Basel 10. 5. 1886, †ebenda 10. 12. 1968; wurde 1921 Professor in Göttingen, 1925 in Münster und 1930 in Bonn. Barth war als Gegner des Nationalsozialismus im Kirchenkampf »Vater der Bekennenden Kirche« und wurde daher 1935 seines Amtes enthoben. Seitdem wirkte er bis 1962 als Professor in Basel. Barth war Mitbegründer und Wortführer der →dialektischen Theologie: Gott ist der ganz Andere, den die Menschen nur im Glaubensvollzug durch sein Offenbarungshandeln in Jesus Christus erfassen können. Damit ist Ansatzpunkt seiner Theologie nicht mehr der Mensch mit seinem »religiösen« Bewusstsein, sondern das Wort Gottes. Alle Versuche von »Religion«, den unendlichen Abstand zwischen Gott und Mensch aufzuheben, sind Sünde. Die christliche Botschaft deutete Barth als die »Botschaft vom Humanismus Gottes«: Die »Menschlichkeit Gottes« ist dann »Quelle und Norm aller Menschenrechte und Menschenwürde«.

Barths Kritik des liberalen Kulturprotestantismus seit Friedrich Schleiermacher ist ein Wendepunkt in der Geschichte der protestantischen Theologie. Mit seiner Theologie zerstörte Barth die Synthesen zwischen Gott und Mensch, Kirche und Welt, Christentum und Kultur, wie sie der Protestantismus im 19. Jh. geschaffen hatte.

Barth äußerte sich zeitlebens in Reden und Schriften als religiöser Sozialist und Mitglied der schweizerischen Sozialdemokratischen Partei zu politischen Fragen.

Werke: Der Römerbrief (1919); Das Wort Gottes und die Theologie (1925); Kirchliche Dogmatik, 4 Teile (1932–67); Evangelium und Gesetz (1935); Credo (1935); Christen- und Bürgergemeinde (1946); Die protestantische Theologie im 19. Jh. (1947); Theologische Fragen und Antworten (1957).

Bartholomaios I., eigentlich **Dimitrios Archondonis,** griechischer orth. Theologe, *İmroz 12. 3. (nach anderen Angaben 29. 2.) 1940; war ab 1972 Administrator des persönlichen Büros Demetrios' I. (*1914, †1991) und ist seit 1991 dessen Nachfolger im Amt des Ökumenischen Patriarchen. Bartholomaios I. sieht in der Vorbereitung eines panorthodoxen Konzils und der Fortführung des ökumenischen Dialogs Schwerpunkte seiner Arbeit. Dabei hält er ungeachtet gegenwärtiger innerorthodoxer antiökumenischer Tendenzen an der ökumenischen Verpflichtung der Weltorthodoxie fest und fördert besonders die zwischenkirchlichen Gespräche mit der katholischen Kirche (1995 und 2004 Begegnungen mit Papst Johannes Paul II. in Rom) und den 1969 aufgenommenen bilateralen theologischen Dialog mit der EKD (bislang 13 Begegnungen, zuletzt im September 2004 in Istanbul).

Baruch, Schüler und Schreiber des Propheten Jeremia; von ihm stammen wahrscheinlich die erzählenden Teile des Buches Jeremia. Zugeschrieben werden ihm u.a. auch das nicht kanonische **Buch Baruch** aus unbekannter Zeit, griechisch überlieferte Dichtungen aus dem 1. Jh. n. Chr. (u.a. Bußgebet, Lobpreis der Weisheit, Trost- und Klagelieder), die **Syrische Baruchapokalypse,** die von der Zerstörung Jerusalems berichtet und um 100 n. Chr. entstanden ist, sowie die **Griechische Baruchapokalypse,** die die Reise Baruchs durch den Himmel beschreibt. Sie stammt aus dem 2. Jh. nach Christus.

Basava, hinduistischer Reformer und Theologe des 12. Jh.; gilt als Gründer und im Rahmen seiner Tätigkeit unter der Dynastie der Kalachuris als Förderer der Lingayats (»Träger des Linga«), d.h. der Anhänger des →Virashaivismus, einer shivaitischen Richtung des Hinduismus. Er ist außerdem als Verfasser von Vacanas, knappen, oft poetischen religiösen Texten, bekannt.

Basilika [mittellatein., von griech. basiliké (stoá) »königliche (Halle)«], nach *kath. Kirchenrecht* eine liturgisch privilegierte Kirche. Unterschieden werden **Basilicae maiores,** z. B. die fünf römischen Patriarchalbasiliken, und **Basilicae minores,** bedeutende Kirchen innerhalb und außerhalb Roms. Der Titel Basilica minor wird seit der zweiten Hälfte des 18. Jh. als Ehrentitel durch den Papst verliehen.

Basilius der Große, Kirchenlehrer, * Caesarea im Pontus (türkisch Kayseri) um 330, † ebenda 1. 1. 379; war seit 370 als Erzbischof von Caesarea Metropolit von Kappadokien. Mit seinem Freund Gregor von Nazianz und seinem Bruder Gregor von Nyssa wird er zu den **Drei Großen Kappadokiern** gezählt. Ihre Vertiefung der Lehre von der Trinität führte zur Beseitigung des Arianischen Streits (→Arianismus) auf dem Konzil von Konstantinopel (381). Basilius war auch Kirchenpolitiker und Förderer des Mönchtums, für das er nach einem Besuch der Anachoreten in Ägypten und Syrien (357) zwei Regeln verfasste **(Basilius-Regeln),** die unter dem Einfluss der asketischen Tradition, der stoischen Ethik und der neuplatonischen Philosophie das Mönchsleben in Form von Frage und Antwort ordnen. Von den Schriften des Basilius sind u. a. theologische Werke, Predigten, Briefe, asketische Schriften und ein Werk über die »heidnischen Schriften«, zu denen er v. a. die antike Literatur zählt, erhalten. – Heiliger (Tag: Ostkirche 1. 1., kath. Kirche 2. 1.).

Basisgemeinden, *kath. Kirche:* experimentelle Orts- oder Personalgemeinden, die christliche Gemeinschaft exemplarisch in überschaubaren gesellschaftlichen Räumen realisieren wollen und v. a. in der Selbstorganisation der Gemeinde und in der Eigenverantwortung aller Gemeindemitglieder auch ein Modell für die Reform traditioneller Strukturen der (Groß-)Kirche sehen. (→Befreiungstheologie)

Basler Konzil, am 1. 2. 1431 von Papst Martin V. einberufenes und unter Eugen IV. am 23. 7. desselben Jahres in Basel eröffnetes Konzil. Es wurde von Kardinal Giuliano Cesarini geleitet. Ein erster Konflikt mit dem Papst führte Ende 1431 zur Auflösung, doch tagte das Konzil in Basel weiter, erneuerte die Dekrete des Konzils von Konstanz bezüglich der Oberhoheit des Konzils über den Papst und löste die Hussitenfrage (→Hussiten) mit den **Prager Kompaktaten,** die eine Vereinbarung mit der gemäßigten Gruppe der Utraquisten enthielt. Am 15. 12. 1433 wieder von Eugen IV. anerkannt, wandte es sich verschiedenen Reformdekreten, u. a. gegen das Konkubinat der Kleriker und Simonie, zu. Der Streit, an welchem Ort die Union mit der Ostkirche verhandelt werden sollte, führte dazu, dass Eugen IV. das Konzil am 18. 9. 1437 nach Ferrara verlegte, wo es am 8. 1. 1438 wiedereröffnet wurde. Die in Basel verbliebenen Teilnehmer definierten die Superiorität des Konzils über den Papst als Dogma, setzten Eugen IV. ab und wählten Amadeus VIII. von Savoyen als Felix V. zum Papst. Die Fürsten blieben in diesem Konflikt zunächst neutral, doch konnte Eugen IV. sie allmählich für sich gewinnen. 1448 zwang Friedrich III. das Konzil, Basel zu verlassen. 1449 löste es sich in Lausanne auf, und Felix V. dankte ab.

In der kath. Kirchen-, Rechts- und Dogmengeschichte gelten die ersten 25 Sitzungen des Basler Konzils bis zur Verlegung nach Ferrara als Teil des 17. Ökumenischen Konzils.

Basmala, Bismillah, islamische Formel, die im Koran am Beginn jeder Sure steht (mit Ausnahme der 99.). Ihr vollständiger Wortlaut ist »bismillahi ar-rahman ar-rahim« (»im Namen Allahs, des Erbarmers, des Barmherzigen«). Sie wird häufig zur Einleitung von Büchern, Briefen, öffentlichen Verlautbarungen und wichtigen Handlungen des Alltags verwendet. Im Sufismus haben ihre Buchstaben eine mystische Bedeutung.

Basri, al-Hasan **al-Basri,** arabischer Gelehrter, * Medina 642, † Basra 728; Sohn eines persischen Kriegsgefangenen. Al-Basri führte ein asketisches Leben und trat öffentlich als Sittenkritiker auf. Er wird in vielen →Hadithen als Überlieferer angeführt. In seiner politischen Theorie ist der Kalif »Hirt seiner Herde«, der vor Gott strengste Rechenschaft ablegen muss. Nachdem al-Basri zunächst eine gewisse Eigenverantwortung des Menschen betont hatte, wandte er sich später entschieden dem Glauben an die göttliche Prädestination zu. In seiner Frömmigkeit und seinem strikten Moralismus wurde er zum Vorläufer der späteren Sufibewegungen. Al-Basri gilt als eine der größten Autoritäten des frühen Islam.

Bastet, ägyptische Göttin in Gestalt einer Frau mit Katzenkopf, die in der Spätzeit auch ganz als Katze dargestellt wurde. Sie war für die Ägypter Ausdruck der Milde des Königs und der Götter, im Gegensatz zur gefährlichen →Sachmet in Gestalt einer Löwin. Ihr Hauptkultort war Bubastis im östlichen Nildelta.

Batiniya [arab. »Verborgenheit«], Lehre v. a. der islamischen Ismailiten, die von einer Zweiteilung des Korans in öffentliche Lehre und geheime Botschaft ausgeht. Dabei wird dem »Äußeren« (Zahir) der Glaubenspraxis, d. h. den religiösen Regeln für alle Gläubigen, ein »Inneres« (Batin) als geheime Bedeutung des Korans entgegengesetzt, die nur Eingeweihten zugänglich sei. Im Sinne des Batin haben alle Vorschriften, Erzählungen, Zahlenangaben usw. des Korans eine symbolische Bedeutung und bedürfen der Auslegung durch die Eingeweihten.

Bat-Mizwa, *Judentum:* weibliche Form von →Bar-Mizwa.

Baumkult. Der Baum gehörte in der Antike zu den verbreitetsten Kultobjekten, sei es als

---

Karl Barth
* 1886, † 1968

- war Mitbegründer und Wortführer der dialektischen Theologie
- leistete als »Vater der Bekennenden Kirche« Widerstand gegen die nationalsozialistische Herrschaft
- markierte mit seiner Kritik am liberalen Kulturprotestantismus einen Wendepunkt in der Geschichte der protestantischen Theologie
- verfasste als sein wichtigstes Werk die mehrbändige »Kirchliche Dogmatik«

Ba-xian

Baumkult. Bäume galten in vielen Kulturen als Symbole der Fruchtbarkeit und des Lebens. Nach 1. Mos. 2 gab es im Paradies neben dem Baum der Erkenntnis den Baum des Lebens (jüdische Buchmalerei, Nordfrankreich, spätes 13. Jh.). Wer eine Frucht von diesem isst, erlangt das ewige Leben.

einzeln stehender Baum, sei es als hl. Hain. In Verbindung mit persönlichen Gottesvorstellungen galten Bäume als Orte der Präsenz (Anwesenheit) oder der Epiphanie (Erscheinung) von Göttern. Mit Bäumen verbundene Gottheiten waren meist weiblich (Hathor, Helena, Dryaden), seltener männlich (Attis, der slawische Perun) und standen bevorzugt mit vegetativer Fruchtbarkeit und kollektivem oder individuellem Leben und Weiterleben in Verbindung. Ihnen wurden auch Opfer gebracht. Bäume galten außerdem als Orte der Divination: Aus dem Rauschen der hl. Eichen im griechischen Dodona konnte man etwa den Willen des Zeus erfahren. Und unter dem →Bodhibaum empfing Buddha die Erleuchtung.

Eine vielfältige eschatologische und soteriologische Ausgestaltung hat die unter dem Einfluss der sumerischen Religion stehende Vorstellung vom Baum der Erkenntnis und vom Baum des Lebens aus der Paradieserzählung des A. T. erfahren (→Weltenbaum).

Ba-xian [-çian; chines. »acht Genien«, »acht Unsterbliche«], **Pa-hsien,** eine Gruppe daoistischer Gottheiten, die in China häufig als Glücksspender angerufen und in der Kunst dargestellt wurden.

Beda Venerabilis [latein. »Beda der Ehrwürdige«], angelsächsischer Benediktiner und Gelehrter, *im Gebiet des Klosters Wearmouth (Northumbrien, heute in Sunderland, County Tyne and Wear) 672/673 (auch 673/674), †Kloster Jarrow (County Tyne and Wear) 26. 5. 735; kam mit sieben Jahren in das 674 gegründete Kloster Wearmouth und wechselte 685 in das Kloster Jarrow, das mit Wearmouth eine Gemeinschaft bildete, über. Dort verbrachte er sein weiteres Leben. Seine auf älteren Gelehrten basierenden Schriften aus allen Wissensgebieten übten einen beherrschenden Einfluss auf das gesamte Geistesleben des Frühmittelalters aus. Durch seine bis 731 reichende englische Kirchengeschichte (»Historia ecclesiastica gentis Anglorum«, vollendet 731), die in mehr als 160 Handschriften überliefert ist, wurde er zum Begründer der englischen Geschichtsschreibung. Viel benutzt wurden seine Werke zur Zeitrechnung »De temporibus« (um 703) und »De temporum ratione« (725) über die Berechnung des Ostertermins. Beda führte die christliche Jahresrechnung in die Historiografie ein.

Seine theologischen Werke gründen auf der kritischen Beschäftigung mit Augustinus, Hieronymus und Ambrosius (Bibelkommentare, Übersetzungen des Glaubensbekenntnisses, des Vaterunsers und des Johannesevangeliums ins Angelsächsische u. a.). Dem Schulgebrauch dienten – neben Traktaten über Metrik, Rhetorik, Orthografie und Ähnlichem – seine naturkundlichen Schriften. Sie vermittelten seiner Zeit ein Minimum des naturwissenschaftlichen Wissens der Antike. Zu ihnen zählt der kosmologische Traktat »De natura rerum« (um 703), der auf Plinius den Älteren (* 23 oder 24 n. Chr., † 79) und Isidor von Sevilla zurückgeht und für die mittelalterliche Naturlehre von besonderer Bedeutung war. – Heiliger und (seit 1899) Kirchenlehrer (Tag: 27. 5.).

Beelzebub [auch beˈɛl-], **Belzebub,** im A. T. der Stadtgott von Ekron im Land der Philister (2. Kön. 1), dessen eigentlicher Name Baal Zebul (»erhabener Herr«) lautete. Er wurde zum Dämon abgewertet und als Baal Zebub (»Herr der Fliegen«) verspottet. Im N. T. (Mk. 3, 22; Mt. 10, 25) ist Beelzebub der Oberste der Dämonen.

Befreiungstheologie, v. a. von kath. Theologen entwickelte Theologie in Lateinamerika und anderen Ländern der Dritten Welt, die in Abgrenzung zur europäischen oder westlichen »Missionarstheologie« entstand. Gefordert wird eine »kontextuelle Theologie«, die sowohl die Eigenart der alten Kulturen als auch die spezifische Situation der Dritten Welt berücksichtigt. Eine »Kirche der Armen« soll sich für die gewaltlose Befreiung der Armen und politisch Unterdrückten einsetzen.

■ **Wurzeln und Entwicklung** Seit den 1960er-Jahren bildeten sich in Lateinamerika kleine Gruppen, die die Ausbeutung der Massen als eine »zynische Beleidigung Gottes« ansahen und davon ausgingen, dass Jesus ein ganz anderes Modell von Leben, nämlich der Gemeinschaft gerade mit den Schwachen, verwirklicht habe. Entstanden unter den lateinamerikanischen Katholiken europäischer Herkunft, hat die Befreiungstheologie auch in die ev. Kirchen Eingang gefunden und sich unter

Befreiungstheologie

Indios sowie in Afrika und Asien verbreitet. Sie ist heute ein wesentlicher Aspekt des Christentums der Dritten Welt.

Der Name »Befreiungstheologie« hat sich seit den Veröffentlichungen des Theologen Gustavo Gutiérrez aus den frühen 1970er-Jahren eingebürgert. Befreiung ist nach Gutiérrez nicht nur ein neues Thema der Theologie, sondern »eine neue Art, Theologie zu treiben«. Der ev. Theologe José Míguez Bonino spricht von einem ganz »neuen Weg«. Es soll also nicht um eine Ergänzung zu den bisherigen Überzeugungen und Verhaltensweisen, sondern um eine neue Interpretation und eine neue Praxis des Christentums insgesamt gehen.

Basis dieses Anspruchs ist das Massenelend in vielen lateinamerikanischen Staaten. Dazu kommen die in vielen Staaten herrschenden ungerechten politischen Strukturen, Militärdiktaturen und Oligarchien, die alle Kritiker durch Repression, Gesetzlosigkeit, Folter und Mord von einer Mitbestimmung ausschließen. Aber v. a. werden die ökonomischen Verhältnisse als bedrückend erfahren: Der Grundbesitz befindet sich in den Händen weniger Familien, Ähnliches gilt für die Verteilung des Kapitals.

■ **Inhalte und Ziele** Gemäß der Überzeugung der Befreiungstheologen dürfe das verkündete Heil nicht eine rein jenseitige Erlösung beinhalten, sondern müsse auch in einer Befreiung von der »strukturellen Sünde« des vorhandenen Unrechts bestehen. Gefordert wird eine Solidarisierung der Kirche mit dem »geschichtlichen Befreiungskampf« der Armen gegen ihre Unterdrücker. Damit zielt die christliche Erlösungslehre (Soteriologie) auf eine neue Gesellschaft ohne Repression. Erlösung wird gedeutet als Befreiung. Träger der neuen Bewegung sind die →Basisgemeinden, die mit dem Anspruch angetreten sind, eine neue solidarische Praxis zu leben und alle Gemeindeglieder in die Verantwortung für die Gemeinde einzubinden.

Sowohl die geschichtlich-gesellschaftliche Interpretation der Soteriologie wie auch der propagierte Weg zu ihrer Verwirklichung, der Befreiungskampf, zeigen eine gewisse Nähe zum Marxismus, sodass auch marxistisch orientierte Analysen in die Befreiungstheologie Einlass fanden. Dennoch lässt sich beobachten, dass im Lauf der Zeit die Differenz zwischen Christentum und Marxismus deutlicher bewusst wurde. Die große Mehrheit der Befreiungstheologen hebt heute hervor, dass die an-

Befreiungstheologie
→ GEO **Dossier**
Der Teufel und seine Handlanger, Bd. 15

Befreiungstheologie
→ GEO **Dossier**
Glaube, Liebe, Hoffnung?, Bd. 15

Befreiungstheologie
→ GEO **Dossier**
Gott und die Welt, Bd. 16

Befreiungstheologie — Leonardo Boff

Einer der profiliertesten Vertreter der Befreiungstheologie ist der brasilianische Theologe Leonardo Boff, der 1958 mit 20 Jahren in den Franziskanerorden eintrat und seit 1970 als Professor für systematische Theologie am Seminar von Petrópolis lehrte. Nachdem die Befreiungstheologie seit Ende der 1960er-Jahre durch Papst Paul VI. eine wohlwollende Duldung erfahren hatte, ging Johannes Paul II. seit seinem Amtsantritt 1978 mit zunehmender Schärfe v. a. in Brasilien gegen sie vor. Für sein äußerst kritisches Buch »Kirche: Charisma und Macht« (1981) wurde Boff erstmals 1984 vor die Glaubenskongregation geladen und für einige Zeit mit Publikationsverbot belegt. 1991 wurde ihm die Leitung der wichtigsten katholischen Zeitschrift Brasiliens, »Revista Voces«, entzogen, und er erhielt Lehrverbot am Seminar von Petrópolis. Nach Zuspitzung des Konfliktes legte Boff 1992 sein Priester- und Lehramt nieder und trat aus dem Franziskanerorden aus. Doch erhebt er weiterhin als »Alliierter der Armen« und »Anwalt Lateinamerikas« leidenschaftlich seine Stimme für die Kirche Lateinamerikas, der er zu einem von Europa unabhängigeren christlichen Selbstbewusstsein verhelfen will. Der »schwarze Christus« ist ein Symbol für die Befreiung der unterdrückten farbigen Völker

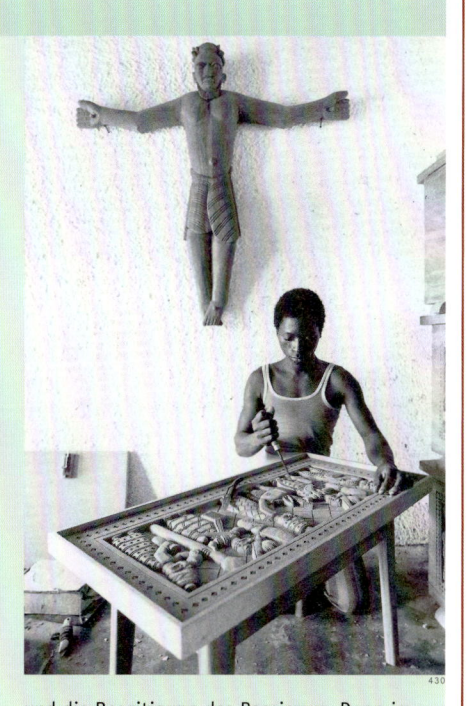

und die Beseitigung des Rassismus. Denn im Kontext der Befreiungstheologie erscheint Jesus weniger als Schmerzensmann, der freiwillig ans Kreuz geht, denn als strahlender Sieger über die bedrückenden Verhältnisse.

Befreiungstheologie

gestrebte Befreiung umfassender ist als eine bloße Umkehr der jetzigen Verhältnisse in ihr Gegenteil. Befreiung wird als »das Utopische im menschlichen Herzen« (Leonardo Boff) bezeichnet.

Zu dieser Vertiefung des Befreiungsbegriffs hat v. a. die *Christologie* beigetragen. Zwar wird Jesus entsprechend den neuen Vorstellungen ganz als Befreier (libertador) gesehen. Andererseits aber haben die freiwillige Ohnmacht und Gewaltlosigkeit Jesu sowie die Befreiung gerade in der Niederlage des Kreuzes dazu beigetragen, diesen Begriff nicht gänzlich mit dem geschichtlichen Erfolg des Kampfes zu identifizieren.

Befreiungstheologie. Über 90 % der Bevölkerung Lateinamerikas gehören der lateinischen Kirche an. Wie hier vor einer Hütte in den Bergen Guatemalas haben Gottesdienste gerade bei den verarmten Massen großen Zulauf. Die Befreiungstheologie entstand in den 1960er-Jahren aus der Kritik am sozialen Elend in der Dritten Welt und gestaltete sich in befreiender Praxis und charismatischer Erneuerung.

Aus den genannten Ansätzen werden alle tradierten theologischen Begriffe im Sinne des Befreiungsprozesses umgedeutet: Die Sünde, die es zu überwinden gilt, ist weniger die individuelle als die »strukturelle« Sünde, d. h. sündige Verhältnisse. Erlösung von der Sünde ist v. a. Überwindung der Unrechtsstrukturen sozialer, ökonomischer und politischer Art. Gottes Handeln in der Geschichte ist ein immer neuer Befreiungsvorgang. In diesem Kontext gewinnt v. a. das Exodusmotiv eine zentrale Bedeutung: Gott führte Israel aus der Knechtschaft Ägyptens heraus. In diesem Motiv sieht man das Heilshandeln Gottes realisiert, dessen erlösendes Tun, v. a. in Jesus Christus, zu einem jeweils neuen Auszug aus der Knechtschaft anstiftet.

■ **Verbreitung und Wirkung in Lateinamerika** Wie weit die Befreiungstheologie bei den Christen Lateinamerikas, etwa 80 % Katholiken, wirklich verbreitet ist, lässt sich nicht genau sagen. Die Mehrheit des Klerus und der Hierarchie ist wohl eher durch einen konservativ-traditionellen Katholizismus geprägt, und ein großer Teil der Katholiken nimmt gleichzeitig an (einzelnen) kultischen Handlungen afroamerikanischer Religionen teil (v. a. in Brasilien und der Karibik).

In den 1980er-Jahren kam es mehrfach zu ernsten Spannungen zwischen der Befreiungstheologie und dem kirchlichen Lehramt, das sowohl an der Übernahme von Elementen der marxistischen Gesellschaftsanalyse als methodisches Instrumentarium als auch an der Kritik der (als undemokratisch beschriebenen) kirchlichen Strukturen durch Vertreter der Befreiungstheologie Anstoß nahm (1981 Publikationsverbot für Boff).

■ **Befreiungstheologie in Asien und Afrika** Das herrschende Massenelend lässt auch in Asien und Afrika den Befreiungskampf als zentrales Erfordernis des christlichen Engagements erscheinen. Im Vordergrund steht hier neben dem Kampf gegen Armut, Analphabetismus, ökonomische, soziale und politische Repression v. a. die Befreiung von theologischen und zivilisatorischen Bevormundungen durch die westliche Kultur und die als »nordatlantische Theologie« kritisierte Missionstheologie. Im Zuge dieses Bemühens werden auch die »europäischen« Züge der Befreiungstheologie abgelehnt.

Für die *asiatischen Christen* richtet sich entsprechend den großen religiösen Traditionen Asiens der Blick auf das »Selbst« des Menschen und seine ganz persönliche innere Freiheit von allen Bindungen an sich selbst und die Geschichte. Für die Anhänger der in Indien entstandenen Religionen galt traditionell die Erlösung aus dem Kreislauf der Wiedergeburten als Heilsziel. Deswegen ist Befreiung gesellschaftlich-politisch und zugleich »seelisch-geistig«, und es geht um »Befreiung von Selbstsucht im einzelnen Menschen und in der Gesellschaft«.

Wieder anders variieren *afrikanische Christen* die Befreiungstheologie. In ihrer religiösen Tradition steht im Mittelpunkt die stark empfundene Verwobenheit des Einzelnen in die Gemeinschaft des Stammes, der Menschen, ja der ganzen lebendigen Natur als einer Epiphanie Gottes. Befreiung ist für sie die Überwindung all dessen, was das »heile Leben« im Kosmos stört. Jesus ist deswegen der befreiende Christus, weil er »heilt« und zum »Leben« verhilft.

■ **Die »Schwarze Theologie«** Eine weitere Variante der Befreiungstheologie ist beheimatet in den Ländern, in denen die schwarze Bevölkerung von Weißen unterdrückt und diskriminiert wurde und wird. Diese Situation ließ als ersten und wichtigsten Inhalt der Befreiung die Überwindung des Rassismus erscheinen. Es entstanden ein »Schwarzes Bewusstsein« (Black Consciousness), das vom humanen Wert des Schwarzseins ausging, sowie die Bewegung der »Schwarzen Macht« (Black Power), die die Repression mit Gewalt ändern wollte.

Begarden, Begharden, geistliche Laienbewegung im Hochmittelalter, →Beginen.

Beginen, Beghinen, niederländisch **Begijnen,** mittellateinisch **Beguinae,** unverheiratete Frauen und Witwen, die sich ohne bindendes Gelübde zu einem klosterähnlichen Gemeinschaftsleben in zu Beginenhöfen erweiterten Häusern zusammengefunden haben. Die Beginen wurden wahrscheinlich nach ihrer graubraunen (französisch beige) Tracht benannt, vielleicht auch nach dem Priester Lambert le Bègue († 1177).

Die Beginengemeinschaften entstanden Ende des 12. Jh. aus den am Ideal des apostolischen Lebens genährten Laienbewegungen der Albigenser, Humiliaten und Waldenser. Ihre Blütezeit war das 13. und 14. Jh. in den Niederlanden, Frankreich und Deutschland. Die kirchliche Ablehnung wegen ihrer Verwandtschaft mit den als häretisch bekämpften Laienbewegungen verursachte bald ihren Rückgang. Einzelne Beginenhöfe haben sich in Belgien (z. B. Gent, Brügge) und den Niederlanden (z. B. Amsterdam) bis heute gehalten.

Ein männliches Gegenstück waren die Krankenpflegervereine der **Begarden, Begharden** oder **Lollarden,** die ebenfalls im 13. und 14. Jh. auftraten. Sie wurden vielfach der Häresie und eines unsittlichen Lebenswandels beschuldigt. Ein Teil ihrer Gemeinschaften wurde durch das Konzil von Vienne (1311/12) verboten.

Bekehrung, lateinisch **Conversio,** innere Wandlung sowie auch der Übertritt zu einem anderen Glauben. Auch die Ablegung sündhafter Gewohnheiten und, im kath. Sprachgebrauch, der Eintritt in den Klosterstand werden als Bekehrung bezeichnet. Die Bekehrung im religiösen Sinn kann augenblicklich oder allmählich erfolgen, nach nüchterner Überlegung oder unter stärksten seelischen Erschütterungen.

In den eher mystisch geprägten Religionen, wie etwa dem Buddhismus, geschieht die Bekehrung durch ein geheimnisvolles inneres »Aufgehen des Wahrheitsauges« unter dem Eindruck der Lehrverkündigung und nach Beschreiten des Heilsweges. In eher prophetisch geprägten Religionen dagegen wird die Bekehrung als Werk Gottes oder der in seinem Auftrag erfolgenden Predigt des göttlichen Wortes aufgefasst.

Das *A. T.* spricht in seinen älteren Teilen nicht von der Bekehrung des Einzelnen, sondern des Volkes, das sich von der Verehrung fremder Götter (»Götzendienst«) und Ungerechtigkeit ab- und Jahwe wieder zuwenden soll (5. Mos. 5, 1–10; Jes. 52, 8). Im *N. T.* ist Bekehrung »metanoia«, d. h. Umwendung des Sinnes von egoistischer Selbstbehauptung zu vertrauendem Glauben an den väterlichen Gott (Gleichnis vom verlorenen Sohn, Lk. 15). Diese Bekehrung ist nach neutestamentlicher Lehre Gottes Werk und keine Eigenleistung des Menschen. Nach kath. Auffassung schließt dies jedoch die Mitwirkung des Menschen ein, während nach Auffassung der ev. Kirchen die Bekehrung Gottes Tat ist, doch so, dass sie gleichzeitig auch ganz des Menschen persönliche Entscheidung ist. Besonders im Pietismus kommt der Bekehrung als individueller geistlicher »Wiedergeburt« eine große Bedeutung zu. Die methodistische Kirche stellt die fortgesetzte Bekehrung in den Mittelpunkt ihres religiösen Lebens.

Bekennende Kirche, seit 1934 die Bewegung innerhalb der ev. Kirche Deutschlands, die der nationalsozialistisch bestimmten Haltung der Deutschen Evangelischen Kirche und den von dieser gestützten →Deutschen Christen entgegentrat. Sie ging hervor aus dem von Martin Niemöller 1933 in Berlin-Dahlem gegründeten **Pfarrernotbund,** der verfolgte Pfarrer unterstützte, seine Mitglieder zur alleinigen Bindung an die Bibel und die Bekenntnisse verpflichtete und die Sammlung von Laien in »Bekennenden Gemeinden« begann. Bald entstanden in allen Landeskirchen Bekenntnisgemeinschaften. Die Bekennende Kirche konstituierte sich auf der ersten Bekenntnissynode der Deutschen Evangelischen Kirche in Barmen im Mai 1934 (→Barmer Theologische Erklärung). Auf der zweiten Bekenntnissynode in Berlin-Dahlem im Oktober 1934 wurden der Notstand der Kirche erklärt, ein Notkirchenregiment begründet und den »Bruderräten« die wichtigsten Aufgaben der Kirchenleitung übertragen. Damit entstand eine sich allein für bekenntnis- und damit rechtmäßig erklärende Bekennende Kirche, die den Macht- und Rechtsanspruch der Reichskirche verneinte.

Die Bekennende Kirche wandte sich v. a. gegen den Arierparagrafen und die Gewalttaten des Nationalsozialismus überhaupt. Amtsenthebungen von Pfarrern und Theologieprofessoren, Verfolgung und Inhaftierung von Pastoren (neben vielen anderen Dietrich Bonhoeffer) und Laien, Zeitschriften- und Bücherverbot u. a. waren die Folge. Ihre Haltung wurde vom nationalsozialistischen Regime als politische Reaktion verstanden, sie hielt aber trotz Drohungen und Verfolgungen den Widerstand aufrecht und wuchs über die Bedeutung einer rein kirchlichen Bewegung hinaus.

Die Bekennende Kirche blieb nicht frei von Spannungen. Als im November 1934 die »Vorläufige Kirchenleitung« anstelle des ursprünglich vorgesehenen Rates der Deutschen Evangelischen Kirche gebildet wurde, schieden Martin Niemöller, Karl Barth u. a. aus dem Reichsbruderrat aus. Auf der dritten Bekenntnissynode in Augsburg (Juni 1935) wurden die Gegensätze – zumindest äußerlich – beigelegt.

Nach 1945 wirkte die Bekennende Kirche führend bei der Neuordnung der Evangelischen Kirche in Deutschland (EKD) mit. Nach

Bekenntnis

der Inkraftsetzung der Grundordnung der EKD durch die EKD-Synode von Eisenach (1948) erklärte sich die Bekennende Kirche ihrer kirchenleitenden Befugnisse für entbunden und sah ihre nunmehrige Aufgabe in der Weitergabe und im Einbringen der geistlichen und politischen Erfahrungen des →Kirchenkampfs in die Prozesse des kirchlichen und gesellschaftlichen Wiederaufbaus und Neuaufbaus.

Bekenntnis, 1) die Bezeugung der eigenen Anschauung, als religiöses Bekenntnis des persönlichen Glaubens oder des Glaubens einer religiösen Gemeinschaft;

2) die dem eigenen Identitätsbewusstsein und der Abwehr von Irrlehren dienende Zusammenstellung von Glaubensinhalten, im Christentum besonders die ökumenischen Glaubensbekenntnisse und sonstigen Bekenntnisschriften;

3) die Zugehörigkeit zu einer Religionsgemeinschaft (→Konfession).

Bekenntnisschriften, die für eine religiöse Gemeinschaft grundlegenden Zusammenfassungen ihrer Glaubenslehre. Zu ihnen gehören im Christentum besonders die ökumenischen Glaubensbekenntnisse. In der kath. Kirche gelten als Bekenntnisschriften auch die Beschlüsse der ökumenischen Konzile, soweit diese als Auslegung der christlichen Offenbarung Verbindlichkeit für den Glauben beanspruchen. Als eigentliche Bekenntnisschriften der Ostkirchen gelten die Lehrentscheidungen der ersten sieben ökumenischen Konzile, dann besonders das Glaubensbekenntnis des Pjotr Mogila (1640).

Die aus der Reformation hervorgegangenen Kirchen sind einer Reihe von Bekenntnisschriften verpflichtet: in der lutherischen Kirche neben den drei altkirchlichen ökumenischen Symbolen dem Augsburgischen Bekenntnis, den Schmalkaldischen Artikeln, Melanchthons Schrift »Von der Gewalt und Obrigkeit des Papstes«. Mit der Konkordienformel sind sie im Konkordienbuch zusammengefasst. In den reformierten Kirchen zählen zu den Bekenntnisschriften der Genfer Katechismus, die zweite Helvetische Konfession, der Heidelberger Katechismus u. a., in der anglikanischen Kirche von England u. a. das Common Prayer Book.

Bektaschi [türk.], türkischer Derwischorden. Er entstand im 13. Jh. in Anatolien und erhielt Anfang des 16. Jh. seine endgültige Organisationsform. Die Bektaschi hatten großen Einfluss auf die religiösen Vorstellungen und Praktiken der Bevölkerung und erlangten über ihre engen Beziehungen zu den Janitscharen, der militärischen Elitetruppe, auch großen politischen Einfluss im Osmanischen Reich. Im Gefolge der gewaltsamen Auflösung der Janitscharen 1826 war auch der Orden staatlichen Repressionen ausgesetzt. Nach seiner erfolgreichen Reorganisation in der zweiten Hälfte des 19. Jh. wurde er 1925, v. a. wegen seines Widerstands gegen die Reformpolitik Kemal Atatürks, in der Türkei verboten, bestand jedoch auf der Balkanhalbinsel in einzelnen Nachfolgestaaten des Osmanischen Reichs weiter. Den stärksten Einfluss hatte er in Albanien, wo er sich nach 1944 gegen die staatliche Religionspolitik behauptete und sich nach 1990 offiziell rekonstituieren konnte.

Die Bektaschi fühlen sich nur bedingt an die islamische Pflichtenlehre gebunden, haben zahlreiche vorislamische Elemente in die eigene Lehrtradition aufgenommen und ihre religiöse Praxis in einzelnen Teilen der christlichen Glaubenspraxis nachgestaltet (rituelle Mahlzeiten, Beichte und Absolution u. a.).

Belenus, keltischer Gott, der v. a. in Oberitalien, dem Ostalpenraum und Südgallien verehrt wurde. Nach dem Zeugnis der gallischen und lateinischen Weihinschriften und einigen Hinweisen bei antiken Autoren wurde er mit dem römischen Apollo gleichgesetzt und galt als Schutzgott der Stadt Aquileia. In dem Hinweis des spätantiken Dichters Ausonius auf ein Heiligtum des Belenus in Burdigala (Bordeaux) ist der Name vermutlich nur eine Umschreibung für Apollo.

Belisama, keltische Göttin, deren Heiligtum (→Nemeton) in einer gallischen Inschrift aus Vaison-la-Romaine bei Orange erwähnt wird. Eine lateinische Inschrift aus Saint-Lizier (Ariège) setzt sie mit der römischen Minerva gleich. Der Name lebt bis heute fort in französischen Ortsnamen wie Belesmes, Blesmes und Blismes.

Bellarmino, Roberto, italienischer kath. Theologe und Kirchenlehrer, * Montepulciano (bei Siena) 4. 10. 1542, † Rom 17. 9. 1621; wurde 1560 Jesuit, 1570 Lehrer der Theologie in Löwen, 1594 Provinzial der Ordensprovinz Neapel, 1599 Kardinal und war 1602–05 Erzbischof von Capua. Sein Hauptwerk ist die Kampfschrift »Disputationes de controversiis christianae fidei ...« (1586–93; deutsch »Streitschriften über die Kampfpunkte des christlichen Glaubens«), in der er die kath. Kontroverstheologie seiner Zeit zusammenfasste. Hiergegen erschienen mehr als 100 protestantische Gegenschriften, auch wurden antibellarminische Lehrstühle errichtet. Sein »Kleiner Katechismus« (1597) wurde 400-mal aufgelegt und in 60 Sprachen übersetzt. Gemeinsam mit seinem »Großen Katechismus« wurde dieser 1598 für den Unterricht in Rom und im Kirchenstaat vorgeschrieben. – Heiliger (Tag: 17. 9.).

Bellona, ältere Form **Duellona,** altrömische Kriegsgöttin. Ihr Tempel in Rom lag auf dem Marsfeld unweit vom Altar des Mars. Vor dem Tempel stand die als Grenzstein aufgefasste Säule (columna bellica), von der aus die →Fetialen durch symbolischen Speerwurf den Krieg erklärten. Später hieß in Rom auch die

Roberto Bellarmino

kappadokische Göttin Ma Bellona, wodurch der alte Kult in den Hintergrund trat.

Beltaine ['beltane], im traditionellen irischen Kalender die etymologisch ungeklärte Bezeichnung des Sommeranfangs (1. Mai). Mittelalterlicher Überlieferung zufolge trieben die Iren vor der Christianisierung an diesem Tag in Anwesenheit von Priestern (Druiden) ihr Vieh zwischen zwei Feuern hindurch, um Krankheiten vorzubeugen.

Benares, hinduistischer Wallfahrtsort in Indien, →Varanasi.

Ben Ascher, Aaron Ben Mose, jüdischer Gelehrter des 10. Jh.; lebte in Tiberias und gab als einer der bedeutendsten Masoreten (→Masora) dem hebräischen Text des A. T. seine endgültige Form.

Ben-Chorin, Schalom, früher **Fritz Rosenthal,** jüdischer Journalist, Schriftsteller und Religionswissenschaftler, *München 20. 7. 1913, †Jerusalem 7. 5. 1999; emigrierte 1935 nach Palästina und gründete 1958 in Jerusalem die erste jüdische Reformgemeinschaft in Israel. 1956 besuchte er erstmals wieder Deutschland und wurde in der Folge zu einem der Wegbereiter der deutsch-jüdischen Verständigung und des christlich-jüdischen Dialogs im Geist Martin Bubers. Ben-Chorin verfasste zahlreiche Publikationen zu jüdisch-christlichen Themen und betonte darin v. a. die gemeinsamen Wurzeln beider Religionen.

Bendis, thrakische Göttin. Sie wurde von den Griechen besonders der Artemis gleichgestellt und zusammen mit der Adrasteia verehrt. Ihr orgiastischer Kult kam etwa 430 v. Chr. nach Athen und wurde aus politischen Gründen vom Staat gefördert. Seitdem bestand in Piräus das jährliche Fest der **Bendideen** mit Fackelzug. Bendis wird als Jägerin mit phrygischer Mütze, Doppellanze und Dolch dargestellt.

Benediktinerorden, lateinisch **Ordo Sancti Benedicti,** Abk. **OSB,** kath. Mönchsorden mit über 8 000 Mitgliedern, bestehend aus 21 monastischen Kongregationen, die seit 1893 zum Benediktinerorden unter einem Abtprimas in Rom zusammengeschlossen sind. Im weiteren Sinn werden nicht nur die Mitglieder des Benediktinerordens, sondern alle Mönche, die nach der Regel des Benedikt von Nursia (→Benediktregel) leben, als **Benediktiner** bezeichnet. Jede Kongregation umfasst mehrere selbstständige Klöster unter einem Abt oder Prior.

Der Orden wurde im 6. Jh. von Benedikt von Nursia gegründet, dessen Regel für das abendländische Mönchtum bis ins 12. Jh. allein maßgebend war. Papst Gregor I., der Große, – selbst ein Benediktiner – sandte 596 den Benediktinermönch Augustinus als Missionar nach England. Hier wie im fränkisch-karolingischen Reich wurde die Mission vom Benediktinerorden getragen. Nach der Regel wandte er sich auch der Pflege der Kultur zu. Der Abt Benedikt von Aniane (*um 750, †821) und v. a. das 910 gegründete Kloster Cluny belebten den Orden neu. Von Cluny wurde die Reform nach Gorze (bei Metz) und von hier aus nach Sachsen, Bayern und Thüringen getragen. Die Einzelklöster wurden jetzt unter Wahrung ihrer Eigenständigkeit zu größeren Verbänden zusammengefasst. Aus diesen gingen mehrere selbstständige Orden, z. B. Kamaldulenser und Zisterzienser, hervor. Aufklärung, Französische Revolution und Säkularisation brachten den Orden im 18./19. Jh. nahezu zum Erlöschen, doch konnte er seitdem seine alte Bedeutung wiedergewinnen. In neuester Zeit arbeitete der Benediktinerorden v. a. auf den Gebieten der Liturgie, der Bibelwissenschaft und der Theologiegeschichte sowie in der Mission und Ökumene.

Benediktregel, Benediktinerregel, lateinisch **Regula Benedicti,** die auf Benedikt von Nursia zurückgehende, im Benediktinerorden und seinen Abzweigungen fortgeltende Hauptordnung des abendländischen Mönchtums. Benedikts »Regula« fordert v. a. Verbleiben im Heimatkloster (stabilitas loci), Abkehr vom weltlichen Leben zum Streben nach Vollkommenheit (conversatio morum) und Gehorsam unter dem Abt (oboedientia). Hauptaufgabe ist die Pflege der Liturgie (opus Dei), zu der je nach der Eigenart der Abteien wissenschaftliche, künstlerische, seelsorgerische, Missions- und Schultätigkeit hinzutreten. Der Vorschrift der Lectio, d. h. der Lesung der Heiligen Schrift und anderer kirchlicher Schriften, ist v. a. die Rettung und Bewahrung der antiken Literatur zu verdanken.

Benedikt von Nursia, Ordensgründer, *bei Nursia (heute Norcia, Provinz Perugia) um 480, †Montecassino 21. 3. 547 (?). Die Nachrichten über sein Leben gehen hauptsächlich auf die legendarischen Schilderungen Papst Gregors I. zurück. Diese beschreiben Benedikts Einsiedlerleben in einer Höhle bei

---

Benediktinerorden. Es ist wenig aus dem Leben Benedikts von Nursia bekannt. Er soll sich jedoch noch in jungen Jahren aus der Welt zurückgezogen haben, und zwar ins italienische Subiaco, das zur Keimzelle des Benediktinerordens wurde. Wo sich an der Wende vom 5. zum 6. Jh. eine kleine Mönchsgemeinde ausbildete, steht heute das Kloster Sacro Speco (San Benedetto).

Benediktregel
→ GEO Dossier
Glaube, Liebe, Hoffnung?, Bd. 15

Benedikt XV.

Benedikt von Nursia
*480, †547 (?)

- gilt als führender Vertreter des Mönchstums im abendländischen Christentum
- gründete das Kloster Montecassino
- stellte eine grundlegende Regel für das Ordensleben auf
- wird als Patron für eine gute Sterbestunde verehrt

Benedikt XVI.
→ **GEO** Dossier
Warum glaubt der Mensch?, Bd. 15

Subiaco und die Leitung einer Mönchsgemeinschaft durch ihn. Benedikt gründete bei Subiaco für die dort lebenden Eremiten zwölf kleine Klöster und sammelte um 529 zu Montecassino (in Latium) eine Mönchsgemeinschaft, die mit der von ihm geschaffenen »Regula« (→Benediktregel) zur Keimzelle des Benediktinerordens und des abendländischen Mönchtums wurde. Seine Gebeine wurden im Zweiten Weltkrieg in Montecassino nach der Zerstörung der Abtei aufgefunden. – Heiliger (Tag: 11. 7.). Benedikt ist einer der Patrone Europas (seit 1964). Traditionell wird er u. a. als Patron für eine gute Sterbestunde verehrt.

Benedikt XV., Papst (1914–22), früher Giacomo della Chiesa, *Genua 21. 11. 1854, †Rom 22. 1. 1922; seit 1901 Unterstaatssekretär der Kurie, zuletzt im Gegensatz zur Politik Pius' X. Dieser schaltete ihn 1907 durch Ernennung zum Erzbischof von Bologna aus und erhob ihn erst 1914 zum Kardinal. Trotzdem wurde er zu seinem Nachfolger gewählt. Benedikt wahrte aufs Strengste die politische Neutralität. Seine Versuche einer Friedensvermittlung im Ersten Weltkrieg scheiterten an der durch Italien mitbeeinflussten Ablehnung der Alliierten. Jedoch gelang es ihm, die politische Bedeutung und das Ansehen des Papsttums, besonders durch die Aufnahme diplomatischer Beziehungen zu vielen Staaten, darunter Großbritannien (1914) und Frankreich (1921), und durch oft erfolgreiche Bemühungen zur Linderung der Kriegshärten bedeutend zu steigern. Sein Name ist mit der Veröffentlichung des Codex Iuris Canonici (1918) und der Enzyklika »Maximum illud« (1919) verknüpft, in der er einen Wandel der oft durch einseitige europäisch-nationalstaatliche Interessen geprägten Missionspolitik und die Ausbildung eines einheimischen Klerus in den Missionsgebieten forderte.

Benedikt XVI., Papst (seit 2005), früher Joseph Ratzinger, *Marktl (Landkreis Altötting) 16. 4. 1927; studierte in Freising (Philosophisch-Theologische Hochschule) und München, war nach der Priesterweihe (1951) Seelsorger in München und ab 1952 in der wissenschaftlichen Lehre tätig, zuerst als Dozent am Erzbischöflichen Priesterseminar Freising (1952–54). Als Professor für Dogmatik lehrte er in Freising (1958), Bonn (1959–63), Münster (1963–66), Tübingen (1966–69) und Regensburg (1969–77); am 2. Vatikanischen Konzil nahm er als theologischer Berater des Kölner Erzbischofs Joseph Frings teil. 1977 zum Bischof geweiht und im selben Jahr zum Kardinal ernannt, war er 1977–81 Erzbischof von München und Freising. Von 1981 (Ernennung am 25. 11.) bis zum Tod Papst Johannes Pauls II. (2. 4. 2005) war er Präfekt der Kongregation für die Glaubenslehre und, damit in Personalunion verbunden, Präsident der Päpstlichen Bibelkommission und der Internationalen Theologenkommission. Seit November 2002 stand er als Kardinaldekan dem Kardinalskollegium vor und leitete in diesem Amt die Begräbnisfeierlichkeiten für Johannes Paul II. und das Konklave zur Wahl eines neuen Papstes. Bereits am zweiten Tag des Konklaves, am 19. 4. 2005, wurde er zum Papst gewählt und nahm den Papstnamen Benedikt XVI. an.

Die erste Auslandsreise seines Pontifikats unternahm Benedikt XVI. im August 2005 zum Weltjugendtag der katholischen Kirche nach Köln, die 2002 an Johannes Paul II. ergangene Einladung aufnehmend. Die erste Pastoralreise eigener Planung außerhalb Italiens führte ihn im Mai 2006 nach Polen und gab der Erinnerung an seinen dort geborenen Amtsvorgänger einen breiten Raum. Im September des Jahres besuchte er unter dem Motto »Wer glaubt, ist nie allein« seine Heimat Bayern. Am 25. 1. 2006 veröffentlichte der Papst unter dem Titel »Deus caritas est« seine erste Enzyklika, deren Thema die Liebe als Grundlage und Zentrum des christlichen Glaubens ist.

Als Präfekt der Glaubenskongregation erwarb sich Kardinal Ratzinger weltweit den Ruf eines der profiliertesten christlichen Theologen der Gegenwart, sah sich aber auch für von ihm verantwortete Entscheidungen des kirchlichen Lehramtes gegen kirchenkritische Ansätze innerhalb der Universitätstheologie (Hans Küng) wie auch gegen bestimmte Denkansätze in der Befreiungstheologie (u. a. Leonardo Boff; Gustavo Gutiérrez) inner- und außerkirchlicher Kritik ausgesetzt. Er selbst beschrieb sich in seinem Kurienamt als Theologen im Gespräch mit der weltweiten Gemeinschaft der Theologen, dem in seinem Amt in ganz besonderer Weise theologische Verantwortung für die Bewahrung des Glaubensfundaments und die Weitergabe des Glaubens übertragen worden ist. Als Verfasser zahlreicher Bücher hat er in jüngster Zeit besonders Grundfragen christlicher Existenz und kirchlicher Identität heute thematisiert und damit einen Leserkreis weit über die kath. Kirche hinaus erreicht.

Werke: Der Gott des Glaubens und der Gott der Philosophen (1960); Einführung in das Christentum (1968); Demokratisierung in der Kirche – Möglichkeiten, Grenzen, Gefahren (1970, mit Hans Maier); Das neue Volk Gottes. Entwürfe zur Ekklesiologie (1972); Dogma und Verkündigung (1973); Kirche, Ökumene und Politik (1987); Wendezeit für Europa? Diagnosen und Prognosen zur Lage von Kirche und Welt 1991); Kleine Hinführung zum Katechismus der katholischen Kirche (1993, mit C. Schönborn); Wahrheit, Werte, Macht. Prüfsteine der pluralistischen Gesellschaft (1993); Salz der Erde. Christentum und katholische Kirche an der Jahrtausendwende (1996, Gespräch mit P. Seewald); Aus meinem Leben. Erinnerungen (1998); Der Geist der Liturgie. Eine Einführung (2000); Gott und die Welt. Glauben und Leben in unserer Zeit (2000, Gespräch mit P. See-

wald); *Glaube – Wahrheit – Toleranz. Das Christentum u. die Weltreligionen* (2003); *Werte in Zeiten des Umbruchs. Die Herausforderungen der Zukunft bestehen* (2005).

Beni Israel, in Indien ansässige Juden unterschiedlicher Herkunft. Von den etwa 20 000 Beni Israel (v. a. um Delhi und Bombay ansässig) sind 1948–69 etwa 12 000 nach Israel ausgewandert. Sie wurden vom Rabbinat lange nicht als Juden anerkannt. Die in Cochin, einer Hafenstadt im südwestlichen Indien, lebenden Juden (**Cochin-Juden**) sind Nachfahren Handel treibender Gemeinschaften an der Malabarküste. Eine weitere jüdische Gemeinschaft in Kalkutta mit der Eigenbezeichnung **Baghdadi Jews** ist arabisch-persischer Herkunft.

Ben Naftali, Mose, auch **Jakob Ben Naftali,** jüdischer Gelehrter des 10. Jh.; lebte in Tiberias und bearbeitete als einer der Masoreten (→Masora) den Text des Alten Testaments.

Benten, Benzaiten, Bensaiten, eine der japanischen sieben Glücksgottheiten, die sitzend, mit einem Juwelendiadem und eine Laute spielend dargestellt wird. Sie verkörpert die Musik, die Literatur, die Beredsamkeit und die Liebe. Ihr werden 15 Söhne zugeschrieben. Ihr entspricht die vedische Sarasvati.

Bergkult, →Höhenkult.

Bergpredigt, im N. T. (Mt. 5–7) mitgeteilte und auf einen nicht näher bezeichneten Berg in Galiläa verlegte Rede Jesu. Matthäus hat die Bergpredigt aus Sprüchen Jesu nach einer älteren Quelle zusammengestellt. Die Rahmenrede, eingeleitet durch die Seligpreisungen und beschlossen durch das Doppelgleichnis vom klugen und törichten Baumeister, findet sich auch bei Lukas (Lk. 6, 20–49) als **Feldrede,** während Lukas den übrigen Inhalt der Bergpredigt auf andere Zusammenhänge verteilt.

■ **Inhalt** Die Bergpredigt beschreibt in den Seligpreisungen die Art derer, die am Gottesreich teilhaben, um dann Jesu Stellung zum Gesetz und den Propheten, die vollkommene Gerechtigkeit und die rechte Frömmigkeit – hier wird das Vaterunser eingeschoben – darzulegen. Daran schließen sich Mahnungen, die zum Aufgeben der Sorge um das Irdische auffordern, und sonstige Spruchgruppen an.

Die von Jesus verkündigte Vollkommenheit liegt im Verzicht auf Besitz, auf Gewalt, auf Durchsetzung der eigenen Rechtsansprüche. Sie ist zusammengefasst im Gebot der unbedingten Nächstenliebe bis hin zur Liebe des Feindes.

■ **Auslegung** Die Geschichte der Auslegung des N. T. zeigt eine Fülle unterschiedlicher Interpretationen der Bergpredigt insbesondere hinsichtlich der Fragen, ob sie für jeden Christen absolut gilt und ob sie nur den Einzelnen als Glied des Gottesreiches meint oder auch die soziale Ordnung der irdischen Reiche umgestalten will. Grundsätzlich muss für ein Verständnis der Bergpredigt der eschatologische Charakter der Verkündigung Jesu allgemein berücksichtigt werden. Dennoch kann sie nicht als Ethik angesehen werden, die nur angesichts des nahen Gottesreiches gültig ist (»Interimsethik«). Während die Reformatoren die Unerfüllbarkeit der in der Bergpredigt ausgesprochenen Ethik betonten, hält die kath. Theologie zum einen die Bergpredigt grundsätzlich als ethische Norm für verpflichtend, zum anderen geht sie davon aus, dass ihre vollständige Erfüllung nur Jesus gelang. Neben der kirchlichen findet sich von Anfang an eine radikale Auslegung der Bergpredigt, die ihre wörtliche Durchführung im sozialen Bereich verlangt, z. B. im Montanismus, bei den Waldensern, bei dem russischen Dichter Lew Nikolajewitsch Tolstoj (* 1828, † 1910) sowie in der Friedensbewegung in Bezug auf ihre Forderungen nach Gewaltverzicht und Feindesliebe.

Bernardino de Sahagún [-saa'ɣun], eigtl. **Bernardino Ribeira,** spanischer Franziskaner und Ethnologe, * Sahagún (Provinz León) um 1499, † Tlatelolco (heute Mexiko) 23. 10. 1590; war seit 1529 Missionar in Mexiko und bis 1569 Professor am Kolleg Santa Cruz de Tlatelolco. Er erforschte Sprache, Kultur und Religion der Azteken und verfasste mit seiner »Historia general de las cosas de Nueva España« (deutsch u. a. »Aus der Welt der Azteken«, 1990) das bedeutendste Quellenwerk für Geschichte und Kultur des Aztekenreiches. Von einem geplanten Lehrbuch zur christlichen Unterweisung der Azteken ist nur der

---

Mit den Seligpreisungen (Mt. 5, 3–12) beginnt die berühmte **Bergpredigt** Jesu:

*»Selig, die arm sind vor Gott;
denn ihnen gehört das Himmelreich.
Selig die Trauernden;
denn sie werden getröstet werden.
Selig, die keine Gewalt anwenden;
denn sie werden das Land erben.
Selig, die hungern und dürsten nach der Gerechtigkeit;
denn sie werden satt werden.
Selig die Barmherzigen;
denn sie werden Erbarmen finden.
Selig, die ein reines Herz haben;
denn sie werden Gott schauen.
Selig, die Frieden stiften;
denn sie werden Söhne Gottes genannt werden.
Selig, die um der Gerechtigkeit willen verfolgt werden;
denn ihnen gehört das Himmelreich.
Selig seid ihr, wenn ihr um meinetwillen beschimpft und verfolgt und auf alle mögliche Weise verleumdet werdet. Freut euch und jubelt: Euer Lohn im Himmel wird groß sein. Denn so wurden schon vor euch die Propheten verfolgt.«*

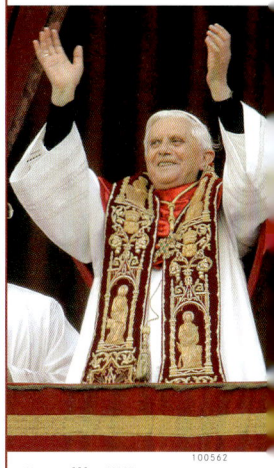

Benedikt XVI.
nach seiner Wahl zum Papst auf dem Balkon der Peterskirche in Rom.

Bergpredigt
→ **GEO** Dossier
Wer war Jesus?, Bd. 15

Bernhard von Clairvaux
*um 1090, †1153

- gründete ein Zisterzienserkloster in Clairvaux
- stellte die Liebe und Barmherzigkeit Gottes in den Mittelpunkt seiner Theologie
- nahm großen Einfluss auf die Politik seiner Zeit und warb im Auftrag Papst Eugens III. für den zweiten Kreuzzug
- wurde 1830 zum Kirchenlehrer erhoben

erste Teil erschienen und fragmentarisch erhalten.

Bernhardiner, Name nach Bernhard von Clairvaux für die →Zisterzienser.

Bernhard von Clairvaux [-klɛrˈvo], Abt und Kirchenlehrer, * Schloss Fontaine (bei Dijon) um 1090, † Clairvaux (Département Aube) 20. 8. 1153; stammte aus burgundischem Adel und trat 1112 mit 30 von ihm geworbenen Kandidaten in das zisterziensische Reformkloster Cîteaux ein, von wo er 1115 als Abt zur Gründung des Tochterklosters Clairvaux ausgesandt wurde. Bernhard brachte seinen Orden zu hoher Blüte. Viele neue Niederlassungen wurden gegründet. Die →Zisterzienser heißen nach ihm auch Bernhardiner.

Durch seine Persönlichkeit, seine Frömmigkeit und seine Beredsamkeit – sie brachte ihm seit dem 15. Jh. den Namen »Doctor mellifluus« (»honigfließender Lehrer«) ein – prägte er seine Zeit, die in der Kirchengeschichtsschreibung nach ihm »Bernhardinisches Zeitalter« genannt wird. Im Auftrag Papst Eugens III., seines Schülers, warb er für den zweiten Kreuzzug und gewann 1146 den französischen König Ludwig VII. und Konrad III. für diesen Gedanken. Gegen die Dialektik des scholastischen Philosophen Petrus Abaelardus wachte er streng über die Reinheit des Glaubens. Die mittelalterliche Christusmystik und Marienverehrung wurde von seiner Art der Kontemplation bestimmt. Durch seine zahlreichen Schriften wirkte er auf Theologie und geistliches Leben bis in die Neuzeit (u. a. Meister Eckhart, Dante, Thomas von Kempen, Ignatius von Loyola, Martin Luther, die Pietisten des 18./19. Jh.). 1830 wurde Bernhard zum Kirchenlehrer erhoben. – Heiliger (Tag: 20. 8.); wegen seines Beinamens Patron der Imker und Wachszieher, dargestellt u. a. mit einem Bienenkorb.

Berossos, Berosos, lateinisch **Berossus, Berosus,** babylonischer Priester des Marduk, lebte im 4.–3. Jh. v. Chr. in Babylon und schrieb nach babylonischen Urkunden in griechischer Sprache ein Geschichtswerk in drei Büchern (»Babyloniaka«, auch als »Chaldaika« zitiert), das wohl von einer Darstellung der Uranfänge bis zu Alexander dem Großen reichte, aber nur in Fragmenten erhalten ist. Es machte die hellenistische Welt mit babylonischer Geschichte und Kultur bekannt.

Berufung, *Theologie:* der Vorgang, in dem Gott den Menschen anspricht und ihn zu sich ruft, um ihm einen bestimmten Auftrag zu geben. Was in der Berufung der Propheten geschieht (z. B. Jer. 1, 4–10), gilt im christlichen Verständnis grundsätzlich für jeden Gläubigen: Er ist in der Taufe bei seinem Namen gerufen, d. h. von Gott angenommen. In den Gaben und Talenten, die ihm vom Schöpfer gegeben sind, kommt die Berufung konkret zum Ausdruck. Sie befähigt ihn, eine ihm zugedachte Aufgabe im Leben zu erfüllen. Das 2. Vatikanische Konzil spricht von einer eigenen Berufung jedes Christen. Christliches Leben besteht demnach für jeden darin, seine individuelle Berufung wahrzunehmen und ihr zu folgen. Im kath. Sprachgebrauch ist Berufung auch die Wahl eines geistlichen Berufs, sofern sie kirchlich geprüft und gebilligt wurde.

Berührungszauber, eine besondere Form des Zaubers, die auf dem Glauben beruht, dass durch Berührung (Kuss, Schlag, Bestreichen mit Zauberkraut) Kräfte oder Eigenschaften übertragen werden können.

Bes, zwerghafte ägyptische Schutzgottheit. Darstellungen zeigen Bes mit breitem, halb tierischem Gesicht, Federkrone und Löwenfell. Die Attribute Schwert, Trompete und Schlangen, die Bes in den Händen hält, weisen auf seinen die bösen Mächte abwehrenden Charakter hin. Zugleich sah man ihn positiv wirksam als Förderer von Frohsinn, auch als Beschützer bei der Geburt und Spender von Geschlechtskraft.

Besant [ˈbɛsənt], Annie, geborene **Wood,** englische Theosophin, * London 1. 10. 1847, † Adyar (Madras) 20. 9. 1933; schloss sich 1889 der Lehre Helena Petrowna Blavatskys an und ging 1893 nach Indien. 1907 wurde Besant Präsidentin der →Theosophischen Gesellschaft. 1910 behauptete sie, der kommende Weltenlehrer werde später durch den damals 13-jährigen Brahmanen Jiddu Krishnamurti wirken, und gründete deshalb für diesen den »Orden des Sterns im Osten«. Daraufhin spaltete sich die Gruppe um den Begründer der Anthroposophie, Rudolf Steiner (* 1861, † 1925), ab. Vor dem Ersten Weltkrieg setzte sie sich für die indische Freiheitsbewegung ein und wurde 1918 zur Präsidentin des Indischen Nationalkongresses gewählt. Ihre Bewunderer Jawaharlal Nehru und Mahatma Gandhi wandten sich später von ihr ab, da sie den gewaltlosen Widerstand ablehnte.

Beschneidung, rituell vollzogener Eingriff an den äußeren Geschlechtsteilen von Knaben oder jungen Männern, meist Entfernen der Vorhaut (Zirkumzision), Einschneiden der Vorhaut (Inzision) oder Aufschneiden der Harnröhre (Subinzision). Sie wird auch an Mädchen und jungen Frauen vollzogen, etwa durch das Entfernen der Klitoris oder der kleinen Schamlippen sowie Infibulation (d. h. Verschließen des größten Teils der Scheide). Die Beschneidung an Knaben ist weltweit verbreitet. Die Beschneidung an Mädchen ist weitgehend auf Afrika beschränkt, wo sie allerdings – z. T. trotz gesetzlichen Verbots – in 28 (v. a. islamischen) Ländern praktiziert wird.

Zur Erklärung der Beschneidung gibt es keine einheitliche Theorie. Häufig ist ihr Zusammenhang mit Initiationsriten deutlich. Gelegentlich kann die Beschneidung als (Fruchtbarkeits-)Opfer gedeutet werden, in einigen Fällen auch als Eingriff zur Förderung der Geschlechterdifferenzierung. Eine rein medizinische oder hygienische Begründung für die rituelle Beschneidung ist demgegenüber wenig plausibel.

Die Juden vollziehen die Beschneidung am achten Tage nach der Geburt als Symbol des von Gott mit Abraham geschlossenen Bundes (1. Mos. 17, 10 ff.). Als Ritus der Aufnahme in den Bund Gottes mit Israel gilt sie auch für strenge Proselyten, d. h. zum Judentum Bekehrte, für Knechte und Schutzverwandte. An der Forderung der Beschneidung scheiterte zu Beginn der christlichen Zeitrechnung die Mission des Judentums im Römischen Reich. Kaiser Hadrian (117–138) belegte sie mit einem Verbot, das allerdings sein Nachfolger Antoninus Pius wieder aufhob.

Im Islam findet die Beschneidung von Jungen zwischen dem siebenten Tag nach der Geburt und dem 15. Lebensjahr, bei Mädchen in der Regel später statt. Sie wird im Koran nicht als religiöse Pflicht angeführt. Die weibliche Beschneidung wird seit 1995 von der internationalen Staatengemeinschaft als Verletzung der Menschenrechte verurteilt.

Die Beschneidung geschieht in der Regel durch eigens darin geübte Männer, heute häufig durch den Arzt. Der judenchristliche Versuch, auch im Christentum an der Beschneidung festzuhalten, wurde schon in der Urkirche, v. a. durch Paulus, abgewehrt.

Das Fest **Beschneidung Christi** wurde in der kath. Kirche seit dem 6. Jh. gefeiert, und zwar am achten Tag nach Weihnachten (1. Januar; vgl. Lk. 2, 21). Seit 1969 ist das liturgische Fest der Beschneidung Christi durch das Hochfest der hl. Gottesmutter Maria (1. Januar) ersetzt.

Beschwörung, magische Handlung, die auf dem Glauben an die Macht des rituell ausgesprochenen oder gesungenen Wortes (Beschwörungsformel) beruht. Die Beschwörung kann darauf gerichtet sein, Unheil abzuwehren oder den Beschwörenden oder anderen Heil zuzuwenden. Sie folgt aus der an sich wirkenden Macht des »Zauberwortes« oder auch daraus, dass vermittelnde Mächte wie Geister oder Dämonen zu Heil oder Unheil gebannt werden.

Besessenheit, ausgeprägter psychophysischer Erregungszustand. Er wird in der Religionswissenschaft als Inbesitznahme (griechisch katokoche, lateinisch possessio) der betroffenen Person durch einen Gott, Dämon oder Geist gedeutet. Die Verhaltensänderungen der besessenen Person werden somit auf das Eindringen eines fremden Geistwesens zurückgeführt. Von der religiösen Wertung des betreffenden Geistwesens hängt die Bewertung der Besessenheit ab: als durch Kultakte (→Exorzismus) zu beseitigender Zustand oder als Zustand der »Gottesfülle« (→Enthusiasmus). Der der Besessenheit korrespondierende Zustand des »Außer-sich-Seins« wird mit →Ekstase bezeichnet. Auffallende Zustandsveränderungen einer Person werden hier als ein Verlassen des Körpers durch die »Seele« gedeutet. Als Kennzeichen des Zustandes der Besessenheit werden z. B. Veränderungen der Mimik, der Sprechweise, persönlichkeitsfremd scheinendes Verhalten (z. B. Um-sich-Schlagen) angesehen. Der Besessene befindet sich meist in Trance und ist sich seines Zustandes nicht bewusst, kann seine Besessenheit jedoch auch in einer Art Doppelbewusstsein als vermeintliches Wirken eines fremden Geistes in sich erleben (**luzide Besessenheit**).

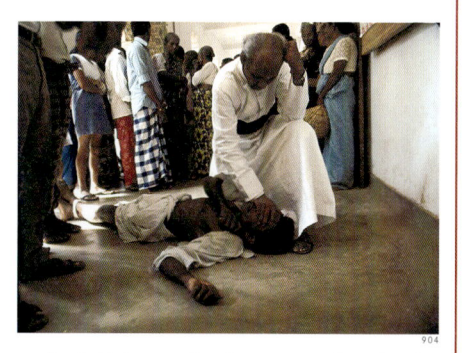

In Religionen, in deren Mittelpunkt der Glaube an die Existenz von Geistern Verstorbener steht und die vom europäischen Spiritismus beeinflusst sind (v. a. in der brasilianischen →Umbanda), wird Besessenheit von dazu ausgebildeten Medien kultisch bewirkt und beendet, wobei die Menschen mit den in den Medien anwesenden Geistern kommunizieren.

Beschneidung. Während des Babylonischen Exils im 6. Jh. prägte sich im Judentum die Praxis der Beschneidung als Zeichen des Bundes mit Jahwe, dem Gott Israels, aus. Auf diesem Detail des Verduner Altars ist die »Beschneidung Isaaks« dargestellt (1181; Klosterneuburg, Stiftskirche).

Besessenheit. Auffällige seelische oder körperliche Zustände wurden und werden in religiösen Kontexten als Besessenheit von Geistern oder Dämonen begriffen, die durch exorzistische Praktiken zu bezwingen sind.

B | Bestattung

Bhagavadgita.
Die Bhagavadgita, einer der heiligsten Texte des Hinduismus, ist in Form eines Lehrgedichtes verfasst. Der Gott Krishna belehrt darin den Helden des Mahabharata, Arjuna, dem er in der Schlacht von Kurukshetra als Wagenlenker beisteht. Anlass für die Belehrung sind dessen Zweifel an der Rechtmäßigkeit des Kampfes (Miniatur aus dem 18. Jh.; Paris, Bibliothèque Nationale de France).

Bestattung
→ **GEO** Dossier
Unterwegs in magischen Welten, Bd. 15

Bethlehem
→ **GEO** Dossier
Wer war Jesus?, Bd. 15

Im *Christentum* wurden verschiedene Krankheitsbilder und Erregungszustände unter Berufung auf neutestamentliche Berichte (Mk. 3, 20–30; 5, 1–20; 9, 14–29 u. a.) als Besessenheit und ihre Heilung dementsprechend als Austreibung von Dämonen aufgefasst. Aus der auch den Jüngern gegebenen Vollmacht, Besessene durch Dämonenaustreibung zu heilen (Mk. 3, 15; Lk. 10, 17–20), haben später die christlichen Kirchen ihrerseits eine Vollmacht zum Exorzismus abgeleitet. In der kath. Kirche wurde dessen auch heute noch grundsätzlich mögliche Ausübung an strenge Prüfung und ausdrückliche Erlaubnis des Bischofs gebunden.

Bestattung, →Totenbestattung.

Bet Din [hebr. »Gerichtshof«], **Beth Din, Besdin,** nach jüdisch-rabbinischer Tradition aus mindestens drei Personen unter Vorsitz eines ordinierten rabbinischen Richters (Dajjan) bestehendes Ortsgericht. Es war bis zur rechtlichen Gleichstellung der Juden mit den Nichtjuden autonom und ist seither mit eingeschränkter Kompetenz für religiös-rituelle Belange und im Rahmen freiwillig anerkannter Schiedsgerichtsbarkeit ausgestattet. Im Staat Israel ist es für das Personenstandsrecht zuständig als traditionelle Institution neben dem staatlichen Bet Mischpat (hebräisch »Recht, Gericht«). In Deutschland (München) gibt es seit 1994 ein Bet Din. Es entscheidet im Rahmen freiwilliger, auf Schlichtung zielender Schiedsspruchverfahren unter starker Berücksichtigung der örtlichen Tradition der Gemeinde und der Auffassung des Ortsrabbiners.

Bethlehem, arabisch **Bait Lahm,** Stadt im Westjordanland, 10 km südlich von Jerusalem. Im *A. T.* wird Bethlehem auch Efrat genannt, wo das Grab Rahels, der zweiten Frau Jakobs, und der Geburtsort Davids lokalisiert werden. So gilt Bethlehem auch als Stammort der davidischen Dynastie, auf den sich messianische Hoffnungen richteten (Mi. 5, 1). Nach dem *N. T.* ist Bethlehem der Geburtsort Jesu. Als Geburtsstätte Jesu gilt nach der Legende eine Grotte, über der Konstantin der Große 326–335 eine große Basilika bauen ließ. Unter Justinian I. wurde um 540 eine kleeblattförmige Dreiapsidenanlage errichtet, und die Kreuzfahrer erneuerten die Kirche im 12. Jahrhundert. Angebaut sind die Katharinenkirche und ein Franziskanerkloster sowie griechisch-orth. und armenische Klöster. Zu dem unterirdischen Komplex gehören u. a. auch Arbeits- und Grabraum des Hieronymus.

Bet Midrasch [hebr. »Lehrhaus«], **Jeschiwa,** im Judentum teils in, teils neben der Synagoge die Stätte traditionellen Lernens und Lehrens.

Bettelorden, Mendikanten, Bettelmönche, kath. Mönchsorden, in denen im Unterschied zu den »Besitzorden« nicht nur der einzelne Mönch, sondern auch die Gemeinschaft auf Besitz verzichtet und sich durch Arbeit oder Betteln erhält. Die Bettelorden entstanden im 13. Jh. als Abwehr der Verweltlichung der Kirche. Sie unterscheiden sich von den alten Mönchsorden durch die grundsätzliche Verbindung des klösterlichen Lebens mit seelsorgerischer Betätigung und durch die zentralistische Verfassung, die keine selbstständigen Klöster kennt. Als Bettelorden im ursprünglichen Sinn gelten die Franziskaner und Dominikaner, später wurden auch die Augustiner, Karmeliten und einige kleinere Orden zu ihnen gezählt.

Bhagavadgita [Sanskrit »Gesang des Erhabenen«], **Bhagawadgita,** religionsphilosophisches Gedicht und hl. Buch des Hinduismus. Die Bhagavadgita ist das meistgelesene Erbauungsbuch Indiens, das als Episode von 18 Gesängen in das sechste Buch (Kapitel 25–42) des indischen Epos Mahabharata verflochten ist. Arjuna, ein Pandava-Prinz, erblickt im feindlichen Heer der Kauravas seine nahen Verwandten und will den Kampf aufgeben. Der Gott Vishnu jedoch dient in seiner menschlichen Verkörperung (Avatara) als Krishna dem Arjuna als Wagenlenker und erklärt ihm die Notwendigkeit des Kampfes.

Die Bhagavadgita, in ihrer vorliegenden Fassung um 800 n. Chr. bezeugt, wurde mehr-

---

Im Ersten Gesang der **Bhagavadgita** klagt der Held Arjuna über die Leiden des Kampfes:

*»Ich sehe der Verwandten Schar,
o Krishna, kampfbereit genaht,
Da werden meine Glieder schwach und
es verdorrt mir der Mund,
Ein Zittern geht durch mein Gebein
und meine Haare sträuben sich;
Gandiva sinkt mir aus der Hand, die
Haut an meinem Körper brennt,
Nicht länger kann ich aufrecht stehn,
wie unstet irrt mein Geist umher.
Und Zeichen schau ich, aber ach, gar
böse Zeichen, Kecava!
Kein Heil mehr seh ich, wenn im
Kampf ich die Verwandten umgebracht.
Krishna, den Sieg begehr ich nicht,
noch Herrschaft, noch die Freuden all!«*

fach überarbeitet: Die Ur-Bhagavadgita, in der eine Kriegerethik Argumente für den Kampf liefert, stammt etwa aus dem 2. Jh. vor Christus. Später traten die Lehren der Bhagavadgita hinzu, die den persönlichen Gott Vishnu oder das unpersönliche →Brahman als göttliche Urwesenheit verkünden. Die in der Bhagavadgita gewiesenen Erlösungswege sind vornehmlich die Liebeshingabe (→Bhakti) an Vishnu sowie ferner der Weg des Handelns (Karma-marga) und der Weg der Erkenntnis (Jnana-marga). Die Bhagavadgita stellt damit in ihrer Letztgestalt eine Synthese der wichtigsten indischen Wege zur Erlösung dar.

Bhagavan [Sanskrit »der Erhabene«], ehrender Beiname des indischen Gottes Vishnu.

Bhagvan [Hindi, zu Sanskrit bhagavan »der Erhabene«], **Bhagwan**, Ehrentitel für religiöse Lehrer des Hinduismus. Besonders bekannt wurde der »Bhagvan« Chandra Mohan Rajneesh, die zentrale Gestalt der nach ihm benannten Bhagvan-Bewegung.

Bhagvan-Bewegung [zu Bhagvan], inoffizielle Selbstbezeichnung **Neo-Sannyas-Bewegung** [zu Sanskrit sanyasi, der Bezeichnung für einen frommen Hindu, der sich im Alter in strenger Askese auf den Tod vorbereitet und dadurch eines der vier hinduistischen Lebensziele erfüllt], die religiöse Bewegung um den Inder »Sri Bhagvan« Chandra Mohan →Rajneesh, der seit 1974 einen Ashram, ein religiös-therapeutisches Zentrum in Pune (Maharashtra) leitete.

■ **Inhalte und Lehre** Rajneesh entwickelte ein Therapie- und Meditationsprogramm, in dem er psychische Selbsterfahrung nach der westlichen humanistischen Psychologie und der ihr verpflichteten Therapie (z. B. Bioenergetik) mit religiös-mystischer Erfahrung nach östlichen Traditionen (tantrisches Yoga mit einer positiven Einstellung zur Sexualität und mystische Traditionen aus Daoismus und Sufismus) verband und im Rahmen eines intensiven Meister-Schüler-Verhältnisses einfügte. Dieses Programm sollte der Entkrampfung und Auflösung gesellschaftlich festgelegter Ichstrukturen dienen, an deren Stelle Selbstannahme und ganzheitliche Öffnung für das Göttliche, die reine Existenz im »Hier und Jetzt«, treten sollten. Die Lehre verstand sich als lebensbejahend, Askese wurde abgelehnt. Auf dem Höhepunkt der Bhagvan-Bewegung in der ersten Hälfte der 1980er-Jahre wurde die Zahl ihrer Anhänger weltweit auf 200 000 geschätzt.

■ **Entwicklung** Weltzentrum der Bhagvan-Bewegung war zunächst die »Rajneesh-Foundation« in Pune. 1981 verließ Rajneesh Pune und ließ sich mit seiner Gefolgschaft im amerikanischen Bundesstaat Oregon nieder, wo er ein neues Zentrum, die Stadt »Rajneeshpuram«, gründete. Im September 1985 brach die Bhagvan-Bewegung auseinander, als die langjährige Vertraute des »Bhagvan«, Sheela Silverman (genannt Ma Anand Sheela), mit einigen Anhängern Rajneeshpuram und die USA verließ und Rajneesh das Ende der Bhagvan-Bewegung verkündete. Rajneesh wurde im November 1985 aus den USA abgeschoben und kehrte, nach erfolglosen Versuchen, sich in anderen Ländern niederzulassen, 1987 nach Pune zurück. Dort gründete er die Bhagvan-Bewegung neu. Sie nennt sich seit 1989 **Osho-Bewegung** (»Osho Commune International«), nachdem Rajneesh den Titel eines →Osho angenommen hatte.

Seit Rajneeshs Tod (1990) leitet ein von ihm bestimmter Kreis von Männern und Frauen die Bewegung. Durch die Systematisierung der Lehre Rajneeshs durch etwa 600 mitgeschriebene Lehrreden, die Einführung einer verbindlichen Frömmigkeitspraxis (u. a. eines Festkalenders) und den zielgerichteten Aufbau einer zentralistischen Organisationsstruktur nimmt die Bewegung zunehmend die von dem »spontan« lehrenden Rajneesh abgelehnte Form einer institutionalisierten Religionsgemeinschaft an. In den 1990er-Jahren soll die Anhängerzahl weltweit wieder auf 200 000 (Eigenangaben) angewachsen sein.

Bhaishajyaguru [baiʃadʒa-], der Buddha des Heilens, häufig vereinfacht »Medizin-Buddha« genannt. Er ist sehr populär im Mahayana-Buddhismus von Tibet, China und Japan. Zu seinen Zuständigkeiten gehörten der Schutz vor Unglücksfällen, ein langes Leben sowie die Verbesserung von Geisteszuständen. Da alle Krankheiten als karmisch (→Karma) bedingt angesehen werden, gelten sie gewissermaßen als psychosomatisch. Das früheste Zeugnis für den heilenden Buddha ist die chinesische Übersetzung des »Bhaishajyagurusutra« aus dem Sanskrit (frühes 4. Jh. n. Chr.). Bhaishajyaguru wird eine Medizinschale, einen Lapislazuli (verstanden als Heilstein) und andere Gegenstände haltend dargestellt.

Bhakti [Sanskrit »Liebeshingabe (an Gott)«], seit der →Bhagavadgita ein Zentral-

Bhagvan-Bewegung. Mit großem Jubel wird die Ankunft des religiösen Führers der Bhagvan-Bewegung, Chandra Mohan Rajneesh, gefeiert. 1984 lud Rajneesh Obdachlose und Arbeitslose zum Wohnen und Arbeiten nach Rajneeshpuram, in die neu gegründete Stadt der Bewegung im US-Bundesstaat Oregon, ein. Die Bewohner Oregons vermuteten in dem sozialen Akt ein Wahlmanöver, da die Kommunalwahlen unmittelbar bevorstanden.

Bhagavadgita
→ **GEO** Dossier
Unterwegs in magischen Welten, Bd. 15

Bhavachakra

begriff der vishnuitischen Theologie: Bhakti ist neben den Erlösungswegen durch Werke (Karma-marga) und durch selbst gewonnene Erkenntnis (Jnana-marga) ein durch eine starke emotionale Frömmigkeit geprägter Weg (Bhakti-marga), auf dem der Gläubige seine ganze Existenz, die in Fühlen, Denken und Handeln besteht, auf die Gottheit bezieht und auf dem er im Vertrauen auf ihre liebende Zuwendung ein persönliches Gottesverhältnis begründet.

Bhavachakra [-tʃ-, Sanskrit »Rad der Existenzen«], buddhistisches Symbol für den Geburtenkreislauf der Wesen. Ein Dämon (Karman) hält das Bhavachakra in seinen Klauen. Auf der Felge des Rades erscheinen die Symbole für die zwölf Glieder des Pratityamutpida, das Gesetz des ursächlichen Entstehens (des Leidens). In der Radfläche werden, mitunter durch Speichen getrennt, die fünf oder sechs Gruppen der Wesen angedeutet. Vogel, Schlange und Schwein in der Radnabe bedeuten Wollust, Hass und Verblendung.

Bhikku [Pali »Bettler«], Sanskrit **Bhikshu**, Mitglied des buddhistischen Mönchsordens (Samgha). Die weibliche Form ist **Bhikkuni (Bhikshuni)**.

Bhūmi [Sanskrit »Boden«, »Stufe«], im Mahayana-Buddhismus zehn Stufen, die den Fortschritt der spirituellen Vollkommenheit auf dem Weg zur Erleuchtung bezeichnen. Sie sind mit der Praxis der zehn Vollkommenheiten verbunden und lauten: 1. freudig (pramudita), verbunden mit der Erzeugung des Gedankens an die Erleuchtung; 2. frei von Befleckung (vimala); 3. erleuchtet (prabhakari); 4. strahlend (arcishmati); 5. schwer zu besiegen (sudurjaya); 6. vorwärts blickend (abhimukhi); 7. in die Ferne wandelnd (durangama); 8. unbeweglich (acala); 9. das Gute (Sadhumati); 10. Dharmawolke (Dharmamegha).

Bibel [von griech. tà biblía »die Bücher«], zusammenfassende Bezeichnung für die beiden Textsammlungen des »Alten Testaments« (A. T.) und des »Neuen Testaments« (N. T.), die die Offenbarungsurkunden für alle christlichen Kirchen und Gemeinschaften sind. Sie wird nach Röm. 1,2 als **Heilige Schrift** bezeichnet. Die **hebräische Bibel,** die von den Christen A. T. genannt wird, hat die gleiche Funktion auch für das Judentum.

■ **Gliederung** Über den Schriftenbestand des A. T. sind die christlichen Kirchen untereinander und mit dem Judentum nicht völlig einer Meinung, während das N. T. in allen christlichen Kirchen den gleichen Schriften- und Textbestand hat. Der unterschiedliche Bestand des A. T. erklärt sich aus seiner Geschichte. Es ist, mit wenigen aramäischen Ausnahmen in den Büchern Daniel und Esra, hebräisch geschrieben, lief zur Zeit der Entstehung der christlichen Kirche aber in griechischer Übersetzung (→Septuaginta) um. In dem Maße, wie die Christen die Septuaginta übernahmen, trennten sich die Juden von ihr, bis von ihnen am Ende des 1. Jh. der →Kanon ebenso wie der Text des A. T. abschließend festgestellt und der Gebrauch der Septuaginta schließlich untersagt wurde. Die alte Kirche las die Septuaginta, übersetzte sie im Abendland dann ins Lateinische und hielt so den Unterschied des Schriftenbestandes zum Judentum auf die Dauer fest. Versuche des Hieronymus, zum hebräischen A. T. zurückzukehren, blieben ohne Erfolg. Erst die Reformation tat dies, am radikalsten die reformierte Kirche. Daher werden die nur in der Septuaginta, nicht in der hebräischen Bibel enthaltenen Schriften des A. T. in der kath. Kirche als deuterokanonisch im Unterschied zu den als kanonisch bezeichneten hebräischen Schriften angesehen, ebenso (mit verschiedenen Zusätzen) in den Ostkirchen. Ganz bestritten werden sie in den reformierten Kirchen, während die lutherischen Kirchen eine Mittelstellung einnehmen. Sie beurteilen diese Schriften als nicht kanonisch, aber innerhalb bestimmter Grenzen verwendbar (→Apokryphen).

> In der **Bibel** (Ri, 5.5, 5.6, 5.7) ist im Debora-Lied zu lesen:
>
> »Die Berge wankten vor dem Blick des Herrn (das ist der Sinai), vor dem Blick des Herrn, des Gottes Israels.
> In den Tagen Schamgars, des Sohnes des Anat, in den Tagen Jaels lagen die Wege verlassen da; wer unterwegs war, musste Umwege machen. Bewohner des offenen Landes gab es nicht mehr, es gab sie nicht mehr in Israel,
> bis du dich erhobst, Debora,
> bis du dich erhobst, Mutter in Israel.«

Die heute übliche Gliederung der Bibel in Kapitel und Verse ist verhältnismäßig jungen Ursprungs. Beim hebräischen A. T. ist die Einteilung in Verse zwar schon in talmudischer Zeit bekannt, ihre Zählung innerhalb der Kapitel und diese selbst setzten sich in den hebräischen Drucken jedoch erst im 16. Jh. durch. Bis dahin war die Thora (1.–5. Mos.) in einzelne Abschnitte für die fortlaufende Lesung im Gottesdienst eingeteilt. Auch das N. T. war wohl seit dem 4. Jh. in Sinnabschnitte (Kephalaia) eingeteilt, deren Liste jeder Schrift vorangestand und die in den Handschriften am Kopf der Seiten verzeichnet wurden. Einige Handschriften (z. B. der Codex Vaticanus) teilen die Schriften durch am Rand angegebene Zahlen in Abschnitte. Eusebius von Cäsarea gliederte die Evangelien in kurze Sinnabschnitte (Sektionen), die er am Rand des Textes fortlaufend zählte, sodass er in Kanontafeln die einander parallelen Texte mit ihren Sektionszahlen zusammenstellen konnte. Die moderne Kapiteleinteilung der Bibel jedoch kommt aus der

Bibel.
»Das Newe Testament Deutzsch« lautet der Titel der ersten Ausgabe von Martin Luthers Übersetzung des Neuen Testaments. Sie erschien in Wittenberg im September 1522 und wird deshalb »Septembertestament« genannt.

Bibel

→Vulgata und geht in ihren Anfängen auf Erzbischof Stephan Langton († 1228) zurück. Die Verseinteilung des N.T. stammt von dem französischen Buchdrucker Stephanus (Robert Estienne) und findet sich zuerst in seiner Ausgabe von 1551.

Bibel. Zu den Funden aus den elf Höhlen von Qumran am Toten Meer gehörten Fragmente fast aller Bücher der hebräischen Bibel, deren älteste rund 1000 Jahre älter als die bis dahin vorhandenen Handschriften sind. Sie liefern einmalige Belege für verschiedene Textgestaltungen und Schriftarten der Bibel. Das Bild zeigt die erste Jesaja-Rolle (Jes. 58, 6-59) aus dem 2. Jh. v. Chr., gefunden in Qumran.

■ **Entstehungsgeschichte** Das Judentum unterteilt das *Alte Testament* in drei Gruppen von Schriften: Thora (»Gesetz«), Nebiim (»Propheten«) und Ketubim (»Schriften«). Diese Dreiteilung ist bereits im A.T. selbst vorausgesetzt (Prolog zu Jesus Sirach, um 130 v. Chr.). Die fünf Bücher Mose (die Thora, im theologischen Sprachgebrauch das »Fünfrollenbuch«, der →Pentateuch), von der Überlieferung auf Mose zurückgeführt, sind im Laufe jahrhundertelanger Entwicklung aus verschiedenen Bestandteilen zusammengewachsen. Die älteren Geschichtsbücher (Josua bis 2. Buch der Könige, in der jüdischen Tradition »frühere Propheten« genannt) enthalten die von der Erschaffung der Welt bis zum Tod des Mose (etwa 1200 v. Chr.) reichende Darstellung bis zur Begnadigung des judäischen Königs Jojachin (561 v. Chr.). Die jetzige Abtrennung der »früheren Propheten« vom Pentateuch ist künstlich. Sie sind in enger Verbindung mit dem →Deuteronomium entstanden, wenn sie auch später mancherlei Veränderungen erfahren haben. Trotz der durch verschiedene Bearbeitungen entstandenen Wiederholungen, Unregelmäßigkeiten und Widersprüche bilden die Geschichtswerke, d.h. der Pentateuch und die früheren Propheten, eine Einheit.

In den →Prophetenbüchern, nach jüdischer Tradition die »späteren Propheten«, haben die Verkündigung und das Wirken der Propheten ihren Niederschlag gefunden. Der Prophet Jesaja trat in der zweiten Hälfte des 8. Jh. v. Chr. auf. Jeremia wurde 627 v. Chr., im 13. Jahre des Josia, berufen. Ezechiel kam wohl 597 v. Chr. mit der ersten jüdischen Deportation nach Babylon und wirkte im Exil etwa zwei Jahrzehnte. Das →Zwölfprophetenbuch, das im jüdischen Kanon als ein Buch gezählt wird, kam als Sammlung im 3. Jh. v. Chr. zustande, seine Bestandteile reichen bis ins 8. Jh. v. Chr. (Hosea, Amos) zurück.

Unter den »Schriften« kommt den →Psalmen eine besondere Stellung zu. Die Bestandteile dieses Buches reichen von der Zeit Davids bis in die Zeit nach dem Exil. Die Gruppe der »Schriften« umfasst verschiedenartige Bestandteile: Weisheitsliteratur (Sprüche), z.T. mit skeptischer Grundhaltung (Kohelet oder Prediger), fromme dichterische Erzählung (Hiob, Ruth), Volksdichtung (Klagelieder), Dichtung, die nur auf dem Wege allegorischer Deutung in den Kanon aufgenommen wurde (Hohelied), visionäre Prophetie (Daniel), Geschichtserzählungen (Esra, Nehemia) und einen historischen Roman zur Verherrlichung der Volksgeschichte (Esther). In die griechische und lateinische Bibel und damit in die christliche Kirche haben die Apokryphen (deuterokanonische Bücher) Aufnahme gefunden. Von den →Pseudepigrafen kam das äthiopische Henochbuch in den alttestamentlichen Kanon der äthiopischen Kirche.

Neues Testament: Auch neben den heute in allen christlichen Kirchen als kanonisch anerkannten Schriften des N.T. hat ursprünglich eine Fülle von Schriften aller Gattungen gestanden. Dazu gehörten Evangelien, Apostelgeschichten, Apostelbriefe und Apokalypsen, die z.T. bis ins 4. Jh. und darüber hinaus in weiten Gebieten der Kirche anerkannt waren und erst nach und nach aus inhaltlichen Gründen diese quasikanonische Anerkennung verloren. Die ältesten Bestandteile des N.T. sind die →Paulusbriefe, die in den Jahren 50–64 entstanden. Noch im 1. Jh. sind sie zu einer Sammlung zusammengefasst worden, die mit Sicher-

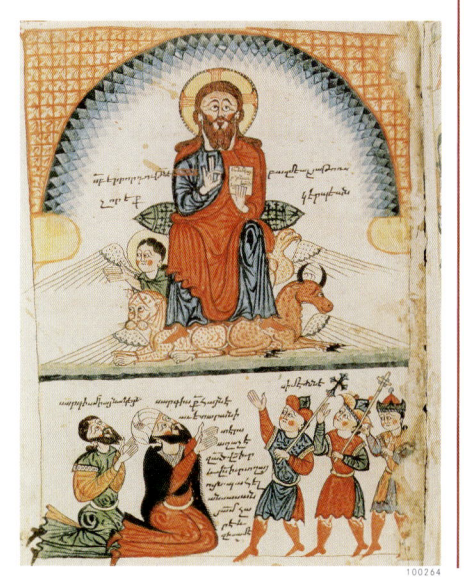

Bibel
→ GEO **Dossier**
Wer war Jesus?, Bd. 15

Bibel. Die Armenbibeln waren im Mittelalter üblich, um den einfachen Gläubigen, die nicht lesen konnten, die christliche Botschaft in Bildern anschaulich zu machen. Zu sehen ist eine byzantinische Buchmalerei mit dem Thema »Christus in Herrlichkeit«. Christus thront auf den Symbolen der Evangelisten und ist über die Menschen erhoben, die zu ihm emporschauen (12./13. Jh.; Isfahan, Armenisches Museum).

B | Bibel

Bibel: Bücher der Bibel

Vulgata[1]	Lutherbibel	Loccumer Richtlinien[1]	Abkürzungen[2]		
■ Altes Testament (A.T.)					
Genesis	1. Buch Mose	Genesis	Gen	Gn	1. Mos.
Exodus	2. Buch Mose	Exodus	Ex		2. Mos.
Leviticus	3. Buch Mose	Levitikus	Lev	Lv	3. Mos.
Numeri	4. Buch Mose	Numeri	Num	Nu	4. Mos.
Deuteronomium	5. Buch Mose	Deuteronomium	Dtn	Dt	5. Mos.
Josua	Buch Josua	Buch Josua	Jos		Josua
Richter (Judicum)	Buch der Richter	Buch der Richter	Ri	Jd	Ri.
Ruth	Buch Ruth	Buch Rut	Rut		Ruth
1 Samuel (1 Könige, 1 Regum)	1. Buch Samuel	1. Buch Samuel	1 Sam	1 S	1. Sam.
2 Samuel (2 Könige, 2 Regum)	2. Buch Samuel	2. Buch Samuel	2 Sam	2 S	2. Sam.
1 Könige (3 Könige, 3 Regum)	1. Buch von den Königen	1. Buch der Könige	1 Kön	1 Rg	1. Kön.
2 Könige (4 Könige, 4 Regum)	2. Buch von den Königen	2. Buch der Könige	2 Kön	2 Rg	2. Kön.
1 Chronik (1 Paralipomenon)	1. Buch der Chronik	1. Buch der Chronik	1 Chr		1. Chron.
2 Chronik (2 Paralipomenon)	2. Buch der Chronik	2. Buch der Chronik	2 Chr		2. Chron.
Esdras (1 Esdras)	Buch Esra	Buch Esra	Esra		Esra
Nehemias (2 Esdras)	Buch Nehemia	Buch Nehemia	Neh		Neh.
Tobias (Tobit)[3]	*Buch Tobias*	*Buch Tobit*	Tob		Tob.
Judith[3]	*Buch Judith*	*Buch Judit*	Jdt		Jdt.
Esther[4]	Buch Esther	Buch Ester	Est		Est.
1 Makkabäer[3]	*1. Buch der Makkabäer*	*1. Buch der Makkabäer*	1 Makk		1. Makk.
2 Makkabäer[3]	*2. Buch der Makkabäer*	*2. Buch der Makkabäer*	2 Makk		2. Makk.
Psalmen	Psalter	Psalmen	Ps		Ps.
Job (Hiob)	Buch Hiob	Buch Ijob	Ijob	Hi	Hiob
Sprüche (Proverbia)	Sprüche Salomos	Buch der Sprichwörter	Spr		Spr.
Prediger (Ecclesiastes)	Prediger Salomos	Kohelet	Koh	Eccl	Koh.
Hohes Lied (Canticum canticorum)	Hohelied Salomos	Hohelied	Hld	Cant	Hld.
Buch der Weisheit (Sapientia)[3]	*Weisheit Salomos*	*Buch der Weisheit*	Weish	Sap	Weish.
Jesus Sirach (Ecclesiasticus)	*Buch Jesus Sirach*	*Buch Jesus Sirach*	Sir	JesSir	Sir.
Isaias	Jesaja	Buch Jesaja	Jes	Is	Jes.
Jeremias	Jeremia	Buch Jeremia	Jer		Jer.
Klagelieder (Threni)	Klagelieder Jeremias	Klagelieder des Jeremia	Klgl	Thren	Klgl.
Baruch[3]	*Buch Baruch*	*Buch Baruch*	Bar		Baruch
Ezechiel	Hesekiel	Buch Ezechiel	Ez	Hes	Ez.
Daniel[4]	Daniel	Buch Daniel	Dan		Dan.
Oseas (Osea, Hosea)	Hosea	Buch Hosea	Hos		Hosea
Joel	Joel	Buch Joël	Joël		Joel
Amos	Amos	Buch Amos	Am		Amos
Abdias	Obadja	Buch Obadja	Obd	Ob	Ob.
Jonas	Jona	Buch Jona	Jona		Jona
Michäas	Micha	Buch Micha	Mi	Mi	Mi.
Nahum	Nahum	Buch Nahum	Nah		Nahum
Habakuk	Habakuk	Buch Habakuk	Hab		Hab.
Sophonias	Zephanja	Buch Zefanja	Zef		Zeph.
Aggäus	Haggai	Buch Haggai	Hag		Hag.
Zacharias	Sacharja	Buch Sacharja	Sach	Sa	Sach.
Malachias	Maleachi	Buch Maleachi	Mal		Mal.
■ Neues Testament (N.T.)					
Matthäus-Evangelium	Evangelium des Matthäus	Evangelium nach Matthäus	Mt		Mt.
Markus-Evangelium	Evangelium des Markus	Evangelium nach Markus	Mk		Mk.
Lukas-Evangelium	Evangelium des Lukas	Evangelium nach Lukas	Lk		Lk.

Bibel

Bibel: Bücher der Bibel (Fortsetzung)

Vulgata[1]	Lutherbibel	Loccumer Richtlinien[1]	Abkürzungen[2]		
Johannes-Evangelium	Evangelium des Johannes	Evangelium nach Johannes	Joh	Jo	*Joh.*
Apostelgeschichte	Apostelgeschichte des Lukas	Apostelgeschichte	Apg	Act	*Apg.*
Römerbrief	Brief des Paulus an die Römer	Brief an die Römer	Röm	R	*Röm.*
1. und 2. Korintherbrief	1. und 2. Brief des Paulus an die Korinther	1. und 2. Brief an die Korinther	1/2 Kor	*1/2 Kor*	*1./2. Kor.*
Galaterbrief	Brief des Paulus an die Galater	Brief an die Galater	Gal	G	*Gal.*
Epheserbrief	Brief des Paulus an die Epheser	Brief an die Epheser	Eph	E	*Eph.*
Philipperbrief	Brief des Paulus an die Philipper	Brief an die Philipper	Phil	Ph	*Phil.*
Kolosserbrief	Brief des Paulus an die Kolosser	Brief an die Kolosser	Kol	K	*Kol.*
1. und 2. Thessalonicherbrief	1. und 2. Brief des Paulus an die Thessalonicher	1. und 2. Brief an die Thessalonicher	1/2 Thess	*1/2 Th*	*1./2. Thess.*
1. und 2. Timotheusbrief	1. und 2. Brief des Paulus an Timotheus	1. und 2. Brief an Timotheus	1/2 Tim	*1/2 T*	*1./2. Tim.*
Titusbrief	Brief des Paulus an Titus	Brief an Titus	Tit	T	*Tit.*
Philemonbrief	Brief des Paulus an Philemon	Brief an Philemon	Phlm	Phm	*Phlm.*
Hebräerbrief	Brief an die Hebräer	Brief an die Hebräer	Hebr	H	*Hebr.*
Jakobusbrief	Brief des Jakobus	Brief des Jakobus	Jak	J	*Jak.*
1. und 2. Petrusbrief	1. und 2. Brief des Petrus	1. und 2. Brief des Petrus	1/2 Petr	*1/2 P*	*1./2. Petr.*
1., 2. und 3. Johannesbrief	1., 2., 3. Brief des Johannes	1., 2., 3. Brief des Johannes	1/2/3 Joh	*1/2/3 J*	*1./2./3. Joh.*
Judasbrief	Brief des Judas	Brief des Judas	Jud	Jd	*Jud.*
Geheime Offenbarung	Offenbarung des Johannes	Offenbarung des Johannes	Offb		*Apk.*

1) Entsprechend dem »Ökumen. Verzeichnis der bibl. Eigennamen nach den Loccumer Richtlinien« (²1981). 2) Als erste werden die Abkürzungen nach den »Loccumer Richtlinien« angegeben, es folgen gegebenenfalls weitere gebräuchliche Abkürzungen. Kursiv sind schließlich die in diesem Lexikon verwendeten Abkürzungen gesetzt. 3) Griechisch. 4) Mit griechischen Zusätzen. Kursiv gesetzt sind die apokryphen bzw. deuterokanonischen Bücher.

heit nicht alle Briefe des Paulus umfasst, aber doch schon für die alte Kirche den einzigen Zugang zum Schrifttum des Paulus bedeutete. Die →Evangelien sind älter, insofern die ihnen zugrunde liegenden Quellensammlungen bis in die Zeit vor dem Beginn der Missionstätigkeit des Paulus zurückgehen. Jünger sind sie insofern, als ihre Zusammenfassung zur heutigen Gestalt in die Zeit nach Paulus gehört. Das älteste Evangelium, das Markusevangelium, gehört kurz vor das Jahr 70, das späteste, das Johannesevangelium, in die Mitte der 90er-Jahre. Die zeitlich letzten Schriften des N.T. sind nach nahezu einhelliger Meinung der Forschung der Judasbrief und der 2. Petrusbrief, deren Entstehung ins beginnende 2. Jh. bzw. dessen zweite Hälfte zu verlegen ist. Das N.T. ist größtenteils im 1. Jh. entstanden und war schon am Ende des 2. Jh. in seinem Bestand im Wesentlichen abgeschlossen. Einzelne Teile (2. Petrusbrief, 2./3. Johannesbrief, Jakobusbrief, Judasbrief) hatten länger um ihre gesamtkirchliche Anerkennung zu kämpfen. Insbesondere sind Westen und Osten getrennt in der Anerkennung oder Verwerfung der Apokalypse des Johannes – sie wurde im Westen anerkannt, im Osten verworfen – und des Hebräerbriefes, der im Westen verworfen, im Osten anerkannt wurde. Erst in der Mitte des 4. Jh. begann der Ausgleich. Von da an bis heute haben die christlichen Kirchen, von Sondergruppen abgesehen, ein einheitliches Neues Testament.

■ **Handschriften** Bis zu den Funden von →Qumran boten sämtliche Handschriften des hebräischen *Alten Testaments* und damit auch seine Druckausgaben einen einheitlichen Text. Diese Einheitlichkeit ist Ergebnis der am Ausgang des 1. Jh. vollzogenen Standardisierung. Die ältesten vollständigen Handschriften stammen aus dem 10. Jh. (Kodex von Aleppo, seit 1947 etwa ein Viertel des Textes verloren) und dem Jahre 1008 (Codex Leningradensis, er liegt der Biblia Hebraica von Rudolf Kittel zugrunde), Teile gehen bis ins 9. Jh. zurück (z. B. 895 Prophetenhandschrift von Kairo) und nur ganz wenige Fragmente sind älter. Seit den Funden in der Genisa (Schatzkammer) der Synagoge von Kairo im 19. Jh. und seit den ersten Funden aus den Höhlen bei Qumran hat sich die Zeitgrenze bis ins 2. Jh. v. Chr. zurückgeschoben. Man kann den Text im Stadium vor seiner Erstarrung erfassen. Von sämtlichen Büchern des A.T. mit Ausnahme von Esther liegen jetzt mindestens Fragmente vor, z. T. auch der ganze Text wie etwa in der Jesaja-Rolle aus Höhle 1.

Die älteste Handschrift der Septuaginta, die Fragmente des Deuteronomiums enthält, stammt aus dem 2. Jh. vor Christus. Neben ihr gibt es nur noch wenige vorchristliche Reste. Fast alle Handschriften des griechischen A.T. sind christlicher Herkunft. Die wichtigsten unter ihnen, die alle auch das N.T. enthalten, sind der Codex Vaticanus (4. Jh., seit spätes-

Bibel

Bibel. Einen Meilenstein der gesamten Kulturgeschichte, nicht nur der Geschichte der Bibel, die zuvor nur in kostbaren Handschriften verbreitet werden konnte, war die 42-zeilige Bibel Johannes Gutenbergs. Sie war spätestens im Frühsommer 1456 vollendet und wurde etwa 180-mal gedruckt. Sie enthält die Vulgata-Übersetzung des Hieronymus (Berlin, Staatsbibliothek Preußischer Kulturbesitz).

tens 1475 in der Vatikanischen Bibliothek), der Codex Sinaiticus (4. Jh., von dem Theologen Konstantin von Tischendorf 1844 und 1859 im Katharinenkloster auf dem Sinai entdeckt), der Codex Alexandrinus (5. Jh.), der neben der Septuaginta den hebräischen Pentateuch der Samaritaner enthält, die sich nach den Reformen Esras und Nehemias (zweite Hälfte des 5. Jh. v. Chr.) von den Juden trennten, außerdem die aramäischen Übersetzungen.

Die zu Beginn des 20. Jh. bekannten Handschriften des griechisch geschriebenen *Neuen Testaments* reichten bis in das 4. Jh. n. Chr. zurück. Neben den im Abschnitt zum A. T. aufgeführten Handschriften sind besonders zu nennen: der Codex Bezae Cantabrigiensis (griechisch-lateinisch, 5.–6. Jh.) und der Codex Ephraemi Syri rescriptus, ein Palimpsest (5. Jh.). Seitdem haben Papyrusfunde die Zeitgrenze bis ins 1. Jh. n. Chr. zurückgeschoben. Die älteste Handschrift des N. T. ist P^{52} (John Rylands Library, Manchester) mit einem Teil von Kapitel 18 des Johannesevangeliums, das um 125 geschrieben wurde. Insgesamt kennt man heute 86 Papyri, 268 Majuskeln (mit Großbuchstaben geschriebene Pergamenthandschriften) aus dem 3.–10. Jh., über 2750 Minuskeln (mit Kleinbuchstaben, zunächst auf Pergament, später auch auf Papier geschrieben), im 9. Jh. beginnend, die Hauptmasse aber in das 11.–14. Jh. gehörend, und rund 2150 Lektionare, d. h. kirchliche Lesebücher, die nur die im Gottesdienst gebrauchten Texte des N. T. enthalten. Außer diesen griechischen Handschriften sind dabei auch die alten Übersetzungen ins Lateinische, Syrische, Koptische, Georgische, Gotische und in andere Sprachen von Bedeutung.

■ **Übersetzungen** Als die Juden in der griechischen Diaspora das Hebräische nicht mehr ausreichend verstanden, wurde das A. T. wohl im 3. Jh. v. Chr. erstmals ins Griechische übersetzt (Septuaginta). Das Judentum hat die Übersetzung später bekämpft und allein den hebräischen Text gelten lassen. So erfolgten weitere Übersetzungen, auch des A. T., unter dem Vorzeichen des Christentums, das mit der Missionierung eines neuen Sprach- und Kulturgebiets jeweils auch eine neue Bibelübersetzung hervorbrachte. Dabei wurde die Bibel immer wieder bei schriftlosen Völkern zum Anstoß für die Schöpfung einer Schriftsprache und zum ersten Denkmal ihrer Nationalliteratur.

Latein: Die Vielfalt der altlateinischen Übersetzungen wollte Hieronymus im Auftrag des Papstes Damasus I. durch seine →Vulgata beenden. Jedoch dauerte es lange, bis diese sich durchsetzte. Die Bibel Alkuins (799–801) bestimmte den Text der Vulgata in der Folgezeit. Das Konzil von Trient erklärte in seinem Dekret vom 8. 4. 1546 die Vulgata für verbindlich, 1590 erschien die Sixtina (von Sixtus V. eingeführt), 1592 eine Revision durch Klemens VIII. (die Sixtina-Clementina, bis heute verbindlich). Nachdem 1945 eine offizielle Neuübersetzung des Psalters aus dem Hebräischen erfolgte, wurde 1965 eine päpstliche Kommission für die neue Vulgata unter Vorsitz von Kardinal Bea berufen.

Deutsch: Mittelalterliche Übersetzungen, z. B. der Heliand oder von Otfrid von Weißenburg, beruhen auf der Vulgata. Die Übersetzung der Bibel aus dem Urtext begann mit Martin Luther. 1522 erschien sein »Septembertestament« (Das Newe Testament Deutzsch), dem in regelmäßigen Abständen die einzelnen Teile des A. T. folgten, bis 1534 die Bibel vollständig vorlag. Seine Vorlage für das N. T. war u. a. die griechische Textausgabe des Erasmus von Rotterdam von 1519. Bis zu seinem Tod hat Luther unermüdlich an der Übersetzung weitergefeilt und wurde dabei besonders von Philipp Melanchthon und Matthäus Aurogallus unterstützt. Später lag die Verantwortung für die Textgestaltung bei den privaten Verlegern. Seit 1710 (Cansteinsche Bibelanstalt) und besonders seit 1812 (Württembergische Privilegierte Bibelgesellschaft) begannen die Bibelanstalten Einfluss auf den Text zu nehmen. Neben der Lutherbibel erschienen andere Übersetzungen, u. a. die Berleburger Bibel 1726–42, die Elberfelder Bibel 1871.

Textrevisionen der Lutherbibel im Sinne ihrer sprachlicher Anpassungen an den Sprachgebrauch der Zeit sind unter kirchlicher Verantwortung 1892, 1912, 1956 (N. T.), 1964 (A. T.) und zuletzt 1984 erfolgt. Neben der Lutherbibel fand die Zürcher Bibel immer weitere Verbreitung, die 1931 als vorläufig letzter Nachfahr der 1529 erschienenen, von Ulrich Zwingli und Leo Jud bearbeiteten Übersetzung herauskam. Auf kath. Seite begann eine selbstständige Bibelübersetzung im 16. Jh. durch den kath. Kontroverstheologen Hieronymus Emser, Johannes Eck und den Dominikaner Johannes Dietenberger.

Eine ev.-kath. Einheitsübersetzung der Bibel, begonnen 1962, erschien 1980. Sie wurde von der Evangelischen Kirche in Deutschland nur für das N.T. und die Psalmen anerkannt. Seit 2001 besteht in Deutschland der Projektkreis »Bibel in gerechter Sprache«, der an einer Neuübersetzung der Bibel arbeitet, in der historisch-kritische und literaturwissenschaftliche Textanalyse und feministisch-theologische und befreiungstheologische Aussageanalyse verbunden sind.

Von besonderer sprachlicher und religionsgeschichtlicher Bedeutung ist die Übersetzung Martin Bubers (begonnen 1925 zusammen mit Franz Rosenzweig, abgeschlossen 1961), die aus dem Geist des Judentums die Besonderheiten der hebräischen Syntax und Sprachbilder im Deutschen wiedergibt.

Englisch: Schon früh wurden Teile der Bibel ins Angelsächsische übersetzt (Beda Venerabilis). Auf John Wycliffe geht die erste vollständige Übersetzung nach der Vulgata zurück (1380–82). 1539 erschien die Great Bible, geschaffen im Auftrag des Generalvikars der englischen Kirche Thomas Cromwell, und 1611 wurde die Authorized Version (King James Version) eingeführt, die seitdem Geltung hatte. 1881 erschien eine Revision (Revised Version) des N.T., 1885 des A.T. und 1900–01 in den USA mit leichter Variation als American Standard Version. 1946 erschien hier das N.T., 1952 das A.T. in neuer Übersetzung (Revised Standard Version), die bald überall im englischen Sprachbereich Verbreitung fand. In England wurde die New English Bible (N.T. 1961, Psalter 1963) wegen ihrer Modernität stark beachtet. Dem Anspruch einer Bibelübersetzung in ein zeitgemäßes Englisch folgte auch die New American Standard Bible (1971).

Französisch: Die erste französische Bibelübersetzung wird in den Anfang des 12. Jh. datiert. 1477–78 erschien in Lyon die erste gedruckte Bibel. Besondere Bedeutung hat von den modernen Übersetzungen die Bible de Jérusalem der École Biblique von Jerusalem (1948–52, in verkürzter Ausgabe 1956). Die 2001 erschienene jüngste französische Gesamtübersetzung der Bibel (La Bible. Nouvelle traduction), gemeinsam erarbeitet von 27 Theologen und 20 Schriftstellern, hat in der in ihr realisierten Verbindung von bibelwissenschaftlicher Exegese und poetischem Anspruch über den französischen Sprachraum hinaus Beachtung gefunden.

Insgesamt liegen heute Übersetzungen in 2403 Sprachen und Dialekte vor: 426 sind Übersetzungen der ganzen Bibel, 1115 Übersetzungen des N.T., die Übrigen Übersetzungen von einzelnen Bibelteilen, insbesondere der Evangelien.

■ **Bedeutung** Für das Judentum ist die hebräische Bibel, für das Christentum die ganze Bibel Urkunde der Offenbarung Gottes, Zeugnis des Handelns Gottes mit der von ihm erwählten Gemeinde. Über die Irrtumslosigkeit der Bibel, die in früheren Zeiten unbestreitbar feststand, oft bis in den Buchstaben hinein (→Inspiration), ist erbittert gestritten worden. Dass sie als historisch gewordene Urkunde zu verstehen ist, theologisch als Zeugnis kollektiver und individueller Gotteserfahrung, ist heute überwiegend anerkannt, ebenso, dass die einzelnen Schriften theologisch unterschiedlich zu werten sind. Schon seit dem Ausgang des 2. Jh. hat die kath. Kirche die Auslegung der Bibel an die Überlieferung und beide an das kirchliche Lehramt gebunden. Damit wurde faktisch die Rückführung aller Glaubenslehren auf die Bibel preisgegeben. Die Frage, ob sie formell die einzige Quelle der Offenbarung sei, ist in der kath. Kirche bis heute offen und hat auf dem 2. Vatikanischen Konzil zu heftigen Auseinandersetzungen geführt. In den orth. Kirchen wurde die Auslegung der Bibel durch die Kirchenväter und Konzilien zur Lehrnorm. Die Reformation stellte das Prinzip sola scriptura (»allein in der Schrift«) dagegen: Die Bibel sei die alle kirchliche Lehre begrenzende Norm.

In einer Fülle von Kommentaren und wissenschaftlichen Hilfsmitteln sind durch die Jahrhunderte alle Bücher der Bibel untersucht worden (→Exegese), ebenso ihre Entstehungsgeschichte. Ihre Botschaft ist Grundlage für alle Darstellungen der christlichen Lehre (→Dogmatik).

Bibelgesellschaften, christliche Vereine zur Herstellung, Übersetzung und Verbreitung von Bibeln und Bibelteilen; kirchengeschichtlich auf dem Boden des Protestantismus entstanden, initiiert durch den Pietismus und die Erweckungsbewegung. Die älteste Bibelgesellschaft ist die 1710 von Freiherr Carl Hildebrand von Canstein (*1667, †1719) in Halle (Saale) gegründete »**von Cansteinsche Bibelanstalt**«. In der ersten Hälfte des 19. Jh. entstanden zahlreiche Bibelgesellschaften im Dienst der äußeren Mission und der Volksmission; die ältesten sind die 1804 in London gegründete »British and Foreign Bible Society«, die »Basler Bibelgesellschaft« (1804), die »Württembergische Bibelanstalt in Stuttgart« (1812; heute »Württembergische Bibelgesellschaft«) und die »Preußische Hauptbibelanstalt in Berlin« (1814; heute »Evangelische Hauptbibelgesellschaft und von Cansteinsche Bibelanstalt Berlin«). Die evangelischen Bibelgesellschaften in Deutschland haben sich in der »**Deutschen Bibelgesellschaft**« (Sitz Stuttgart; 1981 errichtet als Stiftung öffentlichen Rechts) zusammengeschlossen. Auf ka-

Bibelkritik

tholischer Seite besteht in Deutschland das »Katholische Bibelwerk GmbH, Verlag« (Sitz: Stuttgart; 1937 gegründet).

Bibelkritik, historisch-kritische Exegese in der Aufklärung aufgekommene Form der →Exegese.

Biblizismus, eine theologische Haltung, die die Bibel Wort für Wort als göttliche Offenbarung gelten lassen will, wobei die Tatsache unberücksichtigt bleibt, dass die Texte der Bibel in ihrer Wortwahl und hinsichtlich ihrer zeitgenössischen Leser oder Rezipienten ein historisches und zeitgebundenes Dokument sind. Im engeren Sinn ist der Biblizismus eine besonders im württembergischen Pietismus des 18. Jh. durch Johann Albrecht Bengel und Friedrich Christoph Oetinger vertretene Richtung, die – beeinflusst durch Mystik und idealistische Philosophie – die Bibel als ein geschlossenes System der göttlichen Gedanken auffasst.

Bida [arab. »Neuerung«], im Islam Bezeichnung für Anschauungen und Gebräuche, die nicht auf das Vorbild Mohammeds und seiner Gefährten zurückführbar und insofern nicht durch die →Sunna sanktioniert sind. Als verwerflich gilt eine Bida allgemein, wenn sie Koran und Sunna direkt widerspricht. Streng konservative Theologen und Bewegungen wie etwa die Wahhabiten lehnen jegliche Bida ab.

Bilderverehrung, Idolatrie, häufig abwertend gebrauchte Bezeichnung für eine rituelle oder zeremonielle Verehrung von Kultbildern. Die Kritik an der Bilderverehrung richtet sich v. a. gegen eine vermeintliche oder intendierte Identifizierung des Bildes mit dem abgebildeten Göttlichen, sodass Kultakte vor dem Bild als dem Bild selber geltend kritisiert und bekämpft werden. Ein bekanntes Beispiel für diese Auseinandersetzung war der Bilderstreit in den Ostkirchen im 8. und 9. Jahrhundert.

Religionen, die Kultbilder zulassen (ikonische Religionen), werden von bildlosen (anikonischen) oder bildfeindlichen Religionen insbesondere mit dem Argument der Unmöglichkeit und Unzulässigkeit der Darstellung des Göttlichen bekämpft. Das in Abgrenzung zu den Götterbildern und deren Verehrung in den ikonischen Religionen Kanaans entstandene **Bilderverbot** der jüdischen Religion (2. Mos. 20, 4 f.; 5. Mos. 5, 8 f.) wurde in der späteren jüdischen Tradition (Mischna) dahin gehend modifiziert, dass die Darstellung Gottes verboten, die nicht plastische Darstellung von Menschen, Tieren und Pflanzen (v. a. in der religiösen Buchkunst) jedoch erlaubt ist. Im Islam führte die Anschauung von Gott als dem einzigen »Bildner« (Schöpfer) zu einem religiös begründeten allgemeinen Bilderverbot, das sich nicht nur auf Kultbilder bezieht, sondern auch auf die Abbildung von Menschen und Tieren, sich jedoch v. a. im künstlerisch stark durch persische Traditionen beeinflussten schiitischen Islam nie ganz durchgesetzt hat.

Ikonische Religionen wie z. B. besonders ausgeprägt der Hinduismus und der Buddhismus, daneben aber auch das kath. und orth. Christentum wehren mit unterschiedlichen Argumenten den Vorwurf einer bloßen Bilderverehrung ab, indem sie statt der Identität von Bild und Abgebildetem ein differenzierteres Verhältnis annehmen. So wird im orth. Christentum der Ostkirchen das geweihte Bild (griechisch eikón, Ikone) als wesenhaftes Abbild des Dargestellten verstanden. Schon das Malen der Ikone gilt als kultisches Handeln. Durch die Ikone wirkt der Abgebildete wie durch ein Fenster der himmlischen Welt, auf diese Weise erreicht ihn umgekehrt auch die Verehrung des Bildes. Legenden von »nicht mit Händen gemachten« Bildern (Acheiropoieta) unterstreichen diese Auffassung. Das Verbot von plastischen Heiligendarstellungen soll ein dingliches Missverständnis abwehren. Nach der Lehre des Konzils von Trient ist die Bilderverehrung in der kath. Kirche erlaubt, aber nicht geboten. Sie gilt nicht dem Bild, sondern den im Bild dargestellten Personen oder religiösen Geschehnissen. Sie ist also nicht absolute, sondern relative, auf das Dargestellte bezogene Verehrung.

Bildzauber, ein →Analogiezauber, der mithilfe eines Bildes ausgeübt wird und auf dem Glauben an die Identität oder Verwandtschaft des Bildes mit dem Dargestellten beruht. Einerseits soll das Bild an sich magisch wirksam werden, andererseits sollen Zauber-

---

Bilderverehrung
→ GEO **Dossier**
Wenn der Segen übers Wasser kommt, Bd. 16

Birgitta.
Die heilige Birgitta war eine nahe Verwandte des schwedischen Königshauses, was ihr großen Einfluss sicherte. Sie war kirchen- und staatspolitisch sehr aktiv (Holzschnitt »Christus am Kreuz mit Birgitta in Anbetung«, aus den »Revelationes«, um 1500; London, Britisches Museum).

handlungen, die an dem auf dem Bild Dargestellten vollzogen werden, an dem Dargestellten selbst Wirkung erzielen.

Magische Handlungen mit primitiven Zeichnungen oder plastischen »Hilfsfigürchen« aus leicht bildbarem Material wie Wachs oder Lehm sind uralt. Solche Zauberbilder, die neben Schrift und Wort die gewünschten Wirkungen optisch gestalten (z. B. die Rachepuppe), dienen meist der schädlichen →Defixion. Ihr Durchstechen soll Tod und Verderben bringen, aber auch gegenzauberliche Heilung.

Schon die antiken Fluchtafeln und die Zauberpapyri des hellenistischen Ägypten kannten Bildzauber. Durch den Islam dem Mittelalter vermittelt, war der Bildzauber seit dem 14. Jh. an den Höfen Europas verbreitet. Er wurde als politisches Delikt verfemt und durch päpstliche Bullen verdammt.

Birgitta, Brigitta, schwedische Ordensstifterin, *Finsta gård (Uppland) um 1303, †Rom 23. 7. 1373; stammte aus vornehmem Geschlecht. Sie war eine der großen Mystikerinnen des Mittelalters und wurde »die nordische Seherin« genannt. Dem von ihr gegründeten Birgittenorden (um 1346) schenkte der schwedische König Magnus Eriksson das Königsgut Vadstena. Seit 1349 in Rom, wirkte Birgitta für die Rückkehr der Päpste aus der »Babylonischen Gefangenschaft« in Avignon.

Ihre Offenbarungen sind vermutlich von ihren Beichtvätern unmittelbar ins Lateinische übersetzt worden (»Revelationes«), doch einige Manuskriptfragmente in altschwedischer Sprachform stammen wohl auch von ihrer eigenen Hand. Die Offenbarungen reichen von groß angelegten Visionen bis zu politischen Streitschriften und Strafpredigten gegen berühmte Zeitgenossen. – Heilige; seit 1998 Patronin Europas (Tag: 8. 10.).

Bischof [aus griech. epískopos »Aufseher«], in der *kath. Kirche* Nachfolger der Apostel und Gesandter Jesu Christi, der als Träger der kirchlichen Jurisdiktions-, Lehr- und Weihegewalt in besonderer Weise am Hirten-, Lehr- und Priesteramt der Kirche teilhat. Seine Vollmacht wird in der Bischofsweihe begründet und ihre Ausübung kirchenrechtlich näher bestimmt. Bischof im Vollsinn ist nur der Bischof, der einer Diözese vorsteht (Diözesanbischof, Ordinarius). Er besitzt in seiner Diözese alle Vollmacht, soweit nicht um der Einheit der Kirche willen der Papst sich eine Sache vorbehalten hat (Reservationen), und übt sie gemäß der kirchlichen Rechtsordnung aus in Gesetzgebung, Rechtsprechung und Verwaltung. Hierbei unterstützen ihn die Diözesankurie, kollegial strukturierte Beratungsgremien und besonders die Priester seiner Diözese. Der Papst kann dem Diözesanbischof zur Unterstützung Weih- und Koadjutorbischöfe zuordnen. Zur Amtstracht des Bischofs gehören bei feierlichen Gottesdiensten Bischofsring, Brustkreuz, Stab und Mitra.

In der Regel ernennt der Papst die Bischöfe frei aufgrund periodisch ihm von den Bischofskonferenzen eingereichter Listen geeigneter Kandidaten. Mit Vollendung des 75. Lebensjahres sind die Bischöfe gehalten, ihren Amtsverzicht einzureichen.

In den *Ostkirchen* ist das Bischofsamt durch die apostolische Sukzession und das auf ihr basierende Rechtsverständnis bestimmt. Anders als der verheiratete Priester einer Gemeinde kommt der Bischof aus dem Mönchtum. Die Wahl des Bischofs erfolgt in der Regel durch das mit dem leitenden Bischof (Erzbischof, Patriarch, Katholikos) zusammenwirkende Leitungsgremium (Synod) der selbstständigen Kirche. Grundsätzlich bestehen keine Unterschiede zwischen den Bischöfen (Betonung der Würde der lokalen Kirche).

Die Bischöfe der *anglikanischen Kirche* stehen nach ihrer Auffassung durch die Weihe von Matthew Parker im Jahre 1559 in der apostolischen Sukzession, d. h. in auf die Apostel zurückgeführter direkter und ununterbrochener Linie. Die kath. Kirche dagegen hält die anglikanischen Weihen für ungültig (Entscheidung Leos XIII., 1896). Der anglikanische Bischof wird von anderen Bischöfen geweiht. Nur ihm steht das Recht zu, Priester in ihr Amt einzuführen, Kirchen zu weihen und die Firmung zu spenden.

Der oberste Geistliche einer *ev. Landeskirche* wird in Deutschland und Österreich vielfach Bischof genannt. Sein Amt hat der Bischof nur nach menschlichem, nicht nach göttlichem Recht. Von den ihm unterstellten Pfarrern ist er weder durch »höhere Weihen« noch durch größere Lehrgewalt unterschieden. Er wird daher oft zum Pfarrer einer Gemeinde seines Amtssitzes mit geordneter Predigttätigkeit bestellt. Im Allgemeinen wird der ev. Landesbischof von der Landessynode auf Lebenszeit gewählt, wo-

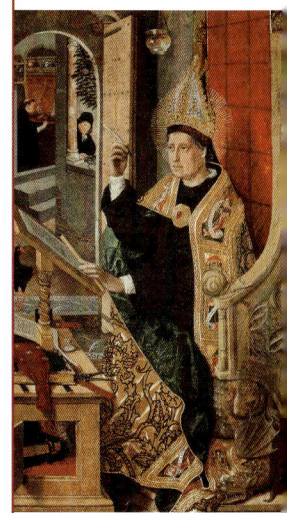

Bischof. Im 2. Jh. n. Chr. erfuhr das Bischofsamt eine bedeutende Aufwertung: Der Bischof wurde Hauptrepräsentant der christlichen Gemeinde, die ihm genauso gehorchen sollte wie Gott (»Heiliger Bischof«, Altarbild von Bartolomé Bermejo, 15. Jh.; Chicago, Ill., Art Institute).

Bischof Der Bischof von Osnabrück

Der Westfälische Friede von 1648, der den Dreißigjährigen Krieg beendete, war um einen Ausgleich der streitenden Konfessionen bemüht. Dies führte für Osnabrück, die Stadt des Friedensschlusses, zu einem einmaligen Kuriosum: Hier sollten fortan abwechselnd ein katholischer und ein evangelischer Bischof regieren, wobei der evangelische stets aus dem in Niedersachsen herrschenden Haus der Welfen stammen sollte. Dem ersten katholischen Bischof folgte 1662 der spätere erste Kurfürst von Hannover, Ernst August, der mit seiner gebildeten Gemahlin Sophie als »Herr Bischof und Frau Bischofin« die Stadt durch prachtvolle Bauten und einen lebensfrohen Hof bereicherte und auf den Erbfall in Hannover wartete. Auch als Kurfürst behielt Ernst August sein Bistum bis zum Tode 1698 bei. Ihm folgte wieder ein Katholik und diesem wiederum Ernst Augusts gleichnamiger Sohn. Diese kuriose Regelung endete, als das Bistum 1802 am Ende des alten Reiches säkularisiert wurde.

B | bisexuelle Gottheit

Black Muslims.
Der Bürgerrechtler Malcolm X war ein öffentlichkeitswirksamer Missionar der Black Muslims; er wurde 1965 in New York ermordet.

Bismillah
→ **GEO** Dossier
Allahs größtes Aufgebot, Bd. 16

Bodhibaum.
Der Bodhibaum, unter dem der Buddha die Erleuchtung erlangt haben soll, wurde im Buddhismus zu einem zentralen Symbol für die Erleuchtung, nach der jeder Mensch streben soll. Das zwischen dem 2. und 1. Jh. v. Chr. entstandene Relief auf dem Westtor des Großen Stupa von Sanchi diente hingegen als Symbol für den Buddha selbst, da zur damaligen Zeit Abbildungen des Buddha nicht erlaubt waren.

---

bei die Landesregierung aufgrund von Staatsverträgen ein gewisses Mitspracherecht hat. Seine Aufgaben sind v. a. geistlicher Natur (u. a. Seelsorge). Der Bischof führt ferner den Vorsitz in der obersten Kirchenbehörde. Zu seiner Amtstracht gehört ein goldenes Bischofskreuz, das auf der Brust getragen wird.

■ **Geschichte** Das Amt des Bischofs ist im N. T. nie anderen Dienstämtern übergeordnet. Ignatius von Antiochia (1. Jh.) forderte als Erster, die Entscheidung in wichtigen Fragen dem Bischof (als dem Leiter der Ortsgemeinde) vorzubehalten. Aber erst gegen Ende des 2. Jh. war der Bischof überall der unbestrittene Leiter der Ortsgemeinde. Zugleich gilt die apostolische Sukzession des Bischofs als Garant für die Reinheit der Glaubenslehre. Mit dem starken Anwachsen des Christentums im 3. Jh. führten diese hierarchischen Tendenzen zur allmählichen Ausbildung der Metropolitanverfassung, die auf dem Konzil von Nicäa 325 sanktioniert wurde.

Das Bischofsamt wurde ausschließlich von Männern ausgeübt, bis 1989 in der Episkopalkirche (Diözese Massachusetts) mit Barbara Harris zum ersten Mal in der Kirchengeschichte eine Frau zur **Bischöfin** einer christlichen Kirche gewählt wurde. Im selben Jahr kam es zur Wahl einer protestantischen Bischöfin in Indonesien, 1990 einer anglikanischen Bischöfin in Neuseeland. Die erste lutherische Bischöfin wurde 1992 Maria Jepsen.

bisexuelle Gottheit, eine weltweit in schriftlosen und besonders afrikanischen Kulturen verbreitete Vorstellung von einem (vollkommenen) Schöpferwesen, das männliche und weibliche Züge besitzt. Figürliche Darstellungen weisen es als bisexuell aus. Dagegen erscheint alles (unvollkommen) Menschliche in weiblich und männlich gespalten. Menschen mit körperlichen Merkmalen beider Geschlechter (Hermaphroditen) sind dem bisexuellen Schöpferwesen ähnlicher und gelten als mit höherer Befähigung zum Umgang mit der Gottheit ausgestattet.

Bishamon [-ʃ-; japan., aus dem Sanskrit], **Bishamonten** [-ʃ-], **Tamonten,** Sanskrit **Vaishravana,** *japanische Religion:* einer der vier Welthüter (Shi-tennō). Als Gott des Reichtums und Kriegserfolges, dargestellt in Rüstung mit Lanze und einer kleinen Pagode in der Hand, wurde er zu einer der sieben japanischen Glücksgottheiten.

Bismillah, →Basmala.

Bistami, Abu Yazid **al-Bistami,** auch **Bayazid al-Bistami,** islamischer Mystiker, † 874 oder 875; stammte aus Nordpersien. Von ihm selbst sind keine schriftlichen Werke überliefert, doch sammelten seine Schüler seine rätselhaften Aussprüche und Paradoxien. Nach Bistami muss der Mensch angesichts der überwältigenden Größe Gottes zu einem »Nichts« werden, sein Selbst in der Größe Gottes »aufgehen«. Aufgrund seiner kraftvollen, bilderreichen Sprache und seiner Beschreibungen einer liebenden »Vereinigung mit Gott«, die er in Form einer Himmelsreise darstellt, wurde er von der islamischen Orthodoxie angefeindet.

Black Muslims [ˈblæk ˈmʊslɪmz; engl. »schwarze Muslime«], Selbstbezeichnung bis 1976 **The Lost-Found Nation of Islam** (»die verlorene-wiedergefundene Nation des Islam«), danach **World Community of Islam in the West** (»Weltgemeinschaft des Islam im Westen«), ab 1980 **American Muslims Mission** (»Amerikanische Muslim-Mission«), religiöse Bewegung der Schwarzen in den USA, gegründet 1930 von Wallace Dodd Fard, der als Verkörperung Allahs auftrat und u. a. lehrte: Die Schwarzen, die von Natur aus alle Muslime und Allahs auserwähltes Volk seien, würden die Weißen in einer endzeitlichen Schlacht besiegen. Zuvor müssten sie sich durch den Aufbau eigener Schulen und Wirtschaftsbetriebe und schließlich eines eigenen Staates von ihnen loslösen. Zu den bekanntesten Anhängern der Black Muslims gehörte Malcolm X (* 1925, † 1965). Ihr Oberhaupt war 1934–75 Elijah Muhammad. Unter dessen Sohn und Nachfolger Wallace (Warith) Deen Muhammad näherten sich die Black Muslims dem Islam der →Sunniten an. Er entschärfte die Rassentheorie durch symbolische Umdeutung, gestattete die Mitgliedschaft Weißer und erstrebte die Integration der Black Muslims in die Gesellschaft der USA. 1985 zog er sich von der Führung der Bewegung zurück (Verkündung der Auflösung der American Muslims Mission, deren Mitgliedschaft er nunmehr als Teil der weltweiten Gemeinschaft des sunnitischen Islam ansah).

Eine von Louis Farrakhan (* 1933) geführte Gruppe von Puristen missbilligte diese Neuorientierung. Sie hatte sich bereits 1978 als »Final Call to the Nation of Islam« abgespalten. Farrakhan, der wiederholt mit rassistisch-antisemitischen und separatistischen Parolen auftrat, im Grunde aber konservative, bürgerliche Werte wie Eigenverantwortung und Familiensinn der Schwarzen, deren aktive Teilnahme am politischen und religiösen Leben, Kampf gegen Drogenkonsum und Kriminalität propagierte, war der Initiator des »Million Man March« nach Washington (D. C.) am 16. 10. 1995. Dieser gestaltete sich zur bislang größten Kundgebung der Schwarzen in den USA (etwa 500 000 Teilnehmer) und verhalf zugleich der unter dem Namen **Nation of Islam** auftretenden Bewegung zu neuer Aufmerksamkeit in der Öffentlichkeit.

Blasphemie [griech. »Schmähung«], höhnende, verletzende Äußerung über etwas Heiliges, →Gotteslästerung.

Blavatsky, Helena Petrowna, geborene **Hahn von Rottenstern,** russische Okkultistin, * Jekaterinoslaw (heute Dnjepropetrowsk) 12. 8. 1831, † London 8. 5. 1891; rühmte sich der Schulung durch tibetische Weise und trat in Ägypten, Russland und den USA als Medium auf. 1875 gründete sie mit Henry Steel Olcott die →Theosophische Gesellschaft. Blavatskys Werk »Isis unveiled« (1875; deutsch »Die entschleierte Isis«) ist eine unkritische Synthese antiker Esoterik sowie hermetischer und kabbalistischer Traditionen.

Blumenkrieg, aztekisch **Xochiyaoyotl,** bei den Azteken gebräuchliche Form der Kriegführung gegen benachbarte Völker, die nicht auf deren Unterwerfung zielte, sondern der Erprobung der jungen Krieger diente, die bestrebt waren, möglichst viele Gegner gefangen zu nehmen, um sie anschließend den Göttern zu opfern.

B'nai B'rith [hebr. »Söhne des Bundes«], jüdische Organisation, die 1843 von deutsch-jüdischen Einwanderern in New York als übergemeindlicher, den Gedanken der Humanität, der Toleranz und der allgemeinen Wohlfahrt verpflichteter, jüdischer brüderlicher Orden gegründet wurde. Er ist seit 1897 auch für Frauen offen. Zunächst v. a. als jüdische Wohltätigkeitsorganisation in den USA tätig, erlangte B'nai B'rith schon bald internationale Verbreitung (1882 Gründung der ersten deutschen Loge in Berlin) und ist seither neben der Tätigkeit auf sozialem Gebiet weltweit auch für die Förderung jüdischer (Erwachsenen-)Bildung und Kultur tätig. 1924 gründete B'nai B'rith eine eigene Jugendorganisation (B'nai B'rith Youth Organization), die seit 1992 auch in Deutschland vertreten ist. B'nai B'rith ist in Logen und regionalen Distrikten organisiert. Sitz ist Washington (D. C.). Weltweit hat B'nai B'rith rund 500 000 Mitglieder, im deutschsprachigen Raum rund 1 500 Mitglieder in 16 Logen.

Bodh Gaya, Dorf im indischen Bundesstaat Bihar, in dessen Nähe der meditierende →Buddha unter einem Feigenbaum (→Bodhibaum) die Erleuchtung erlangte. Aus frühbuddhistischer Zeit sind nur Reste eines Steinzauns mit Lotosmedaillons, Tierfriesen und Götterfiguren erhalten. Der heutige »Tempel der Großen Erleuchtung« mit einem 55 m hohen Turm ist das Ergebnis zahlreicher Umbauten und Restaurierungen v. a. aus dem 14. Jahrhundert. Von den einst zahlreichen Tempeln sind nur wenige erhalten.

Bodhibaum [Sanskrit bodhi »Erleuchtung«], **Bobaum,** der Feigenbaum, unter dem der Asket Gautama die erlösende Erleuchtung gewann und dadurch zum Buddha, dem »Erleuchteten«, wurde. Von dem originalen Bodhibaum, der bei Bodh Gaya stand, soll in der Mitte des 3. Jh. v. Chr. ein Ableger in Anuradhapura auf Ceylon gepflanzt worden sein, als sich dort der Buddhismus ausbreitete. In der Symbolik des Buddhismus steht der Bodhibaum für die Erleuchtung.

Bodhidharma, chinesisch **Putidamo,** japanisch **Bodaidaruma, Daruma,** lebte im 5./6. Jh. n. Chr. und gilt nach der Tradition als 28. Nachfolger des historischen Buddha, gleichzeitig als erster chinesischer Patriarch des Chan-Buddhismus (japanisch Zen). Die später entstandenen Berichte erzählen von seiner Reise von Indien nach China, wo er nach seinem missionarischen Scheitern im Süden nach Norden ging und sich dort im Shaolin-Kloster niederließ. Dort übte er neun Jahre lang die bewegungslose Meditation (japanisch »Zazen«). Allerdings ist die gesamte Tradition über Bodhidharma äußerst unsicher.

Bodhisattva [Sanskrit »Erleuchtungswesen«], im Mahayana-Buddhismus ein geistlicher Lehrer, der zielgerichtet die vollkommene Erkenntnis und Freiheit von allen Begierden anstrebt, um als »Erleuchteter« seinen Mitmenschen auf ihrem Erkenntnisweg zu helfen und so lange auf die eigene Erlösung, d. h. das Eingehen ins Nirvana, verzichtet, bis auch sie Erlösung erlangt haben. Das Ideal des Bodhisattva ist dem Ideal des älteren Buddhismus, dem →Arhat, entgegengesetzt. Der Mahayana-Buddhismus verehrt zahlreiche Bodhisattvas, wobei das Bodhisattva-Ideal für jeden Gläubigen ein verpflichtendes Vorbild ist. Als einer der bedeutendsten Bodhisattvas wird der →Avalokiteshvara verehrt.

Bodhnath, religiöses Zentrum des tibetischen Buddhismus mit Klosteranlagen und Ansiedlungen tibetischer Flüchtlinge in Nepal, 8 km nordöstlich von Katmandu. Der große Stupa mit dreiterrassiger Sockelanlage geht vermutlich auf das 6./5. Jh. v. Chr. zurück.

Boff, Leonardo, brasilianischer kath. Theologe und Franziskaner (seit 1958), * Con-

Bodhidharma
5./6. Jh.

- gilt als Begründer des Chan-Buddhismus in China
- ist der Tradition nach 28. Nachfolger des historischen Buddha Shakyamuni
- starb der Überlieferung nach, bevor er aus China nach Indien zurückkehren konnte
- soll seine Lehre in sechs Abhandlungen festgehalten haben

Bodhisattva. Im Mahayana-Buddhismus wird ein Wesen, das sein Eingehen ins Nirvana zum Wohle anderer Menschen hinauszögert, als Bodhisattva bezeichnet – hier der beliebte Bodhisattva Avalokiteshvara (Malerei aus Afghanistan; Kabul, Nationalmuseum).

B | Bogomilen

Bodhisattva
→ GEO Dossier
Der gute Mensch von Lhasa, Bd. 15

Bodhisattva
→ GEO Dossier
Dem Himmel ganz nah, Bd. 16

Boff
→ GEO Dossier
Glaube, Liebe, Hoffnung?, Bd. 15

Boff
→ GEO Dossier
Gott und die Welt, Bd. 16

Jakob Böhme

Bonaventura. Der Franziskaner Bonaventura wurde heiliggesprochen und zum Kirchenlehrer ernannt. Seine herausragende Bedeutung bezeugen auch die auf dem Gemälde von Zurbarán dargestellten illustren Gäste bei seiner Grablegung: Papst Gregor X. und ein König (um 1629; Madrid, Prado).

córdia (Brasilien) 14. 12. 1938; Boff gilt als einer der profiliertesten Vertreter der →Befreiungstheologie. 1992 legte er sein Priesteramt nieder und trat aus dem Franziskanerorden aus. Seither lehrt er an der staatlichen Universität in Rio de Janeiro. – Infokasten S. 73

Bogomilen [nach einem bulgarischen oder makedonischen Priester Bogomil, erste Hälfte des 10. Jh.], **Bogumilen,** religiöse Gemeinschaft mit einem dem manichäischen Dualismus ähnlichen Lehrsystem im orth. Kleinasien, später v. a. auf der Balkanhalbinsel seit Mitte des 10. Jahrhunderts. Charakteristisch war eine strenge Askese, die u. a. Ablehnung der Ehe und des Genusses von Fleisch und Wein einschloss. Ihre Gedanken wirkten in Oberitalien und Frankreich auf die →Katharer. Auf der Balkanhalbinsel, besonders im bosnischen Raum, konnten die Bogomilen im 13.–15. Jh. zeitweilig auf das Staatsleben Einfluss nehmen. Mit der türkischen Eroberung Bulgariens (1393) und Bosniens (1463) gingen auch die Bogomilen unter. In Bosnien beeinflussten die Bogomilen wesentlich die gegen den Papst erfolgte Bildung einer eigenständigen Bosnischen Kirche.

Böhme, Jakob, deutscher Philosoph, * Alt Seidenberg (bei Görlitz) 1575, † Görlitz 17. 11. 1624; seit 1599 Schuhmachermeister in Görlitz. Böhme war seit dem Hervortreten mit seiner ersten Schrift »Morgenröte im Aufgang« (genannt »Aurora«, 1612, vollständiger Druck 1656) wegen seiner mystisch-spekulativen Theologie Angriffen und Publikationsverboten seitens der orth. protestantischen Geistlichkeit ausgesetzt. Trotzdem verfasste er in rascher Folge eine Anzahl weiterer Werke, u. a. »Beschreibung der drei Prinzipien göttlichen Wesens« (1619), »Vom dreifachen Leben des Menschen« (1619/20), »Vierzig Fragen von der Seelen« (1620), »Von der Gnadenwahl« (1623) und »Mysterium Magnum« (1623).

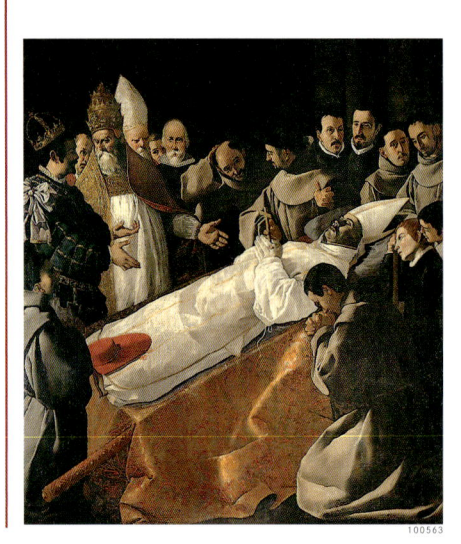

■ **Lehre und Wirkung** Beeinflusst von der deutschen Mystik und vom Neuplatonismus, suchte er in symbolischer Deutung realer Erfahrungen den innersten Grund des Seins zu erfassen. In Umdeutung des christlichen Trinitätsdogmas lässt Böhme die drei göttlichen Personen in einem Willensprozess auseinander hervorgehen. Aus diesem wiederum wird die Schöpfung begriffen, die eine Ausfaltung von göttlichen Qualitäten darstellt. Die Natur ist der Inbegriff aller Qualitäten, sie umfasst als göttlichen Prozess die reinen Geister als Lebensprinzipien der Natur ebenso wie den Menschen als Gottes Ebenbild. Entscheidender Antrieb des innertrinitarischen zeitlosen Prozesses ist das Gegensatzprinzip. In Gott ist Gut und Böse, und dieser unaufhebbare Dualismus stellt sich entsprechend auch im Menschen dar.

Böhme ist der erste Deutsch schreibende Philosoph, weshalb er von seinen Freunden »Philosophus Teutonicus« genannt wurde. In seinem Stil ist er oft unbeholfen, schwer verständlich, aber von mächtiger Gestaltungskraft, tiefer Innerlichkeit und prophetenhafter Begeisterung. Seine Lehre wirkte durch die Art der Darstellung, z. B. durch die Verwendung anschaulicher Symbole wie Kreuz, Lilie, Herz Gottes, Rad und Triangel, auf Menschen aller Kreise gleichermaßen und fand in Deutschland, Holland, Frankreich, England und Russland viele Anhänger. Seine praktischen Betrachtungen wirkten auf den deutschen Pietismus des 17. und 18. Jh. sowie auf englische Sekten, besonders die Quäker.

Bon, Urabon, japanisches Totenfest, das nach dem alten Mondkalender vom 13. bis 15. 7. gefeiert wird. In China ist es unter dem Namen →Ullambana bekannt.

Bona Dea [latein. »gute Göttin«], römische Heils- und Fruchtbarkeitsgöttin. Ihr Hauptfest, eine nächtliche Geheimfeier, zu der Männer keinen Zutritt hatten, fand Anfang Dezember statt. Ursprünglich Beiname der altrömischen Feld- und Waldgöttin Fauna, war Bona Dea später der Name einer eigenständigen Göttin. Seit dem 3. Jh. v. Chr. wurde die Bezeichnung auch für die aus dem griechischen Kulturkreis übernommene Fruchtbarkeitsgöttin Damia verwendet.

Bonampak, Zeremonialzentrum der Mayakultur in Chiapas, Mexiko, das um 750 n. Chr. bestand. Anlage und Bauwerke sind von verhältnismäßig bescheidener Größe. 1946 wurden polychrome Wandmalereien an den Innenwänden eines der Bauwerke entdeckt, die naturalistische Szenen aus dem Hofleben, Prozessionen und Kriegshandlungen darstellen: eine Schlacht, eine Opferung der Gefangenen und eine Siegesfeier.

Bonaventura, Ordensname des italienischen Franziskanertheologen, Philosophen und Kirchenlehrers Johannes **Fidanza,** * Bagnoregio (bei Orvieto) 1217 (1221?), †Lyon 15. 7. 1274; neben Thomas von Aquino der führende Theologe der Hochscholastik.

■ **Leben** Bonaventura war seit 1243 (1244?) Franziskaner. Er studierte an der Universität in Paris Theologie als Schüler des englischen Scholastikers Alexander von Hales und lehrte dort Theologie. 1257 wurde Bonaventura General seines Ordens, dessen Verfassung und Organisation er vollendete. So legte er u. a. die Generalstatuten fest (Generalkapitel Narbonne 1260) und verfasste außerdem zwei Franziskusviten, die er für maßgeblich erklärte. 1273 wurde er Kardinalbischof von Albano. – 1482 heiliggesprochen, 1588 zum Kirchenlehrer erklärt (Ehrentitel: »Doctor seraphicus«); Tag: 15. 7.

■ **Wirken und Lehre** Bonaventura brachte die ältere Franziskanerschule zur höchsten Blüte. Einerseits geschah dies durch Ausgleich von Differenzen innerhalb des Ordens, andererseits durch Verteidigung der Mendikanten (Bettelmönche) im Rahmen des Streites an der Universität Paris, in dem die Weltgeistlichen die Mendikanten der Häresie beschuldigten und ihnen den Anspruch auf Lehrstühle an der Universität vergeblich zu verweigern versuchten. Außerdem übernahm Bonaventura in der Auseinandersetzung um Joachim von Fiore und dessen radikal eschatologische Ausrichtung innerhalb des Ordens das Amt des Generals. Sein Denken orientierte sich mehr an Platon und Augustinus, während er dem Aristotelismus zurückhaltend gegenüberstand. Die Lehre des Aristoteles sei die der Wissenschaft, nicht die der Weisheit. Diese bezog Bonaventura auf Christus, das ewige Wort Gottes, als dessen Inkarnation er die Vielfalt allen Seins in einer nach Seinsebenen gestuften Ordnung begriff.

Bonaventuras Spekulation erwuchs aus der Tiefe mystischer Frömmigkeit. Die ganze Welt sah er als Bild und Gleichnis Gottes an (Exemplarismus). Auf verschiedenen Stufen – über Schatten (lateinisch umbra), Spuren (lateinisch vestigia), Bilder (lateinisch imagines) – könne sich das Denken zu den Ideen im Geiste Gottes erheben. Bonaventura beeinflusste u. a. Meister Eckhart, die Devotio moderna und Franz von Sales.

Bonhoeffer, Dietrich, deutscher ev. Theologe, * Breslau 4. 2. 1906, † KZ Flossenbürg 9. 4. 1945; war 1928/29 Vikar in Barcelona und hielt sich anschließend zu Studienzwecken in New York auf. 1931 war er Privatdozent und Studentenpfarrer in Berlin, 1933 Auslandspfarrer in London und ab 1935 Leiter des (illegalen) Predigerseminars der Bekennenden Kirche in Finkenwalde bis zu dessen Auflösung (1937). 1936 wurde Bonhoeffer die Lehrbefugnis entzogen, 1938 wurde er aus Berlin ausgewiesen. Trotz Rede- (1940) und Schreibverbots (1941) setzte er seine wissenschaftliche Arbeit fort und nahm verschiedene Aufgaben innerhalb der Bekennenden Kirche wahr. Bonhoeffer schloss sich der Widerstandsbewegung an und traf sich im Mai 1942 in Schweden mit dem Bischof von Chichester, George Bell, um die Bedingungen einer ehrenhaften deutschen Kapitulation in Erfahrung zu bringen, jedoch ohne Erfolg. Am 5. 4. 1943 wurde er verhaftet und zwei Jahre später zusammen mit anderen Widerstandskämpfern hingerichtet.

Bonhoeffers fortwirkende theologische Bedeutung liegt in dem Versuch, biblische Begriffe nicht religiös zu interpretieren, um so dem modernen, religiösen Ausdrucksformen weithin entfremdeten Menschen das Evangelium neu zu erschließen, sowie in seiner Betonung der Diesseitigkeit des Christentums in einer »mündig« (religionslos) gewordenen Welt. Die von Bonhoeffer geforderte radikale Nachfolge Christi setzt voraus, dass die Kirche und der einzelne Christ sich dieser Welt stellen und sich nicht auf sich selbst zurückziehen. Kirche müsse »Kirche für andere«, christliche Existenz Dienst für den Mitmenschen sein, wenn Jesus Christus in dieser Welt glaubwürdig bezeugt werden solle.

Werke: Akt und Sein (1931); Nachfolge (1937); Gemeinsames Leben (1938); Ethik (hg. 1949); Widerstand und Ergebung (hg. 1951).

Bonifatius, ursprünglich **Winfried,** angelsächsischer Benediktiner und Missionar, * im Königreich Wessex 672/673, † bei Dokkum (Friesland) 5. 6. 754; wirkte 716 als Missionar in Friesland, verließ 718 England für immer und wurde 719 in Rom von Papst Gregor II. unter Verleihung des Namens Bonifatius mit der Germanenmission beauftragt. Daher stammt sein Beiname »Apostel der Deutschen«. Bonifatius war zunächst mit Willibrord, dem »Apostel der Friesen«, abermals bei den Friesen tätig und seit 721 bei den Hessen, wo er die Klöster Amöneburg und Fritzlar gründete. Bei einem zweiten Aufenthalt in Rom 722 zum Bischof geweiht (723 Schutzbrief von Karl Martell) und 732 zum Erzbi-

---

Während seiner Haft im Konzentrationslager Flossenbürg schrieb **Dietrich Bonhoeffer** im Jahr 1944 folgendes Gedicht, das mehrfach vertont wurde:

»Von guten Mächten treu und still umgeben behütet und getröstet wunderbar, so will ich diese Tage mit euch leben und mit euch gehen in ein neues Jahr; noch will das alte unsre Herzen quälen noch drückt uns böser Tage schwere Last. Ach Herr, gib unsern aufgeschreckten Seelen das Heil, für das Du uns geschaffen hast. ... Von guten Mächten wunderbar geborgen erwarten wir getrost, was kommen mag. Gott ist bei uns am Abend und am Morgen, und ganz gewiss an jedem neuen Tag.«

Dietrich Bonhoeffer
* 1906, † 1945

■ engagierte sich in der Bekennenden Kirche und schloss sich der Widerstandsbewegung im Dritten Reich an

■ spielte eine führende Rolle beim Entwurf der Barmer Theologischen Erklärung

■ forderte die radikale Nachfolge Christi

■ starb im Konzentrationslager Flossenbürg

Bonifatius VIII.

Bonifatius VIII.
* um 1235, † 1303

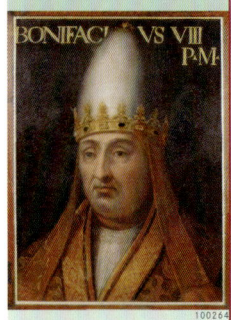

- wurde 1294 zum Papst gewählt
- führte die Abdankung seines Vorgängers Cölestin V. herbei
- verlor die Machtprobe mit König Philipp dem Guten um die Überordnung der geistlichen über die weltliche Gewalt
- geriet 1303 in französische Gefangenschaft und starb an deren Folgen

Bön-Religion.
Der Abt des im nordindischen Exil neu errichteten Menri-Klosters, Lungtok Tenpai Nyima, ist das geistliche Oberhaupt der Bön-Religion.

schof und päpstlichen Vikar des ostfränkischen Missionsgebiets erhoben, missionierte er mit wachsendem Erfolg bis 738 außer in Hessen, wo er 724 die Donar-Eiche bei Geismar fällte, auch in Thüringen, unterstützt von vielen angelsächsischen Mönchen und Nonnen.

739, nach einem dritten Aufenthalt in Rom, reorganisierte Bonifatius die bayerische Kirche. Er gründete die Bistümer Freising und Eichstätt (745?) und ordnete die Bistümer Passau, Regensburg und Salzburg, das er in die Organisation der bayerischen Kirche einbezog, neu. 741 gründete er das Bistum Büraburg, 742 für Thüringen die Bistümer Erfurt und Würzburg. 742–747 reformierte er das Kirchenwesen im Frankenreich Karlmanns und Pippins. Die schon vom fränkischen Hausmeier Karl Martell beanspruchte staatliche Mitwirkung nahm er jetzt hin, sodass die fränkische Kirche trotz Bindung an Rom zur Landeskirche wurde. 747 erhielt Bonifatius mit dem Titel eines persönlichen Missionserzbischofs das Bistum Mainz. Seine Hauptfürsorge widmete er nun der Ausgestaltung des 744 gegründeten Klosters Fulda. 754 begann er nochmals die Friesenmission und wurde dabei von heidnischen Friesen erschlagen. Sein Grab befindet sich im Dom zu Fulda. – Heiliger (Tag: 5. 6.).

Bonifatius VIII., Papst (1294–1303), früher **Benedetto Gaetani,** * Anagni (bei Frosinone) um 1235, † Rom 11. 10. 1303; zunächst päpstlicher Protonotar, seit 1281 Kardinal und seit 1294 Papst nach der von ihm geförderten Abdankung Cölestins V. und unter heftigstem Widerstand der Familie Colonna. Im Geiste des weltbeherrschenden Papsttums vorausgegangener Zeiten suchte Bonifatius die zahlreichen Streitigkeiten in den christlichen Ländern zu schlichten, konnte sich jedoch, außer in Deutschland, nicht durchsetzen. Seine größte Niederlage erlitt er im Streit mit König Philipp IV. von Frankreich, wobei er durch die Bulle »Unam sanctam« (18. 11. 1302) die überkommene These von der Überordnung der geistlichen Gewalt über die weltliche in schroffer Weise erneuerte. Während sein Kreuzzugsvorhaben scheiterte, konnte er auf dem Gebiet der innerkirchlichen Reform einige Erfolge erzielen. Auf Bonifatius geht die Einführung des →Heiligen Jahres zurück. Das Corpus Iuris Canonici vermehrte Bonifatius 1298 um den »Liber Sextus«, eine Sammlung der wichtigsten päpstlichen Erlasse seit 1234. Sein Tod leitete den Niedergang der päpstlichen Machtstellung auf lange Zeit ein.

Bön-Religion, Bön, tibetische Religion, die sich im 10./11. Jh. n. Chr. gleichzeitig mit mehreren Schulen des tibetischen Buddhismus entwickelte. Die Bön-Religion versteht sich selbst als eine eigenständige religiöse Tradition, die lange vor dem Buddhismus in Tibet eingeführt wurde. In Lehre und Praxis weist sie zahlreiche Gemeinsamkeiten mit den Schulen des →tibetischen Buddhismus – insbesondere der Nyingmapa – auf, weshalb sie von westlichen Wissenschaftlern auch als »unorthodoxe Form des Buddhismus« bezeichnet wird. Ein zentrales Element des Bön – und gleichzeitig eine der Parallelen zur Nyingmapa-Schule – bildet die Meditationslehre der »Großen Vollendung« (Dzogchen). Als Stifter der Bön-Religion gilt der »Lehrer« (Tönpa) Shenrab Miwo, der nach Überzeugung der **Bönpo** (»Anhänger des Bön«) lange vor dem Buddha Shakyamuni erschien, um seine Lehre zunächst in Shangshung, einem Königreich, das bis in das 7. Jh. n. Chr. wohl das Gebiet Westtibets umfasste, zu etablieren, bevor sie im tibetischen Kernland verbreitet wurde. Heutiges Hauptverbreitungsgebiet ist Osttibet. Bön-Klöster bestehen daneben in West- und Zentraltibet, Nepal und Nordwestindien (Himachal Pradesh), wo das 1959 im Zuge der chinesischen Besetzung Tibets zerstörte Mutterkloster Menri neu gegründet wurde.

Der Begriff Bön wird auch für die vorbuddhistische Religion Tibets verwendet, die im 8./9. Jh. n. Chr. nach und nach vom Buddhismus verdrängt wurde und sich wesentlich von der oben beschriebenen Bön-Religion unterscheidet. In der Wissenschaft herrscht jedoch Uneinigkeit darüber, ob diese Religion tatsächlich Bön hieß. Unstrittig ist, dass in den frühesten schriftlichen Quellen in tibetischer Sprache (ca. 8./9. Jh. n. Chr.) nicht buddhistische Ritualexperten auftreten, die als Bönpo bezeichnet werden. Sie waren u. a. mit äußerst komplexen Bestattungsriten befasst, die darauf hinzielten, die Seele des Verstorbenen sicher in das Land der Toten zu geleiten und gleichzeitig das Wohlergehen der Lebenden zu gewährleisten. Als ein zentrales Element des nur bruchstückhaft rekonstruierbaren vorbuddhistischen Religionssystems erscheint die kultische Verehrung des als göttlich erachteten Königs.

Bonze [französ., von portugies. bonzu, zu japan. bōzu »Priester«], buddhistischer Mönch, Priester.

Borobudur, das bedeutendste Bauwerk des Mahayana-Buddhismus auf Java. Das siebenstufige, pyramidenähnliche Monument mit einem quadratischen Grundriss von rund 120 m Seitenlänge wurde um 800 über einem Erdhügel errichtet. Sowohl der Grundriss als auch das gesamte Bauwerk stellten ein Mandala dar. Terrassenartig angeordnet sind vier quadratische und runde Ebenen, im Zentrum darüber der Zentralstupa. Die verschiedenen Ebenen sind zu jeder der vier Himmelsrichtungen durch Treppen, die in ein Tor münden, miteinander verbunden. In der unteren Ebene sind in Flachreliefs auf den Innenwänden der Umgänge insgesamt rund 1500 Szenen aus dem damaligen Leben auf Java, aus den Präexistenzen des Buddha (Jataka) und aus seinem Leben dargestellt. Die drei konzentrischen Kreise oben tragen 72 Stupas, von denen jeder eine sitzende Buddhaskulptur enthält.

Borr, altnordische Mythologie: Sohn des →Buri und Vater der Götter Odin, Wili und We, die aus der Verbindung mit der Riesentochter Bestla stammen.

Borromäus, Karl, eigtl. **Carlo Borromeo,** italienischer Theologe, *Arona (Provinz Novara) 2. 10. 1538, †Mailand 3. 11. 1584; wurde 1560 von seinem Onkel Pius IV. zum Kardinal, Erzbischof von Mailand und Staatssekretär ernannt. Im selben Jahr wurde er auch Protektor der kath. Kantone in der Schweiz. 1562–63 betrieb er die Wiedereröffnung des Konzils von Trient. Borromäus war aber schon in seiner römischen Zeit weniger in der Politik, die sein Onkel selbstständig führte, als durch seine religiöse Persönlichkeit wirksam. Er verkörperte das neue Bischofsideal der kath. Reformbewegung, die die Konzilsbeschlüsse durchführen wollte, und wirkte durch seine Reformdekrete bis nach Frankreich und Deutschland. Seinem Kampf gegen den Protestantismus diente auch der von ihm gegründete Goldene Bund der sieben kath. Kantone der Schweiz. Selbst strenger Asket, stieß er bei seinen Visitationen auf Widerstand (Mordanschlag 1569) und geriet in heftige Konflikte mit den spanischen Vizekönigen von Mailand, gewann aber das Volk durch seinen Mut bei der Pestepidemie 1576. – Heiliger (Tag: 4. 11.).

Bosatsu [japan., aus Sanskrit Bodhisattva], in Japan Titel für: 1) vergöttlichte buddhistische Gestalten und 2) hohe geistliche Würdenträger.

Bosco, Giovanni, genannt **Don Bosco,** italienischer Priester und Pädagoge, *Becchi (heute zu Castelnuovo Don Bosco, bei Turin) 16. 8. 1815, †Turin 31. 1. 1888; gründete zur kath. Erziehung verwahrloster Knaben die Kongregation der Salesianer Don Boscos, für die Erziehung der Mädchen die der Töchter Mariens. Er wurde 1934 heiliggesprochen (Tag: 31. 1.).

Böse, 1) im ontologischen und metaphysischen Sinn der dem Guten entgegengesetzte Seinsbereich; die Macht, die als Ursprung von Leid, Unglück, Zerstörung in der Welt angesehen wird; 2) im ethischen Sinn das sittlich verwerfliche, bestimmten religiösen oder ethischen Normen zuwiderlaufende Verhalten und das ihm zugrunde liegende Wollen, sofern dabei seine Verwerflichkeit bewusst wird.

■ **Christliche Philosophie** In der christlichen Philosophie sahen Jakob Böhme und danach Friedrich Wilhelm von Schelling und Franz von Baader den Ursprung des Bösen in Gott als dem einzigen Urgrund der Welt. Theistisches Denken suchte jedoch meist Gott von der Verursachung des Bösen freizuhalten (→Theodizee): Das Wesen des Bösen bestehe nur in Mangel oder Einschränkung und könne daher als »nicht seiend« bestimmt werden (Augustinus, Thomas von Aquino, Gottfried Wilhelm Leibniz). Einige betonten eine wesentliche Beteiligung freier Willensentscheidung (Pelagius, Leibniz), andere verneinten sie weitgehend aufgrund der Erbsünden- und Prädestinationslehre (Augustinus, Martin Luther). Im ersten Fall wird das Böse auch als um der Freiheit und damit des Guten willen von Gott zugelassen erklärt (Leibniz).

Immanuel Kant führte das Böse weder auf ein widergöttliches Prinzip zurück, noch erklärte er es ontologisch als Nichtseiendes. Das Böse beruhe auf einem Missbrauch der menschlichen Freiheit. Für Georg Wilhelm Friedrich Hegel liegt das Böse in der Entzweiung und ist insofern notwendiges Durchgangsstadium des Weltprozesses.

■ **Religionsgeschichte** In den Religionen wird das Böse zumeist negativ als Abkehr vom Guten verstanden, insofern viele Religionen das Böse als Verstoß gegen göttliche Gebote oder gegen das religiös begründete Gute auffassen. Urheber des Guten wie des Bösen in der Welt und im Handeln des Menschen ist andererseits oft die allmächtige und allbestimmende Gottheit selbst.

Die Frage, wie das Böse in die Welt gekommen sei, beschäftigt vornehmlich die Religionen, die die Welt als gute göttliche Schöpfung ansehen. So findet sich im A. T. (1. Mos. 3) die Erzählung von Adams Sündenfall, auf die im N. T. Paulus (Röm. 5, 12–21) das Bösesein des Menschen zurückführt. Die christliche Theologie sieht deshalb ebenfalls das menschliche Böse zusammengefasst und begründet in Adams Fall.

In der frühen indischen Religionsgeschichte sind die Rudras Erscheinungen des Bösen, auch der Gott Shiva. Im frühen A. T. treibt Jahwe selbst den David zu böser Tat (2. Sam. 24, 1). Im späteren Bericht über denselben Vorgang (1. Chron. 21, 1) tritt Satan an die Stelle Jahwes. Die Urheberschaft des Bösen war jetzt mit dem Gottesbild nicht mehr vereinbar. So tritt allmählich eine böse widergöttliche Macht Jahwe gegenüber. Von Anfang an dualistisch ist der Parsismus Zarathustras, der zwei einander antithetisch gegenübergestellte Geister, den guten und den bösen Geist, annimmt. Dieser Dualismus ist jedoch nicht eine vollständig symmetrische Beziehung, da hier das Böse in jedem Fall dem Guten unterlegen ist oder sein wird. Ein ähnlicher Dualismus begegnet in der →Gnosis.

böser Blick, Abwehrauge, Volksglaube: bestimmten zauberkundigen Personen zugeschriebene vermeintliche Fähigkeit, durch den Blick Menschen (v. a. Kindern und Wöchnerinnen) und Tieren Schaden zuzufügen oder Dinge zu beschädigen oder zu verderben. Der Glaube daran, der seit dem Altertum bei vielen

---

Karl Borromäus
*1538, †1584

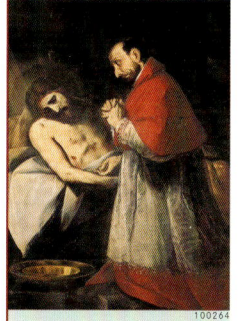

■ wurde 1560 von seinem Onkel Papst Pius IV. zum Erzbischof von Mailand ernannt

■ wirkte als führender Kopf der katholischen Reformbewegung

■ trat für die Wiedereröffnung des Konzils von Trient ein

■ gründete im Kampf gegen den Protestantismus den Bund der sieben katholischen Kantone der Schweiz

Böse
→ GEO **Dossier**
Warum glaubt der Mensch?, Bd. 15

Böse
→ GEO **Dossier**
Der Teufel und seine Handlanger, Bd. 15

Böse
→ GEO **Dossier**
Im Großeinsatz für den Glauben, Bd. 16

böser Mund

Brahma. Brahma gilt in der hinduistischen Mythologie als Schöpfer aller Wesen und erster Gott der Trimurti, der göttlichen Dreiheit. Gewöhnlich wird er mit vier Gesichtern dargestellt (Sandsteinskulptur, Khmer-Kunst, Kambodscha, 9./10. Jh.).

Brahmanen
→ GEO Dossier
Unterwegs in magischen Welten, Bd. 15

Brahmanen
→ GEO Dossier
Tod am Ganges, Bd. 16

Völkern verbreitet ist, beruht auf der Vorstellung, dass das menschliche Auge magische Kräfte besitzt.

Als Abwehrzauber und Schutz gelten v. a. Amulette erotischer Natur oder Amulette von Gottheiten oder Heiligen, besonders aber aufgemalte Augen, um den bösen Blick durch den Gegenblick zu bannen, sowie abwehrende oder obszöne Gebärden.

böser Mund, eine Variante des bösen Blicks. Wie dieser kann der böse Mund in der Form der lobenden Rede Unheil anrichten und sogar töten. In Gesellschaften, die seine Wirkung (→Mana) fürchten, muss man sich hüten, offen positiv oder bewundernd über Menschen, Tiere und Besitz anderer zu sprechen, will man nicht in Verdacht geraten, dem Besitzer neidisch oder nicht wohlgesonnen zu sein.

Bragi, in altnordischen mythologischen Texten des 12./13. Jh. der Gott der Dichtkunst, Sohn Odins, Gemahl der Idun und vielleicht der vergöttlichte Skalde gleichen Namens.

Brahma, indischer Gott, der innerhalb der hinduistischen Dreiheit der obersten Götter (→Trimurti) das Prinzip der Weltschöpfung verkörpert. Im heutigen Hinduismus hat seine Verehrung (Brahmanismus) gegenüber der Verehrung Shivas (Shivaismus) und Vishnus (Vishnuismus) stark an Bedeutung abgenommen.

Brahmamimamsa [Sanskrit »Erörterung des Brahman«], eines der sechs großen orth. Systeme des Hinduismus, durch das die Auslegungen des Veda harmonisiert werden sollten.

Brahman [Sanskrit], zentraler Begriff in der indischen Religionsentwicklung, der ursprünglich Zauberspruch bedeutet, sodann die dem religiösen Lied und Spruch innewohnende Kraft, die die Götter bei ihren Taten stärkt und die nach ihm benannten →Brahmanen zu ihren magisch-kultischen Handlungen befähigt. Schließlich wird das Brahman in den →Upanishaden zur Allseele, zum absoluten, allem Seienden zugrunde liegenden Prinzip. Die Erkenntnis, dass die individuelle »Seele« (der →Atman) identisch ist mit dem Brahman, führt nach der Anschauung der Upanishaden zur Erlösung aus dem Kreislauf der Geburten. In der philosophischen Tradition wird das Brahman auch umschrieben mit der Einheit der drei Begriffe Sat (»Sein«), Cit (»reines Bewusstsein«) und Ananda (»Wonne«) als Saccidananda.

Brahmanas, Werke der ältesten indischen Literatur, die sich an den Veda anschließen und zwischen 1000 und 500 v. Chr. in Sanskrit niedergeschrieben worden sind. Sie befassen sich mit theologischer Erörterung des Rituals, deuten die unverständlich gewordenen Kultvorgänge symbolisch und erläutern sie durch Mythen.

Brahmanen [zu Brahman], die Mitglieder der obersten Kaste der Hindugesellschaft. Seit den ältesten Zeiten haben die Brahmanen in Indien als Priester, Dichter, Gelehrte und Politiker eine herausragende Stellung eingenommen und großes religiöses Ansehen genossen. Das Leben eines Brahmanen gliedert sich dem traditionellen Ideal nach in vier Stufen (Ashramas): die des Schülers der Veden (Brahmacarin), die des Hausherrn (Grihastha), die des Waldeinsiedlers (Vanaprastha) und die des Asketen oder Bettelmönches (Samnyasin, Sannyasin), der Hab und Gut aufgegeben hat und sich in mystischer Schau in das Brahman versenkt. Die Brahmanen haben sich von der oberen Gangesebene aus, ihrem vermutlichen Ursprungsgebiet, über ganz Indien verbreitet. Außer Rassen- und Sprachverschiedenheit haben Unterschiede der religiösen (Schul-)Richtung, des religiösen Zeremoniells, der Ernährung und der Beschäftigung die Bildung und Abschließung von Untergruppen bewirkt. Den höchsten Rang innerhalb der Kaste nehmen die Gelehrten (Pandits) ein. Weniger geachtet sind die, welche sakrale Funktionen in Tempeln, an Wallfahrtsplätzen und bei Leichenverbrennungen ausüben. Jedoch leben nur verhältnismäßig wenige Brahmanen von religiösen Verrichtungen. Viele sind im Rechtswesen, in der Verwaltung, im Handel beschäftigt, sind Landeigentümer oder auch Polizisten und Soldaten. Doch genießen sie in jedem Beruf die Achtung, die ihrer →Kaste als solcher gezollt wird.

Brahmanen. Das Schieferrelief zeigt zwei Brahmanen, Mitglieder der höchsten Hindukaste, in einer Art Laubenhütte. Ein älterer Brahmane, der an seiner asketischen Magerkeit, seinem kurzen Rock und vor allem am großen Haarknoten und langen Bart zu erkennen ist, sitzt in typischer Denkerpose. Vor ihm steht ein junger Brahmane in anbetender Haltung (Swat, Pakistan, 2. Jh.; Berlin, Museum für Indische Kunst).

Brahmanismus, die Vorform des Hinduismus, der heutigen einheimischen Religion Indiens, die auf die ältere vedische Religion folgt. Grundlegend für die Religion des Brahmanismus sind die →Brahmanas und die →Upanishaden. Die vedischen Götter verlieren mehr und mehr an Bedeutung vor dem in mystischer Schau und Spekulation erfassten ewigen und unpersönlichen Brahman, das hinter allem Daseienden und in ihm lebt. Im Menschen und in allen anderen Kreaturen nimmt der Brahmanismus ein ewiges göttliches Selbst, den →Atman, an, dessen Existenz aber dem mit natürlichen Begierden behafteten Menschen verborgen ist. Er lebt daher, durch sein Begehren an die Welt gebunden, in einem erlösungsbedürftigen Zustand, in welchem der Atman immer neu in anderen Körpern wiedergeboren wird. Dieser Kreislauf der Geburten (Samsara) hört erst auf, wenn die erlösende Erkenntnis von der Identität des Atman mit dem Brahman erreicht ist.

Brahmasamaj [-dʃ; Sanskrit »Gemeinde der Gottesgläubigen«], eine 1828 von dem bengalischen Brahmanen Ram Mohan Roy (*1772, †1833) in Kalkutta gestiftete religiöse Reformbewegung, welche die bilderfreie Verehrung eines persönlichen Gottes lehrt. Der Stifter ließ sich vom Monotheismus des Islam und vom Christentum stark beeinflussen. Besonders die sittliche Größe Jesu beeindruckte ihn so, dass er die ethischen Vorschriften Jesu als Erfüllung des Hinduismus ansah. Er bemühte sich u. a. um Abschaffung des Polytheismus, der Kastenordnung, der Tempelprostitution. Nach dem Tod Roys übernahm Debendranath Tagore (*1817, †1905) die Führung der Gemeinde. Er hatte keine Beziehungen zum Christentum, sondern war um Erweckung der Frömmigkeit der →Upanishaden bemüht. Umso mehr aber war ein jüngerer Mitarbeiter, Keshab Chandra Sen (*1838, †1884), dem Christentum zugetan. Er trennte sich später von Tagore und gründete eine eigene Bewegung, den »Nava-Vidhana-Brahmasamaj« (»Gottesgemeinde des neuen Bundes«). Der Einfluss dieser Bewegung auf die geistige Oberschicht ist neben dem der anderen Reformbewegung, dem →Aryasamaj, bedeutend, obwohl die Anhängerzahl stets nur klein war.

Brahmasutra [Sanskrit »Lehrsätze über das Brahma«], Grundtext der philosophischen Schule des →Vedanta und daran anschließender religiöser Traditionen des Hinduismus, dem Badarayana zugeschrieben (zwischen dem 2. Jh. v. Chr. und dem 2. Jh. n. Chr.). Der Text lehrt das Brahman als das eine, höchste Sein, das Ursprung alles anderen Seienden ist. Es ist Bewusstsein, aber auch die Ursache der Welt. Wichtige Kommentare zu diesem Text stammen u. a. von Shankara und Ramanuja. Konnte eine religiöse Schule einen Kommentar zu diesem Text vorweisen, steigerte sie dadurch ihre Autorität.

Brandopfer, im Unterschied zum Teilopfer eine Form des →Opfers, mit der die vollständige Darbringung des geopferten Tieres oder Menschen an die Gottheit vollzogen wird. Brandopfer sind für fast alle Kultur- und Religionsbereiche der Alten Welt bezeugt. Im alten Indien, das eine ausgesprochene Opferreligion kannte, war das Brandopfer mit dem Feuergott Agni verbunden: Das verbrannte Opfer brachte er zu den Göttern und führte die Götter zum Opfergenuss herbei. Bei den Griechen wurden die Brandopfer v. a. den Toten und chthonischen Göttern dargebracht.

Brigantia, keltische Göttin, die in römischer Zeit v. a. in Nordengland und Südschottland verehrt wurde. Von den insgesamt sieben existierenden Weihinschriften identifizieren zwei sie mit der römischen Siegesgöttin Viktoria, eine dritte mit der afrikanischen Göttin Caelestis. Ein Relief aus Birrens zeigt die Göttin als Minerva mit einer Mauerkrone und den Schwingen der Viktoria. Die irische Entsprechung des Namens, Brigit, bezeichnet in der mittelalterlichen irischen Literatur neben der irischen Nationalheiligen Brigitta auch eine vorchristliche Göttin.

Bruder, im *Christentum* Bezeichnung für diejenigen Menschen, die sich innerhalb der Kirche zusammenschließen: im Klosterstand, in Bruderschaften, in anderen religiösen Gemeinschaften. Daher ist Bruder in der kath. Kirche auch die amtliche Bezeichnung aller Angehörigen einer klösterlichen Gemeinschaft oder wenigstens der Laienmitglieder. Die weibliche Form **Schwester** wird entsprechend verwendet.

Brüdergemeine, Evangelische Brüder-Unität, Herrnhuter Brüdergemeine, Unitas fratrum, Moravian Church [məˈreɪvjən ˈtʃəːtʃ, englisch], aus dem Pietismus hervorgegangene ev. Freikirche, die in ihrer Kirchenordnung (»Grund der Unität«) persönlichen Glauben und Gemeinde als Bruderschaft und Dienstgemeinschaft betont. Sie geht auf die **Böhmischen Brüder** zurück, die sich seit 1722 auf dem Gut Berthelsdorf (Oberlausitz) des Grafen Nikolaus Ludwig von Zinzendorf niederließen. Die daraus hervorgehende Siedlung erhielt den Namen Herrnhut. 1727 von den Einwohnern dieses Ortes angenommene Statuten verpflichteten zur Bruderliebe, die an die Stelle von Religions- und Glaubensstreitigkeiten treten sollte. Die neue Gemeinschaft verstand sich als Teil der lutherischen Kirche, doch erweckten ihre besonderen Einrichtungen und Lebensformen das Misstrauen und die Gegnerschaft der Kirche.

Für die Brüdergemeine ist eine persönliche Glaubensbeziehung zu Jesus Christus kennzeichnend, die anfänglich Ausdrucksformen übertriebener Gefühlsfrömmigkeit fand, fer-

---

Brahmanismus
→ GEO **Dossier**
Tod am Ganges, Bd. 16

Bruderschaften

Martin Buber
*1878, †1965

- ist die zentrale Figur des kulturellen Zionismus
- strebte nach Erneuerung des abendländischen Judentums aus dem Geist der Bibel und des Chassidismus
- förderte den christlich-jüdischen Dialog und setzte sich für ein friedliches Zusammenleben von Arabern und Juden ein
- emigrierte 1938 nach Palästina

ner die Liebe zu Brüdern und Schwestern, die neue Formen des christlichen Gemeinschaftslebens schuf. Dazu gehören u. a. »Banden« (Gemeinschaften mit eigenem Rechtsstatus innerhalb der lutherischen Landeskirchen) und »Chöre« (Wohngemeinschaften [Häuser] lediger Männer und Frauen), Singstunde und das Lesen biblischer →Losungen als tägliche Besinnung. Nicht zuletzt ist die 1732 beginnende umfangreiche Missionstätigkeit charakteristisch, durch die die Brüdergemeine heute in fast allen Erdteilen vertreten ist. Weltweit zählt die Brüdergemeine (2005) rund 830 000 Mitglieder in 19 selbstständigen Unitätsprovinzen. 80 % davon leben in der Karibik und in Afrika. Die Europäisch-Festländische Provinz zählt rund 30 000 Mitglieder. Die Gesamtleitung der Brüdergemeine liegt bei der Unitätsdirektion mit den beiden Sitzen Herrnhut und Bad Boll (Gemeinde Boll). An der Spitze der Brüdergemeine steht die Unitätssynode, zu der im Abstand von sieben Jahren Vertreter aller Unitätsprovinzen einberufen werden. Die Bischöfe üben ein seelsorgerliches Amt aus und nehmen im Allgemeinen keine Leitungsaufgaben wahr.

Bruderschaften, in der *kath.* Kirche Vereine zur Förderung der Frömmigkeit, Nächstenliebe und des öffentlichen Gottesdienstes. Bekannte Bruderschaften sind die Herz-Jesu-Bruderschaften und die Rosenkranz-Bruderschaften. Vorstufen der heutigen Bruderschaften waren die frühmittelalterlichen Gebetsverbrüderungen, die sich in enger Verbindung mit dem Zunft- und Innungswesen in den Städten entwickelten. In den *ev.* Kirchen entsprechen den Bruderschaften die →Kommunitäten.

Brunner, Emil, schweizerischer reformierter Theologe, *Winterthur 23. 12. 1889, †Zürich 6. 4. 1966; war 1924–53 Professor für systematische und praktische Theologie in Zürich sowie zeitweise Gastprofessor in den USA und in Japan. Neben Karl Barth ist Brunner einer der Begründer der →dialektischen Theologie. Im Streit um den »Anknüpfungspunkt« der christlichen Verkündigung trennte er sich 1934 von Barth. Brunner lehnte Schleiermachers Theologie der »frommen Erfahrung« ab, wandte sich vielmehr einer theologischen Anthropologie zu, die das Gottesverhältnis als personale Begegnung des göttlichen Du mit dem frei antwortenden Menschen versteht. Die theologische Anthropologie verband Brunner mit einer »Ethik der Ordnungen«, die im sozialen Bereich von der »Gerechtigkeit« bestimmt wird.

Buber, Martin, jüdischer Religionsphilosoph und Sozialphilosoph, *Wien 8. 2. 1878, †Jerusalem 13. 6. 1965; studierte Kunstgeschichte und Philosophie in Wien, Berlin, Leipzig und Zürich. Seit 1898 wirkte er als Redner, Herausgeber und Erzieher in der zionistischen Bewegung. 1902 gründete er den Jüdischen Verlag für Übersetzungen hebräischer und jiddischer Werke. Seit 1919 arbeitete er gemeinsam mit Franz Rosenzweig u. a. am Freien Jüdischen Lehrhaus in Frankfurt am Main, wo er außerdem an der Universität seit 1923 jüdische Religionswissenschaft und Ethik lehrte. 1933 verzichtete er jedoch auf sein Lehramt. 1938–51 war er Professor für Sozialphilosophie an der Hebräischen Universität in Jerusalem.

Bubers Hauptziel war die menschliche und politische Erneuerung des abendländischen Judentums aus dem Geist der Bibel und des Chassidismus, dessen Texte er sammelte und interpretierte. In das Zentrum seiner pädagogischen, religiösen und politischen Anschauungen stellte er das »dialogische Prinzip«, dargelegt in »Ich und Du« (1923), das unmittelbare Verhältnis des Menschen zum jeweiligen Gegenüber, sowohl im menschlichen Miteinander als auch in der Beziehung des Einzelnen zu Gott. Diese Einstellung beeinflusste die moderne Pädagogik, Philosophie und Psychiatrie, ebenso eine Reihe von protestantischen und kath. Theologen. Vor und nach der Gründung des Staates Israel trat Buber für die friedliche Koexistenz von Arabern und Juden in einem binationalen föderativen Staat in Palästina ein.

Bubers »Verdeutschung« der hebräischen Bibel (begonnen mit Rosenzweig) ist eine einzig dastehende Verbindung deutscher Sprachformung und jüdischer Bibelexegese.

Werke: Die Schrift, 20 Bde. (1926–38, verdeutscht gemeinsam mit F. Rosenzweig; neu bearbeitete Ausgabe, 4 Bde., 1954–62); Der Jude und sein Judentum. Gesammelte Aufsätze und Reden (1963).

Bucer, Martin, eigtl. **Martin Butzer,** deutscher Reformator, *Schlettstadt 11. 11. 1491, †Cambridge 1. 3. 1551; war seit 1506 Dominikaner und wurde 1518 bei der Heidelberger Disputation für Martin Luthers Lehre gewonnen. Seit 1523 wirkte er in Straßburg und von dort aus in Ulm, Memmingen und Augsburg, in Hessen und in Köln (»Kölner Reformation«) für die Reformation, verfasste für den Augsburger Reichstag 1530 die »Confessio Tetrapolitana« und brachte 1536 die Wittenberger Konkordie als Verständigung zwischen Luther und den Oberdeutschen zustande. Bucer war an einer Reihe von Religionsgesprächen beteiligt und um die Einheit der ev. Bekenntnisse bemüht. Er wurde wegen seines Widerstandes gegen das Augsburger Interim, mit dem die konfessionelle Frage im Reich vorläufig geregelt werden sollte, 1549 auf Befehl des Kaisers aus Straßburg ausgewiesen. Auf Einladung des Erzbischofs von Canterbury, Thomas Cranmer, ging er nach England und wurde Professor in Cambridge. Hier nahm er durch ein Gutachten Einfluss auf die endgültige Gestaltung des Common Prayer Book. Für den englischen König Eduard VI. schrieb er hier das Werk »De regno Christi« (1550), eine Synthese seines Denkens. Bucers Schriftauslegung gilt besonders dem Neuen Testament. Die Konfirmation ist hauptsächlich auf Bucer zurückzuführen.

Buchari, Mohammed Ibn Ismail **al-Buchari,** arabischer Traditionsgelehrter iranischer Abstammung, *Buchara 21.7.810, †Chartank bei Samarkand 31.8.870; begann auf seiner ersten Pilgerfahrt nach Mekka →Hadithe zu sammeln. Die Zahl dieser Überlieferungen soll er auf weiten Reisen in vielen Jahren angeblich auf 600 000 gebracht haben. Die 2762 bestbezeugten fasste er in seiner kanonisch gewordenen Traditionssammlung »As-Sahih« (»die Korrekte«) zusammen. Sie sind systematisch aufgeteilt, thematisch in 97 Kapitel geordnet und mit kurzen eigenen Erläuterungen versehen. Unter den sechs kanonischen Hadith-Sammlungen des sunnitischen Islam gilt die Sammlung Bucharis als die bedeutendste.

Buch der Sprüche, Buch des A.T., →Sprüche.

Buch der Weisheit, Buch des A.T., →Weisheit.

Bücher der Chronik, Schriften des A.T., →Chronik.

Bücher der Könige, Schriften des A.T., →Könige.

Bücher Mose, Bezeichnung für die ersten fünf Bücher des A.T., den →Pentateuch.

Buddha [Sanskrit »der Erwachte«, »der Erleuchtete«], Ehrentitel des **Siddhartha Gautama** (Pali: **Siddhattha Gotama**), des Stifters der nach ihm →Buddhismus genannten Religion, nach der Überlieferung *Lumbini (Nepal) um 560 v.Chr., †bei Kushinagara (heute Kasia) um 480 v.Chr. (nach neueren Forschungen auch 100 Jahre später); nach der adligen Familie der Shakya, der er entstammte, wird er auch als »Shakyamuni« (»Einsiedler der Shakya«) bezeichnet.

■ **Leben und Wirken** Siddhartha Gautamas Vater Shuddhodana war ein Fürst im Vorland des nepalesischen Himalaja, seine Mutter, die kurz nach seiner Geburt starb, hieß Maya. In Reichtum aufgewachsen, heiratete er sechzehnjährig seine Kusine Yashodhara und hatte einen Sohn, Rahula. Im Bewusstsein von Alter, Krankheit und Tod erkannte er mit 29 Jahren die Sinnlosigkeit seines bisherigen Lebens und verließ die Heimat, um in der Fremde Erlösung zu suchen. Sieben Jahre übte er als Schüler verschiedener Meister harte körperliche Askese, fand jedoch keine Erleuchtung. So wandte er sich innerer Meditation zu. Die Erleuchtung (Bodhi), nach der er so lange gerungen hatte, wurde ihm in Uruvela bei Bodh Gaya unter einem Feigenbaum zuteil. Im Gazellenhain in Sarnath bei Benares begegnete er fünf Asketen, die sich früher – nach seiner Abwendung von der Askese – von ihm getrennt hatten. Ihnen galt seine erste Predigt, welche die Überlieferung das »In-Bewegung-Setzen des Rades der Lehre« (Dharmachakrapravartana) nennt und die von den »vier edlen Wahrheiten« spricht: vom Leiden (Duhkha), seinem Ursprung, der Aufhebung seiner Ursache und dem Weg, der zu diesem Ziel führt. Jene Asketen wurden die ersten Jünger des Buddha. Mit

Buddha
→ GEO **Dossier**
Der gute Mensch von Lhasa, Bd. 15

Buddha
→ GEO **Dossier**
Dem Himmel ganz nah, Bd. 16

Buddha Die Geburt des Buddha

Der Legende zufolge hatte der zukünftige Buddha sich vom Tushita-Himmel aus die Königin Maya aus dem Geschlecht der Shakya als Mutter ausersehen, um auf Bitten der Götter den Menschen den Weg zur Erlösung zu weisen. Er drang in Gestalt eines weißen Elefanten in die Seite der schlafenden, die Empfängnis träumenden Mutter ein. Als nach zehn Monaten die Zeit der Geburt herankam, begab sich Maya mit großem Gefolge in den nahe bei Kapilavastu gelegenen Lumbinihain. Dort trat der zukünftige Buddha, unbefleckt und ohne seiner Mutter Schmerz zuzufügen, aus deren rechter Seite heraus. Sie gebar den Sohn unter einem Salbaum stehend, wobei sie mit der rechten Hand in die Zweige des Baumes griff, die sich ihr entgegenneigten. Götter nahmen den Neugeborenen mit kostbaren seidenen Tüchern in Empfang. Zwei Wasserströme mit kaltem und warmem Wasser regneten vom Himmel herab. Der Neugeborene stand sofort nach der Geburt auf und machte sieben Schritte in jede Himmelsrichtung, wobei er laut rief: »Ich bin der Höchste in der Welt. Dies ist meine letzte Geburt. Ich werde Geburt, Alter, Krankheit und Tod ein Ende bereiten.« (Schieferrelief, 2./3. Jh. n.Chr.; Kalkutta, Indian Museum).

Buddhaghosa

ihnen gründete er einen Orden (Samgha) von Bettelmönchen, dem noch zu seinen Lebzeiten ein Nonnenorden zur Seite trat. Die Mönche gehörten zumeist der Aristokratie oder dem Kaufmannsstand an, doch daneben sammelte sich ein Kreis von Laienanhängern (Upasaka), die ohne mönchische Askese in ihrem weltlichen Beruf blieben, den Orden mit Geld unterstützten und die Zugehörigkeit zu brahmanischen Kultgemeinschaften nicht aufzugeben brauchten. Der Buddha selbst durchzog lehrend und werbend Nordindien und starb an der Grenze von Nepal.

■ **Schriften** Eigene Schriften hat der Buddha nicht hinterlassen. Seine Predigten wurden von seinen Jüngern erst mündlich, seit dem 1. Jh. v. Chr. auch schriftlich in dem später als hl. Sprache angesehenen Pali überliefert. Welche Worte auf ihn selbst zurückgehen, ist nicht sicher. Die Lehrtexte sind in erster Linie an der Heilswahrheit interessiert und nicht an der geschichtlichen Gestalt des Buddha.

■ **Deutung** Die Lebensgeschichte des Buddha ist später mit Legenden über seine wunderbare Geburt, seine Wunder, seine Erlebnisse in früheren Existenzen (Jataka) ausgeschmückt worden. Entsprechend der indischen Auffassung, dass es kein einmaliges historisches Geschehen gibt, sondern dass sich ewig alles zyklisch wiederholt, glauben die Buddhisten, dass auch vor Gautama Buddha in gewissen Abständen schon Welterleuchter erschienen sind und dass in Zukunft wieder ein neuer Buddha, Maitreya (Pali: Metteya), auftreten wird, um die Lehre neu zu verkünden. Während die älteren Schulen nur eine begrenzte Zahl von Buddhas annehmen, vertritt das →Mahayana die Ansicht, dass es unendlich viele Buddhas gibt und geben wird, weil jeder Gläubige im Verlauf seiner zahllosen Wiederverkörperungen schließlich ein Buddha werden kann. Der historische Buddha wird hier neben zahlreichen anderen Buddhas und →Bodhisattvas zu einem Himmelswesen erhoben, einer Gottheit, die das Heil der Menschen fördert, während sich der historische Buddha selbst als Lehrer verstand, der anderen den Weg zu vollkommener Erkenntnis weisen wollte.

■ **Darstellungen** In der buddhistischen Kunst des Hinayana wurde der Buddha seit dem 2. Jh. v. Chr. in Reliefszenen durch Symbole dargestellt: Der Bodhibaum als »Baum der Erleuchtung« für die Erleuchtung, das Dharmachakra als »Rad der Lehre« für die Predigt und der Stupa für das Nirvana. Auf Abbildungen der Vorexistenzen (Jataka) erscheint er auch in Tiergestalt. Seine menschliche Darstellung entstand im 1.–2. Jh. als Kultbild und in Szenenreliefs. Sein Mönchsgewand, besondere Körpermerkmale (z. B. ein Auswuchs auf dem Kopf, ein Haarbüschel zwischen den Augenbrauen, goldene Hautfarbe), kurzes welliges oder gelocktes Haar, Nimbus und bestimmte Gesten wurden für die ganze buddhistische Kunst Asiens kanonisch, ebenso der liegende Buddha des →Parinirvana.

Buddhaghosa, buddhistischer Gelehrter; entstammte einer Brahmanenfamilie Nordindiens (Magadha) und wurde nach der Beschäftigung mit buddhistischen Texten Buddhist. Anfang des 5. Jh. n. Chr. ging er nach Ceylon, wo er im Kloster Anuradhapura als Kommentator buddhistischer Lehrtexte tätig war. Buddhaghosa werden zahlreiche in Pali abgefasste Kommentare zu Werken des buddhistischen Kanons sowie der →Visuddhimagga zugeschrieben.

Buddhismus, die vom →Buddha im 5. Jh. v. Chr. im nördlichen Vorderindien gestiftete Religion. Der Buddhismus war eine religiöse Protestbewegung, die nicht nur eine Veränderung der alten brahmanischen Religion anstrebte, sondern diese vollkommen ablehnte. Dies zeigte sich u. a. in der Leugnung sowohl der Autorität der vedischen Schriften als auch der Vorstellungen von einem den Tod überdauernden »Selbst«. Eine Bekämpfung des Kastensystems fand nicht statt, doch galt dies für den buddhistischen Orden als irrelevant. Da der Buddhismus seinen Heilsweg nicht als Konkurrenz zu anderen Religionen empfahl, kam es kaum zu Auseinandersetzungen mit Glaubensformen, die er als missionierende Weltreligionen in anderen Ländern Asiens von Sri Lanka über Afghanistan bis nach Japan vorfand, während es in Tibet offensichtlich zu Machtkämpfen mit der Bön-Religion kam. Indische Götter sowie die von Volksreligionen in anderen Ländern Asiens behielten für die Laien ihre Bedeutung und wurden in den Buddhismus als Helfer der Lehre integriert.

■ **Verbreitung** In der Gegenwart besteht der Buddhismus in verschiedenen Formen: als südlicher Buddhismus oder Hinayana-Buddhismus (»Kleines Fahrzeug«, d. h. »Erlösung nur für wenige«; der pejorative Name wird heute gelegentlich durch Shravakayana, »Fahrzeug der Hörer«, ersetzt) in Sri Lanka, Birma, Thailand, Laos, Kambodscha, als nördlicher Buddhismus oder Mahayana-Buddhismus (»Großes Fahrzeug«) in Nepal, Vietnam, China, Korea, Japan, sowie in seiner tibetischen Ausprägung (→tibetischer Buddhismus) in Tibet, Nordostindien (Sikkim), Bhutan, Russland (Burjatien, Kalmückien und Tuwa) und der Mongolei. Über ostasiatische Auswanderer gelangte der Buddhismus nach Ozeanien (Hawaii) und nach Nord- und Südamerika. In Europa bestehen seit dem Anfang des 20. Jh. kleine buddhistische Gemeinden (→Neubuddhismus). Auf dem indischen Subkontinent, wo der Buddhismus im Laufe seiner Geschichte bis auf sehr kleine buddhistische Minderheiten verdrängt worden war, kam es im 20. Jh., zunächst auf kleine Kreise

---

Buddhismus
→ **GEO** Dossier
Warum glaubt der Mensch?, Bd. 15

Buddhismus
→ **GEO** Dossier
Der gute Mensch von Lhasa, Bd. 15

Buddhismus
→ **GEO** Dossier
Unterwegs in magischen Welten, Bd. 15

Buddhismus
→ **GEO** Dossier
Dem Himmel ganz nah, Bd. 16

Rechte Seite:
Lamaistische Mönche in Ghoom, Indien

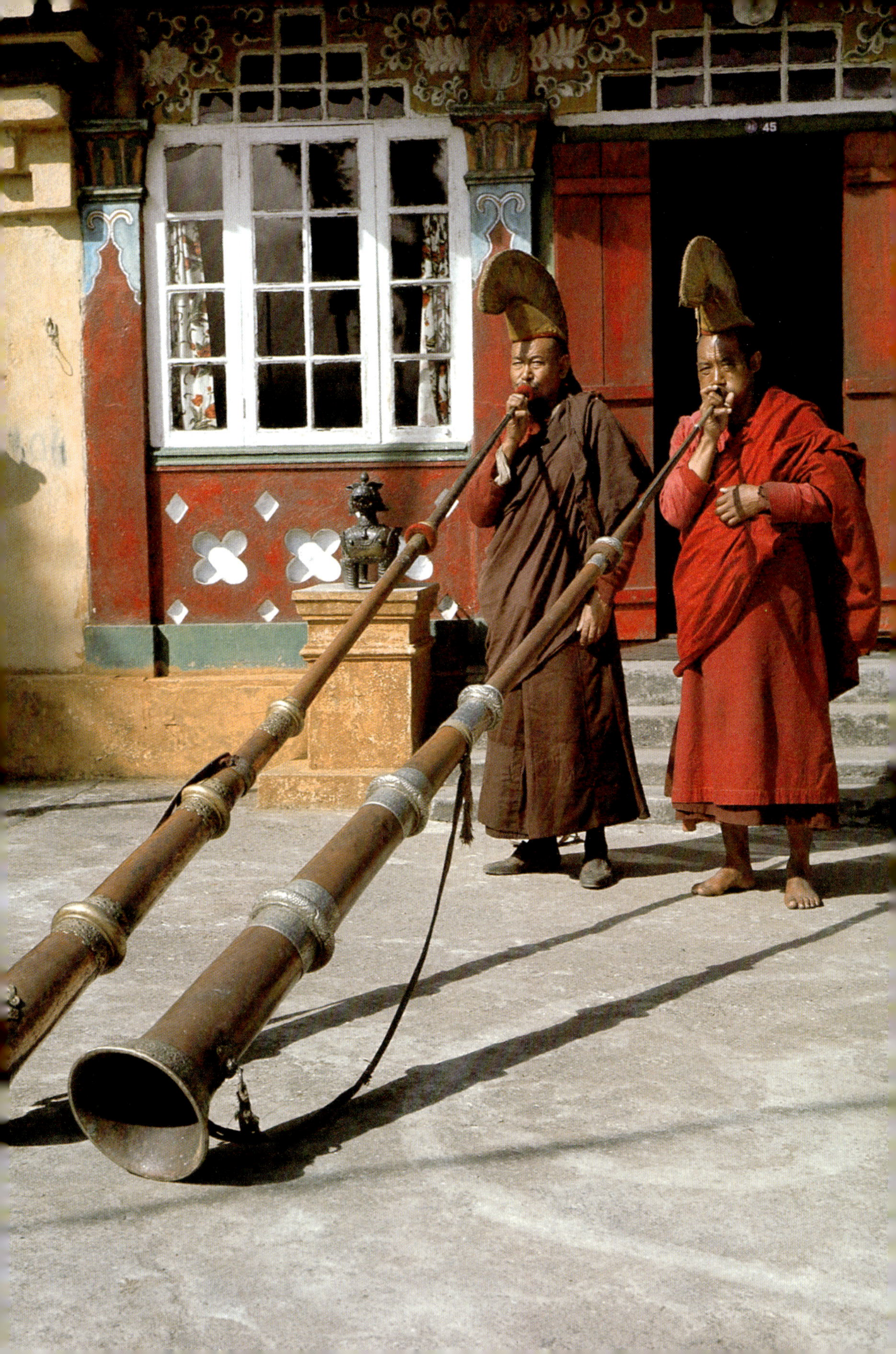
45

B | Buddhismus

Buddhismus.
Der Buddhismus ist eine Universalreligion, die sich durch Missionierung von Indien aus über Südost- und Zentralasien ausbreitete. In Thailand etablierte sich eine frühe Form der buddhistischen Lehre, die als Hinayana oder Theravada bezeichnet wird. Die Abbildung zeigt Gläubige in einem thailändischen Tempel vor einer Statue des Religionsstifters Buddha im Gebet.

indischer Intellektueller beschränkt, zu einem wieder erwachten Interesse am Buddhismus. Seit Mitte der 1950er-Jahre formierte sich in Westindien (Maharashtra), v. a. in kritischer Auseinandersetzung mit der auf Kasten gegründeten hinduistischen Sozialordnung, eine neobuddhistische Bewegung, deren Mitgliederzahl in Indien auf rund 4,5 Millionen geschätzt wird. In Indonesien ist das Interesse am Buddhismus, befördert durch Einwanderer aus China, Sri Lanka und Thailand, seit Anfang der 1970er-Jahre wieder erwacht. In Kambodscha, der Mongolei und den traditionell buddhistischen Gebieten innerhalb der Russischen Föderation (Russland) erlebt der Buddhismus seit dem Zerfall der kommunistischen Staatsordnungen (1990/91) eine Wiedergeburt und ist dabei, seine traditionelle Stellung in den Gesellschaften dieser Länder wiederzuerlangen. Eine »Renaissance« erlebt der Buddhismus seit den 1980er-Jahren auch in China. Während jedoch die buddhistischen Gemeinden in Nordwest- und Nordostchina (Xinjiang, Innere Mongolei, Heilongjiang) in ihrer Entwicklung weitgehend von der seit 1978/79 praktizierten Liberalisierung der staatlichen Religionspolitik profitieren, ist der Buddhismus in Tibet als der das nationale und kulturelle (Selbst-)Bewusstsein der Tibeter integrierende Faktor nach wie vor staatlicher Einflussnahme ausgesetzt.

Weltweit wird die Zahl der Buddhisten auf über 360 Millionen geschätzt: rund 355 Millionen in Asien, rund 1,5 Millionen in Europa, in Nordamerika rund 2,7 Millionen, in Südamerika rund 647 000 und etwa 400 000 in Russland. Bei den geschätzten Zahlen ist allerdings zu berücksichtigen, dass die Zugehörigkeit zum Buddhismus die gleichzeitige Zugehörigkeit zu anderen Religionen nicht ausschließt. So gehören von den rund 118 Millionen Shintoisten in Japan über 90 % zugleich der buddhistischen Religionsgemeinschaft an. Ein großer Teil der chinesischen Buddhisten (außerhalb Tibets) bekennt sich zugleich zum

Daoismus oder einem religiös geprägten Konfuzianismus.

■ **Schriften** Die in mittelindischen Dialekten abgefassten Schriften der älteren buddhistischen Schulen sind zumeist nur in Bruchstücken überliefert. Vollständig liegt nur der in Pali abgefasste Kanon der →Theravada-Schule vor, der heute in Sri Lanka und in Hinterindien als authentische Wiedergabe der Worte Buddhas gilt. Diese Tipitaka (»Dreikorb«; Sanskrit: Tripitaka) genannte Sammlung, die im 1. Jh. v. Chr. erstmals schriftlich festgehalten worden sein soll, umfasst drei Abteilungen: 1) Das Vinayapitaka (»Korb der Ordensdisziplin«) enthält Vorschriften für die Mönche, darunter ein Beichtformular von 227 Artikeln. 2) Das Suttapitaka (»Korb der Lehrreden«), das die Predigten Buddhas, Dichtungen der ältesten Zeit und erzählende Stücke enthält, gliedert sich in fünf Sammlungen (Nikaya): a) Dighanikaya (Sammlung der langen Lehrreden), b) Majjhimanikaya (Sammlung der mittellangen Reden), c) Samyuttanikaya (Sammlung der in Gruppen zusammengefassten Reden), d) Anguttaranikaya (Sammlung der nach aufsteigender Zahlenfolge aneinandergereihten Reden), e) Khuddakanikaya (Sammlung der kurzen Stücke, Aussprüche des Buddha, Gedichte, Legenden). 3) Das Abhidhammapitaka (»Korb der Dogmatik«) enthält scholastische Erörterungen über die Lehre aus späterer Zeit als die anderen Werke.

An den Pali-Kanon hat sich eine gewaltige Zahl von Kommentaren und Erörterungen in Pali, Singhalesisch und den Sprachen Hinterindiens angeschlossen.

Die noch umfangreichere Literatur des nördlichen Buddhismus ist nur in beschränktem Umfang in Sanskrit und mittelindischen Dialekten überliefert, hingegen liegen zahlreiche ursprünglich in indischen Sprachen abgefasste Schriften in chinesischer, tibetischer u. a. Übersetzungen vor. Es handelt sich hierbei um Übertragungen kanonischer Texte alter indischer Schulen, um solche von Lehrtexten (Sutra) des Mahayana, um philosophische Werke u. a. Schriften, die sich mit Ritual und Magie beschäftigen. Hinzu kommt eine unübersehbare Fülle von Schriften chinesischer, japanischer und tibetischer Kommentatoren und Sektenstifter.

■ **Die buddhistische Lehre** Alle auf der Erde, in den Höllen und den Himmeln wohnenden Wesen unterliegen gleicherweise dem Gesetz der kausalen Vergeltung aller guten und bösen Taten (→Karma), sodass im Kosmos ein dauerndes Geborenwerden und Sterben herrscht, bei dem die einzelnen Wesen ihre Existenzweisen ständig ändern. Die Welten mit Ausnahme der oberen Himmel befinden sich in ständigem Wechsel von Werden und Vergehen. Ist eine Welt untergegangen, so bleibt an ihrer Stelle nur ein leerer Raum. Aus ihm geht infolge des Karmas der Bewohner der früheren Welt wieder eine neue Welt hervor. Dieser Vorgang setzt sich so lange fort, bis alles Karma beseitigt ist, d. h. alle Wesen die vollkommene Erkenntnis und Freiheit von allen Begierden erlangt haben.

Im Unterschied zu anderen Religionen lehrt der Buddhismus, dass es keine ewigen, unvergänglichen Substanzen gibt: weder Materie noch eine dauerhafte Seele oder Persönlichkeit, weder einen persönlichen Weltenherrn noch ein unpersönliches Absolutes, das den Urgrund der Welt bildet. Vielmehr kommen jedes Individuum und die von ihm erlebte Welt nur durch Daseinsfaktoren (Sanskrit: →Dharma, Pali: Dhamma) zustande, die in funktioneller Abhängigkeit voneinander gesetzmäßig entstehen und wieder vergehen. Die Dharmas sind nicht mehr reduzierbare, dinglich vorgestellte Kräfte, die durch ihr Zusammenwirken die Einzelwesen und die von ihnen wahrgenommene Welt hervorbringen. Stirbt ein Individuum, so löst sich die Verbindung der Dharmas, die es gebildet hatten. Die Samskaras (Triebkräfte) von moralisch guter oder schlechter Bedeutung, d. h. die Willensimpulse, die zu Karma wurden, werden zur Basis eines neuen Wesens, das für die guten oder schlechten Werke des Gestorbenen Lohn oder Strafe empfängt. Der Buddhismus lehrt also keine »Seelenwanderung«, sondern das Hervorwachsen eines neuen Wesens aus dem Karma des Dahingeschiedenen. Dies wird im Einzelnen durch den berühmten Lehrsatz vom »Entstehen in Abhängigkeit« (Sanskrit: Pratityasamutpada, Pali: Paticcasamuppada) verdeutlicht, dessen zwölf Glieder nach allgemein buddhistischer Tradition das kausal bedingte Werden einer Persönlichkeit in aufeinanderfolgenden Existenzen darstellen. Dabei erscheint als letzte Ursache des Leidens und der Verstrickung in den Geburtenkreislauf das Nichtwissen (Sanskrit: Avidya, Pali: Avijja).

Symbol der verschiedenen Daseinsformen, die der Erlösung bedürfen, ist das Rad (Cakra). Nach der Lehre des Buddhismus geht seit anfangsloser Zeit das Wieder-geboren-Werden und Wieder-sterben-Müssen vor sich, solange der Mensch nicht erkennt, dass alles »vergänglich, ohne beharrende Substanz und deshalb leidvoll« ist. Leid (Sanskrit: Duhkha, Pali: Dukkha) ist im Buddhismus das Unheil, das in der Tatsache der individuellen Existenz liegt. Es wird offenbar im physischen und im seelischen Schmerz. Von dieser leidvollen Erfahrung spricht die erste der »vier edlen Wahrheiten«: Die Daseinsfaktoren des einzelnen Lebewesens sind danach überhaupt voller Leid und Unheil. Die Ursache des Leidens ist nach der »zweiten edlen Wahrheit« der »Durst« (Sanskrit: Trishna, Pali: Tanha), die Begierde, der Lebenswille. Er wird überwunden, wie die »dritte edle Wahrheit« sagt, in dem »Erlöschen des Durstes«, der Abtötung der Begierde und aller Leidenschaften (v. a. Gier, Hass und Verblendung). Die »vierte edle Wahrheit« endlich zeigt den »achtfachen Weg«, der zur Aufhebung der Ursache des Leidens führt: rechte Anschauung und Gesinnung, rechtes Reden, Handeln und Leben, rechtes Streben, Denken und Sichversenken.

Buddhismus

Zahl der Buddhisten weltweit
rd. 360 Mio.

Hauptverbreitungsgebiete
Südostasien
Ostasien
Zentralasien und Ostsibirien

überwiegend buddhistisch geprägte Staaten und Gebiete
Birma (Myanmar)
Kambodscha
Laos
Thailand
Sri Lanka
Vietnam
Japan
Bhutan
Mongolei
Tibet
Burjatien (Russland)
Kalmykien (Russland)
Tuwa (Russland)

Hauptrichtungen
Hinayana (»kleines Fahrzeug«)
Mahayana (»großes Fahrzeug«)
tibetischer Buddhismus (Lamaismus)
Zen (japanischer Buddhismus)

wichtige Feste (Auswahl)
Losar (tibetisches Neujahrsfest; tibetischer Buddhismus, Februar)
Nirvana-Tag (Erinnerung an das Eingehen Buddhas ins Nirvana; Mahayana, 15. Februar)
Neujahr (Hinayana, April)
Hana Matsuri (»Blumenfest«, Erinnerung an die Geburt Buddhas; Mahayana, 8. April)
Wesak (Erinnerung an die Geburt, die Erleuchtung und das Sterben Buddhas; Hinayana, Mai)
Saga Dawa (Erinnerung an die Geburt Buddhas; tibetischer Buddhismus, Mai/Juni)
Rohatsu (Erinnerung an die Erleuchtung Buddhas; Zen, Oktober/November)
Bodhi-Tag (Erinnerung an die Erleuchtung Buddhas; Mahayana, 8. Dezember)

wichtige Wallfahrtsorte, heilige Stätten (Auswahl)
Lumbini, Nepal (Geburtsort Buddhas)
Bodh Gaya, Indien (Ort der Erleuchtung Buddhas unter dem Bodhibaum)
Rajgir, Indien (Wirkungsstätte Buddhas und nach buddhistischer Überlieferung Ort des ersten buddhistischen Konzils nach Buddhas Tod)
Anuradhapura, Sri Lanka (ältester historisch belegter Ableger des Bodhibaums)
Kandy, Sri Lanka (Zahnreliquie Buddhas)
die Berge Kailas (Tibet, China) und Emei Shan (China)

Buddhismus

Buddhismus. Der Begründer des Buddhismus ist unter dem Ehrentitel Buddha, »der Erwachte«, bekannt. Die tibetische Stoffmalerei zeigt eine Szene aus der mit Legenden ausgeschmückten Lebensgeschichte des Religionsstifters. Die Töchter des Dämonenfürsten Mara führen ihn in Versuchung, um ihn von der Meditation abzulenken (Thangka, 18. Jh.; Köln, Privatsammlung).

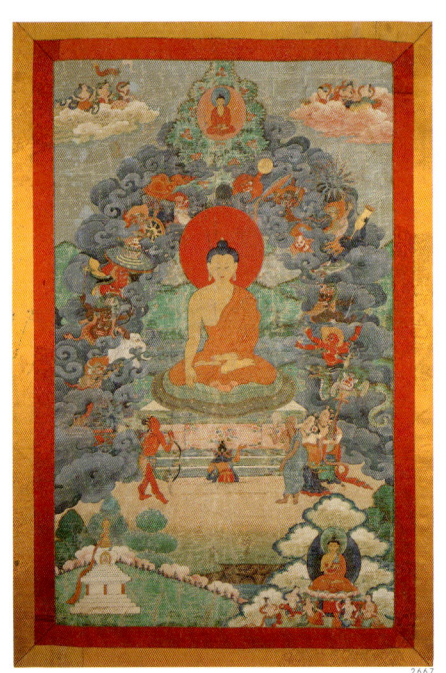

Verschiedene dieser Begriffe sind gleichbedeutend, der Heilsweg kann daher auf drei Stufen zurückgeführt werden: Sittlichkeit, Versenkung und erlösende Erkenntnis. Diese ist nicht das Ergebnis rationalen Denkens, sondern tiefgründiger Einsicht. Sie hat wiederum drei Glieder, ist »dreifaches Wissen«: Erinnerung an die eigenen früheren Existenzen, Erkenntnis des Karma-Gesetzes, Erkenntnis der »vier edlen Wahrheiten«. Damit schließt sich der Kreis, denn die vierte dieser Wahrheiten zeigt den Weg, der zur Aufhebung des Leidens führt. Ihn hat der buddhistische Mönch bereits aufgrund von Belehrung beschritten. Die Aufnahme der Lehre weitet sich nun zu intuitiver Schau. So »... wird (der) Geist befreit vom Wahn des Begehrens, des Weltenseins, des Nichtwissens; dem Erlösten wird die Erkenntnis: Die Erlösung ist vollzogen, entwurzelt die Geburt, vollendet der hl. Wandel, ... nicht gibt es eine weitere Geburt« (Dighanikaya 2, 98). In der gegenwärtigen, noch bis zum Tode fortdauernden Existenz ist damit schon das →Nirvana, das »Verwehen«, »Verlöschen«, erreicht, dem nach dem Tod das »vollkommene Nirvana« (Sanskrit: Parinirvana, Pali: Parinibbana) folgt. Ewig und unabhängig ist im Buddhismus nur das Nirvana. Die Götter bedürfen neben Menschen, Tieren, hungrigen Geistern und Dämonen ebenfalls der Erlösung und sind wie diese dem Kreislauf der Geburten unterworfen.

Die Lehre bildet die gemeinsame, vermutlich auf Siddhartha Gautama, den historischen Buddha, zurückgehende Grundlage der wesentlichen buddhistischen Schulen. Dass der Buddha von den Upanishaden und alten Yogatechniken ausging, ist wahrscheinlich.

■ **Die Lehre des Mahayana** Das Mahayana hat diese pluralistische Philosophie des Werdens zu einem Monismus umgebildet. Der Philosoph Nagarjuna (2. Jh.), der Begründer und Hauptvertreter der skeptizistischen Madhyamika-Schule, lehrte, dass die Daseinsfaktoren, da sie vergänglich sind und nur in Abhängigkeit voneinander existieren, keine wahre Realität haben. Sie sind bloßer Schein, real ist nur das Nirvana. Samsara, der ewige Kreislauf der Wiedergeburt, und Nirvana sind danach nur verschiedene Ausdrucksformen der all-einen »Leerheit« (Shunyata). Die zweitwichtigste philosophische Schule des Mahayana bildeten seit dem 4. Jh. die Yogacarins. Sie vertraten einen metaphysischen Idealismus, nach dem das Bewusstsein seine Objekte, z. B. die Person, das Ich, selbst hervorbringt. Die spätere Philosophie des Mahayana näherte sich immer mehr hinduistischen Vorstellungen, indem sie ein Geistiges als Urgrund der illusorischen Welt annahm. Das Ende der Entwicklung kennzeichnen dann Systeme, in denen, wie in Nepal, das Absolute mit einem Urbuddha (Adibuddha) identifiziert wird, der durch seine Meditationen (Dhyana) fünf »Dhyanibuddhas« ins Dasein ruft, die dann als überirdische Repräsentanten der fünf Elemente eine kosmische Bedeutung haben.

Im Mahayana wurden die Buddhas und Bodhisattvas zu himmlischen, verehrungswürdigen Gottheiten. Das Verlassen der Welt und asketisches Leben waren nicht mehr Voraussetzung des Heils, vielmehr stand in jedem weltlichen Beruf der Zugang zum Heil offen. Deshalb sprach der Heilsweg des Mahayana die Laien unmittelbarer an, entfremdete sich mit seiner später immer stärkeren »Hinduisierung« in Indien und Südostasien diesen aber auch wieder, während die Mönche des Theravada unter den Gesellschaften, in denen sie lebten, auch priesterliche Aufgaben für die Laien (z. B. bei den großen Ereignissen des Lebens wie Geburt, Erwachsenwerden, Hochzeit und Tod) übernahmen.

■ **Ethik** Die Ethik des Buddhismus ist ganz auf Selbstentäußerung gerichtet. Für den Laien sind die fünf Verpflichtungen bindend: nicht zu töten, nicht zu stehlen, nicht zu lügen, nicht die Ehe zu brechen und keine berauschenden Getränke zu genießen. Die Mönche und Nonnen haben dieselben Gebote in verschärfter Form (völlige Keuschheit) einzuhalten. Das Endziel der Mönche des Hinayana ist es, in dieser oder in einer späteren Verkörperung ein Heiliger (Arhat) zu werden, der sich der Versenkung hingibt, um schließlich in das Nirvana einzugehen. Dem Mahayana erschien die Selbsterlösung ein zu niedriges, weil egoistisches Ziel. Nach seiner Lehre soll der

Mensch danach streben, ein Bodhisattva, ein Erleuchtungswesen, zu werden, der darum bemüht ist, anderen Wesen zu helfen und sie zur Erleuchtung zu führen.

■ **Kultus** Da der Buddhismus von seinen Anhängern nicht den Austritt aus anderen Kultgemeinschaften verlangt, bestand für ihn in der ältesten Zeit kein Grund, für die Laien einen eigenen buddhistischen Kultus zu schaffen. Den Mönchen genügten Andachten mit Predigt, Schriftauslegung, Beichte und Meditation. Später kamen der Dienst an Reliquien und Buddhabildern und die Wallfahrt zu Stätten auf, an denen Buddha oder Heilige geweilt hatten. Da Buddha nach der Auffassung des Hinayana im Nirvana der Welt vollkommen entrückt ist, hat der Kultus im südlichen Buddhismus heute nur noch das Ziel, das Herz des Verehrers durch den Verehrungsakt zu läutern. Will ein Frommer um irdische Güter bitten, so kann er sich an die vielen vergänglichen Götter des Volksglaubens wenden. Im Mahayana mit seiner Tendenz, die buddhistische Heilslehre zu einem alle Gebiete des religiösen Lebens umfassenden Glauben auszugestalten, wurde auch der Kult der vergänglichen Gottheiten in das System einbezogen. Den Bodhisattvas und Buddhas wurde der Charakter von Nothelfern zuerkannt, die von überirdischen Welten aus den Frommen, die sich an sie wenden, ihre Gnade spenden. So bildete sich ein reiches Ritual aus. Im →Vajrayana, dem »Diamantfahrzeug«, führte dies schließlich zur Überwucherung des Geistigen durch eine Kultpraxis mit Zauberformeln, magischen Gesten und Riten.

■ **Geschichte** Der Buddha hatte vor seinem Tod keinen Nachfolger eingesetzt, sondern den Jüngern gesagt, die Lehre (Dharma) solle fortan ihr Meister sein. Dies hatte zur Folge, dass die Mönche über die Worte Buddhas bald uneins wurden und dass sich verschiedene Schulen bildeten. Die bedeutendste Schule, die heute noch in Sri Lanka und in Hinterindien vorkommt, ist die der Theravadins, die sich auf die Ansichten der Mönche der ältesten Zeit berufen. Sie behauptet, dass ihr Kanon und ihre Lehren auf drei Konzilen als maßgebend festgesetzt und gegen irrige Anschauungen verteidigt worden seien. Die Konzile sollen unmittelbar nach dem Tod Buddhas in Rajagriha (heute Rajgir in Bihar), 100 Jahre später in Vaishali (Bihar) und um 245 v. Chr. (zur Zeit des Königs Ashoka) in Pataliputra getagt haben. Es sollen im Laufe der Zeit 18 verschiedene Schulen entstanden sein, die in ihrer Dogmatik und Disziplin voneinander abwichen. In der Folgezeit breitete sich die Lehre immer weiter aus und fand sogar bei dem indogriechischen König Menander (Milinda; 155–135 v. Chr.) und dem indoskythischen Herrscher Kanishka (um 120 n. Chr.) tatkräftige Unterstützung.

Um die Zeitenwende entstand eine neue Richtung, die sich als Mahayana (»Großes Fahrzeug«) bezeichnete und auf die ältere Lehre Hinayana (»Kleines Fahrzeug«), als auf eine unvollkommene Vorstufe, herabblickte. Durch seine altruistische Ethik, seinen Glauben an die heilsvermittelnde Gnade von überirdischen Buddhas und Bodhisattvas, sein Ritual und seine tiefsinnige Philosophie übte das Mahayana eine so große Anziehungskraft aus, dass es nicht nur in Indien die alten Schulen zurückdrängte, sondern auch in den Missionsgebieten die Führung gewann, in Hinterindien, Afghanistan, Ostturkestan und besonders in China, wo der Buddhismus, angeblich aufgrund eines Traumes des Han-Kaisers Mingdi (58–76 n. Chr.), um 67 n. Chr. eingeführt worden war und in den nächsten Jahrhunderten zu hoher Blüte gelangte. Indische Mönche wurden nach China berufen, um hl. Texte zu übersetzen. Der Patriarch Bodhidharma begründete dort 520 n. Chr. eine Schule der Meditation (chinesisch: Chan, japanisch: Zen, für Sanskrit: Dhyana; →Zen), und chinesische Pilger, so Xuanzang, bereisten Indien, um die heiligen Stätten des Buddhismus zu besuchen und Reliquien zu sammeln. Von China aus wurde der Buddhismus 372 in Korea und von dort 552 in Japan eingeführt.

In Indien selbst fand der Buddhismus zwar noch im 7. Jh. im nordindischen König Harsha (606–647) einen Schirmherrn, schuf bedeutende literarische und künstlerische Werke und befruchtete die Kolonialgebiete, wo um 750 in Java der →Borobudur und nach 800 im Reich der Khmer, dem heutigen Kambodscha (Angkor), buddhistische Bauten entstanden. Die fortschreitende Anpassung des Buddhismus an hinduistische Glaubensformen führte aber zum Verfall des indischen Buddhismus.

Innerhalb des Mahayana erwuchs in der zweiten Hälfte des 1. Jt. das Vajrayana, das »Diamantfahrzeug«, das durch Zauberformeln und magische Praktiken überirdisches Heil zu erreichen suchte. Dieses nahm bald auch die Riten des sakralen Liebesgenusses aus dem →Tantrismus in sich auf, wodurch die Lehre des Buddha verformt wurde. Der Verfall des Buddhismus in Indien wurde dadurch noch beschleunigt, dass innerhalb des Brahmanismus im Vedanta Shankaras und in den vishnuitischen und shivaitischen Sekten Konkurrenten auftraten, die dem Buddhismus das Feld streitig machten. Bengalen, die letzte Hochburg des Mahayana-Buddhismus in Indien, wurde um 1200 durch die Invasion türkischer Muslime erobert und seine Klöster zerstört. Die auffällig zahlreichen Übertritte zum Islam gerade hier sind ein Hinweis darauf, dass der Buddhismus kaum bei den Laien verankert war.

In *China* wurde 580 die Tiantai-Schule begründet, welche die Hauptelemente des chinesischen Buddhismus, den Glauben an den Buddha Amitabha der »Schule des Reinen Landes« und die Praxis der Meditationssekte in höherer Synthese zusammenfasste. Nach einer Periode der Blüte wurde der Buddhismus dort aber ebenso wie in dem von China aus missionierten Annam (Vietnam) und in Korea durch den Konfuzianismus zurückgedrängt. In Japan hingegen schlug er feste Wurzeln und nahm neue Formen an: Die von Shinran Shōnin 1224 begründete »wahre Sekte des Reinen Landes« (Jōdo-shinshū) brach mit dem Zölibat der Priester und vertrat eine Erlösungslehre, die die Erlösung als Gnadengeschenk des Amida (Amitabha) auffasst. Die von Nichiren im 13. Jh. gestiftete Sekte des »Lotossutra« trägt stark nationalistische Züge.

In *Tibet,* wohin der Buddhismus seit dem 7. Jh. aus Bengalen gelangte, wurde er in der Gestalt des tibetischen Buddhismus Grundlage eines Mönchsstaates. Von hier aus wurden 1577 die Mongolen bekehrt, die dann im 17. Jh. die Lehre den Burjaten und Kalmücken vermittelten. Mit Letzteren, die sich in dem Gebiet bei Astrachan und Stawropol niederließen, kam der Buddhismus erstmalig auch nach Europa. Unter dem Einfluss des tibetischen Buddhismus entstanden auch die Staaten Sikkim und Bhutan.

■ **Siehe auch**
SACHBEGRIFFE →Bodhisattva · Dharma · Gebetsmühlen · Hinayana · Karma · Lamaismus · Mahayana · Mandala · Meditation · Nirvana · Pagode · Pantschen-Lama · Samsara · Sanchi · Tandschur und Kandschur · Tantra · Vajrayana · Zen
PERSONEN →Buddha · Dalai-Lama · Dôgen Kigen · Kūkai · Nagarjuna · Nichiren, Shonin · Padmasambhava · Tsongkhapa · Xuanzang · Zhiyi

Bugenhagen, Johannes, nach seiner pommerschen Heimat auch **Pomeranus** genannt, deutscher Reformator, *Wollin 24. 6. 1485, † Wittenberg 20. 4. 1558; seit 1535 Professor in Wittenberg. Bugenhagen war Freund und Beichtvater Martin Luthers und Mitarbeiter an dessen Bibelübersetzung, die er auch ins Niederdeutsche übertrug. Bugenhagen ist der Organisator der Reformation. Er ordnete das Kirchen- und Schulwesen in Braunschweig (1528), Hamburg (1528/29), Lübeck (1530/32), Pommern (1534/35), Dänemark (1537), Holstein (1542), Braunschweig-Wolfenbüttel (1543) und Hildesheim (1544). Neben seinen zahlreichen theologischen und exegetischen Schriften verfasste Bugenhagen auch eine Geschichte Pommerns (»Pomerania«, 1518).

Bullinger, Heinrich, schweizerischer Reformator und Schriftsteller, *Bremgarten (Aargau) 4. 7. 1504, † Zürich 17. 9. 1575; lernte während des Studiums 1519 in Köln Schriften Martin Luthers kennen, die ihn zum ev. Bekenntnis führten. Nach Zwinglis Tod wurde er 1531 dessen Nachfolger in Zürich. Nach dem Sieg der Katholiken bei Kappel verhalf er dem schweizerischen Protestantismus zur Einheit. Im »Consensus Tigurinus« 1549 erreichte er die Verständigung mit Johannes Calvin in der Abendmahlsfrage. Durch seinen umfangreichen Briefwechsel beeinflusste er den Fortgang der Reformation in ganz Europa. Seine »Confessio Helvetica« (1536) wurde 1566 von der schweizerischen Kirche offiziell angenommen.

Bultmann, Rudolf, deutscher ev. Theologe, * Wiefelstede (Kreis Ammerland) 20. 8. 1884, † Marburg 30. 7. 1976; war seit 1916 Professor in Breslau, 1920 in Gießen und 1921–51 in Marburg. Bultmann entstammte der historisch-kritischen Schule und fand schon früh über die Existenzphilosophie Martin Heideggers den Zugang zur dialektischen Theologie. Von weitreichender Wirkung für Theologie und Kirche wurde die von Bultmann aufgestellte Forderung nach der →Entmythologisierung des N. T., durch die Kreuzigung und Auferstehung Jesu als Einheit verstehen lässt: Jesus ist ins Wort auferstanden (2. Kor. 5, 18 f.). Damit ist zugleich die Frage nach der Bedeutung des historischen Jesus für den Glauben neu gestellt. Verbunden mit der Forderung nach Entmythologisierung der neutestamentlichen Aussagen ist die »existenziale Interpretation«, der zufolge Reden über Gott nur als Reden über den Menschen möglich ist.

Werke: *Die Geschichte der synopt. Tradition* (1921); *Jesus* (1926); *Glauben und Verstehen. Gesammelte Aufsätze,* 4 Bde. (1933–65); *Das Johannes-Evangelium* (1941); *Das Verhältnis der urchristl. Christusbotschaft zum histor. Jesus* (1961).

> Ein Hauptanliegen von **Rudolf Bultmann** war eine Entmythologisierung der biblischen Texte, da er sie für nicht mehr zeitgemäß erachtete:
>
> *»Man kann nicht elektrisches Licht und Radioapparat benutzen, in Krankheitsfällen moderne medizinische und klinische Mittel in Anspruch nehmen und gleichzeitig an die Geister- und Wunderwelt des Neuen Testaments glauben. ... Und wer meint, es für seine Person tun zu können, muss sich klarmachen, dass er, wenn er das für die Haltung christlichen Glaubens erklärt, damit die christliche Verkündigung in der Gegenwart unverständlich und unmöglich macht.«*

Bund, in der Bibel die gesellschaftliche und rechtliche Wirklichkeit eines Vertrages, und zwar sowohl der Vertragsabschluss als auch das Vertragsverhältnis. Im A. T. dient Bund vorwiegend der Bezeichnung des Verhältnisses von Gott mit Israel. Der Bund sichert den Schalom, den friedlichen Rechtszustand, der Voraussetzung für das Wohlergehen ist, doch verlangt er auch angemessenes Verhalten wie

Rudolf Bultmann

Anerkenntnis, Treue und Liebe. Nichterfüllen des Gotteswillens und Abfall von dem einzigen Gott führen zum Bruch des Bundes und werden entsprechend bestraft. Während das Judentum den von Gott mit Israel am Sinai geschlossenen Bund (2. Mos. 19–34) weiterhin für wirksam ansieht, glaubt das Christentum an einen neuen Bund Gottes mit allen Völkern in Jesus Christus (Hebr. 8,6–10; 9,14–18; 12,24). Zur christlichen Theologie →Alter Bund.

Bundahischn [mittelpers. »Grundlegung (d. h. Schöpfung)«], religiöse Schrift in mittelpersischer Sprache (Pehlewi), die wahrscheinlich Ende des 9. Jh. entstanden ist. Sie enthält Aussagen über die Schöpfung und über die Eschatologie des Parsismus.

Bundeslade, Gesetzeslade, Lade Gottes, Lade Jahwes, nach 2. Mos. 25,10 ff.; 37,1 ff. ein tragbarer Kasten aus Akazienholz, später mit zwei goldenen Cherubgestalten auf dem Deckel. Die Bundeslade war wohl ursprünglich ein kanaanäischer Kultgegenstand, der dann zu einem an verschiedenen Orten befindlichen Zentralheiligtum des israelitischen Stämmebundes (4. Mos. 10,35 f.) als Zeichen des Bundes zwischen Gott und Israel wurde. Nach Verlust und Wiedergewinnung (1. Sam. 4–6) wurde die Bundeslade durch David nach Jerusalem überführt (2. Sam. 6) und von Salomo im Allerheiligsten des Tempels aufgestellt (1. Kön. 6,19; 8,1–9), bei dessen Zerstörung (586 v. Chr.) sie verloren ging. Nach jüngerer Überlieferung diente die Bundeslade zur Aufbewahrung der Gesetzestafeln. In der Synagoge versinnbildlicht der Thoraschrein die Bundeslade.

Burak, in der islamischen Legende das Reittier, auf dem Mohammed seine wunderbare nächtliche Reise nach Jerusalem und durch die sieben Himmel unternahm (→Himmelfahrt Mohammeds).

Buri [»Erzeuger«], *altnordische Mythologie:* menschenähnliches Wesen, das von der Kuh Audhumla aus salzigem Eis hervorgeleckt wurde. Es gilt als Vater des →Borr und damit als Stammvater der Götter.

Burka, Ganzkörperschleier der Frauen mit einem vergitterten Fenster vor den Augen. Er wird v. a. in Pakistan, Indien und Afghanistan getragen.

Buschgeist, in älteren Beschreibungen afrikanischer Kulturen üblicher Ausdruck für den Herrn der Tiere oder Herrn des Waldes, einen Naturgeist mit großer Machtfülle über ein Territorium.

Bushidō [-ʃ-; japan. »Weg des Kriegers«], **Buschido,** die Ethik des japanischen Kriegerstandes, die in Anlehnung an konfuzianische und buddhistische Grundsätze Treue gegen den Herrn, Waffentüchtigkeit, Selbstzucht und Todesverachtung forderte. Das Bushido erhielt seine eigentliche Ausformung durch

Bundeslade. Der biblischen Überlieferung zufolge wurde die goldverzierte Bundeslade auf Geheiß des Mose von dem Künstler Bezaleel in der Nähe des Berges Sinai gefertigt. Während der Wüstenwanderungen und bei Kriegszügen wurde sie dem Volk Israel vorangetragen (Illustration der »Antiquitates Judaicae« des Josephus Flavius von Jean Fouquet, 15. Jh.; Paris, Bibliothèque Nationale).

Yamaga Sokō (1622–85) und entwickelte sich zum ethischen Ideal der gesamten Nation.

Buße [ursprünglich »Nutzen«, »Vorteil« (verwandt mit neuhochdt. besser)], das Bemühen, ein durch menschliches Vergehen (Sünde) gestörtes Verhältnis zu Gott, zu den Göttern oder zu der als heilig verehrten Macht wiederherzustellen. Buße findet sich in allen Religionen und hat unterschiedliche Formen der Bußpraxis hervorgebracht. So kennen viele Völker eine Beichte mit anschließender Waschung oder innerer Reinigung durch Einnahme eines Brechmittels, um damit der Sünden ledig zu werden. Oft wird dem Sünder als Buße auch etwas Blut entnommen, bei den Azteken etwa demjenigen, der sich auf sexuellem Gebiet vergangen hatte. Der allgemeinen Sündenvergebung dienen besondere öffentliche Bußtage, z. B. im Judentum der »Versöhnungstag« (Jom Kippur).

Eine große Rolle spielt die Buße in stark durch das Mönchtum geprägten Religionen. So ist die Bußpraxis der daoistischen und jainistischen Mönche durch strenge asketische Übungen gekennzeichnet. Als Ausdruck subjektiver Bußgesinnung spiegelt sich die Buße in den babylonischen Bußpsalmen wider, die den Zustand des sündigen Beters schildern. Als Folge objektivierten kultischen Handelns erscheint sie im tibetischen Buddhismus, der im Drehen der Gebetsmühlen den äußeren Ausdruck einer objektiv (»automatisch«) wir-

Bußsakrament

Buße.
Eine ausgebildete Bußpraxis kennen fast alle Religionen, so auch schon die Azteken. Im Angesicht des auf der Pyramide hockenden Totengottes versuchen sie, sich durch oft grausame Bußübungen wie das Abzapfen des eigenen Blutes oder Durchbohren von Zunge und Ohren von ihren Verfehlungen zu reinigen (nachkolumbischer Farbdruck, Codex Magliabechiano; Florenz, Biblioteca Nazionale Centrale).

kenden Sündenvergebung sieht. Für die *jüdische Theologie* umfasst Buße vor dem Hintergrund des Bundesverhältnisses Gottes mit seinem Volk Israel sowohl die Umkehr des Einzelnen als auch die Wiederzuwendung des jüdischen Volkes in seiner Gesamtheit zu Gott und seinem Gesetz, der Thora. Der *Islam* betont Buße als Einsicht in den Willen Gottes und Reue über ein Leben, das diesem nicht entspricht, wobei Gott den Bußfertigen das »Zudecken« ihrer Sünden zusagt (Sure 3, 135 f.; 66, 8).

Die *christliche Theologie* hebt im Anschluss an das N.T. (Mk. 1, 15) die Buße v. a. als persönliche Umkehr und Neubestimmung der gesamten Existenz auf Gott hin hervor (Metanoia). Nach ev. Auffassung ist Buße Gesinnung der Umkehr, die im Leben als »Frucht der Buße« wirksam wird. Sie ist keine Leistung (Genugtuung), auch kein Sakrament (Beichte), vielmehr Reue über die Sünde und Glauben an Gottes Vergebung. Pietismus, Methodismus und Erweckungsbewegungen haben die Buße als individuelle geistliche »Wiedergeburt« (Bekehrung) in die Mitte ihrer Auffassung des Christentums gestellt, die Bußpraxis allerdings z. T. psychologisch übersteigert. Die kath. Kirche und die Ostkirchen kennen das Bußsakrament zur Lossprechung von Sünde.

Bußsakrament, *kath. Kirche:* das Sakrament, das die nach der Taufe begangenen Sünden durch die Lossprechung des Priesters tilgt, wenn der Sünder durch Reue und Sündenbekenntnis mitwirkt. Das Bußsakrament wird biblisch besonders auf Mt. 18, 18 und Joh. 20, 21–23 zurückgeführt. Es ist ein Gerichtsverfahren mit den Akten der Anklage (Beichte), Reue und Genugtuung seitens des Sünders und der Lossprechung (Absolution) durch einen Priester (Beichtvater). Die Reue ist die innere Haltung, begangene Sünden abzulehnen, verbunden mit dem Vorsatz, nicht mehr zu sündigen. Durch die Lossprechung werden alle Sünden und die ewige oder Höllenstrafe erlassen. Die zeitlichen Sündenstrafen werden durch das vom Beichtvater bei der Lossprechung auferlegte sakramentale Genugtuungswerk, durch gute Werke oder auch durch Ablass abgetragen. Das Kirchenrecht schreibt dem zur Gewissenserforschung fähigen Gläubigen wenigstens einmal im Jahr das Bekenntnis begangener schwerer Sünden (Todsünden) und den Empfang des Bußsakraments vor.

Die *Ostkirchen* kennen ebenfalls das Bußsakrament, in dessen Zentrum – wie in der kath. Kirche – die persönliche, vor einem Priester abgelegte Beichte steht.

Butkara, buddhistische Kultstätte im Swatgebiet, Nordpakistan, mit Resten zahlreicher Stupas und Reliefplastiken der Gandharakunst.

Butsu, japanische Bezeichnung für Buddha in seinen verschiedenen Erscheinungsformen (Amida, Miroku, Rushana, Shaka, Yakushi), der im Gegensatz zum Bosatsu ohne Schmuck dargestellt wird.

Butsudan, schrankförmiger buddhistischer Hausaltar für den Totenkult in der japanischen Familie.

Butzer, Martin, deutscher Reformator, →Bucer.

Byblos [griech.], phönikisch-hebräisch **Gebal,** akkadisch **Gubla,** heute **Djubail,** alte phönikische Hafen- und Handelsstadt 30 km nördlich vom heutigen Beirut, Libanon. Byblos stand schon im 3. Jt. v. Chr. in enger Verbindung mit Mesopotamien und v. a. Ägypten. Ausgrabungen erbrachten Denkmäler seit dem Neolithikum: den Tempel der Stadtgöttin (Baalat Gubla) und der einem Kriegsgott geweihte und irrtümlich Reseph zugeschriebene Tempel wohl aus der ersten Hälfte des 3. Jt., über ihm ein großer Obeliskentempel aus dem 2. Jahrtausend. In hellenistischer Zeit blühte in Byblos der Adoniskult, später wurde es christlicher Bischofssitz. In der Kreuzfahrerzeit war es heftig umkämpft.

byzantinische Kirche, die →orthodoxe Kirche des Oströmischen Reiches, des Reiches von Byzanz. In Sprache und Denken griechisch bestimmt, wurde sie Mutterkirche der slawischen orth. Kirchen.

Byzanz, griechisch **Byzantion,** lateinisch **Byzantium,** Name einer griechischen Kolonie am Bosporus, die Kaiser Konstantin der Große als »Neues Rom« zur neuen Reichshauptstadt →Konstantinopel erhob.

Caitanya [tʃaɪ-], seit 1509 **Kṛṣṇa Caitanya** [-ʃ-], eigtl. **Vishvambara Mishra,** bengalischer Wanderprediger und Anhänger des indischen Gottes Krishna (Vishnu), * Nadiya 1486, † 1533; gewann durch seine ekstatischen, von Musik und Chorgesang begleiteten Radha-Krishna-Hymnen (Samkirtanas) zahlreiche Anhänger und wurde von ihnen als Inkarnation (Avatara) Vishnus verehrt. Seine in der Volkssprache gehaltenen Predigten stellten über allen Werkdienst die leidenschaftliche Liebe zu Radha und Krishna (→Bhakti). Seine Nachfolger, die Goswamis, organisierten die Caitanyagemeinde und legten das Ritual fest. Die Werke Caitanyas und der Caitanyabewegung übten einen prägenden Einfluss auf die Herausbildung der bengalischen Literatur aus.

Cajetan, eigtl. **Thomas de Vio,** italienischer Dominikanertheologe und Kirchenpolitiker, * Gaëta 20. 2. 1469, † Rom 9./10. 8. 1534; trat 1484 in den Dominikanerorden ein und lehrte u. a. an Ordensschulen in Padua, Brescia und Pavia. 1508 wurde er Ordensgeneral, 1517 Kardinal und 1518 Erzbischof von Palermo und in Gaëta. Ab 1524 war er als Berater Papst Clemens' VII. tätig. Er ist der kath. Reformbewegung in Italien zuzurechnen. Auf dem 5. Laterankonzil (1512–17) verteidigte er den Primat des Papstes und führte auf dem Reichstag in Augsburg 1518 als päpstlicher Legat mehrere Gespräche mit Martin Luther. Er hat ein umfangreiches Schrifttum hinterlassen, eine Exegese und einen Kommentar zur »Summa theologica« des Thomas von Aquino.

Cakra ['tʃakra; Sanskrit »Rad«, »Kreis«, »Zentrum«], in der indischen Tradition ein Kreis als religiöses Symbol mit verschiedenen Bedeutungen: In Darstellungen »großer Männer« (»mahapurusha«) wie in denen eines Buddha oder Jaina erscheint ein Cakra an deren Händen oder Füßen. Der Gott Vishnu wird dargestellt mit einem Cakra als Wurfscheibe in der Hand. Im tantrischen Yoga (→Tantrismus) sind die Cakras Kraftzentren im Menschen, die entlang der Wirbelsäule in aufsteigender Reihenfolge als lotusförmige Gebilde gedacht werden. Die ihnen zugeschriebene Energie wird durch bestimmte Yogapraktiken, auch sexueller Art, freigesetzt. Die Erfahrung dieses »Energiestroms« ist für den Tantriker die höchste Erleuchtung.

Calvin, Johannes, eigtl. **Jean Cauvin,** französisch-schweizerischer Reformator, * Noyon 10. 7. 1509, † Genf 27. 5. 1564; neben Martin Luther der wichtigste Vertreter der Reformation.

■ **Leben** Calvin bekannte sich nach dem Studium der Rechte zur Reformation und musste deshalb 1533 aus Paris fliehen. 1535 ließ er sich zunächst in Basel nieder, wo er sein 1536 veröffentlichtes Hauptwerk, die »Christianae Religionis Institutio« (»Unterricht in der christlichen Religion«), vollendete. Auf einer Durchreise in Genf 1536 gewann ihn der Genfer Reformator Guillaume Farel für die Arbeit am Aufbau der Genfer Kirche. Er wurde aber 1538 nach seinem Versuch, eine strenge Kirchenzucht einzuführen, zusammen mit Farel vom Rat der Stadt ausgewiesen. Bevor Calvin sich zur Durchsetzung seines Reformwerkes 1541 endgültig in Genf niederließ, wurde er von Martin Bucer zur Betreuung der französischen Flüchtlingsgemeinden in Straßburg gewonnen. Während dieser Zeit konnte Calvin seine schriftstellerische Tätigkeit fortsetzen. Es erschienen die zweite Ausgabe der »Institutio« (1539) und ein Kommentar zum Römerbrief (1540).

Durch die Teilnahme an mehreren Religionsgesprächen lernte er die deutsche Reformation und ihre führenden Theologen kennen. 1541 nach Genf zurückgerufen, legte er dem Rat der Stadt eine auf strenge Gemeindezucht angelegte Kirchenordnung, die »Ordonnances ecclésiastiques«, zur Beschlussfassung vor. Sie wurde vom Rat angenommen und in den folgenden Jahren konsequent durchgeführt. Daneben gewann Calvins 1542 entstandener »Genfer Katechismus« für die religiöse Erziehung der Gemeinde große Bedeutung. Der heftige Kampf zwischen Anhängern und Gegnern Calvins endete erst 1555 nach zahlreichen Verbannungen und Hinrichtungen zugunsten der neuen Lehre.

■ **Lehre und Wirkung** In der »Institutio« entwickelte Calvin v. a. den Gedanken der →Prädestination, die nicht zur Passivität führt, sondern zur rastlosen Tätigkeit treibt. Denn aus dem Erfolg des Menschen könne auf seine Erwählung geschlossen werden. Calvin vermittelte in der Abendmahlslehre zwischen Martin Luther und Ulrich Zwingli. Über Genf hinaus hat Calvin an der Durchsetzung der Reformation in ganz Europa mitgewirkt, besonders durch seinen ausgedehnten Briefwechsel. Diesem Ziel diente auch die von ihm 1559 gegründete Genfer Akademie, die den Führern des reformierten Protestantismus das Rüstzeug für dessen dauerhafte Befestigung vermittelte.

Für den von Calvin beeinflussten Protestantismus (→Calvinismus) wurde Genf für die nun überall in Europa entstehende reformierte Kirche zum Beispiel eines nach der göttlichen Offenbarung gestalteten Gemeinwesens.

Calvinismus, Kalvinismus, die von der Theologie Johannes Calvins inspirierte Glaubens- und Lebenshaltung reformierter Christen **(Calvinisten).** In der Kirchengeschichtsschreibung wird der Begriff **calvinistisch** zur zusammenfassenden Beschreibung reformierter Kirchen verwendet, wobei z. T. neben den auf Calvin zurückgehenden Kirchen auch andere – besonders die von Ulrich Zwingli begründeten – reformierten Kirchen einbezogen werden. Der Begriff Calvinismus geht auf den

Johannes Calvin
* 1509, † 1564

■ ist neben Luther der einflussreichste Reformator der abendländischen Kirche

■ studierte Jura in Paris, Orléans und Bourges

■ schuf in Genf ein Gemeinwesen, nach dessen Vorbild sich der Protestantismus in ganz Europa verbreitete

■ hatte zeit seines Lebens mit heftiger Opposition, Einsamkeit und gesundheitlichen Problemen zu kämpfen

Calvin
→ **GEO** Dossier
Glaube, Liebe, Hoffnung?, Bd. 15

Lutherschüler und Hamburger Pastor Joachim Westphal (*1510, †1574) zurück, der ihn abwertend für die Vertreter der Theologie Calvins verwendete.

Die 1549 im Consensus Tigurinus, dem Dokument der Einigung zwischen Heinrich Bullinger (als Nachfolger Zwinglis) und Calvin, festgelegte Form des reformierten Glaubens durchdrang noch zu Lebzeiten Calvins die Schweiz, Frankreich, die Niederlande, England, Schottland (durch den Calvinschüler John Knox), Polen, Ungarn, Siebenbürgen sowie die Pfalz (1561 Übertritt Kurfürst Friedrichs III. zum Calvinismus) und das Niederrheingebiet. Anfang des 17. Jh. fasste der Calvinismus auch in Hessen-Kassel, im Nassauischen und im Anhaltinischen Fuß. Bedeutende Zentren calvinistischer Theologie wurden die Universitäten Heidelberg und Leiden. Die theologische Einheitlichkeit des Calvinismus ging jedoch mit Calvins Tod verloren. Von der calvinistischen Orthodoxie entfernten sich die von Philipp Melanchthon beeinflussten Reformierten in Deutschland und die gegen die Prädestinationslehre kämpfenden Arminianer in den Niederlanden.

Wesentlich für die calvinistische Theologie ist die Prädestinationslehre mit der Frage nach der Erwählung jedes Einzelnen durch Gott. Durch die Vorstellung, der Grad der persönlichen Erwählung sei an den Lebensverhältnissen, nicht zuletzt am wirtschaftlichen Erfolg erkennbar, hatte der Calvinismus bedeutenden Einfluss auf die wirtschaftliche und soziale Entwicklung in Westeuropa und, nach Auswanderung der calvinistisch geprägten Puritaner, in Nordamerika. Der Soziologe Max Weber (»Die protestantische Ethik und der Geist des Kapitalismus«, 1904/05) vertrat die mittlerweile stärker differenzierte These, der Calvinismus habe wesentlich zur Entstehung des »kapitalistischen Geistes« beigetragen.

Camauro [lateinisch], **Kamauro**, außerliturgische Kopfbedeckung der Päpste, gefertigt aus roter Seide (für das Sommerhalbjahr) bzw. rotem Samt mit hermelinbesetztem Mützenrand (für das Winterhalbjahr). Der Camauro ist in der katholischen Kirche seit dem Spätmittelalter belegt. Im 19. Jh. kam er außer Gebrauch und wurde erst wieder von den Päpsten Johannes XXIII. und Benedikt XVI. (bei der Generalaudienz am 21. 12. 2005) getragen.

Cami [dʒ-], türkische Bezeichnung für Moschee, die besonders für größere Bauten (häufig die Freitagsmoschee) verwandt wird.

Candomblé, eine der afroamerikanischen Religionen, die v. a. in Bahia (Brasilien) verbreitet ist, wohin von 1549 bis 1851 viele Yoruba aus Westafrika als Sklaven gebracht worden waren. Die Gottheiten des Candomblé sind die Orischa (englisch Orisha, portugiesisch Orixá) wie in der Religion der Yoruba. Die Basis des Candomblé bilden die einzelnen, überwiegend von Priesterinnen (aber auch von Priestern) geleiteten kultischen Zentren (»terreiros«), in denen sich die Gläubigen zur Verehrung der Orischas versammeln. Neben vorwiegend an der »reinen« westafrikanischen Yoruba-Tradition orientierten Zentren haben andere Zentren Elemente des Volkskatholizismus wie etwa die Heiligenverehrung, aber auch der indianischen und spiritistischen Tradition in ihre religiöse Symbolik aufgenommen. In den religiösen Versammlungen manifestieren sich im Verständnis der Gläubigen die Orischas in »eingeweihten« Menschen, nachdem diese sich in dem durch Musik und Tanz geprägten Ritual in einen Zustand hl. Trance versetzt haben, und können über sie direkt angesprochen und befragt werden.

Canisius, Petrus, eigtl. **Pieter Kanijs**, der erste deutsche Jesuit, *Nimwegen 8. 5. 1521, †Freiburg (Üechtland) 21. 12. 1597; trat 1543 in den Orden ein. Ein zweijähriger Aufenthalt in Italien schloss mit seiner feierlichen Profess und Sendung nach Deutschland ab (1549), in möglicherweise bewusster Analogie zu der Aussendung des hl. Bonifatius. Obwohl häufig zu kirchenpolitischen Aufgaben herangezogen, war Canisius besonders in Seelsorge und Unterricht tätig und gründete Jesuitenkollegien in Ingolstadt, München, Dillingen und Innsbruck. Seit 1580 lebte er in Freiburg. Große Wirkung hatten seine Katechismen »Summa doctrinae christianae« (1555), »Catechismus minimus« (1556) und »Parvus catechismus catholicorum« (1558). – 1925 wurde er zum Kirchenlehrer erklärt und heiliggesprochen (Tag: 27. 4.).

Caodaismus [kaʊ-], **Caodaiismus** [kaʊ-], neue Religion, die Anfang des 20. Jh. in der vietnamesischen Region Cochinchina aus der Verschmelzung des vietnamesischen Geister- und Ahnenglaubens mit Elementen des Daoismus (Frömmigkeitspraxis), Konfuzianismus (Ethik), Buddhismus (Karmalehre) und Christentums (Missionsgebot) entstand. Der Gottesname Cao-Dai (vietnamesisch »Großer Palast«) gilt als allumfassender Inbegriff Gottes, der als »heiliges Auge« über einer Weltkugel symbolisiert ist. Er wurde dem in daoistischer Tradition aufgewachsenen vietnamesischen Kolonialbeamten Ngo-van-Chieu 1925 in einem Visionserlebnis offenbart. 1926 konstituierte sich der Caodaismus als streng hierarchisch strukturierte, am Vorbild der kath. Kirche ausgerichtete Religionsgemeinschaft, die – national und antikolonial ausgerichtet – in den 1940er- und 1950er-Jahren auch von erheblichem politischem Einfluss war.

Erster caodaistischer »Papst« (Giao-Tong) wurde der Mandarin Le-van-Trung. Religiöses Zentrum des Caodaismus wurde als sein Sitz die Stadt Tay Ninh.

Petrus Canisius

Caodaismus. Der Caodaismus ist eine synkretistische Religion, in der traditionelle vietnamesische mit daoistischen, konfuzianistischen, buddhistischen und christlichen Elementen verschmelzen. In der noch jungen Tradition herrscht die Vorstellung, dass Gott durch Weissagungen zu den Gläubigen spricht. Die Abbildung zeigt Gottesdienstbesucher in der Kathedrale von Tay Ninh, Vietnam, dem Zentrum des Caodaismus.

Der Caodaismus versteht sich als der durch die »Dritte Offenbarung Gottes« eröffnete Weg, auf dem alle zuvor geoffenbarten östlichen und westlichen Religionen zu ihrer wesensmäßigen Einheit zurückfinden, und fordert die Achtung vor dem Leben sowie die Brüderlichkeit aller Menschen. Mittelpunkt des Kults ist das gemeinschaftliche Gebet, das als Vorstufe zur Meditation als der höheren Form des Gottesdienstes hinführen soll. Besonders im südlichen Landesteil Vietnams (Provinz Tay Ninh) verbreitet, gehen die meisten Schätzungen seit den 1950er-Jahren von rund zwei Millionen vietnamesischen Caodaisten aus, wobei es heute wohl weniger sind. Außerhalb Vietnams bestehen caodaistische Gemeinden in Kambodscha.

Capitol, →Kapitol.

Cargo-Kulte [ˈkɑːɡəʊ-; engl. »Schiffsladung«, »Fracht«], religiöse Bewegungen auf Neuguinea und in der melanesischen Inselwelt, die seit Ende des 19. Jh. aus der Konfrontation der Urbevölkerung mit den zivilisatorischen Werten, v. a. aber den Handelsgütern der niederländischen, britischen und deutschen Kolonisatoren entstanden. Im Verständnis der Melanesier hatten die Ahnen ihnen diese Güter aus einer anderen Welt auf den Schiffen der Weißen geschickt, die sich die Ladung (»cargo«) jedoch unrechtmäßig angeeignet und den rechtmäßigen Empfängern vorenthalten haben. Um am »cargo« als dem für sie bestimmten Schlüssel zu Glück und Wohlstand teilzuhaben, entstand bis in die jüngste Vergangenheit eine Vielzahl von Cargo-Kulten.

Im Rückgriff auf Elemente der alten melanesischen Religionen wie Beschwörungen und Zaubersprüche sollte über bestimmte Rituale Zugriff auf das »cargo« erlangt werden. Getaufte Melanesier erstrebten die Teilhabe am »cargo« v. a. als äußeren Ausdruck ihrer Gleichrangigkeit mit den weißen Christen. Als potenzielle Umsturzbewegungen wurden die Cargo-Kulte von den Kolonialverwaltungen unterdrückt und gingen in großer Zahl wieder unter. Die noch bestehenden Cargo-Kulte werden als Vermittler zwischen der traditionellen melanesischen Kultur und der Kultur europäischer Einwanderer gesehen.

Caritas, →Karitas.

Casaroli, Agostino, italienischer kath. Theologe und päpstlicher Diplomat, Kardinal (seit 1979) * Castel San Giovanni (Provinz Piacenza) 24. 11. 1914, † Rom 9. 6. 1998; wurde 1937 zum Priester und 1967 zum Bischof geweiht (Titularerzbischof von Karthago). Casaroli trat 1940 in den päpstlichen diplomatischen Dienst und war 1979–90 Kardinalstaatssekretär. Als »Außenminister« des Heiligen Stuhls war Casaroli besonders mit der nachkonziliaren vatikanischen Ostpolitik verbunden, deren Leitlinien von ihm seit den 1960er-Jahren maßgeblich erarbeitet worden sind.

Castor und Pollux, lateinische Namen der →Dioskuren.

Ceres, *altitalische Mythologie:* altitalische Göttin des Wachstums der Ackerfrüchte, die im Kult eng mit der Erdgöttin Tellus verbunden ist. Spätestens seit dem 6. Jh. v. Chr. wurde sie mit der griechischen Göttin Demeter gleichgesetzt. Ihr Fest, die **Cerealia,** wurde in Rom am 19. April gefeiert. Ihr 493 v. Chr. geweihter Tempel auf dem Aventin war der Mittelpunkt des plebejischen Kultes.

Cernunnus, keltischer Gott, der hauptsächlich in Nord- und Ostgallien verehrt

---

Cargo-Kulte   Hoffnung auf das irdische Paradies

In den Cargo-Kulten verbanden sich der einheimische Ahnenkult mit von den christlichen Missionaren übernommenen Erlöservorstellungen zu einer diesseitig geprägten Hoffnung auf ein 1 000-jähriges Reich des materiellen Wohlergehens und selbstbestimmten Lebens. Dabei gingen religiöse Erwartungen mit sozialpolitischen Utopien und einem beginnenden Nationalbewusstsein einher. Ein Beispiel ist die Milne-Bai-Bewegung auf Neuguinea, die 1893 von einem jungen Eingeborenen namens Tokeriu ausging. Er verlangte von seinen Anhängern etwa den Verzicht auf alle Erzeugnisse der Weißen und versprach ihnen das Aufziehen eines immerwährenden Südostwindes, der unermessliche Ernten sowie die Wiederkehr der Ahnengeister auf riesigen Dampfschiffen bringen würde. Indem er eine unendliche Fülle an kommenden Gütern versprach, brachte er die Gläubigen dazu, ihre wertvollen Schweine in Massen zu schlachten und alle Früchte aufzuessen. Als die versprochenen Güter jedoch ausblieben, wandten sich die Eingeborenen wegen der sinnlosen Schlachtung ihres Viehs gegen den Propheten, sodass Tokeriu schließlich von den europäischen Verwaltungsbeamten in Schutzhaft genommen werden musste.

Chabad

wurde. Auf Darstellungen trägt er ein Hirschgeweih und ist häufig von Tieren, besonders Hirsch und Schlange, umgeben. Seine Bedeutung scheint die eines Spenders von Fruchtbarkeit und Reichtum gewesen zu sein.

Chabad, von Schneur Salman von Ljadi (*1746, †1812) begründete Bewegung innerhalb des osteuropäischen →Chassidismus 2).

Chac. Die für die toltekische Kultur charakteristische Chac-Mool-Figur ist eine Darstellung des Regengottes Chac, der auf dem Rücken liegt und mit beiden Händen auf dem Bauch eine Schale zur Aufnahme von Trankopfern hält. Es ist umstritten, ob auf diesen Figuren auch Menschen geopfert wurden. Das Bild zeigt den Chac-Mool vor der Kukul-kan-Pyramide von Chichén Itzá (Mexiko), die im 10. Jh. erbaut wurde.

Chac [tʃak], Bezeichnung für den Regengott bei den Maya in Yucatán, der stets mit rüsselförmiger Nase dargestellt wird, besonders als Fassadendekoration und in den wahrsagerischen Bilderhandschriften, wo er auch als »Gott B« bezeichnet wird.

Chadidja [xaˈdiːdʒa], erste Ehefrau des Propheten Mohammed, † Mekka um 619; vermögende Kaufmannswitwe, die dem rund 20 Jahre jüngeren Mohammed von sich aus die Heirat angeboten hatte und ihm mehrere Kinder gebar, darunter →Fatima. Chadidja gilt in der islamischen Tradition als die Erste, die an Mohammeds prophetische Sendung glaubte und den Islam annahm.

Chador, →Tschador.

Chalamurti [tʃ-, Sanskrit], nicht fest installiertes indisches Götterbild, das bei Prozessionen verwendet wurde, oder auch ein Amulett.

Chalkedon, Konzil von [ç-], lateinisch **Chalcedon, Chalzedon,** das 4. ökumenische Konzil, das 451 in der Stadt Chalkedon in Bithynien (heute als Kadıköy Stadtteil von Istanbul) tagte. Es war das am stärksten besuchte Konzil der alten Kirche. Sein Hauptanliegen war die Beendigung der christologischen Streitigkeiten, die um die Frage des Verhältnisses von Gottheit und Menschheit in Christus geführt wurden. Dabei waren die antiochenische Theologie, die die Menschheit Christi besonders betonte, und die alexandrinische, der die Gottheit Christi wichtiger war, die Hauptkontrahenten. Der Westen schaltete sich mit dem Lehrschreiben Papst Leos I. erst in der Schlussphase ein.

Die Sitzungen des Konzils wurden von 19 kaiserlichen Kommissaren geleitet. Am 25.10. 451 kam es zur Verabschiedung der Lehrformel. Sie ist ein Bekenntnis »... zu ein und demselben Sohn, ... wahrhaft Gott und wahrhaft Mensch, ... in zwei Naturen unvermischt ... erkennbar, ... nicht geteilt ... in zwei Personen«. Diese Lehrformel hat in allen abendländischen (auch den protestantischen) Kirchen Geltung erlangt. Die Einheit der Ostkirche zerbrach an ihr (→Monophysitismus).

Chalukka [x-; hebr. »Verteilung«], Kollekte zugunsten von bedürftigen Juden in Palästina, die ausgehend von 5. Mos. 15,7 bereits ab dem 3. Jh. n. Chr. organisiert wurde und verschiedenen Gruppen zukam. Seit dem Mittelalter findet sie Unterstützung von jüdischen Gemeinden in aller Welt.

Chan, [tʃan], im Buddhismus die chinesische Bezeichnung für →Zen.

Chang Tao-ling, chinesischer Daoist, →Zhang Daoling.

Chanukka [x-; hebr. ḥănukkā »Einweihung«], im Judentum achttägiges Fest ab 25. Kislew (im Dezember) zur Erinnerung an die Wiedereinweihung des Tempels in Jerusalem im Jahre 164 v. Chr. durch Judas Makkabäus. Der Brauch, einen achtfachen Leuchter, den **Chanukkia,** (pro Tag ein Licht mehr) anzuzünden, geht auf die Legende zurück, nach der ein im Tempel aufgefundener, nicht entweihter Ölvorrat für einen Tag acht Tage lang reichte.

Charidjiten [xaridʒ-], **Kharidjiten** [xaridʒ-], **Chawaridj** [xawaˈridʒ; arab. »die Ausziehenden«], ursprünglich die Anhänger des Kalifen Ali Ibn Ali Talib, die sich nach der Schlacht von Siffin (657) von ihm trennten, weil er sich einem Schiedsgericht über seine und die Ansprüche des Omaijaden Moawija I. auf das Kalifat unterwerfen wollte. Sie betrachteten alle übrigen Muslime als todeswürdige Ketzer und bildeten etwa zwei Jahrhunderte lang im heutigen Irak und Iran eine ernste Bedrohung der Omaijadenkalifen.

Unter den verschiedenen Richtungen erlangten die in der Mitte des 7. Jh. entstandenen und nach ihrem Begründer Abd Allah Ibn Ibad al-Murri benannten **Ibaditen** die größte Bedeutung. Ihre religionspolitischen Bestrebungen verbanden sich in Nordafrika mit dem Freiheitsdrang der Berber. Hier bestand unter der Dynastie der Rustamiden 777–909 ein ibaditischer Staat mit Zentrum im algerischen Tahert, dessen Herrscher als Imame aller Ibaditen anerkannt wurden. Heute bestehen ibaditische Gemeinden in Oman, in Nordafrika im Mzab, in Ouargla, im Djebel Nefusa und auf der Insel Djerba mit insgesamt etwa zwei Mil-

---

Chalkedon; Konzil von
→ GEO **Dossier**
Glaube, Liebe, Hoffnung?, Bd. 15

lionen Mitgliedern. Besonders im Oman, wo der Sultan und über 70 % der Bevölkerung der ibaditischen Gemeinschaft angehören, finden jüngste Bestrebungen einer »ibaditischen Renaissance« eine breite, auch staatliche Unterstützung. Im Mittelpunkt steht dabei die äußerst strenge Auslegung der islamischen Pflichtenlehre, darunter v. a. das Almosengeben und die Pflicht zur gegenseitigen Hilfeleistung innerhalb der ibaditischen Gemeinde.

Charisma [ˈça(:)risma, çaˈrisma, griech. »Gnadengabe«], die als übernatürlich empfundene oder nicht alltägliche Qualität eines Menschen, die ihn in seiner Gruppe als gottgesandt oder gottbegnadet erscheinen lässt, etwa Zauberer, Propheten oder Kriegshelden. In Natur- und Volksreligionen ist vielfach die Fähigkeit zu herrschen ein substanzielles Charisma. Die Gottheit verleiht dem Häuptling oder König demnach eine geheimnisvolle Macht, die Bedürfnisse seines Stammes oder Volks zu befriedigen und seine Werke zu vollenden. Gelingt ihm dies nicht, so wird er dafür verantwortlich gemacht. Sein Charisma ist geschwunden.

Die Germanen kannten das »Heil« oder das »Glück« ihres Königs, das etwa das Korn wachsen lässt. In Arabien bezeichnet der Begriff →Baraka charismatische Kräfte und Funktionen. Das Gleiche meint der melanesische Begriff für Kraft, →Mana. Im Volk Israel begegnen charismatische Gaben bei den »großen Richtern«, bei den Königen und Propheten, denen die Gabe der Mitteilung von Jahwes Wort und Weissagung gegeben ist. Im N. T. sind mit Charisma besondere Geistes- und Gnadengaben zum Dienst an der Gemeinde (1. Kor. 12–14) gemeint: etwa die Unterscheidung der Geister, die Prophetie und das auffällige Zungenreden (Glossolalie) mit der Gabe seiner Deutung. Die Träger dieser Gaben, die Charismatiker oder Pneumatiker, sind an der Gemeindeleitung beteiligt. Man spricht von einer »charismatischen Verfassung« der Urkirche.

Die Kirchengeschichte aller Konfessionen und Epochen kennt charismatische Persönlichkeiten, z. B. die großen Mönchsväter im Osten und Westen wie Antonius der Große oder Franz von Assisi, Bußprediger wie z. B. Vinzenz Ferrer (* 1350, † 1419), andere Gestalten der Kirchengeschichte, denen Wunder zugeschrieben werden (Johann Christoph Blumhardt, * 1805, † 1880; Don Bosco), und zahlreiche Frauen wie Birgitta von Schweden und Katharina von Siena.

charismatische Bewegung [ç-], innerhalb des Protestantismus entstandene Glaubensbewegung, die die urchristlichen Gnadengaben wie Zungenreden, Prophetie und Krankenheilung in den Kirchen wieder zur Geltung bringen will. Sie geht auf den Einfluss der Pfingstbewegung zurück und hat ihren Ursprung in Van Nuys (Calif.), wo der Pfarrer der Episcopal Church Dennis Bennett 1960 das Erlebnis einer geistlichen Erweckung hatte. Dieses beschrieb er seiner Gemeinde als »Geistestaufe«, die er zusammen mit der Gabe des Zungenredens erhalten habe. In der Folge breitete sich die Bewegung – die dabei die Struktur einzelner, sich zum gemeinsamen Bibellesen und Gebet versammelnder Gruppen ausbildete – bald über die USA hinaus innerhalb der anglikanischen, lutherischen, reformierten und methodistischen Kirchen und seit 1966 auch in der kath. Kirche aus. In Deutschland ist sie seit 1963 bekannt.

Durch Handauflegung in einer Gebetsversammlung empfangen die Gläubigen die von

charismatische Bewegung. Die charismatische Bewegung zielt auf das Erlebnis des Wirkens des Heiligen Geistes, des Charismas. Sie bezieht sich auf das Pfingsterlebnis der Apostel, die u. a. die Gaben der Glaubensstärke, der Heilung und des Zungenredens empfingen. Durch eine emotionale Form der Frömmigkeit strebt sie eine Erneuerung der Kirchen an (Düsseldorf, Jesus-Haus-Gemeinde).

Chanukka. Zum achttägigen jüdischen Lichterfest gehört der Brauch, an jedem Abend eine Kerze zu entzünden. Der Chanukka-Leuchter hat neun Kerzen, acht für jeden Tag, eine – den Schammasch (Diener) – zum Anzünden der Lichter (hier ein orthodoxer Jude im Jerusalemer Stadtviertel Mea Shearim).

Charisma
→ GEO **Dossier**
Warum glaubt der Mensch?, Bd. 15

Charisma
→ GEO **Dossier**
Der gute Mensch von Lhasa, Bd. 15

C | Chariten

Chassidismus 2). Als Gegenbewegung zur erstarrten rabbinischen Theologie wollte der Chassidismus der verarmten und unterdrückten jüdischen Bevölkerung Osteuropas Hoffnung geben. In der Ukraine liegt der kleine Ort Brazlaw, der durch das Grab des populären Rabbis Nachman zur jüdischen Pilgerstätte wurde.

Zungenreden begleitete Geistestaufe. Theologisch gehört die charismatische Bewegung zur evangelikalen Richtung. Sie verzichtet im Unterschied zur Pfingstbewegung auf die Bildung eigener Gemeinden und versteht sich als vom Heiligen Geist geleitete **charismatische Erneuerung** des geistlichen Lebens innerhalb der einzelnen Kirchen. Ihre ökumenische Bedeutung besteht darin, dass durch sie als die einzelnen christlichen Konfessionen übergreifende Glaubensbewegung ein die Grenzen kirchlicher Hierarchie und Tradition überspringender Diskurs über die biblischen Grundlagen der Lehre vom Heiligen Geist entsteht. – Zu den freien charismatischen Bewegungen außerhalb der großen Kirchen →Pfingstbewegung.

Chariten [ç-, von griech. chaírein »sich freuen«], **Charitinnen** [ç-], Singular **Charis**, *griechische Mythologie*: Göttinnen der Anmut, Töchter des Zeus und der Eurynome, die bei Hesiod als Dreiheit auftreten und sich häufig im Gefolge von Hermes, Aphrodite und Apoll finden: Aglaia (Glanz), Euphrosyne (Frohsinn), Thalia (blühendes Glück). Von den Römern wurden sie Grazien genannt.

Chasan [x-, hebr.], **Chazzan** [x-], Vorsänger oder Vorbeter im Gottesdienst der Synagoge. Ursprünglich ein dazu aufgerufenes Gemeindemitglied, wurde der Chasan bald zum Träger eines Amtes und Berufs.

Chassidim [ç-, x-], **Chasidim**, die Anhänger des Chassidismus.

Chassidismus [ç-, x-; zu hebr. sîd »Frommer«], **Chasidismus**, Bezeichnung für zwei religiöse Bewegungen des Judentums. **1) aschkenasischer Chassidismus**, eine esoterische Strömung in Mitteleuropa im 13. und 14. Jh., die später mit der Kabbala verschmolz. Im Unterschied zu dieser war der Chassidismus mehr kontemplativ als spekulativ, mehr populär und wirkte direkter auf die Frömmigkeit. Es wurde der Unterschied betont zwischen Gott selbst (transzendent) und seiner Manifestation, mit der sich die Seele durch Kontemplation (Thora- und Gebetsmystik, Gottesnamen- und Buchstabensymbolik) und asketischer Lebensweise verbindet.

2) osteuropäischer Chassidismus, eine volkstümliche Bewegung als Folgeerscheinung des Sabbatianismus, aber ohne dessen messianisch-häretische Züge (→Sabbatai Zwi). Im 18. Jh. griff sie von armen und bildungsmäßig vernachlässigten Gebieten (Podolien) bald auf Galizien und Polen über. Als Gründer gilt Israel Ben Eliezer (genannt Baal Schem Tov). Nach der organisatorisch und ideologisch entscheidenden Phase unter Dob Bär von Meseritsch († 1772) entstand ein fest gefügtes chassidisches Organisationsprinzip, in dem die ehemals charismatischen Führergestalten (Zaddikim, hebräisch »Gerechte«) regelrechte Dynastien gründeten. Deren überregionale Anhängerschaft bildeten nicht Sondergemeinden, sondern nur Gebetsgemeinschaften innerhalb der Ortsgemeinden, die sich von Zeit zu Zeit am »Hof« ihres →Zaddiks einfanden.

Im 19. Jh. entstand der »praktische« Zaddiktypus, der einerseits von der Anhängerschaft lebte, andererseits in dieser für Hilfe sorgte. Dieser soziale Zug beseitigte aber nicht die Ursachen der sozialen Schwierigkeiten. Diese wurden eher verfestigt, v. a. durch Begrenzung auf gewohnte Lerninhalte und Berufe, durch strikte Absonderung von der Umwelt und scharfe Ablehnung der Aufklärung. So blieb der Chassidismus bis heute eine der konservativsten Kräfte im Judentum. Seit dem Zweiten Weltkrieg fast nur noch in den USA und in Palästina vertreten, ist er auch dort nach den alten »Dynastien« gegliedert. Die gegenwärtig einflussreichste chassidische Gruppierung ist die Lubawitscher Gemeinde der chassidischen Chabad-Bewegung mit weltweit über 200 000 Mitgliedern. 1951–94 wurde sie von Menachem Mendel Schneerson geleitet.

Chassidismus Gebetseifer der Chassidim

Die Chassidim erscheinen als Gruppe erstmals in den apokryphen Makkabäerbüchern und zeichnen sich hier durch radikalen Gesetzesgehorsam und Bereitschaft zum Martyrium aus. In der rabbinischen Literatur ist von den »frühen Frommen« die Rede, die insbesondere im klassischen Gebiet der Frömmigkeit, im Gebet, durch religiöse Sonderleistungen auffallen: Dem Gebet der Chassidim werden Wunderkräfte zugeschrieben. Über ihren besonderen Gebetseifer erzählt der Talmud: »Die ersten Frommen verbrachten, bevor sie zu beten begannen, eine Stunde völlig ruhig, damit sie so ihre ganze Herzensintention (Kawana) ihrem Vater im Himmel zuwenden könnten. Selbst wenn sie der König grüßte, erwiderten sie den Gruß nicht, oder wenn sich eine Schlange um die Ferse ringelte, unterbrachen sie es nicht.«

Im von Schneur Salman von Ljadi (*1746, †1812) begründeten **Chabad-Chassidismus** (Kunstwort, zusammengesetzt aus chokma »Weisheit«, bina »Einsicht«, daat »Wissen«) kam es seit 1900 allerdings zu einer auch im Bildungswesen fühlbaren Verbindung zwischen Tradition, chassidischer Frömmigkeit und Zuwendung zur Moderne. Aus der antirabbinischen Haltung der Gründerzeit erklären sich eine bewusste Aufwertung der schlichten Frömmigkeit gegenüber der rabbinischen Gelehrsamkeit und die Betonung der Freude des chassidischen Gemeinschaftserlebnisses. Aus kabbalistischer Tradition stammt ein pantheistisch anmutender Glaube an die Präsenz göttlicher Lichtreste selbst in der unbelebten Natur. Die moderne Interpretation des Chassidismus durch Martin Buber berücksichtigte nur bestimmte Aspekte.

Chatib [x-], Prediger im islamischen Freitagsgottesdienst, →Chutba.

Cheder [x-, hebr. »Stube«], traditionelle Grundschule im europäischen Judentum. Der Lernstoff umfasst die hebräische Bibel mit aramäischer Übersetzung (Targum) und Raschi-Kommentar, die Mischna und Gebete. Die weiterführende Schule heißt →Jeschiwa.

Chepre [ç-], in der ägyptischen Religion der Sonnengott, »der Entstehende« (als Morgensonne). Er hat die Käfergestalt des Skarabäus als Ausdruck ständiger Urzeugung.

Cherub [ç-, hebr.], (biblischer) Engel, himmlischer Wächter, der im A. T. (Ez. 1, 5 ff.) und in altorientalischen Religionen als kultisch-mythisches Mischwesen, das halb Tier, halb Mensch ist, dargestellt wird.

Chichén Itzá [tʃi'tʃen it'sa], Zeremonialzentrum der vorkolumbischen Mayakultur auf der Halbinsel Yucatán, Mexiko. Älteste Siedlungsspuren stammen aus dem 3./2. Jh. vor Christus. Die Blütezeit lag im 10.–12. Jahrhundert. Von den Bauten, die toltekischen Einfluss zeigen, sind u. a. eine Stufenpyramide (»Castillo«), der von einem Säulenkomplex umgebene »Kriegertempel«, ein Ballspielplatz und der »Heilige Brunnen« erhalten.

Chiliasmus [ç-; zu griech. chílioi »tausend«], **Millenarismus** [zu latein. millennium »Jahrtausend«], die Lehre von einer tausendjährigen Herrschaft Christi auf Erden am Ende der geschichtlichen Zeit. Sie beruht auf Aussagen der Apokalypse des Johannes (Apk. 20, 1 bis 10), wo von einer Fesselung Satans für eine Zeit von tausend Jahren gesprochen wird. Diese Zeit soll nach der »ersten« Auferstehung der Gerechten beginnen und bis zur »zweiten«, endgültigen Auferstehung dauern.

Das chiliastische Denken stammt ursprünglich aus dem Parsismus und gelangte über die jüdisch-apokalyptische Vorstellung von einer Korrespondenz der Weltzeit mit den sieben Schöpfungstagen ins frühe Christentum, u. a. in die Gnosis. Die Lehre des Chiliasmus ist im Mittelalter am deutlichsten und nachhaltig wirksam von dem italienischen Theologen Joachim von Fiore formuliert worden, der eine umfassende Geschichtstheologie entwickelte: Auf das Zeitalter des Vaters (Zeitalter des A. T.) folgt die Zeit des Sohnes (des N. T.), deren Ende Joachim für das Jahr 1260 erwartete. Danach sollte das tausendjährige Zeitalter des Geistes anbrechen.

Religiöse Bewegungen der Neuzeit, v. a. in der Dritten Welt, die den Anbruch eines Friedensreiches auf Erden erwarten, werden häufig **chiliastisch** genannt. Als politischen Chiliasmus bezeichnet man die Hoffnung auf die diesseitige Verwirklichung des Friedensreichs, wenn sie auf die religiöse Herleitung verzichtet.

Chichén Itzá. Auf bis zu 60 m hohen, steinverkleideten Stufenpyramiden standen die Tempel der Maya, die vermutlich dem Ahnenkult der Herrscher dienten. Die Pyramide von Chichén Itzá in Mexiko ist dem Gott Kukulkan geweiht.

chinesische Religion [ç-]. Die Religion entwickelte sich in China parallel, zugleich aber – als eine Besonderheit – auch gegenläufig zur Philosophie, da der Konfuzianismus, die beherrschende Weltanschauung, prinzipiell eine agnostizistische Haltung einnahm, beim Religiösen höchstens den rituell-ästhetischen Gesichtspunkt akzeptierte und alle anderen Aspekte des Religiösen in den Bereich des Aberglaubens verwies.

■ **Altchinesische Religion** Am Beginn der historischen Zeit (etwa 16. Jh. v. Chr.) sind zwei religiöse Bereiche erkennbar, die ihre Bedeutung grundsätzlich immer behalten haben: 1. die Ahnenverehrung mit der Figur eines »höchsten Vergöttlichten« (Shang-di, Shang-ti) an der Spitze; 2. die Naturverehrung mit dem Glauben an Gottheiten im Umkreis

chinesische Religion

chinesische Religion. Vorstellungen der späteren Zhouzeit (2. Hälfte des 1. Jt. v. Chr.) über eine jenseitige Welt waren stark vom Daoismus und alten Mythen geprägt. Eine Grabherrin betet für den Sieg des Kranichs, Symbol des Glücks und des Lebens, über den einbeinigen Drachen links, einen Dämonen und Verkörperung des Todes (chinesisches Seidengemälde aus einem Grab der Zhanguozeit, 475–221 v. Chr.).

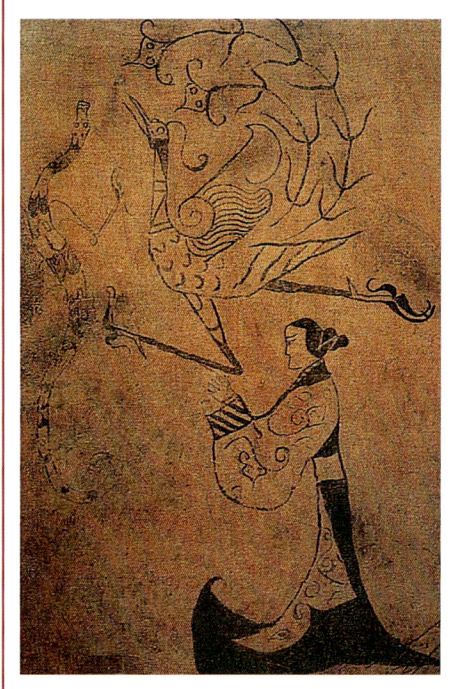

verschiedenster Orte (namentlich Berge und Flüsse) und Dinge (Sonne, Mond und Sterne, Bäume, Steine u. a.), unter denen der Erdgottheit und der Himmelsgottheit besondere Bedeutung zukam.

Die Verbindung zur Welt des Übernatürlichen wurde teils durch Orakelpriester, teils durch Schamanen hergestellt. Beide verloren jedoch seit Beginn des 1. Jt. v. Chr. ihre Macht, als der Herrscher selbst wesentliche kultische Funktionen übernahm. Die damit begonnene, dann vom Konfuzianismus aufgenommene und immer weiter vorangetriebene Rationalisierung verhinderte jedoch nicht ein Weiterexistieren der ursprünglich religiösen Vorstellungen unterhalb der Gelehrtenschicht, wo sie besonders durch den Daoismus aufgenommen wurden.

■ **Daoismus und Konfuzianismus** Der Daoismus entwickelte den Glauben an die Möglichkeit eines langen, allerdings nicht unbedingt »ewigen« Lebens, in dem die Menschen zu »Genien« (Xian, Hsien) werden und mit der gleichzeitigen Gewinnung übernatürlicher Fähigkeiten, namentlich des Fliegens, götterähnliche Züge annehmen sollten. Die Bemühungen in der Kunst der Lebensverlängerung wurden im Rahmen des Körper-Yoga durch Atemübungen, Diätetik und Sexualpraktiken (→Pengzu) sowie der Alchimie (seit dem 3. Jh. n. Chr.) und der Meditation zu realisieren versucht.

Der Konfuzianismus erfüllte demgegenüber als »Staatsreligion« seit dem 2. Jh. v. Chr. hauptsächlich kultische Funktionen. Er entwickelte anfangs jedoch auch messianische Ideen mit Konfuzius als dem vergöttlichten Welterlöser, möglicherweise unter dem Einfluss des Daoismus, wo Laozi dieselbe Rolle spielte.

■ **Buddhismus** Das Eindringen des Buddhismus brachte nicht nur eine Fülle fremder, in Süd- und Zentralasien entstandener Religionsformen nach China, sondern veränderte auch den Daoismus entscheidend. Dies

---

chinesische Religion Der Drache

Symbole haben in der chinesischen Kultur eine besondere Bedeutung. Eines der universellsten Symbole Chinas ist der Drache, der für mehrere Sinngehalte steht. Er gilt generell als gutartig und verkörpert die männliche, zeugende Naturkraft ebenso wie Glück und Fruchtbarkeit; auch ist er Sinnbild des chinesischen Kaisers. Als eines der Tiere, die den vier Weltgegenden zugeordnet werden, symbolisiert er den Osten als Richtung des Sonnenaufgangs, außerdem den Fruchtbarkeit spendenden Regen. Im aus zwölf Tierzeichen bestehenden chinesischen Tierkreis ist er das fünfte Tier. Die Figur des Drachen spielt bei den Straßenumzügen zum chinesischen Neujahrfest stets eine wichtige Rolle (hier in Hongkong), wobei durch das Zünden von Feuerwerkskörpern seine Kraft ausgedrückt wird. Chinesische Mythen beschreiben ihn als im Winter unter der Erde ruhend und im Frühjahr zum Himmel aufsteigend und dabei Gewitter und Frühlingsregen verursachend. Als symbolische Zahl ist ihm die neun zugeordnet, nämlich die mit sich selbst potenzierte Zahl drei, die für die männliche Zeugungskraft steht.

Christentum

geschah sowohl nach innen, indem er z.B. Himmels- und Höllenvorstellungen systematisierte, als auch nach außen durch die Einführung des Klosterwesens und Kirchenbildung (→Zhang Daoling). Der religiöse Daoismus war, obgleich er stets in Konkurrenz zum Buddhismus stand, generell offen gegenüber fremden Religionen und bildete mit ihnen zahlreiche Mischformen. Prinzipiell weniger staatsbejahend als der Konfuzianismus, motivierte er viele »Geheimgesellschaften« und manche religiös, ja sogar endzeitlich ausgerichteten, periodisch auftretenden Volkserhebungen, die bis in die jüngere Vergangenheit hinein (»Boxeraufstand«, 1900) eine Rolle spielten.

Die für die chinesische Religion charakteristische Mischung von Volksnähe, Wunderglaube und Tendenz zur Rebellion kam selbst noch in der »Kulturrevolution« zum Zuge, die jegliches religiöse Leben unterdrückte. Die neue religiöse Toleranz seit 1977 ist größtenteils durch internationale Rücksichtnahme motiviert, sie ist aber auch begrenzt durch Misstrauen gegenüber dem »Fremden«, das staatlicherseits im Religiösen vermutet wird und Kontrolle nötig erscheinen lässt.

Chnum [x-], griechisch **Chnumis** [x-], **Chnubis** [x-], altägyptischer Gott, der als Mensch mit Widderkopf mit doppelt gedrehtem Gehörn dargestellt wurde. Er galt als Schutzherr des Kataraktgebietes von Assuan, der die Frucht bringende Überschwemmung des Nils herbeiführt, sowie als Schöpfergott, der den menschlichen Körper vor der Geburt auf der Töpferscheibe formt. Sein Tempel auf der Nilinsel Elephantine wird ausgegraben.

Chomeini, Ruhollah Mussawi Hendi, iranischer Schiitenführer (Ayatollah) und Politiker, →Khomeini.

Chons [x-; ägypt. chonsu »Wanderer«], ägyptischer Mondgott. Er wird in Menschengestalt oder mit dem Kopf eines Falken dargestellt und trägt häufig Sichel und Scheibe des Mondes als Kopfschmuck, in der Hand ein Zepter. Sein Haupttempel in Theben (Karnak) ist fast vollständig erhalten.

Christengemeinschaft [k-], 1922 gegründete Religionsgemeinschaft, die die christlichen Glaubensaussagen in den Denkfiguren der von Rudolf Steiner (* 1861, † 1925) begründeten Anthroposophie interpretiert. Der zentrale Gedanke im Glaubenssystem der Christengemeinschaft ist die evolutionäre Höherentwicklung des Menschen bis hin zu seiner vollständigen Vergeistigung.

Die Christengemeinschaft hat kein ausformuliertes Dogma. Einzig die kultischen Handlungen sind festgelegt. Mittelpunkt des durch sieben Sakramente (Taufe, Konfirmation, Beichte, Menschenweihehandlung, Trauung, Priesterweihe, Sterbesakrament) geprägten Kultus ist die »Menschenweihehandlung«, der regelmäßige Gottesdienst; verstanden als die Teilnahme der Gemeinde am Tod und an der Auferstehung Christi. Ihr von Rudolf Steiner formuliertes Glaubensbekenntnis wird als Fortentwicklung der altkirchlichen Bekenntnisse verstanden und ist eine anthroposophische Umformulierung des Apostolischen Glaubensbekenntnisses in zwölf Artikeln. Darin wird Gott als ein »allmächtiges geistig-physisches Gotteswesen« verstanden, das als der »Daseinsgrund der Himmel und der Erde ... väterlich seinen Geschöpfen vorangeht«.

Die Priesterschaft gliedert sich in die hauptberuflich tätigen Gemeindpfarrer, welche zentral ernannt (nicht von den Gemeinden gewählt) werden, die »Lenker« als geistliche Leiter der »Regionen« (2006: achtzehn »Regionen«) und die »Oberlenker«, von denen einer im Amt des »Erzoberlenkers« an der Spitze der Christengemeinschaft steht. Die Zentrale der Christengemeinschaft befindet sich in Stuttgart.

Christentum [k-], Bezeichnung für die Gesamtheit der Anhänger des auf →Jesus Christus zurückgehenden »christlichen« Glaubens sowie für diesen Glauben selbst. Der Begriff »Christentum« (griechisch: christianismós) findet sich erstmals in einem Brief des syrischen Bischofs Ignatius von Antiochien († zwischen 107 und 117).

■ **Wesen** Die Frage nach dem »Wesen« des Christentums wird ausdrücklich erst seit der Reformationszeit gestellt, hat aber immer schon die christlichen Theologen beschäftigt, wenn sie sich mit anderen Religionen (z.B. Judentum, Islam), geistigen Strömungen (z.B.

Christentum. Das Christentum glaubt an Jesus als den eingeborenen Sohn Gottes. Er ist Gott wesensgleich, weshalb auf ihn Ehrentitel Gottes aus dem Alten Testament übertragen wurden, so auch der Titel »Pantokrator«, der die Universalität und kosmische Herrschaft Gottes bezeichnete (byzantinische Ikonenmalerei).

Christentum
→ GEO **Dossier**
Glaube, Liebe, Hoffnung?, Bd. 15

C Christentum

Christentum Jüdische Wurzeln

Das Christentum ist eine so genannte Offenbarungsreligion, die unmittelbar auf den Fundamenten des Judentums ruht. Es bedurfte vieler Entwicklungsschritte, bis sich aus der Gemeinschaft der Jesusjünger eine eigenständige religiöse Gruppe geformt hatte, die sich in ihren kultischen Handlungen und ihrem religiösen Selbstverständnis vom Judentum absetzte und distanzierte. Dieser Ablösungsprozess wurde vor allem durch hellenistische Christen, die keinen Bezug zum Judentum mehr hatten und die Jesusbotschaft mit einem griechischen Verständnis zu erfassen suchten, in die Wege geleitet. Auch wandelte sich der Gedanke von Israel als dem exklusiven Volk Gottes zur Möglichkeit für alle Menschen und Völker, die Botschaft und Gnade Gottes zu erfahren.

Hellenismus, Marxismus) oder politischen Mächten (z. B. Römisches Reich) auseinandergesetzt haben. Die Bestimmung des Christentums fiel je nach Fragestellung verschieden aus. Von den Anfängen an gibt es jedoch Konstanten: den Monotheismus, das Bekenntnis zu Jesus Christus, die Nachfolge Jesu und eine aus ihr resultierende Gemeinschaft (Gemeinde/Kirche), einige zeichenhafte Vollzüge (→Sakramente), spezifische moralische Normen (z. B. Nächstenliebe) und die Hoffnung auf eine ohne Vorbedingungen geschenkte Erlösung.

Seit seiner Entstehung begreift das Christentum Jesus als von Gott gesandt, schon in vorpaulinischer Zeit (Phil. 2,6–11) als auf Erden erschienenen Gott oder als Fleisch gewordenes »Wort« Gottes (Joh. 1,1ff.) und sich selbst somit als basierend auf göttlicher Offenbarung und positivem Heilswillen Gottes. Daher ist das Christentum als Offenbarungsreligion und »absolute Religion« zu bezeichnen. In der →dialektischen Theologie des 20. Jh. wird diese These durch die Bestreitung der Gültigkeit des Begriffs »Religion« für das Christentum weitergeführt: Das Christentum soll keine Religion im Sinne eines Produktes menschlichen Bemühens sein, sondern ausschließlich göttliche Offenbarung. Da jedoch jede Religion für ihre Mitglieder »absolute Religion« ist, muss das »Wesen« des Christentums von seiner religionsgeschichtlichen Eigenart her bestimmt werden.

Das Christentum, hervorgegangen aus dem Frühjudentum, sieht die – in der Religionsgeschichte immer anzutreffende – Frage nach dem Sinn des Lebens in Leben, Lehre und Gestalt des jüdischen Wanderpredigers Jesus aus Nazareth in einer radikalen Form gestellt und – auf Hoffnung hin – beantwortet. Das Spezifische des Christentums ist also die strenge Orientierung an Jesus als »Heilsmittler«, d. h., er wird als Lösung der menschlichen Problematik, als in diese Welt hineingesprochenes »Wort Gottes« bekannt und in der Nachfolge angenommen.

■ **Entstehung** Als sicher gilt heute, dass der historische Jesus weder eine neue Religion noch eine universale Kirche gründen wollte. Vielmehr verstand er sich als Reformer Israels, auf dessen zwölf Stämme er mit der Berufung von zwölf Aposteln Anspruch erhob. Auch seine Naherwartung (→Parusie) verhinderte eine weitere Perspektive, sodass die frühesten palästinischen Christen sich zunächst als Juden verstanden und an Gesetz und Tempelkult festhielten.

Dennoch muss die Entstehung des Christentums als eine innere Konsequenz des Wirkens und Lebens Jesu angesehen werden. Zwar war Jesus in allem, was er tat und lehrte, jüdisch geprägt, aber er veränderte die aus der jüdischen Tradition übernommenen Motive in seiner Predigt und spitzte sie so zu, dass es sich dabei der Sache nach nicht mehr um Judentum handelte: Er verkündete – entsprechend der jüdischen Apokalyptik und im Gefolge der Predigt Johannes' des Täufers – die Königsherrschaft Gottes. Diese aber war nach seinen Worten in ihm schon angebrochen. So war die Zukunftsoffenheit der jüdischen Geschichtsdeutung aufgehoben, das Ende hatte schon begonnen. Jesus selbst verstand sich deswegen nicht als einer der gottgesandten Männer oder Propheten in einer endlosen Kette, vielmehr sollte er diese Reihe abschließen und in seiner Person das Ende herbeiführen. Dieser Anspruch, die »endzeitliche« Gestalt zu sein, äußerte sich zwar nicht in Selbstprädikationen, wohl aber in der Radikalität der Nachfolgesprüche, in der Souveränität gegenüber Gesetz und Tempel, in dem besonderen Gottesverhältnis, in der Freiheit der Tradition gegenüber, in seiner Bereitschaft zum Tod für seine Sache.

Der geschichtliche Jesus kam zwar ganz aus dem Judentum her, vertiefte dieses aber derart auf »den Menschen« und »die Humanität« hin und schrieb zugleich seiner eigenen Gestalt für diese neue Praxis eine so unverzichtbare Rolle zu, dass die auch ideologische und soziale Trennung vom Judentum sowie die Ausbildung einer eigenständigen Religion wenige Jahre nach seinem Tod zwangsläufig erscheinen.

■ **Ausbreitung** Keimzelle des Christentums waren die Jerusalemer Urgemeinde, aber auch palästinische Christengruppen in Judäa und Galiläa. Bedingt durch das Ausweichen der Christen vor Verfolgungen durch die jüdischen und römischen Behörden (z. B. Stephanus, der erste Märtyrer), kam es zu einer ersten Missionswelle und in deren Gefolge zur Taufe von Samaritanern, Diasporajuden, →Proselyten und Heiden. Einen gewaltigen Aufschwung nahm die Ausbreitung des Christentums allerdings erst durch die gezielte Arbeit einiger Missionare, der »Apostel«, unter denen Paulus die größte Bedeutung gewann. Programmatisch betrieb er die »Heidenmission« und begründete sie theologisch, sodass sich

Rechte Seite:
Guido Mazzoni,
»Beweinung Christi«
(1492–94; Neapel,
Sant'Anna dei Lombardi)

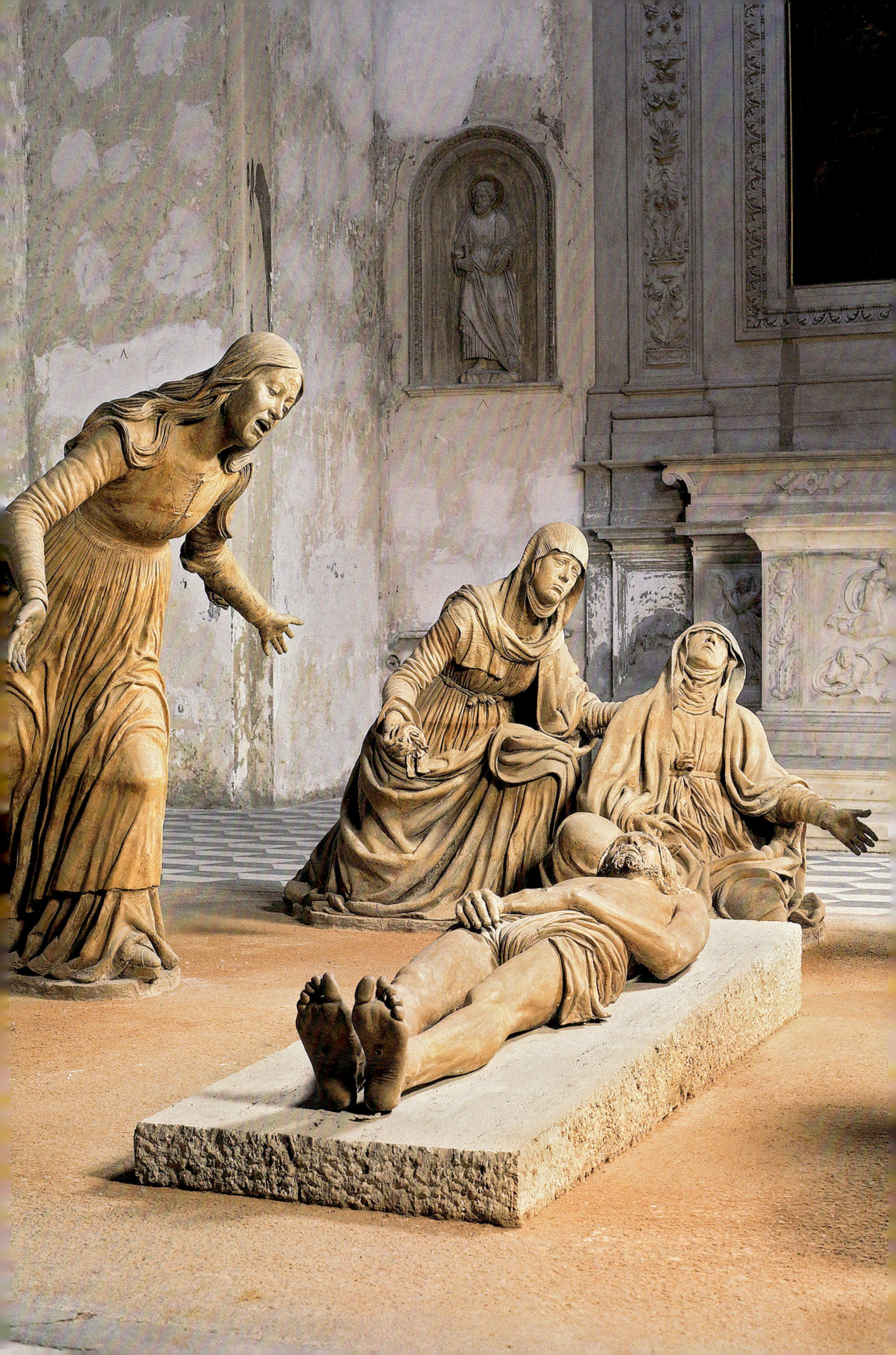

C | Christentum

Christentum. Dreh- und Angelpunkt des Christentums sind der Kreuzestod und die Auferstehung Jesu. Im Tod nahm er die Sünden der Menschheit auf sich und überwand in der Auferstehung den Tod. Die Grabeskirche in Jerusalem, die von Konstantin I. an dem vermuteten Ort des Geschehens errichtet wurde, ist daher eine der heiligsten Stätten der Christenheit.

bald der Kern der neu entstehenden Christengruppen aus Heidenchristen rekrutierte. Deren Anteil verstärkte sich bald immer mehr und entsprechend ging der Einfluss eines lebendigen Judenchristentums spätestens ab 150 zurück. Begünstigt durch die Bedingungen des Römischen Reiches, drang das Christentum auch in Städte des Landesinnern und bis nach England vor und repräsentierte zur Zeit der »konstantinischen Wende« (311/313) im Römischen Reich einen (geschätzten) Bevölkerungsanteil von etwa 15 %. Während der Antike tritt uns das Christentum als Stadtreligion entgegen.

Zunächst gehörten wohl vorwiegend Angehörige der Unterschicht oder der unteren Mittelschicht zum Christentum. Gegen Ende des 2. Jh. kamen in einigen Zentren (Alexandrien, Antiochien) auch umfassend Gebildete hinzu. Diese Bewegung wuchs so stark, dass Kaiser Konstantin I., der Große, in der christlichen Minderheit die geistige und politische Kraft der Zukunft erkennen konnte. Nach der »konstantinischen Wende« nahm die Zahl der Christen rasch zu, bis Kaiser Theodosius I., der Große, 380/381 das Christentum zur Staatsreligion erklärte, sodass es sich – wenigstens offiziell – mit der damals bekannten Welt, der »Ökumene«, deckte.

Während sich das Griechisch sprechende (christliche) oströmische Kaisertum auch in den Wirren der Völkerwanderung behaupten und dabei ein Staatskirchentum etablieren konnte – erst mit dem Vordringen des Islam (ab dem 7. Jh.) verschwand das Christentum in diesen Gebieten zunehmend –, wurde der Westen des Römischen Reiches härter von der Völkerwanderung in Mitleidenschaft gezogen. 476 geriet Rom endgültig unter germanische Herrschaft. Die Germanenstämme nahmen nach der Eroberung christlicher Gebiete das Christentum an, allerdings in seiner arianischen Gestalt (→Arianismus). Erst mit der Taufe des fränkischen Königs Chlodwig I. 498/499 in Reims und seinem Bekenntnis zum kath. Christentum fiel eine für die Zukunft Europas wichtige Entscheidung. Von jetzt an konnte sich die lateinische Form des antiken Christentums zunehmend unter den germanischen Stämmen Zentraleuropas verbreiten.

Vorher aber hatte schon eine andere Entwicklung begonnen: Von ägyptischen Mönchen war das Christentum nach Irland gebracht worden. Hier sowie in Schottland und Wales bildete sich eine keltisch-griechische Mönchskirche (→iroschottische Kirche), die aber von Gallien her auch lateinische Einflüsse in sich aufnahm. Seit dem 6. Jh. entfaltete das iroschottische Mönchtum eine unermüdliche missionarische Tätigkeit in England und auf dem Festland (bis nach Oberitalien). So gab es in Europa bald zwei konkurrierende Formen des Christentums: eine lateinisch-bischöfliche und eine keltisch/griechisch-mönchische. Die Entscheidung fiel zugunsten der ersten Variante, und zwar zum einen aufgrund der seit Chlodwig nach Rom orientierten Interessen der fränkischen Herrscher, die schließlich im Jahr 800 zur Krönung Karls des Großen als Römischer Kaiser führten, zum anderen wegen einer zweiten Missionswelle im 8. Jh., die von angelsächsischen Mönchen (Bonifatius) getragen war und die sich eng an Rom anschloss. Die Christianisierung erfasste schließlich auch den Norden und die östlichen Teile Zentraleuropas.

Die islamische Expansion im 7./8. Jh. brachte das Christentum in Nordafrika und weiten Teilen Spaniens zum Verschwinden. Erst nach jahrhundertelangen Kämpfen, die als Reconquista bezeichnet werden, wurde der Islam von der iberischen Halbinsel verdrängt. Der größte Teil der slawischen Völker wurde vom 9. bis 11. Jh. missioniert und lehnte sich an Byzanz und das griechische Christentum an.

Mit Beginn der Neuzeit geriet erstmals die ganze Erde in den Blick Europas und damit auch des Christentums, das nun in anderen Kontinenten Fuß fasste. Dieser Prozess ging einher mit negativen Begleiterscheinungen: Lange Zeit war die Mission Sache der Kolonialmächte (z. B. Patronatsmission der spanischen und portugiesischen Könige). In Amerika und Australien war die (völlige) Christianisierung mit der Dezimierung der einheimischen Bevölkerung verbunden, und in Afrika und Asien wurde eine europäische Form des Christentums etabliert. Im Ergebnis dieser systematischen Mission gibt es in Schwarzafrika einige Länder mit christlichen Bevölkerungsmehrheiten, in den meisten Staaten mit sehr dynamischen Minoritäten. In Asien ist nur ein Land (Philippinen) mehrheitlich christlich, aber auch hier finden sich in beinahe allen Staaten kleine, doch aktive christliche Kirchen. Die Inselwelt Ozeaniens ist fast gänzlich christianisiert.

Die Zahl der Christen weltweit beträgt heute rund zwei Milliarden. Die quantitative Zunahme liegt zurzeit höher als das Bevölkerungswachstum. Rund 52 % der Christen gehören der kath. Kirche an, rund 20 % protestantischen Kirchen, rund 12 % der orth. Kirche und den orientalischen Nationalkirchen und rund 4 % anglikanischen Kirchen. Die übrigen verteilen sich auf eine Vielzahl unabhängiger Kirchen (v. a. in Afrika). Etwa 60 % der Christen leben in der Dritten Welt, wo v. a. die Pfingstkirchen den gegenwärtig am stärksten wachsenden Zweig des Christentums bilden.

■ **Theologie und Lehrentwicklung** Im *Altertum* bekannte sich das Christentum von Anfang an zu Jesus Christus als der normierenden Instanz für Theorie und Praxis. Deswegen musste es sich vom Judentum trennen und die »Freiheit vom Gesetz« verkünden, ohne die jüdische Religion und ihre Schriften zu verwerfen. Diese wurden vielmehr als Vorgeschichte Jesu im Sinne einer Verheißung aufgefasst, die in Jesus Christus erfüllt war. Das Christentum hielt also die jüdischen Bücher als »Schrift« heilig, interpretierte sie aber christologisch. Daneben entstanden in den christlichen Gemeinden im Lauf von beinahe 100 Jahren viele Schriften, manche mit der Absicht, die Jesustradition festzuhalten wie z. B. die synoptischen Evangelien, andere als Gelegenheitsschriften wie z. B. die paulinischen Briefe. Zu Beginn des 3. Jh. wurden sie als Schriften des Neuen Bundes (des Neuen Testaments) den Schriften des Alten Bundes (des Alten Testaments) beigeordnet (→Bibel). Die Annahme des A. T. und die allmähliche Etablierung des N. T. machen allerdings das Christentum nicht eigentlich zu einer »Schriftreligion«. Denn die Schrift hat lediglich eine dienende Funktion, weil ohne sie das Bekenntnis zu einem geschichtlichen Menschen nicht über längere Zeit aufrechterhalten werden kann.

Das Christusbekenntnis zu sichern und unter neuen Verstehensbedingungen zu formulieren war für das junge Christentum die zentrale theologische Aufgabe. Hierbei war es mit zwei großen Kulturtraditionen konfrontiert: dem Judentum und der hellenistischen Kultur des Römischen Reiches. Entsprechend dem

Christentum

Zahl der Christen weltweit

rd. 2,1 Milliarden

davon in:

Europa, einschließlich Russland (rd. 560 Mio.)

Lateinamerika (rd. 481 Mio.)

Nordamerika (rd. 260 Mio.)

Afrika (rd. 360 Mio.)

Asien (rd. 313 Mio.)

Australien und Ozeanien (rd. 25 Mio.)

dazu weltweit:

rd. 111 Mio. Anhänger von unabhängigen (oft pfingstlich geprägten) Kirchen und freien Pfingstgemeinden, besonders in Afrika und Lateinamerika

Hauptzweige

katholische Kirche

protestantische Kirchen

orthodoxe Kirche

orientalische Kirchen

Anglikanische Kirchengemeinschaft

unabhängige Kirchen

Hauptfeste (gesamtchristlich)

Weihnachten

Karfreitag

Ostern

Christi Himmelfahrt

Pfingsten

wichtige Feste (Auswahl)

Fronleichnam (katholische Kirche)

Mariä Himmelfahrt (katholische Kirche)

Allerheiligen (katholische Kirche)

Reformationsfest (protestantische Kirchen)

Buß- und Bettag (protestantische Kirchen)

Entschlafung der Gottesgebärerin Maria (15. 8.; orthodoxe Kirche)

Kreuzerhöhungsfest (14. 9.; orthodoxe Kirche)

Tag des heiligen Gregor, des Erleuchters (3. Sonnabend vor Ostern; armenische Kirche)

Tag des heiligen Patrick (katholische Kirche und Kirche von England)

heilige Stätten (gesamtchristlich)

Bethlehem

Nazareth

Jerusalem

wichtige Wallfahrtsorte, geistliche Zentren und Erinnerungsstätten (Auswahl)

Rom (katholische Kirche)

Santiago de Compostela (katholische Kirche)

Wittenberg (protestantische Kirchen)

Athos (orthodoxe Kirche)

Patmos (Johanneskloster; orthodoxe Kirche)

Sinai (Katharinenkloster; orthodoxe Kirche)

Geschichtsdenken des Judentums umschrieben die Judenchristen die Rolle Jesu heilsgeschichtlich: Er war für sie der (endzeitliche) Messias (= Christus) oder Menschensohn. Vielleicht bezeichneten sie ihn auch schon als »Sohn Gottes«, womit dann aber nicht eine

Christentum

zweite Natur, sondern seine geschichtliche Nähe zu Gott gemeint war.

Mit der Vermittlung des Christentums in die hellenistische Welt fand ein gänzlich neues Verstehen Einlass ins Christentum: Hier hatte die Geschichte keinen hohen Stellenwert, wichtiger war das Sein des Menschen im Kosmos als dessen vornehmster Teil. Immer schon sehnte sich der hellenistische Mensch nach einer Aufhebung der engen Grenzen, die seinem Sein auferlegt sind, nach »Vergöttlichung«. Auch die Funktion Jesu wird von den Heidenchristen auf dieser Ebene beschrieben: Er ist der, der beiden Welten angehört, der Welt des Geistes, des Wissens, der Unsterblichkeit, Gottes, und zugleich gehört er zu uns, ist Mensch. So kann er als Gottmensch in sich zwischen Endlichkeit und Unendlichkeit vermitteln: Die Zweinaturenlehre (»hypostatische Union«) entstand als Folge der Aneignung Jesu im hellenistischen Raum. Im Verlauf der ersten nachchristlichen Jahrhunderte trat das Judenchristentum in der Kirche immer stärker zurück. Lediglich im syrischen Raum (Zentrum: Antiochien) konnte sich ein ähnliches Denken noch länger halten. Bestimmender wurde das hellenistische Denken und somit die Zweinaturenchristologie, die die Diskussion im Osten des Römischen Reiches bis zum Ausgang der Antike prägte (Zentrum: Alexandrien).

Wenn die Gottessohnschaft Jesu im Sinne einer zweiten göttlichen Natur aufgefasst wurde, ergab sich damit auch ein Problem für den von Judentum und Jesus ererbten Monotheismus: Wie lässt dieser sich aufrechterhalten, wenn außer von Gott schlechthin, dem »Vater«, auch noch von dem »Sohn«, bald auch noch vom Heiligen Geist gesprochen wird? Diese Frage musste zunächst in den Vordergrund treten, die christologische Auseinandersetzung machte zugleich eine Diskussion der →Trinität notwendig.

In einer ersten Phase, die bis zum Ende des 4. Jh. dauerte, wurde der Gottessohnbegriff v. a. im Gefolge des Arianismus heftig diskutiert und schließlich im Sinne einer »Wesensselbigkeit« mit dem Vater aufgefasst. Nach weiteren Kämpfen wurde auch der →Heilige Geist in diese Konzeption einbezogen. In einer zweiten Phase im 5. Jh. ging es dann um die Frage, wie der Mensch Jesus »Gottessohn« in diesem umfassenden Sinn sein könne bzw. worin die Einheit zwischen dem Menschen und Gott bestehe, sodass Jesus beides zugleich ist. Die Auseinandersetzungen verliefen sehr heftig, sodass die Kaiser von Zeit zu Zeit versuchten, durch ökumenische (d. h. weltweite) Konzile den Frieden wiederherzustellen. Diesem Zweck dienten die ersten vier großen Konzile, unter denen v. a. das erste (in Nicäa, 325) und das vierte (in Chalkedon, 451) die Weichen für die weitere Entwicklung des Christentums gestellt haben.

Der lateinische Westen war an diesen Auseinandersetzungen nur wenig beteiligt. Sobald sich in diesem Raum eine eigenständige Theologie herausbildete – in Nordafrika seit etwa 200, im übrigen Westen seit Mitte des 4. Jh. –, beschäftigte sie sich mit anderen Fragen. Entsprechend dem römischen Ordnungsdenken und der praktisch-juridischen Ausrichtung der von der römischen Kultur geprägten Menschen ging es im westlichen Christentum v. a. um die Fragen der christlichen Praxis: Wie erlangt der Mensch das Heil, wo er doch ganz von der Sünde geprägt ist? Was muss der Christ tun, wie muss die Kirche aussehen? So kam es in der ausgehenden Antike zur Ausbildung der Erbsündenlehre, einer Theologie des Kreuzestodes Jesu als Bezahlung und Lösepreis für die Sünden sowie einer Gnaden-, einer Prädestinations- und einer Sakramentenlehre. In allen diesen Gebieten hat Augustinus konstitutive Formulierungen vorgelegt, die das Mittelalter und die Neuzeit wesentlich beeinflusst haben.

Parallel zur Lehrentwicklung formten sich die Grundlagen der Sozialisation und der Institutionen des Christentums aus. Die Annahme des Glaubens war von Anfang an mit einer Gemeindebildung verbunden. Hierbei stand die einzelne Gemeinde im Vordergrund, die alle Elemente des Christentums in sich repräsentierte. Ebenso aber war das Bewusstsein vorhanden, einer größeren Gemeinschaft, der Kirche, zuzugehören. Dieser gemeindeübergreifende Charakter des Christentums schuf sich im Lauf der Zeit auch institutionellen Ausdruck. Es bildete sich eine Organisation der Kirche in Analogie zur politischen Struktur heraus: bischöfliche Stadtgemeinden mit Umland (→Bischof, unterstützt von den →Priestern), Metropolitansitze (→Metropolit) und Patriarchate (→Patriarch).

Seit Ende des 4. Jh. erhoben darüber hinaus die römischen Bischöfe einen formellen Primatsanspruch über die gesamte Kirche (→Papsttum, →Primat des Papstes). Dieser Anspruch wurde allerdings im östlichen Christentum abgelehnt. Im Westen konnte er sich erst allmählich während des Frühmittelalters durchsetzen. Weitere Formen übergreifender Institutionalisierung des Christentums waren seit etwa 200 regionale Synoden. Zudem konnten Bekenntnisformeln, Taufsymbole u. a. »gesamtchristliche« Geltung erlangen. Eine wichtige Rolle kam seit dem 3. Jh. dem →Mönchtum zu, das sich, ausgehend von Unterägypten, im ganzen Mittelmeerraum verbreitete.

Alle diese Entwicklungen vollzogen sich drei Jahrhunderte lang in einer dem Christentum oft feindlich gesinnten Umwelt. Zunächst waren die Gemeinden klein, schlossen sich von der Umwelt ab und hielten Lehre und Kult geheim, nahmen nicht am staatlichen Götterkult teil und praktizierten ungewohnte Verhaltens-

Christentum

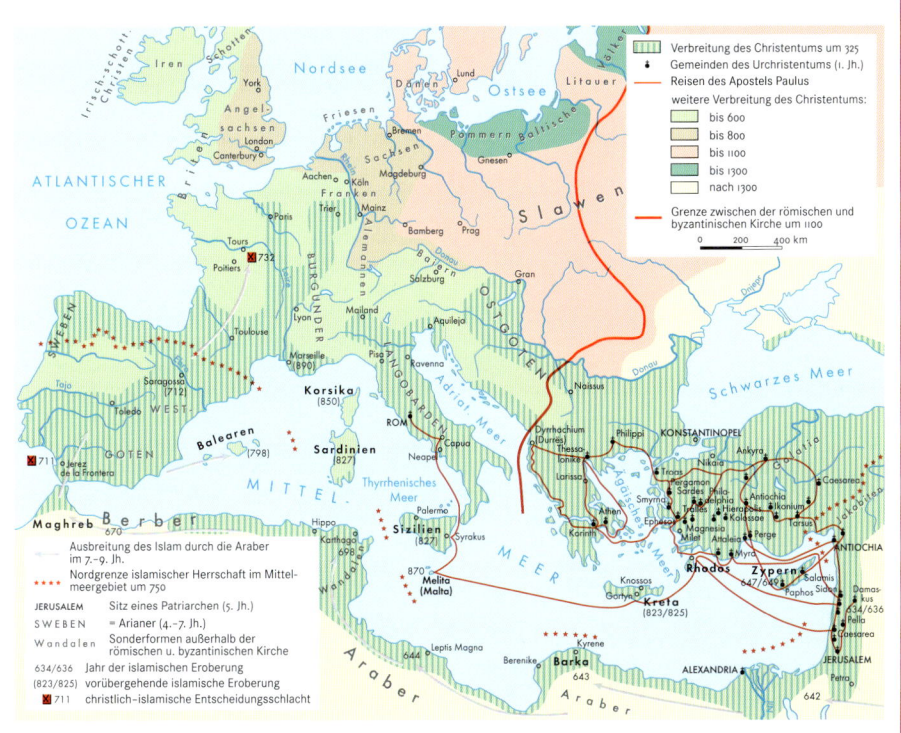

Christentum. Ausbreitung vom 4. bis zum 14. Jh.

Map legend:
- Verbreitung des Christentums um 325
- Gemeinden des Urchristentums (1. Jh.)
- Reisen des Apostels Paulus
- weitere Verbreitung des Christentums:
  - bis 600
  - bis 800
  - bis 1100
  - bis 1300
  - nach 1300
- Grenze zwischen der römischen und byzantinischen Kirche um 1100
- Ausbreitung des Islam durch die Araber im 7.–9. Jh.
- Nordgrenze islamischer Herrschaft im Mittelmeergebiet um 750
- JERUSALEM Sitz eines Patriarchen (5. Jh.)
- SWEBEN = Arianer (4.–7. Jh.)
- Wandalen Sonderformen außerhalb der römischen u. byzantinischen Kirche
- 634/636 Jahr der islamischen Eroberung
- (823/825) vorübergehende islamische Eroberung
- 711 christlich-islamische Entscheidungsschlacht

weisen. Dies führte zu Vorwürfen und auch zu Hassausbrüchen, die sich in lokalen und regionalen Verfolgungen äußerten. Dennoch konnte sich das Christentum bis zur Mitte des 3. Jh. einigermaßen ungestört ausbreiten. Erst seit dieser Zeit kam es zu systematischen Verfolgungen durch den Staat, die der Kirche gefährlich wurden (→Christenverfolgungen). Diese Epoche fand mit Beginn der Herrschaft Konstantins ihren Abschluss.

Im *Mittelalter* verlagerte sich das Zentrum christlicher Aktivitäten aus dem urbanen Mittelmeerraum auf das ländlich strukturierte europäische Festland. Die dünne Besiedlung und der agrarische Charakter ließen weiträumige Bistümer entstehen; Klöster oder im Auftrag der adeligen Herrschaft tätige Priester übernahmen die Seelsorge. Da es hier nur wenige städtische Zentren gab, waren Theologie und theologische Lehrbildung nicht mehr Sache der christlichen Gemeinden, sondern der Schule (lateinisch schola): Die entstehende Schulwissenschaft (→Scholastik) wurde an Kloster- und Kathedralschulen, seit dem Hochmittelalter an den Universitäten gepflegt. Kirchen-, Wissenschafts- und Verkehrssprache des Mittelalters wurde die lateinische Hochsprache der Spätantike, sodass die einfachen Christen noch mehr von einer mündigen Teilnahme am geistigen Leben ausgeschlossen waren. Erst als im Gefolge der Kreuzzüge Handwerk und Handel aufblühten und sich, zunächst v.a. in Oberitalien und Südfrankreich, eine neue Stadtkultur entwickelte, kam es zu theologischen Bewegungen in der Bevölkerung (Armutsbewegung).

Die Bedrohung der traditionellen Auffassungen durch die Armutsbewegung beantwortete die Kirche positiv mit der Zulassung der Bettelorden, negativ mit der Einrichtung der →Inquisition (4. Laterankonzil 1215).

Die mittelalterliche Gesellschaft bildete – unter dem Einfluss germanischen Denkens – das Feudalsystem aus, das mit dem Zusammenwachsen zu einer gesamteuropäischen Kultur in einem universalen Kaisertum und Papsttum gipfelte. Welt, Mensch, Gesellschaft und gesellschaftliche Institutionen wurden zunächst sakral gedeutet. Angestoßen durch Reformbewegungen innerhalb des Mönchtums (→kluniazensische Reform), versuchte die Kirche, eine gewisse Unabhängigkeit von staatlicher Gewalt zu erreichen (gregorianische Reform, →Gregor VII.). Im →Investiturstreit, der 1122 im Kompromiss des Wormser Konkordats beigelegt wurde, wurde zwischen profan und sakral, Staat und Kirche unterschieden und erstmals eine gewisse Autonomie beider Bereiche gedacht.

Hiermit war der Grund gelegt für den spätmittelalterlichen Zerfall der universalen politischen Kultur: Nationalstaaten verfolgten eigene Interessen, die Ideen der Volkssouveränität (Marsilius von Padua, *um 1275, †1342/43) und der Freiheit der Politik von der Ethik (Niccolò Machiavelli, *1469, †1527) kamen auf, Wissenschaften emanzipierten sich vom Primat der Theologie, die Theologie zog

Christentum

sich aus der Spekulation zurück auf die geoffenbarten Grundlagen (Biblizismus).

Die *Neuzeit* brachte den prinzipiellen Durchbruch der Emanzipation des Menschen und seines Intellekts von vorgegebenen Autoritäten und kirchlicher Tradition. Wirklich vollzogen wurden diese Ansätze erst in den Gelehrtenzirkeln der Aufklärung und – popularisiert – in Bürgertum und Arbeiterschaft der Moderne (seit dem 19. Jh.).

Die →Reformation wollte für die →Rechtfertigung des Einzelnen nur noch die Autorität Gottes und Jesu Christi anerkennen und somit den Christen von der Heilsnotwendigkeit der kirchlichen Zwischeninstanzen, von Amt, Tradition und Heilsangeboten der Kirche befreien. Hierbei setzten die einzelnen Reformatoren verschiedene Schwerpunkte. Im Gegenzug banden sich die Katholiken – ohne die Rechtfertigung allein durch Jesus Christus und seine Gnade aufzugeben – fester an die überlieferten kirchlichen Gegebenheiten. Dies wurde v. a. im →Tridentinum 1545–63 vollzogen. Die Neuzeit begann für das Christentum also mit einem Verlust seiner kirchlichen Einheit. Seitdem ist es, neben dem →Morgenländischen Schisma, in eine Fülle von Konfessionen, Kirchen und Denominationen aufgesplittert.

Auch die Lehrentwicklung ist seither konfessionell geprägt. Durch die Notwendigkeit, sich voneinander abzugrenzen und die eigene Variante des Christentums zu begründen, standen bis ins 20. Jh. hinein die »Unterscheidungslehren« im Vordergrund: in den reformatorischen Kirchen die Rechtfertigungslehre mit all ihren Aspekten, im kath. Raum Sakramentenlehre, Ekklesiologie, Primat und Unfehlbarkeit des Papstes sowie Mariologie. In einer ersten Phase der konfessionellen Verfestigung, die sich in der lutherischen und reformierten »Orthodoxie« einerseits und in der kath. »Barockscholastik« andererseits ausbildete, wurden die Unterschiede sehr stark herausgestellt und nach ihrem zeitweisen Zurücktreten in der Aufklärungszeit dann im »Neokonfessionalismus« des 19. und frühen 20. Jh. neu etabliert. Im 17. Jh. wurden die konfessionellen Gegensätze zum Ausgangspunkt des Dreißigjährigen Krieges.

Im Verhältnis von Christentum und Staat hatte die Reformation ambivalente Wirkungen. Einerseits brachte die Unterscheidung der »beiden Reiche« (→Zweireichelehre) eine Autonomie beider Größen. Andererseits suchten die Kirchen der Reformation eine enge institutionelle Anlehnung an den Staat. So bildete sich u. a. ein Staatskirchentum heraus, in dem Kirche und Staat eine Gesamtkörperschaft bildeten. In Deutschland ist das Staatskirchentum seit 1918 beendet, in Großbritannien und Skandinavien besteht es mit Einschränkungen noch heute.

Das Christentum in der *Moderne* ist mit einem radikalen Säkularisierungsprozess konfrontiert, der sich nach Anfängen im Mittelalter in der Aufklärung verstärkte und schließlich seit dem 19. Jh. dominierend wurde. Die Orientierung des modernen Menschen auf Gott hin wird problematisch. Vielfach tritt an dessen Stelle der Mensch, so etwa im Bürgertum der Einzelne wie auch die Nation, im Marxismus die Gesellschaft. Nach einer Periode apologetischer Abwehr, wie sie sich z. B. im Antimodernismus Pius' X. und in der dialektischen Theologie äußerte, finden die bürgerlichen (z. B. →liberale Theologie, Gott-ist-tot-Theologie) und/oder marxistischen Humanismen (z. B. →Befreiungstheologie) auch ins Christentum Einlass.

Die mit der Entstehung der modernen Industriegesellschaften aufgeworfene soziale Frage wurde von den Kirchen mit Verzögerung aufgegriffen, weshalb ihnen große Teile der Arbeiterschaft entfremdet wurden. Erst mit der Zeit wurden christliche Soziallehren entwickelt, die im kath. Bereich in den Sozialenzykliken der Päpste ihren Ausdruck fanden. Die ökumenischen Gremien stellten sich der sozialen Frage erstmals auf der Weltkonferenz für Praktisches Christentum 1925 in Stockholm, später besonders in Uppsala 1968.

■ **Gegenwärtige Lage** In der Gegenwart scheint das Christentum sich mit neuen Problemen auseinandersetzen zu müssen. Zum einen geht es um eine Überwindung des Konfessionalismus. Angesichts der fundamentalen Gemeinsamkeit des Christentums verlieren im Bewusstsein der Christen die konfessionellen Unterschiede an Bedeutung. Hieraus resultieren die verschiedenen Initiativen der ökumenischen Bewegung (→Ökumene), die allerdings auch, v. a. in den Amtskirchen, Ängste hervorrufen. Ebenso wirkt ein weltweit anzutreffender charismatischer Aufbruch von interkonfessionellem Charakter. Daneben finden sich anonyme Christen ohne kirchliche Bindung, deren christliche Gesinnung in Wort und Tat gleichwohl augenfällig ist.

Das zweite Problem ist die Auseinandersetzung mit dem in der Alten und Neuen Welt verbreiteten säkularisierten Denken. Wenn diese Entwicklung unumkehrbar sein sollte, geht es um die Frage, wie die Sache des Christentums unter diesen Bedingungen aufrechterhalten werden kann. Ein drittes Problem ergibt sich aus der v. a. in westlichen Gesellschaften wirksamen Frauenemanzipation, durch die tradierte patriarchalische Strukturen der Kirchen in Frage gestellt werden. Zurzeit kulminiert es v. a. in der Frage nach der Zulassung von Frauen zu den kirchlichen Ämtern (Frauenordination), die in den reformatorischen Kirchen zu Veränderungen geführt hat, während die kath. und die orth. Kirchen die Frage restriktiv behandeln. Ein weiteres Problem stellt sich aufgrund der Tatsache, dass eine wachsende Mehrheit der Christen in der Dritten Welt lebt. Für das Christentum ergibt sich zum einen die Aufgabe, Formen zu finden, die auf deren Bedingungen eine Antwort geben, wie es etwa durch die Befreiungstheologie und Bildung von Basisgemeinden geschieht. Zum anderen erscheint es notwendig, sich einem Inkulturationsprozess in Asien und Afrika zu öffnen, dessen Grenzen noch nicht abzusehen sind. Hier steht auch der Dialog mit den anderen Weltreligionen an, v. a. eine Neubesinnung auf das Verhältnis zum Judentum. Mit Sicherheit jedoch ist das Christentum dabei, seine eurozentrische Prägung zu verlieren.

■ **Siehe auch**
SACHBEGRIFFE →Abendmahl · Bibel · Bischof · katholische Kirche · Kirche · Kreuz · Mystik · Ökumene · Ostern · Papsttum · Pfingsten · Protestantismus · Reformation · Rom · Sakramente · Staat und Kirche · Taufe · Trinität
PERSONEN →Augustinus · Barth, Karl · Benedikt von Nursia · Bonhoeffer, Dietrich · Calvin, Johannes · Franz von Assisi · Hildegard von Bingen · Hus, Jan · Ignatius von Loyola · Jesus · Johannes Paul II. · Luther, Martin · Maria · Paulus · Petrus · Rahner, Karl · Thomas von Aquino · Zwingli, Ulrich

Christenverfolgungen [k-], in der Antike die Versuche der römischen Kaiser, Statthalter oder örtlichen Instanzen, das Christentum als staatlich nicht anerkannten Kult einzudämmen oder gar auszurotten. Christenverfolgungen gibt es vom Beginn des Christentums an. Im N. T. werden sie bereits vorausgesetzt und theologisch reflektiert (Mt. 5, 10 f. und Joh. 15, 20). Zunächst auf den jüdischen Einflussbereich beschränkt (Apg. 6, 8 ff.; 8, 1; 9, 1), greifen sie mit dem Vordringen des Christentums in die römisch-hellenistische Welt auch hierhin über: Die Quellen berichten über Christenverfolgungen durch Nero im Jahr 64 n. Chr. und Domitian (81–96).

Reichsweit geregelt wurde die Verfolgungsfrage erstmalig 112 durch ein Reskript Kaiser Trajans: Nach Christen soll nicht gefahndet werden, wer angezeigt und überführt wird, Christ zu sein, ist (mit dem Tode) zu bestrafen, Abkehr vom Christentum soll Straffreiheit nach sich ziehen, anonyme Anzeigen bleiben unberücksichtigt. Diese Regelung blieb für lange Zeit Grundlage des staatlichen Umgangs mit den Christen, sofern lokale Willkür sie nicht durchbrach.

Ein grundlegender Wandel ergab sich durch das Opferdekret des Decius (249–251), das der gesamten Reichsbevölkerung ein den Christen unmögliches Bittopfer für die Götter Roms bei Todesstrafe bindend vorschrieb. Die Situation wurde durch Erlasse Valerians (253–259) noch verschärft. Er unterband kirchliches Leben und ließ kirchliches Vermögen beschlagnahmen. Nach dessen Tod willigte Gallienus 260 mit zwei Toleranzedikten in die vorläufige Duldung der Christen ein. Diese Verfolgungspause endete 303, als Diokletian mit drei Edikten erneut eine blutige Christenverfolgung in Gang setzte. Ein viertes Edikt (304) verschärfte die Lage, da es für den gesamten Osten übernommen wurde. Im Westen endete die Verfolgung bereits 311 mit dem Toleranzedikt von Serdica, das 313 in Mailand erneuert wurde, während sie im Osten erst nach dem vollständigen Sieg Konstantins des Großen 324 endete. Die Herrschaft Julians (361–363) brachte noch einmal die Christen diskriminierende Unterdrückungsmaßnahmen.

Christian Science [ˈkrɪstjən ˈsaɪəns], **Christliche Wissenschaft,** eine von Mary Baker Eddy gegründete Glaubensgemeinschaft. Sie versteht sich als christliche Kirche mit der Aufgabe, das Urchristentum wieder einzuführen, und lehrt, dass die Anwendung der Grundsätze der Bibel, verbunden mit Ver-

Christenverfolgungen. Der römische Kaiser Nero wurde in der christlichen Geschichtsschreibung als Antichrist verteufelt. Denn als im Jahr 64 mehrere Bezirke Roms niederbrannten, lenkte Nero den wohl unbegründet gegen ihn gerichteten Verdacht der Brandstiftung auf die Christen, die er grausam verfolgte (»Die Fackeln des Nero«, Gemälde von Henryk Siemiradzki, 1876; Krakau, Muzeum Narodowe).

ständnis der ihnen zugrunde liegenden Gesetze, auch heute dazu führt, Leben von Sünde und dem daraus folgenden Leiden zu erlösen. Das Element christlichen Heilens, das in der religiösen Praxis der Christian Science eine bedeutende Stellung einnimmt, wird als ein unabdingbarer Teil des Auftrages Christi Jesu gesehen.

■ **Lehre** Nach der von Mary Baker Eddy in ihrem Hauptwerk, dem Lehrbuch »Science and Health with Key to Scriptures« (1875; deutsch »Wissenschaft und Gesundheit mit Schlüssel zur Heiligen Schrift«, 1912) entwickelten Auffassung lehrt die Bibel Gott als grundlegende geistige Ursache, allumfassende Liebe, das vollkommene geistige Sein, als »Alles-in-allem«. Unter dieser Prämisse ist nichts wirklich außer Gott und dem von ihm gewollten vollkommenen geistigen Sein des Menschen, der als Gottes Gleichnis und Bild geschaffen sei. Die Materie samt ihren Begleiterscheinungen Sünde, Krankheit und Tod wird als Illusion betrachtet, die durch das Wirken des Christus überwunden wird. Die sowohl Verkündigungs- als auch Heilungsauftrag umfassende Nachfolge Christi sei der Weg, Gott schrittweise über die im Gebet gewonnene Erkenntnis näherzukommen, wodurch alles Gott Unähnliche seine Macht und Wirklichkeit verliere und sich der Mensch seiner von Gott gewollten Bestimmung als Gottes Bild und Gleichnis bewusst werde.

■ **Praxis und Verbreitung** Die durch Lesungen, Gebete und Gesang geprägten Gottesdienste am Sonntag und die »Zeugnisversammlungen« am Mittwoch werden von »Lesern« geleitet, die Passagen aus der Bibel und erklärende Abschnitte aus dem »Lehrbuch« vorlesen. In den Mittwochsversammlungen besteht für die Teilnehmer die Möglichkeit, vor der Gemeinde von ihren Heilungserfahrungen zu berichten.

Mittelpunkt der Christian Science ist die 1879 von Mary Baker Eddy gegründete Mutterkirche »The First Church of Christ, Scientist« in Boston (Mass.). In Deutschland entstanden 1897 die ersten Gemeinden. Heute zählt die Christian Science rund 2 000 Kirchen und Vereinigungen in über 70 Ländern, darunter Deutschland, Österreich und die Schweiz.

Christlicher Verein Junger Menschen [k-], Abk. **CVJM**, als **Christlicher Verein junger Männer** aus dem Pietismus seit etwa 1880 hervorgegangene freie Vereinigung der ev. männlichen Jugend, die an die früheren ev. Jünglingsvereine, die es seit 1823 gab, anknüpfte. Der erste Verein entstand 1844 in London als Young Men's Christian Association (Abk. YMCA). 1883 wurde der erste CVJM in Berlin gegründet. Seit den 1960er-Jahren wurde die Arbeit mit Frauen und Mädchen mehr und mehr in den CVJM integriert. Seit 1991 bedeutet im Bereich des »CVJM-Gesamtverbandes in Deutschland e.V.« die Abk. CVJM offiziell Christlicher Verein Junger Menschen. Er hat seinen Sitz in Kassel und umschließt 13 Mitgliedsverbände. Er ist Mitglied des 1855 gegründeten Weltbundes der YMCA mit gegenwärtig rund 30 Millionen Mitgliedern in 120 Ländern. Orientiert an seiner »Pariser Basis« von 1855, will dieser eine interkonfessionelle Gemeinschaft in der einen Kirche Christi sein, die ökumenisch bestimmt ist.

Haupttätigkeitsfelder des CVJM sind die Arbeit mit Kindern, Jugendlichen und jungen Erwachsenen im Rahmen der Freizeitgestaltung durch gemeinschaftliche Programme, Sport, Musik, Ferienfreizeiten und verschiedene Angebote der offenen Jugendarbeit, die Zusammenführung junger Menschen durch internationale Begegnungen und Austauschprogramme, die Bildungsarbeit sowie die Jugendsozialarbeit. Im CVJM-Weltdienst engagieren sich die CVJM-Einzelverbände weltweit für Not leidende und benachteiligte Menschen.

christliche Soziallehre [k-], →evangelische Soziallehre, →katholische Soziallehre.

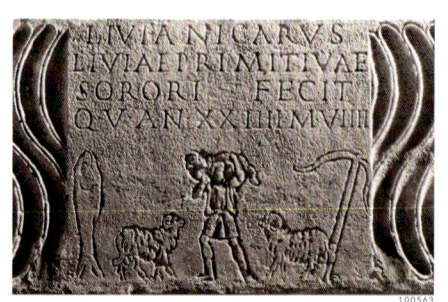

christliche Symbole. Auf dem Sarkophag der Livia Primitiva aus dem frühen 3. Jh. sind drei verschiedene frühe christliche Symbole zu sehen: der Fisch, der gute Hirte, als der sowohl Gott im Alten Testament als auch Christus im Neuen Testament bezeichnet werden, und der Anker, der für Hoffnung steht.

christliche Symbole [k-], Sinnbilder des Glaubens, die in frühchristlicher Zeit als Verhüllung des Bekenntnisses in einer feindlichen Umwelt und geheimes Mittel der Verständigung entstanden sind. Oft haben sie Parallelen in der profanen Umwelt und sind aus ihr zu verstehen. Ebenso oft entstammen sie allegorischen Auslegungen der Bibel. Zu den christlichen Symbolen gehören besonders das →Kreuz und das aus den griechischen Buchstaben X [chi] und P [rho], den ersten beiden Buchstaben des griechischen Wortes Christos, zusammengesetzte Christusmonogramm.

Im Einzelnen erscheint Christus im Symbol des Guten Hirten, als Fischer im Sinne des Menschenfischers und als Philosoph als Symbol für den Lehrer. Die rettende Kraft Gottes wird u. a. im Bild des Jona, das auch Symbol der Auferstehungshoffnung ist, dargestellt. Die Christen erscheinen als »Oranten« (Anbetende). Ihr Bekenntnis kommt im Symbol des →Fisches zum Ausdruck. Als christliche Tiersymbole gelten Lamm (Christus), Taube (Frieden), Hirsch (nach Ps. 42/43, 2), Pfau (Paradieseshoffnung) und Phönix (Auferstehung). Dazu treten Sachsymbole wie Anker und Schiff.

Im Mittelalter wurde die Symbolsprache immer reicher und die Zahl der christlichen Symbole nahm ebenso zu wie ihre Vieldeutigkeit. Die allegorische Deutung der Bibel führte zu neuen Sinnbildern für die Inhalte und Hauptgestalten des Glaubens. Eindeutiger sind die Attribute der Heiligen, da sie dem Bericht über ihr Martyrium entnommen sind. In den Kirchen der Reformation nahm die Bedeutung der christlichen Symbole ab. Eine neue Fülle von Symbolen findet sich dagegen im kath. Barock, so das Dreieck als Sinnbild der Dreifaltigkeit mit Auge Gottes oder Tetragramm.

Christliche Wissenschaft, deutsche Ausbildung der →Christian Science.

christlich-islamischer Dialog [k-], Sammelbezeichnung für christlich-islamische Begegnungen auf verschiedenen – personalen, informellen und institutionellen – Ebenen, die über das gegenseitige Kennenlernen von Christen und Muslimen die Toleranz zwischen den Religionsgemeinschaften fördern und gemeinsam vertretene Werte bewusst machen wollen.

■ **Entwicklung** Eine der Grundlagen schufen europäische Gelehrte in der Aufklärungszeit durch ihre wissenschaftliche Beschäftigung mit dem Islam. Studien des Korans und seine Übersetzungen in verschiedene europäische Sprachen brachen der Entwicklung einer eigenständigen europäischen Islamwissenschaft Bahn, deren Vertreter sich von Anbeginn an größtenteils um eine vorurteilsfreie Darstellung des Islam bemühten. Die erste lateinische Koranübersetzung hatte Robert von Ketton im Auftrag von Petrus Venerabilis bereits 1143 vorgelegt.

Von kath. Seite wurde die durch das 2. Vatikanische Konzil 1965 verabschiedete »Erklärung über das Verhältnis der Kirche zu den nicht christlichen Religionen« zu einer wichtigen Grundlage des christlich-islamischen Dialogs. Sie hebt die gemeinsame Verantwortung der Religionen für die ganze Menschheit hervor und betont unter Anerkennung des von beiden Seiten durch Kreuzzüge, Reconquista und osmanische Expansion in Europa historisch belasteten Verhältnisses von Christen und Muslimen die geistliche Gemeinschaft beider als »Kinder Abrahams«. Der Islamische Weltkongress und die Weltmuslimliga signalisierten ab den 1970er-Jahren ihre Bereitschaft zur Zusammenarbeit mit den Christen. Höhepunkte des christlich-islamischen Dialogs bildeten die Begegnungen Papst Johannes Pauls II. mit König Hasan II. 1985 in Marokko und mit dem iranischen Staatspräsidenten Saijid Mohammed Khatami 1999 im Vatikan, in denen sich beide Seiten zum Dialog als Grundlage für den Abbau von Missverständnissen und Vorurteilen bekannten; ebenso das Treffen des Papstes mit hohen islamischen Geistlichen 2001 in Damaskus, wo Johannes Paul II. während seines Besuchs als erster Papst eine Moschee betrat.

■ **Organisationen** 1978 gründete der in zahlreichen afrikanischen Ländern mit hohem islamischem Bevölkerungsanteil tätige Orden der Weißen Väter die christlich-islamische Begegnungs- und Dokumentationsstätte CIBEDO. Dem christlich-islamischen Dialog in besonderer Weise verpflichtet, unterhält sie Kontakte mit Repräsentanten islamischer Gemeinden und Verbände. Ebenfalls auf den Orden der Weißen Väter geht das 1949 in Rom gegründete Päpstliche Institut für Islamkunde zurück, das seine wissenschaftliche Arbeit auch als einen Beitrag versteht, die Begegnung zwischen Christen und Muslimen zu fördern. 1998 schlossen der Vatikan und die Azhar-Universität Kairo ein Abkommen über Zusammenarbeit und die Errichtung eines gemeinsamen Komitees zum regelmäßigen Gedankenaustausch über Fragen des christlich-islamischen Dialogs.

In Deutschland unterstützen v. a. Vereine für christlich-islamische Zusammenarbeit den interreligiösen Dialog zwischen Christen und Muslimen. Die kath. Kirche fördert den christlich-islamischen Dialog über das 1974 gegründete Referat für interreligiösen Dialog (RiD) in Köln und die 1979 gegründete Ökumenische Kontaktstelle für Nichtchristen (ÖKNI) München. Die ev. Kirchen fördern den christlich-is-

christlich-islamischer Dialog. Ein Meilenstein im christlich-islamischen Dialog war das Treffen zwischen Papst Johannes Paul II. und dem iranischen Staatspräsidenten Khatami 1999 im Vatikan. Khatami drückte dabei seine Hoffnung auf einen Sieg des »Monotheismus, der Ethik und der Moral, verbunden mit Frieden und Versöhnung« aus.

christlich-jüdischer Dialog

christlich-jüdischer Dialog. Ein Höhepunkt des Papstbesuches in Jerusalem im März 2000 war das Gebet Johannes Pauls II. an der Klagemauer, nachdem er nach jüdischer Tradition einen handgeschriebenen Zettel mit einer Bitte an Gott in eine Mauerritze gesteckt hatte. Am Ende dieser Reise kam es zu einer öffentlichen Entschuldigung für die Rolle der Kirche im Zusammenhang mit der Judenverfolgung und -ermordung während des Nationalsozialismus.

lamischen Dialog durch haupt- und ehrenamtlich tätige Islambeauftragte. Die Muslime unterhalten u. a. das Islam-Archiv in Soest.

Innerhalb des christlich-islamischen Dialogs wird der Missbrauch beider Religionen als »christliche« bzw. »islamische« Ideologie zur Durchsetzung politischer Ziele oder Begründung terroristischer Gewalt entschieden abgelehnt, da in diesem Missbrauch das wesentliche Hindernis für weitere potenzielle Teilnehmer liegt, sich dem interreligiösen Dialog zu öffnen.

christlich-jüdischer Dialog [k-], Bezeichnung für die gemeinsamen Bemühungen von Christen und Juden im 20. Jh., einander unter Achtung und Anerkennung der eigenen Traditionen zu begegnen. War der Dialog mit den Juden von christlicher Seite ursprünglich mit dem Gedanken der Judenmission verbunden, so setzten sich jüdische Persönlichkeiten – besonders Martin Buber und sein Mitarbeiter Franz Rosenzweig – bereits in den 1920er-Jahren für einen Dialog im Sinne des gegenseitigen Kennen- und Verstehenlernens ein.

Der christlich-jüdische Dialog im eigentlichen Sinne begann vonseiten der christlichen Kirchen nach 1945 in der Auseinandersetzung mit dem →Antisemitismus als einer Wurzel des Holocaust.

■ **Katholische Stellungnahmen** Eine wichtige Stellung in der weiteren Geschichte des christlich-jüdischen Dialogs nimmt die durch das 2. Vatikanische Konzil 1965 verabschiedete »Erklärung über das Verhältnis der Kirche zu den nicht christlichen Religionen« ein, die die Unwiderruflichkeit der Heilszusage Gottes an Israel hervorhebt und Gott ausdrücklich als den »Vater aller« – der Christen und Juden – betont. Sie fordert außerdem im Bewusstsein des historisch v. a. durch den christlichen Antijudaismus und die Judenverfolgungen des Mittelalters belasteten christlich-jüdischen Verhältnisses zu einer vom Geist des Evangeliums getragenen brüderlichen Haltung gegenüber der jüdischen Gemeinschaft auf.

Von diesen Grundsätzen ist auch die Erklärung der deutschen kath. Bischöfe »Über das Verhältnis der Kirche zum Judentum« (1980) getragen. Als »Zeichen der Brüderlichkeit« wurden der Besuch Papst Johannes Pauls II. in der römischen Synagoge (1986), sein Gebet für das jüdische Volk im ehemaligen Warschauer Getto (1999) und seine Ansprache in Yad Vashem (2000) gewertet. Einen Höhepunkt des christlich-jüdischen Dialogs bildete 1993 der erstmalige Besuch eines Oberrabbiners in Rom, nämlich des geistlichen Oberhauptes der aschkenasischen Juden in Israel, Meir Lau. Weltweite Aufmerksamkeit, aber auch zahlreiche kritische Anfragen erfuhr die 1998 veröffentlichte Erklärung der kath. Kirche zur Schoah, in der sie offiziell zur nationalsozialistischen Judenverfolgung Stellung nahm und die Mitverantwortung und Mitschuld kath. Christen bekannte.

■ **Protestantische Stellungnahmen** Ein grundlegendes Dokument auf protestantischer Seite legten die in der »Leuenberger Kirchengemeinschaft« zusammengeschlossenen Kirchen 2001 mit der im Zusammenhang der christlich-jüdischen Lehrgespräche 1996–2000 entstandenen Studie »Kirche und Israel« vor. Diese versteht sich als Versuch, erstmals auf europäischer Ebene die christlich-jüdischen Beziehungen zu bestimmen, als Bekenntnis der eigenen Schuld gegenüber dem jüdischen Volk in der Geschichte und als Formulierung der Verbundenheit und gemeinsamen Verantwortung von Christen und Juden in der Auseinandersetzung mit Antisemitismus, Rassismus und Fremdenfeindlichkeit heute.

Erstmals fanden christlich-jüdische theologische Gespräche in den 1970er-Jahren und 1980 statt: 1972 mit orth., 1975 mit lutherischen und 1980 mit anglikanischen Theologen. Die Evangelische Kirche in Deutschland (EKD) veröffentlichte 2000 in Anknüpfung an ihre beiden ersten Studien zum christlich-jüdischen Dialog (1975, 1991) die Studie »Christen und Juden III«, die das christlich-jüdische Verhältnis als Anfrage an die eigene theologische und kirchliche Tradition formuliert und vor dem Hintergrund des Holocaust reflektiert.

Christologie [k-], die dogmatische Lehre von der Person Jesu Christi, wie sie im N. T. angelegt und von der Kirche entfaltet worden ist. Im Gefolge der Trinitätslehre ergab sich für das altkirchliche Denken die Aufgabe, zu be-

Christologie

schreiben, wie Jesus Christus zugleich Gott und Mensch sein konnte.

■ **Alte Kirche** Die Lehre entwickelte sich im Spannungsfeld entgegengesetzter Extreme. Die →Ebioniten lehrten, Jesus sei bloß Mensch gewesen. Erst bei seiner Taufe habe er eine besondere Würde empfangen, indem der Christus auf ihn herabgestiegen sei. Eine ähnliche Position vertraten der →Adoptianismus und der →Arianismus. Der →Doketismus vertrat dagegen die Lehre, Jesus, der Erlöser und Lichtbringer, könne nicht »Fleisch« sein. Was an ihm als menschliches Leben und Sterben wahrnehmbar ist, könne nur Schein sein. Das Göttliche »absorbiere« alles Menschliche. Die Großkirche hielt beide Auffassungen für häretisch. Ihr galten die göttliche und die menschliche Natur in Christus zu einer Einheit verbunden. Strittig war zunächst nur die begriffliche Erfassung dieser Glaubensaussage.

Die antiochenische Schule des 4. und 5. Jh. (u. a. Johannes Chrysostomos) suchte mit dem Gedanken der »Zusammenhaftung« der Naturen eine rational einsichtige Lösung. Sowohl das Göttliche als auch das Menschliche sollten ungeschmälert bleiben. Zwar lehrte man nicht zwei Söhne Gottes, doch war die Einheit nicht als substanzielle gedacht. Damit war die Tendenz zu einer »Trennungschristologie« angelegt, wie sie der →Nestorianismus vertrat. Die alexandrinische Schule, deren streitbarster Vertreter Kyrill von Alexandria war, sprach dagegen dem Menschsein Jesu keine eigene Wesenhaftigkeit zu. Sein Menschsein bleibe zwar unangetastet, werde aber von der Gottheit gleichsam umgriffen. Hier zeichnen sich ein ähnliches Gefälle wie im Doketismus sowie eine Tendenz zum →Monophysitismus ab.

Nach einer Reihe heftiger, auch (kirchen)politisch geprägter Auseinandersetzungen kam es auf dem 4. ökumenischen Konzil in Chalkedon (451; →Chalkedon, Konzil von) zu einer Vermittlung. Die Beschlüsse der vorausgegangenen Konzile wurden aufgenommen und weitergeführt im so genannten »Chalkedonense«, der wichtigsten Entscheidung im Rahmen kirchlicher Christologie überhaupt. Dieses Dogma behauptet sowohl die *Einheit* der Person Jesus Christus als auch seine *Wesensgleichheit* (Homousie) als Gott-Sohn mit dem Vater wie als Mensch mit den Menschen. Christus wird in zwei Naturen unvermischt, unverwandelt, ungetrennt und ungesondert erkannt. Mit den vier Negativbegriffen wurden Einseitigkeiten in beiden Richtungen ausgegrenzt. Das Sagbare blieb paradox. Gerade jene Offenheit brachte dem Symbol bleibende Anerkennung. Es eint bis heute die orth. Ostkirche, die römisch-kath. und die ev. Kirche.

■ **Mittelalter** Im Mittelalter wurde das Dogma von der Christologie her zum Gegenstand theologisch umfassender Auslegungsversuche, wie die Heilsbedeutung des Todes Jesu zu verstehen sei. Hier wie in den vorangegangenen Etappen der Lehrentwicklung zeigte sich, dass Christologie und →Soteriologie in engem Zusammenhang stehen. Wie Christus verstanden wird und was als heilsam für den Menschen gilt, bedingt sich gegenseitig.

■ **Neuzeit** In der frühen Neuzeit überwog immer mehr das Interesse am historischen Jesus. Die Aufklärung in ihrer frühen Gestalt, zu der die im 16. Jahrhundert entstandene antitrinitarische Bewegung der Sozinianer gehörte, und ihrer späteren Gestalt mit Hermann Samuel Reimarus als wichtigem Vertreter nährte damit ihre Skepsis gegen die kirchliche Christologie. Christus wird unter Absehung von aller metaphysischen Religion zum ersten zuverlässigen, praktischen Lehrer der Unsterblichkeit (Gotthold Ephraim Lessing). Die Leugnung der Geschichtlichkeit Jesu bildete in der radikalen Kritik eine seltene Ausnahme.

In den *orth. Kirchen* wird im Rahmen der Bildertheologie die Ikone Christi als die abschließende Vollendung der Christologie geehrt.

Der moderne *Protestantismus* ist in seiner positiven Bemühung um eine Neufassung verschiedene Wege gegangen. Friedrich Schleiermacher setzte sich von einer rationalistischen Theologie, die in Jesus nur ein moralisches Vorbild sah, bewusst ab. Entgegen der Tradition lag ihm nichts an der personalen Identität Jesu mit Gott. Vielmehr ist Jesus für ihn *urbildlich* Mensch, eine schöpferische Neusetzung Gottes. Schleiermacher zufolge erlöst Jesus, indem er den Menschen aus seiner Gottvergessenheit befreit und in die Kräftigkeit seines Gottesbewusstseins aufnimmt.

Die heilsgeschichtliche Theologie erklärte Jesus als Erfüllung der biblischen Verheißungen und als Mitte der Geschichte. Das Problem des historischen Jesus wurde auch so gelöst, dass man das Zeugnis vom biblischen Christus als die eigentliche Wahrheit, das historische Jesusbild als konstruiert verstand oder dass man das biblische Jesusbild bereits als früheste Form der Christologie der werdenden Kirche begriff.

■ **Theologie der Gegenwart** Die gegenwärtige Problematik der Christologie ist dadurch gekennzeichnet, dass man sie entweder als Rechenschaft des kritischen modernen Denkens über den Glauben an Jesus versteht, wie etwa in der existenztheologischen Deutung durch Rudolf Bultmann und Friedrich Gogarten, oder als den Inbegriff christlicher Theologie überhaupt, sodass die Lehre von Gott, von der Schöpfung, vom Menschen wie auch die Ethik von der Christologie her entfaltet werden (Karl Barth). Eine besondere Form der Christologie ergibt sich aus dem Verständnis Christi als Schlüssel zur Geschichte (Hen-

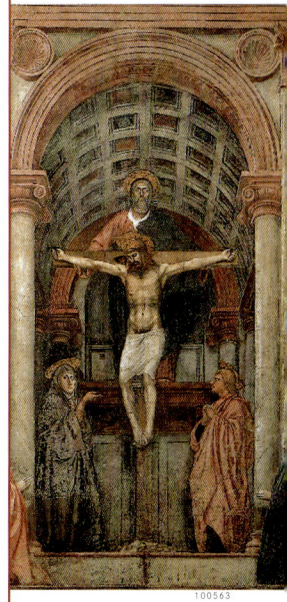

Christologie.
Die Frage, um die die alte Kirche hauptsächlich kreiste, war das Verhältnis des Menschseins und der Göttlichkeit Jesu. Eine der Formulierungen, die dieses Paradoxon aufzulösen versuchten, war die von der Durchdringung und Durchmischung des Menschlichen und Göttlichen in Jesus (»Trinitätsfresko« von Masaccio, um 1425; Florenz, Santa Maria Novella).

Christophorus

drik Berkhof, *1914; Wolfhart Pannenberg, *1928). Kosmische Christologie schließlich will der Bedrohung und Verelendung der Erde eine Christologie der Natur entgegenstellen: Der kommende Christus werde die Verwandlung der Natur zur ewigen Kenntlichkeit als Gottes Schöpfung vollbringen. Diese Dimension sei mit einzubeziehen, wenn eine therapeutische Christologie das Christusheil für den Menschen der Gegenwart und in die Widersprüche der wissenschaftlich-technischen Zivilisation hinein auf heilende Weise darstellen will (Jürgen Moltmann).

Christophorus [k-; griechisch »Christusträger«], legendärischer Märtyrer, einer der 14 Nothelfer der kath. Kirche und der volkstümlichsten Heiligen des Morgen- und Abendlandes. Er schützt gegen Pest, jähen Tod und in gefahrvollen Unternehmungen, ist Patron der Schiffer, Fuhrleute und Reisenden, aber u.a. auch der Gärtner. Heute wird er v.a. als Schutzpatron der Kraftfahrer und des modernen Straßenverkehrs verehrt (Tag: 24.7.; orth. Kirche: 9.5.; in den altorientalischen Nationalkirchen an verschiedenen Terminen im April, Juli und August.).

Zeit und Ort des Martyriums des Christophorus sind unsicher. Der Überlieferung nach wurde er in Sizilien nach vielen Martern hingerichtet. Die Legende berichtet von einem hundsköpfigen Menschenfresser Reprobus, der in der Taufe den Namen Christophorus und dabei die Sprache erhält. Im Abendland wird daraus der Riese aus Kanaan (Cananeus), der zunächst in den Dienst eines Königs, dann des Teufels, dann Christi tritt. Nachdem er dem Teufel gedient hatte, wurde er von einem Einsiedler im christlichen Glauben unterwiesen und erhielt den Auftrag, fortan Pilger über einen Fluss zu tragen. Ein Kind, unter dessen Last er fast zusammenbrach, gibt sich ihm als Christus zu erkennen, tauft ihn und gibt ihm den Namen Christophorus. Die einzelnen Motive der Sage sind ungeklärt, die Christophorusverehrung ging von Byzanz aus.

Christus [k-; griech. »der Gesalbte«], die Übersetzung des hebräischen Wortes mašiaḥ (griechisch Messias). Im N.T. ist Christus der Würdename, der Jesus von Nazareth als den im A.T. verheißenen Messias kennzeichnet. Er wird schon in den Apostelbriefen zum Eigennamen. Über die Bedeutung im A.T. →Messias, im N.T. →Jesus Christus.

Chronik [k-; von griechisch chronikón »Zeitbuch«, »Geschichtsbuch«], **Bücher der Chronik**, griechisch **Paralipomenon**, das in der zweiten Hälfte des 4. Jh. v.Chr. entstandene, später in zwei Bücher geteilte, jüngste Geschichtswerk des Alten Testaments. Es bildet mit →Esra und →Nehemia ein in der Konzeption einheitliches Geschichtswerk. Es beginnt bei Adam und Eva und endet mit der babylonischen Gefangenschaft. Die Geschichte vor David wird von dem anonymen Verfasser in Form von Genealogien zusammengefasst. In der Darstellung der Königszeit werden David und Salomo stark herausgehoben und idealisiert, wobei die kultischen Einrichtungen in den Mittelpunkt rücken.

Chronos [ç-; griech. »Zeit«], *griechische Mythologie:* Personifikation der Zeit, die dann auch als Gott der Zeit angesehen und mit →Kronos gleichgesetzt wurde.

chthonisch [ç-; zu griechisch chthṓn »Erde«], Kennzeichnung von Gottheiten oder Geistern, die im Unterschied zu himmlischen (uranischen) Wesen als mit der Erde verhaftet oder in ihr lebend und wirkend gedacht werden. Sie gelten als Spender von Leben und Fruchtbarkeit der Vegetation, stehen aber meistens mit der Unterwelt und dem Reich des Todes in Verbindung. Bei den Griechen hatten v.a. Gaia, Demeter, Persephone und Hades-Pluton chthonischen Charakter.

Chuang-tzu, chinesischer Philosoph und Dichter, →Zhuangzi.

Chu Hsi, chinesischer Philosoph, Historiker und Dichter, →Zhu Xi.

Church of England, →Kirche von England.

Church of Scotland, →Schottische Kirche.

Church of the Brethren [ˈtʃəːtʃ əv ðəˈbreðrɪn; engl. »Kirche der Brüder«], eine nordamerikanische Freikirche, die in der ersten Hälfte des 18. Jh. aus der aus Deutschland vertriebenen, 1708 gegründeten pietistischen Gemeinschaft der Dunkers hervorging. 1723 wurde in Germantown (Pa.) die erste Kirche gegründet. Die Kirche hatte 1835 etwa 30 000 Mitglieder und begann 1894 mit der Missionsarbeit in Indien, 1922 in Afrika sowie 1946 auch in Südamerika. Heute zählt sie rund 1 000 Gemeinden in über 35 Ländern. Sie ist kongregationalistisch organisiert, betont also die Eigenständigkeit der einzelnen Gemeinden und lehnt kirchliche Hierarchien ab. Sie übt Fußwaschung, Nächstenliebe, Friedenskuss, Krankensalbung. Eine Eidesleistung wird abgelehnt. Neben Quäkern und Mennoniten gehört die Church of the Brethren zu den »Historischen Friedenskirchen«, die den Grundsatz der Gewaltlosigkeit vertreten. Ihre Mitglieder verweigern deshalb den Militärdienst.

Zahlreiche neue Gemeinschaften sind durch Abspaltung entstanden.

Chutba [x-, arab.], islamische Predigt im Freitags- und Festgottesdienst, in der heute meist ein Thema des Glaubens oder der Pflichtenlehre behandelt wird. Die Chutba ist aber seit der Frühzeit des Islam auch ein Mittel der politischen Beeinflussung. Der Prediger (Chatib) ist oft zugleich Vorbeter (Imam) der Moschee.

Christophorus. In einer Legende wurde aus dem »Christusträger« ein Riese, der aus einer vornehmen Familie aus Kanaan stammen und unter Kaiser Decius den Märtyrertod erlitten haben soll (»Der heilige Christophorus mit dem Christuskind«, Skulptur von Alonso Berruguete, 16. Jh.; Valladolid, Museo Nacional de Escultura).

CIC, Abk. für →Codex Iuris Canonici.

Cihuacoatl [siua'ko:atl; aztek. »Frau Schlange«], aztekische Erdgöttin, Patronin der im Kindbett gestorbenen Frauen.

Cihuateotl [span. siua'teotl; aztek. »Göttin«], Plural **Cihuateteo,** in der Mythologie der Azteken die im Kindbett gestorbene Frau, die den im Kampf gefallenen Kriegern gleichgestellt war. Die Cihuateteo leben im →Cihuatlampa im Westen und begleiten die Sonne vom Zenit zum Untergang. An fünf Tagen des Ritualkalenders besuchen sie die Erde und versuchen, an Wegkreuzungen Kinder zu stehlen. Deshalb finden sich dort Schreine mit (fünf?) Figuren der Cihuateteo, die gewöhnlich kniend mit Totenschädel und Krallen an Händen und Füßen dargestellt sind.

Cihuatlampa [span. siua'tlampa, aztek. »Region der Frauen«], in der Mythologie der Azteken das im Westen gelegene Paradies der im Kindbett gestorbenen Frauen (→Cihuateotl).

Cinteotl [span. sin-, aztek. »Gott Mais«], die Maisgottheit der Azteken, die entsprechend der Bedeutung des Maises als Hauptnahrungsmittel des alten Mexiko sehr wichtig war. Im Mythos wird Cinteotl als männliche Person gedacht, in Plastiken jedoch meist als Göttin dargestellt.

Cîteaux [si'to], Mutterkloster der →Zisterzienser in Burgund, Frankreich. Es wurde 1098 von Robert von Molesmes gegründet, 1790 aufgehoben und 1898 vom Trappistenorden wieder besetzt. Von den ursprünglichen Gebäuden sind nur wenige Reste erhalten. Die Bedeutung von Cîteaux liegt v. a. in der Festlegung der landschaftlichen Gegebenheiten (waldreiche, Wasser führende Täler), in denen künftig Zisterzienserklöster entstehen sollten. Von Cîteaux aus wurden 113 Tochterklöster gegründet, von denen Clairvaux eines der ersten war.

Clemensbriefe, →Klemensbriefe.

Clio, Klio, griechisch **Kleio,** *griechische Mythologie:* eine der →Musen.

Cluny [kly'ni], 910 von Wilhelm von Aquitanien gegründete Benediktinerabtei. Sie war schon unter ihrem ersten Abt, Berno († 927), besonders aber unter den fünf folgenden großen und als Heilige verehrten Äbten Odo, Aymard († 965), Majolus († 994), Odilo und Hugo dem Großen Ausgangs- und Mittelpunkt einer umfassenden Erneuerung des Mönchtums, auch der Weltgeistlichen und der Laienwelt (→kluniazensische Reform).

Coatlicue [Nahuatl »die Herrin mit dem Schlangenrock«], die Erdgöttin der Azteken und die Mutter des Stammesgottes Huitzilopochtli.

Cochin-Juden ['kɔʊtʃɪn-], Juden in Indien, →Beni Israel.

Codex Iuris Canonici, Abk. **CIC,** das Gesetzbuch des kanonischen Rechts, Grundlage und Hauptquelle des geltenden Rechts der kath. Kirche des lateinischen Ritus. Nachdem das kirchliche Recht lange Zeit nur in voluminösen Sammlungen verschiedenartiger Gesetze vorgelegen hatte (→Corpus Iuris Canonici), gab Pius X. 1904 den Auftrag zur Erarbeitung eines modernen kirchlichen Gesetzbuches, das 1917 veröffentlicht wurde und Pfingsten 1918 in Kraft trat. Es enthielt 2 414 Canones in fünf Büchern.

Besonders durch das 2. Vatikanische Konzil und die nachfolgende päpstliche Gesetzgebung wurden Teile daraus durch neues Recht ersetzt, das meist in den neuen CIC einging. Ein 1980 erstellter Gesamtentwurf wurde in den folgenden Jahren von einer erweiterten Reformkommission und vom Papst persönlich mit einigen Beratern überprüft, am 25. 1. 1983 durch die Apostolische Konstitution »Sacrae Disciplinae Leges« promulgiert und mit Wirkung vom 27. 11. 1983 in Kraft gesetzt. Inzwischen liegt der CIC in genehmigten Übersetzungen in allen wichtigen Sprachen vor. Amtlicher Text ist jedoch nur die lateinische Fassung.

Cölestin V., Papst (5. 7.–13. 12. 1294), früher **Pietro del Murrone,** *Isernia um 1215, † Schloss Fumone (bei Frosinone) 19. 5. 1296; Benediktiner, später Einsiedler auf dem Berg Murrone bei Sulmona. Von dort aus gründete er ab 1250 Einsiedlergemeinden, die seit 1264 nach der Benediktinerregel lebten und bis zur Zeit der Reformation eine blühende Kongregation (Zölestiner) mit etwa 150 Klöstern größtenteils in Italien und Frankreich waren, dann aber ausstarben.

Cölestin wurde als heiligmäßiger Einsiedler unter dem Einfluss König Karls II. von Anjou gegen seinen Willen gewählt. Da er politisch von diesem abhängig und gegen die

Coatlicue.
Die Erdgöttin und Gottesmutter Coatlicue trägt eine Halskette aus menschlichen Herzen und Händen. Diese weist auf die Notwendigkeit des Menschenopfers für das kosmische Geschehen hin (aztekische Skulptur aus Coxcatlán; Mexiko, Anthropologisches Nationalmuseum).

Cölestin V.   Der Engelspapst

Die endzeitlichen Hoffnungen auf einen »Engelspapst« (Papa angelicus), der die in weltliche Angelegenheiten und politische Intrigen verstrickte Kirche wieder zur Einfachheit der Urkirche zurückführen und damit das Kommen des Erlösers beschleunigen sollte, wurden im 13. Jahrhundert von Joachim von Fiore in seinen apokalyptischen Visionen ausformuliert und besonders von den Franziskanern propagiert.
Als nach über zweijähriger Vakanz der schon als Mönch wie ein Heiliger verehrte Cölestin den Papstthron bestieg, richteten sich alle Hoffnungen und Wünsche auf ihn. Doch der weltfremde Greis, der auch als Papst weiterhin in einer Mönchszelle lebte, war den politischen Anforderungen nicht gewachsen, resignierte nach nur fünf Monaten und trat zurück – ein Vorgang, der im Übrigen bis heute nie wieder vorgekommen ist. Die Gegner seines machtbesessenen Nachfolgers Bonifatius VIII. behaupteten, dieser habe Eisenrohre in die Zelle Cölestins geleitet und dem Papst in der Nacht Rücktrittsforderungen zugeflüstert, die der verwirrte Mönch für Stimmen der Engel hielt. Bereits sein dritter Nachfolger sprach Cölestin V. 1313 heilig, und bis heute wird er in den Abruzzen, seiner Heimat, hoch verehrt.

Korruption der Kurie ohnmächtig war, dankte er ab. Sein Nachfolger Bonifatius VIII. hielt ihn bis zu seinem Tod in Haft, damit er nicht als Gegenpapst aufgestellt werden konnte. – Heiliger (Tag: 19. 5.).

Common Prayer Book [ˈkɔmən ˈpreɪə ˈbuk; engl. »allgemeines Gebetbuch«], das liturgische Buch der →Kirche von England und der anglikanischen Kirchengemeinschaft. Es enthält neben einem kurzen Katechismus die 39 Glaubensartikel von 1563, eine Ordnung des Morgen- und Abendgebets und der Eucharistie, Gebete und Lesungen des Kirchenjahrs, Texte für Taufe, Firmung, Trauung, Priesterweihe, Krankenbesuch und Begräbnis und die Psalmen in der Übersetzung von 1540.

1549 von Erzbischof Thomas Cranmer verfasst, wurde es im gleichen Jahr durch Verordnung König Eduards VI. in England eingeführt. Eine neue Ausgabe von 1552 zeigt den Einfluss der Reformation, besonders Martin Bucers. Die Fassung von 1662 galt für die Kirche von England bis 1965. Seitdem sind Änderungen grundsätzlich zugelassen.

Communauté de Taizé [kɔmynoˈte də tɛˈze, franz.], eine ev. ökumenische Kommunität, →Taizé.

Comte [kɔ̃t], Auguste, französischer Philosoph, *Montpellier 19. 1. 1798, †Paris 5. 9. 1857; einer der Begründer des von ihm so genannten →Positivismus. Er lehnte alle Metaphysik und Absolutheitsvorstellungen ab und leugnete die Erkenntnismöglichkeit eines An-sich-Seins der Dinge. Seine Wissenschaftsauffassung, die auch das neuzeitliche Verständnis der Naturwissenschaft mitprägte, gründete sich auf die Beschreibung von Tatsachen und deren Beziehungen untereinander.

Die Entwicklung menschlichen Wissens deutete Comte nach seinem »Dreistadiengesetz« als historischen Fortschritt von der theologischen Weltdeutung, die alle Erscheinungen durch übernatürliche Willensakte zu begründen suche, über die metaphysische, welche die theologische durch abstrakte Kräfte oder Prinzipien ersetze, hin zur positiven Weltdeutung. Dieser entspreche das endgültige dritte Zeitalter der industriellen Gesellschaft. Ihre Verwirklichung findet sie nach Comte in der Philosophie des Positivismus. Comte entwickelte eine auf den Positivismus gegründete neue Religion der Menschheit.

Concordia [latein. »Eintracht«], die altrömische Göttin der Eintracht. Ihr wurden nach Beendigung innenpolitischer Zwistigkeiten Heiligtümer geweiht. Der Haupttempel am Westende des Forum Romanum wurde 367 v. Chr. errichtet, als die licinisch-sextischen Gesetze den Kämpfen zwischen Patriziern und Plebejern ein Ende setzten. Ihre Attribute in der bildenden Kunst sind Füllhorn und Opferschale.

Confessio Augustana, lateinische Bezeichnung für das →Augsburgische Bekenntnis.

Congar [kɔ̃ˈgaːr], Yves, eigtl. **Marie-Joseph Congar,** französischer kath. Theologe, Dominikaner, *Sedan 13. 4. 1904, †Paris 22. 6. 1995; 1931–54 Professor für systematische Theologie an der Dominikanerhochschule Le Saulchoir bei Paris. Congar gehörte zu den Hauptförderern einer Wiedervereinigung der getrennten Christen und war einer der einflussreichsten theologischen Berater des 2. Vatikanischen Konzils. 1994 wurde er zum Kardinal erhoben.

Corpus Iuris Canonici [latein.], die nach dem Vorbild des »Corpus Iuris Civilis« zusammengefassten, v. a. kirchlichen Rechtsquellen des Mittelalters. Sie wurden 1918 durch den →Codex Iuris Canonici außer Kraft gesetzt.

Coyolxauhqui [kɔjɔlˈʃauki; aztek. »die mit dem Schellenschmuck im Gesicht«], Göttin der Azteken, Schwester des Huitzilopochtli, die mit schellengeschmücktem Kopf dargestellt wurde.

Credo [latein. »ich glaube«], **Kredo,** das mit diesem Wort beginnende →Nicänische Glaubensbekenntnis. Es wird in der kath. Messe als dritter Teil der Messe an allen Sonntagen und bestimmten Feiertagen gebetet. Sein Text ist in seiner heutigen Gestalt seit dem 4. Jh. bekannt. Ursprünglich Taufbekenntnis, wurde das Credo im 6. Jh. zunächst in die orientalischen Messliturgien, 589 in die mozarabische (altspanische), um 800 durch Karl den Großen in die fränkische und 1014 auf Drängen Heinrichs II. in die römische Liturgie übernommen.

Cromlech, →Steinkreis.

Crowley [ˈkraʊli], Aleister, englischer Okkultist, *bei Stratford-upon-Avon 12. 10. 1875, †Hastings 1. 12. 1947; wurde durch seine Schriften zum geistigen Führer des okkulten →Satanismus im 20. Jahrhundert, in dessen Rahmen ideologische Vorstellungen sowie zahlreiche rituelle Anweisungen, okkulte und sexualmagische Praktiken auf ihn zurückgehen. Er vermischt in seinem System die vielfältigsten Traditionen, u. a. gnostische, altägyptische und indische. Letztlich propagierte er den Grundsatz, nach dem eigenen wahren Willen zu leben: »Tu, was du willst.« Seit 1922 war er Leiter des Okkultordens »Ordo Templi Orientis« (O.T.O.).

Cusanus, Nicolaus, Philosoph und Theologe, →Nikolaus von Kues.

CVJM, Abk. für →Christlicher Verein Junger Menschen.

Cybele, lateinisch für →Kybele.

Auguste Comte

Dadu Dayal, indischer Mystiker, Wanderasket und Dichter religiöser Verse in Hindi, * Ahmadabad 1544, † 1603; Anhänger Kabirs, der die Bewegung der **Dadupanthis** (»Nachfolger Dadus«) gründete, deren Lehre eine Synthese von Elementen des Hinduismus (asketische Frömmigkeit) und des Islam (monotheistischer Gottesglaube) vertritt. Sie ist v. a. in Rajasthan verbreitet.

Daena [avest.], mittelpersisch **Den**, schon im Avesta in zweifacher Bedeutung gebrauchter Begriff, der zum einen die Religion der vorislamischen Iranier, zum anderen das individuelle Gewissen bezeichnet, das dem Gläubigen im Jenseits in Gestalt einer schönen jungen Frau entgegentritt.

Daeva, avestische Bezeichnung der →Deva.

Dagoba [singhales.], auch **Dagaba**, buddhistischer Reliquienschrein, außerdem Bezeichnung des Stupa in Sri Lanka.

Dagon [hebraisierte Form des älteren kanaanäischen daḡan »Korn«, sicher nicht abzuleiten von hebr. daḡ »Fisch« (aus diesem Missverständnis entstand seine Darstellung mit dem Fischschwanz)], westsemitischer Getreidegott, der seit etwa 2500 v. Chr. im Gebiet von Mari am mittleren Euphrat verehrt wurde, seit Beginn des 2. Jt. auch im nördlichen Mesopotamien, in Syrien und in Palästina. Wichtige Kultorte waren Mari und Tuttul. Außerdem befanden sich in Terqa am mittleren Euphrat ein Kulttor und die beiden Dagontempel »Haus der Stille« und »Haus des Eises«. In einer sumerischen Götterliste ist Dagon mit dem obersten sumerischen Gott Enlil gleichgesetzt. Als Herrschergott führt er die Beinamen »König des Landes« und »Herr der Götter«.

In der kanaanäischen Stadt Ugarit (zweite Hälfte des 2. Jt. v. Chr.) gab es ebenfalls einen Tempel des Dagon. Hier wurde er auch mit dem hurritisch-hethitischen Göttervater →Kumarbi gleichgesetzt. Seine Gemahlin ist Schalasch (akkadische »Ähre«). Als seine Tochter wird die →Ischtar von Nippur und in Ugarit als Sohn der Gott →Baal genannt. Im A. T. begegnet Dagon als Hauptgott der Philister (Ri. 16, 23 ff.). Die Erzählung vom Raub der Bundeslade (1. Sam 5, 2 ff.) soll seine Ohnmacht gegenüber Jahwe erweisen.

Dainichi [-tʃi], japanische Bezeichnung des Lichtbuddhas, der die Inkarnation des buddhistischen Gesetzes darstellt. In der japanischen Kunst werden von allen Buddhas nur Yakushi und Dainichi mit Attributen dargestellt: auf dem Lotossitz mit Nimbus, reicher Krone und Schmuck, z. T. mit dem Rad der Lehre.

Dakhmas [-x-; awest. daḫma »Grab«], Singular **Dakhma**, im Parsismus die →Türme des Schweigens.

Dākinī [Sanskrit »weibliches Wesen, das sich am Himmel bewegt«], Typ von Göttinnen im tibetischen Buddhismus, die von Yogis begleitet werden. Außerdem bezeichnete man in Indien die Fleisch essenden Begleiterinnen der hinduistischen Göttin Kali als Dākinīs und als die Sexualpartnerinnen der Yogis. Es ist ihre Aufgabe, den Yogi zu inspirieren und ihm in Träumen geheime Lehren zu übermitteln. In der Tradition der tibetischen Nyingmapa-Schule sind sie für die Bewachung und Offenbarung verborgener Texte verantwortlich.

Dalai-Lama [zu mongolisch dalai (tibetisch gyatso) »Ozean« und tibetisch (b)lama »der Obere«], der ranghöchste Geistliche der Gelugpa-Schule (»Gelbmützen«) des →tibetischen Buddhismus (zweite Stelle der →Pantschen-Lama) und damit einer der höchsten religiösen Würdenträger Tibets; geschichtlich bis 1959 auch das politische Oberhaupt Tibets. Die Residenz des Dalai-Lama ist der Potala-Palast in Lhasa (Amtssitz des gegenwärtigen 14. Dalai-Lama, seit 1959 im Exil). Der Dalai-Lama gilt als Inkarnation des Bodhisattva →Avalokiteshvara, zugleich als die Reinkarnation seines Vorgängers, der sich nach tibetisch-buddhistischer Auffassung in einem kurze Zeit nach seinem Tod geborenen Kind als neue Inkarnation (→Tulku) offenbart, kenntlich unter anderem an bestimmten körperlichen Merkmalen des Kindes.

Der gegenwärtige (14.) Dalai-Lama ist Tenzin Gyatso. Er wurde 1935 als Sohn einer Bauernfamilie im Dorf Taktser in Osttibet geboren und 1940 inthronisiert. Nach der Besetzung Tibets durch China (1959) floh er nach Indien. Er lebt in Dharamsala im Asyl, organisiert die Erziehung tibetischer Flüchtlinge und die Pflege der tibetischen Kulturtradition. An der Spitze der dort ansässigen tibetischen Exilre-

Dagoba. Dagoba ist die singhalesische Bezeichnung für einen buddhistischen Reliquienschrein. Der abgebildete Dagoba von Anuradhapura, der einstigen Hauptstadt von Sri Lanka, ist eine der wichtigen heiligen Stätten des Hinayana-Buddhismus.

Dalai-Lama
→ **GEO** Dossier
Der gute Mensch von Lhasa, Bd. 15

Dalai-Lama
→ **GEO** Dossier
Dem Himmel ganz nah, Bd. 16

Dalai-Lama (Tenzin Gyatso) * 1935

- wurde als Bauernsohn in Osttibet geboren
- wurde 1940 offiziell als 14. Dalai-Lama inthronisiert
- floh 1959 vor den chinesischen Besatzern Tibets ins indische Exil
- erhielt 1989 den Friedensnobelpreis für seinen friedlichen Kampf für die Rechte der Tibeter

Dalai-Lama Suche nach dem Wiedergeborenen

Nach dem Tod eines Dalai-Lama beginnt die Suche nach dem Kind, in dem der Verstorbene wiedergeboren wurde. Als Anzeichen einer Wiedergeburt gelten etwa außergewöhnliche Ereignisse bei der Geburt oder bestimmte körperliche Merkmale.
Als der 13. Dalai-Lama, Thubten Gyatso, im Dezember 1933 starb, dauerte diese Suche mehrere Jahre. Nach Befragung des Staatsorakels wurde eine Mönchsdelegation ausgesandt, die den heutigen 14. Dalai-Lama 1939 ausfindig machen konnte. Zur Prüfung befragte man ihn über sein voriges Leben. Man legte ihm einige Gegenstände vor, aus denen er zielsicher diejenigen auswählte, die seinem Vorgänger gehört hatten. Die Mutter des Dalai-Lama erzählte von einem seltsamen Traum, in dem zwei blaue Drachen sie bei der Geburt ihres Sohnes begrüßt hätten. Der Dalai-Lama selbst gibt an, er habe die Mönche, die zu seinem Elternhaus kamen, stets erwartet. Er erinnert sich auch, dass ein Rabenpärchen, das bereits bei der Bestimmung einiger seiner Vorgänger eine Rolle spielte, sich wiederholt auf dem Dachgiebel seines Geburtshauses niedergelassen habe (Szene aus dem Film »Kundun« mit dem tibetischen Darsteller Tulku Jamyang Kunga Tenzin als fünfjährigem Dalai-Lama).

gierung stehend, die allerdings von keinem Staat offiziell anerkannt wird, wirkt der Dalai Lama darauf hin, über Verhandlungen mit der chinesischen Regierung eine wirkliche Autonomie Tibets zu erlangen. Von den Tibetern in China und außerhalb wird er als ihr geistliches und politisches Oberhaupt angesehen.

Auf internationaler Ebene setzt sich der Dalai-Lama für Toleranz zwischen den Religionen und Völkern und die Wahrnehmung der globalen Verantwortung der Menschheit ein und stößt mit seinen Anliegen auf eine breite Medienresonanz. Weltweit gilt er als einer der bedeutenden religiösen Repräsentanten der Gegenwart. 1989 erhielt er den Friedensnobelpreis. 2005 ist er für seinen Einsatz für eine gewaltfreie Lösung des Tibetkonflikts mit dem Hessischen Friedenspreis ausgezeichnet worden.

Werke: My land and my people (1962; deutsch Mein Leben und mein Volk. Die Tragödie Tibets); Freedom in exile (1990; deutsch Das Buch der Freiheit); Einführung in den Buddhismus. Die Harvard-Vorlesungen (^{13}2000).

Damiani, Petrus, italienischer Kardinal und Kirchenlehrer, →Petrus Damiani.

Dani|el, Hauptgestalt des alttestamentlichen **Daniel-Buches,** das nach jüdischer und christlicher Tradition von Daniel am babylonischen Hof im 6. Jh. v. Chr. verfasst worden sein soll, tatsächlich aber erst in der Makkabäerzeit (zwischen 167 und 164 v. Chr.) entstanden ist. Der erzählende Teil (Kapitel 1–6) schildert auf der Grundlage älterer Legenden die Schicksale und Traumdeutungen des frommen Daniel und seiner Freunde unter den babylonischen Herrschern Nebukadnezar II. (605–562 v. Chr.), Belsazar († 539 v. Chr.) und Darius dem Meder, darunter u. a. die Geschichte vom Menetekel und von Daniel in der Löwengrube. Der apokalyptische Teil (Kapitel 7–12) enthält vier Visionen aus der Zeit des Seleukidenkönigs Antiochos IV. Epiphanes (175–164 v. Chr.). Besonders wichtig ist die Vision von den vier Tieren (Kapitel 7). Das Buch ist eine Weissagungs- und Trostschrift für Israel in der Verfolgungszeit unter Antiochos IV. Seine Gedanken wurden von der späteren Apokalyptik aufgenommen und beeinflussten auch die Geschichtsphilosophie des Mittelalters.

Dao [chines. »Bahn«, »Weg«], **Tao,** grundlegender Begriff der chinesischen Philosophie, namentlich des →Daoismus. Ursprünglich wurde er wertfrei und im übertragenen Sinn auch als »Gesetz« oder »Ablauf« (z. B. der Natur) oder als »Methode« (z. B. bei handwerklichen Fertigkeiten) verstanden. Im Konfuzianismus wurde er dann zur Bezeichnung moralischer Normen und im Daoismus zur Chiffre für den Weltgrund, der, unbewusst wirkend, hinter allen Erscheinungen steht, jedoch nur in einem mystischen Erlebnis erfahren werden kann.

Dao-de-jing [-dʒiŋ; chines. »Buch vom Dao und seiner Tugend«], **Tao-te-ching** [-dʒiŋ], ein Hauptwerk des chinesischen →Daoismus aus dem späten 4. Jh. v. Chr., verfasst von dem historisch nicht fassbaren »alten Meister« (→Laozi). Das Dao-de-jing schildert den Welturgrund und sein spontanes Wirken, das auch für den Menschen Vorbild sein soll. Sehr alte Handschriften des Werkes wurden neuerdings in Gräbern des frühen 2. Jh. v. Chr. gefunden.

Daoismus [zu Dao], **Taoismus**, philosophische und religiöse Lehre in China. Der Daoismus ist neben Konfuzianismus und Buddhismus eine der drei beherrschenden Weltanschauungen und zugleich Auffangbecken der verschiedensten, z. T. auch nicht chinesischen Glaubensrichtungen.

■ **Philosophie** Der philosophische Zweig des Daoismus (**Dao-Jia**) erscheint seit dem 4. Jh. v. Chr. zunächst in zwei den historisch nicht fassbaren Philosophen Laozi (→Dao-de-jing) und Zhuangzi zugeschriebenen Werken, zu denen später noch als dritter Klassiker Liezi hinzutrat. Zentral ist die Beschäftigung mit dem Urgrund des Seins, →Dao (Weg), der teils als das attributslose Absolute und damit als transzendent, teils als eine alle Elemente des Seins individuell durchdringende und zu einer höchsten Einheit zusammenfassende Wesenheit und damit als immanent aufgefasst wird.

Die rechte Lebenseinstellung des Menschen, der nach Auffassung der Daoisten gegenüber anderen Wesen keineswegs herausgehoben, sondern durch Wissen und Willen eher fehlgeleitet ist, besteht daher im »Nicht-Tun« (Wuwei), dem bedingungslosen Annehmen der eigenen Natur, die sich in ihrer idealen Form – wie die Natur des Dao im Großen – nur mit sich selbst bestimmen lässt und durch die Identifikation mit der Allnatur des Dao auch den Tod transzendieren soll. Diese Philosophie war nicht zuletzt eine Reaktion auf die Vorstellungen des Konfuzianismus von Mensch, Gesellschaft und Kultur, die den »wahren Menschen« (Idealmenschen) mit seiner der Natur verpflichteten Daseinsform durch strikte Einbindung in den Rahmen kultureller und gesellschaftlicher Normen zu verbilden drohten.

■ **Religion** Der religiöse Zweig des Daoismus (**Dao-Jiao**) stand von Anfang an in enger Beziehung zu dem philosophischen Zweig, und zwar einerseits in Gestalt von Mystik, Quietismus und Körperübungen (Atemtechniken, Diätetik, Sexualpraktiken), andererseits in Form von Magie und Einbeziehung von älteren, unabhängig entstandenen Naturlehren, zu denen etwa die Lehre von den zwei Grundkräften Yin und Yang, Spekulationen über das Wirken der fünf Elemente und das System des »Buchs der Wandlungen« (→Yijing) gehörten. Mit eigenen Schriften trat er aber erst seit dem 2. Jh. n. Chr. hervor. Verbindendes Element bildeten die Betonung der Natur und der Wunsch nach Langlebigkeit oder

---

Daniel Die Vision der vier Tiere

Während der erste Teil des alttestamentarischen Buchs Daniel Begebenheiten aus dem Leben des Propheten erzählt, enthält der zweite Teil vier Visionen von der Zukunft Israels. In der ersten (Dan. 7, 1–28) steigen vier Bestien aus dem Meer, welches Sinnbild des Ungeheuren und Bösen ist. Sie symbolisieren die vier altorientalischen Reiche, die vom 6. bis zum 3. Jahrhundert v. Chr. aufeinanderfolgend Israel bedrängten: Der geflügelte Löwe entspricht dem neubabylonischen Reich, der Bär mit den drei Rippen zwischen den Zähnen dem medischen Reich, der Panther mit vier Flügeln und vier Köpfen dem persischen Reich; das vierte und grausamste Tier mit den zehn Hörnern entspricht dem Reich Alexanders des Großen und seiner Nachfolger. Alle Tiere, das heißt alle Reiche, aber gehen durch Gottes Gericht zugrunde. Nur das Reich des Menschensohns hat auf ewig Bestand (Darstellung aus einer Handschrift des Beatus von Seu d'Urgell, Ende 10. Jh.; Seu d'Urgell, Museu Diocesá d'Urgell).

Dao-shi

Daoismus.
Zahlreiche daoistische Legenden handeln von Unsterblichen, denen es geglückt ist, die richtige Formel für die Herstellung einer Essenz zu finden, die zur Unsterblichkeit (Xian) verhilft. Auf der Zeichnung von Lin Zhong (Qing-Zeit, 1644–1911/12) bereitet der Arzt Feng Gang aus Hanyang Unsterblichkeitspillen aus Blütenblättern zu.

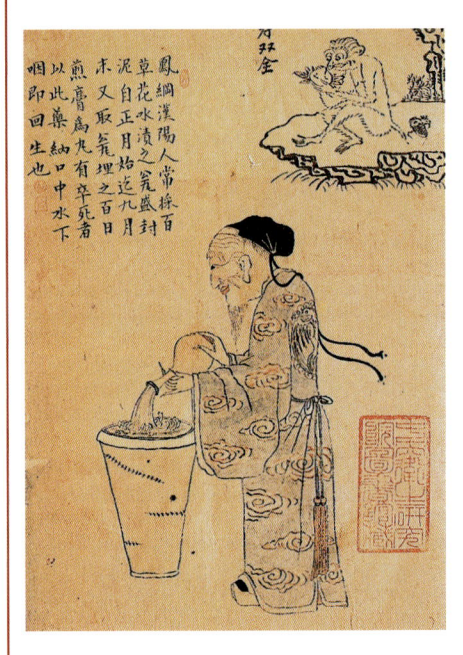

gar Unsterblichkeit. Der Körper wurde als Mikrokosmos angesehen, der dem Makrokosmos des Universums nachgebildet und von einer Vielzahl von Seelen und Göttern belebt vorgestellt wurde. Für seine Bewahrung wurden seit dem 2. Jh. n. Chr. zusätzlich Methoden der Alchimie zur Gewinnung der »Pille der Unsterblichkeit« bzw. des Lebenselixiers entwickelt. In dieser auf die Lebensverlängerung ausgerichteten Spielart bezog der Daoismus neben Laozi auch den mythischen »Gelben Kaiser« (Huangdi) in seinen Kult ein. Die Heiligen und damit zugleich Unsterblichen (Xian) im Daoismus, denen die Fähigkeit zu fliegen zuerkannt wurde, stiegen entweder zum Himmel auf oder zogen sich in die westlichen Bergparadiese und östlichen Inselparadiese zurück.

Im religiösen Daoismus avancierte Laozi zu einer kosmischen, in Intervallen als Welterlöser auftretenden Figur. Hier ist bereits das buddhistische Vorbild erkennbar, das spätestens seit dem 2. Jh. n. Chr. trotz oder gerade wegen der gleichzeitig einsetzenden Konkurrenz zwischen beiden Weltanschauungen bis in die Gegenwart eine bedeutende Rolle spielte. Es äußerte sich besonders in der Gründung einer daoistischen Kirche 184 n. Chr., der Herausbildung des Klosterwesens, der Entstehung von Sekten, der Systematisierung von Himmeln und Höllen, der Kompilierung eines daoistischen Kanons von Schriften sowie in der Spezifizierung einer – allerdings ganz eigenständigen – Liturgie. Darüber hinaus gab es echte buddhistisch-daoistische Mischformen sowohl im religiösen Bereich, z. B. bei messianisch geprägten Ideologien von Geheimgesellschaften, die in Volksaufständen oft eine bedeutende Rolle spielten, als auch im philosophischen Bereich, so z. B. im Zen-Buddhismus.

Seit der Gründung der Volksrepublik China 1949 wurde der Daoismus gerade wegen seiner traditionellen Bedeutung in Geheimgesellschaften lange unterdrückt.

Dao-shi, Gelehrter und Priester des religiösen Daoismus. Familien der Dao-shi bilden seit dem 4. Jh. n. Chr. die erblichen Oberhäupter der daoistischen Gemeinden, leiten die Zeremonien und beraten die Gläubigen, auch durch das Erstellen von Talismanen und Aussprechen von Zauberformeln. Die Dao-shi lassen ihr Haar wachsen, tragen ein weites dunkles Gewand und während der Zeremonien eine aus 240 Teilen zusammengesetzte Robe, die von Stoffbändern unterteilt wird, sowie eine fünfzackige Krone. Je nach Schule leben sie im Zölibat oder mit ihren Familien in der Nähe von Klöstern. Die zölibatär im Kloster lebenden Dao-shi nehmen weder Fleisch noch Alkohol zu sich, dürfen nicht lügen und nicht stehlen und keinerlei sexuelle Beziehungen haben.

Dar al-Islam [arab. »Gebiet des Islam«], in der mittelalterlichen islamischen Staatstheorie Bezeichnung für das Territorium, das unter der Herrschaft der Muslime und des islamischen Rechts (Scharia) steht. Der Theorie nach soll so lange heiliger Krieg (→Djihad) geführt werden, bis auch der ganze Rest der Welt dem Dar al-Islam eingegliedert ist. Jener wurde daher **Dar al-Harb** (»Gebiet des Krieges«) genannt.

Darshana [-ʃ-; Sanskrit »Sicht«, »Anblick«], *Hinduismus:* 1) Bezeichnung für »philosophische Schule« bzw. die »Weltsicht«, die sie vertritt. Traditionellerweise werden sechs Darshana als »orthodox« zusammengefasst (Nyaya, Samkhya usw.). Sie alle akzeptieren die Lehre von einer unsterblichen Seele (Atman) und die Autorität des Veda.

2) Bezeichnung für die »Gottesschau«. Die angebetete Gottheit leibhaftig zu sehen gilt in vielen theistischen Traditionen des Hinduismus als eine Erfüllung des religiösen Strebens. Der Gott oder die Göttin erscheint dem Gläu-

Daoismus Die Götterwelt

Das daoistische Pantheon enthält eine unüberschaubare Anzahl von Gottheiten, der je nach vorherrschender Richtung auch stets lokale Helden und Götter eingegliedert wurden. Aus dieser Vielzahl hat sich die Trias der »Obersten Reinen Himmelsehrwürdigen« (»shangqing tianzun«) herausgebildet: Yuanshi tianzun, der Himmelsehrwürdige des Uranfangs, Taishang Daojun, der Allerhöchste Herr des Weges, und Taishang Laojun, der vergöttlichte Laozi mit dem Namen Allerhöchster Alter Herr. In den Volksreligionen gehören zu den bekanntesten Göttern Guandi, der auf den berühmten Feldherrn Guan Yu zurückgeht und später die Rolle eines Kriegsgottes übernahm, Zaojun, der Küchengott, der in jedem Haushalt verehrt wird, sowie Xiwangmu, die Königinmutter des Westens, die über dem Paradies der Unsterblichen in den westlichen Bergen residiert und als Beschützerin vor Epidemien und als Garantin eines langen Lebens betrachtet wird.

Dasahra [Sanskrit »der zehnte Tag«], **Dashahra** [-ʃ-], **Dussehra,** der zehnte und letzte Tag des Hindufestes →Navaratri, das mit der Tagundnachtgleiche im Herbst verbunden ist. Am Tag Dasahra wird der Sieg des Gottes Rama über den Dämon Ravana gefeiert.

Daschbog, *slawische Mythologie:* der Gott der Sonne. Nach dem altrussischen »Igorlied« ist er der Ahnherr und Schutzpatron der Russen.

Dashanami-Orden [-ʃ-; Sanskrit »zehn Namen besitzend«], eine sich auf den Philosophen Shankara (8. Jh.) zurückführende Vereinigung von Gemeinschaften shivaitischer Asketen, die in zehn Traditionslinien mit zehn verschiedenen Eigennamen (u. a. Bharati, Giri, Puri) unterteilt sind. Sie werden auch unterschiedlichen Asketetypen zugeordnet: So sind die »Dandins«, die den so genannten Asketenstab tragen, den Regeln der Kastengesellschaft besonders verpflichtet, während die »Nagas« Waffen tragen und nackt sind. Während der →Kumbhamela findet traditionell die Versammlung des Ordens statt.

Dat, →Duat.

Dattatreya [-j-, Sanskrit], *Hinduismus:* ein bereits in den älteren Texten erwähnter »Heiliger«. Er wurde ab etwa dem 13. Jh. im heutigen indischen Bundesstaat Maharashtra zu einer der bedeutendsten Gottheiten in einigen religiösen Traditionen des Hinduismus. Theologie und Ritual des Dattatreya kombinieren Elemente aus verschiedenen Religionen. Ab dem 16. Jh. wird er als dreiköpfige Inkarnation der Götter Shiva, Vishnu und Brahma verehrt, wobei er von vier Hunden begleitet wird. Seine Anhänger bilden die Überlieferungsgemeinschaft Datta (→Sampradaya).

David [hebr. eigtl. »der Geliebte«, »Liebling«], israelitischer König, regierte etwa 1004/03 bis 965/964 vor Christus. Der Sohn des Isai aus Bethlehem wurde als Waffenträger an den Hof Sauls (um 1020–1004 v. Chr.) berufen und bewährte sich alsbald in den Philisterkämpfen, wovon auch die Sage vom Kampf gegen Goliath berichtet. David erwarb sich die Freundschaft des Prinzen Jonathan und wurde Schwiegersohn des Königs (1. Sam. 18). Der Eifersucht des kranken Saul entflohen, führte er ein unstetes Leben als Söldnerführer auf dem judäischen Gebirge, zuletzt in Diensten der Philister. Nach dem Tode Sauls und Jonathans wurde er König von Juda in Hebron (2. Sam. 2, 1 f.) und nach der Ermordung des Sohnes und Nachfolgers von Saul, Eschbaal, auch König des israelitischen Nordens.

Als König unterwarf David die Philister und gliederte die kanaanäischen Stadtherrschaften seinem Staatsgebilde ein. Der Personalunion zwischen Israel und Juda fügte er weitere Glieder in unterschiedlichen Abhängigkeitsverhältnissen hinzu: das jebusitische Jerusalem als Residenz, die ostjordanischen Staaten und einen Teil der phönikischen Küste. Das Ergebnis war ein zwei Menschenalter dauerndes Großreich »vom Strom bis an den Bach von Ägypten«, wie es Israel später nie wieder erreicht hat. Die von David geschaffene Stellung Jerusalems, das durch die Überführung der →Bundeslade zum religiösen Zentrum wurde, und die sich aus der Königsideologie entwickelnden messianischen Hoffnungen (2. Sam. 7) haben die israelitische Religion stark beeinflusst (→Messias). Aus den Thronfolgewirren ging →Salomo, der Sohn aus dem Liebesverhältnis Davids mit Bathseba, als Sieger hervor (1. Kön. 1).

Aufgrund seiner Leichenlieder auf Saul, Jonathan und Abner (2. Sam. 1, 17 f.; 3, 33 f.) schrieb die spätere Zeit David die Mehrzahl der Psalmen zu.

David|stern, Symbol in Form eines Sechssterns (Hexagramm), der durch zwei Dreiecke gebildet wird. Im Judentum der Spätantike ist es auf Öllampen, Synagogendekor, Amuletten, später auch auf Siegeln, in Synagogal- und Sepulkralkunst überliefert. Es wird angenommen, dass das Hexagramm als ursprünglich universales religiöses Zeichen mit angeblich magischen Kräften im Mittelalter über den Islam zum Judentum kam, und zwar unter den Bezeichnungen **Davidschild** oder **Schild Davids** (hebräisch Magen David) sowie »Siegel Salomos«, wobei mit Letzterem später nur noch das Pentagramm bezeichnet wurde. Der Davidstern entstand als Begriff wohl erst im 13. Jh. und galt vermutlich erstmals seit dem 14. Jh. als Symbol jüdischer Identität.

Seit dem 18. Jh. wurde er neben der Menora als allgemeines jüdisches Glaubenssymbol verwendet. Der erste Zionistenkongress (Basel 1897) erklärte den Davidstern zum nationalen Emblem, 1948 wurde er in die Flagge des Staates Israel aufgenommen. Unter dem Nationalsozialismus wurde der gelbe Davidstern zum Zwangsabzeichen **(Judenstern).**

Dayananda Sarasvati, Daynand Sarasvati, eigtl. **Mulshankar,** Asket und Reformer des Hinduismus, * Morvi (Gujarat) 1824, † Ajmer (Rajasthan) 30. 10. 1883; bekämpfte soziale Missstände, Ritualismus sowie Bilder- und Tempeldienst. Außerdem trat er für einen Monotheismus ein, den er aus den alten polytheistischen Schriften des →Veda abzuleiten versuchte. 1875 gründete er die hinduistische Reformbewegung des →Aryasamaj.

Decretum Gratiani, die von →Gratian angelegte Sammlung des Kirchenrechts.

Defixion [latein. »Festheftung«], eine seit der Antike praktizierte Form des Schadenzaubers, die seit dem 4. Jh. v. Chr. schriftlich belegt

David. Der israelische König David erlangte frühe Berühmtheit durch seinen Kampf gegen den Riesen Goliath und schuf später ein mächtiges Großreich Israel mit Jerusalem als Zentrum. Doch als Harfenist Sauls und Psalmendichter gilt er auch als erste Schlüsselfigur der jüdischen Musik (nordfranzösische Buchmalerei, 13. Jh.; London, British Library).

Deismus

ist. Ein persönlicher Gegner wird in Bild, Figur (z. B. Rachepuppe) oder Schrift (z. B. Schriftzug seines Namens) gebannt, um ihm durch Beschädigung oder Zerstörung des Objekts körperlichen Schaden zuzufügen oder ihn zu töten.

Demeter.
Die griechische Göttin der Fruchtbarkeit und des Ackerbaus wurde im Rahmen der Eleusinischen Mysterien verehrt. Das Relief bildet eine Opferszene ab. Neben der als Demeter gedeuteten großen Frauenfigur steht ein Altar, auf den ein Knabe Feldfrüchte, die Gaben des unblutigen Voropfers, legt. Die mitgeführte Ziege wird erst später geopfert (3. Viertel des 4. Jh. v. Chr.; Paris, Louvre).

Demut
→ GEO Dossier
Glaube, Liebe, Hoffnung?, Bd. 15

Deismus [zu latein. deus »Gott«], die Anschauung der Aufklärung, dass Gott nach der Schöpfung keinen Einfluss mehr auf die Welt nehme und zu ihr auch nicht in Offenbarungen spreche. Damit steht der Deismus zwischen dem →Theismus, der einen immer wirkenden, persönlichen Gott annimmt, und dem →Atheismus, der die Existenz eines – wie auch immer zu deutenden – göttlichen Weltprinzips überhaupt ablehnt. Kennzeichnend für den Deismus ist die Vorstellung einer natürlichen Religion als Inbegriff und Maßstab aller Weltreligionen.

Der Deismus entstand in England. Ihm nahe stand der Philosoph John Locke (*1632, †1704), der das Christentum nur noch als Sittengesetz mit der Hoffnung auf dessen Erfüllung in der himmlischen Seligkeit ansah. Voltaire (*1694, †1778) brachte den Deismus nach Frankreich, und Denis Diderot (*1713, †1784) schrieb die Religionsartikel der »Encyclopédie« im Geist des Deismus. Im Deutschland des 18. Jh. ging der Deismus in den Rationalismus über. Hier wirkte er auf die Bibelkritik. Noch Immanuel Kant schrieb über die »Religion innerhalb der Grenzen der bloßen Vernunft« (1793).

Dekalog, die →Zehn Gebote.

Delphi, griechisch **Delphoi,** antikes Heiligtum in Mittelgriechenland, das schon zu Zeiten Homers dem Apoll geweiht war. Davor (Mitte des 2. Jt.) war Delphi dem Poseidon und der Gaia, vielleicht auch der Themis heilig. Im 8. Jh. v. Chr. wurde es zum wichtigsten Ort des Apollonkultes mit dem **Orakel von Delphi** (→Orakel).

Dema-Gottheiten, Bezeichnung für in frühen Pflanzerkulturen verehrte Gottheiten, die in der Gegenwart nicht mehr leben, deren Schöpfungstat aber bis heute fortwirkt: Als sie getötet wurden, verwandelten sie sich (als die ersten Toten) ins Totenreich, in Nutzpflanzen sowie in den Mond, der stirbt und immer wieder neu ersteht. »Dema« nennen die auf Neuguinea lebenden Marind-anim Schöpfergestalten ihrer Urzeitmythen.

Demeter [auch 'dɛmɛtɐr], *griechische Mythologie:* Göttin des Wachstums und der Fruchtbarkeit, besonders des Ackerbaus und des Getreides, Tochter des Kronos und der Rhea sowie von Zeus Mutter der Persephone. Nach Hesiod ging aus ihrer Verbindung (→Hieros Gamos) mit Iasion Plutos hervor, der, ehe er als Pluton mit Hades gleichgesetzt wurde, Inbegriff aller Gaben der Erde und damit Spender des Reichtums war.

Nach dem homerischen Demeterhymnos, der wohl zwischen dem 7. und dem 5. Jh. v. Chr. entstand, raubte Hades mit Billigung des Zeus Persephone und entführte sie als Braut in die Unterwelt. Die trauernde Demeter zog auf der Suche nach ihrer Tochter mit Fackeln durch die Welt, bis der Sonnengott Helios ihr von dem Raub berichtete. Durch Demeters Trauer verödete die Erde. Auch den olympischen Göttern konnten keine Gaben mehr dargebracht werden. Daraufhin bestimmte Zeus, dass Hermes Persephone aus der Unterwelt zurückholen und dass die Tochter der Demeter von nun an zwei Drittel des Jahres bei ihrer Mutter im Olymp, ein Drittel bei ihrem Mann Hades in der Unterwelt leben solle.

Demeters hauptsächlicher Kultort war Eleusis, wo ihr und Persephone zu Ehren die Eleusinischen Mysterien gefeiert wurden. Zum Demeterkult gehörten als Hauptfeste die Thesmophorien, ein Fruchtbarkeitsfest, von dem die Männer ausgeschlossen waren, und das von Theokrit (*um 300, †um 260 v. Chr.) geschilderte Erntedankfest der Thalysien. Als Opfer wurden der Demeter häufig trächtige Tiere dargebracht.

In Rom wurde der Demeter Ceres gleichgesetzt.

Demiurg [griech.], bei Platon (*427, †348/347 v. Chr.) der »Weltbaumeister«, der aus der vorhandenen ungeordneten Materie (Chaos) nach vorgegebenen Ideen die sinnlich wahrnehmbare Welt zu einem wohlgeordneten, beseelten und vernunftbegabten Kosmos schafft. Die Weltseele und die Seelen der Menschen werden von ihm als eine Mischung aus ewig Seiendem (Idee) und Werdendem (Körper), die Einzeldinge im Auftrag des Demiurgs von Göttern hergestellt.

Demut [eigtl. »Gesinnung eines Dienenden«], in der Antike die ehrfurchtsvolle Selbstbescheidung des Menschen gegenüber den Göttern und dem Schicksal. Im A. T. ist Demut der geforderte Ausdruck der grundsätzlichen Abhängigkeit des Menschen von seinem Schöpfer. Im N. T. und im Christentum orientiert sich die Demut als christliche Grundhaltung (Tugend) an der Selbsterniedrigung Jesu: In der Demut akzeptiert der Mensch seine eigenen Grenzen und stellt sich unter das Gebot der Gottes- und Nächstenliebe. Demut ist somit von serviler Gesinnung ebenso abzuheben wie von Minderwertigkeitsgefühlen. Sie ist vielmehr Ausdruck für das Bewusstsein von der Würde des Menschen.

Derketo, Atargatis, syrische Fruchtbarkeits- und Muttergottheit, die besonders in Hierapolis verehrt und in orgiastischen Kulten gefeiert wurde.

Derwisch [pers., meist übersetzt mit »Bettler«], arabisch **Fakir,** islamischer Mystiker und Asket, der eine dem →Sufismus geweihte Lebensform praktiziert, gewöhnlich als Mitglied eines Derwischordens. Doch gab es Derwische auch als wandernde Bettelmönche ohne feste Organisation.

Derwisch|orden, islamische religiöse Bruderschaft mit dem Ziel, mystische Gotteserkenntnis und -erfahrung zu erlangen (→Sufismus). Nach traditionellem, nicht mehr durchweg befolgtem Brauch leben die Mitglieder ständig oder zumindest zeitweilig gemeinsam unter Leitung eines Ordensmeisters (arabisch Scheich, persisch Pir) in Klöstern, die oft aus frommen Stiftungen (→Wakf) unterhalten werden. Derwischorden existieren unter Sunniten und Schiiten, wobei sie im sunnitischen Bereich oft schiitische Neigungen zeigen. Einige Derwischorden fühlen sich an Kultvorschriften und Alkoholverbot des islamischen Rechts (Scharia) nicht gebunden. Sie haben eigene Trachten und unterscheiden sich u. a. durch die Art ihrer geistlichen Übungen. Diese umfassen litaneiartige Gebete (Dhikr) mit spezifischen Körperhaltungen und Bewegungen, gelegentliches Sichzurückziehen in die Einsamkeit mit Fasten und wenig Schlaf, Musik und ekstatischen Tänzen. Lehre und geistliche Übungsmethoden werden den Novizen durch Initiation vermittelt.

Die Orden sammelten über den Mitgliederkreis hinaus zahlreiche Sympathisanten um sich, denen sie religiöse Unterweisung und oft auch Seelsorge boten. Damit und durch Förderung von Heiligenkulten prägten sie die islamische Volksfrömmigkeit nachhaltig. Häufig waren sie karitativ tätig und betrieben etwa Armenküchen. Ihr sozialer und politischer Einfluss war und ist z. T. noch heute beträchtlich. Mehrfach wirkten sie staatsbildend, so um 1500 der Safawije-Orden in Persien und im 19. Jh. der Senussi-Orden in Libyen (→Senussi). In der Türkei wurden die Derwischorden 1925 verboten, gewannen aber wieder an Einfluss. In Ägypten brachte man sie durch staatliche Anerkennung und die gesetzliche Unterstellung unter ein staatliches Gremium teils unter Regierungskontrolle.

Wichtige Derwischorden sind außerdem: Kadirije (12. Jh., verbreitet von Indien bis Westafrika), Rifaije (12. Jh., vorwiegend arabisch), die Ahmadija des Ahmad al-Badawi (13. Jh., v. a. in Ägypten), Schadhilija (13. Jh., ursprünglich in Ägypten, Nord- und Ostafrika), →Nakschbandija (14. Jh., ursprünglich in Zentralasien), →Mewlewije (14. Jh., vorwiegend türkisch), Chalwetije (15. Jh., verbreitet im Osmanischen Reich und seinen Nachfolgestaaten, besonders in Albanien), Tidjanija (19. Jh., Nordafrika) sowie die →Bektaschi.

Descartes [de'kart], René, latinisiert **Renatus Cartesius,** französischer Philosoph, Mathematiker und Naturwissenschaftler, *La Haye (heute Descartes, Dép. Indre-et-Loire) 31. 3. 1596, †Stockholm 11. 2. 1650; stammte aus altem Adelsgeschlecht und wurde 1604–12 am damals renommierten Jesuitenkolleg in La Flèche in der scholastischen Philosophie und Naturwissenschaft ausgebildet. Danach studierte er Rechte in Poitiers (bis 1616), leistete seit 1618 Kriegsdienste in den Armeen Moritz' von Nassau und des Kurfürsten Maximilian von Bayern. Es folgten Reisen durch Europa und 1625–29 ein Aufenthalt in Paris. Descartes emigrierte 1629 nach Holland, wo er den größten Teil seiner mathematischen, physikalischen, medizinischen und metaphysisch-philosophischen Werke verfasste.

Für die Philosophie und zugleich Theologie wichtig wurden die »Meditationes de prima philosophia« (1631, »Meditationen über die Erste Philosophie«) und »Principia philosophiae« (1644, »Prinzipien der Philosophie«). Seine Unterscheidung zwischen »denkender« und »ausgedehnter Substanz« führte später zur Unterscheidung und Gegenüberstellung von Subjekt und Objekt. Mit seinen Erörterungen zu den Gottesbeweisen wollte er apriorische Gewissheiten jenseits aller Erfahrung gewinnen. Er unterscheidet zwischen angeborenen, also »ewigen« Ideen und erfahrungsbezogenen Erkenntnissen. Eine große Wirkungsgeschichte hatte sein Satz »cogito ergo sum« (ich denke, also bin ich), mit dem er in allem methodischen Zweifel einen sicheren Ausgangspunkt benennen wollte. Diesen bietet ihm nicht der Glaube oder eine Erkenntnis der empirischen Dinge, sondern das Wissen um das eigene Denken. Somit wird das subjektive Denken – anstelle von Offenbarungssätzen – zum Ausgangspunkt allen Erkennens.

Deuterojesaja, israelitischer Prophet, →Jesaja.

deuterokanonisch, *kath. Theologie:* die nur in der →Septuaginta, nicht im hebräischen Text des A. T. enthaltenen biblischen Schriften, soweit sie vom kirchlichen Lehramt als kanonisch anerkannt werden. (→Apokryphen)

Deuteronomium [griech. »zweites Gesetz«], Bezeichnung für das 5. Buch Mose, entstanden in Israel vor 621 vor Christus. Es beginnt mit einem geschichtlichen Rückblick

René Descartes

Deutsche Christen

Moses auf die Zeit seit dem Aufbruch vom Horeb und bringt im Hauptteil u. a. Kult-, Königs- und Kriegsgesetze. Die Zehn Gebote und andere Gesetze des Sinaikomplexes werden wiederholt (daher der Name). Das Deuteronomium bildete im 7. Jh. v. Chr. die Grundlage für die Kultreform des Königs Josia (639–609 v. Chr.).

Deutsche Christen, Abk. **DC**, Bewegung, die die »Gleichschaltung« der ev. Kirche mit dem Dritten Reich zum Ziel hatte. Als organisierte Bewegung mit dem Namen **Kirchenbewegung DC** (gegründet von Siegfried Leffler und Julius Leutheuser) trat sie bereits 1927 in Thüringen in Erscheinung, wo sie 1931 bei den Kirchenwahlen eine Rolle spielte. 1932 bildete sich in Preußen unter der Führung des Berliner Pfarrers Joachim Hossenfelder mit Unterstützung der preußischen NSDAP unter Berufung auf den »Geist der Frontsoldaten« ein neues Zentrum in der »Glaubensbewegung DC«.

Deutsche Christen. Durch den großen Einfluss der Deutschen Christen kam es 1933 zur Bildung der regimetreuen Deutschen Evangelischen Kirche unter Reichsbischof Ludwig Müller, der hier im Bild auf dem Nürnberger Reichsparteitag der NSDAP 1934 von Adolf Hitler begrüßt wird.

■ **Aufstieg** Infolge der »nationalen Erhebung« und der dadurch ausgelösten Impulse fanden die DC starke Verbreitung, zumal sie den volksmissionarischen Aspekt stark betonten und die Forderung des »positiven Christentums« im NS-Parteiprogramm für sich in Anspruch nehmen konnten. Außerdem ließ es die nationalsozialistische Staats- und Parteiführung an scheinbar positiven Äußerungen über das Christentum und die Kirche nicht fehlen. So wurde etwa im Juli 1933 das Reichskonkordat mit der kath. Kirche geschlossen. Die massive Unterstützung der NSDAP brachte den DC bei den Kirchenwahlen am 23. 7. 1933 in fast allen kirchlichen Gremien die Mehrheit, die sie v. a. zur Besetzung der Ämter in den kirchlichen Dienststellen nutzten. So wurde am 27. 9. 1933 Ludwig Müller zum »Reichsbischof« gewählt.

■ **Wende und Niedergang** Die Berliner Sportpalastkundgebung der DC am 13. 11. 1933 mit den Forderungen nach einer Entfernung des A. T. aus dem Kanon der christlichen Heiligen Schrift, nach »einer heldhaften Jesus-Gestalt als Grundlage eines artgemäßen Christentums«, einer »wahrhaft völkischen Kirche, die allein dem Totalitätsanspruch des nationalsozialistischen Staates gerecht wird« und der Einführung des »Arierparagrafen« in die Kirche zeigte den wahren Standpunkt der DC und brachte die Wende, zumal die NSDAP sich zunehmend vom Bündnis mit den DC löste. Als Volksbewegung waren die DC am Ende, was sie allerdings nicht daran hinderte, nach dem »Führerprinzip« ihre Macht festzuhalten.

In den intakten Kirchen und Gemeinden (→Bekennende Kirche) formierte sich immer mehr der Widerstand dagegen, bis schließlich die DC in den Hintergrund traten und die offizielle Kirche faktisch vom Staat dirigiert wurde. Mit dem Untergang des Nationalsozialismus fanden auch die DC ihr Ende. Soweit sie noch kirchliche Ämter besaßen, wurden sie aus ihnen entfernt.

deutschgläubige Bewegungen, Gruppen, die unter dem Vorzeichen eines übersteigerten nationalen Bewusstseins und einer rassischen Geschichtsdeutung an die Stelle des biblischen Christentums einen »artgemäßen deutschen Glauben« zu setzen suchten. Eine erste Organisation wurde 1894 durch Friedrich Lange gegründet. Es folgten u. a. die **Germanische Glaubensgemeinschaft**, der **Tannenbergbund** Erich und Mathilde Ludendorffs, der **Bund für Deutsche Kirche**, die **Geistliche Religionsgemeinschaft** und die **Deutsche Glaubensbewegung**. Die aus oft kleinen, aber lautstarken Gruppen bestehende Bewegung fand ihren Höhepunkt in den Anfängen des Dritten Reiches, ging aber nach 1935 in dem Maße zurück, wie die NSDAP die an den Kirchenaustritt gebundene allgemeine »Gottgläubigkeit« (Alfred Rosenberg) propagierte, die allmählich zur Forderung für alle Mitglieder der NSDAP und ihrer Gliederungen wurde.

Deva [Sanskrit »Himmlischer«, »Gott«], in der vedischen Religion Indiens zunächst eine Götterklasse, nach der Abwertung der →Asuras zu Dämonen allgemeine Bezeichnung für Gott. In ehrender Weise wurde die Bezeichnung auch für Brahmanen und Könige verwendet. Dem entsprechenden avestischen Wort **Daeva** wurde durch Zarathustra die Bedeutung »böser Geist« beigelegt. Die Daeva kämpfen gegen den guten Gott →Ahura Masda, werden am Ende der Zeit aber von diesem überwunden.

Devadatta [Sanskrit »von Gott gegeben«], Vetter und Schwager des Gautama Buddha. Devadatta wurde von Buddha zum Mönch ordiniert. Er war dessen Gegenspieler und versuchte vergeblich, die Leitung des buddhistischen Ordens an sich zu reißen. Sein Wirken führte zu einer Spaltung innerhalb der buddhistischen Gemeinde.

Devi [Sanskrit »Himmlische«, »Göttin«], Name, den im Hinduismus jede weibliche Gottheit tragen kann. Zahlreiche Belege für als

Devi verehrte Naturerscheinungen, Flüsse und die »Mutter Erde« (Prithivi) sowie für bestimmte Potenzen finden sich im Rigveda (→Veda). Die Verehrung von Devi erreicht einen Höhepunkt im Tantrismus in der Lehre von der →Shakti, der weiblichen kosmischen Energie.

Devotio moderna [latein. »neue Frömmigkeit«], religiöse Erneuerungsbewegung des 14./15. Jahrhunderts. Sie betonte statt der objektiven und an äußere Formen gebundenen Frömmigkeit des Mittelalters die praktisch-erbauliche Betrachtung und mystische Versenkung des Einzelnen in das Leben Jesu. An die Stelle des mönchisch-klösterlichen Frömmigkeitsideals trat ein praktisches Weltchristentum der tätigen und helfenden Liebe (Krankenpflege, Armenfürsorge, Schulen). Das ethische Interesse verdrängte das dogmatische. Aus dem Geist der Devotio moderna entstand um 1420 die Nachfolge Christi des Thomas von Kempen. Die Devotio moderna nahm innerhalb der kath. Kirche das Frömmigkeitsideal des Pietismus vorweg. Sie ging aus von dem niederländischen Buß- und Reformprediger Geert Groote (*1340, †1384) und fand Eingang in nahezu allen Ländern Europas, auch in Spanien und Italien.

Devotionalien [zu latein. devotio »Andacht«], *kath. Kirche:* der persönlichen Andacht dienende Gegenstände der Volksfrömmigkeit, z. B. Rosenkränze und Heiligenbildchen.

Dhabh [arab.], das rituelle Schlachten im Islam, →Schächten.

Dhammapada [Sanskrit; wohl »Worte der Lehre«], buddhistische Spruchsammlung, die aus 426 Versen über die grundlegenden Wertvorstellungen des Buddhismus besteht. Der Dhammapada ist Bestandteil des →Suttapitaka der →Theravada-Schule und eines der populärsten buddhistischen Werke.

Dharana, eine Stufe des →Yoga.

Dharma [Sanskrit »Stütze«, »Halt«, »Gesetz«], ein Hauptbegriff der indischen Religion und Philosophie. Das schwer übersetzbare Wort bezeichnete ursprünglich die stabile kosmische Ordnung, die gleichsam als immaterielle Substanz sowohl Individuum als auch Gesellschaft trägt. Später wurde es auch in der Bedeutung moralischer oder ritueller Pflicht verwendet, die es im Zusammenhang mit der Karmalehre zu erfüllen gilt, wobei jede Kaste ihren eigenen Dharma (»svadharma«), d. h. ihre eigenen geistlichen und weltlichen Vorschriften, hat. Mit dem Dharma verbunden ist die Lehre von den Ashramas, den vier Lebensstufen, in die im Hinduismus das menschliche Leben eingeteilt wird. Im *Hinduismus* gehört Dharma neben Kama (Eros, Lustgewinn) und Artha (Besitz), nur noch überragt von Moksha (Befreiung, Erlösung), zu den obersten religiösen Zielvorstellungen.

Im *Buddhismus* verliert Dharma die rituelle und kastenbezogene Bedeutung zugunsten einer ontologisch-philosophischen und moralischen Auffassung. Es bezeichnet einerseits die von Buddha entdeckte universale Gesetzmäßigkeit, daher die Lehre Buddhas und die buddhistische Religion, andererseits die nicht mehr reduzierbaren Daseinsfaktoren, besonders das →Nirvana und die nur kurz existierenden oder kurz wirksamen Faktoren empirischer Wirklichkeit.

Dharmachakra [-tʃ-; Sanskrit »Rad der Lehre«], Pali **Dhammacakka,** Speichenrad als Symbol für die Ausbreitung der buddhistischen Lehre. Ursprünglich bezeichnete es das Verkünden der Lehre (Dharma, Dhamma) durch den Buddha. In der frühestem Ikonografie (etwa 2. Jh. v. Chr.) steht der Dharmachakra als Symbol für den Buddha. In späteren Darstellungen ist er auf dem Körper des Buddha und den Sohlen seiner Füßen abgebildet.

Dharmachakramudra [-tʃ-; Sanskrit], Meditationsgeste (→Mudra) der sitzenden Buddhafigur. Sie löste seit der Gandharakunst in der ersten Hälfte des 1. Jt. n. Chr. das Radsymbol ab.

Dhyana, eine Stufe des →Yoga.

Dhyanamudra [Sanskrit], Meditationsgeste (→Mudra) des Buddha, des Amitabha und der jainistischen Tirthankaras.

Di, Dii [Plural von latein. deus »Gott«], auch **Di Consentes,** die zwölf im antiken Rom besonders verehrten Götter Jupiter und Juno, Neptun und Minerva, Mars und Venus, Apollo und Diana, Vulcanus und Vesta, Mercurius und Ceres. Die Inschrift »Dis manibus sacrum« (den Verewigten geweiht), Abk. D. M. S. oder D. M., findet sich auf römischen Grabdenkmälern. **Di minorum gentium** (»Götter der geringeren Geschlechter«) ist nach Cicero (*106, †43 v. Chr.) eine Bezeichnung für niedere oder jüngere Gottheiten, im Gegensatz zu den **Di maiorum gentium,** den höheren oder älteren Gottheiten. Als **Di patrii** werden insbesondere die →Penaten bezeichnet.

Diakon [griech. »Diener«], kirchlicher Amtsträger, der für bestimmte liturgische, karitative und seelsorgerische Dienste in einer Kirchengemeinde tätig ist.

In der *alten Kirche* konnte das Wort Diakon jeden bezeichnen, der irgendeinen Dienst leistete. Als Amtsbezeichnung kam es nur vereinzelt vor (Phil. 1,1; 1. Tim. 3,8 und 12). Die Zurückführung der Diakone auf die sieben Helfer, die nach Apg. 6,1–6 den Aposteln zur Unterstützung beigegeben wurden, ist nicht begründet. Die Diakone waren im Besonderen Gehilfen des Bischofs, besonders beim Abendmahl, und Mitarbeiter der Gemeinde, die karitative Tätigkeiten ausübten. Später übernahmen sie, v. a. der **Archidiakon,** immer mehr Verwaltungsaufgaben. Seit dem 11. Jh. nahm die Bedeutung ihres Amtes jedoch ab und am

Devi.
Die hinduistische Göttin Devi tritt u. a. in Gestalt der Parvati, der Gattin Shivas, auf, mit dem sie hier abgebildet ist (18. Jh.; London, Victoria and Albert Museum).

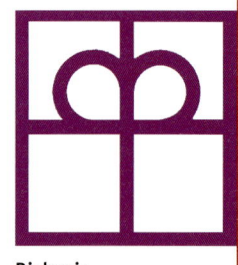

Diakonie

Ende des 15. Jh. hatten sie bereits etwa die heutigen Aufgaben.

In der *kath. Kirche* ist der Diakon ein Kleriker, der die Diakonatsweihe (→Weihe) empfangen hat.

In den *Ostkirchen* bildet der Diakon die unterste Stufe der dreigegliederten Hierarchie (Diakon, Priester, Bischof). Der Diakon leistet seinen Dienst beim Vollzug der Sakramente. Er kann – wie der Priester – als Verheirateter geweiht werden, darf jedoch nach der Weihe keine Ehe mehr eingehen.

In den *reformatorischen Kirchen* galt die diakonische Tätigkeit von jeher als notwendige christliche Lebensäußerung. Heute erstreckt sich die Tätigkeit der Diakone auf den sozialen Bereich, die Jugendpflege und einzelne Bereiche der Gemeindeverwaltung. Der Beruf des Diakons steht auch Frauen offen. Sie tragen die Berufsbezeichnung **Diakonin**.

In der *anglikanischen Kirche* nimmt der Diakon den untersten Rang der kirchlichen Amtsträger ein. Er nimmt teil an der Arbeit des Pfarrers, tauft, teilt die Eucharistie aus und assistiert bei der Eheschließung. Niemand kann Priester werden, ohne Diakon gewesen zu sein.

Diakonie [griech. »Dienst«], *ev. Kirche:* das biblisch begründete (u. a. Gal. 5, 13) Wahrnehmen sozialer Verantwortung durch die Kirche im Rahmen institutionalisierter eigener sozialer Dienste. Im 19. Jh. gab es die Diakonie überwiegend in den »klassischen« Formen der Krankenpflege, Jugend- und Altenfürsorge, seit Mitte des 20. Jh. darüber hinaus zunehmend auch in einer wachsenden Zahl zielgruppenbezogener Hilfsangebote für soziale Randgruppen. Als kirchliche Aufgabe, d. h. als Dienst am bedürftigen Nächsten, ist die Diakonie theologisch in der →Nachfolge Christi und der christlichen →Nächstenliebe begründet.

Im Unterschied zur **karitativen Diakonie**, die sich in ihrem pflegerischen Handeln in erster Linie dem Not leidenden Einzelnen zuwendet, bezieht sich die **gesellschaftliche Diakonie** auf den Menschen in seiner institutionellen Existenz. In ihrem Anspruch und Wirken setzt sie sich auf Grundlage des christlichen Menschenbildes für Lebensverhältnisse ein, die jedem Menschen ein Leben in sozialer Gerechtigkeit, Frieden und Freiheit ermöglichen.

Die Entsprechung zur Diakonie in der *kath.* Kirche ist die →Karitas.

dialektische Theologie, eine theologische Richtung im Protestantismus des deutschen Sprachraums, die nach dem Ersten Weltkrieg durch Karl Barth, Friedrich Gogarten, Emil Brunner, Rudolf Bultmann u. a. begründet wurde. Sie basiert auf der These von der absoluten Transzendenz Gottes und der unbedingten Souveränität der Offenbarung gegenüber jedem theologischen, philosophischen, moralischen oder religiösen Bemühen. Ihr Ziel war insbesondere die Überwindung des Kulturprotestantismus des 19. Jh. mit seiner weitreichenden Identifizierung von Kultur und Reich Gottes.

Im Anschluss an die Existenzphilosophie Søren Kierkegaards wird der diametrale Gegensatz von Gott und Mensch, Zeit und Ewigkeit hervorgehoben. Gott als der (gegenüber der Welt) ganz andere kann, da die Gottestat die Geschichte vollkommen transzendiert, nur durch die dialektisch strukturierte Offenbarung erkannt werden, die die einander ausschließenden Gegensätze Gott und Mensch, Ewigkeit und Zeit vereint, ohne dass sie in einem historischen Prozess aufgehoben werden.

Die Überschreitung der »Grenze«, vor die sich der Mensch gestellt sieht, ist dem Menschen weder durch Anstrengung seines Intellekts noch durch moralische Vervollkommnung möglich. Gott bleibt immer der absolut Transzendente, er geht nicht in die Geschichte ein, auch nicht in dem historischen Jesus. Die Wahrheit Gottes ist nur dialektisch aussagbar in Thesis und Antithesis, eine Synthesis ist nicht möglich. Die Mitte zwischen Position und Negation, Thesis und Antithesis, von der aus Gott in der »Zweiheit« allein zu begreifen ist, ist die Einheit Gottes mit dem Menschen in Jesus Christus, in dem die Ebene menschlicher Erfahrungswelt durch die göttliche Geschichte berührt wird.

Diamantfahrzeug, eine Richtung des Buddhismus, →Vajrayana.

Diana, altitalische Göttin der Wälder. Ihre angesehensten Kultstätten waren das Heiligtum am Berg Tifata bei Capua und der hl. Hain von Aricia am Nemisee. In Rom erhielt sie als latinische Bundesgöttin einen Tempel auf dem Aventin. Diana galt auch als Beschützerin der Jungfräulichkeit und als Mondgöttin. Sie wurde mit der griechischen →Artemis gleichgesetzt.

Diaspora [griech. »Zerstreuung«], aus der hellenistisch-jüdischen Literatur übernommene Bezeichnung für eine konfessionelle und/oder nationale Minderheit sowie deren Situation, z. B. das **Diasporajudentum** als die Gesamtheit der dauernd außerhalb des jüdischen Staates (auch des modernen Israel) lebenden Juden. (→Galuth, →Judentum)

Dibbuk, Dybuk [hebr. »Anhaftung«], spätjüdische Bezeichnung für den Geist eines Toten, der sich an den Leib eines Lebenden heftet und mithilfe von besonderen Exorzismen ausgetrieben werden kann. Die Darstellung des Dibbuk ist seit dem 16. Jh. im kabbalistischen Volksglauben von Bedeutung.

Didache [griech. »Lehre«], **Apostellehre, Zwölf|apostellehre,** älteste urchristliche »Gemeindeordnung« mit Bestimmungen über Leben, Gottesdienst und Leitung der Gemeinde. Das griechische Original entstand

---

Diakonie. Institutionellen Ausdruck findet der biblische Begriff Diakonie, der Dienst am Nächsten, im »Diakonischen Werk«. Dessen selbstgestellte Hauptaufgaben sind soziale Hilfen für Jugendliche, Familien, Senioren, Arbeitslose, Suchtkranke usw. Ihr Symbol ist das so genannte Kronenkreuz.

Diaspora
→ **GEO Dossier**
Wer war Jesus?, Bd. 15

wohl in der ersten Hälfte des 2. Jh. im Grenzland von Syrien und Palästina.

Digambara [Sanskrit »Luftbekleidete«, d. h. Nackte], radikal asketische Richtung des indischen Jaina-Ordens (→Jaina), deren (heute unter 100) Mönche keine Kleidung tragen, im Gegensatz zur gemäßigten Richtung, den weiß Gekleideten (→Shvetambara). Die Digambara leben heute in zwei Gruppen in Zentral- und Südindien: Die Gruppe der **Vispanthis** verwendet Blumen im Ritual, die der **Terapanthis** nicht.

Diksha [-ʃ-; Sanskrit »Weihe«], 1) vedischer Initiationsritus, der »Opferreinheit« verleiht und zur Durchführung von Opferhandlungen befähigt. Der Ritus beinhaltet u. a. einen zeitweiligen Rückzug aus dem sozialen Leben und Fasten.

2) Zeremonie der Aufnahme in eine religiöse Tradition des Hinduismus (→Sampradaya). Dabei werden dem Adepten zumeist eine Gebetsformel (Mantra), ein neuer Name, eine Gebetsschnur u. a. übergeben. Oft werden zwei Stufen der Initiation unterschieden, die den Initianten entweder zu einem Laienanhänger oder zu einem »Weltentsager« bzw. »Mönch« machen.

Dilwara, Dilvara, Ruinenstätte eines jainistischen Tempelkomplexes nördlich von Abu in Rajasthan, Indien. Dilwara ist bekannt wegen der weißen Marmortempel mit reichem Skulpturenschmuck und filigranartiger Ornamentik.

Din, im Arabischen und Neupersischen Begriff für Religion.

Dione, *griechische Mythologie:* griechische Göttin wohl indogermanischen Ursprungs, deren Name mit dem des Zeus (Genitiv Dios) zusammenhängt. In Dodona wurde sie als seine Gemahlin verehrt, trat jedoch hinter Hera zurück. Eine Kultstätte besaß sie u. a. auf der Burg von Athen. Bei Homer gilt Dione als Mutter der Aphrodite.

Dionysi|en, Feste zu Ehren des →Dionysos. In den attischen **Ländlichen Dionysien** (Dezember/Januar) hatte der Kult des Weingottes einen alten Fruchtbarkeitskult, zu dem der Phallos gehörte, überlagert. Nach diesen wurden die **Städtischen Dionysien** (Februar/März) geschaffen, zu denen auch Theateraufführungen kamen.

Dionysius Areopagita, griechisch **Dionysios Areopagites,** Pseudonym eines altkirchlichen Schriftstellers um 50 n. Chr., der sich als von Paulus bekehrtes Mitglied des Areopag nach Apg. 17, 34 ausgab und später mit dem legendarischen Bischof Dionysius von Paris (3. Jh.) gleichgesetzt wurde. Die unhistorischen Identifikationen verschafften dem bis heute nicht eindeutig identifizierten Verfasser des »Corpus Dionysiacum«, das die Schriften »Über die himmlische Hierarchie«, »Über die kirchliche Hierarchie«, »Über die Namen Gottes« und »Über die mystische Theologie« und »Briefe« enthält, ein außerordentliches Prestige.

Die Schriften bilden einen byzantinisch-christlichen theologisch-politischen Traktat, der den Kosmos in einer von Gott absteigenden Stufe als himmlische und irdische Hierarchie darstellt. Sie wenden die Philosophie des Neuplatonikers Proklos (*412, †485) auf die christliche Tradition an und verstehen diese im Sinne der negativen Theologie als Symbol des Unsagbaren, weil das göttliche Eine, von dem alles ausgehe, das Gute, jenseits der Gegensätze in unseren Benennungen stehe. Für die Zeit vom 8. bis zum 16. Jh. bildeten die Schriften eine einflussreiche Korrektur des formallogischen und gegensätzlichen Denkens.

Dionysos, *griechische Mythologie:* Gott der Vegetation, der Baumzucht und des Weines, der Ekstase (**Dionysos Bromios** »der Tosende«) und der Fruchtbarkeit. Herkunft und Ursprung seines Kultes werden meist im thrakischen oder lydisch-phrygischen Raum angesiedelt. Ein anderer, lydischer Name für Dionysos ist **Bakchos** (lateinisch **Bacchus**). Noch bei Homer galt Dionysos nicht als olympischer Gott. Dies weist auf die Widerstände hin, die sich der Aufnahme seines Kultes bei den Griechen entgegenstellten.

■ **Mythos** Dionysos ging als Sohn des Zeus und der Semele in die griechische Mythologie ein. Auf den Rat der eifersüchtigen Hera begehrte Semele, ihren Geliebten Zeus in seiner wahren Gestalt zu sehen. Er erschien, von Donner und Blitzen umgeben, worauf Semele unter deren Strahlen verbrannte. Zeus nähte den noch ungeborenen Dionysos in seinen Schenkel ein und trug ihn bis zur Geburt aus. Dann übergab er ihn den Nymphen von Nysa, was wohl auch ein Hinweis auf den nicht griechischen Ursprung des Dionysos ist. Später übernahm Silen, ein Mischwesen aus Pferd und Mensch, seine Erziehung. Auf der Insel Naxos vermählte sich Dio-

Dionysos.
Mit dem griechischen Gott des Weines und der Fruchtbarkeit verband sich ein ausgelassener Kult, der auch als Ausgangspunkt des europäischen Theaters gesehen wird. Zu Ehren dieses Gottes wurde gesungen und getanzt, es entstanden Wechselgesänge, Trink- und Festgesänge. Das Mosaik zeigt den festlichen Einzug des Dionysos mit seinem Gefolge in Athen.

Dioskuren

Dioskuren. Während der Hochzeitsfeier der beiden Töchter des Leukippos mit den Zwillingen Lynkeus und Idas entführten die Dioskuren die Bräute; auf der Flucht wurde Kastor von Idas erschlagen, Lynkeus wurde von Pollux getötet (Gemälde von Peter Paul Rubens, um 1618).

nysos mit der kretischen Königstochter Ariadne.

Die Begleiter des Dionysos sind Naturdämonen wie die Silene, Satyrn und Nymphen. Seine Anhänger, die Mänaden, Thyaden und Bacchantinnen, folgen ihm in Rausch, Orgiasmus und Ekstase durch die Bergwälder. Sie sind mit Efeu bekränzt, mit Rehfellen bekleidet und tragen Thyrsosstäbe (Stäbe u. a. mit Pinienzapfen), zerfleischen junge Tiere und verzehren deren Fleisch roh. Dionysos selbst erscheint dabei in Tiergestalt (meist als Bock oder Stier), lässt als Schöpfer des Weinstocks Wein, Milch und Honig aus der Erde hervorgehen, vernichtet diejenigen, die sich ihm und seinen Begleitern widersetzen, befreit aber auch (als **Dionysos Lysios** oder **Dionysos Lyaios**) die Menschen von Sorgen. Mit seiner Funktion als Vegetationsgott verband sich auch die Vorstellung von regelmäßigem Tod und folgender Auferstehung. Auf den Fruchtbarkeitsgott Dionysos weist auch der oft bei dionysischen Feiern begegnende Phallus. Die Wiedergeburt des Dionysos wurde alle zwei Jahre auf dem Parnass gefeiert, sein Grab lag in Delphi. Dort teilte er mit →Apoll das Allerheiligste, das Apoll ihm für die Zeit des Winters überließ, nicht aber das Orakel.

■ **Kult** Dem rauschhaften Kult des Dionysos galt das Frühlingsfest der Anthesterien (im Februar), zu dem Dionysos der Frau des Archon Basileus, des obersten Kultbeamten, im geheimnisvollen →Hieros Gamos als **Dionysos Anthios** (»Blütengott«) beiwohnte. Dies wurde als Rückkehr des Gottes aus der Unterwelt gedeutet. Auch die Weinweihe (Pithoigien) wurde mit den Anthesterien begangen. Die Lenäen (Dezember, Januar) und die Großen Dionysien (Februar, März) waren besonders mit kultisch verstandenen Theateraufführungen verbunden. Die Entstehung des Dramas ist von Dionysos und seinem Kult nicht zu trennen.

■ **Rezeption außerhalb Griechenlands**
Der dem Dionysos in Thrakien und Phrygien entsprechende Gott war →Sabazios. Der Kult des Dionysos verbreitete sich über Italien, über die Ägäischen Inseln und einem Mythos zufolge zur Zeit Alexanders des Großen (4. Jh. v. Chr.) bis nach Indien. In den Mythen der Orphik wurde Dionysos mit Zagreus gleichgestellt. Die Römer setzten ihren Gott Liber dem Dionysos gleich und übernahmen ihn dann unter dem Namen **Bacchus.** (→Bacchanalien)

Dioskuren [»Söhne des Zeus«], *griechische Mythologie:* die Zwillingsbrüder **Kastor** (lateinisch **Castor**) und **Polydeukes** (lateinisch **Pollux**), Söhne des Zeus oder des Spartanerkönigs Tyndareos und der Leda. Häufig galt der sterbliche Kastor als Sohn des Tyndareos und der unsterbliche Polydeukes als Sohn des Zeus. Kastor war als Rossebändiger, Pollux als Faustkämpfer berühmt. Auf Bitten des unsterblichen Polydeukes ließ Zeus zu, dass beide Brüder zusammenblieben und abwechselnd einen Tag im Olymp und einen Tag in der Unterwelt lebten.

Die Verehrung der Dioskuren ging von Sparta aus. Im Bild dieser Heroen ist ein Götterpaar des besonders bei den Indogermanen verbreiteten Zwillingstypus erhalten. Sie galten als ritterliche Beschützer der Kampfspiele, man verehrte sie außerdem als Helfer in der Schlacht und als Retter in Seenot. Das Sternbild Zwillinge galt als ihr Symbol. Ihr Kult kam aus dem griechischen Unteritalien früh nach Rom, wo ihnen ein Tempel auf dem Forum erbaut wurde, nachdem sie den Römern am See Regillus (angeblich 499 v. Chr.) Hilfe geleistet haben sollen.

Dis, Dis pater, altrömischer Unterweltsgott, der mit dem griechischen Pluton gleichgesetzt wurde. Sein Kult, als Sühnehandlung angelegt, wurde mit der Proserpina 249 v. Chr. in Rom eingeführt. Die Hauptkultstätte war ein auf dem Marsfeld gelegener unterirdischer Altar.

Disen, →Idisen.

Divali [Sanskrit Dipavali »Lichterreihe«], das Fest der Lichter, eines der wichtigsten Feste im Kalender der Hindus. Es wird in ganz Indien vom 27. Tag des siebenten Mondmonats (Ashvina) bis zum zweiten Tag des achten Mondmonats (Karttika; nach westlichem Kalender im Oktober/November) fünf Tage lang zu Ehren der Glücksgöttin →Lakshmi gefeiert, von der man Reichtum und Wohlstand erbittet. Am vierten Tag erreicht es mit dem Anzünden vieler Reihen von Öllämpchen seinen

Höhepunkt. Die Divali gilt in erster Linie als Dämonen und Missgeschick vertreibend.

Divination [latein. »göttliche Eingebung«], 1) *römische Religion:* die Erfahrung des Einsseins mit dem Numinosen als Grundlage der →Mantik.

2) *Religionswissenschaft:* das Ahnen des Heiligen in Naturphänomenen und irdischen Begebenheiten, die dadurch zu Divinationsobjekten werden.

Divine Light Mission [dɪˈvaɪn ˈlaɪt ˈmɪʃn; engl. »Mission des göttlichen Lichts«], 1960 in Patna (Bihar) durch Shri Hansji Maharaj (* um 1890, † 1966) gegründete Gurubewegung, die sich seit 1970 durch das Wirken seines Sohnes, des Gurus Maharaj Ji (* um 1958), auch im Westen ausbreitete. In den 1970er-Jahren durch z. T. spektakuläre Veranstaltungen bekannt geworden, tritt die Divine Light Mission, Anfang der 1980er-Jahre in **Elan Vital** umbenannt, heute außerhalb des Internets öffentlich kaum noch in Erscheinung. 1975 kam es zur Spaltung in einen indischen und einen westlichen Zweig. Im Mittelpunkt der zu den →neuen Religionen gerechneten Bewegung stehen das »Wissen« (knowledge), eine vierfache Meditationstechnik, in deren Vollzug die Anhänger »das göttliche Licht sehen, den göttlichen Nektar schmecken, die göttliche Sphärenmusik hören und den göttlichen Urgrund (das Brahman) selbst schauen sollen«, sowie die Verehrung des Gurus als des »Vollkommenen Meisters des Zeitalters«.

Divus [latein. »von göttlicher Natur«], *römische Religion:* menschliches Wesen, das nach seinem Tod zur Staatsgottheit erhoben wurde. Als Erster erhielt diesen Titel Caesar, der als »Divus Iulius« verehrt wurde. Seit Augustus wurde die Konsekration immer mehr zur Regel (»Divus Augustus«, Abkürzung D. A.).

Djafar as-Sadik [dʒ-], sechster Imam der Siebener- und Zwölferschiiten, * Medina um 700, † ebenda 765, Nachkomme des vierten Kalifen Ali Ibn Abi Talib, der den Zwölferschiiten als höchste Autorität für islamisches Recht gilt. Sunniten wie Schiiten schrieben ihm fälschlich zahlreiche Werke im Bereich der mittelalterlichen islamischen Geheimwissenschaften wie Alchemie, Astrologie und Wahrsagekunst zu.

Djafariten [dʒ-], die bedeutendste Rechtsschule der islamischen Schia. Sie wird neben den Rechtsschulen der Sunniten als fünfte Rechtsschule des Islam anerkannt und ist seit dem 16. Jh. Staatsschule in Iran und im Süden Iraks. Sie wird auf den sechsten Imam der Schiiten, Djafar as-Sadik, zurückgeführt. Grundlage ihrer Lehre ist die Erwartung des verborgenen Imams (Mahdi). Zu ihren Besonderheiten gehören die Legitimierung der bei den Sunniten abgeschafften Zeitehe sowie die Forderung des »Fünften«, einer Abgabe der Gläubigen für die Wiederkehr des Mahdi. Außer in ihren Stammländern sind die Djafariten auch in Teilen Indiens und Pakistans, in Bahrain und Aserbaidschan führend.

Djahannam [dʒ-, arab.], im Islam die →Hölle.

Djahilija [dʒ-, arab. »Unwissenheit«], im Islam die Bezeichnung für Religion und Kultur Altarabiens vor dem Auftreten Mohammeds, v. a. für den zu dieser Zeit herrschenden Polytheismus und Lokalgötterkult.

Djalal od-Din Rumi [dʒ-], **Djelal od-Din Rumi,** der bedeutendste Dichter der persisch-islamischen Mystik, * Balkh 30. 9. 1207, † Konya (Anatolien) 17. 12. 1273; wanderte mit seiner Familie kurz vor dem Mongolensturm 1220 aus Persien aus und ließ sich in Anatolien (Rum; daher der Beiname »Rumi«), schließlich 1228 in Konya nieder. Sein »Diwan« mit mehr als 3 000 Gedichten ist seinem Lehrer und Seelenführer Schams od-Din aus Täbris gewidmet. Er umfasst 26 000 Doppelverse von hoher sprachlicher Schönheit und bildlicher Ausdruckskraft, lose aneinandergereihte Geschichten, Parabeln und Gedanken, in denen sich die islamische Tradition vielfältig spiegelt. Nach dem Koran hat sein Werk wie kein anderes die Literatur der Persisch, Türkisch und Urdu sprechenden Völker bis in die Gegenwart beeinflusst. Das sechsbändige Hauptwerk des Djalal od-Din Rumi, »Mesnewi«, thematisiert die Sehnsucht nach der Wiedervereinigung mit Gott. Djalal od-Din Rumi ist der Begründer des Derwischordens der Mewlewije.

Djamaa [dʒ-; arab. »Schar«, »Versammlung«], als religiöser Begriff im Islam Bezeichnung für die Gemeinschaft der rechtgläubigen Muslime, jedoch mit etwas anderer Akzentsetzung als der Begriff →Umma: Djamaa meint die Gesamtheit derer, die sich in Abgrenzung gegen häretische Neuerungen (→Bida) an die wahre überlieferte Glaubenslehre halten.

Djamal ad-Din al-Afghani, Publizist und Schriftsteller, →Afghani.

Djanna [dʒ-, arab.], türkisch **Cennet,** das →Paradies bei den Muslimen, vorgestellt als üppiger, wasser- und früchtereicher Garten.

Djibril [dʒ-; arab.], im Islam gebräuchliche Namensform für den Engel →Gabriel.

Djihad [dʒ-; arab. »Bemühen«], **Dschihad,** im Islam der allumfassende Einsatz – mit Leben und Gut – für die Sache Gottes (Allahs) und für die islamische Gemeinschaft (Umma); er ist verbunden mit dem Versprechen der Belohnung durch Gott. Der Djihad beinhaltet im umfassenden Sinn des »**großen Djihad**« den Einsatz zum Wohl der Muslime und zur eigenen moralischen Vervollkommnung. Im kriegerischen Sinn des »**kleinen Djihad**« steht der Begriff für den Schutz der islamischen Gemeinschaft, der defensive mit expansiven Elementen verbinden kann, und ist in etwa deckungsgleich mit der Auffassung vom »Heili-

Djalal od-Din Rumi. Der islamische Mystiker lehrte im 13. Jh. in Konya, der Hauptstadt der Seldschuken. Rumis Mausoleum im Kloster Mewlana ist heute ein Museum, nachdem Atatürk 1925 die Derwischorden aufheben ließ.

gen Krieg«, wie sie aus der europäischen Geschichte bekannt ist. Nach traditionellem islamischem Recht ist Djihad ständige Pflicht einer ausreichenden Zahl von Muslimen in Vertretung der Gesamtgemeinde unter Führung eines legitimen Herrschers. Im Verteidigungsfalle ist nicht jeder einzelne Muslim verpflichtet, am Djihad teilzunehmen.

Seit den 1990er-Jahren übernahmen so genannte *Djihadisten* (Islamisten) den Begriff und das Konzept des Djihad zur Bezeichnung von terroristischen Aktivitäten gegen Regierungen in den eigenen Ländern, gegen die USA und Israel bzw. allgemein gegen »den Westen«, sich damit als extremistische Minderheit gegen die überwältigende Mehrheit der Muslime stellend, die Terror in Übereinstimmung mit ihrer Religion ablehnt.

Djinn [dʒ-, arab.], **Dschinn**, im vorislamischen Arabien, im Koran und allgemein im Islam Bezeichnung für den Menschen unsichtbare dämonenartige Geistwesen aus Dampf oder Feuer, die gut oder böse sein können.

Djuma [dʒ-, arab.], *Islam:* jeden Freitagmittag stattfindende gottesdienstliche Versammlung mit Predigt (→Chutba) und gemeinsamem Gebet (→Salat), dann auch der Freitag selbst. Der islamische Freitag ist ursprünglich kein Tag der Arbeitsruhe. Die Geschäfte ruhen nur für die Dauer des Gottesdienstes.

Dodona, griechisch **Dodone**, alte Kultstätte und Orakelheiligtum des Zeus und der hier als seine Gemahlin verehrten Dione in Epirus (Griechenland). Das Orakel vernahm man im Rauschen der hl. Eiche des Zeus, dem Murmeln der Quelle, dem Klingen eines Bronzekessels und dem Flug und Ruf der hl. Tauben. Die erhaltenen Orakeltäfelchen lassen vermuten, dass sich die das Orakel deutenden Priester in der Regel auf eine Bejahung oder Verneinung der vorgelegten Frage beschränkten. Nach archäologischem Befund ging in Dodona ein Orakel der Gaia voraus. Die bauliche Ausgestaltung der Kultstätte erfolgte erst in hellenistischer Zeit. Erhalten sind u. a. Ruinen mehrerer Tempel und eines Säulensaals.

Dōgen Kigen, japanischer Zen-Meister, * 19. 1. 1200, † 22. 9. 1253; Begründer der Sōtō-Schule des japanischen Zen-Buddhismus. Nach einem vierjährigen Studienaufenthalt (1223–27) in chinesischen Zen-Klöstern begann er zuerst in Kyōto, dann in den Bergen der Provinz Echizen (heute Provinz Fukui), die Praxis der Sitzmeditation (Zazen) als Weg zur Erleuchtung zu verbreiten. Er baute in Fukui den Eiheiji, den »Tempel des ewigen Friedens«, der neben dem Sōyiyi (heute in Yokohama) als Haupttempel des Sōtō-Zen gilt.

Dogma [griech. »Meinung«, »Verfügung«, »Beschluss«, »Lehrsatz«], die lehrhafte Formulierung von Grundwahrheiten, feststehenden Lehrsätzen oder -systemen, deren Voraussetzungen außerhalb der Möglichkeit wissenschaftlicher Nachprüfung liegen. Gewöhnlich versteht man unter Dogma religiöse Glaubenssätze und -systeme, v. a. im Christentum.

■ **Katholische Kirche** Im Sprachgebrauch der kath. Kirche und Theologie heißt Dogma jede von Gott in der Bibel und durch die Überlieferung geoffenbarte Wahrheit, soweit sie vom kirchlichen Lehramt als geoffenbart verkündigt wird. Diese Verkündigung begründet die Unabänderlichkeit des Dogmas und die Glaubenspflicht der Mitglieder der Kirche. Die Formulierung eines Dogmas hat an dessen Unabänderlichkeit nicht teil und kann dem jeweiligen kulturellen Wandel angepasst werden, sofern der Inhalt des Dogmas der gleiche bleibt. Ein Dogma vermag die Offenbarung selbst nie auszuschöpfen. Es kann daher grundsätzlich ergänzt oder genauer gefasst werden. Nach Aussage des 2. Vatikanischen Konzils besteht zwischen den einzelnen Dogmen eine Abstufung (Hierarchie der Wahrheiten) je nach ihrer engeren oder weiteren Verbindung mit den Grundaussagen des Glaubens.

Das Dogma kommt durch die verbindliche Lehre der Kirche zustande. Diese kann durch das ordentliche, allgemeine Lehramt erfolgen, also durch das einhellige Zeugnis aller Bischöfe, oder durch einen außerordentlichen Akt seitens der Bischofskollegiums, des Papstes als »Ex-cathedra-Entscheidung« oder eines Konzils. Die kath. Kirche ist der Überzeugung, dass ihr bei der Verkündung der Dogmen der von Jesus verheißene Heilige Geist beisteht und ein im Wesentlichen irrtumsloses Zeugnis (»Unfehlbarkeit«) ermöglicht.

Am Werden eines ausdrücklichen Dogmas sind in der Regel viele Faktoren beteiligt: Mit dem grundlegenden Offenbarungsgeschehen verbinden sich Leben und Lehre der gesamten Kirche. Dazu zählen neue (theoretische) Probleme und (praktische) Frage- und Aufgabenstellungen, die öffentliche Liturgie und das persönliche Gebet, die Verkündigung und das wissenschaftliche Bemühen der Theologie und anderer Disziplinen.

■ **Andere christliche Kirchen** In den von Rom getrennten *orth. Kirchen* gelten als Dogmen nur Lehrentscheidungen der ersten sieben ökumenischen Konzilien (325–787). Die *nicht chalkedonischen* (»monophysitischen«) *Kirchen* haben die Dogmabildung nur bis zum Konzil von Chalkedon 451 (ausschließlich) mitvollzogen. Die weitere Dogmabildung der westlichen Kirche wird abgelehnt, weil sie nicht als »ökumenisch« im Sinne von allumfassend betrachtet wird.

Nach Auffassung der *reformatorischen Kirchen* ist Dogma ein kirchlich verbindlicher Lehrsatz, der für die Verkündigung fundierende Bedeutung hat. Im Unterschied zu der kath. Auffassung kennt die *ev. Kirche* jedoch keine Lehrautorität, die Dogmen verpflichtend definieren oder gar eine neue Erkenntnis zum Dogma erklären könnte, sodass Glaube und Glaubensbekenntnis stets an dem einzigen Offenbarungszeugnis, der Bibel, auszurichten sind. Dennoch fanden Martin Luther und Johannes Calvin in den Hauptaussagen der altkirchlichen Konzilien den Inhalt der Schrift zutreffend ausgesprochen und verteidigten deshalb die altkirchlichen Bekenntnisschriften.

■ **Nicht christliche Religionen** Die nicht christlichen Religionen kennen keine kirchenartige Lehrinstitution mit dem Anspruch der Autorität, also auch kein eigentliches Dogma. Allerdings gibt es Lehrtraditionen, die auf heiligen Schriften beruhen und von Schulen und theologischen Lehrern vertreten werden, so etwa in Indien die sechs orth. Systeme des *Hinduismus*. Als dogmaähnliche Lehre kennt der *Buddhismus* die vier edlen Wahrheiten vom Leiden. Im *Islam* ist – dem Dogma ähnlich – verbindlich das Glaubensbekenntnis, die →Schahada.

Dogmatik [zu Dogma], im 17. Jahrhundert entstandene Bezeichnung für die Lehre von den Dogmen. Im üblichen Sprachgebrauch ist die Dogmatik das theologische Fach, das den Gesamtinhalt der christlichen Glaubenslehre wissenschaftlich, d.h. methodisch-systematisch, auszulegen sucht. In ihrer Bindung an die Offenbarung Gottes bildet die Dogmatik als Glaubenswissenschaft die Mitte der Theologie. Ev. Theologen bevorzugen statt Dogmatik den Ausdruck →systematische Theologie.

Dogon, Volk von Hirsebauern in Westafrika, im Grenzgebiet Malis zu Burkina Faso, das etwa 240 000 Menschen umfasst. Die Religion der Dogon wurde seit den 1930er-Jahren intensiv erforscht. Sie verehren Amma als höchstes Wesen und Schöpfer des Alls, verschiedene Nommo, Leben spendende Urwesen, die in höchstem Auftrag die Schöpfung endgültig ordneten, und die Ahnen der vier Abstammungslinien ihres Volkes. Dogonpriester haben französischen Forschern geheime Traditionen offenbart und damit Einblick in das komplexe religiöse Denken von Afrikanern geboten. Die Dogon verfügen über ein ausgeprägtes Maskenwesen.

Doketismus [zu griech. dokeīn »scheinen«], die im christlichen Altertum vertretene Anschauung, dass Gott nur scheinbar Mensch geworden sei und somit auch nur scheinbar gelitten habe. Sie entwickelte sich, weil die Vorstellung einer Menschwerdung Gottes mit dem vom Dualismus Geist–Materie oder Gott–Welt geprägten hellenistischen Denken im Grundsatz unvereinbar war, da die Welt der Materie grundsätzlich dem Bösen zugeordnet war und Jesus Christus deshalb nicht wirklich Mensch sein konnte. Diese vorwiegend von Gnostikern vertretene Theorie stieß in großkirchlichen Kreisen schon früh und anhaltend auf Widerstand.

Dolichenus, syrischer Wetter- und Kriegsgott, besonders der nordsyrischen Stadt Doliche (heute Dülük, Türkei), der später als Beiname des Zeus (lateinisch Jupiter Dolichenus) erscheint. Der Kult des bereits von den Hethitern verehrten Dolichenus breitete sich seit Kaiser Vespasian (69–79) vornehmlich unter den römischen Legionen aus. Dargestellt wurde er als bärtiger, gerüsteter Mann, auf dem Rücken eines Stieres stehend, mit Doppelaxt und Blitzstrahl. Reste seiner Heiligtümer sind v. a. in den Donauländern und in den Hafenstädten zu finden.

Döllinger, Ignaz von (seit 1860), deutscher kath. Theologe und Kirchenhistoriker, * Bamberg 28. 2. 1799, † München 10. 1. 1890; wurde geprägt vom Barockkatholizismus, von der naturphilosophischen Ideenwelt Friedrich Wilhelm von Schellings und von der von Frankreich nach Deutschland übergreifenden kirchlichen Erneuerung und deren Verbindung mit der kath. Romantik. Als ultrakonservativer Publizist umstritten, als Kirchenhistoriker von Rang ausgewiesen, erreichte er den Höhepunkt seines Einflusses als Berater der deutschen Bischöfe auf der ersten deutschen Bischofskonferenz 1848 in Würzburg und als Wortführer der kath. Rechten in der Paulskirche (1848), v. a. durch sein Eintreten für eine mit Rom verbundene deutsche Nationalkirche.

Döllinger geriet seit 1860 zunehmend in Konflikt mit der römischen Kirche. Nach dem 1. Vatikanischen Konzil lehnte er insbesondere das Dogma von der Unfehlbarkeit des Papstes ab. Damit gab er der alt-katholischen Kirche ihre theologische Grundlage. 1871 wurde er exkommuniziert.

Dogma. »Unfehlbar – Unfällbar«: In ganz Europa löste das 1870 während des 1. Vatikanischen Konzils verkündete Dogma der Unfehlbarkeit des Papstes erbitterten Protest aus. In dieser Karikatur ist der Papst im Begriff, den vom »Genius der Menschheit« verteidigten Baum der Erkenntnis, in dessen Laubwerk die großen Namen der modernen Philosophie und Naturwissenschaft erscheinen, fällen zu lassen.

Dom

Dom [latein. domus »Haus«], ursprünglich Wohnhaus des gemeinsam an Bischofskirchen lebenden Klerus, seit dem 15. Jh. die Bischofskirche selbst, eine größere Stiftskirche und (gelegentlich) auch andere bedeutendere Kirchen. Wichtigstes bauliches Kennzeichen außer den meist sehr stattlichen Turmbauten ist der ausgedehnte Chor als Sitz der Domherren beim Gottesdienst.

Dom. Als Dom wird generell die Kirche eines Bischofssitzes bezeichnet. Der Kölner Dom wurde 1164, nachdem die Reliquien der Heiligen Drei Könige nach Köln gebracht worden waren, zugleich eine der bedeutendsten Wallfahrtskirchen Europas.

Dominikaner, lateinisch offiziell **Ordo Fratrum Praedicatorum,** Abk. **O. P.,** deutsch **Predigerorden,** in Frankreich auch **Jakobiner,** die Mitglieder eines von Dominikus gegründeten Seelsorgeordens der kath. Kirche.

■ **Geschichte** Der Dominikanerorden wurde 1216 von Papst Honorius III. als Kanonikergemeinschaft auf der Grundlage der →Augustinusregel bestätigt. Aus dieser Gemeinschaft entwickelte sich ein neuartiger Personenverband, der sich – mit päpstlicher Förderung – rasch in Europa verbreitete und gegen Ende des 13. Jh. seine größte Aktivität erreichte. Infolge der Französischen Revolution und der Säkularisationen des gesamten Kirchenbesitzes löste sich der Orden bis auf geringe Reste auf. Erst Mitte des 19. Jh. begann – v. a. durch den Franzosen Dominique Lacordaire (* 1802, † 1861) – ein neuer Aufschwung, ohne dass die Dominikaner jedoch ihren früheren Einfluss zurückgewinnen konnten.

■ **Inhalte und Aufgaben** Bei den Dominikanern handelt es sich um den ersten mittelalterlichen Bettelorden. Sie sind ein Verband, der klösterliche Reformbewegung, monastische und seelsorgliche Anliegen im Armutsgedanken zusammenfasst. Wie die anderen Bettelorden standen auch die Dominikaner im Dienst der städtischen Seelsorge. Ihre Klöster wurden von der städtischen Bevölkerung gebaut und waren von dieser abhängig. Daraus resultierte eine Konkurrenz zum Weltklerus, die oft in heftigen Auseinandersetzungen zum Ausdruck kam. Seit 1232 waren die Dominikaner im päpstlichen Auftrag auch in der →Inquisition tätig, was einerseits ihren kirchlichen Einfluss stärkte, andererseits aber auch ihr Ansehen erheblich belastete. Auf dem Gebiet der Philosophie und der theologischen Wissenschaft erbrachten die Dominikaner große Leistungen. Bedeutende Dominikaner waren u. a. Albertus Magnus, Thomas von Aquino und Meister Eckhart.

■ **Organisation** Die Verfassung der Dominikaner spiegelt die genossenschaftliche Selbstverwaltung mittelalterlicher Städte und Universitäten. An der Spitze des Ordens steht der auf neun Jahre gewählte Ordensgeneral oder Ordensmeister (Magister generalis), der dem obersten Kontrollorgan, dem Generalkapitel, verantwortlich ist. Die Dominikaner tragen weißen Habit, Skapulier und Kapuze sowie einen schwarzen Mantel mit schwarzer Kapuze. Heute umfasst der Orden über 60 Ordensprovinzen und zählt rund 6 300 Mitglieder (2005). Im deutschsprachigen Raum bestehen drei Ordensprovinzen: die Provinz Teutonia (Nord-, West- und Ostdeutschland), die Süddeutsch-österreichische Provinz (Süd- und Südwestdeutschland; Österreich) und die Provinz Schweiz.

Dominikus, Stifter des Dominikanerordens, * Caleruega (Provinz Burgos) um 1170, † Bologna 6. 8. 1221; war seit etwa 1199 Kanonikus und Sekretär des Bischofs von Osma und übernahm 1207 die Leitung der Missionsstation Prouille bei Toulouse, die zur Bekehrung der Albigenser 1206 errichtet worden war; Dominikus wandelte sie 1217 in das erste Dominikanerinnenkloster um. 1215 gründete er in Toulouse eine Genossenschaft von Priestern, die, in völliger Armut lebend, sich der Rückwinnung der Albigenser widmen sollten. Daraus entstand 1216 der sich rasch ausbreitende Dominikaner- oder Predigerorden. 1234 wurde Dominikus heiliggesprochen (Tag: 8. 8.). Zu seinen Attributen zählt der Rosenkranz, dessen Entstehung und Verbreitung ihm die Legende zuschreibt.

Donar, altsächsisch **Thunar,** altnordisch **Thor, Thorr,** neben Wodan (Odin) der bedeutendste germanische Gott (→germanische Religion), der dem Göttergeschlecht der Asen entstammte. Römische Schriftsteller nannten ihn Hercules oder Jupiter. Der Name Donar

Dominikaner.
1216 wurde der Dominikanerorden von Papst Honorius III. bestätigt (Gemälde von Leandro Bassano; Venedig, Dominikanerkirche Santi Giovanni e Paolo).

deutet darauf hin, dass der Gott seine Macht im Donner offenbarte. Im altnordischen Mythos waren der Hammer und ein von Böcken gezogener Wagen seine Attribute. Aufgrund seiner besonderen körperlichen Kraft fiel ihm die Aufgabe zu, die Welt der Götter und Menschen gegen Riesen und Ungeheuer zu verteidigen. Er galt als schützender, helfender Gott und wurde als Gott der Bauern um gute Ernten angerufen.

Donatisten, die Anhänger der Lehre (**Donatismus**) des Gegenbischofs Donatus von Karthago (seit 313). Sie bildeten eine Sonderkirche, die in Nordafrika vom 4. bis 7. Jh. bestand.

Die donatistische Kirche entstand 312 in Karthago im Zusammenhang mit der Wahl des Archidiakons Caecilian zum Bischof. Die Gegenpartei hatte sich geweigert, seine Weihe anzuerkennen, da bei ihr ein Bischof mitgewirkt habe, der in der Verfolgungszeit die heiligen Schriften (und Geräte) ausgeliefert und daher eine Todsünde begangen habe. Von einem Unwürdigen gespendete Sakramente aber seien ungültig. Kaiser Konstantin I., der Große, versuchte vergeblich, diesen Streit zu schlichten, und verfolgte dann die Donatisten. 321 gab er jedoch diese Maßnahme als erfolglos auf, sodass sich die Donatisten zu einer Gegenkirche zusammenschließen konnten, die der kath. an Größe nicht viel nachstand. Nachdem 411 ein Religionsgespräch in Karthago zwischen den Donatisten und den Katholiken mit Augustinus als Wortführer durch staatlichen Schiedsspruch zuungunsten der Donatisten ausgegangen war, wandte der Staat gegen die Donatisten die Ketzergesetzgebung an. Nach der Eroberung Nordafrikas durch die Wandalen waren auch die Donatisten von deren antikatholischer Kirchenpolitik stark betroffen. Reste hielten sich bis ins 7. Jahrhundert.

Don Bosco, italienischer Priester und Pädagoge, →Bosco, Giovanni.

Donn [»der Dunkle«], sagenumwobene Gestalt der mittelalterlichen irischen Literatur. Als sein Grab wurde die kleine Felseninsel Tech Duinn (»Haus des Donn«), heute Bull Rock bei der Insel Dursey unweit der Küste von Kerry, angesehen. Möglicherweise galt Donn in vorchristlicher Zeit als Herrscher eines jenseits des Meeres gelegenen Totenreichs.

Döpfner, Julius, deutscher kath. Theologe, * Hausen (heute zu Bad Kissingen) 26. 8. 1913, † München 24. 7. 1976; studierte in Rom und wurde 1939 zum Priester, 1948 zum Bischof geweiht. 1957 wurde Döpfner Bischof von Berlin, 1958 Kardinal und 1961 Erzbischof von München-Freising. Döpfner war Moderator des 2. Vatikanischen Konzils sowie Vorsitzender der Deutschen und der Bayerischen Bischofskonferenz. Als Bischof von Berlin mit Wohnsitz im Westteil der Stadt legte Döpfner 1957 bei der DDR-Regierung wegen zahlreicher Behinderungen des kirchlichen Lebens offiziell Beschwerde ein.

Dornbuschkloster [nach dem brennenden Dornbusch (2. Mos. 3, 2)], das →Katharinenkloster.

drei, bei vielen Völkern eine hl. Zahl, z. B. als Dreifaltigkeit im Christentum. Die Drei ist auch Grundlage vieler Systembildungen. So gibt es im religiösen Kontext etwa die Vorstellung von göttlichen Triaden, die kosmologische Dreiteilung der Welt, die chronologische Einteilung in drei Zeitalter, den moralischen Dreischritt von Reinigung, Erleuchtung und Heiligung sowie die liturgische Dreiteilung des Jahres in drei Hauptfestkreise.

Dreieinigkeit, →Trinität.
Dreifaltigkeit, →Trinität.
Dreifaltigkeitsfest, Trinit_a_tis, in der kath. Kirche und den ev. Kirchen das Fest der hl. Dreieinigkeit, der Sonntag nach Pfingsten. Seit dem frühen Mittelalter gottesdienstlich gefeiert, wurde das Dreifaltigkeitsfest von Papst Johannes XXII. 1334 verbindlich für die abendländische Kirche eingeführt.

Dreiheit, →Triade.

Drei Könige, Dreikönige, Heilige Drei Könige, ursprünglich die Magier oder Weisen, von denen Matth. 2, 1–12 berichtet, sie seien, von einem Stern aus dem Osten geführt, zur Anbetung des Jesuskindes gekommen. Seit dem 5. Jh. hat man sie sich, von der Dreizahl der Gaben her, in der Dreizahl und (nach Ps. 72, 10) als Könige vorgestellt. Die spätere Legende gab ihnen ca. im 8. Jh. die Namen Caspar, Melchior und Balthasar. Die Vorstellung, dass einer, meist Caspar, ein Schwarzer sei,

Dreikönigsstern

Drei Könige.
Die Heiligen Drei Könige wurden auf die verschiedenste Weise gedeutet: als Magier, Weise, Sterndeuter oder Philosophen. Durchgesetzt hat sich aber in der Weihnachtslegende die Anbetung der Drei Könige aus dem Morgenland, die dem Jesuskind Gold, Weihrauch und Myrrhe überreichen (Wandteppich aus der Firma von William Morris nach einem Entwurf von Edward Burne-Jones; Sankt Petersburg, Eremitage).

verbreitete sich erst im 14. Jahrhundert. Die Ankunft in Bethlehem wurde als ein erstes Aufleuchten der Gottesherrlichkeit (griechisch epiphaneía; →Epiphanie) des neugeborenen Erlösers verstanden. Mittelalterliche Volksfrömmigkeit missverstand das Herrenfest als Heiligentag und nannte ihn »Dreikönigtag«. Daher ist der 6. 1. auch Namenstag für die Träger der drei Namen.

Dreikönigsstern, der →Stern der Weisen.

Dreikorb, Sammlung buddhistischer Schriften, →Tipitaka.

dreizehn, eine Zahl, die häufig als Unglückszahl gilt. Der Ursprung dieser Vorstellung liegt darin, dass sie auf die Heil bringende Zwölf, die Schlusszahl des babylonischen Duodezimalsystems, folgt. Sie war die Zahl der babylonischen Unterwelt, die Entzweierin des Vollkommenen. Im A. T. hingegen ist die Dreizehn Glückszahl. Heute ist sie häufiger Anlass für Aberglauben.

Drewermann, Eugen, kath. Theologe und Psychotherapeut, * Bergkamen 20. 6. 1940; war nach der Priesterweihe seit 1972 Seelsorger in Paderborn und 1979–91 Dozent für Dogmatik an der Katholischen Theologischen Fakultät Paderborn. Seine zahlreichen, in der kath. Kirche umstrittenen Veröffentlichungen sind dem Versuch gewidmet, die Erkenntnisse der Psychoanalyse für die Theologie – besonders die Moraltheologie und Exegese – fruchtbar zu machen. In seinem Buch »Kleriker. Psychogramm eines Ideals« (1989) unterzieht er die Strukturen und das Selbstverständnis der »Institution Kirche« einer umfassenden Kritik. 1991 wurde Drewermann die kirchliche Lehrerlaubnis entzogen. 1992 erhielt er Predigtverbot und kurz darauf wurde er vom Priesteramt suspendiert; 2005 trat er aus der katholischen Kirche aus. Durch seine Veröffentlichungen weit über die Kirche hinaus bekannt geworden, übt Drewermann eine umfangreiche Vortragstätigkeit aus.

Dritter Orden, Abk. **DO,** lateinisch **Tertius Ordo,** Vereinigung von Laien, die im Geiste eines kirchlichen Ordens nach Vollkommenheit streben und sich der Leitung dieses Ordens durch Angliederung unterstellen. Die Dritten Orden bildeten sich im 13. Jh. im Anschluss an die Bettelorden und traten zu deren männlichen (Erster Orden) und weiblichen (Zweiter Orden) klösterlichen Zweigen hinzu. Man unterscheidet weltliche und klösterliche Dritte Orden, so die eigenen Klostergenossenschaften der **Tertiarier.** Die bekanntesten Dritten Orden sind die weltlichen Dritten Orden der Franziskaner und der Dominikaner.

Druiden [kelt. »Eichenkundige«], Singular **Druide,** von griechischen und römischen Autoren überlieferte einheimische Bezeichnung der keltischen Priester. Die Nachrichten über sie stammen aus der Zeit vom 1. Jh. v. Chr. bis zum 4. Jh. n. Chr. und beziehen sich ausnahmslos auf Gallien und Britannien. Caesar (* 100, † 44 v. Chr.) zufolge bildeten die Druiden neben dem Adel die einzige angesehene Klasse, in deren Obhut der gesamte Kult, die Auslegung religiöser Vorschriften und die Rechtsprechung gelegen habe (»De bello Gallico« 6, 13–14). Einzelne Züge dieses Bildes findet man bereits zu Beginn des 1. Jh. in der Keltenschilderung des stoischen Philosophen Poseidonios, doch ist die Zuverlässigkeit aller Angaben wegen der propagandistischen Absicht bzw. weltanschaulichen Voreingenommenheit der betreffenden Autoren umstritten. In der irischen Literatur werden die Druiden im Allgemeinen als negatives Spiegelbild des christlichen Priesters gezeichnet.

Drusen [arab.], Angehörige einer im 11. Jh. aus dem schiitischen Islam der →Ismailiten

---

Plinius der Ältere berichtet in seiner »Naturgeschichte« (16, 45) von den **Druiden** und dem Opferkult der Kelten:

»Hier dürfen wir auch nicht die religiöse Ehrfurcht übergehen, die die Gallier für die Mistel hegen. Die Druiden – so nennen sie ihre Zauberer – halten nämlich nichts heiliger als die Mistel und den Baum, auf dem sie wächst, sofern es ein Eichbaum ist. ... Sie nennen die Mistel in ihrer Sprache die ›Allesheilende‹. Wenn sie nach ihrem Brauch Opfer und Mahl gerichtet haben, führen sie zwei weiße Stiere herbei, deren Hörner sie zuerst bekränzen. Dann besteigt ein mit weißem Gewand bekleideter Priester den Baum und schneidet mit einer goldenen Sichel die Mistelpflanze ab, die in einem weißen Tuch aufgefangen wird. Daraufhin opfern sie die Stiere und beten, dass der Gott die Gabe Glück bringend machen möge für diejenigen, denen er sie gesandt habe.«

hervorgegangenen Religionsgemeinschaft, die sich selbst als zum Islam zugehörig betrachtet, jedoch wegen ihrer Abkehr von zentralen Lehren des Islam nicht mehr als islamische Sondergemeinschaft einzustufen ist. Die Drusen sind v. a. im südlichen Zentrallibanon, im Hauran (Südsyrien), in Nordisrael und infolge Emigration in den USA verbreitet. Ihre Zahl beträgt mehrere 100000 Anhänger. Benannt sind sie nach Ad-Darasi († 1019), einem ihrer bekanntesten Anführer, der den Fatimidenkalifen Hakim (996–1021) für göttlich erklärte. Nach drusischer Lehre war Hakim die Inkarnation des Schöpfergottes und wird nach einem endzeitlichen Kampf ein Reich der Gerechtigkeit auf Erden errichten. Seit Hakims Erscheinen sind alle älteren Religionen, auch der ismailitische Islam, überwunden, das Gesetz des Islam (Scharia) aufgehoben.

Hl. Schrift der Drusen ist nicht der Koran, sondern ein Kanon von 111 »Briefen der Weisheit«. Er gilt den Drusen selbst als streng geheim, ist heute der Wissenschaft aber bekannt. Die drusische Gemeinde zerfällt in »Verständige« (Ukkal), d. h. in die hl. Texte und die Glaubenslehre Eingeweihte, und die Menge der »Unwissenden« (Djuhhal). Den Mittelpunkt des Kultus bildet eine rituelle Feier am Freitagabend. Die Drusen glauben an Seelenwanderung und Konstanz der Seelenzahl der Drusen, weshalb Konversion zum Drusentum nicht möglich ist, sowie an die Verkörperung Gottes und seiner Prinzipien in der Weltseele und Weltvernunft.

Dschainismus, →Jainismus.

Dua [arab. »Segenswunsch, »Gebet«], im Islam das freie Einzelgebet im Gegensatz zum Pflichtgebet (→Salat) und den mit diesem verbundenen rituellen Vorschriften.

Dualismus, die Anschauung, dass zwei voneinander unabhängige und einander entgegengesetzte letzte Prinzipien die Welt begründen und gestalten. Die chinesische Religion etwa kennt die Polarität des weiblichen zum männlichen Prinzip (Yin und Yang), die Orphik und die Gnosis den Leib-Seele-Dualismus. Der zur Gnosis gehörende Manichäismus betont den Gegensatz von Licht und Finsternis. Ein doppelter Dualismus findet sich im Parsismus: Geist und Materie wie Gut und Böse stehen zueinander im Gegensatz. Die indische Samkhya-Philosophie unterscheidet Materie (Prakriti) und Geist (Purusha).

Die biblischen Antithesen von Gott und Welt, Fleisch und Geist, Reinheit und Sünde, Gesetz und Gnade besitzen dagegen nur scheinbar dualistischen Charakter. Sie werden durch die Erwählung Israels durch Gott im A. T. und die Anschauung von der in und mit Jesus anbrechenden Gottesherrschaft im N. T. aufgehoben. In der Gnosis, ebenso wie bei →Marcion und später im →Manichäismus, ist der Dualismus eine grundlegende Voraussetzung. Schöpfer- und Erlösergott werden voneinander getrennt, da die verderbte Welt nicht vom höchsten Gott geschaffen sein kann, sondern nur vom Demiurgen. Das Fleisch muss vernichtet werden, damit das Göttliche im Menschen wieder zu seinem Ursprung zurückkehren kann. Diese Bewegungen sind von der Kirche immer wieder verurteilt worden, doch finden sie sich z. T. im Mönchtum wie auch bei den Sekten des Mittelalters, so bei den Katharern und Bogomilen.

Duat, Dat, ägyptische Bezeichnung für das Reich der Toten. Der Sonnengott Re muss die Duat jede Nacht durchqueren, um an seinen Aufgangsort zurückzukehren. Dabei erweckt er die Toten zu neuem Leben und versorgt sie mit allem Nötigen. In der Duat vereinigt sich Re mit Osiris. In gleicher Weise vereinigt sich der frei bewegliche →Ba des Menschen mit dem Körper, der in der Duat ruht.

Duhkha [Sanskrit], Pali **Dukkha**, oftmals als »Leiden« oder »Unglück« übersetzter Begriff, der für Vergänglichkeit und alles, was aus der Erfahrung von Vergänglichkeit entsteht, steht. Vom Buddha wird gesagt, er habe es als seine Aufgabe betrachtet, über das »Leiden«, seinen Ursprung, seine Behandlung und seine Beseitigung (die vier edlen Wahrheiten) zu lehren.

Dukduk, ein auch heute noch aktiver melanesischer Männergeheimbund (→Männerbünde) auf Neubritannien und Neuirland, dem Jugendliche ab dem zwölften Lebensjahr angehören können. In sehr seltenen Fällen werden auch (alte) Frauen aufgenommen. In den Ritualen des Bundes spielen Masken und Feste zur Zeit des Neumonds eine Rolle.

Dumuzi [-zi; »rechter Sohn«], *altorientalische Religion:* sumerischer Name des Gottes →Tammuz.

Duns Scotus, Johannes, scholastischer Philosoph und Theologe, *Duns (bei Berwick-

Drusen.
Die Drusen sind eine aus dem Islam hervorgegangene Religionsgemeinschaft, die v. a. im Libanon und in Syrien beheimatet ist. 1925/26 kam es im französischen Mandatsgebiet zu einer Erhebung der Drusen, die sich zu einem allgemeinen Aufstand in Syrien ausweitete und von Frankreich brutal niedergeschlagen wurde. Die französische Mandatsregierung ließ die aufständischen Drusen öffentlich hinrichten.

Durga.
In der Erscheinungsform der Durga vereint die hinduistische »Große Göttin« und Gemahlin Shivas, Mahadevi, sowohl den schrecklichen, zerstörerischen als auch den schützenden Aspekt in sich. Sie tritt in der indischen Mythologie als Bezwingerin gefährlicher Dämonen auf, die sie mit den Waffen tötet, die ihr von den Göttern gegeben wurden (Gemälde in einem Tempel in Varanasi).

Geschichte der Azteken mit der Absicht beschreibt, auf der Grundlage genauer Kenntnis der vorchristlichen Religion Mexikos diese zu überwinden.

Durga [Sanskrit »die schwer Zugängliche«], Name einer im Hinduismus als »Große Mutter« verehrten Göttin, Gattin und →Shakti des Gottes Shiva und über alle Götter erhabene Herrin der Welt. Ob Durga schon in der frühgeschichtlichen Induskultur (seit etwa 2500 v. Chr.) nachweisbar sei, ist umstritten, ebenso die Vermutung, es handle sich ursprünglich um eine Göttin der südindischen Dravidavölker. In der alten vedischen Religion wird sie nicht erwähnt, Belege finden sich erst in dem altindischen Epos →Mahabharata und in den →Puranas.

Durgas Wesen ist ambivalent: Ihr positiver Aspekt als Schöpferin und Erhalterin gewährt Nahrung und Fruchtbarkeit (u. a. unter ihren Namen Annapurna »Nahrungsreiche«, Ambika »Mutter«). In ihrer schrecklichen Gestalt bekämpft sie Dämonen und verlangt Tier- und Menschenopfer (unter ihren Namen Candi »Grausame«, Kali »Schwarze«, Camunda »Herrin des Todes«). Noch heute opfert man an ihrem Hauptfest, der besonders in Bengalen gefeierten Durgapuja (»Durgaverehrung«) im Hindimonat Ashvina, Ziegen und andere Tiere. Noch im 19. Jh. wurden ihr von der Sekte der Thug rituelle Menschenopfer dargebracht.

Die meisten Darstellungen zeigen Durga als Töterin des Büffeldämons (Mahisasuramardini), wobei sie in ihren vier bis sechzehn Armen Waffen trägt, die ihr von Shiva u. a. Göttern übertragen wurden.

upon-Tweed) um 1266, † Köln 8. 11. 1308; Franziskaner, lehrte in Oxford, ab 1302 in Paris und ab 1307 in Köln. In scharfsinnigen Einzeluntersuchungen (daher sein Ehrentitel »doctor subtilis«) versuchte er, die Grenze zwischen Philosophie und Theologie neu zu ziehen und den Konflikt zwischen Wissen und Glauben durch Einschränkung sowohl der philosophischen Vernunft wie des Wissenschaftsanspruchs der Theologie zu entschärfen. Dabei kritisierte er das Vernunftvertrauen der Aristoteliker u. a. mit dem Argument, aus bloßen Vernunftbeweisen sei nicht unmittelbar Wirklichkeitserkenntnis zu gewinnen. Er hielt die Unsterblichkeit der Seele daher für unbeweisbar und unterzog auch die traditionellen Gottesbeweise einer beweistechnischen und erkenntniskritischen Analyse. Ohne die philosophische Theologie prinzipiell zu verwerfen, bereitete er die Metaphysikkritik Wilhelms von Ockham vor.

Sein Lehrgebäude (»Skotismus«) entsprach in mehrfacher Hinsicht den Bedürfnissen der spätmittelalterlichen Welt und fand – trotz seiner sprichwörtlichen Verwickeltheit – an den Universitäten teilweise bis ins 17. Jh. weite Verbreitung.

Durán, Diego, * Sevilla um 1537, † Tezcoco (Mexiko) 1588, spanischer Dominikaner (seit 1556) und Geschichtsschreiber. In Mexiko aufgewachsen, verfasste Durán zwischen 1576 und 1581 seine »Historia de las Indias de Nueva España e Islas de la Tierra Firme« (1867; englisch »The History of the Indies of New Spain«, 1994), in der er die Religion und die

Dusares [altarab. »der von Schara«, dem Gebirge zwischen Totem Meer und Rotem Meer], der in der römischen Provinz Arabia, besonders in Petra, verehrte Stammesgott des nordwestarabischen Volksstammes der Nabatäer. Sein »Bild« war dort ein schwarzer, viereckiger Stein auf goldener Basis. Als Fruchtbarkeitsgott mit dem Weinstock als Symbol wurde er dem griechischen Gott Dionysos gleichgesetzt.

Dvaita [Sanskrit »Zweiheit«, »Dualismus«], eine Richtung des Vedantasystems, die im Gegensatz zum →Advaita die Gespaltenheit des Wirklichen in eine seelisch-geistige und eine materielle Wirklichkeit lehrt. Die bedeutendsten Vertreter des Dvaita, Madhva und Nimbarka, lebten im 13. Jahrhundert.

Dybuk, der →Dibbuk.

Dynamismus, eine Theorie, die Ursprung und Wesen der Religion im Glauben an eine unpersönliche, universelle und übernatürliche Kraft sah. Der Dynamismus galt früher als Vorstufe des →Animismus. Deshalb bezeichnete man den Dynamismus auch als Präanimismus.

Ea, sumerisch **Enki,** babylonischer Gott des unterirdischen Süßwasserozeans (Apsu), Gott der Weisheit und des Rates, der Magie und Kunstfertigkeit. Als sein Sohn galt →Marduk. Der Hauptkultort war Eridu im südlichen Babylonien.

Ebioniten [zu hebr. ęvyôn »arm«], **Ebionäer,** von der →Gnosis beeinflusste judenchristliche Gemeinschaft, die wohl im 2. Jh. im Ostjordanland entstand und von Tertullian u. a. auf einen nicht nachweisbaren angeblichen Stifter Ebion zurückgeführt wurde. Bis ins 5. Jh. fanden sich Ebioniten auch in Syrien und Kleinasien. Sie gingen als →Judenchristen auf die Urgemeinde zurück und hielten am jüdischen Gesetz (Thora), am Sabbat und an bestimmten rituellen Reinheitsvorschriften fest, lehnten jedoch Tempel und Opferkult ab. Ihren Pentateuch »reinigten« die Ebioniten von »falschen Perikopen«. Außerdem entstand in ihren Kreisen das stark an den synoptischen Evangelien (→Synoptiker) orientierte **Ebionitenevangelium**, in dem der Apostel Matthäus die beherrschende Rolle spielt.

Die christologischen Anschauungen der Ebioniten weisen gnostische Einflüsse auf. Die Kirchenväter haben ein uneinheitliches Bild von den Ebioniten überliefert, setzten sich jedoch ausschließlich polemisch mit ihnen auseinander und warfen ihnen ein falsches Beharren auf dem jüdischen Gesetz vor. Für die syrischen Judenchristen findet sich bei ihnen auch die Bezeichnung **Nazaräer (Nazoräer).**

Ebisu, auch mit den Shintogottheiten **Hiruko** und **Kotoshironushi no Kami** gleichgesetzt, einer der japanischen sieben Glücksgötter, der in altjapanischer Tracht mit Angel und Fisch dargestellt wird und als Gott des Wohlstandes und Beschützer der Fischer und Kaufleute gilt.

Ecclęsia, lateinische Bezeichnung für die →Kirche.

Echnaton, Amenophis IV., ägyptischer König der 18. Dynastie (1364–47 v. Chr.), ∞ mit Nofretete; der »Ketzerkönig«, der die »Sonnenscheibe« (Aten, Aton) zum einzigen Gott erhob und sich in Amarna eine neue Hauptstadt erbaute. Seinen Namen Amenophis (griechisch »Amun ist gnädig«), der den Namen des ihm verhassten Reichsgottes Amun enthielt, legte er ab und nannte sich Echnaton (Achenaten; »der dem Aton wohlgefällig ist«). – Infokasten S. 156

Eck, Johannes, eigtl. **Johannes Mai[e]r** oder **Johannes May[e]r aus Eck (Egg),** der theologische Hauptgegner Martin Luthers und der Reformation, * Egg an der Günz (bei Memmingen) 13. 11. 1486, † Ingolstadt 10. 2. 1543; war ab 1510 Professor für Theologie in Ingolstadt, disputierte 1519 mit Luther in Leipzig und betrieb 1520 in Rom die Weiterführung des Lutherprozesses. Eck publizierte in Deutschland die päpstliche Bannandrohungsbulle, beteiligte sich 1526 am Religionsgespräch zu Baden (Kanton Aargau), 1530 am Augsburger Reichstag sowie an den Religionsgesprächen zu Worms und Regensburg. Eck, umfassend gebildet, erkannte früh die entscheidenden Kontroverspunkte im reformatorischen Dissens, trug jedoch mit seiner Polemik zur Verschärfung der Gegensätze bei.

Eckhart, Meister Eckhart, deutscher Philosoph und Theologe, Dominikaner, * Hochheim (bei Gotha) um 1260, † vor April 1328; bedeutender Theologe, der durch seine Predigten und Schriften großen Einfluss auf die deutsche Mystik nahm.

■ **Leben** Eckhart trat in den Dominikanerorden ein, studierte am Kölner Studium generale seines Ordens (vielleicht noch bei Albertus Magnus) und war 1293/94 Dozent (lector sententiarum) sowie 1302 Magister der Universität Paris. 1303 wurde er Oberer der neu geschaffenen Ordensprovinz Saxonia, kehrte 1311/12 im Auftrag seines Ordens noch einmal als Magister nach Paris zurück und lehrte ab 1313 in Straßburg, wo das »Buch der göttlichen Tröstung« und ein Großteil seiner »Predigten« entstanden. Nach 1322 war Eckhart als Professor und Prediger in Köln tätig. 1326 eröffnete der Kölner Erzbischof gegen ihn ein Inquisitionsverfahren. Eckhart protestierte gegen die Vorgehensweise und den Häresievorwurf und appellierte an den Papst. Johannes XXII. verurteilte jedoch kurz nach dem Tod Eckharts (Verurteilungsbulle vom 27. 3. 1329) Thesen aus seinen Schriften als häretisch oder zumindest der Häresie verdächtig und verwarf auch das Gesamtwerk als neuerungssüchtig, ketzerisch und volksaufwühlend.

■ **Lehre** Eckhart selbst betonte ausdrücklich die philosophische Intention, die alle seine Werke auszeichne. Gestützt auf Aristoteles und Averroes, Augustinus und Albertus Magnus (weniger auf Thomas von Aquino, auf den er sich als eine Schulautorität bezog), wollte er die Einheit des Gerechten und der Gerechtigkeit, Gottes und des menschlichen Geistes beweisen und als die Gottesgeburt im Menschen, als die Wahrheit der Inkarnation Gottes in der Seele aus dem sachlichen Gehalt der biblischen Bilderreden und der christlichen Dogmen rational aufzeigen.

Die Einheit von Vernunft und Gottheit begründete er philosophisch mit der auf Aristoteles und Averroes zurückgehenden Intellekt-Theorie, die besagt, dass der Intellekt mit der Dingwelt nichts gemein haben kann, um sie erfassen und durchschreiten zu können. Wenn der Intellekt (das so genannte »Seelenfünklein«, lateinisch »scintilla animae«) aufhört, sich mit den Dingen zu verwechseln, wenn er sich loslöst von allen Fixierungen, auch auf das Ich, die Tugend, den jenseitigen Gott und den Himmelslohn, so vollzieht er die Einheit mit dem Weltgrund, in der er an sich immer steht.

Echnaton (Amenophis IV.) reg. 1364–47 v. Chr.

■ erhob den Sonnengott Aton zum alleinigen Gott Ägyptens
■ ließ sich mit Amarna eine neue Hauptstadt errichten
■ war mit Nofretete verheiratet
■ nannte sich selbst Echnaton, »der dem Aton wohlgefällig ist«

Johannes Eck

Echnaton   Die »monotheistische Revolution«

Gleich nach seiner Thronbesteigung verdrängte er die Vielzahl der ägyptischen Götter, vor allem den bisherigen Reichsgott Re-Amun, und setzte den ausschließlichen Kult des Aton durch (Relief aus dem Neuen Reich, ca. 1552–1306 v. Chr.; Kairo, Ägyptisches Museum).
Auch wertete er die Göttlichkeit des Pharao auf, indem er sich nicht mehr wie seine Vorgänger als »Sohn des Amun«, sondern als »Mitregenten des Aton« bezeichnete. Seine Atonverehrung steigerte sich mit der Zeit immer mehr zu einem religiösen Fanatismus. Er vernachlässigte die Außenbeziehungen Ägyptens zugunsten religiöser Fragen, ließ alle Zeichen der Verehrung des Gottes Amun verfolgen und zerstören und zwang die Priester zum ausschließlichen Aton-Kult. Seine Nachfolger urteilten später, Echnaton habe Ägypten ins Chaos gestürzt, und verdammten sein Andenken, indem sie seinen Namen aus den meisten Inschriften herausmeißeln ließen. So blieb der Monotheismus des »Ketzerkönigs« bloß eine faszinierende Episode.

Der ägyptische Pharao Amenophis IV., der im sechsten Jahr seiner Regierung seinen Namen in Echnaton änderte, plante von Anfang an die Einführung einer monotheistischen Religion.

Eckharts Lehre von der Gelassenheit (»Abgeschiedenheit«) radikalisierte die Armutsidee der Bettelorden, die Intimität von Intellekt und Gottheit und relativierte die Hierarchien, ausdrücklich auch die von Mann und Frau.

■ **Wirkung** Der im Denkansatz Eckharts implizierten Rangerhöhung des Menschen (sofern er gut handelt und wahr denkt) und der daraus folgenden Relativierung der Heilsgeschichte, der Sakramente, der sichtbaren Kirche und des buchstäblichen Bibelsinns widersprach der Papst als einer kirchenzerstörenden Neuerung, zumal sie religiöse Fragen in der Volkssprache erörterte. Von mystischer Erfahrung sprachen jedoch (im Gegensatz zu Eckharts späterer Kennzeichnung in der Forschung als »Mystiker«) weder Eckhart selbst noch der verurteilende Papst.

Edda, Name zweier Werke der altisländischen Literatur, der Prosa- oder Snorra-Edda und der Poetischen oder Lieder-Edda (früher auch Sæmundar-Edda genannt).

Die **Snorra-Edda** wurde von dem Isländer Snorri Sturluson zwischen 1220 und 1230 verfasst und ist in Handschriften des 13. und 14. Jh. erhalten. Bei ihr handelt es sich um ein Lehrbuch für junge Dichter und Sänger (Skalden), die daraus die poetischen Ausdrücke, namentlich die Umschreibungen (Kenningar), und die verschiedenen Versarten erlernen sollten. Da die Umschreibungen vielfach der Mythologie entnommen sind, beginnt die Snorra-Edda mit einer Darstellung der altnordischen Mythologie, der »Gylfaginning« (»König Gylfis Täuschung«). Es folgen die »Skáldskaparmál« (»Sprache der Dichtkunst«), eine Aufzählung und Erläuterung der Kenningar u. a. poetischer Ausdrücke, die reich an Zitaten aus der Skaldendichtung des 9.–12. Jh. sind, und schließlich das »Háttatal« (»Aufzählung der Versarten«), ein Preislied Snorris auf den norwegischen König Håkon Håkonsson den Alten (1217–63) und den Jarl Skuli, einen hohen Beamten. Der Quellenwert der Gylfaginning für die altnordisch-altgermanische Mythologie wird unterschiedlich eingeschätzt.

Die **Lieder-Edda** ist eine Sammlung von etwa 30 Liedern aus Mythologie und Heldensage, überliefert in einer Handschrift der zweiten Hälfte des 13. Jh. (Codex Regius). Die Sammlung ist wohl kaum älter als die Handschrift selbst. Die Lieder stammen vorwiegend aus dem 8.–11. Jahrhundert. Die Götterlieder sind von verschiedener Art: u. a. findet sich Visionsdichtung wie die Völuspá (»Der Seherin Gedicht«), Götterschwänke wie die »Thrymskviða« und die »Lokasenna« (»Lokis Streitreden«), dialogische Wissensdichtung wie die »Vafþrúðnismál« und die »Grimnismál« sowie sprichwortartige Dichtung wie die Hávamál (»Sprüche des Hohen«, d. h. Odins). In Ethos und Darstellungsform einheitlich sind – im Gegensatz zu den Götterliedern – die Heldenlieder, von denen einige den Nibelungenstoff behandeln.

Eddy [ˈɛdi], Mary, geborene **Baker,** amerikanische Gründerin der →Christian Science, *Bow (N. H.) 16. 7. 1821, †Boston (Mass.) 3. 12. 1910. Tief religiös veranlagt, fand Eddy 1866 über das Studium des N. T. Heilung von den Folgen eines schweren Unfalls. Auf Grundlage dieses Heilungserlebnisses führten weitere Bibelstudien sie zur Entwicklung der Theologie eines praktischen Christentums und zu den Bemühungen, den Heilungsauftrag Jesu Christi wieder in die christliche Praxis aufzunehmen. Ihr Hauptwerk »Science and Health« (1875) enthält die nach ihrem Verständnis christliche Theologie der Christlichen Wissenschaft. Sie gründete 1879 in Boston (Mass.) die erste Christian-Science-Gemeinde sowie 1908 die Tageszeitung »The Christian Science Monitor«.

Eden, Garten Eden, nach 1. Mos. 2, 8–15 das →Paradies.

Edikt von Mailand, →Toleranzedikt von Mailand.

Edikt von Nantes, →Nantes, Edikt von.

Edikt von Worms, →Wormser Edikt.

Ehe [althochdt. ewe »Gesetz«], auf Dauer angelegte Lebensgemeinschaft zweier (Monogamie) oder mehrerer (Polygamie) Menschen verschiedenen Geschlechts, die im Allgemeinen (doch nicht notwendig) durch Zeugung von Kindern auch eine neue Familie gründen.

■ **Biblisches Eheverständnis** In der Entwicklung des biblischen Glaubens ist das Bild der Ehe als Symbol auf die Beziehung Gottes zu seinem Volk übertragen worden (Hosea, Ezechiel). In diesem Sinn hat sich das Verständnis der Ehe als auf Versprechen und Treue sowie der personalen Beziehung der Partner ausgebildet, und eine Entwicklung zur Verinnerlichung und zur Monogamie setzte ein, die sich schon in den klassischen Texten der Schöpfungsgeschichte (1. Mose 2) ausdrückt, wo Mann und Frau von Gott zu gegenseitiger Hilfe zusammengeführt werden.

Im A. T. hielt noch Moses an der im Alten Orient vorherrschenden Vielehe mit meist zwei Hauptfrauen und zwei Sklavinnen fest. Die Ehe war ausgerichtet auf die Sippe des Mannes. Die Frau ging aus dem Besitz des Vaters durch Erwerb und Vertrag in das Eigentum des Bräutigams zum Zwecke der Sicherung der Nachkommenschaft über. Kinderlosigkeit galt als Strafe Gottes. Darum wurde der Verkehr mit der Leibmagd der unfruchtbaren Ehefrau kaum als Nebenehe aufgefasst. Die Leviratsehe (Schwägerehe) war vorgeschriebener (A. T.) und vielfach geübter Brauch.

Im N. T. wird die vollkommene persönliche Treue geradezu als Auswirkung der Heilsgemeinschaft begriffen.

■ **Christliche Kirchen** Die Kirche macht den Versuch, dieses Ethos der unbedingten Treue in gesellschaftlichen Institutionen gesetzlich zu stabilisieren.

Im Eherecht der *römisch-kath. Kirche* ist das Wesen der Ehe aufgrund der Aussagen des 2. Vatikanischen Konzils zu bestimmen als die ganzheitliche Verbindung eines Mannes und einer Frau zu ungeteilter und unteilbarer Liebes- und Lebensgemeinschaft (in personal geprägter Partnerschaft), die wesensgemäß auf Zeugung und Erziehung der Kinder hin geordnet ist. Die Ehe hat sakramentalen Charakter.

Im Eheverständnis der *ev. Kirchen* hat die Ehe keinen sakramentalen Charakter. Die Eheschließung wird als ein Vorgang im Rahmen der staatlichen Rechtsordnung angesehen (Zivilehe), die kirchliche Trauung als Proklamation der Ehe vor der christlichen Gemeinde und geistlicher Zuspruch an die Brautleute verstanden.

Die Theologie der *orth. Kirchen* versteht, wie auch die kath. Theologie, die Ehe als eine mit der Schöpfungsordnung gegebene »Ordnung von Anfang an«. Die Ehe hat sakramentalen Charakter und wird in Bezug auf ihre geistliche Dimension unter Hinweis auf Eph. 5, 31 f. als Abbild des geistlichen Bundes Christi mit der Kirche beschrieben.

■ **Islam** Das islamische Eherecht, verankert im Koran, schränkt die altarabische Sitte der Polygamie auf höchstens vier Frauen mit je einem Hausstand sowie Konkubinat mit eigenen Sklavinnen ein. Dies wird wiederum eingeschränkt durch die Verpflichtung zur gerechten Behandlung der Frauen. Die Ehe gilt als Geschenk Gottes an die Menschen (Sure 30, 21) und als wichtiger Bestandteil eines gottgefälligen Lebens. Ehelosigkeit wird in der Tradition verurteilt.

Ehelosigkeit, deutsche Bezeichnung für den kirchenrechtlichen Begriff →Zölibat.

Einherjer [altnord. »Alleinkämpfer«], **Einherier,** *altnordische Mythologie:* die auf dem Schlachtfeld gefallenen und in Walhall aufgenommenen Krieger, die Odin für den Kampf gegen die Götterfeinde (→Ragnarök) sammelt.

Einsegnung, eine Form der Segenserteilung in den christlichen Kirchen; →Konfirmation, →Segen.

Einsiedler, der →Anachoret.

EKD, Abkürzung für →Evangelische Kirche in Deutschland.

Ekklesiologie [kirchenlatein.], die theologische Lehre von der →Kirche.

Eklektizismus, in der Religionsgeschichte eine Praxis, die Elemente aus verschiedenen Religionen als glaubenswert annimmt (→Synkretismus).

Ekstase [zu griech. ékstasis, eigentlich »das Aus-sich-Heraustreten«], Sammelbezeichnung für religiös interpretierte physische und psychische Ausnahmezustände, als deren spezifische Kennzeichen ein erweitertes oder erhöhtes Bewusstsein gesehen wird. Der Ekstatiker oder seine kulturelle Umwelt interpretierten die Verhaltensänderungen in der Ekstase (etwa Hypermotorik, Zuckungen und Krämpfe, Schmerzunempfindlichkeit, übersteigerte Emotionen) als »Einbruchstellen des Außeralltäglichen«. Die Ekstase kann spontan und gegen den Willen des Betroffenen auftreten und wird dann häufig als »Inbesitznahme«

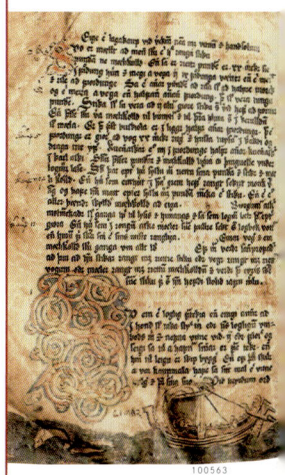

Edda.
Hinter dem Titel »Edda« verbergen sich zwei verschiedene altisländische Werke, die v. a. im Zusammenhang mit der Skaldendichtung von großer Bedeutung sind. Doch die »Snorra-Edda« (hier eine Seite aus einer Handschrift aus dem 14. Jh.; Uppsala, Universitetsbibliotek) ist darüber hinaus ein Zeugnis für die nordische Mythologie und Heldensage.

Ekstase   Mänaden, der Kult der Rasenden

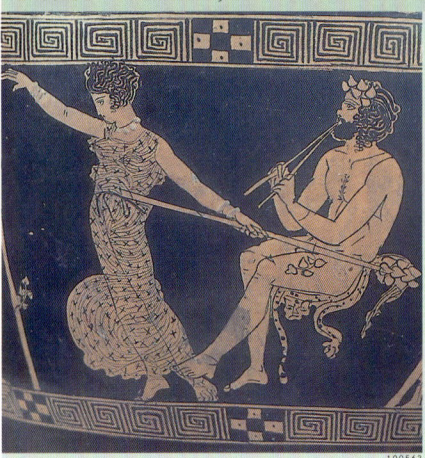

Im griechischen Kult waren die meisten Feste den Männern vorbehalten, es gab aber auch einige Feste, die speziell den Frauen gewidmet waren. Alle zwei Jahre im Winter zogen Frauen der Oberschicht in die Berge und huldigten den Göttern mit ekstatischen Tänzen. Diese Tänze waren derart auffallend, dass man die Frauen danach »mainades«, »Rasende«, nannte. Der Tragödiendichter Euripides malte in dem Stück »Die Bakchen« in gespenstischen Farben aus, wie sie dabei Wildtiere in Stücke rissen und mit Schlangen spielten, ohne gebissen zu werden. Eine solche Überzeichnung ist charakteristisch für den Mythos – die Realität war sicherlich sehr viel harmloser. Man sieht auf den Vasen allerdings immer nur das religiöse Ideal, nie die unstilisierte Realität. Dennoch müssen die wirbelnden Tänze der Frauen, ihr Köpfeschütteln, Klatschen und schrilles Singen ein beeindruckendes Schauspiel geboten haben (rotfigurige Vasenmalerei mit dem Gott Dionysos und einer Mänade, 400–390 v. Chr.; Karlsruhe, badisches Landesmuseum).

---

durch ein fremdes Geistwesen oder einen Gott interpretiert. Sie kann aber auch durch bestimmte »Ekstasetechniken« systematisch angestrebt werden. Die aktiv gesuchte Ekstase mündet üblicherweise in einen Zustand mit »übermenschlichen« Fähigkeiten (Himmelsreise, Abwehr von Geistern und Krankheiten, Prophezeiungen u. a.), als dessen Basis die Trennung eines »Ich« (Seele) vom Körper angesehen wird.

Im Laufe von spezialisierten kulturellen Traditionen entwickelte Ekstasetechniken verbinden unmittelbar physiologisch wirksame Elemente, etwa rhythmische und sich wiederholende Tanzbewegungen, Sprech- und Atemübungen, mit psychisch wirkenden Elementen, z. B. Konzentrationsübungen.

El [hebr.], höchste Gottheit der meisten semitischen Völker, so bereits der vorisraelitischen, kanaanäischen Bewohner Palästinas. Hierauf weisen u. a. die im Stadtstaat Ugarit an der syrischen Mittelmeerküste gefundenen Texte (14. Jh. v. Chr.) hin, die einen El als »König« an der Spitze eines Pantheons sehen. In den Traditionen des A. T. begegnen vorzugsweise lokale Erscheinungsformen des einen Gottes (wie »El Eljon«, »El Olam«), aber auch mit El gebildete Personennamen (wie »Issa-el«, »Issma-el«). Die einwandernden Nomaden identifizierten ihre Vätergötter mit El und bald mit Jahwe. El erscheint im A. T. weniger als Eigenname denn als Allgemeinbegriff (→Elohim).

Elagabal [auch -'bal], griechisch **Elaiagabalos, Eleagabalos,** Ortsgottheit (→Baal) der syrischen Stadt Emesa (heute Homs), die in einem vom Himmel gefallenen Steinkegel verehrt wurde. Antike Schriftsteller des 3. Jh. setzten Elagabal – unter Berufung auf die »Phöniker« – dem Sonnengott Helios gleich und nannten ihn **Heliogabalos.**

Elan Vital, seit den 1980er-Jahren Bezeichnung für die →Divine Light Mission.

Elbogen, Ismar, liberaler deutscher jüdischer Historiker und Liturgiewissenschaftler, * Schildberg (polnisch Ostrzeszów, Woiwodschaft Posen) 1. 9. 1874, † New York 1. 8. 1943; lehrte am Collegio Rabbinico Italiano in Florenz (1899–1902), an der Hochschule für die Wissenschaft des Judentums in Berlin (1902–38, Professor seit 1919) und nach seiner Emigration in die USA (1938) am Jewish Theological Seminary in New York. Elbogen verfasste als Erster eine Geschichte der jüdischen Liturgie und war Mitherausgeber der »Encyclopaedia Judaica« (Band 1–10, 1928–34; unvollständig), der »Zeitschrift für Geschichte der Juden in Deutschland« (1929–37) und der »Germania Judaica« (Band 1–2, 1934).

Eleasar ben Jehuda ben Kalonymos, Elasar ben Jehuda ben Kalonymos, genannt **Rokeach,** jüdischer Jurist, Mystiker und liturgischer Dichter, * Mainz um 1160, † Worms um 1230; war Rabbiner in Worms und vermittelte als literarisch fruchtbarster Autor der »Frommen in Deutschland« (aschkenasischer Chassidismus) deren mystische, exegetische und ethische Traditionen. Sein Hauptwerk, »Rokeach« (hebräisch »Spezereienmacher«), ist ein Handbuch des jüdischen Rechts.

Eleusis, neugriechisch **Elevsis,** Stadt in Attika, Griechenland, die in der Antike der Mittelpunkt des Fruchtbarkeitskults der Göttinnen →Demeter und →Persephone (Kore) war. Aus diesem Kult entwickelten sich später die

Eleusinischen Mysterien. An ihnen nahmen Eingeweihte (Mysten) aus ganz Griechenland teil. Man feierte die kleinen Mysterien im Frühjahr in Athen und die großen im Herbst mit einer Prozession von Athen nach Eleusis. Der eigentlichen Mysterienhandlung im Telesterion – einer speziellen Halle – von Eleusis mit Reinigungsriten und Segenszauber lag wohl der Mythos von der Suche Demeters nach ihrer von Pluton (Hades) geraubten Tochter Persephone (Kore) zugrunde. In der Erscheinung (Epiphanie) der Göttin lag für die Mysten die Verheißung der eigenen Wiedergeburt nach dem Tod. Über den Kultbrauch war absolutes Stillschweigen zu bewahren. Noch in der römischen Kaiserzeit war die Kultstätte von großer Bedeutung (u. a. waren Cicero, * 106, † 43 v. Chr., und Kaiser Mark Aurel, 160–181, Eingeweihte).

Elias, hebräisch **Elijja, Elijjahu,** israelitischer Prophet, der in der ersten Hälfte des 9. Jh. v. Chr. den Ausschließlichkeitsanspruch Jahwes gegen den Kult des Tyrischen Baal und den Baalismus in Israel unter König Ahab (873–853 v. Chr.) und seiner Frau Isebel vertrat (1. Kön. 17–19, 21; 2. Kön. 1). Man übertrug auf ihn Legendenmotive und Züge des Wundertäters. Dazu gehören seine Entrückung im Feuerwagen (2. Kön. 2) und die Erwartung seiner Wiederkehr als Vorläufer des Messias in nachexilischer Zeit.

Aus dem 3. Jh. n. Chr. stammt eine Elias-Apokalypse, die in hebräischer und koptischer Sprache erhalten ist. Eine gleichartige, von Origenes erwähnte Schrift ist verloren.

Elisabeth von Thüringen, Elisabeth von Ungarn, *Burg Sárospatak (Ungarn) 1207, † Marburg 17. 11. 1231; Tochter König Andreas' II. von Ungarn (1205–35) und der Gertrud von Andechs-Meranien († 1213). Sie kam vierjährig an den thüringischen Landgrafenhof, wo sie 1221 mit dem Landgrafen Ludwig IV. verheiratet wurde. Ihr Drang nach Selbstentäußerung, Mildtätigkeit und freiwilliger Armut, von ihrem Beichtvater Konrad von Marburg und den Eisenacher Franziskanern bestärkt, entfremdete sie dem höfischen Leben. Nach dem Kreuzfahrertod ihres Gemahls (1227) verließ sie die Wartburg, rastlos umherziehend, beraten und beherrscht von ihrem Beichtvater. Sie stiftete in Marburg ein Hospital, in dem sie sich asketischem Krankendienst widmete. Schon 1235 wurde sie heiliggesprochen. Ab 1235 baute der Deutsche Orden, der Rechtsnachfolger ihrer Marburger Stiftung, die Elisabeth-Kirche, wohin 1236 ihre Gebeine überführt wurden. – Heilige (Tag: 19. 11.).

Elohim [hebr.], geläufige Bezeichnung für Gott im Alten Testament. Ausgangspunkt ist die allgemein semitische Gottesbezeichnung El als Bezeichnung für einzelne, oft durch Zusätze näher gekennzeichnete Götter Syriens und Palästinas (z. B. El von Bethel, 1. Mos. 35, 7; El Roi, 1. Mos. 16, 13; El Eljon, 1. Mos. 14, 18; El Schaddaj, 1. Mos. 17, 1) oder als Eigenname für den höchsten Gott des lokalen Pantheons. Von dieser Grundform ist Elohim ein numerisches Plural für »Götter« oder ein Abstraktplural (eigentlich »Gottheit«) zur Bezeichnung eines Gottes, v. a. des Gottes Israels (→Jahwe). Die Gleichsetzung von Elohim mit Jahwe ist der Fundamentalsatz des Glaubens Israels. Die anderen Elohim, »Götter«, werden erst allmählich als »Nichtse« (hebräisch **Elilim**) erkannt.

Elysium [latein.], *griechische Mythologie:* Land am Westrand der Erde, wohin auserwählte Helden entrückt werden, ohne den Tod zu erleiden. Elysium ist gleichbedeutend mit den Inseln der Seligen und wurde später mit dem Ort der Frommen und Gerechten in der Unterwelt identifiziert.

Endgericht, *christliche Theologie:* das →Jüngste Gericht.

Endzeit, die religiöse Vorstellung vom Ende der bisherigen Welt, die meist mit Vorstellungen über den Anbruch einer neuen Welt verbunden ist (→Eschatologie).

Elias.
Elias ist einer der wirkmächtigsten Propheten des Alten Testaments. Er kämpft gegen den Baalskult im Volk Israel, dem auch König Ahab und seine Frau Isebel anhängen. Dem Herrscherpaar tritt er mit der Botschaft Jahwes gegenüber (Gemälde von Frederic Leighton, 1862/63), fordert Umkehr und siegt in einem Wettstreit mit den Baalspriestern.

Endzeitgemeinschaften, Endzeitgemeinden, in der Kirchengeschichte zusammenfassende Bezeichnung für auf dem Boden des Christentums entstandene religiöse Gemeinschaften und Bewegungen, die die Wiederkunft Christi (→Parusie) als den Anbruch des →Reiches Gottes oder seiner tausendjährigen Herrschaft (→Chiliasmus) in einem überschaubaren Zeitraum bzw. noch zu ihren Lebzeiten erwarteten/erwarten. Sie verbinden diese Erwartung mit dem Anspruch, allein die Gemeinschaft der von Gott Erwählten, vor Gott Gerechten und in seinem Gericht Erretteten zu repräsentieren. Eine der Endzeitgemeinschaften in der frühen Kirche waren die Montanisten; heute gelten besonders die →Zeugen Jehovas als stark endzeitlich ausgerichtete Gemeinschaft.

■ **Religionsgeschichte außerhalb des Christentums** Endzeitgemeinschaften mit jüdischem religiösem Hintergrund, entstanden in Verbindung mit der Vorstellung des apokalyptischen Endkampfes bzw. mit der unmittelbaren Erwartung des Messias, z. B. unter den Bewohnern von →Qumran und den Anhängern des Sabbatianismus (→Sabbatai Zwi).

Der Endzeitglaube hat bisweilen extremistische Formen kollektiver Selbstmorde und verheerender Terroranschläge angenommen: in der von dem in pfingstkirchlicher Tradition aufgewachsenen amerikanischen Prediger Jim Jones (*1931, †1978; Selbsttötung zusammen mit über 900 Anhängern in Guyana) gegründeten chiliastischen Gemeinschaft »Peoples Temple Christian Church«, in dem von dem belgisch-kanadischen Arzt Luc Jouret (*1947, †1994; Selbsttötung mit anderen Anhängern in der Schweiz) gegründeten »Orden des Sonnentempels« und in der von dem japanischen Heilmittelhändler und Yogalehrer Matsumoto Chizuo (*1955) gegründeten Aum-Sekte (mehrerer Giftgasanschläge, darunter der 1995 auf die Tokioter U-Bahn) angenommen.

Engel [von griech. ángelos »Bote«], Bezeichnung für einen Mittler zwischen der Gottheit und den Menschen. In der Religionsgeschichte findet sich die Engelvorstellung v. a. in monotheistischen Religionen.

■ **Judentum und Christentum** Der Engelglaube des *A. T.* hat seine Ursprünge im altkanaanäischen Volksglauben, in babylonischen und spätiranischen (parsistischen) Vorstellungen und in fremden Gottheiten besiegter Völker. Engel traten als Boten und Söhne Gottes auf, als Heilige und Wächter, als himmlisches Heer und als Helfer des Menschen (Schutzengel). Allmählich entstanden für einige Engel Namen: Michael, Gabriel, Raphael und Uriel.

Im *N. T.* treten Engel hauptsächlich als Boten Gottes (Lk. 1, 26 u. a.), aber auch als böse Geister (z. B. Mt. 25, 41) auf. In der Apokalypse des Johannes spielen Engel eine wichtige Rolle als Ausführer von Gottes Aufträgen.

Die christliche Lehre von den Engeln (**Angelologie**) sieht in den Engeln geistig-personale Mächte und Gewalten, die Gottes Willen auf Erden vollziehen. Dionysius Areopagita entwarf eine Klassifizierung in eine dreistufige Hierarchie von neun Chören: Engel, Erzengel und Fürstentümer, Mächte, Kräfte und Herrschaften, Throne, Cherubim und Seraphim.

Die *kath. Kirche* glaubt an die Existenz guter Engel, aber auch böser Dämonen, die von Gott gut erschaffen, sich von ihm aber abwendeten und verdammt wurden (2. Petr. 2, 4; Jud. 6; Engelsturz). Im Volksglauben gilt der »gefallene« Engel Luzifer als Fürst der Dämonen. Die kath. Kirche zählt die Erschaffung, die Geistigkeit und die allgemeine Schutzherrschaft der Engel zum Glaubensgut. Dagegen gilt die Auffassung, dass jeder Christ einen eigenen Schutzengel hat, nur als sichere theologische Meinung. Die kath. Kirche billigt den Engeln einen relativen Kult zu. Diese Engellehre wurde auf dem 4. Laterankonzil (1215) entwickelt und in der Kirchenkonstitution des 2. Vatikanischen Konzils erneut bestätigt.

In den *Ostkirchen* ist der Glaube an Engel und ihre Einwirkung stark ausgeprägt. Die Engel zelebrieren die »himmlische Liturgie« (Jes. 6).

Ev. Kirche: Im Altprotestantismus galten die Engel dem biblischen Text folgend als Gegenstand der Besinnung auf Gottes Fürsorge, doch waren sie ohne Bedeutung für die Vermittlung des Heils. In der modernen ev. Theologie werden sie unter dem Einfluss des neuzeitlichen Weltbildes immer mehr als mythische Vorstellungen verstanden.

In der *Religionsgeschichte* werden Engel auch als seelische Manifestationen einer Gottheit oder eines Menschen angesehen.

■ **Parsismus** Der Gott Ahura Masda wird ursprünglich von sieben ihm dienenden Geistern, personifizierten Idealen (den →Amescha spentas), umgeben gedacht. Die spätere Lehre stellte den Engeln böse Dämonen entgegen.

■ **Islam** Die christlich und jüdisch geprägte Engellehre im Islam kennt Gott lobpreisende und in Gehorsam dienende Engel. 19 Engel bewachen die Hölle. An der Spitze der Engel steht Djibril (Gabriel), von dem Mohammed seine Sendung und die Offenbarung Gottes empfing und der ihn durch die sieben Himmel führte. Neben ihm stehen die Engel Mikail, der Herr der Naturkräfte, Israfil, der beim Jüngsten Gericht die Posaune blasen und am Auferstehungstage die Toten wieder auferwecken soll, und der Todesengel. – Infokasten S. 162

Engishiki [-ʃ-], japanisches Kompendium von Geschäftsordnungsvorschriften. Die Zusammenstellung wurde durch Fujiwara no Tadahira 928 abgeschlossen. Zehn der insgesamt 50 Bücher sind dem Shintō gewidmet, von denen eines die ältesten bekannten Ritualgebete (→Norito) enthält.

Enki [»Herr des Unten«], sumerischer Gott, der dem babylonischen Gott →Ea entspricht.

Enlil [»Herr des Sturmes«], sumerischer Gott mit Tempel in Nippur, der ursprünglich wohl Sturmgott, Beherrscher des Raumes zwischen Himmel und Erde und schließlich der Erde selbst war. Aus dem erschlagenen Chaosungeheuer erschuf er nach babylonischem Glauben die Welt. An seine Stelle trat später →Marduk von Babylon.

Ennin, japanischer buddhistischer Mönch, im Tsuga-Distrikt/Provinz Shimotsuke *794, Enryakuji †24. 2. 864; dritter Hauptabt der japanischen Tendai-Schule, der 15-jährig ein Schüler des Saichō, des Gründers des Tendai, wurde. Er ging im Jahre 838 für weitere Studien des Tendai (chinesisch Tiantai) und des esoterischen Buddhismus nach China und besuchte dabei viele heilige Stätten. Im Wesentlichen besteht sein Beitrag in der Begründung der Eso-

---

Rechte Seite: Ausschnitt aus dem Gemälde »Musizierende Engel« von Hans Memling (um 1480; Antwerpen, Koninklijk Museum voor Schone Kunsten)

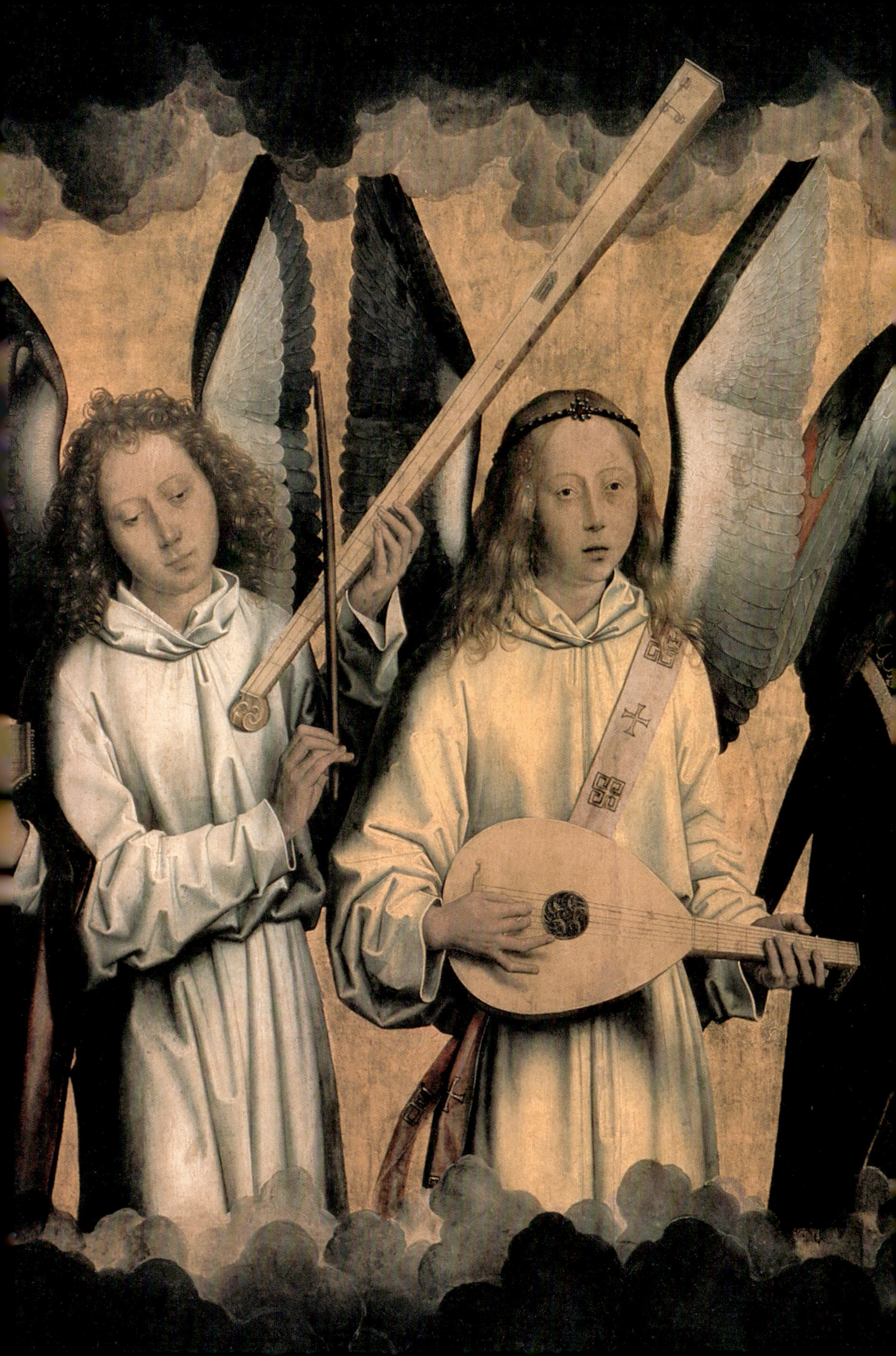

Enthaltsamkeit

Engel   Der Engelsturz

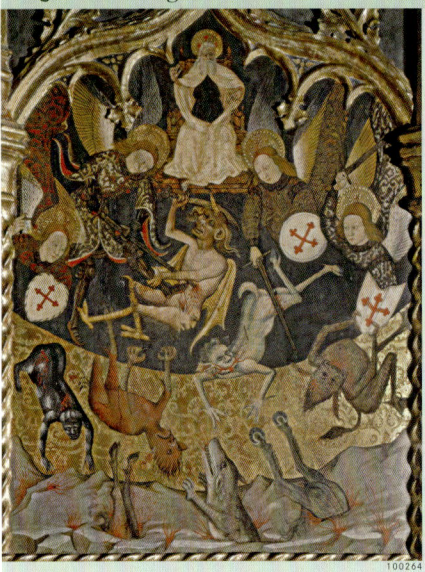

Wie das Böse in die Welt kam, ist eine Frage, die die Menschen seit jeher beschäftigt hat. Denn als Gott die Welt geschaffen hatte, sah er die Schöpfung an, und siehe, »es war gut«. Eine Erklärung stellen die in vielen Varianten existierenden Legenden vom Sturz der Engel dar, vom mächtigen Engel Luzifer, dem »Lichtträger«, der die Todsünde des Stolzes beging und Gott ebenbürtig sein wollte. Eine andere Variante, die auch im Koran zu finden ist, berichtet von der Weigerung des Engels, vor dem ersten Menschen Adam niederzuknien und ihn anzubeten. Dieser solle vielmehr die Engel anbeten, welche vor ihm da gewesen seien. Im Koran wird Iblis – so der Name des Teufels dort – aus dem Paradies vertrieben. In der christlichen Überlieferung ist es der kämpferische Erzengel Michael, der als Anführer der Engel den rebellischen Luzifer samt seinen Anhängern aus dem Himmel vertreibt (Altarbild von Guillem de Talarn, 15. Jh.; Iglesia de Santa María, Tarrasa, Spanien). Seither treibt Luzifer sein Unwesen als der große Versucher der Menschen auf der Erde. Seine ersten Opfer waren Adam und Eva. In der frühen Kirche kam es zur Identifizierung Satans mit Luzifer.

---

terik in der Tendai-Schule und der Praxis der Schule des Reinen Landes vom Wutaishan.

Enthaltsamkeit, →Askese.

Enthusiasmus [griech., zu éntheos »gottbegeistert«], das Ergriffensein des menschlichen Daseins vom Heiligen, Schönen und Wahren in Religion, Kunst und Philosophie. Als Erfülltsein vom Göttlichen geht der Enthusiasmus in der Religionsgeschichte oft mit dem individuellen Empfinden einher, dass das eigene, vernunftgeleitete Bewusstsein ausgelöscht und das Individuum seiner Sinne nicht mächtig sei. So erscheint dann im prophetischen Enthusiasmus Gott selbst als der eigentlich Redende. Innerhalb des Christentums bildet der Enthusiasmus, verstanden als das (plötzliche) Ergriffensein vom Heiligen Geist, v. a. ein prägendes Moment charismatischer Frömmigkeit.

Entmythologisierung, ein von dem ev. Theologen Rudolf Bultmann in seinem Aufsatz »Neues Testament und Mythologie« (1941) zum Programm erhobener Begriff. Als Prinzip der Bibelhermeneutik und -exegese fordert die Entmythologisierung die interpretierende Überwindung der mythischen Vorstellungen neutestamentlicher Texte, um deren eigentlichen Gehalt (→Kerygma) dem modernen Menschen verstehbar zu machen.

Mythos definiert Bultmann dabei als »weltliche« Rede vom »Unweltlichen«, die objektivierte, d. h. in eine historische Form gekleidete Rede von einem nicht objektivierbaren Transzendenten. Zum heute überholten mythischen Weltbild der Antike gehören nach Bultmann etwa die Vorstellungen, die Welt bestehe aus den drei »Stockwerken« Himmel, Erde und Unterwelt (Hölle), die Geschichte sei ein Kampfplatz überweltlicher Mächte (Engel, Dämonen), die den Menschen schützen bzw. bedrohen, und die Menschheit bedürfe eines stellvertretend sterbenden, vom Tode auferstehenden und als Weltenrichter wiederkehrenden Erlösers.

Bultmann und seine Schule wollen aus der Zeitgebundenheit biblisch-mythologischer Rede die zeitlos gültige, den Menschen auch heute noch treffende und ihn zur Eigentlichkeit seines Daseins führende Wahrheit des Wortes Gottes herausarbeiten (»existenziale Interpretation«).

Entrückung, die Versetzung eines Menschen an einen anderen irdischen oder himmlischen Ort, ohne dass der Tod dazwischentritt. Beispiele sind im A.T. die Entrückung des Henoch (1. Mos. 5, 24) und des Elias (2. Kön. 2, 1 ff.), in griechischen Sagen bei Homer u. a. die des Ganymed in den Olymp und der Helden (nach Hesiod) auf die Inseln der Seligen.

Enzyklika [zu griech. enkýklios epistolé »allgemeiner Rundbrief«], *kath. Kirchenrecht:* lateinisch **Epistula encyclica oder Litterae encyclicae,** gedrucktes Rundschreiben des Papstes. In der alten Kirche hießen die Rundschreiben der Bischöfe, die heutigen Hirtenbriefe, Enzykliken. Auf päpstliche Schreiben wurde der Ausdruck seit dem 7. Jh. angewandt und ist seit dem 18. Jh. für sie üblich. Die Enzyklika, früher an die Bischöfe gerichtet, wird heute an die Bischöfe und an die Gläubigen adressiert.

Die amtliche Erstfassung der Enzykliken ist meist in lateinischer Sprache gehalten. Eine Ausnahme ist z. B. die in deutscher Sprache verfasste Enzyklika »Mit brennender Sorge« (1937). Die Enzyklika wird nach den Anfangsworten zitiert. Sie behandelt theologische und philosophische Hauptfragen, seelsorgliche Aufgaben, die kath. Staats-, Wirtschafts- und Sozialllehre. Eine Enzyklika besitzt in der Regel nur eine disziplinäre, keine unfehlbare Lehrautorität.

Epheserbrief, Abk. **Eph.,** der fünfte Brief im »Corpus Paulinum«, der Sammlung von Paulusbriefen im Neuen Testament. Der erste Teil des Epheserbriefs (Kapitel 1–3) belehrt die heidenchristlichen Leser über die Gnade ihrer Berufung in die – als Leib Christi gedeutete – Kirche. Der zweite Teil (Kapitel 4–6) fordert die dementsprechende Lebensführung, u. a. die Befolgung der »Haustafel« (Eph. 5, 21–6, 9).

Der Epheserbrief ist offensichtlich vom →Kolosserbrief literarisch abhängig. Er dürfte daher nicht von Paulus selbst, sondern in paulinischer Tradition und Autorität zwischen 80 und 100 n. Chr. geschrieben worden sein.

Ephesos, Konzil von, das dritte allgemeine Konzil, das Pfingsten 431 durch Kaiser Theodosius II. angesichts entstandener Gegensätze in der christologischen Frage zwischen der antiochenischen und alexandrinischen Theologie berufen wurde. Es tagte vom 26. 6. bis zum September 431. Etwa 200 Bischöfe nahmen an dem Konzil teil. Papst Cölestin I. entsandte Legaten. Auf dem Konzil standen sich zwei Lager gegenüber: die Orientalen unter Patriarch Johannes von Antiochia († 441) und die Anhänger Kyrills von Alexandria, die die Absetzung des Nestorius durchsetzten.

Die Beschlüsse von Ephesos kann man als eine Bestätigung der Lehre des Konzils von Nicäa (325) über die Menschwerdung Christi bezeichnen. Von Christus wird Göttliches und Menschliches ausgesagt. Wegen der Identität des Mensch Gewordenen mit dem Gottessohn kann Maria, die Mutter Jesu, Gottesmutter (griechisch Theotokos) genannt werden. Das Konzil konnte die Gegensätze nicht überbrücken und die Einheit der Kirche nicht wiederherstellen. Die Differenzen traten auf der Räubersynode von Ephesos (449) neu zutage.

Ephräm der Syrer [eˈfrɛːm, ˈefrɛm], **Afrem** [aˈfrɛːm, ˈafrɛm], syrischer Diakon und theologischer Lehrer, * Nisibis (heute Nusaybin) um 306, † Edessa (heute Urfa) 9. 6. 378 (nach der Chronik von Edessa); wirkte zuerst als theologischer Lehrer in Nisibis und ab 363 in Edessa. In seinen zahlreichen theologischen Werken (Bibelkommentare, Reden und Hymnen) brachte er die eigenständige Theologie der syrischen Kirchen zum Ausdruck. Sein Schrifttum ist bis heute nicht vollständig und zuverlässig publiziert. 1920 wurde er zum Kirchenlehrer erklärt. – Heiliger (Tag: 9. 6.).

Epiklese [griech. »Anrufung«], **Enteuxis, Ekklesis,** in der liturgischen Sprache v. a. der Ostkirchen zunächst jedes Gebet, besonders jedoch jenes Gebet in der Eucharistiefeier, mit dem der Bischof oder Priester den Heiligen Geist herabfleht, damit er das Brot und den Wein zum Leib und Blut Christi verwandele. Die Epiklese folgt den Einsetzungsworten und ist mit diesen ein Kontroverspunkt zwischen den östlichen Kirchen und der westlichen: Für die Ostkirchen gilt die Epiklese als der Moment, in dem die Wandlung sich vollzieht, im Katholizismus werden die Einsetzungsworte als dieser Moment betrachtet.

Epiphanie [griech. »Erscheinung«], das unmittelbare Erscheinen einer Gottheit in eigener Gestalt oder einer besonderen Manifestation (→Theophanie).

Im Christentum ist Epiphanie das Fest der Erscheinung des Herrn (6. 1.). Es entstand im 4. Jh. in der Ostkirche und sollte vermutlich das Fest eines heidnischen Gottes verdrängen. Festgedanken waren die Geburt Jesu mit der Anbetung der Weisen (Mt. 2, 1–12) und das Hochzeitswunder von Kana (Joh. 2, 1–11), später v. a. die Taufe Jesu im Jordan (Mt. 3, 13–17). Die abendländische Kirche, die Jesu Geburt zu →Weihnachten beging, übernahm gegen Ende des 4. Jh. vom Osten das Epiphaniefest, feierte jedoch statt der Geburt die »drei Wunder« der Anbetung der Weisen, der Taufe im Jordan und der Hochzeit zu Kana. Mit der Einfügung von Weihnachten in den Festkalender der Ostkirche (Ende des 4. Jh.) ist Epiphanie auch dort nicht mehr Geburtsfest Jesu, sondern nur noch Tauffest. In der erneuerten Liturgie der *kath. Kirche* wird der Sonntag nach Epiphanie als Tauffest Jesu gefeiert, danach beginnen die Sonntage im Jahreskreis.

In den *ev. Kirchen* wird Epiphanie (hier **Epiphanias** genannt) als Fest nicht begangen. Vielfach wird jedoch am Sonntag danach des Epiphanietages gedacht und jener meist als Missionsfest gefeiert.

Episkopalkirche, die →Protestant Episcopal Church.

Episkopat, Amt, Würde eines Bischofs sowie die Gesamtheit der Bischöfe (eines Landes).

Epistel [latein.-griech. »Brief«, eigentlich »Zugesandtes«], ein von Aposteln (insbesondere von Paulus) verfasster oder auf einen Apostel zurückgeführter Brief des N. T. sowie der Abschnitt (Perikope), der beim Gottesdienst daraus verlesen wird.

Epona [kelt. etwa »Herrin der Pferde«], *keltische Mythologie:* gallische Pferde- und Fruchtbarkeitsgöttin sowie später Schutzher-

Entmythologisierung. Rudolf Bultmann strebte mit seinem Konzept der Entmythologisierung der Bibel eine Reduzierung des Mythischen zugunsten der Lehre Christi an (»Lehrender Christus«, Plastik von Ernst Barlach, 1931; Güstrow, Atelierhaus).

Erasmus von Rotterdam
(Kupferstich von Albrecht Dürer, 1526)

rin der römischen Kavallerie. In der bildenden Kunst wurde Epona häufig als Reiterin dargestellt, manchmal von Pferden, Fohlen, Vögeln, Hund und Raben umgeben oder mit Füllhorn oder Fruchtschale in den Händen.

Epulones, Septemviri epulonum [latein. »Siebenmänner für die Kultmähler«], eine 196 v. Chr. gegründete stadtrömische Priesterschaft aus zunächst drei, dann sieben, unter Cäsar zehn hochgestellten Personen, die v. a. eine Mahlzeit für die Götter Jupiter, Juno und Minerva anlässlich der großen »Plebeischen Spiele«, dann wohl auch »Römischen Spiele« am 13. November bzw. September in Rom ausrichteten.

Erasmus von Rotterdam, nannte sich seit 1496 **Erasmus Desiderius,** niederländischer Humanist und Theologe, * Rotterdam 28. 10. 1466 oder 1469, † Basel 12. 7. 1536; bedeutender Philologe, Kritiker der weltlichen und geistlichen Mächte und der erstarrten Scholastik, Pazifist, Fortführer der antiken und der mittelalterlichen humanistischen Tradition im beginnenden Zeitalter des Konfessionalismus.

■ **Leben und Werk** Als illegitimer Priestersohn aufgewachsen, verlor Erasmus mit etwa 14 Jahren beide Eltern und wurde in das Augustinerkloster Steyn bei Gouda gegeben. In der Schule der Brüder vom gemeinsamen Leben in Deventer lernte er die Devotio moderna kennen. 1492 wurde Erasmus zum Priester geweiht und studierte 1492–99 Theologie an der Universität Paris. Während eines Englandaufenthaltes (1499–1500) rückte das N. T. in das Zentrum von Erasmus' Studien. In Italien (1506–09; 1506 Promotion), dann (1509–14) im Haus seines Freundes Thomas Morus in London eignete er sich philologische Kenntnisse an, um den Urtext der Bibel von späteren Entstellungen zu reinigen. Im Sinn des humanistischen »Zurück zu den Quellen« gab er 1516 in Basel die erste Druckausgabe des N. T. heraus. Schon 1500 machte ihn eine Sammlung antiker und biblischer Sprichwörter (»Adagia«) berühmt. Zwischen 1520 und 1530 edierte er verbesserte Bearbeitungen der Schriften lateinischer Kirchenväter. In seiner ironischen Schrift »Encomium moriae« (1509–11; deutsch u. a. als »Lob der Torheit«) kritisierte er Gesellschaft und Kirche, womit er die Reformation vorbereitete. Später (1524) distanzierte er sich von Luther mit der Schrift »De libero arbitrio diatribe sive collatio« (1524; deutsch u. a. als »Gespräche oder Unterredung über den freien Willen«). Mit politischer Ethik befasst sich sein Fürstenspiegel »Institutio principis christiani« (1517; deutsch »Fürstenerziehung«). Seine ebenfalls 1517 erschienene »Querela pacis« (deutsch »Klage des Friedens«) beschwor den Frieden als einen hohen Wert. In weiteren Schriften propagierte er ein Christentum ohne Aberglaube, eine vernunftgemäße Ethik und den Bildungsanspruch der Frau.

Erbsünde, lateinisch **Peccatum originale,** nach christlicher Lehre die durch den Sündenfall der ersten Menschen bewirkte Sündhaftigkeit des Menschengeschlechts.

■ **Lehre** Nach *kath. Glaubenslehre* ist das Wesen der Erbsünde der angeborene Mangel an heilig machender Gnade, der durch »Adam« verschuldet und durch die Abstammung von ihm auf jeden Menschen übergegangen ist. Als ihre Folge gelten der Verlust der leiblichen Unsterblichkeit und die Schwächung der natürlichen Fähigkeit zum Guten, besonders durch die sinnliche Leidenschaft (Konkupiszenz). Die erbsündliche Ungerechtigkeit ist von der durch eigene Todsünde bewirkten verschieden. Ausgenommen von der Erbsünde blieben nur Jesus und Maria. Die Erbsünde wird durch die Taufe getilgt. Diese Lehre von der Erbsünde hat das 2. Vatikanische Konzil in ihren Grundzügen bestätigt und besonders ihre anthropologische Bedeutung, die u. a. in der sittlichen Schwäche, der Neigung zu falscher Auffassung Gottes, der menschlichen Natur und der Grundsätze des Sittlichen besteht, hervorgehoben.

Nach *ev. Auffassung* wird die Erbsünde nicht durch die Taufe getilgt, sondern ist als Hang zur Sünde (Konkupiszenz) in jedem Menschen wirksam, Ursprung der aktuellen Sünden und echte Schuld. Freilich ist in diesem Zusammenhang das Moment der Vererbung einer Schuld problematisch und Gegenstand theologischer Kritik. Die Vorstellung entstand aus dem Gedanken der Vererbung unserer »Natur«, die für jeden Menschen den Hang zur Sünde mit sich führt. Danach ist die Sünde also unausweichlich und nicht aus einem moralischen Zustand des sündigen Menschen zu erklären.

■ **Geschichte** Die Lehre vom Schuldcharakter der Erbsünde wurde in der alten Kirche von Pelagius († nach 418 [?]; →Pelagianismus) bestritten. Er sah in ihr keine durch »Adam« vererbte Schuld, sondern nur die Folge des bösen Beispiels, das »Adam« gegeben habe. Gegen Pelagius hat Augustinus den Schuldcharakter der Erbsünde verteidigt und aus der Verstrickung aller Menschen in »Adams« Ursünde hergeleitet. Der Verurteilung des Pelagianismus schloss sich die Ostkirche an (Konzil von Ephesos 431). Den schuldhaften Charakter der Erbsünde suchte Augustinus in der bösen Begierlichkeit. Im Mittelalter, besonders bei Anselm von Canterbury, setzte sich die Auffassung durch, dass schuldhaft nicht die Konkupiszenz, sondern der Mangel der Gnadengerechtigkeit sei. Die kath. Kirche hat auf dem Konzil von Trient (1546) gegen die reformatorische Erbsündenlehre diese Auffassung festgehalten.

Erda, deutscher Name der altnordischen Göttin Jörd, der Mutter Thors, als germanische Erdgottheit. Dieser Name wurde von Jacob Grimm (* 1785, † 1863) erschlossen, ist jedoch nicht überliefert.

Erde, in den Kosmogonien (Weltentstehungslehren) der einzelnen Kulturen ein Urelement der Weltentstehung (auch zusammen mit dem Himmel oder dem Wasser), das aus oder nach einer anderen Urgegebenheit entstand oder von einem Gott am Anfang geschaffen wurde. Sie wurde oft als eine runde oder rechteckige Scheibe gedacht.

In der *Mythologie* wird die Erde meist als weibliche, mütterliche Gottheit vorgestellt, die Leben und Fruchtbarkeit spendet, indem sie Pflanzen, Tiere und Menschen aus sich gebiert, häufig auch als Unterweltgöttin, die das Leben wieder in sich zurücknimmt. Sie galt als heilig, ebenso wie alles Leben. Sie war Lebensquelle, Inbegriff aller Naturerscheinungen, in ihrem schöpferischen Aspekt Anfang der Zeit und (Ur-)Mutter. Häufig ist sie älteste Gottheit, so im griechischen Mythos, der die Zeugung des Himmels durch die Erde (Parthenogenese) beschreibt. Bei der japanischen Erdgöttin Izanami findet sich auch die Vorstellung einer Zeugung durch Selbstopferung.

In weltweit verbreiteten Mythen gehen aus der Hochzeit von Erde und Himmel (»Hieros Gamos«) die Welt und alle Wesen hervor. Eine Trennung von Himmel und Erde schafft den Urzustand für die Weltentstehung, ihre darauf folgende Vereinigung den jenseits der Zeit angenommenen Grund für Leben und schöpferisches Werden. In der Götterwelt erhält die Erdgottheit einen festen Platz, u. a. der ägyptische Erdgott Geb, die Erdgöttinnen Ninlil in Babylon, Gaia in Griechenland, Tellus in Rom und die germanische Göttin Nerthus. In naher Beziehung zur Erdgottheit stehen die chthonischen Gottheiten (→chthonisch). Mysterienreligionen in agrarischen Kulturen gründen ihre Kulte auf eine Verbindung des In-die-Erde-Aufnehmens mit der Gabe neuen Lebens, wobei der Gedanke periodischer Erneuerung im Mittelpunkt steht.

Der Erde wurden und werden noch in vielfältiger Weise Opfer dargebracht. So goss man bei religiösen Handlungen, aber auch beim gewöhnlichen Trinken ein paar Tropfen (des Weines) auf die Erde. Die Geburt eines Kindes erfolgte häufig bewusst auf dem Erdboden, damit die Kraft der Erde auf das Neugeborene übergehe. Durch das Aufheben des Kindes von der Erde erkannte (in verschiedenen Gesellschaften noch heute) der Vater das Kind als das seinige an.

Erdherr, lebender Ältester desjenigen Klans in einer ethnischen Gruppe, der als Erster deren Grund und Boden (Ahnenerde) in Besitz genommen, besiedelt und bearbeitet hat. Vom Erdherrn nimmt man an, dass er die Geister, die in der Erde leben, kontrolliert. Seine Aufgabe ist es, ihnen Opfer darzubringen, aber auch sonst für das Wohl der Gesellschaft, für Jagdglück, gute Ernten und Kindersegen zu sorgen. Erdherren gibt es nur bei (sesshaften) Pflanzern und Ackerbauern.

Eremit [zu griech. erēmos, érēmos »einsam«, »wüst«, »verlassen«], **Einsiedler,** in vielen Religionen ein Mensch, der aus rein religiösen Motiven ein asketisches Leben in der Einsamkeit führt (für das frühe Christentum →Anachoret).

Ereschkigal [sumer. »Herrin der großen Erde (d. h. der Unterwelt)«], babylonisch **Allatum,** sumerische Unterweltsgöttin. Sie ist die Rivalin ihrer himmlischen Schwester Inanna (babylonisch Ischtar) und Gemahlin Nergals, der nach dem Mythos von »Nergal und Ereschkigal« in die Unterwelt eindringt und Ereschkigal bezwingt, die ihn zum Gatten und Unterweltsherrscher macht.

Eridu, nach der keilschriftlichen Überlieferung Sumers die älteste Stadt Babyloniens, in Südmesopotamien, ursprünglich an einer Lagune des Persischen Golfes gelegen. Der heute landeinwärts befindliche Ruinenhügel Tell Abu-Schahrein im Südirak liegt 11 km südwestlich von Ur. Eridu galt als die Stadt des Enki (babylonisch Ea), der als Gott des unterirdischen Süßwasserozeans, der Weisheit sowie der Beschwörungs- und Heilkunst verehrt wurde. Am Hauptheiligtum ist die Frühgeschichte babylonischen Tempelbaus bis hin zur Zikkurat abzulesen.

Erinnyen, griechisch **Erinyes** und **Erinnyes,** in der *griechischen Mythologie* Rachegöttinnen, ursprünglich die zürnenden Seelen von Ermordeten, für die kein Verwandter die Rache vollziehen konnte. Nach Hesiod wurden sie von Gaia (Erde) aus dem Blut des entmannten Uranos (Himmel) geschaffen, in anderen Überlieferungen sind sie Töchter der Nyx (Nacht). Sie rächten allen Frevel, besonders Eidbruch und Bluttaten, indem sie die Schuldigen in den Wahnsinn trieben. Im Lauf der Zeit wurde ihre Anzahl auf drei fixiert: **Tisiphone** (»die den Mord Rächende«), **Allekto** (»die Unablässige«) und **Megaira** (»die Neidische«). Sie galten als Schwestern der Moiren (→Moira). An ihren athenischen Kultstätten wurden sie euphemistisch Semnai (»die Hehren«) und Eumeniden (»die Wohlgesinnten«) genannt. In der Kunst wurden die Erinnyen mit Fackeln oder Geißeln, oft im langen Gewand und mit Schlangen im Haar dargestellt.

Eriugena, Johannes Scotus, irischer Philosoph, →Johannes Scotus Eriugena.

Erkenntnis. Religiöse Erkenntnis bezeichnet weniger das rationale Erfassen religiöser Lehren als zunächst – v. a. in der Mystik – einen zentralen seelischen Vorgang erkennenden Erlebens numinoser Wirklichkeit. In Indien etwa ist daher der »Weg der Erkenntnis« (Sanskrit yanana marga) eines der wichtigsten Mittel zum Heil.

Die **Erkenntnis von Gut und Böse** ist – nach der Erzählung vom Garten Eden (1. Mos.

Erleuchtung.
Im Buddhismus meint Erleuchtung das Erreichen einer vollkommenen Klarheit des Geistes, die es ermöglicht, die Dinge so zu sehen, wie sie wirklich sind. Auf der Wandmalerei aus dem 19. Jh. erlangt der Fürstensohn Siddhartha Gautama die vollständige Erleuchtung und wird zum Buddha (Tempel Wat Ratchasitaram, Thon Buri, Thailand).

Erleuchtung
→ **GEO** Dossier
Im Großeinsatz für den Glauben, Bd. 16

2, 17; 3, 5) – Wirkung der Frucht vom verbotenen Baum und bedeutet eine neue Stufe des Menschseins. Damit hat der Mensch den paradiesischen Zustand des Einsseins mit der Natur verlassen und durch das Unterscheidungsvermögen die Eigenverantwortlichkeit für sein Tun gewonnen.

Erlaßjahr, deutsche Bezeichnung für das →Jobeljahr.

Erleuchtung, lateinisch **Illuminatio,** das plötzliche Erkennen und Erfassen einer bis dahin verborgenen »Wahrheit«. Erleuchtung wird als eine existenziell erfahrene Erkenntnis beschrieben, in der sich das wahre Wesen der Wirklichkeit jenseits der Spaltung in Subjekt und Objekt erschließt, häufig als blitzartige Schau des Göttlichen, unmittelbares Aufleuchten, Licht, in diesem Sinn ähnlich der Vision. In den Religionen kann Erleuchtung Teil eines Erkenntnis- und Heilsweges sein: In der Mystik ist Erleuchtung die zweite (mittlere) Stufe (»via illuminativa«) des mystischen Weges zur Gotteserkenntnis (»unio mystica«).

Der Begriff der Erleuchtung entstammt dem A. T., wo Gott, sein Gesetz und die Predigt der Propheten »Licht« genannt werden. Im N. T. (z. B. Joh. 1, 9) erscheint Jesus als »das Licht« der Welt. Seit dem christlichen Philosophen Justinus Martyr (* um 100, † 165) wird die Taufe der Katechumenen (Taufbewerber, die als zu Erleuchtende gelten) als Erleuchtung bezeichnet.

Im Buddhismus gewann Buddha (der »Erleuchtete«) durch Erleuchtung (Sanskrit Bodhi) die Erkenntnis des Heils und damit den Weg zur Erlösung. Im Zen-Buddhismus soll durch Meditation Erleuchtung (japanisch Satori) und damit die Leere als das wahre Wesen der Dinge erfahren werden.

Erlöser, →Heiland.

Erlösung, lateinisch **Redemptio,** die Befreiung von religiös als Übel angesehenen Umständen oder Zuständen der Gemeinschaft oder des einzelnen Menschen.

Die frühen Volksreligionen kennen keine Erlösung des Einzelnen, wohl aber eine Erlösung des Volkes – so etwa in Israel, das den Messias als Erlöser des Volkes von der Fremdherrschaft erwartete. In den Universalreligionen dagegen findet der Einzelne sich in einem Zustand existenziellen Unheils, aus dem er erlöst zu werden wünscht. Den mystischen Religionen des Brahmanismus, Buddhismus, Hinduismus, den hellenistischen Mysterienreligionen sowie den gnostischen Religionsformen geht es daher – bei aller Verschiedenheit – darum, den Menschen aus seiner existenziellen Gebundenheit an die körperliche, individuelle, vergängliche und bisweilen geradezu als irreal angesehene Welt zu befreien und zum Aufgehen in einer überpersönlichen hl. Wirklichkeit oder zur Einheit mit Heilsgottheiten zu führen. Das Christentum und der Islam als prophetische Religionen sehen dagegen das Unheil in einer vom persönlichen Gott abgewandten Selbstbehauptung. Erlösung geschieht im Islam durch gesetzmäßiges Handeln und das Erbarmen Allahs, im Christentum durch das Heilswerk Christi und den Glauben.

In der *christlichen Theologie* ist Erlösung die Errettung der Welt von der →Sünde durch Jesus Christus (Matth. 1, 21; Joh. 3, 17). Jesus ist »um unseres Heiles willen« Mensch geworden und hat durch seinen Opfertod am Kreuz die Menschen aus der Verstrickung in die Sünde Adams (→Erbsünde) erlöst. Die Erlösung wurde durch seine Auferstehung und seine Himmelfahrt vollendet. Diese objektive Erlösung muss dem Menschen durch die →Rechtfertigung (subjektive Erlösung) zugewendet werden. Aus eigener Kraft kann er sich nicht von der Sünde frei machen.

Ernste Bibelforscher, bis 1931 Name der →Zeugen Jehovas.

Erntedankfest, kirchliches Fest nach der Ernte. Alte Vorbilder sind das Laubhüttenfest der Israeliten und entsprechende Erntedankfeste der Römer. Schon in der Reformationszeit (16. Jh.) wurde als Termin des Erntedankfests vielfach der Michaelistag (29. 9.) gewählt. Der Sonntag nach Michaelis wurde 1773 in Preußen als Tag des Erntedankfests übernommen (bestätigt 1836). Heute wird es allgemein am ersten Sonntag im Oktober gefeiert. Zur Feier in der Kirche werden auf dem Altar oder auf einem Beitisch Feldfrüchte ausgebreitet, die man anschließend verschenkt. Umstritten ist, ob das Erntedankfest an vorchristliche (germanische?) Dankopferriten anknüpft. In den USA entstand ein entsprechendes Fest am vierten Donnerstag im November (Thanksgiving Day).

Eros [griech.], *griechische Mythologie:* in der »Theogonia« des Hesiod der Gott der Liebe. Er wurde zugleich mit Erde (Gaia), Finsternis (Erebos) und Nacht (Nyx) aus dem Chaos geboren und gilt als einer der ältesten Götter. Andere Quellen bezeichnen ihn als Sohn des Ares und der Aphrodite und als einen der schönsten Götter. Einer seiner wenigen Kultorte war das böotische Thespiai, wo zu seinen Ehren auch Festspiele, die **Erotidien,** stattfanden. In Athen hatte er ein Heiligtum gemeinsam mit Aphrodite an der Nordseite der Akropolis. Als Sinnbild der Freundschaft und Liebe zwischen Jünglingen und Männern wurde er besonders in Gymnasien (Gymnastikstätten, die auch Mittelpunkt des geistigen Lebens waren) zusammen mit Anteros, dem Gott der Gegenliebe und Rächer verschmähter Liebe, verehrt. Eros selbst wird von der Liebe zu Psyche ergriffen. In hellenistischer Zeit erscheint er als Knabe, der mit seinen Pfeilschüssen Liebe erweckt. Im römischen Mythos entspricht dem Eros der Gott Amor.

Ersatzkönigtum, in der babylonisch-assyrischen und in der hethitischen Religion magischer Brauch der Einsetzung eines Scheinregenten, der in Zeiten der Not und Gefahr den Zorn der Götter auf sich lenken sollte.

Ersatzreligion, →Quasireligion.

Erscheinung, →Vision.

Erster Orden, *kath. Klosterwesen:* in großen Ordensfamilien mit verschiedenen Zweigen (Männer, Frauen, Laien beiderlei Geschlechts) Bezeichnung für den männlichen Zweig.

Erstes Testament, andere Bezeichnung für Altes Testament, →Bibel.

Erstgeburt, der rechtlich und religiös-kultisch begünstigte Erstling, besonders in der Antike und in Israel, dem ein Vorzugserbenrecht zustand. Im kultischen Opfer war die Erstgeburt des Viehs, v.a. des erstgeborenen männlichen Tieres, von besonderem Wert.

Erstkommunion, die erste, meist in einem festlichen Gemeindegottesdienst empfangene →Kommunion.

Erstlingsopfer, eine Form des →Opfers.

Erwählung, der Gedanke, aus Gnade zum Heil oder zur Gotteserkenntnis bestimmt zu sein. Er findet sich bereits in den Upanishaden Indiens, ebenso in den Gnadenreligionen des Shiva- und Vishnu-Glaubens. Die Erwählung kann sich – wie in Israel – auf ein ganzes Volk beziehen (→auserwähltes Volk), auf besondere schöpferische Einzelne wie etwa die Propheten, die eine →Berufung erleben (z.B. Moses, Jesaja und Jeremia sowie Mohammed). Erwählung kann sich auch allgemein auf die Fähigkeit des Glaubens beziehen, so im N.T.: »Viele sind berufen, wenige aber sind auserwählt« (Mt. 20, 16), oder im Koran: »Wen Gott leiten will, dem öffnet er die Brust zum Islam, und wen er irregehen lassen will, dem macht er eng das Herz und dumpf« (Sure 6, 125).

Der Gegenbegriff zu Erwählung ist →Verdammnis. Zur *christlichen Dogmatik* →Prädestination.

Erweckung, im religiösen Sprachgebrauch das spontane Erlebnis des Gewahrwerdens einer religiösen Orientierung und Motivation

---

Erlösung   Nirvana und Samsara

Das Nirvana ist die buddhistische Entsprechung zum christlichen Erlösungsgedanken. Oft wird es als die endgültige Wirklichkeit verstanden. Sein wesentliches Merkmal ist die Unbedingtheit, das heißt, es ist frei von Entstehen, Vergehen, Beständigkeit und Veränderung. Somit unterscheidet es sich vollkommen von dem bedingten Samsara, dem Kreislauf der Wiedergeburten bzw. der Welt, in der wir leben. Der Samsara bedeutet Leiden, verursacht durch das Verlangen. Das Nirvana aber ist das Ende des Leidens.

In der Wandelwelt des Samsara identifiziert sich der Mensch mit Bedingtem und strebt beständig danach, etwas zu erreichen oder zu besitzen. Dieses Verlangen verursacht Leiden und Unerfülltheit. In der Meditation soll er lernen, sein Ich von diesen bedingten Dingen abzuwenden. Der Weg der Erlösung ist also ein Weg der »Ent-Identifizierung« mit Bedingtem, an dessen Ende die Aufgabe unseres verlangenden Ichs steht. Die Auslöschung des Selbst soll das Eintreten des Unbedingten, des Nirvana, ermöglichen.

---

des gesamten eigenen Lebens, bis hin zur mystischen Verbindung mit Gott. Im ev. Bereich ist Erweckung meist gleichbedeutend mit Bekehrung.

Erweckungsbewegung, aus der methodisch betriebenen Erweckungspredigt entstandene innerprotestantische Erneuerungs- und Frömmigkeitsbewegung des 18./19. Jh., deren gemeinsames Element die Besinnung auf den biblischen Offenbarungsglauben und die spirituelle Opposition gegen den Rationalismus der Aufklärung ist. Die gefühlsbetonte Frömmigkeit der Erweckungsbewegung äußert sich v.a. in Strenge der Lebensführung, Lektüre und Verbreitung der Bibel (u.a. durch eigens dazu eingerichtete Bibelgesellschaften), Bildung von Konventikeln (religiösen Zusammenkünften auf privater Ebene) und Missionseifer, was oft zu Abspaltungen von der Kirche führte.

Nach Ansätzen bei den Quäkern im 17. Jh. setzte die erste große Erweckungsbewegung mit der Predigttätigkeit der Brüder John und Charles Wesley (*1703, †1791 bzw. *1706, †1788) in England ein. Diese Bewegung, der Methodismus (→Methodisten), griff von England aus nach Wales, Schottland und Irland über, wo dann überall von der anglikanischen Staatskirche unabhängige Gemeinschaften entstanden. In den Neuengland-Kolonien kam es durch die Bußpredigten von Jonathan Edwards (*1703, †1758) zur »großen« Erweckungsbewegung (Great Awakening), aus der eine Vielzahl von Freikirchen hervorging, die bis heute das religiöse Leben in den USA prägen.

In Skandinavien entstand eine Erweckungsbewegung, die pietistisch-herrnhutische Gedanken mit britischen Einflüssen verband und sich, anders als in Großbritannien und Neuengland, nicht von der Staatskirche trennte. Ausgangspunkt der schweizerischen Erweckungsbewegung wurde die Deutsche

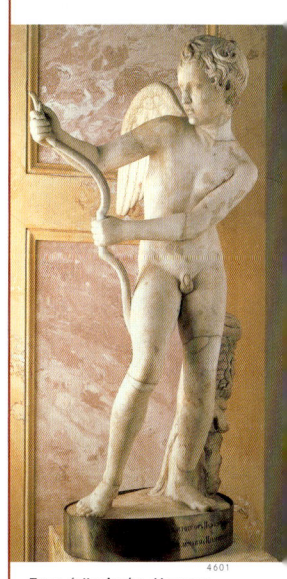

Eros (römische Marmorkopie nach einem griechischen Original von Lysipp, 3. Viertel des 4. Jh. n. Chr.; Sankt Petersburg, Eremitage).

Erweckungsbewegung
→ **GEO** Dossier
Im Großeinsatz für den Glauben, Bd. 16

Erzengel.
Zu den höchsten Wesen der himmlischen Hierarchie, den Erzengeln, gehört auch Michael, ursprünglich Schutzengel des Volkes Israel, im Neuen Testament Führer der Engel im Kampf gegen die Heere Satans (Ikone aus Jaroslawl).

Eschatologie.
Wie viele Religionen kennt auch das Christentum eine Lehre von den »letzten Dingen«, die sich vor allem auf die Apokalypse des Johannes gründet. Auf der Buchmalerei einer Sammelhandschrift (2. Drittel des 14. Jh.) sind die fürchterlichen Schrecken der Endzeit mit Krieg und Höllenstrafen dargestellt. Zielpunkt der Hoffnung ist das himmlische Jerusalem inmitten einer erneuerten Welt.

Erzbischof

Christentumsgesellschaft. Die französische Erweckungsbewegung (»réveil«) erneuerte die reformierte Kirche in Frankreich. Die Erweckungsbewegung in Deutschland erfasste und belebte v. a. den →Pietismus.

Erzbischof, lateinisch **Archiepiscopus,** in der *römisch-kath. Kirche* Amtstitel des Leiters einer Kirchenprovinz (Metropolit) oder eines Bischofs, der einer Erzdiözese vorsteht. Erzbischof ist auch ein vom Papst verliehener Ehrentitel einzelner Bischöfe.

Auch die *lutherischen Kirchen* in Schweden und Finnland kennen den Titel Erzbischof. In der *anglikanischen Kirche* ist der Titel Erzbischof in der Kirche von England mit den beiden Bischofssitzen in Canterbury und York, in der Kirche von Irland mit Armagh und Dublin verbunden.

In den *Ostkirchen* führt v. a. der Leiter einer autokephalen Kirche ohne Patriarchatsrang den Titel Erzbischof (z. B. in Zypern und in Griechenland).

Erzengel, in der Bibel die bedeutendsten Engel, die allen anderen vorangehen, z. B. Gabriel, Michael und Raphael. Daneben traten im Spätjudentum noch andere, von denen aber nur Uriel im altkirchlichen Schrifttum noch gelegentlich erwähnt wird. Fest der genannten Erzengel in der kath. Kirche: 29. 9. (Michaelistag).

Erzväter, von Martin Luther geprägte Bezeichnung für die Patriarchen, die Stammväter Israels: Abraham, Isaak und Jakob, nach erweitertem Sprachgebrauch auch die zwölf Söhne Jakobs als legendäre Ahnherren der Stämme Israels. Die Überlieferung 1. Mos. 12–36 zeichnet sie als nicht sesshafte Kleinviehnomaden in den Randzonen des palästinischen Kulturlandes.

Es|chatologie [zu griech. *éschata* »letzte Dinge«], die in verschiedenen prophetischen Religionen zentrale Lehre von einem am Ende der Weltgeschichte und nach einem Untergang der bisher bestehenden Welt (Weltende) neuen Zustand der Welt und des Menschen. Darüber hinaus meint Eschatologie die in unterschiedlicher Weise erwartete Erfüllung der religiösen Hoffnung: als »Wunderbarmachung« der Welt (Zarathustra), als messianisches Reich (Propheten Israels, Judentum), als Eintritt des Gottesreiches (Christentum), als Paradies (Islam) oder als verbessertes Weltzeitalter in Form einer Welterneuerung, sofern aufeinanderfolgende Weltperioden angenommen werden. Häufig besteht die Vorstellung, dass ein unmittelbar bevorstehendes Ende sich durch Zeichen andeutet (Endzeit). Daher werden Erwartungen darauf durch politisch-wirtschaftliche Krisenzeiten gefördert. Eine Sonderform der Eschatologie bildet die →Apokalyptik. Am Übergang in die neu erwartete Welt steht meistens ein Weltgericht, auch ein Götterkampf, eine Naturkatastrophe, z. B. Einsturz des Himmels, Herabfallen der Gestirne, Weltbrand.

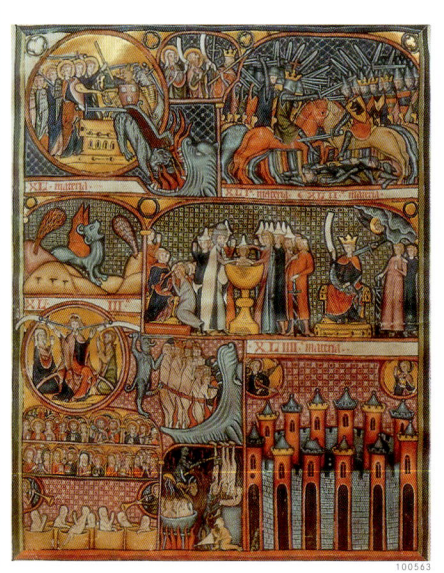

Die prophetische Eschatologie des A. T. ist als Heilsweissagung und Ankündigung des messianischen Friedensreiches Urbild der christlichen Eschatologie. Diese ist die Lehre von der Vollendung des Einzelnen **(Individualeschatologie)** und der ganzen Schöpfung **(Universaleschatologie).**

In der christlichen Theologie wird insbesondere der eschatologische Charakter der Verkündigung Jesu betont. Die tragenden Begriffe des Evangeliums, »Reich Gottes«, »neue Gerechtigkeit«, »Heil«, »Lohn« u. a., sind eschatologisch, d. h. auf die Endzeit bezogen. Dabei bleibt die Spannung zwischen dem mit Jesu Kommen schon angebrochenen und noch nicht vollendeten Gottesreich unaufhebbar.

Seit alters hat die Eschatologie durch Sonderlehren zu Auseinandersetzungen Anlass gegeben: Der Gedanke eines tausendjährigen Friedensreiches (→Chiliasmus) vor der Wiederkehr Christi hat in alter und neuer Gestalt das christliche Denken beschäftigt und die kirchliche Lehre zur Abwehr gerufen.

Esoterik, siehe Sonderartikel Seite 170.

Esra [hebr. »Hilfe«], **Ezra,** in der Vulgata **Esdras, 1)** Name eines Buches des A. T., nach der lateinischen Überlieferung (Vulgata) zweier Bücher, nämlich Esra und Nehemia (in der Vulgata: 2. Esdras). Beide sind Teile des chronistischen Geschichtswerks (→Chronik).

2) Name von vier apokryphen Büchern: Das dritte Buch Esra ist eine erweiterte griechische Fassung des kanonischen Buches Esra. Das vierte Buch Esra ist eine ursprünglich wohl hebräische, aber nur in Tochterübersetzung aus dem Griechischen erhaltene jüdische Apokalypse vom Ende des 1. Jh. nach Christus. Beim fünften Buch Esra (Vulgata: 4. Esra [Esdras], Kapitel 1/2) handelt es sich um eine lateinische Sammlung von Mahn- und Trostworten an die christliche Kirche aus der Zeit der Auseinandersetzungen mit dem Judentum (Ende des 2. Jh. n. Chr.). Das sechste Buch Esra (Vulgata: 4. Esra [Esdras], Kapitel 15/16) enthält eine lateinische Schilderung des Weltendes und Mahnungen zur christlichen Bewährung in der Verfolgung (2. oder 3. Jh. n. Chr.).

Essener [wahrscheinlich zu aramä. ḥasên »Frommer«], **Essäer**, eine von Philon von Alexandria und Josephus Flavius beschriebene jüdische Gemeinschaft von ordensähnlicher Verfassung. Sie entstand in der Zeit der Makkabäer (um 150 v. Chr.) und bestand bis zum Jüdischen Krieg (70 n. Chr.). Ein Teil ihres Schrifttums wurde am Toten Meer (→Qumran) entdeckt. Die Essener hielten den Tempel- und Opferdienst in Jerusalem für entartet. Es herrschte Gütergemeinschaft, für die engere Gemeinde auch Ehelosigkeit. Das Leben war bestimmt durch rigorose Disziplin, tägliche Waschungen, regelmäßigen Rhythmus von Gebet, Schriftauslegung, Mahlzeiten kultischen Charakters und Arbeit. Das Weltbild der Essener war dualistisch und eschatologisch: Gott und Belial, die Kinder des Lichts und der Finsternis, liegen im Kampf. Der letzte Krieg steht bevor, in dem die Macht Belials gebrochen wird.

Esther, persischer Name der jüdischen Jungfrau **Hadassa** (d. h. »Myrte«), der Pflegetochter des Mardochai in Susa. Esther vereitelte als Gemahlin des persischen Königs Ahasverus (Xerxes I., 486–465) einen Mordanschlag des Wesirs Haman gegen die Juden. Sie verhalf Mardochai zur Wesirswürde und ihren jüdischen Glaubensbrüdern zur blutigen Rache.

Das **Buch Esther** im A. T ist eine historische Novelle, doch mit zahlreichen geschichtlichen Ungenauigkeiten. Es dient zur Begründung des seit dem 2. Jh. v. Chr. in Palästina bezeugten →Purimfestes. Das Buch dürfte zwischen dem 4. und 1. Jh. v. Chr. und die griechischen Übersetzungen gegen Ende des 2. Jh. v. Chr. entstanden sein. Die griechischen und lateinischen Übersetzungen enthalten Zusätze zum hebräischen Original.

Esus, keltischer Gott, dessen Name und Bild auf einem gallorömischen Weihrelief aus Paris überliefert sind. Die Darstellung zeigt den Gott als bärtigen Mann in der Kleidung eines Handwerkers neben einem Laubbaum. Mit der Linken hält er den Baum am Stamm fest, während er mit der Rechten ausholt, um mit einer Hippe die Äste des Baums abzuhauen. Von Menschenopfern für Esus spricht der römische Dichter Lukan (*39 n. Chr., †65; »Bellum civile« 1, 444–446).

ethnische Religionen, andere Bezeichnung für die →Stammesreligionen.

etruskische Religion. Die etruskische Kultur ist vom 8. bis 1. Jh. v. Chr. in Mittelitalien westlich des Apennins, in der Poebene und in der Toskana fassbar. Vieles lässt darauf schließen, dass Religion für die Etrusker von zentraler Bedeutung war. Allerdings ist die älteste Schicht der etruskischen Religion kaum erkennbar, da aus der Frühzeit keine Tempel, Götterbilder und kaum Zeugnisse der offenbar reichen religiösen Literatur erhalten sind (mit Ausnahme der »Tabula Capuana«, einem Festkalender). Die erhaltenen Zeugnisse zeigen den Kult einer Führungsschicht, die italische und v. a. griechische Einflüsse und handwerkliche Produkte aufgriff und zu einer unterscheidbaren Kultur verschmolz. Die so genannte Bronzeleber von Piacenza, die der Unterweisung in der Leberschau diente, weist auf ein hoch entwickeltes, vielleicht aus dem Vorderen Orient stammendes Divinationswesen hin. Die höheren Götter wurden unter griechischem Einfluss personifiziert und verbildlicht, die niederen Götter und Dämonen zeigen eher chthonischen und unpersönlichen Charakter.

■ **Götter** Der oberste Gott Voltumna (Veltune; lateinisch Vertumnus) wurde als chthonischer Vegetationsgott, vielleicht sogar als Verderben bringender Dämon und schließlich als Kriegs- und Bundesgott verehrt. Seine Hauptkultstätte befand sich in Volsinii (am Bolsenasee im Latium). Die Liebesgöttin Turan, deren Name wahrscheinlich einfach »Herrin« bedeutet, wurde ab dem 6. Jh. v. Chr. mit der griechischen Aphrodite gleichgesetzt. Neben Voltumna standen der als bärtiger, väterlicher Gott oder als nackter Jüngling dargestellte, Blitze schleudernde Tin oder Tinia (entspricht Zeus/Jupiter), die meist als seine Gemahlin verstandene Stadtherrin Uni (Hera/Juno), die alte italische Göttin Menrva (Athene/Minerva) sowie der Vegetationsgott Maris und Nethuns (Poseidon/Neptun).

Diese alten oder sehr früh von den italischen Nachbarn übernommenen höheren Gottheiten wurden durch Rezeptionen aus dem griechischen Pantheon vermehrt: Hercle (Herakles/Hercules), Artumes oder Aritimi (Artemis/Diana), Aplu oder Apulu (Apoll), Fufluns (Dionysos/Bacchus), Sethlans (Hephaistos/Vulcanus), Laran (Ares/Mars) und Turms (Hermes/Mercurius). Doch mögen auch hier ursprünglich etruskische Gottheiten in den neuen aufgegangen sein. Von den niederen Göttern sind an erster Stelle die männlichen und weiblichen, wahrscheinlich aus der sexualbetonten Vorstellung des »Genius« entstandenen Geister der Lasa zu erwähnen, die das Diesseits und Jenseits bevölkern und zugleich Geschlechtssymbole verkörpern. Göttergruppen sind nach späteren systematischen Darstellungen die zwölf Di consentes (→Di) oder Di complices, die als grausame und namenlose Berater des Tinia galten, dann die in vier Klassen eingeteilten →Penaten, die →Laren, →Manen und Blitze schleudernden Novensiles.

■ **Kultus** Die Beziehungen der Menschen zu den Göttern wurden nach bestimmten

Fortsetzung S. 172

Essener
→ GEO **Dossier**
Wer war Jesus?, Bd. 15

etruskische Religion. Personal vorgestellte Götter kamen erst mit dem Einfluss der griechischen Kultur auf, wie z. B. Turms, der dem griechischen Hermes entspricht (»Kopf des Hermes«, 500 v. Chr.).

Esoterik

Esoterik
→ GEO Dossier
Warum glaubt der Mensch?, Bd. 15

Esoterik
→ GEO Dossier
Glaube, Liebe, Hoffnung?, Bd. 15

Der um 1870 erstmals verwendete Begriff der Esoterik wird heute in doppeltem Sinn gebraucht: zum einen als Sammelbezeichnung für okkulte Praktiken, Lehren und Weltanschauungsgemeinschaften, zum anderen für »innere Wege«, bestimmte spirituelle Erfahrungen zu erlangen, die von einer bloß »äußeren« Befolgung von Dogmen und Vorschriften zu unterscheiden sind. Der Begriff Esoterik leitet sich ab von dem griechischen Adjektiv »esoterikos«, mit dem zunächst die Insider griechischer Philosophenschulen und deren Lehren bezeichnet wurden.

Geheimlehre und Einweihungsweg

Mit Esoterik werden, anknüpfend an die oben bezeichnete Tradition, Geheimlehren bezeichnet, die nur für einen ausgewählten Kreis von Menschen zugänglich sein sollten und nicht für die breite Öffentlichkeit bestimmt waren. Esoterische Traditionen finden sich in allen Kulturen. Ungeachtet ihrer Verschiedenheit zeichnen sich esoterische Gemeinschaften durch eine Reihe von Übereinstimmungen aus: 1) Die Lehren und die in der Gemeinschaft praktizierten Rituale wurden über Jahrhunderte hinweg in einer Kette von Meister zu Meister überliefert. 2) Die Mitglieder müssen Schweigen über alles Gesehene, Gehörte und Erkannte bewahren. 3) Der Aufnahme in eine esoterische Gemeinschaft geht eine Zeit der Prüfung bzw. Selbstprüfung voraus, in welcher der Neuling unter Leitung eines Meisters oder Gurus das Wissen der Gemeinschaft und ihr Mysterium erleben soll. 4) Instruktion oder Belehrung. Der Initiierte wird mit den esoterischen Lehren vertraut gemacht. 5) Ritus oder symbolhaftes Handeln. Um die Geheimhaltung und den Schutz des esoterischen Wissens vor Missbrauch vonseiten Fremder zu bewahren, werden Bilder und Symbole, auch Geheimschriften verwendet. So waren etwa die Aufzeichnungen der Essener, einer vorchristlichen jüdischen Gemeinschaft, in einer Art Geheimschrift verfasst, bei der die Buchstabenfolge umgedreht wurde. Hauptquellen der traditionellen Esoterik sind die alten Weisheitslehren sowohl des Fernen Ostens als auch des Westens, die bis zu den Griechen und den Ägyptern zurückreichen. Alle großen Religionen kennen neben ihren bekannte Lehren esoterische Traditionen, zum Beispiel das Christentum Gnosis und Mystik, das Judentum die Kabbala, der Islam den Sufismus, der Buddhismus die tantrischen Lehren. Auch der Orient, Stämme in Ozeanien, Afrika und die Ureinwohner Nord- und Südamerikas (Indianer) haben ein uraltes geheimes Wissen, das über viele Generationen hinweg tradiert wurde und heute von der modernen Esoterik entdeckt wird.

Beschwörend hebt eine Hellseherin ihre Hände über eine Kristallkugel und die danebenliegenden Tarotkarten, die sie für einen Blick in die Zukunft zurate zieht.

Inhalte esoterischer Traditionen

»Das Untere ist gleich dem Oberen und das Obere ist gleich dem Unteren«, lautet ein von dem legendären Weisen Hermes Trismegistos formuliertes Grundprinzip der Esoterik. Ein weiteres auf Hermes Trismegistos zurückgehendes Grundprinzip der Esoterik lautet, dass alles in der Welt in

Gegensätzen gestaltet ist: männlich–weiblich, positiv–negativ, hell–dunkel sind Beispiele dafür, dass die Phänomene jeweils in polaren Aspekten in Erscheinung treten. Wenn sich die Gegensätze verbinden, entsteht eine neue, höhere Einheit. Das bewusst erlebte Ich gilt in der Esoterik als die vergängliche Persönlichkeit des Menschen. Im Gegensatz dazu stellt das höhere »Selbst« die eigentliche Individualität von Ewigkeit her dar. Tugenden, wie sie im Buddhismus, im Christentum und den anderen großen Religionen beschrieben sind, wie Geduld, Nächstenliebe und Gewaltlosigkeit und das Nichtverletzen in der indischen Tradition (Ahimsa) sollen nicht nur den zwischenmenschlichen Umgang prägen, sondern auch das Verhältnis zu den Dingen, zu Tieren und Pflanzen, zur Natur insgesamt bestimmen.

Die moderne Esoterikszene

Kennzeichnend für die moderne Esoterik ist, dass sie nur sehr wenig Wert auf Geheimhaltung legt. Durch Medien, Zeitschriften und einen reichhaltigen Buchmarkt ist sie einer breiten Öffentlichkeit zugänglich. Zudem hat sie sich in den westlichen Industrieländern zu einem lukrativen, weiterhin wachsenden Markt entwickelt. Praktiken der östlichen Traditionen wie Hatha-Yoga, Tai-Chi und Qigong sind Bestandteil des Programms vieler Volkshochschulen. Auf Wochenendkursen kann man lernen, mit seinem Schutzengel in Berührung zu kommen, Einweihungen in Reiki erfahren, an Schwitzhüttenzeremonien in indianischer Tradition teilnehmen, über glühende Kohlen laufen oder germanische Runenkunde und keltische Druidenweisheiten kennenlernen.

Für viele Menschen vermögen die christlichen Kirchen keine befriedigenden Antworten mehr auf existenzielle Erfahrungen wie Alter, Krankheit, Tod und Lebenskrisen zu bieten. Beklagt werden die Sinnentleerung unserer Zeit und der Verlust der Menschlichkeit unter dem Primat von Rationalisierung, Intellektualismus und Technologie. Eine Folge davon ist die Hinwendung zu den östlichen Religionen, zu gesellschaftlichen Ersatzritualen und neuerdings zu esoterischen Praktiken aus allen Kulturen. Zulauf finden etwa Sonnenwendfeiern, Vollmondfeiern, Heilungsrituale und Meditationsveranstaltungen. Als attraktiv gilt auch der zeitweilige Aufenthalt in einem Zen-Kloster, einem indischen Ashrama oder einer anderen spirituellen Gemeinschaft. Ein Trend zu wachsender Kommerzialisierung der Esoterik zeigt sich darin, dass »Klienten« manchmal innerhalb kürzester Zeit selbst als Therapeuten oder Anbieter tätig werden – augenscheinlich ohne zureichende Schulung. Solche Entwicklungen findet man außer bei Therapeuten bei Kartenlegern, Hellsehern, Astrologen, »esoterischen Lebensberatern« und Heilern. In vielen Bereichen fehlen bisher den konventionellen Berufen vergleichbare Regelungen für Ausbildungsgänge und -zeiten und Normen für berufliche Qualifizierung, Niederlassung sowie Titelschutz. Manchmal werden bewusstseinswirksame Praktiken, z. B. bestimmte Meditationstechniken, aus den ursprünglichen kulturellen und religiösen Zusammenhängen herausgelöst. Ihre unvorbereitete Anwendung kann Gefahren für die seelisch-geistige Gesundheit mit sich bringen. Eine Verkehrung der Esoterik liegt vor, wenn sie als Flucht vor der Realität verwendet wird.

Die Alchimie gilt als eine »hermetische Wissenschaft«, auf die sich die Esoterik gerne bezieht. Die Radierung von 1625 zeigt einen Alchimist bei der Bearbeitung des Steins der Weisen, einer Substanz mit der Fähigkeit, unedle Metalle in Gold oder Silber zu verwandeln.

Eucharistie

Fortsetzung von S. 169

Gesetzen geregelt und der Wille der Götter nach bestimmten Regeln erforscht, die bei den Römern zusammen die Bezeichnung »disciplina etrusca« trugen und z. T. in uralten Büchern (»libri acheruntici«, »fulgurales« und »agrimensores«) niedergelegt waren, die der aus der Erde gepflügte Knabe Tages den Etruskern gebracht haben soll und von der Priesterschaft der Haruspices, die sich aus dem Adel rekrutierten, gepflegt wurden. Darin waren Vorschriften über die Beobachtung des Vogelfluges (Auguraldisziplin), des Blitzschlages (Fulguraldisziplin) und der Eingeweideschau von Opfertieren (Haruspizien) enthalten. Ferner gehörte dazu die Lehre von den für Menschen und Völker festgesetzten Zeiten, den »saecula« von etwa 120 Jahren Dauer, von denen nach etruskischer Anschauung den Etruskern selbst acht oder zehn, den Römern aber zwölf zugemessen waren. Die gleiche Einteilung in feste Zonen begegnet bei der Festlegung bestimmter Bezirke in der Leber von Opfertieren.

Eucharistie.
Die christliche Feier der Eucharistie (hier im Dom zu Altenberg) wird auch als »Herrenmahl« bezeichnet, da sie an das letzte Mahl Jesu Christi mit seinen Jüngern am Abend vor seiner Gefangennahme erinnert. Mit der Darreichung von Brot und Wein als Leib und Blut Christi wird der Bund Gottes mit den Menschen erneuert und die Universalität des Heils für die ganze Gemeinde betont.

Eucharistie [griech. »Danksagung«], Begriff für das →Abendmahl der Kirche, der sich seit dem Ausgang des 1. Jh. durchgesetzt hat und im Bereich der *ostkirchlichen* und *kath. Theologie* (hier auch als Altarsakrament bezeichnet) bis heute bestimmend ist. In den *ev. Kirchen* verwendet man den Ausdruck Abendmahl.

■ **Geschichte** Der Begriff Eucharistie knüpft an die jüdische Tischdanksagung, den dankenden Lobpreis Gottes für Brot und Wein (hebräisch běrakā), an, geht dann aber vom Gebet auf die ganze Handlung und besonders auf die gesegneten Gaben Brot und Wein über. Die Eucharistie ist eine liturgische Doppelhandlung, nämlich Segnung sowie Austeilung und Genuss von Brot und Wein. Sie war ursprünglich mit einem Sättigungsmahl verbunden. Das eucharistische »Hochgebet«, an dem nur die getauften Gemeindemitglieder teilnehmen durften, wurde vom Vorsteher der Gemeinde in freier charismatischer Rede formuliert.

■ **Liturgie** Erst seit dem 4. Jh. bildeten sich, v. a. an den Patriarchatssitzen, feste liturgische Typen heraus. Inhalt des **eucharistischen Hochgebets** (ostkirchlich: Anaphora, westkirchlich: Kanon) ist der Lobpreis der Erlösung, sein Höhepunkt der Einsetzungsbericht vom Abendmahl Jesu mit der Konsekration der eucharistischen Gaben. Darauf folgt die Anamnese, die nach kath. Auffassung zum Ausdruck bringt, dass die Eucharistie wesentlich Gedächtnis des Erlösungswerkes Christi und das durch die Darbringung der Kirche vergegenwärtigte Opfer Christi (daher auch »Messopfer« als Bezeichnung für die Eucharistie ist. Meist schließt sich die →Epiklese an. Es folgen die Brechung des Brotes und die Austeilung der Elemente. In den Ostkirchen und den Kirchen der Reformation werden beide Elemente ausgeteilt (wie in der Urkirche), in der lateinischen Kirche seit dem Hochmittelalter nur die Hostie. Seit dem 2. Vatikanischen Konzil ist auch hier die Kommunion unter beiderlei Gestalten wieder möglich.

■ **Theologie** Die kath. Lehre sieht in der Eucharistie die in der Eucharistiefeier mittels der Konsekration erwirkte, als wahrhaft, wirklich und wesentlich verstandene Gegenwart des erhöhten Gottmenschen Jesus Christus mit Leib und Blut unter den Gestalten von Brot und Wein, und zwar ganz unter jeder Gestalt. Die Ausbildung dieser Eucharistielehre reicht zurück bis ins christliche Altertum. Die frühmittelalterlichen Abendmahlsstreitigkeiten (Rathramnus von Corbie, † nach 868; Berengar von Tours, * um 1000, † 1088) waren Versuche, die übertriebene Ausdehnung der allmählich als raumlos, geistig verstandenen eucharistischen Gegenwart auf den physischen Leib Jesu abzuwehren.

Die spätmittelalterliche Lehre John Wycliffes hingegen, dass die Substanzen von Brot und Wein trotz der Konsekration bestehen blieben, und ihre Verurteilung durch das Konzil von Konstanz (1415) bereiteten schon die auf dem Konzil von Trient vollzogene (1551), zunächst abschließende Fassung der eucharistischen Gegenwart Christi als →Transsubstantiation vor. In der Gegenwart treten neue dogmatische Theorien der Wandlung auf: die Lehre von der Transsignifikation, d. h. vom Bedeutungswandel der Elemente, sowie die Lehre von der Transfinalisation, d. h. vom Bestimmungswandel der Elemente, die durch die Konsekration an Brot und Wein vollzogen werde.

Die Realpräsenz des Leibes und Blutes Christi wird in der griechischen Patristik als sakramentale Inkarnation des Logos in den Elementen Brot und Wein, in der lateinischen Scholastik als Transsubstantiation oder Wesenswandlung der Gaben in Jesu Leib und Blut, von den Lutheranern als »Konsubstantiation«

oder »Koexistenz« des Leibes und Blutes in, mit und unter den Gestalten Brot und Wein erklärt.

Die Heilskraft der Eucharistie wird den Gläubigen schon durch die Teilnahme an der Messe zugewendet, v. a. aber durch den Genuss der Eucharistie in der Kommunion. In ihr bewirkt das durch Jesus Christus beim letzten Abendmahl eingesetzte äußere Zeichen die innere Gnade, sodass die Eucharistie auch ein Sakrament ist, und zwar das zentrale Sakrament des christlichen Kultes. Nach kath. Auffassung werden die eucharistischen Gestalten mit der Konsekration zu einem fortdauernden Sakrament (Altarsakrament), das auch außerhalb der Messe durch den Kultus der Anbetung geehrt werden muss und empfangen werden kann.

Eumeniden, *griechische Mythologie:* andere Bezeichnung für die →Erinnyen.

Eumolpos, im griechischen Mythos (neben Keleos) der Stifter der Eleusinischen Mysterien (→Eleusis). Von ihm leiteten sich die **Eumolpiden** ab, das vornehmste eleusinische Priestergeschlecht, das das Priesteramt der Hierophanten bis in die späte Kaiserzeit verwaltete.

Euphrosyne, *griechische Mythologie:* eine der Chariten, die Göttin des Frohsinns.

Eusebios von Caesarea, Kirchenhistoriker, * Palästina um 263, † 339; war seit 313 Bischof von Caesarea Palaestinae, wurde vorübergehend abgesetzt, jedoch 325 auf dem Konzil von Nicäa rehabilitiert. Er verfasste die erste Kirchengeschichte, die durch zahlreiche Zitate aus verloren gegangenen altchristlichen Schriften als Quellenwerk wertvoll ist.

Eva ['e:va, 'e:fa], in der Vulgata **Heva,** beim Jahwisten (1. Mos. 3, 20; 4, 1) der kollektiv zu verstehende Name der Frau des ersten Menschen Adam, der Mutter Kains und Abels und Stammmutter des Menschengeschlechts. Der biblische Schöpfungsbericht erzählt Evas Erschaffung aus dem Mann, d. h. das Einssein von Mann und Frau, die Verführung beider durch das Böse und ihre Bestrafung (→Adam und Eva).

evangelikale Bewegungen, international einflussreiche, Konfessionsgrenzen überschreitende konservative Strömungen innerhalb des Protestantismus, die den Missionsauftrag in das Zentrum christlichen Selbstverständnisses stellen. Ihre Wurzeln liegen u. a. in Pietismus, Methodismus und der Erweckungsbewegung. Charakteristisch für die evangelikalen Bewegungen sind eine christozentrische Frömmigkeit sowie die Betonung persönlicher Glaubenserfahrung (Bekehrung), verbindlicher Gemeinschaftsbildung und missionarischer und evangelistischer Aktivitäten. Organisatorischen Ausdruck finden die Bewegungen u. a. in der »Evangelischen Allianz« und der »Lausanner Bewegung«.

Evangelisation, ursprünglich Bezeichnung für jede Verkündigung des Evangeliums, dann in den ev. Kirchen für das Bemühen um die Bevölkerung in kath. Gebieten. Heute meint Evangelisation die Erstverkündigung im Unterschied zur regelmäßigen Gemeindepredigt. Evangelisation will den Hörern die Botschaft des ganzen Evangeliums in elementarer Form vermitteln und den Nichtchristen Angebot des christlichen Glaubens sein. Das weitgehend säkularisierte Europa der Gegenwart wird dabei als »Missionsland« angesehen. Weltweit werden die Evangelisationen v. a. von der charismatischen Bewegung und der Pfingstbewegung sowie den ev. Freikirchen getragen.

evangelisch, Abk. **ev.,** aus dem Evangelium (oder den Evangelien) stammend, dem Evangelium in Glaube und Lebensführung entsprechend. Martin Luther schlug »evangelisch« 1521 als Bezeichnung für die Anhänger der reformatorischen Lehre vor. Seit den innerprotestantischen Unionen des 19. Jh. wird dieses Wort zur Selbstbezeichnung zahlreicher Unionskirchen verwendet. In der Gegenwart hat die Bezeichnung »evangelisch« weithin die (teilweise als polemisch empfundene) Bezeichnung »protestantisch« ersetzt.

Evangelische Brüder-Unität, die →Brüdergemeine.

Evangelische Kirche der Union, Abk. **EKU,** von 1954 bis 2003 bestehender institutioneller Zusammenschluss evangelischer Kirchen lutherischer und reformierter Tradition; am 1. 4. 1954 hervorgegangen aus der »**Evangelischen Kirche der altpreußischen Union**« (der 1817 vollzogenen Vereinigung der lutherischen und reformierten Kirchen in Preußen), am 1. 7. 2003 eingegangen in die neu gebildete →Union Evangelischer Kirchen (UEK) innerhalb der EKD. Die EKU bildete eine Union von sieben selbstständigen Landeskirchen: Evangelische Landeskirche Anhalts, Evangelische Kirche in Berlin-Brandenburg, Evangelische Kirche der schlesischen Oberlausitz, Pommer-

---

Evangelisation. Durch seine Evangelisationen von Massen weltweit bekannt wurde der amerikanische Erweckungsprediger Billy Graham (hier vor ca. 80 000 Zuhörern im Berliner Olympiastadion 1957). Dabei will er den Menschen sein biblisches - von Kritikern »fundamentalistisch« genanntes - Christentum nahebringen. In Deutschland predigte er zuletzt 1993 im Rahmen der weltweiten Satelliten-Evangelisation »Pro Christ« in Essen.

evangelikale Bewegungen
→ **GEO** Dossier
Glaube, Liebe, Hoffnung?, Bd. 15

evangelikale Bewegungen
→ **GEO** Dossier
Im Großeinsatz für den Glauben, Bd. 16

Evangelische Kirche in Deutschland

Evangelische Kirche in Deutschland. Seit 1949 finden in der Regel alle zwei Jahre evangelische Kirchentage statt, Großveranstaltungen, auf denen Laien und Theologen die aktuellen Themen der Kirche und des Glaubens diskutieren. Beim Abschlussgottesdienst des 29. Deutschen Evangelischen Kirchentages im Waldstadion von Frankfurt am Main waren ca. 70 000 Gläubige anwesend.

sche Evangelische Kirche, Evangelische Kirche im Rheinland, Evangelische Kirche der Kirchenprovinz Sachsen, Evangelische Kirche von Westfalen.

Evangelische Kirche in Deutschland, Abk. **EKD,** der rechtliche Überbau der evangelischen Landeskirchen in Deutschland. Die EKD vereint 23 lutherische, reformierte und unierte Kirchen. Der EKD angeschlossen sind die Evangelische Brüder-Unität in Deutschland (→Brüdergemeine) und der Bund evangelisch-reformierter Kirchen Deutschlands. Die EKD ist ein Kirchenbund, dessen rechtliche Grundlage die am 3. 12. 1948 in Kraft gesetzte Grundordnung bildet. Mit (2004) rund 25,6 Millionen Mitgliedern in rund 16 200 Kirchengemeinden umfassen die EKD-Gliedkirchen den größten Teil der evangelischen Christen in Deutschland. Zusammenschlüsse von Gliedkirchen innerhalb der EKD sind die Vereinigte Evangelisch-Lutherische Kirche Deutschlands (VELKD) und der Reformierte Bund und waren bis zur Gründung der →Union Evangelischer Kirchen (UEK) als neuen Zusammenschlusses der unierten und reformierten Gliedkirchen (2003) die →Evangelische Kirche der Union (EKU) und die Arnoldshainer Konferenz.

■ **Selbstverständnis und Aufgaben** Die Gliedkirchen der EKD im früheren Bundesgebiet verstehen sich – nach wie vor – als Volkskirchen, d. h. als Kirchen, denen ein großer (überwiegender) Teil der Bevölkerung »nach Herkommen und Gewohnheit« angehört und deren Verkündigung und kirchliche Arbeitsfelder insgesamt auf diesen Großteil der Bevölkerung ausgerichtet sind. In den neuen Bundesländern, wo nur (noch) rund 20% der Bevölkerung einer EKD-Gliedkirche angehören (1946: 81,5%), sind die evangelischen Landeskirchen heute Minderheitskirchen, die ihren volkskirchlich ausgerichteten Verkündigungsanspruch jedoch aufrechterhalten. Die EKD ist im Verhältnis zu ihren Gliedkirchen mit eher geringen Kompetenzen ausgestattet, insbesondere sind alle Glaubens- und Bekenntnisfragen den Gliedkirchen vorbehalten. Hauptaufgabe der EKD ist es, die Gemeinschaft unter den Gliedkirchen zu fördern. Sie vertritt die gesamtkirchlichen Anliegen gegenüber allen Inhabern öffentlicher Gewalt und arbeitet in der ökumenischen Bewegung mit. Gesetzliche Bestimmungen mit Wirkung für die Gliedkirchen kann die EKD nur mit deren Zustimmung erlassen.

■ **Organe** Die **Synode der EKD** hat 120 Mitglieder, von denen 100 durch die Synoden der 23 Gliedkirchen gewählt und 20 vom Rat der EKD berufen werden. Sie hat die Aufgabe, kirchliche Gesetze zu beschließen, Stellungnahmen zu kirchlichen und gesellschaftlichen Fragen abzugeben und dem Rat der EKD Richtlinien zu geben. Im Einzelnen wird die Sacharbeit durch verschiedene Ausschüsse wahrgenommen. Die Synode tritt in der Regel einmal jährlich zu einer ordentlichen Tagung zusammen. Ihre Legislaturperiode dauert sechs Jahre.

Die **Kirchenkonferenz** wird von den Kirchenleitungen der Gliedkirchen gebildet. In ihr haben Gliedkirchen mit mehr als zwei Millionen Kirchenmitgliedern zwei Stimmen, die anderen Gliedkirchen eine Stimme. Die Kirchenkonferenz hat die Aufgabe, die Arbeit der EKD und die gemeinsamen Anliegen der Gliedkirchen zu beraten und Vorlagen oder Anregungen an die Synode und den Rat zu geben. Sie wirkt bei der Gesetzgebung mit und wählt gemeinsam mit dem Rat den Ratsvorsitzenden. Vorsitzender der Kirchenkonferenz ist stets der Ratsvorsitzende.

Der für die Dauer von sechs Jahren gewählte **Rat der EKD** leitet die EKD und vertritt sie nach außen. Ihm gehören 15 Mitglieder (Laien und Theologen) an. 14 werden von der Synode und der Kirchenkonferenz auf sechs Jahre gewählt, 15. Mitglied ist der Präses der Synode kraft seines Amtes. Der Rat nimmt in verschiedenen Formen – z. B. Denkschriften und öffentlichen Erklärungen – zu Fragen des religiösen und gesellschaftlichen Lebens Stellung. Dabei bedient er sich der Beratung durch Kammern und Kommissionen, die aus sachverständigen kirchlichen Persönlichkeiten gebildet werden.

Die Verwaltung der EKD erfolgt durch das **Kirchenamt der EKD,** das seinen zentralen Sitz in Hannover hat und von einem Kollegium unter dem Vorsitz eines Präsidenten geleitet wird. Eine Außenstelle des Kirchenamtes besteht in Berlin. In Berlin ist die EKD auch durch einen Bevollmächtigten des Rates der EKD bei der Bundesrepublik Deutschland vertreten, der sie zugleich bei der Europäischen Gemeinschaft in Brüssel vertritt.

■ **Kirchenmitgliedschaft** Der einzelne evangelische Christ ist Mitglied seiner Gemeinde und seiner Landeskirche, Mitglieder

Evangelische Kirche in Deutschland

der EKD sind allein die Gliedkirchen. Die Mitgliedschaft ist an Taufe und Wohnsitz geknüpft: Wer in einer evangelischen Landeskirche die Taufe empfangen und seinen Wohnsitz im Bereich einer EKD-Gliedkirche hat, ist damit automatisch Mitglied dieser Kirche. Verlegt er seinen dauernden Wohnsitz in das Gebiet einer anderen EKD-Gliedkirche, so wird er dort Kirchenmitglied. Im Unterschied zu den →Freikirchen erheben die Gliedkirchen der EKD von ihren Mitgliedern Kirchensteuer.

■ **Geschichte** Der erste Versuch eines größeren Zusammenschlusses der seit der Reformation entstandenen Landeskirchen führte 1848 in Wittenberg zu einem Kirchentag, einer Konferenz kirchlicher Organe. Ihm folgte 1852 die Gründung der **Eisenacher Konferenz** (regelmäßige Beratungen über Einigungsbestrebungen), aus der 1903 der **Deutsche Evangelische Kirchenausschuss** als ständiges Organ der evangelischen Landeskirchen hervorging. Deren rechtliche und organisatorische Selbstständigkeit blieben jedoch erhalten, auch als 1918 mit dem politischen Wandel das landesherrliche Kirchenregiment und das Staatskirchentum zu Ende gegangen waren. 1919 kam es zum Zusammenschluss im **Deutschen Evangelischen Kirchentag**, der 1921 die Ver-

Evangelische Kirche in Deutschland
→ GEO Dossier
Glaube, Liebe, Hoffnung?, Bd. 15

Evangelische Kirche in Deutschland. Gliedkirchen

Evangelist.
Als Evangelisten werden die Verfasser der vier Evangelien im Neuen Testament bezeichnet. Hergeleitet von einer Vision des prophetischen Buches Ezechiel, wurden ihnen bereits im 2. Jh. durch Ignatius von Antiochia Symbole zugeordnet: ein Engel oder Mensch dem Matthäus, der Löwe Markus, der Stier Lukas und der Adler dem Johannes (Handschrift, Ende des 8. Jh.; Trier, Domschatz).

Evangelium
→ GEO **Dossier**
Wer war Jesus?, Bd. 15

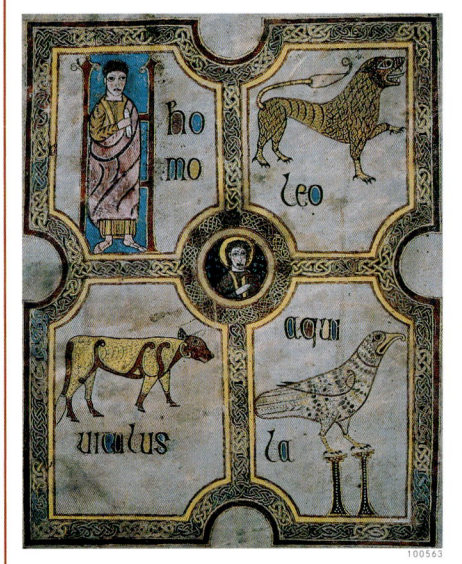

evangelische Soziallehre

fassung des **Deutschen Evangelischen Kirchenbundes** annahm, der schließlich 1922 von allen deutschen Landeskirchen geschlossen wurde. Die Bemühungen um einen engeren Zusammenschluss führten erst 1933 mit der Gründung der **Deutschen Evangelischen Kirche** zum Ziel. Kurz darauf griff jedoch das nationalsozialistische System in das innere Leben der Kirche ein, um aus der Deutschen Evangelischen Kirche eine dem nationalsozialistischen Regime willfährige Staatskirche zu machen (→Deutsche Christen).

Als Gegenbewegung gegen die damit verbundenen Versuche der Verfälschung von Lehre und Verkündigung entstand die →Bekennende Kirche (→Kirchenkampf). Die Neuordnung der Gesamtkirche wurde nach dem Zusammenbruch 1945 unter dem Namen **Evangelische Kirche in Deutschland** verwirklicht. Zur Gründungsversammlung der EKD wurde die Kirchenversammlung in Treysa, zu der der württembergische Landesbischof Theophil Wurm (* 1868, † 1953) als Begründer des »Kirchlichen Einigungswerkes« die Leitungen der evangelischen Landeskirchen eingeladen hatte. Die Versammlung setzte einen »vorläufigen Rat« ein, dessen Vorsitzender Bischof Wurm wurde. Die ebenfalls beschlossene vorläufige Ordnung wurde 1948 durch die Grundordnung der EKD abgelöst.

Die acht Landeskirchen auf dem Gebiet der sowjetischen Besatzungszone und späteren DDR gehörten zunächst zur EKD. 1969 schieden sie rechtlich aus und bildeten einen eigenen Zusammenschluss, den **Bund der Evangelischen Kirchen in der DDR,** hielten jedoch ausdrücklich an der (über das Maß allgemeiner ökumenischer Beziehungen hinausgehenden) »besonderen Gemeinschaft der ganzen ev. Christenheit in Deutschland« fest. Im Februar 1991 beschlossen die Synoden des BEK und der EKD ein Kirchengesetz zur Wiederherstellung der Einheit der EKD, das – nach Zustimmung der Synoden der Gliedkirchen der BEK – in Kraft trat. Am 28. 6. 1991 traten die ostdeutschen Landeskirchen auf der EKD-Synode in Coburg der EKD wieder bei.

evangelische Soziallehre, Sammelbezeichnung für die biblisch begründete und zu begründende Sozialgestalt des Christentums in den reformatorischen Kirchen. Im Unterschied zur kath. Soziallehre bezieht sie sich nicht auf unveränderliche naturrechtliche Strukturen der Gesellschaft, da das Christentum nach ev. Auffassung keine »aus seiner religiösen Idee unmittelbar entspringende Sozialtheorie« hat. So stellt sich die evangelische Soziallehre historisch dar, z. B. als calvinistische Wirtschafts- oder lutherische Ordnungsethik (mit Zweireichelehre, Berufs- und Dreiständelehre als wichtigen Elementen), die in der orth. Theorie der »Eigengesetzlichkeit« von Staat, Nation und Wirtschaft zum »Zusammenbruch des Luthertums als Sozialgestaltung« führte.

Das im Luthertum vorherrschende statische Ordnungsdenken wich mit dem Aufkommen der Industrialisierung und der damit verbundenen sozialen Probleme einem dynamischen Denken, sodass sich evangelische Soziallehre heute als Verhaltenshilfe in der »nachchristlichen Gesellschaft« versteht. Als Basis verbindlicher Aussagen bietet sich ihr der Begriff der Verantwortung an in einem Raum, in dem Christen und Nichtchristen zusammenleben und ihr Leben in Familie, Staat, Recht und Wirtschaft im Sinne der Humanität ordnen müssen.

evangelisch-lutherisch, lutherisch, Konfessionsbezeichnung der ev. Kirchen lutherischer Prägung und ihrer Mitglieder (→lutherische Kirchen, →Luthertum).

evangelisch-reformiert, reformiert, Konfessionsbezeichnung der Glieder reformierter Kirchengemeinschaften (→reformierte Kirchen).

Evangelist, seit dem 3. Jh. Bezeichnung für die (angenommenen) Verfasser der vier Evangelien: Matthäus, Markus, Lukas und Johannes. In der christlichen Urgemeinde war Evangelist die Bezeichnung für Mitarbeiter der Apostel. Heute werden auch Prediger in den ev. Freikirchen als Evangelisten bezeichnet (→Evangelisation).

In der Kunst werden die vier Evangelisten seit dem 5. Jh. mit den aus den Visionen des Ezechiel (Ez. 1,10) und der Apokalypse (Apk. 4,7) stammenden Flügelwesen als **Evangelistensymbole** dargestellt: Löwe für Markus, Mensch für Matthäus, Stier für Lukas und Adler für Johannes.

Evangelium [griech. evangélion »frohe Kunde«, »Heilsbotschaft«], in der Antike die Siegesbotschaft oder der Gottesspruch eines Orakels. Im speziellen Sinn, d. h. in den christlichen Kirchen, ist Evangelium die Bezeichnung für die Botschaft Jesu vom Kommen des Reiches Gottes sowie für die Überlieferung der Worte, Taten und des Lebens Jesu, besonders für deren Fixierung in den vier neutestamentlichen Schriften über sein Leben und Wirken, den Evangelien (→Matthäusevangelium, →Markusevangelium, →Lukasevangelium, →Johannesevangelium, →Bibel).

Evokation [latein. »das Hervorrufen«, »Aufforderung«], lateinisch **Evocatio sacrorum**, *römische Religion:* der Brauch, den Schutzgott einer feindlichen Stadt unter feierlichen Zeremonien durch die Priester zum Verlassen seines bisherigen Sitzes aufzufordern und ihm Tempel und Kult in Rom zu versprechen. Der Ort sollte damit profan und der Zorn der Gottheit über seine Zerstörung abgewendet werden. Bezeugt ist der Brauch für die Belagerung von Veji 396 vor Christus.

ewiges Leben, →Unsterblichkeit.

Ewigkeit, in der Religionsgeschichte eine Kategorie, die sehr oft, jedoch nicht unbedingt, primär der Existenz der Götter zugeordnet ist. Für die Menschen verbindet sich mit dem Begriff Ewigkeit der Glaube an Auferstehung und jenseitiges Leben. Religiöse Werte und Manifestationen besitzen, wenn ihnen Ewigkeit zugesprochen wird, absolute, »ewige« Gültigkeit. Dies betrifft religiöse Wahrheiten und ihre Offenbarung, den Mythos, hl. Texte (besonders den Koran), ethische Normen und oft auch kultische Handlungen.

In der *christlichen Glaubenslehre* kommt Ewigkeit im eigentlichen Sinn als Sein über der Zeit ohne Anfang und Ende (lateinisch aeternitas) nur Gott zu. Ewigkeit im Sinn von Dauer ohne Ende nach einem Anfang (lateinisch sempiternitas) kommt den menschlichen Seelen und den reinen Geistern zu (ewiges Leben, →Unsterblichkeit). Die übrige Schöpfung ist endlich und damit Wandel und Auflösung unterworfen.

Ewigkeitssonntag, in den deutschen ev. Kirchen der dem Gedächtnis der Verstorbenen gewidmete und die Hoffnung auf ihre eschatologische Vollendung ausdrückende letzte Sonntag des Kirchenjahrs. Als **Totensonntag** seit 1814 in Sachsen-Altenburg üblich, wurde er 1816 von König Friedrich Wilhelm III. zur Erinnerung an die Befreiungskriege als allgemeiner »Feiertag zum Gedächtnis der Entschlafenen« in Preußen eingeführt und in der Folge von den meisten Landeskirchen übernommen. Die »Agende für die ev.-lutherischen Kirchen und Gemeinden« (1955) führte aus theologischen Gründen anstelle des Begriffs Totensonntag die Bezeichnung »Letzter Sonntag des Kirchenjahrs« (Ewigkeitssonntag) ein, die sich seither im kirchlichen Sprachgebrauch durchgesetzt hat. Hinsichtlich des Brauchs, an diesem Sonntag die Friedhöfe zu besuchen und die Gräber zu schmücken, kann der Ewigkeitssonntag als ev. Entsprechung des katholischen Gedächtnistages →Allerseelen betrachtet werden.

ex cathedra [latein. »vom (Lehr-)Stuhl (Petri) herab«], in Anlehnung an die Formulierung der päpstlichen Unfehlbarkeit auf dem 1. Vatikanischen Konzil (1870) die Weise, wie der Papst als oberster Lehrer der Kirche in Glaubens- und Lebensfragen Lehraussagen mit päpstlicher Unfehlbarkeit verkündet. Die Entscheidungen ex cathedra gelten in der kath. Kirche als frei von der Möglichkeit des Irrtums (unfehlbar) und sind für die gesamte Kirche unbedingt verbindlich.

Exegese [griech. »Erklärung«, »Auslegung«], Auslegung von Texten, besonders von Gesetzestexten und biblischen Schriften. Die biblische Exegese zielt darauf, Bedeutung und Sinn des in den Texten Gemeinten zu verdeutlichen. Diese Bemühung sieht sich mit zwei Hauptproblemen konfrontiert: Die biblischen Schriften sind als Heilige Schrift überliefert, die Texte gelten als Offenbarung und sprechen damit für sich selbst, sodass sie keiner Auslegung bedürfen. Außerdem sind die Texte Zeugnis für eine bestimmte geschichtliche Situation, werden aber für allgemeingültig, also auch für alle Zeiten in gleicher Weise verbindlich, gehalten.

■ **Altertum und Mittelalter** Obwohl schon im A. T. Aufnahme und Neuinterpretation älterer Traditionen nachweisbar sind, bildete erst das nachbiblische Judentum eine Schriftauslegung aus. Dabei kam es zur Verfestigung bestimmter Regeln, die die als göttliche Offenbarung verstandenen heiligen Schriften einerseits vor Willkür schützten, sie andererseits in den sich wandelnden Verhältnissen verstehbar machen sollten. Grundsätzlich kannte die jüdische Exegese v. a. die wörtliche und die allegorische Schriftdeutung. In den Methoden der Exegese schloss sich das Urchristentum an das Judentum an, sah aber im A. T. Weissagungen Jesu Christi sowie Vorabbildungen endzeitlicher, in der christlichen Gemeinde eingetroffener Ereignisse (→Typologie).

Nach der Kanonisierung zählte in der alten Kirche auch das N. T. zu den heiligen Schriften

Ewigkeit
→ **GEO** Dossier
Glaube, Liebe, Hoffnung?, Bd. 15

Exegese   Reimarus und die Bibelkritik

Hermann Samuel Reimarus, Professor für orientalische Sprachen in Hamburg, stellte in seinen Schriften das Christentum als natürliche Religion dar. Er bestritt die Offenbarung und hielt die Dogmen für Priesterbetrug. Die Jünger – so seine These – hätten den Leichnam Jesu gestohlen und das Gerücht der Auferstehung in die Welt gesetzt. Als schärfster Bibelkritiker des 18. Jahrhunderts nahm er vor allem an der Unterschiedlichkeit und mangelnden Plausibilität der Auferstehungsberichte Anstoß: »Saget mir vor Gott, Leser, die ihr Gewissen und Ehrlichkeit habt, könnt ihr dies Zeugnis in einer so wichtigen Sache für einstimmig und aufrichtig halten, das sich in Personen, Zeit, Ort, Weise, Absicht, Reden, Geschichten so mannigfaltig und offenbar widerspricht?«

Exegeten

Exegese
→ **GEO Dossier**
Im Großeinsatz für den Glauben, Bd. 16

Exegese.
Die Überzeugung, dass die heiligen Schriften der Auslegung bedürfen, ließ in nahezu allen Schriftreligionen die Exegese als Wissenschaft von der Sinndeutung entstehen (Lutherbibel aus Wittenberg).

und unterlag ebenso wie das A. T. der Spannung zwischen wörtlicher und allegorischer Exegese. Der Humanismus führte die in der mittelalterlichen Hochscholastik begonnene philologische Arbeit fort, indem ein besserer Urtext und bessere Hilfsmittel, z. B. hebräische Grammatiken, geschaffen wurden. So gewann die wörtlich-grammatische Exegese gegenüber der allegorischen an Bedeutung. Martin Luther knüpfte daran an und identifizierte den geistlichen Sinn der Schrift mit dem wörtlichen. Das so gewonnene sachkritische Prinzip ging in der lutherischen Orthodoxie durch die Lehre von der →Verbalinspiration verloren, insofern das Wort Gottes wieder mit den biblischen Schriften total identifiziert wurde.

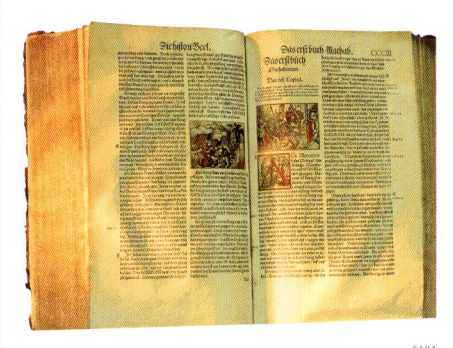

■ **Neuzeit** In der Neuzeit wurde die **historische Exegese** entwickelt. Auf der Grundlage textkritischer und einleitungswissenschaftlicher Arbeiten stellte der deutsche Theologe Johann Salomo Semler (*1725, †1791) das historische gegen das dogmatische Bibelverständnis. Diese Unterscheidung befreite die Bibelwissenschaft von der Dogmatik. Das in der Aufklärung entwickelte historische Wahrheitsbewusstsein führte in der Exegese zur Kritik der Bibel und ihrer Quellen (z. B. in der →Leben-Jesu-Forschung). Erst Friedrich Schleiermacher führte die hermeneutische Frage, d. h. die Frage nach der Möglichkeit, in einer bestimmten historischen Situation entstandene Texte sinnvoll und ohne Willkür auf die Gegenwart zu beziehen, wieder in die Bibelkritik ein.

Die moderne Exegese setzte ein mit der konsequenten historischen Erforschung des N. T. durch den deutschen ev. Theologen Ferdinand Christian Baur (*1792, †1860), der infolge seines an Georg Wilhelm Friedrich Hegel orientierten Geschichtsschematismus die literaturgeschichtlichen Verhältnisse allerdings nicht erkannte. Das Scheitern der Leben-Jesu-Forschung und die Erkenntnis der so genannten religionsgeschichtlichen Schule (zwischen 1880 und 1893 bis etwa 1918) von der Bedingtheit des A. T. durch die altorientalische Religionsgeschichte und des N. T. durch die spätantike Religionsgeschichte bereiteten den Boden für die Formgeschichte. Sie zeigte, dass die mit literaturwissenschaftlichen Methoden erschlossenen Quellenstücke aus der Theologie der sie überliefernden Gruppen, ihrer jeweils gegenwärtigen Problemlage und ihren eigentümlichen Institutionen (»Sitz im Leben«) zu verstehen sind. Die literarische Endgestalt, die ihrerseits Zeugnis einer bestimmten historischen Lage war, wurde jedoch weithin vernachlässigt. Erst die Redaktionsgeschichte wandte sich programmatisch der Überlieferung und Auslegung der Quellenstücke in den Gesamtwerken zu.

Die gegenwärtige **historisch-kritische Exegese** bedient sich gleichzeitig verschiedener Methoden, die die neuzeitliche Exegese im Laufe der Zeit entwickelt hat (Methodenpluralismus). Ihre Einzelmethoden sind auch unter den Konfessionen unumstritten. Strittig sind jedoch in und zwischen den Konfessionen die hermeneutischen Grundlagen. Im Zentrum der theologischen Diskussion stehen dabei zum einen das grundsätzliche Verhältnis von Schrift und Offenbarung und ihre über die kirchliche Tradition erfolgende geschichtliche Vermittlung; zum anderen die Beziehung zwischen der wissenschaftlich-exegetisch ausgesagten (»objektiven«) und der im persönlichen Glauben erfahrenen (»subjektiven«) Glaubenswahrheit.

Exegeten [griech.], Ausleger des Sakralrechts, die sich u. a. in Athen, Olympia, Telmessos und im hellenistischen Ägypten fanden. In Athen war ein durch Volksbeschluss bestellter Exeget zuständig für heimische Satzungen (Opfer, Kulte, Totenriten). Ein weiterer war vom delphischen Apoll bestimmt und mit der Auslegung seiner Weisungen betraut. Beide Exegeten stammten aus den altadligen Geschlechtern (den so genannten Eupatriden) und wurden auf Lebenszeit bestellt. Seit 329/328 v. Chr. sind Exegeten auch aus dem Geschlecht der Eumolpiden für die Eleusinischen Mysterien belegt.

Exerzitien [latein.], **Exercitia spiritualia,** *kath. Kirche:* Zeiträume der Besinnung und geistlicher Übungen, die in Zurückgezogenheit unter Besinnung auf die Grundlagen des christlichen Lebens und unter Anleitung des Exerzitienpriesters verbracht werden. Ihre klassische Form erhielten sie durch Ignatius von Loyola, der sie in das alte asketisch-mystische Schema – Reinigung, Erleuchtung, Einigung – fasste.

Existenztheologie, Bezeichnung für eine Aneignung existenzphilosophischer Ansätze und Motive in der ev. und kath. Theologie seit den 1920er-Jahren. In der Tradition der neuzeitlichen Betonung der Subjektivität geht es ihr v. a. um das Sein des Menschen – nicht um das vorfindliche Seiende (Philosophie der Substanz) –, um seine Existenz im Sinne von Da-Sein und Sein-Können, um eine Überwindung von Selbsttäuschungen und eine Befreiung zum Selbstsein des Menschen, zur »Eigentlichkeit«, die er im Selbstvollzug seiner Existenz durch die Anstöße des Evangeliums gewinnen kann. Schon der früheste Wegbereiter der Existenzphilosophie, der dänische Philosoph und Theologe Søren Kierkegaard, verband diese mit der Theologie. Er sieht den Menschen in seinem Selbst nicht als natural bestimmte Größe, sondern als ein Projekt, das er selbst in Erhellung seines Daseins und in Freiheit leisten muss. Erst wer Christus im Widerstreit zu seinem Denken (credo quia absurdum) lebe, sei wahrhaft Mensch. Auch Friedrich Nietzsche hat diese Fokussierung auf den Menschen, der sich selbst verwirklichen müsse, verstärkt.

Die beiden für eine Existenztheologie wichtigsten deutschsprachigen Philosophen sind Martin Heidegger und Karl Jaspers (*1883, †1969). Besonders Gedanken Heideggers wurden in der ev. Theologie von Rudolf Bultmann zu einem existenzialtheologischen Gesamtkonzept weiterentwickelt, beeinflussten aber auch andere Vertreter der →dialektischen Theologie. In der kath. Theologie hat v. a. Karl Rahner Anstöße Heideggers aufgegriffen. Seit den 1970er-Jahren werden an der Existenztheologie ihre bürgerlich-individualistische Fragestellung und das Fehlen einer »politischen« Dimension kritisiert.

Exkommunikation [latein.], früher **Kirchenbann,** im *kath. Kirchenrecht* eine Beugestrafe, d. h. der strafweise, aber keineswegs totale Ausschluss eines Kirchenangehörigen aus der Gemeinschaft der Gläubigen (nicht aus der Mitgliedschaft der Kirche) mit kirchenrechtlich im Einzelnen geregelten Wirkungen v. a. geistlicher Art (z. B. Ausschluss vom Gottesdienst und von den Sakramenten). Die Exkommunikation (Anathema) ist immer einstweilig, da der Exkommunizierte einen Rechtsanspruch auf Lossprechung von der Exkommunikation hat, sobald er seine »verstockte« Haltung aufgibt.

Exodus [latein. »Ausgang«, »Auszug«], in der griechischen Bibel Name des zweiten Buches des →Pentateuch (2. Mos.). Der Exodus gliedert sich in: Geschichten von Moses' Jugend und seiner Berufung (2. Mos. 1–4); ägyptische Plagen, Passah, Auszug der Israeliten aus Ägypten und Zug durchs Schilfmeer (2. Mos. 5–15); Wüstenwanderung (2. Mos. 16–18) und Bundesschluss mit Gesetzesoffenbarung am Horeb/Sinai (2. Mos. 19–40).

Exorzismus [zu griech. exorkízein »beschwören«], die Beschwörung von Dämonen und Geistern durch Wort und Geste, um sie herbeizuholen, aber auch, um sie fernzuhalten oder aus von ihnen besessenen Menschen auszutreiben. Der Exorzismus will auch dämonisch bedrohte Orte und Gegenstände von Dämonen reinigen. Die magische Praxis des Exorzismus wird meistens von Medizinmännern (Heilern) und Priestern (**Exorzisten**) ausgeübt. Alle Volksreligionen, aber auch die Universalreligionen kennen den Exorzismus.

Die *kath. Kirche* übt bis heute den Exorzismus bei der Taufe aus, wenn auch bei Nachholung der Taufzeremonien die Taufexorzismen durch die Liturgiereform seit dem 2. Vatikanischen Konzil sehr eingeschränkt sind. Ferner kennt sie kleine Exorzismen bei der Weihe von Öl, Salz und Wasser, um diese jeglicher Unterworfenheit unter dämonische Mächte zu entziehen. Während die genannten Exorzismen von jedem Kleriker vollzogen werden können, der die feierliche Taufe oder die genannten Weihungen vornehmen darf, ist der Exorzismus bei →Besessenheit nur mit Erlaubnis des zuständigen Ordinarius gestattet. Sie darf nur einem Priester gegeben und der Exorzismus nur bei erwiesener dämonischer Besessenheit ausgeübt werden. Der Exorzismus bei Besessenheit wird aus dem N. T. begründet.

In den *orth. Kirchen* wird der Exorzismus in der Vollmacht des priesterlichen Amtes ausgeübt.

Ezechi|el [hebr. Yěḥezqēl »Gott möge stärken«], bei Martin Luther **Hesekiel,** israelitischer Prophet aus priesterlichem Geschlecht; wurde 597 v. Chr. mit König Jojachin nach Babylonien deportiert und dort 593 zum Propheten berufen. Von seinem Wirken handelt das **Buch Ezechiel,** das zu den prophetischen Büchern des A. T. gehört. Kapitel 1–24 kündigen den Zusammenbruch des Staates Juda unter Zedekia und die Zerstörung Jerusalems an, Kapitel 25–32 enthalten Gerichtsdrohungen gegen fremde Völker und Kapitel 33–39 Heilsweissagungen für Israel. Kapitel 40–48 sind ein Verfassungsentwurf für die Neuordnung Israels, Jerusalems und besonders des Tempelkultes, vielleicht aus dem Kreis der Schüler des Ezechiel. In seiner Endgestalt wurde das Buch wahrscheinlich im frühen 5. Jh. v. Chr. zusammengestellt.

Exorzismus — Afrikanische Rituale

Viele afrikanische Stammesreligionen gehen davon aus, dass feindliche Geister in den Menschen eindringen können und dass der Mensch mithilfe exorzistischer Praktiken wieder von diesen befreit werden kann. In Simbabwe etwa wird der Besessene zu einem Tier gelegt, in das der Geist übergehen soll. Eine andere Methode ist, den Besessenen zu einer Straßen- oder Wegkreuzung in der Nähe des Dorfes zu führen. Dort befiehlt ein Exorzist dem Geist, den Körper des Kranken zu verlassen und so lange an der Kreuzung zu warten, bis ein ahnungsloser Fremder vorbeikommt, in den er eingehen kann. Im Süden Mosambiks werden die Geister eine Nacht lang durch den Lärm von Musikinstrumenten geängstigt, bis sie bereit sind, den Körper des Besessenen zu verlassen. Am Morgen beschwört der oberste Exorzist die Geister zu verschwinden und schlachtet eine Ziege, deren Blut der Kranke trinkt. Dann wird der Patient dazu gebracht, dieses Blut wieder zu erbrechen. Auf diese Weise wird auch der Geist aus seinem Magen ausgeschieden.

F

Fackenheim, Emil, jüdischer Theologe, Philosoph, Rabbiner, * Halle (Saale) 1916, † Jerusalem 18. 9. 2003; Schüler von Leo Baeck an der Berliner Hochschule für die Wissenschaft des Judentums (Ordination 1939). 1938/39 interniert, gelang Fackenheim 1940 die Ausreise nach Kanada. 1943–48 war er Rabbiner am Temple Anshe Sholom in Hamilton (Ontario), lehrte seit 1948 an der Universität von Toronto, 1960–83 als Professor für Philosophie. Danach siedelte er nach Israel über. Sein wissenschaftliches Arbeiten beschäftigt sich mit Metaphysik (Offenbarung) und Geschichte, jüdischer Theologie und menschlicher Existenz nach dem Holocaust. Eine Einführung in den jüdischen Glauben liegt in »What is Judaism?« (1987; deutsch »Was ist Judentum?«, 1999) vor.

Fahrzeug [Sanskrit yana], deutsche Bezeichnung für verschiedene Richtungen des →Buddhismus.

Fahrzeug der Hörer, eine Richtung des Buddhismus, →Shravakayana.

Fakīh, Lehrer der Rechtswissenschaft des Islam, →Fikh.

Fakir (Miniatur aus dem »Buch der Moguln«, 17. Jh.; Venedig, Biblioteca Nazionale Marciana).

Fakir [arab. faqīr »arm«, »der Arme«], in islamischen Ländern der Asket, der als »arm« vor Gott gilt, v. a. das Mitglied eines →Derwischordens.

In Indien werden auch die hinduistischen Wanderasketen als Fakire bezeichnet. Sie widmen sich dem religiösen Ziel der Erlösung durch selbst auferlegte Entsagung gegenüber den Sinnendingen der Welt und durch asketische Übungen (→Sadhu, →Yogi).

Falascha [amhar. Fäläša »Vertriebene«], **Falasha, Schwarze Juden,** Selbstbezeichnung **Beta Israel** (»Haus Israel«), die äthiopischen Juden, die vermutlich Nachkommen von durch frühe jüdische Missionare bekehrten Äthiopiern (Agau) sind. Sie leben v. a. im Bereich des Tanasees und sind meist Bauern oder Handwerker. Die jüdische Überlieferung sieht in den Falascha Nachkommen des Stammes Dan, der nach dem Untergang Judas in das Land Kusch gezogen sei. Jüdische Legenden sprechen von ihnen als den Nachkommen König Salomos und der Königin von Saba.

■ **Religiöse Praxis** Die Falascha wahrten seit jeher ihr eigenständiges Judentum, das sich auf das A. T. in der christlich-äthiopischen Übersetzung bezieht. Die hebräische Bibel, →Mischna und →Talmud waren ihnen bis in die Gegenwart unbekannt. Die Falascha praktizieren die Reinheitsgebote, heiligen den Sabbat und feiern das Passahfest, nicht jedoch die erst in nachexilischer Zeit entstandenen Feste Purim und Chanukka. Ihre Kultsprache ist das Geez. Sonst sprechen sie je nach Wohngebiet verschiedene Sprachen wie Amharisch, Tigrinja und Kwarasa.

■ **Geschichte** Im 9. Jh. erstmals erwähnt, bildeten die Falascha in vielen Gebieten des Amharen-Hochlands bis ins 15./16. Jh. die Bevölkerungsmehrheit. Vermutlich haben sie zeitweise das Reich Aksum beherrscht. Von den christlichen äthiopischen Kaisern, gegen die sie häufig revoltierten, wurden sie unterworfen, dezimiert, zwangsbekehrt oder zu einer unterdrückten Minderheit gemacht. Nach dem Sturz Kaiser Haile Selassies 1974 als Religionsgemeinschaft rechtlich gleichgestellt, unterlag die religiöse Betätigung der Falascha jedoch auch unter den folgenden marxistischen Regierungen zeitweilig staatlichen Restriktionen.

Seit 1904 gibt es Kontakte zum westlichen Judentum. 1972 sind ihre Traditionen vom sephardischen Oberrabbinat als jüdisch anerkannt worden. Anlässlich der äthiopischen Hungersnot 1984 konnten über 10 000 der etwa 25 000 Falascha nach Israel auswandern (»Operation Moses«). In einer zweiten Auswanderungsaktion ließ die israelische Regierung auf dem Höhepunkt des äthiopischen Bürgerkriegs 1991 über eine Luftbrücke weitere 15 000 Falascha nach Israel ausfliegen (»Operation Salomo«). Heute leben nach israelischen Angaben keine Falascha mehr in Äthiopien, nach anderen Angaben noch einige Hundert.

Falun Gong [- ˈgʊŋ; chines. »Rad des Gesetzes«], **Falun Dafa,** spirituelle Bewegung, die verschiedene chinesische Traditionen in sich aufgenommen und miteinander verschmolzen hat: Buddhismus, Daoismus und in besonderer Weise die altchinesische Meditationstechnik Qigong, die ganzheitliche Gesundheitslehre. Aus der Tradition des Daoismus ist besonders dessen Grundverständnis von Meditation als »Erleuchtung«, d. h. Einssein mit dem Kosmos, in die von Falun Gong vertretene Lehre eingegangen. Die auf die körperlich-seelische Vervollkommnung der Anhänger gerichtete spirituelle Praxis von Falun Gong verbindet meditative Betrachtungen über zentrale

Fasten   Der Ramadan

Im Fastenmonat Ramadan enthält sich der gläubige Muslim zwischen Sonnenaufgang und Sonnenuntergang des Essens, Trinkens und Rauchens und verzichtet auf den Geschlechtsverkehr.

Der Monat Ramadan endet mit dem Fest des Fastenbrechens. Im Bild zu sehen sind Vorbereitungen für das Fastenbrechen bei Sonnenuntergang in der Moschee von Karatschi (Pakistan). Neben diesem für alle erwachsenen Muslime gebotenen Fasten kennt der Islam noch das freiwillige individuelle Fasten zu anderen Zeiten, das als besonders verdienstvoll gilt.

Alle islamischen Religionsgelehrten, besonders al-Ghasali, betonen die Wichtigkeit der das Fasten begleitenden inneren Haltung. Das Fasten – ebenso wie das Gebet – sei nur vollgültig, wenn der Muslim vorher für sich eine Absichtserklärung formuliert habe, in der er sich Gott zuwendet, ihm seinen Dank bezeugt, und die religiösen Akte bewusst vollziehe. Da der Islam von dem Grundsatz ausgeht, dass Gott es dem Menschen leicht machen will und nicht schwer, sind Kinder, Frauen während der Periode oder Schwangerschaft, stillende Mütter, Reisende und Schwerstarbeit Verrichtende vom allgemeinen Fastengebot suspendiert. Sie müssen das Versäumte zu einer späteren Zeit nachholen oder eine Art von gemeinnütziger Buße leisten.

---

buddhistische Grundsätze wie Wahrhaftigkeit, Barmherzigkeit und Nachsicht mit von Li Hongzhi (eigentlich Li Lai, *1952), dem als »Meister Li« verehrten Gründer der Bewegung, vorgeschriebenen Körper- und Atemübungen.

Seit Juli 1999 ist die Falun-Gong-Bewegung, die nach Eigenangaben 70 Millionen, nach Angaben chinesischer Behörden zwei Millionen Anhänger zählt, in China verboten. Sie wird beschuldigt, Aberglauben zu verbreiten und Menschen psychologisch zu manipulieren. Öffentliche Demonstrationen der Anhänger wurden gewaltsam aufgelöst. Li Hongzhi lebt seit 1998 in den USA.

Fama [latein.], Gerede, Gerücht, Sage, Stimme des Volkes, Ruf, Nachrede. Von römischen Dichtern (u. a. Vergil und Ovid) wurde Fama als die Göttin des Gerüchts personifiziert.

Fanatismus, →religiöser Fanatismus.

Fasten, eine Form der meist religiös motivierten Askese, wobei zwischen dem eigentlichen Fasten als einer zeitweiligen, völlig oder teilweise durchgeführten Enthaltung von Nahrung und dem vorübergehenden oder ständigen Verzicht auf bestimmte Speisen (v. a. Fleisch, Fisch, Wein) aufgrund von Speiseverboten unterschieden werden muss.

■ **Motivation und Ziel** Motive für das Fasten können sein: Schutz vor der Aufnahme schädlicher Kraftausstrahlungen mit der Nahrung, d. h. vor Tabukräften (→Mana), Reinigung des Körpers sowie Sammlung von Willenskräften. Außerdem wird das Fasten als Reinigung vor (oder nach) bestimmten Handlungen, z. B. bei Wallfahrten (im Hinduismus und Jainismus), sowie bei Initiationsriten, anderen religiösen Zeremonien und Festen eingesetzt. So fasteten etwa die Knaben bei einigen Indianerstämmen vor ihrer Aufnahme in die Stammesordnung. Als persönliches Opfer oder Sühne (z. B. Reue für falsches Handeln), die den Göttern dargebracht wird, ist Fasten u. a. in Altägypten, Babylon sowie im Islam bekannt.

Fasten ist ein Mittel, um Zustände der Ekstase, Visionen und besondere Träume herbeizuführen, die einen direkten Kontakt mit dem Göttlichen herstellen und zu außergewöhnlichen Leistungen befähigen sollen. So suchten etwa der Medizinmann wie auch der Schamane durch Fasten besondere Kraft zu erwerben. Fasten findet sich in der Yogapraxis in Verbindung mit anderen Formen der Askese mit dem Ziel der Reinigung, der Weltentsagung und der Befreiung vom Karma. Auch gibt es seit ältesten Zeiten ein Fasten zur Selbstverleugnung (Indien, Altägypten), als Kennzeichen der Trauer oder zur Schulung geistiger Aktivität (Pythagoreer, jüdische kontempla-

Fastenbrechen

tive Gemeinschaft der Therapeuten). Gefastet wurde auch, um Naturkatastrophen wie Sonnenfinsternisse oder Dürreperioden abzuwehren.

■ **Fasten in den Weltreligionen** In den großen Weltreligionen ist das Fasten meist an bestimmte Tage oder Perioden gebunden. So schreibt der *Islam* das Fasten (Saum) im neunten Monat (dem →Ramadan) jeweils von Sonnenaufgang bis Sonnenuntergang vor. Im *Buddhismus* lehrte Buddha selbst weitgehende Mäßigung im Fasten, doch entwickelte sich dort die Fastenaskese besonders streng. Die meisten buddhistischen Mönche und Nonnen nehmen nur eine tägliche Mahlzeit am späten Vormittag ein. Daneben gibt es monatliche Fastentage. Früher wurde bei Vollmond und Neumond gefastet. Andere buddhistische Gemeinschaften verbinden Erleuchtung jedoch weniger mit leiblichem Fasten als mit der Enthaltung von falschem Denken und Handeln.

Im *A. T.* galt das Fasten als Akt der Demut und Buße, nicht um durch Askese Vollkommenheit zu erlangen, sondern um den zornigen Gott zum Mitleid zu stimmen (1. Kön. 21, 27) und die Folgen seines Zornes abzuwenden. Man fastete deshalb besonders bei schweren Heimsuchungen. In nachexilischer Zeit gab es Pflichtfasten am großen Versöhnungstag (Jom Kippur) und an vier Fastentagen zur Erinnerung an nationale Katastrophen. Die Veräußerlichung der Fastenpraxis, die schon von den Propheten getadelt wurde (Jer. 14, 12), erreichte ihren Höhepunkt bei den von Jesus scharf angegriffenen Pharisäern (Mt. 6, 16–18).

■ **Christliche Kirchen** Das junge Christentum behielt das Fasten bei, musste es aber immer wieder gegen dualistisch begründete Askese abgrenzen. Fasten gewann Bedeutung für die Vorbereitung auf die Taufe und im Bußwesen. Früh kam im Anschluss an die jüdische Sitte das Wochenfasten auf (Stationsfasten, Station), das die Christen auf den Mittwoch und den Freitag (Todestag Jesu) legten. Es wurde später beschränkt auf die Quatembertage, d. h. den Mittwoch, Freitag und Samstag von vier Wochen im Jahr. Dazu kam in Rom der Samstag, der später den Mittwoch ersetzte.

Das Fasten- und das Abstinenzgebot in der *kath. Kirche* wurden 1966 neu geregelt und stellten jetzt nur noch eine Rahmenordnung dar. Bußzeit ist die **Fastenzeit** vor Ostern (Quadragesimalzeit), die von Aschermittwoch bis zur Osternacht dauert. Bußtage für die ganze Kirche sind der Aschermittwoch und alle Freitage des Jahres, die keine Feiertage sind. An den gebotenen Bußtagen darf der Katholik kein Fleisch warmblütiger Tiere essen (Abstinenzgebot). Am Aschermittwoch und Karfreitag darf er nur *eine* Hauptmahlzeit zu sich nehmen.

Die jeweiligen Bischofskonferenzen haben für Deutschland, Österreich und die Schweiz das Abstinenzgebot in ein allgemeines »Freitagsopfer« umgewandelt, das nach Wahl des Einzelnen oder der Gemeinschaft in einem Werk der Nächstenliebe, einer Tat der Frömmigkeit (z. B. Mitfeier eines Gottesdienstes, Lesung der Heiligen Schrift) oder einem spürbaren Verzicht, z. B. auf Alkohol, Tabak oder Fleischspeisen, besteht.

Die Fastengebote in den *Ostkirchen* sind streng. Das Fasten besteht in der Abstinenz von Fleisch, Eiern, Milchprodukten, Fisch, Öl und Wein. Eine Beschränkung in der Qualität der erlaubten Speisen gibt es nicht. Doch auch in den orth. Kirchen wird das Halten des Fastens je nach ihrer Lebenswelt nicht mehr so rigoros gehandhabt wie früher.

Fastenbrechen, Fest des Fastenbrechens, Islam: →Id al-Fitr.

Fatiha [arab. »die Eröffnende« (Sure)], das erste Kapitel des →Korans, bei der es sich um einen kurzen Gebetstext handelt. Die Fatiha ist das Grundgebet der Muslime und entspricht in seiner praktischen Bedeutung etwa dem christlichen Vaterunser.

Fatima, jüngste Tochter des Propheten Mohammed und der Chadidja, *Mekka um 606, †Medina 632; heiratete Ali Ibn Abi Talib, den Vetter Mohammeds und späteren vierten Kalifen, und wurde Mutter von Hasan und Husain. Von den Schiiten als Mitglied der Familie Mohammeds hochverehrt, gilt sie auch als Ahnfrau der Dynastie der Fatimiden.

Fátima, kath. Wallfahrtsort in Mittelportugal, im Distrikt Santarém. 1917 hatten hier drei Kinder jeweils am 13. der Monate Mai bis Oktober Marienerscheinungen, die 1930 von der kath. Kirche für glaubwürdig erklärt wurden. Die beiden bereits kurz nach den Erscheinungen (1919 und 1920) verstorbenen Kinder wurden im Mai 2000 seliggesprochen. Die dritte Zeugin der Marienerscheinungen von Fátima, Lucia dos Santos (*1907, †2005), lebte als Ordensfrau in Portugal. Am Erscheinungsort entstand ab 1928 die Basilika Unserer Lieben Frau, um die seitdem ein sehr umfangreicher Heiligtumskomplex errichtet wurde.

Fatwa, islamisches Rechtsgutachten, →Fetwa.

Faunus, deutsch **Faun,** altrömischer Naturgott, als dessen Wohnung man sich die Wälder und die Berge dachte. Wie der mit ihm gleichgesetzte →Pan wird er bocksgestaltig, auch in der Vielzahl, dargestellt. Wie dieser schreckte er Wanderer und quälte Menschen im Traum. Als Beschützer der Herden wehrte er die Wölfe ab. Ihm zu Ehren wurde in Rom das Sühnefest der →Luperkalien gefeiert. Sein 194 v. Chr. geweihter Tempel befand sich in Rom auf der Tiberinsel. Als seine

Faunus.
Der »tanzende Faun«, nach dem das reich ausgestattete »Haus des Fauns« in Pompeji benannt wurde (römische Bronzekopie eines griechischen Originals aus der Zeit des Hellenismus; Neapel, Nationalmuseum)

Gemahlin galt die Feld- und Waldgöttin Fauna.

Faxian [-ç-], **Fa-hsien** [-ç-], chinesischer buddhistischer Mönch, *Wuyang (Provinz Shanxi) 337, †422; wuchs im Kloster auf und reiste 399 zum Erwerb buddhistischer Originaltexte nach Indien. Er kehrte 413 auf dem Seeweg über Ceylon und die Straße von Malakka mit reichem Material nach China zurück, wo er in dem Buch »Foguo yi« (Aufzeichnungen über das Buddha-Land) von seinen Erfahrungen berichtete.

Fegefeuer [zu mittelhochdt. vegen »reinigen«], *kath. Glaubenslehre:* **Fegefeuer,** lateinisch **Purgatorium,** seit dem Mittelalter übliche Bezeichnung für den Zustand der Läuterung des Menschen nach dem Tod. Die Lehre vom Fegefeuer geht davon aus, dass im Tod endgültig über das Schicksal des Menschen entschieden wird, und löst die Spannung zwischen einer möglichen Vollendung und der tatsächlichen Unfertigkeit des Menschen durch den Glauben, dass die in der Gnade Gottes Sterbenden durch ein von der Sühnetat Christi und der Fürbitte der Kirche getragenes Leiden gereinigt und vollendet werden.

Die Lehre vom Fegefeuer kann nicht direkt aus der Bibel begründet werden. Die Reformatoren haben sie wegen damit verbundener Missbräuche im Ablasswesen, v. a. aber aus ihrem anders gearteten Erlösungsverständnis heraus scharf abgelehnt. Auch die orth. Theologie kennt keine Lehre vom Fegefeuer. Die neuere kath. Theologie lehnt z. T. das Wort »Fegefeuer« ebenso wie die Bezeichnung »arme Seelen« als missverständlich ab und spricht vom »Reinigungszustand«.

Feindesliebe, die von Jesus in der Bergpredigt gebotene Liebe gegenüber Feinden (Mt. 5, 44; Lk. 6, 27, 35).

Feldrede, Bezeichnung im Lukasevangelium für die →Bergpredigt.

Felsendom, oktogonaler Kuppelbau mit zwei Umgängen um einen Felsen in Jerusalem, der vom Kalifen Abd al-Malik 669–692 errichtet wurde. Der Felsen fand für Juden und Muslime als Stätte des Abrahamsopfers Verehrung und gehörte bereits zum Bezirk des ersten jüdischen Tempelbaus unter Salomo (10. Jh. v. Chr.), der 587 v. Chr. Zerstörungen zum Opfer fiel, 516 und 20 v. Chr. Nachfolgebauten erhielt und 70 n. Chr. endgültig zerstört wurde. Die Muslime verbanden den Felsen außerdem mit der visionären Himmelfahrt Mohammeds. Der Felsendom ist eines der wichtigsten Pilgerzentren des Islam. – Abb. S. 184

feministische Theologie, ein theologischer Neuansatz auf der Grundlage des Feminismus, der seit den 1960er-Jahren in Nordamerika und Europa v. a. von christlichen sowie auch jüdischen Theologinnen vertreten wird. Impulse erhielt die feministische Theologie v. a. durch die Frauenbewegung, die ökumenische Bewegung und den Aufbruch in der kath. Theologie mit dem 2. Vatikanischen Konzil.

■ **Entstehung und Anliegen** Der Versuch einer feministisch-theologischen Systematik wurde erstmals von Rosemary R. Ruether (*1936) unternommen. Ausgehend von der patriarchalischen und männerzentrierten Prägung der Kulturen (und damit auch des Christentums) sieht die feministische Theologie die menschliche Unheilssituation wesentlich im Sexismus und der daraus resultierenden Un-

Fegefeuer
→ GEO Dossier
Glaube, Liebe, Hoffnung?, Bd. 15

Feindesliebe
→ GEO Dossier
Glaube, Liebe, Hoffnung?, Bd. 15

Felsendom
→ GEO Dossier
Das heilige Herz des Zorns, Bd. 16

Fegefeuer   Die Paulusapokalypse

Vor allem apokryphe Texte, also solche, die keine Aufnahme in den Kanon der Bibel fanden, waren für die Ausbildung der im Mittelalter sehr populären Vorstellung vom Fegefeuer verantwortlich. Dazu zählt auch die Paulusapokalypse, die zwischen dem 3. und 6. Jahrhundert in Ägypten entstand. Augustinus verurteilte sie allerdings als Fabel »einiger lügnerischer Menschen«.
Sie beschreibt die Höllenreise des heiligen Paulus, während der er die verschiedenen Bestrafungsrituale erlebt, die sich an den sorgfältig klassifizierten Sünden ausrichten. So sieht er Flammenbäume, an denen die Sünder hängen, und ein Flammenrad, auf dem die Seelen der Verdammten brennen. Ausschlaggebend für die Idee des Fegefeuers ist die Erwähnung zweier Höllen, einer »unteren« und einer »oberen«. Die »obere«, in der die Seelen der Sünder auf Gottes Erbarmen warten, wurde später zum

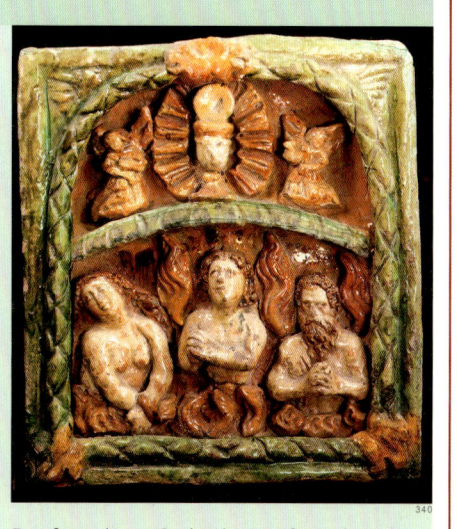

Fegefeuer (Arme Seelen im Fegefeuer, bemalte Reliefkachel, Süddeutschland 18. Jh.).

F Feng-Shui

Felsendom. Der Felsendom in Jerusalem heißt auch Omar-Moschee nach dem zweiten Kalifen, dem der Bau in der Legende zugeschrieben wird. Jerusalem mit dem Felsendom und der Al-Aksa-Moschee ist die drittheiligste Stätte des Islam, doch gilt der Felsen, den der oktogonale Bau mit der weithin leuchtenden goldenen Kuppel birgt, auch den Juden als heilig.

terdrückung, Marginalisierung und Diskriminierung der Frauen begründet, denen damit die Möglichkeit zum »vollen Menschsein« (»full humanity«) genommen oder vorenthalten wird. Sexismus wird als individuelle und strukturelle »Sünde« verstanden, die zu der allen anderen Entfremdungen des Menschen zugrunde liegenden »Entfremdung und Entstellung der menschlichen Beziehungsstrukturen« geführt hat. Soteriologisches Ziel sind die Überwindung des Sexismus und ein neues Verhältnis der Geschlechter zueinander, das allen in umfassender Weise die Entwicklung ihres vollen Menschseins als »Ebenbild Gottes« ermöglicht.

Feministische Theologie versteht sich dabei als kontext- und erfahrungsbezogene Theologie und ist insofern auch der →Befreiungstheologie vergleichbar. Sie geht speziell von der (vom Sexismus geprägten) Frauenerfahrung aus und kritisiert von ihr aus die herkömmliche Theologie als eine Theologie, die nur auf männlicher Erfahrung beruht, jedoch vorgibt, allgemein menschlich gültige Aussagen zu machen. Dieser feministisch-theologischen Kritik werden alle Bereiche der Theologie unterzogen. Feministische Theologie ist daher nicht eine theologische Disziplin neben anderen, sondern will alle Disziplinen sowie die kirchliche Praxis durchdringen und verändern.

■ **Richtungen** Ungeachtet des gemeinsamen feministischen Ansatzes lassen sich verschiedene, z. T. stark voneinander abweichende Strömungen unterscheiden, die je andere Schwerpunkte setzen oder das Christentum ganz hinter sich gelassen haben (»postchristian«; Mary Daly, * 1928). Während etwa der Gleichheitsfeminismus die Gleichheit von Männern und Frauen als wesentlich begreift und die Verschiedenheit als sekundär, sieht der gynozentrische Feminismus die Verschiedenheit als wesentlich an und möchte die Gleichheit sozial realisieren. Die jeweilige feministische Theologie will stärker spezifisch »weibliche« Züge in der Theologie zur Geltung bringen, z. B. in der Gotteslehre durch die Betonung »weiblicher« Eigenschaften Gottes oder den Rückgriff auf matriarchale Mythen und die »Göttin«, in der Christologie durch die Vorstellung eines androgynen Christus oder in der Sündenlehre durch das Aufweisen vornehmlich weiblicher Untugenden wie falsch verstandener Demut, Passivität und Selbstverleugnung. Zudem betont sie die ganzheitliche und gleichwertige Natur und Persönlichkeit aller Menschen und bemüht sich auch in den theologischen Aussagen um die Überwindung von Dualismen, hin auf eine ganzheitliche, nicht sexistische Sicht.

Fẹng-Shui [-'ʃui; chines. »Wind und Wasser«], die chinesische Form der Geomantie (d. h. der Lehre von verborgenen Energien in der Erde), die Kunst der harmonischen Lebens- und Wohnraumgestaltung. Feng-Shui basiert auf daoistischem und allgemein volksreligiösem Gedankengut und bezeichnet eine komplexe Lehre, die auf das ganzheitliche Wohlbefinden alles Lebenden abzielt. Entsprechend dem umfassenden Harmonieverständnis der chinesischen Tradition werden dabei die Bereiche der Raumgestaltung, des persönlichen Wohlbefindens und der Spiritualität zusammen gesehen. Ziel von Feng-Shui ist es, den gleichmäßigen und ungehinderten Fluss des Qi, der alles durchdringenden Lebensenergie, zu ermöglichen.

Feng-Shui. Es gibt viele Utensilien, die nach Feng-Shui zu einer Harmonisierung von Wohn- und Geschäftsräumen beitragen. Der asiatischen Kunst des richtigen Wohnens zufolge ist beispielsweise der Drache ein Symbol für Erfolg und Karriere, Delfine hingegen befördern Partnerschaft.

Mit Feng-Shui verbunden sind volkstümliche astrologische Lehren wie die Ausdifferenzierung der Qi-Energie in fünf Elemente (Feuer, Erde, Metall, Wasser, Holz; →Fünf-Elemente-Lehre), das magische Quadrat, die acht (Himmels-)Richtungen, die neun Qi-Jahreszahlen und eine volksreligiöse Vorstellungswelt von Engeln, Geistern und Dämonen. In einem komplexen Koordinatensystem von astrologischen Daten und daoistisch orientierten Analysen auf der Basis der Prinzipien →Yin und Yang werden architektonische und lebensweltliche Ratschläge erteilt. Als Grundlage dient u. a. das legendäre Handbuch »Klassiker der inneren Medizin«, das in der Umgebung des »Gelben Kaisers« (→Huangdi) um 2600 v. Chr. entstanden sein soll.

Im Westen ist Feng-Shui eine enge Symbiose mit der Esoterik eingegangen. Tiersymbolik (z. B. Drachen und Tiger) und Glockenspiele werden als Gestaltungselemente u. a. zur Beeinflussung der Qi-Ströme eingesetzt.

Fenrir, Fenriswolf, altnordische Mythologie: gefährlicher, götterfeindlicher Dämon, Sohn Lokis und der Riesin Angrboda, Bruder der Hel und der Midgardschlange. Die Asen zogen ihn auf, begannen sich aber vor ihm zu fürchten und fesselten ihn mit einer unzerreißbaren Schnur. Dabei opferte Týr seine Hand, und die Asen spreizten den Rachen Fenrirs mit einem Schwert. Der Götteruntergang (→Ragnarök) kündigt sich u. a. dadurch an, dass sich der Fenrir loszureißen vermag. Er tötet Odin, fällt aber selbst durch dessen Sohn Vidar.

Festtage. Alle Religionen kennen regelmäßig wiederkehrende Festtage, um sich der religiösen Wahrheiten des Glaubens oder wichtiger Ereignisse der jeweiligen religiösen Geschichte zu vergewissern. Religiöse Festtage werden nach einem vorgeschriebenen Rhythmus begangen, der selbst heilig ist und daher nicht willkürlich geändert werden kann. Anlass zu diesen Festen können bestimmte Naturvorgänge (Jahreszeitenwechsel, Saat und Ernte), historische Ereignisse oder überhaupt die Erinnerung und Begehung des Heilsgeschehens sein. Oft wurden ursprüngliche Naturfesttage in historische Festtage umgedeutet, wie etwa im A. T. das ursprüngliche Hirtenfest des Passah später mit dem Auszug aus Ägypten in Verbindung gebracht wurde.

■ **Jüdische Festtage** sind mit Ausnahme von →Chanukka und →Purimfest nicht auf historische Daten bezogen. Sie alle folgen dem Vorbild des →Sabbat, der als Festtag der Schöpfung gefeiert wird. Neujahr und Versöhnungstag, die beiden wichtigsten, und die drei Wallfahrtsfeste – Passah, Schawuot und Laubhüttenfest – umspannen das jüdische Jahr.

■ **Christliche Kirchen** Für den Gottesdienst der *kath. Kirche* ist das Ostermysterium das bestimmende Ereignis jeder Festfeier. Der regelmäßig wiederkehrende →Sonntag ist darum deren »Urfest« und die Keimzelle der Feste des Herrn im liturgischen Jahr. In diesem treten zu den Festtagen des Herrn (seit dem 2. Jh. →Ostern, seit dem 4. Jh. →Epiphanie bzw. →Weihnachten) Feste Mariens und der Heiligen, v. a. der Märtyrer (seit dem 5. Jh.). Die Kirche erfüllt in der Festfeier ihre Aufgabe, das Heilswerk Christi als Ursprung der Erlösung.

Die *ev. Kirchen* haben nur die auf die Heilsgeschichte bezogenen kirchlichen Festtage übernommen und später das Reformationsfest, das Erntedankfest, den Buß- und Bettag sowie den Volkstrauertag und den Ewigkeitssonntag hinzugefügt.

In den *Ostkirchen* bildet Ostern als »Fest der Feste« den Höhepunkt des Kirchenjahres und prägt entscheidend die orth. Frömmigkeit. (→Christentum)

■ **Islam** Die Muslime kennen zwei Hauptfeste: das »Große Fest« und das »Kleine Fest«. Das »Kleine Fest« wird zum Abschluss des Fastenmonats Ramadan (→Id al-Fitr) gefeiert. Geschenke und Süßigkeiten für die Kinder spielen eine große Rolle, weshalb das Fest von den Türken auch »Zuckerfest« genannt wird. Beim »Großen Fest«, dem Opferfest (→Id al-Adha), werden zum Abschluss der Feiern und Rituale anlässlich der Pilgerfahrt (Hadjdj) nach Mekka von den Pilgern, aber auch gleichzeitig von allen Muslimen nach altem Ritus Tiere, v. a. Hammel, geopfert. Neben diesen beiden Hauptfesten kennt der Islam zahlreiche kleinere Feste, je unterschiedlich bei den Sunniten und Schiiten, denen auch in den einzelnen islamischen Ländern unterschiedliche Bedeutung und Stellenwert zukommen. Da sich der Festkalender der Muslime nach dem Mondrhythmus und nicht nach dem Sonnenjahr richtet, verschieben sich die religiösen Feste des Islam jährlich um elf Tage. (→Islam)

■ **Hinduismus und Buddhismus** Eines der am meisten verbreiteten Feste des *Hinduismus* ist das Fest der Lichter (→Divali). Wichtige Feste des *Buddhismus*, die ebenfalls nach dem Mondkalender gefeiert werden, sind das Neujahrsfest und die Feste zu Ehren der Geburt und der Erleuchtung Buddhas. (→Hinduismus, →Buddhismus)

Fetialen [zu latein. fetis »Satzung«, »Gesetz«], lateinisch **Fetiales,** altrömisches Priesterkollegium von 20 Mitgliedern, das die religiösen Formen und Bräuche des völkerrechtlichen Verkehrs ordnete und überwachte. Besonders vor Kriegsbeginn und nach Friedensschluss hatten die Fetialen bestimmte, sehr altertümliche Zeremonien zu vollziehen. So hatte etwa beim Friedensschluss der aus dem Kreis der Fetialen stammende »Pater patratus« ein Schwein durch Erschlagen mit einem Feuerstein zu opfern.

Sie standen in enger Beziehung zu →Bellona. Kaiser Augustus (* 63 v. Chr., † 14 n. Chr.) brachte die Fetialen, die damals jede Bedeutung verloren hatten, für kurze Zeit wieder zu Ansehen.

Fetisch [portugies.-französ., zu latein. facticius »nachgemacht«, »künstlich«], ein Gegenstand, dem eine außernatürliche Macht persönlicher oder unpersönlicher Art inne-

Fetisch. Die Verursachung von Schmerzen in Fernwirkung gehört zu den erschreckendsten und faszinierendsten Praktiken des Wodu. Dabei wird ein Fetisch, das Abbild eines Menschen, mit Nadeln durchstochen (Philadelphia, Pa., University Museum).

wohnt. Diese kann man durch Geschenke oder Opfer zum eigenen Vorteil sowie zum Schaden anderer aktivieren. Jeder Gegenstand kann zum Fetisch werden und für jedes Anliegen kann es einen speziellen Fetisch geben. Wenn er versagt, ersetzt man ihn durch einen neuen. Zugrunde liegt diesen Praktiken der Glaube an allenthalben wirkende Zauberkräfte, von denen der Mensch abhängig ist und die er für seine Zwecke einsetzen kann.

Fetische sind v. a. in Westafrika verbreitet. Besondere Verehrung genießen die großen Fetische von Klanen oder politischen Gruppen im Guineagebiet. Es handelt sich meist um Masken oder Skulpturen, in denen mächtige Ahnen gegenwärtig sind. Eine besondere Ausprägung von Fetischen entwickelte sich nördlich der Kongomündung an der Loangoküste: die Nagelfetische und Spiegelfetische. Diese sind jedoch wohl erst nach Einfluss des Christentums (Reliquiare) entstanden.

Gegen Ende der 15. Jh. beobachteten die Portugiesen an der Guineaküste den Kult mit Figuren aus Holz oder Lehm, aber auch mit Steinen, Tierbälgen und -körpern, sogar mit Stofffetzen. Sie missdeuteten dies als eine Verehrung der Gegenstände. Daher stammt der Name Fetisch, für den es in den afrikanischen Sprachen keine Entsprechung gibt. Im 18. und 19. Jh. betrachtete man den mit dem Fetisch verbundenen Kult (**Fetischismus**) als ursprüngliche Religionsform der Menschheit. Der Fetischkult ist jedoch, auch wenn er regional rein äußerlich das Übergewicht zu haben scheint, in andere Religionen eingebettet. Über den in den Fetischen wohnenden Kräften stehen immer höhere Gottheiten.

Fẹtwa [arab.], **Fạtwa**, Rechtsgutachten des Muftis, in Ägypten seit 1935 auch eines Fetwakollegiums, in dem festgestellt wird, ob eine Handlung mit dem islamischen Recht (Scharia) vereinbar ist. Eine Fetwa hat für die Rechtsprechung die Bedeutung eines Gesetzes.

Feuerbach, Ludwig, deutscher Philosoph, * Landshut 28. 7. 1804, † auf dem Rechenberg bei Nürnberg 13. 9. 1872; studierte ab 1822 Theologie und ab 1825 Philosophie bei Georg Wilhelm Friedrich Hegel. 1828 wurde er Privatdozent in Erlangen. Aufgrund von Anfeindungen von theologischer Seite gab er die Bemühungen um eine akademische Laufbahn auf. 1848/49 hielt er auf Einladung von Studenten in Heidelberg Vorlesungen über das Wesen der Religion.

Feuerbach entwickelte seine sich aus seiner Anthropologie ergebende Theologiekritik zunächst negativ in Auseinandersetzung mit dem endgeschichtlichen Anspruch der hegelschen Philosophie. Seine Kritik betrifft Hegels Konzept des »absoluten Geistes«, seine intellektualistische und monologische Einseitigkeit und seine Vernachlässigung der Sinnlichkeit des Menschen. Feuerbach begründete seine Anthropologie in dem dialogischen Verhältnis von »Ich und Du«, das er als »Liebe« definierte. Aus ihr und der dabei gemachten sinnlichen Erfahrung resultieren Sinn und Objektivität.

Das Ziel von Feuerbachs Theologiekritik ist eine philosophische Kritik der Theologie überhaupt und soll zu einer Anthropologisierung der Religion führen. Seine gegen die philosophische Tradition gerichtete »neue Philosophie« sollte den Menschen als leibliches Sinnenwesen und auf andere Menschen bezogenes Gattungswesen zum Gegenstand haben. In seinem Hauptwerk »Das Wesen des Christentums« (1841) begreift Feuerbach Gott als Projektion des menschlichen Vollkommenheitsstrebens, besonders im Hinblick auf Unsterblichkeit, wobei sich in Wahrheit echte Unsterblichkeit Feuerbach zufolge nur in den eigenen Leistungen der menschlichen Gattung manifestiert.

Weitere Werke: Gedanken über Tod und Unsterblichkeit (1830); *Über Philosophie und Christenthum* (1839).

Feuerbestattung, eine Form der →Totenbestattung.

Feuertempel, in seinen Ursprüngen bis zu den Feuerheiligtümern und -altären alter indoiranischer Feuerdienste zurückreichender Kultbau der Zoroastrier in Iran, Afghanistan, Indien, Charism und Mesopotamien (→Parsismus). Der Kult erfuhr durch Zarathustra im 6. Jh. v. Chr. Erneuerung und Umformung. Vermutlich erst seit dieser Zeit heißen das hl. Feuer und die Feuergottheit iranisch Atar. Kultbauten fanden erstmals in Bisutun um 520 v. Chr. Erwähnung (Inschrift des achaimenidischen Königs Darius). Feuertempel gab es u. a. bei den Medern, Achaimeniden, Parthern, in Uruk, Assur, Hatra und Seleukeia-Ktesiphon. Die Dynastie der Sassaniden machte den Parsismus zur Staatsreligion. Viele Feuertempel sassanidischer Zeit (3.–7. Jh. n. Chr.) sind bekannt, teils archäologisch, teils durch literarische Überlieferung der zoroastrischen Tradition, die mehrere Hauptfeuer unterschied.

Fịkh [arab. »Kenntnis«, »Gelehrsamkeit«], die Rechtswissenschaft des Islam, bestehend aus der Lehre von der Methodik der Gesetzesfindung und der Lehre von den gesetzlichen Einzelbestimmungen. Ihr Lehrer ist der **Fakih**.

Filioque [latein. »und vom Sohn«], durch die Theologie des Kirchenvaters Augustinus angeregter Zusatz der abendländischen Kirche zum christlichen Glaubensbekenntnis, der besagt, dass der Heilige Geist vom Vater »und vom Sohn« ausgeht. Damit sollte dessen volle Göttlichkeit als die dritte Person der Trinität unterstrichen werden. Das Filioque hatte seit 589 in der spanischen und seit 767 in der fränkischen Kirche Geltung. Karl der Große ließ es 809 auf einer Synode in Aachen anerkennen. In

---

Feuerbestattung
→ GEO **Dossier**
Tod am Ganges, Bd. 16

Ludwig Feuerbach

Rom wurde es 1014 offiziell eingeführt und ging als Zusatz zum Glaubensbekenntnis (Nicänokonstantinopolitanum) in die römische Liturgie ein.

Aufgrund eines vom abendländischen theologischen Denken abweichenden Zugangs der östlichen Kirchen zum Trinitätsdogma verschärfte das Filioque den Streit zwischen Ost und West. Beim Morgenländischen Schisma (1054) war es ein Anklagepunkt des Patriarchen Michael Kerullarios gegen Rom. 1438/39 wurde auf dem Unionskonzil von Florenz über die Berechtigung des Einschubs und über den Lehrinhalt diskutiert. In der Schlussdefinition unterschrieben die Griechen die Anerkennung der Einfügung. Heimgekehrt, widerriefen die meisten ihre Unterschrift und eine Synode in Konstantinopel verwarf 1484 die Einigung von Florenz offiziell. Die Orthodoxie blieb bis heute dabei. Die kath. (unierten) Ostkirchen sind nicht verpflichtet, den Zusatz zu übernehmen.

Die Kirchen der Reformation stehen in der abendländischen Liturgietradition und halten – ebenso wie die Anglikaner – am Filioque fest, während es die Alt-Katholiken aufgrund einer Übereinkunft mit den orth. Kirchen (Bonn 1874 und 1875) aufgegeben haben.

Fimbulwinter, *altnordische Mythologie:* grimmiger Winter, der drei Jahre dauert, die Welt veröden lässt und den Weltuntergang (→Ragnarök) einleitet.

Firmung [eigtl. »Stärkung (im Glauben)«, zu latein. firmare »befestigen«, »bekräftigen«], lateinisch **Confirmatio**, mit Aussagen aus dem N.T. (Apg. 8,14–17) begründetes Sakrament der kath. Kirche, der anglikanischen Kirche und der Alt-Katholiken sowie der Ostkirchen (hier: **Myronsalbung, Hagion Myron**). Die Firmung wird Kindern im Alter von sieben bis zwölf Jahren vom Bischof, Weihbischof, einem beauftragten Abt oder in außerordentlichen Fällen auch vom Gemeindepfarrer durch Handauflegung, Salbung, Gebet und einen leichten Backenstreich gespendet.

Dem kirchlichen Verständnis zufolge ergänzt und vollendet die Firmung die Taufe, gliedert den Gläubigen in vollkommener Weise in die Kirche ein und stattet ihn mit einer besonderen Kraft des Heiligen Geistes aus, die ihn befähigt, seinen Gottesglauben in Wort und Tat zu bekennen und zu verteidigen. Taufe und Firmung als Sakramente der Initiation waren in der alten Kirche miteinander verbunden. Der in den Ostkirchen noch heute bestehende Brauch, die Kleinkinder unmittelbar nach der Taufe zu firmen, wurde in der Kirche des Westens seit dem 12. Jahrhundert aufgegeben.

Die Kirchen der Reformation lehnen die Firmung als Sakrament ab. Der Gedanke der Firmung lebt jedoch weiter in der Konfirmation.

Fisch, in vielen alten Religionen ein Symbol sowohl des Todes als auch der Fruchtbarkeit. Der semitische Gott Dagon ist bisweilen als Fisch dargestellt. In der indischen Mythologie wurde →Manu von einem Fisch aus der Sintflut gerettet. Als Glückszeichen sind Fische in Indien schon im 5. Jh. v. Chr. nachweisbar.

Der Fisch ist eines der frühesten Geheimsymbole für Christus (seit dem 2. Jh.). Die Buchstaben des griechischen Wortes für Fisch, ICHTHYS, werden als eine Abkürzung für die Formel »Iēsoũs, CHristós, THeoũ (H)Yiós, Sōtér« (= Jesus, Christus, Gottessohn, Heiland) aufgefasst. Die Darstellung des Fisches in Verbindung mit Elementen des Abendmahls wurde sehr früh auch zu einem eucharistischen Symbol.

Flagellanten. Mitte des 13. Jh. entstanden, wurde die Bußbewegung der Flagellanten zur Zeit der großen Pest 1349 geradezu eine Massenbewegung. Deren Motive reichten von echter Frömmigkeit über die Hoffnung, der Pest zu entgehen, bis zur Aussicht auf Almosen.

Flagellanten [zu latein. flagellum »Geißel«, »Peitsche«], Singular **Flagellant, Flegler, Geißler, Kreuzbrüder,** Angehörige schwärmerisch-frommer Laienbewegungen des 13.–15. Jh., die morgens und abends zur Buße unter Gebet und Bußliedern Selbstgeißelung (Flagellation) übten, die Männer mit entblößtem Oberkörper öffentlich auf Straßen und Plätzen, die Frauen hinter verschlossenen Türen in Kirchen. Die Bewegung entstand im Herbst 1260 in Mittelitalien, hervorgerufen v. a. durch chiliastische Endzeiterwartung, und breitete sich in mehreren Wellen über ganz West- und Mitteleuropa aus. Im Zusammenhang mit dem Ausbruch der Pest kam es 1348/49, wahrscheinlich von Österreich ausgehend, zu neuen Geißlerzügen bis nach England. Zur Hochburg der Flagellantenbewegung wurden die Niederlande. Papst Klemens VI. versuchte, die Flagellanten zu unterdrücken. Endgültig verschwanden sie nach dem Verbot durch das Konzil von Konstanz (1417).

F | Flamen

Flamen, in Rom seit ältester Zeit der Priester eines einzelnen Gottes. Unter den drei **Flamines maiores** nahm der Flamen Dialis, der Opferpriester Jupiters, eine Vorzugsstellung ein. Er war besonders strengen Geboten und Verboten unterworfen, da seine Lebensführung die des Jupiter darstellen sollte. Daneben gab es zwölf **Flamines minores.** Nach dem Vorbild der Flamines maiores wurden in der Kaiserzeit **Flamines Divorum** (Einzelpriester der vergöttlichten Kaiser) eingesetzt.

Fliegerspiel, aztekisch **Xocotl vetzi** (»der [Stern- und Feuergott] Xocotl steigt herab«), spanisch **Juego del volador,** ein bis heute in Mexiko beliebtes Spiel, bei dem junge Männer einen hohen Mast besteigen, um den vier Stricke gewickelt sind, an denen sich die Männer durch Abwickeln in immer weiter werdenden Kreisen zur Erde herablassen. Dieses Spiel hatte ursprünglich eine religiöse Bedeutung. Es stellte das Herabkommen der toten Krieger, als deren Gott Xocotl galt, dar.

Flora [zu latein. flos, floris »Blume«, »Blüte«], die ursprünglich von den altitalischen Oskern und Sabinern, später im ganzen Römischen Reich verehrte Göttin des blühenden Getreides und der Blumen. In Rom wurde ihr 238 v. Chr. beim Circus Maximus ein Tempel erbaut. Die Spiele zur Einweihung **(Ludi florales, Floralia)** fanden seit 173 v. Chr. regelmäßig vom 28. April bis 3. Mai statt. Sie gehören zu den in vielen Kulturen noch heute abgehaltenen Frühlings- und Maibräuchen.

Fluch [zu altengl. flocan »schlagen«; Grundbedeutung »das (mit der Hand auf die Brust) Schlagen« (zur Bezeichnung der Geste, die die Verwünschung begleitet)], im Affekt des Zorns ausgesprochener Unheilswunsch, der einem Menschen oder einer Sache Schaden oder Vernichtung bringen soll. Meistens wird mit einem Fluch ein über einen längeren Zeitraum oder wiederholt auftretendes, als Strafe Gottes aufgefasstes Unheil gewünscht.

In der *Religionsgeschichte* ist ein Fluch die von einem Unheilswunsch begleitete Unterstellung eines Menschen oder auch einer Sache unter die Gewalt einer Gottheit. Als Verwünschung ist der Fluch Grundbestand archaischer Gebetswünsche. Er ist wie sein Gegenstück, der Segen, ein ursprüngliches Zauberwort, mit dem die Vorstellung verbunden ist, dass es aus eigener Kraft wirkt, einmal ausgesprochen, nicht zurückgenommen werden kann und auch über die Lebenszeit des Fluchenden hinaus wirksam bleibt. Zu feierlichem Ritual erhoben, wächst aus dem Fluch die öffentliche Verdammung, etwa im →Anathema des kirchenrechtlichen Bannes.

Flügelsonne, Darstellung der Sonne als Scheibe mit zwei ausgebreiteten Falkenflügeln, die im Altertum in Vorderasien und Ägypten ein verbreitetes Motiv war. In Ägypten wurde sie oft auch mit Uräusschlangen kombiniert, die schützend von der Scheibe herabhängen. Seit dem Alten Reich bezeugt, ist die Flügelsonne Symbol des Horus von Idfu, z. T. auch des Sonnengottes Re. Später fungiert sie vielfach als Schutzsymbol. Seit dem 2. Jt. v. Chr. ist sie auch im Orient verbreitet, z. B. bei der Ikonografie der hethitischen Königssiegel, und erscheint als Symbol des Firmaments. Bei den Assyrern symbolisiert die Flügelsonne Assur, den ranghöchsten Gott, bei den Achaimeniden Ahura Masda.

Flutsage, eine fast auf der ganzen Erde (mit Ausnahme von Ägypten und Japan) bekannte Sage, die vom Untergang der Erde und ihrer Bewohner durch eine →Sintflut berichtet.

Forseti, friesisch **Fosite,** germanischer, ursprünglich in Friesland heimischer Gott, nach dem Helgoland Fositesland hieß. Im »Grimnirlied« der Edda wird der Schlichter aller Rechtsstreitigkeiten Forseti genannt.

Fortuna, Fors Fortuna, altitalische Gottheit, deren Kult in Rom auf den König Servius Tullius (578–534 v. Chr.) zurückgeführt wurde. Ihr Name wird meist mit einem Beiwort versehen: u. a. Publica, Populi Romani, Primigenia, Redux und Augusta. Ursprünglich war sie wohl eine Göttin der Frauen und wurde vielfach mit Orakeln verbunden. Später wurde sie zu einer Glücksgottheit und der griechischen Tyche gleichgestellt.

Ein archaischer etruskischer Doppeltempel der Fortuna und der Geburts- und Frauengottheit Mater Matuta aus dem 6. Jh. v. Chr. wurde 1961ff. in Rom bei der Kirche San Ombone freigelegt. In der Kaiserzeit erscheinen die beiden Göttinnen in enger Verbindung mit kaiserlichen Triumphen. Die Bevölkerung erhoffte von der Göttin Glück. Unter den Weihegaben fallen Mutter-Kind-Darstellungen auf. In der östlich von Rom gelegenen Stadt Palestrina wurde ein einst berühmter Tempel der Fortuna freigelegt (2. Jh. v. Chr.). Dargestellt wird Fortuna in der Antike meist mit Füllhorn, auch mit Steuerruder oder/und auf einer Kugel (Globus) stehend.

Fosite, friesisch für →Forseti.

Francke, August Hermann, deutscher ev. Theologe und Pädagoge, *Lübeck 22.(12.?)3. 1663, †Halle (Saale) 8. 3. 1727; war beeinflusst von Philipp Jacob Spener und hielt in Leipzig, wo er ab 1689 Dozent war, von der pietistischen Erweckung geprägte theologische Vorlesungen. Nachdem er nach Auseinandersetzungen um den Lehrbetrieb und die orth. Leipziger Universitäts-Theologie 1690 von der Universität verwiesen worden war, wurde er durch Vermittlung Speners 1691 Pfarrer in Glaucha bei Halle (Saale) und 1694 Professor an der neu eröffneten hallischen Universität. Dort lehrte er zunächst orientalische Sprachen und seit 1698 Theologie.

Flügelsonne. Über den besiegten Feinden schwebt der Gott Ahura Masda, der durch den Mann in der Flügelsonne symbolisiert wird (Detail aus dem Siegesrelief Dareios' I., des Großen, an der Felswand von Bisutun).

Neben seiner Lehrtätigkeit gründete und leitete er die nach ihm benannten **Franckeschen Stiftungen** mit Waisenhaus, Schulen und Internat. Im Mittelpunkt seiner Arbeit stand die Erziehung der Jugend. Sie war gekennzeichnet durch strenge Beaufsichtigung unter Zurückdrängung von Fröhlichkeit und Spiel und durch Beschäftigung mit den Realien. 1710 gründete er zusammen mit dem Theologen Karl Hildebrand von Canstein eine Bibelanstalt zur Verbreitung billiger Bibeln. Durch seine Schüler Bartholomäus Ziegenbalg und Heinrich Plütschau gewann er entscheidenden Einfluss auf die Mission.

Franziskaner, die Mitglieder aller Ordensgemeinschaften, die Franz von Assisi als Gründer verehren. Solche Gemeinschaften existieren auch außerhalb der kath. Kirche, z. B. die anglikanischen Franziskaner seit etwa 1900 und die »Evangelische Franziskanerbruderschaft der Nachfolge Christi« seit 1927. Im engeren Sinn sind Franziskaner die Mitglieder des »Ordens der Minderen Brüder« (lateinisch Ordo Fratrum Minorum, Abk. OFM), die nach der 1223 von Papst Honorius III. bestätigten Regel leben. Sie gehören zur Gruppe der →Bettelorden. Ihr Ordenskleid ist ein brauner Habit mit Kapuze, weißem Strick und braunem Umhang. Nach der Regel des Franz von Assisi sollte die Gemeinschaft der Minderbrüder ihr Leben nach dem Evangelium führen, auf jeglichen persönlichen und gemeinsamen Besitz verzichten und sich zum Dienst an den Menschen durch Arbeit jeder Art und Predigt verpflichten.

■ **Geschichte** Auseinandersetzungen um die Auslegung der Ordensregel, die in der Spannung zwischen dem ursprünglichen Wollen des Gründers und der jeweils notwendigen Anpassung an die sich wandelnde Zeit standen, führten bereits im 13. Jh. zur Entstehung von drei Richtungen: den ab 1318 von der Inquisition verfolgten Spiritualen, die auf wörtliche Regelbeobachtung drangen, den Konventualen, die eine Angleichung an die alten Orden erstrebten, und einer mittleren Richtung, die unter größtmöglicher Treue zum ursprünglichen Ideal zu notwendigen Zugeständnissen bereit war.

Trotz der internen Streitigkeiten breitete sich der Orden sehr rasch in ganz Europa aus. Die Franziskaner arbeiteten in der städtischen Seelsorge, an den Universitäten und in der Mission. Parallel zu innerkirchlichen Reformansätzen wuchs im Franziskanerorden eine Reformbewegung heran (Observanz). 1517 wurden die reformierten Franziskaner (als Observanten) und die nicht reformierten (als Konventualen, in Deutschland Minoriten genannt) zu getrennten und selbstständigen Ordensfamilien erklärt, aus denen sich im 17. Jh. die Reformgruppe der Kapuziner löste. Die Observantenfamilien konnten 1897 wieder zu einer einheitlichen Ordensgemeinschaft vereinigt werden, die jetzt allein **Franziskaner (OFM)** heißt. Der Orden ist in Seelsorge, Schule, Wissenschaft und Mission tätig.

■ **Organisation** An der Spitze des Franziskanerordens steht der auf zwölf Jahre gewählte Generalminister. Regional ist der Orden in Provinzen gegliedert. Mit weltweit (2005) über 16 000 Mitgliedern in rund 2 650 Niederlassungen sind die Franziskaner nach den Jesuiten der größte Orden der kath. Kirche. Die **Konventualen (OFMConv),** auch **Minoriten,** zählen über 4 500 Mitglieder in rund 640 Niederlassungen. Den **Kapuzinern (OFMCap)** gehören rund 11 300 Mitglieder in rund 1 650 Niederlassungen an. Der weibliche Zweig (Zweiter Orden) geht auf die hl. Klara von Assisi (* 1194, † 1253) zurück. Die **Klarissen** umfassen vier Orden (Klarissen, Urbanistinnen, Klarissen-Colettinen, Klarissen-Kapuzinerinnen) mit insgesamt rund 11 900 Ordensschwestern. Als Dritter Orden in der Tradition der Franziskaner bestehen zahlreiche an der franziskanischen Regel ausgerichtete und franziskanische Spiritualität pflegende Laiengemeinschaften.

Franz von Assisi, italienisch **Francesco d'Assisi,** latinisiert **Franciscus, Franziskus,** eigtl. **Giovanni Bernardone,** Ordensstifter, * Assisi 1181 oder 1182, † ebenda 3. 10. 1226; stammte aus wohlhabender Kaufmannsfamilie, verzichtete nach Krankheit und Bekehrungserlebnissen auf Beruf und bürgerliches Leben, lebte seit 1208 als Bettler und Wanderprediger und widmete sich der Pflege der Aussätzigen. 1209 schlossen sich ihm die ersten Gleichgesinnten an. Die schnell wachsende Anhängerschaft verband Franz von Assisi zum »Orden der Minderen Brüder« (→Franziskaner) und verpflichtete sie in einer ersten, auf Texten des N.T. basierenden Regel zu einem Leben in Armut und Buße im Dienst an den Menschen und an der Kirche. Papst Inno-

Franziskaner. Die Franziskaner gehören zu den Bettelorden, die Anfang des 13. Jh. entstanden. Sie forderten nicht nur persönliche Armut, sondern lehnten auch für den Orden jeglichen weltlichen Besitz ab (»Die Bestätigung der Ordensregel des heiligen Franziskus von Assisi durch Papst Honorius III.«, Fresko von Domenico Ghirlandaio in der Cappella Sassetti in Santa Trinità, Florenz, um 1483/85).

Franz von Assisi.
In allen Legenden über das Leben des heiligen Franz von Assisi wird seine Demut gegenüber Menschen und Tieren herausgestellt. So soll er auch den Vögeln gepredigt haben (Glasfenster in der Kirche des ehemaligen Franziskanerklosters in Königsfelden, Schweiz).

zenz III. billigte die für die Zeit neue Lebensform 1210 zunächst mündlich und Honorius III. endgültig 1223 durch päpstliche Urkunde.

1212 schloss sich die adlige Klara von Assisi der Bewegung an und begründete mit den Klarissen den weiblichen Zweig der franziskanischen Gemeinschaft. Franz von Assisi selbst trat 1220 von der Leitung des Ordens zurück und zog sich auf den Monte Alverno zurück. Die Leiden seiner letzten Lebensjahre verstand er als Nachfolge des Gekreuzigten. Seine →Stigmatisation 1224 ist der erste belegte Fall dieses Phänomens. Die Frömmigkeit des Franz von Assisi wurde stark durch Einfühlsamkeit und Gebet, weniger durch theologische Gelehrsamkeit bestimmt. Als Beispiel dafür gilt neben seinen Gebeten besonders der Sonnengesang (1224).

Bereits zwei Jahre nach seinem Tod wurde Franz von Assisi von Papst Gregor IX. heiliggesprochen. Sein Grab befindet sich in der Kirche San Francesco in Assisi. – Heiliger (Tag: 4. 10.).

Franz von Sales, französisch **François de Sales,** französischer kath. Theologe und Schriftsteller, *Schloss Sales (bei Annecy) 21. 8. 1567, †Lyon 28. 12. 1622; stammte aus vornehmer Familie und studierte zunächst Jura. 1594 erhielt er die Priesterweihe und wurde 1602 Bischof von Genf. Franz von Sales stiftete 1610 mit der Mystikerin Jeanne Françoise Fremyot de Chantal den seit 1618 kontemplativen, jedoch auch in der Erziehung tätigen Orden der Salesianerinnen. 1877 wurde er zum Kirchenlehrer erklärt. – Heiliger (Tag: 24. 1.).

Bekannt sind sein unter dem Titel »Philothea« publik gewordenes Andachtsbuch »Introduction à la vie dévote…« (1608) sowie sein auch als »Theotismus« bekannter Traktat »Traité de l'amour de Dieu« (1616).

Frater [latein. »Bruder«], im frühen Mönchtum Selbstbezeichnung für alle Mönche und seit der Unterscheidung von Priester- und Laienmönchen Bezeichnung für die Laienmönche.

Fravaschi [avest. wohl »die Erwählte«], in Altiran das dem Gläubigen eigene Unsterbliche, das schon vor seiner Erdengeburt bestand und ihn überdauert. In ihrer Gesamtheit sind die (vor- und unzarathustrischen) Fravaschi als Ahnengeister den römischen Manen vergleichbar. Ihre kriegerische Tätigkeit als Schutzgeister schildert Yascht 13 des Avesta. Die Fravaschi werden auch als »Schutzengel« des Menschen betrachtet und als Flügelwesen dargestellt. Sie besuchen während der letzten zehn Tage des zoroastrischen Jahres ihre frühere Erdenheimat und werden dort besonders gefeiert.

Freemasonry [ˈfriːmeɪsnrɪ], englische Bezeichnung für →Freimaurerei.

Freia, germanische Göttin, →Freyja.

Freikirche, im Unterschied zur Staats- oder Volkskirche eine frei konstituierte Kirche. Neben der Forderung nach völliger Trennung von Staat und Kirche betonen alle Freikirchen eine bewusste Entscheidung für die Mitgliedschaft, die aktive Mitgestaltung des Gemeindelebens im Sinne des reformatorischen Priestertums aller Gläubigen, den kirchlichen Auftrag der Mission und Evangelisation sowie die Kirchenzucht. Glaubensgrundlage ist die Bibel in der Gesamtheit ihrer Aussagen, was – im Gegensatz zur selektiven Schriftauslegung der Sondergemeinschaften (Sekten) mit christlichem Hintergrund – theologisch das »Kirchesein« der Freikirchen begründet. Zur Finanzierung ihrer Aufgaben erwarten die Freikirchen von ihren Mitgliedern den so genannten »Zehnten«.

In Deutschland besteht seit 1926 die »**Vereinigung Evangelischer Freikirchen« (VEF).** Ihr Sitz ist Frankfurt am Main. Der VEF gehören heute Mennoniten, Baptisten, Methodisten, Adventisten, die Herrnhuter Brüdergemeine, die Heilsarmee, die Kirche des Nazareners (englisch »Church of the Nazarene«), der »Bund Freier evangelischer Gemeinden« und der »Bund Freikirchlicher Pfingstgemeinden« an.

Neben diesen klassischen Freikirchen gibt es in Deutschland noch verschiedene konfessionelle Freikirchen, z. B. →Alt-Katholiken und →Altlutheraner.

■ **Geschichte** Der Begriff »Freikirche« (englisch »Free Church«) selbst ist erst in der Mitte des 19. Jh. aufgekommen, fast zeitgleich in Schottland und in der Westschweiz; die geschichtlichen Wurzeln des heutigen Freikirchentums reichen allerdings in die Zeit der Vorreformation und Reformation zurück und

---

Im »Sonnengesang« des heiligen **Franz von Assisi** (1224) ist der Mensch mit der beseelten Natur zum Lobpreis Gottes verschwistert:

»Gelobt seist du, mein Herr, mit allen deinen Geschöpfen,
besonders Herrn Bruder Sonne;
Der ist Tag, und du gibst uns Licht durch ihn,
und schön ist er und strahlend mit großem Glanze;
Von dir, Höchster, gibt er Eindruck.
Gepriesen seist du, mein Herr,
für Schwester Mond und die Sterne:
Am Himmel hast du sie geschaffen,
hell, kostbar und schön.
Gelobt seist du, mein Herr,
für Bruder Wind
Und für Luft und Wolke und heiteres und jedes Wetter,
Durch das du deinen Geschöpfen Erhaltung gibst…«

sind mit den Bewegungen der →Waldenser, Lollarden (Anhänger J. Wycliffes), →Hussiten und →Täufer verbunden. Das auf die biblische Tradition zurückgreifende Verständnis von Gemeinde und Kirche sowie die freikirchlichen Leitungsmodelle (Kongregationalismus, Presbyterianer) wurzeln im englischen Puritanismus des 17. Jh. (→Puritaner). Die Anfänge der ökumenischen Bewegung sind vielfach durch freikirchliche Impulse angestoßen und in ihren Entwicklungen entscheidend (mit)bestimmt worden.

Freimaurerei [von engl. Freemasonry], eine international verbreitete, in Logen organisierte Bewegung (Bruderschaft). Sie fühlt sich einer humanitären, auf Toleranz und Achtung vor der Menschenwürde beruhenden Geisteshaltung verpflichtet, die in den Logen in rituellen »Arbeiten« vermittelt wird. Auf dieser Grundlage treten die Logenmitglieder (**Freimaurer**) für freie Entfaltung der Persönlichkeit, Hilfsbereitschaft, Brüderlichkeit und ein friedliches, sozial gerechtes Zusammenleben der Menschen ein.

■ **Religiöse Praxis und Lehre** Das Ritual der Freimaurer, das in seinen wesentlichen Bestandteilen überall auf der Erde gleich ist, kann als ein dynamisches Symbol des kosmischen Geschehens gedeutet werden. Das teilnehmende Logenmitglied ordnet sich mithilfe der Symbolik der rituellen Handlungen bewusst in die Gesetzmäßigkeit des Universums ein und soll durch diese lebendige Beziehung lernen, sein Leben in stetig wachsendem Maß aus einem übergeordneten Bewusstsein heraus zu gestalten. Jede Arbeit hat den Charakter einer Feier. Zu Beginn wird ein Gebet oder ein Sinnspruch gesprochen und zum Ausklang symbolisch die Kette gebildet.

Das Brauchtum und die Symbole der Freimaurer wurzeln in den mittelalterlichen Bauhütten. Die Freimaurerei stellt im Verständnis der Freimaurer eine sinnbildliche Baukunst dar. Gegenstand dieses Bauens sind der einzelne Mensch und über ihn hinaus die gesamte Menschheit. Die Arbeiten werden in drei Graden abgehalten, dem des Lehrlings, des Gesellen und des Meisters, und erfassen das gesamte Leben des Mannes. Die Freimaurer verwenden besondere Zeichen und tragen zu ihren Arbeiten Abzeichen, Schurz und weiße Handschuhe.

Zu den geistigen Grundlagen der Freimaurerei zählen Urkunden wie die »Alten Landmarken« und die »Alten Pflichten«. Erstere stammen z. T. bereits aus dem 14. Jahrhundert.

■ **Organisation und Geschichte** Die Freimaurerei besitzt keine über die ganze Erde reichende, zusammenhängende Organisation. Die Vereinigungen der Freimaurer, die **Logen**, sind innerhalb des Staates, in dem sie arbeiten, in mindestens einer Großloge zusammengeschlossen und rechtlich in der Regel nach dem Vereinsrecht organisiert. Die Mitglieder einer Loge wählen in freier Wahl ihren Vorsitzenden, den Meister vom Stuhl oder Logenmeister. Die Logenmeister wählen auf dem Großlogentag den Großmeister und dessen Mitarbeiter in der Führung der Großloge.

1717 entstand durch den Zusammenschluss von vier Londoner Logen die erste Großloge. Von 1725 an begann die Freimaurerei von England aus auf das europäische Festland überzugreifen, zuerst nach Frankreich, wo die erste Großloge 1736 gebildet wurde.

In *Deutschland* wurde 1737 die erste Loge in Hamburg (heute Loge »Absalom zu den drei Nesseln«) gegründet, die 1738 den preußischen Kronprinzen, den späteren König Friedrich II., den Großen, (1740–86), aufnahm. Dieses Ereignis war die Initialzündung für die Ausbreitung der Freimaurerei in Preußen und bald im übrigen Deutschland. 1933 wurden die Logen durch den nationalsozialistischen Staat geschlossen, ihr Vermögen eingezogen und ihre Mitglieder teilweise verfolgt. Die nach 1945 in der Bundesrepublik Deutschland neu gegründeten Logen schlossen sich 1958 zu den »Vereinigten Großlogen von Deutschland« zusammen. In der DDR dagegen blieb die Freimaurerei bis 1990 verboten. Heute gibt es deutschlandweit über 14 000 Freimaurer. Weltweit wird die Zahl der Freimaurer auf etwa 6 Mio. in rund 45 000 Logen geschätzt.

In *Österreich* entstanden seit 1742 zahlreiche Logen. 1918 wurde die heutige »Großloge der Alten Freien und Angenommenen Maurer von Österreich« errichtet (1938–45 verboten), die heute 54 Logen zählt. In der *Schweiz* wurde die erste Freimaurerloge 1736 in Genf gegrün-

Freimaurerei. Die Lehre der Freimaurer spiegelt sich in den zahlreichen Symbolen des Geheimordens. Auf dem Schurz des Logenmeisters stehen die Säulen des Salomonischen Tempels für die Polaritäten des Lebens, der Zirkel für die Menschenliebe, das Winkelmaß für Gerechtigkeit. Alles wird überstrahlt von im Freimaurertum zentralen Lichtsymbolen (Paris, Musée du Grand Orient de France).

det, 1844 in Zürich die »Schweizerische Großloge Alpina«, der heute 79 schweizerische Logen angehören.

Freiseele, eine Seelenvorstellung in frühen Kulturen; →Seele.

Freitag [althochdt. frīadag, zum Namen der Göttin Frigg], der fünfte Tag der Woche, der im Christentum durch das Gedenken an den Tod Christi (→Karfreitag) geprägt ist. So werden der Freitag oder besondere Freitage durch Andachts- und Gebetsübungen sowie Fasten aus den übrigen Wochentagen herausgehoben. Im Islam findet am Freitagmittag das so genannte Freitagsgebet mit Predigt statt. Der Freitag ist jedoch kein Feiertag entsprechend dem christlichen Sonntag oder jüdischen Sabbat. Mit dem Freitag sind auch vielfältige Volksglaubensvorstellungen verbunden, nach denen er v. a. als Unglücks- (Freitag, der 13.) oder Glückstag gilt.

Freitagsgebet, im Islam die gottesdienstliche Versammlung am Freitag, →Djuma.

Freitagsmoschee, Große Moschee, die →Moschee, in der die Muslime sich zum Freitagsgebet versammeln.

Freyja [altnord. »Herrin«], **Freia,** altnordische Mythologie: zauberkundige Göttin der Liebe und der Fruchtbarkeit, die als Tochter Njörds und Schwester des →Freyr zum Göttergeschlecht der Vanen gehört. Nach deren Aussöhnung mit den Asen wurde sie die Gemahlin des Odin. Sie besitzt die Halskette Brisingamen sowie ein Falkengewand, mit dem sie ihre Gestalt verändern kann, und fährt mit einem von Katzen gezogenen Wagen durchs Land. Freyja wurde später mit →Frigg identifiziert.

Freyr, Freir [altnord. »Herr«], altnordische Mythologie: skandinavischer Gott der Fruchtbarkeit, des Friedens und des Wohlstands. Er stammt aus dem Geschlecht der Vanen und ist ein Sohn Njörds und Bruder der →Freyja. Nach westskandinavischem Mythos wohnt er in Alfheim und besitzt das Wunderschiff »Skidbladnir« sowie den Eber »Gullinborsti« (Goldborste).

Frigg, altnordische Mythologie: altgermanische Göttin, Gemahlin Odins und Mutter Baldrs, Königin der Götter und Menschen, Schützerin der Ehe und der Familie sowie Urheberin aller irdischen Fruchtbarkeit. In der Übersetzung des lateinischen Wochentagsnamens »dies Veneris« durch althochdeutsch frīadag »Freitag« wird sie mit Venus gleichgesetzt. Trotzdem stand das erotische Element offenbar nicht im Vordergrund. Ihre Gestalt ist mit →Freyja verschmolzen.

Frömmigkeit [aus mittelhochdt. vrum, vrom »nützlich«, »tüchtig«, »tapfer« (seit dem 15. Jh. zunehmend religiöse Bedeutung)], komplexe seelisch-geistige Grundhaltung und Gestimmtheit des religiösen Menschen in Ehrfurcht, Verehrung und Hingabe dem Göttlichen (Numinosen) gegenüber, die sein Denken, Handeln und Fühlen prägt. Als allgemeinste Bestimmung von Frömmigkeit erscheint in den verschiedenen Religionen »den Göttern das Ihre geben«, eine äußere rituelle Konformität. Die Begriffe »pietas« (lateinisch) und »eusébeia« (griechisch) meinen zugleich auch das angemessene Verhältnis zu den Eltern.

Da äußere Symbole der Frömmigkeit auch erstarren können, appelliert die prophetische Frömmigkeit, etwa der griechischen Weisen (z. B. Sokrates) oder der Propheten des A. T., an die Innerlichkeit des Menschen, verwirft die Berufung auf Gesetz und Kult allein als ungenügend und verlangt Gesinnungswandel und Umkehr zu Gott, um Rettung und Heil zu finden. Auch die Frömmigkeit Jesu ist prophetische Frömmigkeit (z. B. Mk. 12, 28 – 31).

Die *außerchristlichen Weltreligionen,* der chinesische daoistische Universismus, der indische Hinduismus und Buddhismus wie auch der Islam, appellieren ebenfalls, besonders in ihren mystischen Richtungen, an die Innerlichkeit des Menschen, die sie über die äußeren religiösen Ausdrucksformen und Kulthandlungen stellen.

Da Frömmigkeit die subjektive Seite der Religion ist, ergeben sich verschiedene Frömmigkeitstypen, die u. a. von Religion, Konfession, Zeit, Nationalität, Alter, Geschlecht und Beruf abhängen. Unterschieden werden dabei z. B.: schlichte Glaubensfrömmigkeit im Sinne vertrauender Hingabe; Observanzfrömmigkeit, die durch religiös-sittliche Gebote bestimmt ist, Kultfrömmigkeit als rituelle Verehrung Gottes oder der Götter, Werkfrömmigkeit, die das Heil durch gute Werke erreichen will, asketische Frömmigkeit, wie es sie etwa im Mönchtum gibt, mystische Frömmigkeit, die auf Vereinigung mit dem Göttlichen zielt, sowie rationale und emotionale Frömmigkeit je nach Vorherrschen des Denkens, des Wollens oder des Gemüts.

Fronleichnam [mittelhochdt. vrōnlīcham »Leib des Herrn«], Fest der kath. Kirche zur Verehrung der →Eucharistie am Donnerstag nach dem Dreifaltigkeitsfest (erster Sonntag nach Pfingsten). Heute wird dieses Fest auch **Hochfest des Leibes und Blutes Christi** genannt, nachdem das Anliegen des bis 1970 eigenständigen und in zeitlicher Nähe zu Fronleichnam gefeierten »Festes des kostbaren Blutes« integriert wurde.

Fronleichnam entstand im Spätmittelalter im Zusammenhang mit einer stark anwachsenden Verehrung des Altarsakraments. Den äußeren Anstoß gaben Visionen der hl. Juliana von Lüttich. 1246 wurde das Fest in Lüttich eingeführt und 1264 schrieb es Urban IV. für die ganze Kirche vor.

Höhepunkt des Festes ist die **Fronleichnamsprozession,** bei der seit der Mitte des

14. Jh. die Hostie durch die Straßen getragen wird. An vier Altären werden Texte aus den vier Evangelien gesungen und nach dem Gebet wird der Segen erteilt. Als Reaktion auf die Reformation und ihr Verständnis des Abendmahls wurde das Fronleichnamsfest mit seiner prunkvollen Prozession eine öffentliche Demonstration des kath. Eucharistieverständnisses. Das von der liturgischen Bewegung und der Erneuerung nach dem 2. Vatikanischen Konzil geprägte Eucharistieverständnis hat neuere Formen v. a. der Prozession entstehen lassen und z. T. die Prozession sogar ganz abgeschafft.

Fruchtbarkeitskulte, in den meisten Kulturen der Erde verbreitete Bräuche, die die Vermehrung von Mensch, Tier oder Pflanze fördern sollen. Fruchtbarkeitskulte sind meist mit Opferriten (**Fruchtbarkeitsriten**) verbunden, die insbesondere bei der Hochzeit, bei der Aussaat, bei Dürre und beim Austreiben des Viehs auf die Sommerweide ausgeübt werden.

Fruchtbarkeitskulte waren im Altertum Bestandteil verschiedener Kulte – so z. B. der Demeter, Kybele und des Dionysos – und wirken noch in vielen Bräuchen wie etwa dem Flurumgang nach. Hinweise auf Fruchtbarkeitskulte gehen zurück bis in die Altsteinzeit. So stehen die in der jüngeren Altsteinzeit auftretenden Frauenfiguren (»Venusstatuetten«) mit der Betonung weiblicher Geschlechtsmerkmale wohl im Zusammenhang mit einem Fruchtbarkeitskult.

Frühchristentum, Periodisierungsbegriff für die erste Epoche des Christentums von der Zeit der Urgemeinde bis zur rechtlichen Anerkennung der christlichen Religion 313 im Römischen Reich. Die jüngere Forschung differenziert die Epoche des Frühchristentums stärker in Urgemeinde, Urchristentum, alte (altchristliche) Kirche und schließt die Zeit der Völkerwanderung und die Anfänge der Christianisierung der Germanen (bis zum 7. Jh.) ein.

Fudō-myō-ō [japan. »Unerschütterlicher Weisheitskönig«], Manifestation des →Dainichi, die mit Schwert und Strick als Vollstrecker der von Dainichi verhängten Strafen dargestellt wird. Fudō-myō-ō ist der in Japan wichtigste der buddhistischen Go-dai-myō-ō (»Fünf Könige des geheimen Wissens«). Dies sind dämonische Gestalten der magischen Vorstellungswelt, die an ihrem zornig-drohenden Ausdruck, ihrer bewaffneten Gestalt und dem Flammennimbus erkennbar sind.

Fukurokuju [-dʒu; japan. »Glück«, »Reichtum«, »langes Leben«], einer der sieben japanischen Glücksgötter, der auf chinesisch-daoistische Gestalten mit Sternbildsymbolcharakter zurückgeht. Er wird dargestellt mit überhohem Schädel, begleitet von Kranich und Schildkröte als den Sinnbildern langen Lebens.

Fulla, altgermanische Göttin, die im zweiten Merseburger Zauberspruch (dort in der Schreibung »Volla«) als Schwester, in nordischer Überlieferung als Dienerin der Frigg erscheint.

Fundamentalismus, das kompromisslose Festhalten an politischen, religiösen u. a. Grundsätzen.

■ **Begriffsbestimmung** Das Wort Fundamentalismus tritt zuerst im Zusammenhang mit einer 1919 von protestantischen Christen gegründeten weltweit tätigen Organisation, der »World's Christian Fundamentals Association« auf. Zunächst also nur auf eine be-

Fundamentalismus. Islamischer Fundamentalismus oder Islamismus äußert sich in radikaler Intoleranz gegenüber anderen Religionen bis hin zum mit Waffen geführten Djihad. Charakteristisch sind außerdem eine strikte Befolgung der Scharia und die Unterdrückung der Frauen, wie sie sich unter dem afghanischen Regime der Taliban in totalem Berufsverbot und dem Zwang zum Tragen der Burka äußerte (Taliban-Kämpfer in Kandahar).

Frühchristentum. Eines der ältesten Symbole des Christentums ist das des guten Hirten für Christus, der die Herde beschützt, auch die »verirrten Schafe« zurückholt und die Schwachen auf seinen Schultern trägt. Priester werden daher als Hirten ihrer Herde bezeichnet und Bischöfe als Oberhirten (Wandmalerei aus dem 3. Jh.; Rom, Priscilla-Katakombe).

Fundamentalismus
→ GEO **Dossier**
Das heilige Herz des Zorns, Bd. 16

Fundamentalismus
→ GEO **Dossier**
Im Großeinsatz für den Glauben, Bd. 16

Fundamentalismus

Fundamentalismus. Fundamentalismus im Hinduismus verfolgt v. a. nationalistische Ziele. Durch den Konflikt zwischen Indien und Pakistan richtet er sich verstärkt gegen die Muslime Indiens (radikale Hindus nach der Zerstörung der Babri-Moschee in Ayodhya 1992).

stimmte Form christlicher Gläubigkeit bezogen, wurde erst in jüngerer Zeit der Begriff Fundamentalismus auf vergleichbare Erscheinungen in anderen Religionen und schließlich auch auf gleichartige Organisations- und Orientierungsformen nicht religiöser Art übertragen.

Charakteristisch für den Fundamentalismus ist der Versuch, bestimmte Erkenntnisansprüche jedem Zweifel zu entziehen. In seinen kämpferisch-politischen Formen wird das auf diese Weise unangreifbar gemachte Fundament des Fundamentalismus zur Rechtfertigung von Vormachts- oder Herrschaftsansprüchen gegenüber Abweichenden in Anspruch genommen. Dies schließt in der Regel die Bereitschaft ein, Menschenrechte und demokratische Entscheidungsregeln zu missachten. Kennzeichnend für den Fundamentalismus ist es, dass er den offenen Dialog über seine Geltungsansprüche verweigert.

Fundamentalismus ist nicht das Kennzeichen bestimmter Religionen oder Weltanschauungen, sondern eine bestimmte Weise ihrer Auffassung und Anwendung. Die Strukturen, die eine fundamentalistische Geisteshaltung oder Bewegung charakterisieren, finden sich am Ende des 20. Jh. nicht nur in Teilströmungen aller kulturprägenden Religionen, sondern auch solcher, die wie der Hinduismus mangels einer ausgearbeiteten Dogmatik lange Zeit als immun gegenüber solchen Entwicklungen galten.

■ **Christentum** Es waren v. a. vier unverrückbare »Grundwahrheiten« (»fundamentals«), die die oben genannte Bewegung christlicher Fundamentalisten in den USA charakterisierten: 1) die buchstäbliche Unfehlbarkeit der Heiligen Schrift und die unbeirrbare Gewissheit, dass die Heilige Schrift keinen Irrtum enthalten könne; 2) die Nichtigkeit aller modernen Theologie und Wissenschaft, soweit sie dem Bibelglauben widersprechen; 3) die Überzeugung, dass niemand, der vom fundamentalistischen Standpunkt abweicht, ein wahrer Christ sein könne, und 4) die Überzeugung, dass die moderne Trennung von Kirche und Staat immer dann zugunsten einer religiösen Bestimmung des Politischen aufgehoben werden muss, wenn politische Regelungen im Widerspruch zu fundamentalen religiösen Überzeugungen stehen.

In der Sache hat es den Fundamentalismus, lange vor der Prägung des Begriffs, schon seit dem frühen 19. Jh. gegeben. Er entstand in Europa als Gegenbewegung gegen das Eindringen des Geistes der Aufklärung in Theologie und Religion: die historische und literarische Bibelkritik, die kantische Begrenzung der Religion auf die Rolle des Garanten moralischer Motive, die wissenschaftliche Idee einer natürlichen Evolution der Menschengattung und sogar der konkreten Ausformungen der Religionen selbst.

In Folge der Säkularisierung seit dem 18. Jh. hatte eine Öffnung aller kulturellen Systeme eingesetzt. Der religiöse Fundamentalismus stellt den Versuch dar, die Ungewissheit aller Erkenntnisansprüche und die Offenheit für Alternativen, die der Prozess der Modernisierung mit sich brachte, mit Dogmatisierungen aus der Religion fernzuhalten und bestimmte Fundamente unangreifbar für alle Zweifel und Kritik zu machen. Fundamentalismus bedeutet daher zunächst einen willkürlichen Abbruch der gemeinsamen Deutungspraxis religiöser Überlieferung, um selbst festgesetzte absolute Gewissheiten jeder offenen Deutung und Infragestellung zu entziehen.

Der **protestantische Fundamentalismus** verfügt nach wie vor in seinem »Stammland«, den USA, über die besten Organisationsstrukturen und größten finanziellen Ressourcen. Hier nehmen ihm verbundene Organisationen seit den 1970er-Jahren gezielt und erfolgreich Einfluss auf die Auswahl der Kandidaten bei Wahlen, wobei sie sich besonders der modernen elektronischen Kommunikationsmittel bedienen. In den 1980er-Jahren bildeten seine Anhänger landesweite Sammlungsbewegungen (»Moral Majority«, »Liberty Federation«, »Christian Coalition« u. a.) aus; in den 1990er-Jahren traten sie mit spektakulären Aktionen gegen die Gesetzgebung zum Schwangerschaftsabbruch sowie mit Kampagnen gegen Homosexualität und schulische Sexualerziehung an die Öffentlichkeit. Seit dem Amtsantritt von Präsident George Walker Bush (2001) hat das politische und gesellschaftliche Gewicht protestantisch-fundamentalistischer Denkansätze und Anschauungen im öffentlichen Leben der Vereinigten Staaten stark zugenommen.

Papst Pius X. hat für die kath. Kirche in seiner Enzyklika »De Modernistarum Doctrinis« 1907 die modernisierenden Strömungen im Katholizismus auf ähnliche Weise identifiziert und verurteilt wie die protestantischen Fundamentalisten kurz danach. Dieses Dokument kann daher zur Legitimation eines **kath. Fundamentalismus** herangezogen werden, als dessen Träger nach dem 2. Vatikanischen Konzil verschiedene »traditionalistische« (nach eigenem Verständnis traditions- und papsttreue) geistliche Bewegungen innerhalb der kath. Kirche gelten. Dazu gehören u. a. die – seit 1988 durch Schisma von der Kirche getrennte – »Internationale Priesterbruderschaft des Heiligen Pius X.«, die Bewegung »Una voce« und das Engelwerk (Opus Angelorum).

■ **Islam** Erstmals Aufsehen erregt hat in den 1970er-Jahren in Europa v. a. der islamische Fundamentalismus, als er unter der geistlich-politischen Führung des schiitischen Religionsführers Ayatollah Khomeini 1979 mit einer kämpferisch antiwestlichen Einstellung im Iran die Macht erlangt hat und seither in einer Reihe islamischer Länder eine Rolle im politischen Leben spielt. Geprägt durch eine islamistische Ideologie, im westlichen Sprachgebrauch auch **Islamismus** genannt, wird der islamische Fundamentalismus in starkem Maße durch islamische religiöse Bruderschaften und islamistisch-politische Parteien, Bewegungen und Gruppen getragen und erlangte in Afghanistan unter der Herrschaft der Taliban (1996–2001) eine extreme Ausformung. Eine die Menschen weltweit bedrohende Gefahr ist der islamische Fundamentalismus in seiner – ebenfalls in die 1990er-Jahre zurückreichenden – Verbindung mit dem Terrorismus geworden.

■ **Hinduismus** In Indien gewann Ende der 1980er-Jahre der politisch organisierte Hindu-Fundamentalismus stark an Einfluss. Die ihm zugehörigen Parteien, besonders die »Bharatiya Janata Party« (BJP, deutsch »Indische Volkspartei«), haben zeitweilig in verschiedenen Bundesstaaten die Regierung gestellt und und bildeten 1996–2004 die stärkste Kraft im nationalen Parlament. Dieser Fundamentalismus betont das »Hindutum« als den einzig echten Ausdruck einer einheitlichen indischen *nationalen* Identität. In seiner äußeren Zielrichtung ist er besonders gegen Einrichtungen der muslimischen Bevölkerung in Indien gerichtet. Einen gewaltsamen Höhepunkt bildete die Zerstörung der Babri-Moschee in Ayodhya (errichtet im 16. Jh. wohl auf den Trümmern eines hinduistischen Tempels) im Dezember 1992.

■ **Judentum** Der jüdische Fundamentalismus ist religiös in Teilen des orth. Judentums verwurzelt. Mitte der 1980er-Jahre in Israel erstarkt, werden seine politischen Anliegen seither durch mehrere religiöse Parteien vertreten. Sie verstehen Israel als religiös begründeten Staat, dessen Gesetzgebung sich aus ihrer Sicht an religiösen Grundsätzen orientieren soll.

fünf, Zahl, die vielfach als vollendete Zahl gilt und als fünfzackiges Pentagramm dargestellt wird. Die Fünf spielt u. a. eine große Rolle in der Mythologie, z. B. als Symbolzahl der altbabylonischen Göttin Ischtar oder als Hochzeitszahl im Gleichnis von den fünf klugen und fünf törichten Jungfrauen. Ebenso ist sie bedeutsam im Christentum (die fünf Wunden Christi, die fünf Bücher Moses) und im Islam (die fünf Säulen des Islam). Im alten China war die Fünf eine Glückszahl, auf der das irdische Leben basierte. So gab es u. a. fünf hl. Berge, fünf menschliche Beziehungen, fünf moralische Qualitäten und fünf klassische Bücher. In der Mayakultur stellte die Fünf das Zentrum der vier Weltgegenden dar.

Fünf-Elemente-Lehre, chinesisch **Wuxing,** die gesamte chinesische Geistes- und Religionsgeschichte durchziehende Lehre, die sich am Yi-jing orientiert. Danach gibt es im Kosmos fünf Grundelemente, die die Einheit aller materiellen Dinge repräsentieren und in verschiedenen Kombinationen alles Existierende bedingen: Holz, Feuer, Erde, Metall, Wasser. Die Elemente befinden sich in permanentem Wandelzustand gegenseitiger Hervorbringung (Bedingung) und Überwindung (Besiegung). Sie gelten daher eher als kosmische Wirkkräfte, nicht als Substanzen.

Fünferschiiten, →Zaiditen.

Fünfzehnmänner, →Quindecimviri.

Funktionsgötter, →Sondergötter.

Furi|en [latein.], römische Rachegöttinnen, die mit den griechischen Erinnyen identifiziert wurden.

G

Gabri|el [hebr., eigtl. »Mann Gottes«], einer der Erzengel, der den Menschen göttliche Botschaft bringt und sie auslegt. In der Bibel wird er zuerst in Dan. 8, 16 ff.; 9, 21 ff. erwähnt. Im Lukasevangelium (Luk. 1, 26 ff.) erscheint er dann als der Engel, der Maria die Geburt Jesu verkündigt. Im Islam gilt er (unter der arabischen Namensform Djibril, auch Djabrail) als der höchste Engel, von dem Mohammed die Offenbarung des Korans empfangen hat. Daneben ist er in der jüdischen Apokalyptik der Straf- und Todesengel sowie der Herr des Paradieses. – Fest: 29. 9.

Gaia, Ge, eingedeutscht **Gäa,** *griechische Mythologie:* die Erdgöttin. Nach Hesiod gebar sie den Himmel (Uranos), die Berge, das Meer (Pontos) und, von Uranos befruchtet, u. a. das Geschlecht der Titanen und der Kyklopen. Im Hass gegen seine Kinder stieß Uranos diese in den Schoß der Erde zurück und wurde dafür auf Betreiben der Gaia von Kronos, seinem jüngsten Sohn, entmannt. Aus den hierbei auf die Erde fallenden Blutstropfen gebar Gaia die Erinnyen und die Giganten. Im Kampf des Zeus gegen Kronos unterstützte sie diesen, erkannte aber schließlich Zeus als den mächtigsten der olympischen Götter an.

Kultisch wurde sie fast nur in Attika verehrt. In Delphi soll sie vor Apoll Herrin des dortigen Heiligtums gewesen sein. Bei Homer wird sie mit Zeus, Helios u. a. im Eid als Zeugin angerufen. Kultbilder sind nur literarisch erwähnt.

Gajalakshmi [-kʃ-, Sanskrit], eine Beiform der indischen Göttin des Glücks (Lakshmi). Sie wird auf dem Lotos sitzend dargestellt mit zwei Elefanten zur Seite, die zur Weihung Wasser aus Krügen über sie gießen.

Galaterbrief, Abk. **Gal.,** Brief des Apostels Paulus (wohl um 53–55) an die Christen in Galatien, dessen Echtheit unbestritten ist. Paulus wendet sich im Galaterbrief stark polemisch an die aus dem Heidentum stammenden galatischen Christen, die u. a. die Beschneidung forderten und den Besitz des Heiligen Geistes betonten. Die Grundfrage des Briefes ist die nach dem Heilscharakter des Gesetzes und nach dem Verhältnis von Gesetz und Evangelium, wobei Paulus die Freiheit des Christen vom Gesetz betont.

Galen, Clemens August Graf von, deutscher kath. Theologe, Bischof von Münster (seit 1933) und Kardinal (seit 1946), * Dinklage 16. 3. 1878, † Münster 22. 3. 1946; wandte sich als Bischof gegen den Nationalsozialismus, gab die gegen den führenden Nationalsozialisten Alfred Rosenberg gerichteten »Studien zum Mythus des 20. Jahrhunderts« (1934) heraus und sorgte für die sofortige Veröffentlichung und Verbreitung der Enzyklika »Mit brennender Sorge ...« (1937). Weithin bekannt wurde er seine Predigten gegen die Tötung von Behinderten (Euthanasie). Dieses kompromisslose öffentliche Auftreten gegen das nationalsozialistische Regime trug ihm den Beinamen »Löwe von Münster« ein. Abschriften der Predigten fanden in ganz Deutschland Verbreitung. Nach dem Zweiten Weltkrieg machte sich Galen zum Anwalt der Bevölkerung gegenüber der Besatzungsmacht. – 2005 wurde Galen seliggesprochen.

Galuth [hebr. »Exil«, »Verbannung«], Bezeichnung für den Zustand der Entwurzelung, in dem das jüdische Volk außerhalb eines jüdischen Staates lebt. Die Galuth wird meist als Strafe mit der Möglichkeit zur Buße gesehen, die mit dem Erscheinen des Messias endet. Daraus erklären sich die immer wieder auftretenden messianischen Bewegungen mit dem Ziel der Heimkehr. Im 19. und beginnenden 20. Jh. wurde die Galuth nicht mehr infrage gestellt, sondern mit der Sendung begründet, an der Erlösung der Welt mitzuwirken, mit der die Galuth endet.

Gama|li|el, Gamaliel der Ältere, Gamaliel der Alte, Führer des pharisäischen Judentums in der ersten Hälfte des 1. Jh. n. Chr., Großvater von Gamaliel II., Enkel des →Hillel; Vorsitzender des Synedrions und nach Apg. 22, 3 Lehrer des Apostels Paulus.

Gamali|el II., genannt **Gamaliel von Jabne,** † vor 116 n. Chr., Enkel Gamaliels des Älteren; Tannait (Gesetzeslehrer) und Vorsitzender des Synedrions in Jabne (Jamnia). Gamaliel bemühte sich um den Ausbau des rabbinischen Synedrions von Jabne zu einem neuen nationalen Zentrum nach der Zerstörung Jerusalems (70 n. Chr.). Er nahm die Bücher Hohelied und Kohelet in den biblischen Kanon des A. T. auf, der dadurch festgelegt wurde. Außerdem erhielt das →Schemone Esre durch ihn seine abschließende Form.

Gabriel.
Der Erzengel Gabriel, im biblischen Buch Daniel als »Mann Gottes« beschrieben, kündigt im Lukasevangelium die Geburt Johannes' des Täufers an. Im Islam ist er der Übermittler der Botschaft Gottes an den Propheten Mohammed. Auf der osmanischen Miniatur sucht er Mohammed in seinem Wohnhaus in Medina auf (Istanbul, Museum für Türkische und Islamische Kunst).

Ganesha. Der elefantenköpfige, dickbauchige Ganesha, der sich durch seine Klugheit und seinen Humor auszeichnet, gehört zu den besonders beliebten Göttern des Hinduismus. Er wird bei allen möglichen Gelegenheiten um Schutz und Hilfe angerufen. Neben ihm ist sein Symboltier, die Ratte, zu sehen. Die süßen weißen Kugeln, die er so gerne isst, liegen zu seinen Füßen.

Gampopa, tibetischer Mönch und Lehrer, *1079 Nyal/Osttibet, †1153 Kloster Daglha Gampo; vertrat die Ansicht, dass die Buddhanatur oder zumindest die Fähigkeit, ein Buddha zu werden, in jedem empfindungsfähigen Wesen vorhanden sei, die menschliche Existenz aber die beste Voraussetzung dafür biete.

Gandharven [Sanskrit], Singular **Gandharva**, eine Gruppe indischer Halbgötter, deren Ursprung und Funktion umstritten ist. Möglicherweise handelt es sich um Empfängnis- und Fruchtbarkeitsgenien. Literarisch sind sie ab dem Rigveda (→Veda) bezeugt, u. a. als Hüter des himmlischen Somatrankes (→Soma). In der späteren Literatur und bildenden Kunst werden sie tiergestaltig mit Menschenkopf dargestellt und gelten als himmlische Sänger und Musikanten im Hofstaat Indras. Ihre Wohnsitze sind teils der Luftraum, teils die Gewässer, wo sie sich mit den Apsaras (himmlische Nymphen) erotisch vergnügen. Sie trachten danach, irdische Frauen vor der Heirat zu besitzen, und bedrohen deren Leibesfrucht.

Gandhi, Mohandas Karamchand, genannt **Mahatma** (Sanskrit »dessen Seele groß ist«), Führer der indischen Unabhängigkeitsbewegung, *Porbandar 2. 10. 1869, †(ermordet) Neu-Delhi 30. 1. 1948; war zunächst Rechtsanwalt in Indien, bevor er 1893 nach Südafrika ging, wo er zum politischen Führer der indischen Bevölkerung in Südafrika aufstieg.

Seit seiner Kindheit von hoher Religiosität und asketischer Lebensweise bestimmt, entwickelte Gandhi unter dem Einfluss u. a. der altindischen Lehre des →Ahimsa und der christlichen Bergpredigt Formen des gewaltlosen Kampfes, die er erstmals in Südafrika anwendete. Er forderte seine Anhänger auf, im Zeichen des »Satyagraha« (Hingabe an die Wahrheit) an dem als wahr Erkannten festzuhalten und sich aus diesem Wissen heraus gewaltlos dem Unrecht und der Gewalt entgegenzustellen.

1914 kehrte Gandhi nach Indien zurück, wo er zum herausragenden Führer der indischen Nationalbewegung wurde. Gestützt auf den Indischen Nationalkongress (Indian National Congress, INC), setzte Gandhi eine Massenbewegung des zivilen Ungehorsams in Gang. Dazu gehörte etwa der »Salzmarsch« (1939), mit dem Hunderttausende gegen das Salzmonopol-Gesetz der Regierung protestierten. Außerdem machte er es sich zur Aufgabe, der im hinduistischen Denken verankerten gesellschaftlichen Ächtung der »Parias« (Unberührbaren), das heißt derer, die keiner Kaste angehörten, entgegenzuwirken.

Gandhi wurde wiederholt inhaftiert und führte im Gefängnis mehrfach ein langes Fasten durch, um gegen die von ihm als unzulänglich betrachteten britischen Verfassungspläne für Indien zu protestieren. 1934 legte er die Führung des INC nieder und trat aus ihm aus.

Nach dem Zweiten Weltkrieg suchte Gandhi vergeblich, die Einheit Indiens zu bewahren und die gewalttätigen Auseinandersetzungen zwischen Hindus und Muslimen bei der Teilung des Subkontinents zu verhindern. Mit einer Fastenaktion konnte Gandhi 1947 blutige Ausschreitungen in Kalkutta beenden. 1948 fiel er dem Attentat eines jungen Hindufanatikers zum Opfer.

Ganesha [-ʃ-; Sanskrit »Herr der Schar«, d. h. des Gefolges von Shiva], **Ganapati,** indische Gottheit, die als Beseitiger aller Hindernisse und als Beschützer der Gelehrsamkeit gilt. In der indischen Mythologie ist Ganesha der Sohn Shivas und Parvatis. Er wird in der Kunst meist dickbäuchig und mit Elefantenkopf, vierarmig, oft sitzend oder stehend, seltener auch tanzend dargestellt. Sein Wappen- und Reittier ist die Ratte. Er wird gegenwärtig von vielen Hindus sowohl im Vishnuismus als auch im Shivaismus verehrt. Sein Fest **Ganesh Chaturthi** (Geburtstag Ganeshas) fällt nach dem hinduistischen Festkalender meist in die ersten beiden Septemberwochen.

Ganga, die Personifikation des hl. Flusses Ganges in Form einer weiblichen Gottheit. Sie wird meist als junge, anmutige Frau darge-

---

Ganesha
→ GEO Dossier
Tod am Ganges, Bd. 16

Mahatma Gandhi
*1869, †1948

- war politischer und spiritueller Führer der indischen Unabhängigkeitsbewegung
- ließ Frau und Sohn in Indien zurück, um in London Recht zu studieren
- entwickelte unter dem Eindruck der Bhagavadgita und der Bergpredigt Formen gewaltlosen Widerstands
- wurde 1948 von einem orthodoxen Hindu erschossen

Gaon

stellt, die einen Wassertopf trägt und auf einem Makara, einem mythologischen Wassertier, steht. Der hinduistischen Mythologie zufolge fiel der hl. Fluss vom Himmel auf die Erde herab. Diese Herabkunft der Ganga ist ein beliebtes Thema der indischen Kunst. Ab der Guptazeit (320 bis Anfang des 6. Jh.) zeigen die Pfosten der Tempelportale in ihren unteren Abschnitten v. a. in Nordindien fast immer Darstellungen der beiden Flussgottheiten Ganga und Yamuna.

Gebet. Das Gebet kann die unterschiedlichsten Motive haben. Das Sprechen von Gebeten ist etwa im Hinduismus oder Islam bereits an sich ein religiöses Verdienst. Im Christentum beinhaltet es Gotteslob und Bitte um die Gunst Gottes. Auf dem Tafelbild des Bernhardaltars in der Stiftskirche von Zwettl (Jörg Breu der Ältere, um 1500) betet der heilige Bernhard von Clairvaux um gute Ernte.

Gaon [hebr. »Exzellenz«], Plural **Geonim**, Titel der babylonischen jüdischen Schulhäupter von Sura und Pumbeditha. Inhaber dieses auch politisch einflussreichen Amtes waren nur Mitglieder weniger Familien, obwohl der Gaon gewählt wurde. Den Antworten der Geonim auf Anfragen von Gemeinden aus aller Welt verdankt das Religionsgesetz seine einheitliche Weiterentwicklung. Sie legten die Gebetstexte fest und sicherten die Traditionsliteratur, nicht zuletzt im Kampf gegen die →Karäer. Saadja, der bedeutendste Gaon, gilt als Vater der jüdischen Philosophie. Wichtige Erkenntnisse über die Blütezeit der Geonim, das »gaonäische Zeitalter« (6.–11. Jh.), brachten die Funde in der Genisa (Schatzkammer der Synagoge von Kairo).

Der Titel Gaon wurde später allen führenden Gelehrten zuerkannt.

Garbhagṛiha [Sanskrit], das Allerheiligste des indischen Tempels, der fensterlose Raum für das Hauptkultbild, über dem sich der Turmaufbau erhebt.

Garuda [altind. garut »Flügel«], mythologisches Mischwesen des indischen Kulturkreises, das mit der Sonne in Verbindung gebracht wird. Es gilt als Fürst der Vögel und als Feind der Schlangen sowie als Reittier des Gottes Vishnu. Garuda wird meist mit Menschenleib, zwei- oder vierarmig und mit ausgebreiteten Vogelschwingen und adlerartiger Physiognomie dargestellt. Garuda wurde auch in die Ikonografie des Buddhismus übernommen.

Gathas [avest. »Gesänge«], das in dichterische Form gekleidete religiöse Vermächtnis des altiranischen Propheten →Zarathustra. Es besteht aus 16 Gesängen mit 229 Strophen zu drei, vier oder fünf Zeilen, die im →Avesta die Yasnakapitel 28–34 und 43–51 bilden. Die Deutung dieser altindogermanischen Hymnen ist noch vielfach umstritten.

Gautama [Sanskrit], **Gotama** [Pali], Name eines alten indischen Geschlechts, das sich auf den Seher (Rishi) Gotama zurückführte und dem sich auch die Familie des →Buddha verbunden fühlte.

Gayatri [Sanskrit], zweite Frau des Gottes Brahma, Mutter der vier Veden und der drei obersten Kasten der Hindugesellschaft.

Gayomart [avest. gaya martan »sterbliches Leben«], in der altiranischen Religion der →Urmensch und zugleich der Erstling der erwarteten Auferstehung.

Ge, →Gaia.

Geb, ägyptischer Erdgott, der den Menschen die verborgenen Schätze des Erdinneren spendet. Wie alle kosmischen Gottheiten in Menschengestalt verehrt, gilt er als Vater von Isis und Osiris und als göttlicher Richter.

Gebet, die mit Worten und begleitenden Handlungen verbundene Anrede einer als Person vorgestellten Gottheit durch den Menschen, im Unterschied zur Anbetung, die sich verschiedenartigen Objekten und Personen zuwenden kann. Das Gebet ist Ausdruck des Glaubens und der Frömmigkeit. Seine früheste Form ist der unmittelbare Gebetruf, der durch menschliche Not und Gefahr, aber auch durch ein überwältigendes religiöses Erlebnis veranlasst sein kann. Diesem spontanen Gebet steht das gebundene Gebet gegenüber, dem feststehende Gebetstexte zugrunde liegen. Es tritt in der Form des Einzelgebets sowie des mit dem regelmäßigen Kult verbundenen Gemeindegebets auf.

■ **Gebetsinhalte** Zu den Gebetsinhalten zählt zunächst die Bitte. Sie kann irdische Güter, aber auch sittliche Werte wie Gerechtigkeit, Friedfertigkeit, Reinheit, Treue gegenüber göttlichen Geboten betreffen. Häufig verleiht das Gebet auch unmittelbaren Gefühlen wie Angst, Hoffnung oder Liebe Ausdruck. Es kann Dank (**Dankgebet**), Lobpreis Gottes (**Lobgebet**) oder **Fürbitte** zum Inhalt haben. Sündenbekenntnis und Bitte um Vergebung kennzeichnen das **Bußgebet.** Bestandteil des Gebets ist häufig das Bekenntnis des eigenen

---

Gebetsmühlen
→ GEO Dossier
Dem Himmel ganz nah,
Bd. 16

Glaubens. Es enthält eine Opferformel, wenn es mit der Darbringung von Gaben für die Gottheit verbunden ist. Das mystische Gebet ist eine Erhebung des Geistes zu Gott oder (wie im Buddhismus) eine meditative Versenkung, die in verschiedenen Stadien zur Erleuchtung oder (wie im ostkirchlichen Mönchtum das Jesusgebet) zur »Unio mystica«, d. h. der Vereinigung der Seele mit Gott, führen soll.

▪ **Äußere Formen** Zu den äußeren Formen gehört eine bestimmte Gebetshaltung, die im Aufrechtstehen, Niederknien oder im Niederwerfen des ganzen Körpers (→Proskynese), im Hocken (in Indien übliche Meditationshaltung), im Erheben oder Kreuzen der Arme oder im Falten der Hände bestehen kann. Die Blickrichtung des Betenden kann durch Naturobjekte bestimmt sein, unter denen die Sonne sowie Berggipfel vorrangige Bedeutung besitzen. In Religionen, die vergöttlichte Ahnen verehren, kann sich der Blick auf deren Gräber oder auf Ahnentafeln richten. Die Hinwendung zu heiligen Stätten als Gebetsrichtung ist charakteristisch für die Muslime, die sich nach Mekka wenden, sowie für die Juden mit der Richtung nach Jerusalem. Die Römer wandten sich betend zum Jupitertempel auf dem Kapitol.

Die Verrichtung der Gebete ist häufig an die Befolgung bestimmter *Gebetszeiten* gebunden. Ein Beispiel dafür ist der Islam, der zwischen dem für alle Gläubigen verbindlichen, fünfmal täglich zu verrichtenden rituellen Gebet (→Salat) und dem freien Bittgebet, das zusätzlich in den verschiedensten Alltagssituationen und Lebenslagen gepflegt wird (Dua), unterscheidet. *Begleitgegenstände* des Gebets sind im Islam der Gebetsteppich, im Judentum die aus Gebetsmantel (→Tallit) und Gebetsriemen (→Tefillin) bestehende Gebetskleidung, im Buddhismus und in der kath. Kirche der Rosenkranz. Die Gebetsmühlen des tibetischen Buddhismus verfolgen den Zweck eines mechanischen Gebetsersatzes.

▪ **Gebet im Christentum** Das christliche Gebet wird aus der Bibel, z.B. den Psalmen und den neutestamentlichen Lehren Jesu über das Beten, v. a. aus dem →Vaterunser, begründet. Letzter vom Christentum immer und in allen Konfessionen und Denominationen festgehaltener Sinn des Gebets ist die Antwort auf die als Anrede (Wort Gottes) verstandene Offenbarung, die in personaler Begegnung von Betendem und Gott geschieht. Dabei wird das Gebet immer auch als Quelle und Vergewisserung christlichen Handelns verstanden.

Gebetsmühlen, Gebetsräder, im tibetischen Buddhismus sakrale Geräte, die aus einem Metall- oder Holzzylinder und einer durch Boden und Deckel des Zylinders gehenden, in einem Handgriff auslaufenden Achse bestehen. Der Zylinder ist mit Papierstreifen gefüllt, die meist mit der Gebetsformel →om mani padme hum beschrieben sind. An der Wandung des Zylinders befindet sich eine Schnur oder Kette mit einem kleinen Gewicht, das beim Schwenken des Gerätes den Zylinder mit seinem Inhalt in Drehung versetzt. Jede Umdrehung entspricht einer Rezitation der in der Gebetsmühle enthaltenen Gebetsformeln. Es gibt größere Gebetsmühlen, die in eigenen Gebäuden untergebracht sind, und auch solche, die durch Wind- oder Wasserräder angetrieben werden.

Gebetsnische, Teil der Moschee, →Mihrab.

Gebetsrichtung, die Richtung, in die sich Muslime beim Gebet wenden, →Kibla.

Gebetsriemen, Bezeichnung für →Tefillin.

Gebetsschnur, →Rosenkranz.

Gebetsteppich, kleiner Teppich, der dem Muslim als Unterlage beim Gebet dient. Kennzeichen ist das eingeknüpfte Motiv einer den Mihrab symbolisierenden Nische oder Spitze, die beim Gebet nach Mekka zeigen muss. In Moscheen liegen Reihengebetsteppiche (Vielnischenteppiche).

Gebot, →Gesetz, →Zehn Gebote.

Geburtenkreislauf, *indische Religionsgeschichte:* →Samsara.

Gegenreformation, in der historischen Forschung übliche Bezeichnung für die nach 1519 mithilfe staatlicher Machtmittel unternommenen Versuche, die protestantisch gewordenen Gebiete und Territorien wieder dem kath. Glauben zuzuführen. Der Begriff Gegenreformation wurde zunächst als Epochenbegriff der deutschen Geschichte für die Zeit vom Augsburger Religionsfrieden (1555) bis zum Westfälischen Frieden (1648) verwendet, setzte sich allerdings rasch auch für alle Maßnahmen der Rekatholisierung in den übrigen europäischen Ländern durch. Als Periodisierungsbegriff verwendet die heutige Geschichtsschreibung auch den Begriff »Konfessionelles Zeitalter«. Die kath. Kirchenge-

Gebetsteppich. Der leicht transportable Gebetsteppich der Muslime wird für das Gebet außerhalb der Moschee gebraucht. Er schafft den symbolischen Raum für Lob und Anbetung Gottes. Oben ist das spitz zulaufende Giebelfeld der Gebetsnische (Mihrab) angedeutet, die die Gebetsrichtung anzeigt.

Gegenreformation   Retter der Kirchenmusik

Das Reformkonzil, das in der Zeit von 1545 bis 1563 in Trient tagte, behandelte in Auseinandersetzung mit der Reformation Fragen der Lehre und Praxis der katholischen Kirche. Ein Teilaspekt war auch die Beschäftigung mit der Kirchenmusik, und zwar speziell mit der mehrstimmigen, der man mangelnde Textverständlichkeit und Verwendung weltlicher Elemente sowie die generell zunehmende künstlerische Autonomie der musikalischen Komposition vorwarf.
Vermutlich nahm der italienische Komponist Giovanni Pierluigi Palestrina selbst an den inoffiziellen Beratungen und Probevorführungen teil. Der Legende nach soll er mit seiner »Missa Papae Macelli« die Konzilsmitglieder günstig gestimmt haben, die diese besonders textverständlich angelegte Messe für würdig und vorbildlich befanden. So wurde Palestrina zum »Retter der Kirchenmusik« und sein Stil für lange Zeit prägend.

Geheimkulte

schichtsschreibung betont die Korrelation zwischen Gegenreformation und kath. Reform als deren innere Voraussetzung.

Die Gegenreformation war Teil der allgemeinen politischen Konfessionalisierung und erreichte ihren Höhepunkt im Dreißigjährigen Krieg (1618–48), in dem jedoch durch das Eingreifen von Gustav II. Adolf von Schweden (1611–32) der Versuch scheiterte, mit dem Restitutionsedikt (1629) auch in Norddeutschland die Gegenreformation durchzuführen. Im Westfälischen Frieden wurde die Gegenreformation durch die Besitzstandsgarantie des Normaljahres 1624 reichsrechtlich beendet. Entscheidend für ihren Erfolg in Teilen Deutschlands und Europas (Spanien, Niederlande, Frankreich, Polen) waren die Beschlüsse des Konzils von Trient (1545–63) und die Wirksamkeit der →Jesuiten. Die Gegenreformation scheiterte in England und Schweden.

Geheimkulte, kultische Gemeinschaftsbildungen wie etwa religiöse Geheimbünde, außerdem deren kultische Handlungen z. B. zum Zwecke der Initiation sowie interne, nicht Eingeweihten unzugängliche Kultfeiern. Als Geheimkulte können auch die antiken Mysterien und in schriftlosen Gesellschaften die Riten bei Initiation und Aufstieg in eine andere Altersklasse bezeichnet werden, die durch geheim zu haltende (esoterische) Lehren gekennzeichnet sind.

Geheimlehre, Bezeichnung für eine Lehre, die nur Eingeweihten zugänglich ist und vor Außenstehenden streng geheim gehalten wird. Als Geheimlehren galten z. B. die jüdische Kabbala, die griechischen Mysterien, die Lehren der Gnostiker (→Gnosis) und der Freimaurer.

Gehenna [hebr. »Tal (der Söhne) des Hinnom«], Tal südlich von Jerusalem (Wadi al-Araba) mit einer alten kanaanäischen, in der israelitischen Königszeit noch lebendigen Kultstätte (2. Kön. 23,10). In spätjüdischer Zeit war die Gehenna ein Verbrennungsplatz für Unrat. Im N. T. ist Gehenna eine Bezeichnung der Hölle als Ort der endgültigen Verdammnis (u. a. Mt. 5,29 f.; 23,33).

Gehorsam, allgemein die Ausführung oder Unterlassung einer Handlung aufgrund eines Gebotes bzw. eines Verbotes. Als Gegenbegriff zu Autorität spielt Gehorsam in den Religionen eine wichtige Rolle. In den einfacheren Religionen wird fast nur kultischer Gehorsam gefordert, d. h. die Erfüllung der kultischen Vorschriften. In den Hochreligionen steht der Gehorsam der Gottheit gegenüber insofern im Mittelpunkt des religiösen Verhaltens, als er als Anspruch des »Heiligen« und als Unterwerfung unter den Willen Gottes auftritt.

Im A. T. ist Gehorsam die Unterwerfung unter den Willen Jahwes, der sich in Gebot und Gesetz äußert. Deshalb ist Ungehorsam das Wesen der Sünde (z. B. 1. Mos. 3). Im N. T. sind gegenüber dem Gehorsam Glaube und Liebe stärker akzentuiert. Dennoch stellt Jesus nach den Synoptikern sein Leben unter den Gehorsam gegen den Vater (z. B. Mt. 26,39), der im Philipperbrief zum Grundmotiv des erlösenden Handelns Jesu wird. Der Gehorsam des Christen besteht nicht im buchstäblichen Befolgen von Geboten. Nur das Gewissen entscheidet, wie das Gesetz zu befolgen ist. Auf der Bibel aufbauend, versteht die *christliche Theologie* Gehorsam als Bereitschaft, den Willen Gottes zu erfüllen. Im kath. Ordenswesen ist der Gehorsam Gegenstand der Ordensgelübde.

Geierhaube, Kopftracht verschiedener ägyptischer Göttinnen (Nut, Mut) bei ihrer Darstellung in Menschengestalt sowie die durch Abbildungen bezeugte Haube der ägyptischen Königinnen seit dem Alten Reich (2660–2160 v. Chr.). Bei dieser Haube ragt der Kopf eines ausgestopften Geierbalgs über der Stirn der Trägerin hervor und die Flügel sind an den Seiten herabgezogen. Der Balg war vermutlich mit Stoff und Goldplättchen verkleidet.

Geiger, Abraham, deutscher Judaist und Rabbiner, *Frankfurt am Main 24. 5. 1810, †Berlin 23. 10. 1874; ab 1832 Rabbiner in Wiesbaden, ab 1838 in Breslau, ab 1863 in Frankfurt am Main und ab 1869 in Berlin. Ab 1872 lehrte er an der Hochschule für die Wissenschaft des Judentums in Berlin. Geiger wurde durch seine wissenschaftliche Arbeit und die Gründungen der »Wissenschaftlichen Zeitschrift für jüdische Theologie« (1835–47) und der »Jüdischen Zeitschrift für Wissenschaft und Leben« (1862–75) zum Führer des →Reformjudentums in Deutschland.

Geierhaube. Die Geierhaube steht für den Geier als Wappentier von Oberägypten und ist in die ägyptische Königssymbolik eingegangen. Das Bild zeigt Königin Nofretiri, Gemahlin Ramses' II., mit Geierhaube (links), geleitet von der Göttin Hathor (Malerei aus dem Tal der Könige, Luxor, Neues Reich).

Geist, *Christentum:* →Heiliger Geist.

Geister, selbstständige numinose Wesen im Glauben vieler Religionen, die den Zwischenbereich zwischen Göttern und Menschen bilden (Dämonen, Engel).

■ **Allgemeine Charakteristika** Sie werden als immateriell vorgestellt, können jedoch als Hauchwesen, in menschlicher oder tierischer Gestalt, als Fabelwesen (z.B. Riese, Zwerg, Nixe) oder als Gegenstand sichtbar werden. Die Macht der Geister ist auf einen speziellen Bereich beschränkt. Sie »besitzen« einen bestimmten Ort, bewohnen z.B. ein Gebäude (Hausgeister), Gewässer (z.B. Nixen, Quellnymphen), Moore, Berge, Wälder oder können Elemente (Feuergeister, Wassergeister, Erdgeister, Windgeister) oder Naturerscheinungen (Wolkengeister) repräsentieren. Daneben gibt es Toten- oder Ahnengeister. Sie gelten als der Teil des Menschen, der den Tod überdauern, mit den Hinterbliebenen in Verbindung stehen und Einfluss auf deren Wohlergehen oder Unglück nehmen kann. Die rituelle →Ahnenverehrung spielt daher im Glauben vieler Völker eine Rolle.

Geister erscheinen meist in einsamen, schwer zugänglichen Gebieten, so z.B. die Trolle im Bergesinnern und die arabischen Djinn in der Wüste. Alles, was der Mensch um und in sich bemerkt, kann dabei in seinem Glauben zu Geistern werden (z.B. bizarre Steine, Traumvisionen, Angstgefühle). Der Mensch glaubt sich von den Geistern abhängig und sucht ihre positive Kraft (als Hilfs- oder Schutzgeister) durch rituelle Verehrung oder dem Ort des Geistes angemessenes Verhalten zu gewinnen oder ihrem bösen Einfluss (z.B. als Verursacher von Wahnsinn, Krankheiten, Krieg, Verlust von Haus, Hof, Familie) durch Abwehrriten (Geisteraustreibung, →Exorzismus) zu entgehen.

■ **Geistervorstellungen in verschiedenen Kulturen** In China sind gute und böse Geister, himmlische Geister (des Regens, der Winde u.a.) sowie irdische Geister (von Bergen, Flüssen, der Erde) bekannt. Zahlreiche Geister kennen auch die Inder, z.B. →Gandharven und Apsaras. Die Babylonier benutzten zur Abwehr böser Geister feste Beschwörungstexte. Bei den Persern sind die →Fravaschis sowohl Geister der Verstorbenen als auch himmlische Schutzgeister des Menschen, die →Amescha spentas spielten als Heil bringende Geister und Aspekte Ahura Masdas eine Rolle. Die griechische Mythologie kennt eine Vielzahl von Naturgeistern (→Nymphen). Die Gespenster des altitalischen Volksglaubens waren Schaden stiftende Totengeister (→Lemuren), zu deren Abwehr Zeremonien (Fest der »Lemuria«) begangen wurden. Der Segen spendenden Totengeister (→Manen) wurde an den »Parentalia« gedacht. Auch die Germanen kannten feindliche und freundliche Geister (z.B. Elfen). Bei den slawischen Völkern findet sich die Vorstellung des Hausgeistes (Domowoi), der, in der Nähe des Ofens, auf der Schwelle oder an der Türöffnung angesiedelt, Haus und Bewohner schützen soll. Der europäische Volksglaube kennt zahlreiche (Schutz-)Geister von hl. Orten (z.B. von Nîmes, Besançon), Tieren und Naturerscheinungen.

Geistertanzbewegung, englisch **Ghost Dance,** messianische Bewegung unter nordamerikanischen Indianern, die ihren Ursprung bei den Paiute in Nevada hatte und bei ihrer Entstehung um 1870 zunächst v.a. Einfluss auf Stämme in Kalifornien und Oregon erlangte. Der 1889/90 wieder auflebende Kult erfasste Indianer des Großen Beckens sowie die Plains- und Prärietämme. Die Geistertanzbewegung wurde von der pazifistischen Lehre des Paiute-Propheten Wovoka (*um 1856, †1932) geprägt, in der Visionen von der Rückkehr der Ahnen und der großen Bisonherden eine Rolle spielten und die das Verschwinden der Weißen nach einer Katastrophe sowie die Wiederkehr des indianischen Lebens vor der Ankunft der Europäer verhieß. Mit so genannten Geistertänzen, bei denen die besonders gekleideten und bemalten Indianer zu speziellen Liedern bis zur Trance im Kreis tanzten, glaubte man diesem neuen Zeitalter näherzukommen. Als sich die Geistertanzbewegung bei einigen Stämmen der Sioux radikalisierte (Vision vom »heiligen Krieg« gegen die weißen Eindringlinge) und die amerikanische Armee den Kult zu unterdrücken suchte, kam es 1890 zum Massaker von Wounded Knee.

Geistkind, eine Vorstellung bei ethnischen Gruppen wie den australischen Aborigines, dass die menschliche Seele in der Form eines geistartigen Kindes schon vor der Geburt des Körpers in einem Seelenhort (Wasserstelle, Höhle, Felsen) darauf wartet, von einem Mann im Traum »gefunden« zu werden oder sich auch selbst in den Körper einer Frau zu

---

Geister.
Überall, wo der Buddhismus Fuß fassen konnte, nahm er einheimische Riten und Vorstellungen auf. In Thailand wurde etwa der Glaube an Heil und Schaden bringende Geister in das buddhistische Weltbild integriert. Das Fresko aus Muang Boran, der »Alten Stadt« in Thailand, zeigt furchterregende Geister im Kampf.

Geister
→ **GEO** Dossier
Der Teufel und seine Handlanger, Bd. 15

Geister
→ **GEO** Dossier
Unterwegs in magischen Welten, Bd. 15

Geistlichkeit

Georg.
Der heilige Georg wurde v. a. als Drachentöter verehrt und abgebildet. Mit dem Drachen tötete er das Böse schlechthin und schuf Raum für den neuen christlichen Glauben. Besonders in den Ostkirchen und den orientalischen Kirchen war seine Verehrung seit frühester Zeit verbreitet (russische Ikonenmalerei).

Rechte Seite:
Fresken in der Kathedrale der in Felsen gebauten Stadt Vardzia im Süden Georgiens

begeben, um die Entwicklung des Embryos zu fördern und mit ihm zusammen geboren zu werden.

Geistlichkeit, →Klerus.

Gelasius I., Papst (492–496), † 19. 11. 496; in Rom geborener Afrikaner; nach Leo I. der bedeutendste Papst des 5. Jahrhunderts. Er verteidigte in der Auseinandersetzung mit der oströmischen Kirche den Vorrang des Bischofs von Rom (→Primat des Papstes) und formulierte die im Mittelalter maßgebliche Lehre von weltlicher Herrschaft und Kirche als zwei gleichberechtigten, selbstständigen Gewalten, die »Zweischwerterlehre«. – Heiliger (Tag: 21. 11.).

Gelber Kaiser, ein legendärer chinesischer Kaiser, →Huangdi.

Gelobtes Land, in der jüdischen und christlichen Tradition Bezeichnung für das Abraham und seinen Nachkommen nach 1. Mos. 12, 6 f. von Gott verheißene Land →Kanaan. Dieses Land, seit Herodot (* nach 490 v. Chr., † um 425 v. Chr.) als »Palästina« bezeichnet, wurde später als Ort der Offenbarung Gottes theologisch überhöht »Heiliges Land« (Sach. 2, 16) oder »Land der Verheißung« (Hebr. 11, 9) genannt.

Gelübde, lateinisch **votum,** in den Religionen ein feierlich Gott oder bei Gott gegebenes Versprechen, in dem sich der Gelobende zu etwas verpflichtet, besonders beim Eintritt in eine religiöse Gemeinschaft.
In der kath. Kirche ist ein Gelübde ein Gott gegebenes Versprechen, ein Leben in besonderer Verantwortung vor Gott oder in authentischer christlicher Existenz zu führen. Es kann zeitlich begrenzt oder lebenslänglich bindend sein. Gelübde werden v. a. im Mönchtum und Ordensleben realisiert, wo Gehorsam, Armut und Ehelosigkeit (die so genannten Evangelischen Räte) seit dem Mittelalter als Kerngelübde gelten. Die ev. Kirchen betonen die Erfüllung der allgemeinen christlichen Pflichten als Grundlage für das Leben eines jeden Christen, kennen in den Kommunitäten auch besondere geistliche Versprechen, jedoch keine Gelübde im kirchenrechtlichen Sinn.

Gelugpa, eine Reformbewegung im →tibetischen Buddhismus.

Gemara [aramä. »Vervollständigung«, »Erlerntes«], die Diskussionen und Erklärungen der späteren Rabbiner (Amoräer, 3.–5. Jh.) über die →Mischna. Sie umfassen sowohl Halacha als auch Haggada. Mischna und Gemara bilden zusammen den →Talmud.

Gemeinde [zu althochdt. gimeini »mehreren abwechselnd zukommend«], **Kirchengemeinde,** in den christlichen Kirchen die kleinste Einheit kirchlicher Gliederung, und zwar meist auf regionaler Ebene (Pfarrei, Pfarrgemeinde), seltener auf der Ebene von Standes- oder Berufsgemeinschaften (Personalpfarrei, z. B. Studentengemeinde, Schiffergemeinde).

Genesis [griech. »Entstehung«, »Schöpfung«], in der griechischen Bibel Name des ersten Buches des Pentateuch (1. Mos.). Sie ist gegliedert in die »Urgeschichte« von der Schöpfung bis zur Auflösung der ursprünglichen Einheit der Menschheit (1. Mos. 1–11) und die »Patriarchengeschichte« (Vorgeschichte Israels als Familiengeschichte, 1. Mos. 12–50). In der Genesis sind →Jahwist und →Priesterschrift als Quellen verarbeitet.
Kleine Genesis (Leptogenesis) wird das →Jubiläenbuch genannt.

Genius [latein. »Schutzgeist«], nach altrömischer Vorstellung die göttliche Verkörperung der im Mann wirksamen zeugenden Kraft. Ihr entsprach die Juno der Frau. Der Genius konnte im alten Rom auch die gesamte Persönlichkeit des Mannes bezeichnen. Das Fest des Genius war der Geburtstag des Mannes, sein hl. Tier war die Schlange. Der Genius des Hauses und der Familie, der sich aus dem häuslichen Kult entwickelte, führte zu Bildungen wie dem Genius des römischen Volkes, der Stadt Rom sowie dem Genius von Genossenschaften, Gemeinden, Provinzen und Örtlichkeiten **(Genius Loci),** bis die Bedeutung des Genius zu der eines allgemeinen Schutzgeistes verflachte.
In der bildenden Kunst ist der Genius des Hausherrn u. a. in der Gestalt eines am Hausherd opfernden Mannes dargestellt, mit Füllhorn und Schale und meist inmitten zweier Laren. Eine Variante dieser Darstellung war der seit 29 v. Chr. durch Senatsbeschluss in jedem Viertel der Stadt Rom verehrte Genius des Kaisers, eine Vorform des →Kaiserkultes.

Georg, Märtyrer; die Existenz des Heiligen ist bis heute umstritten. Nach der Legende stammte er aus Kappadokien und wurde als

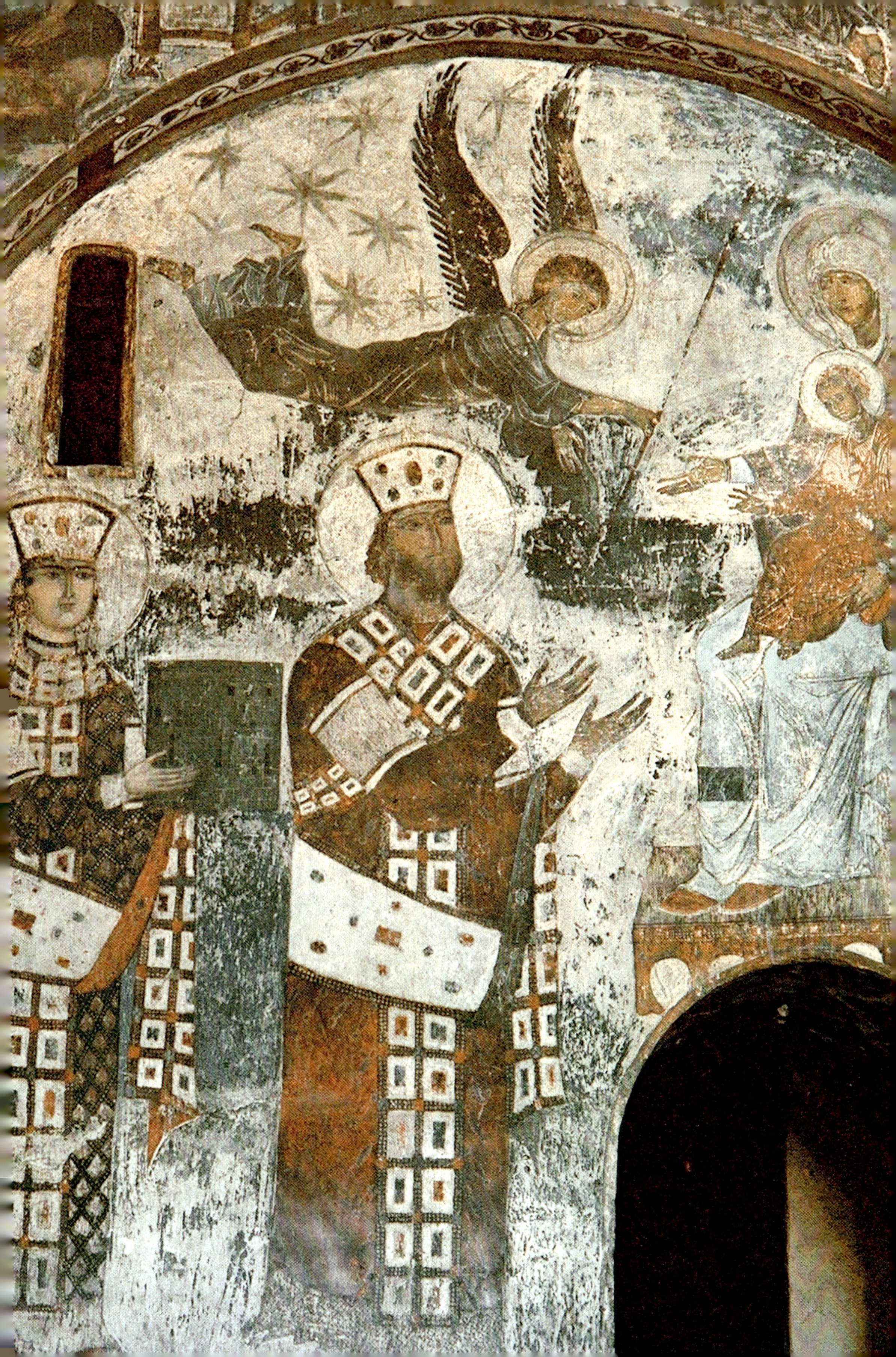

Gericht Gottes.
Am Ende der Welt wird der Mensch für sein Handeln zur Verantwortung gezogen. Das Christentum stellt sich Christus als endzeitlichen Richter vor. Als Seelengeleiter fungiert der Erzengel Michael (»Das Jüngste Gericht«, Altarbild von Rogier van der Weyden, 15. Jh.; Beaune, Hôtel-Dieu).

Offizier im frühen 4. Jh. aufgrund seines christlichen Glaubens getötet. Ein Überlieferungszweig versteht Georg als Drachenkämpfer. Nachdem Georg bereits in der alten und später in der byzantinischen Kirche viel verehrt worden war, kam sein Kult im Mittelalter v. a. durch die Kreuzfahrer nach Europa. Hier wurde er zum Patron verschiedener Königshäuser (u. a. England) und zahlreicher Ritterorden (Georgengesellschaft). Außerdem wurde er unter die vierzehn →Nothelfer aufgenommen. – Heiliger; Patron von Georgien; (Tag: 23. 4.).

georgische Kirche, in der Antike **iberische Kirche,** die orth. Nationalkirche Georgiens. Ihr Oberhaupt führt den Titel »Erzbischof von Mzcheta, Metropolit von Tiflis und Katholikos-Patriarch von ganz Georgien«. Sein Sitz ist Tiflis, die liturgische Sprache der georgischen Kirche ist Altgeorgisch. Ausbildungsstätten sind die Geistliche Akademie in Tiflis (1988 eröffnet) und das Priesterseminar in Mzcheta. Es bestehen 15 Eparchien (Bistümer), 350 Pfarrkirchen und 50 Klöster. Kontakte werden zu den Orten georgischer Klostergründungen im Ausland gepflegt (Athos, Batschkowo, Jerusalem, Sinai). Seit 1962 ist die georgische Kirche Mitglied des Ökumenischen Rats der Kirchen. Kirchenseitig werden alle Georgier (rund 3,8 Millionen in Georgien) als Kirchenmitglieder gezählt.

■ Geschichte Das Christentum fand in der ersten Hälfte des 4. Jh. Eingang in Georgien. Es wurde vor 350 durch das Königshaus Kartli als Staatsreligion angenommen, was nach kirchlicher Überlieferung auf das Wirken der hl. Nino zurückgeht. Vollendet wurde die Christianisierung Ostgeorgiens (Iberiens) im 6. Jh. Zunächst vertrat die georgische Kirche monophysitische Lehrauffassungen, doch schloss sie sich 594 den Beschlüssen des Konzils von Chalkedon an und war Ende des 5. Jh. (483) faktisch, seit 1053 auch offiziell eine selbstständige (autokephale) Kirche. Seit der arabischen Eroberung Georgiens im 7. Jh. verkörpert die georgische Kirche für die Georgier die nationale Identität ihres Volkes.

Mit der russischen Annexion Georgiens ab 1801 ging die kirchliche Unabhängigkeit verloren. Die georgische Kirche wurde jetzt in die russisch-orth. Kirche eingegliedert und seit 1817 von einem russischen Exarchen geleitet. Durch Erklärung des georgischen Episkopats wurde 1917 die Autokephalie wieder hergestellt. Sie wurde 1943 vom Moskauer und 1990 auch vom Ökumenischen Patriarchat anerkannt. In den 1920er-/1930er-Jahren war die georgische Kirche schwersten Repressionen und einer staatlich organisierten antikirchlichen Propaganda (Gottlosenbewegung) ausgesetzt. Das kirchliche Leben ging auch nach der Umorientierung der staatlichen Kirchenpolitik (1943) ständig zurück. Seit seinem Amtsantritt 1977 beförderte der Patriarch-Katholikos Ilia II. (Ilja Schiolaschwili) die äußere Reorganisation und innere Erneuerung der georgischen Kirche. Er schuf 1979 nach dem Vorbild des Moskauer Patriarchats, das die georgische Kirche bis dahin auf ökumenischer Ebene vertreten hatte, ein eigenes »Kirchliches Außenamt«. Seit 1990 ist die georgische Kirche wieder in ihre traditionellen Rechte eingesetzt. Insbesondere wurde ihr ihr Eigentum zurückgegeben, und die Ernennung der Bischöfe ist seither frei von staatlicher Einflussnahme. Als Nationalkirche Georgiens nimmt sie eine herausgehobene Stellung im öffentlichen Leben ein. – Abb. S. 203

Gericht Gottes, der Vollzug der göttlichen Gerechtigkeit als Lohn und Strafe gegenüber dem einzelnen Menschen oder der Menschheit (als allgemeines Welt- oder Endgericht, »Jüngstes Gericht«). Dem Gericht Gottes liegt der Glaube zugrunde, dass zwischen sittlicher Tat und Schicksal ein gerechter Ausgleich erfolgt, der sich im Sinn einer Vergeltung nach dem Tod im Jenseits oder in einem späteren Leben im Diesseits auswirkt.

Ein Totengericht wird in der ägyptischen Religion erwartet. Die Seele des Verstorbenen und die Wahrheit werden hier von Thot vor dem Totenrichter Osiris abgewogen. Ähnliches findet sich in der babylonisch-assyrischen Religion, in der altindischen Religion und im Buddhismus (König Yama als Totenrichter) sowie in der griechischen Religion (die Totenrichter Minos, Rhadamanthys und Aiakos). Im Parsismus begegnet die Vorstellung einer engen Brücke zwischen Diesseits und Jenseits, über die der Verstorbene ins Paradies gelangt oder von der er in den Abgrund gestoßen wird.

Stets führt eine Entscheidung die Trennung der Guten und der Bösen herbei. Die Guten gelangen in das Paradies, das als ein Ort der Seligkeit, des Lichtes, mühelosen Lebens geschildert wird. Es erscheint u. a. als selige Gefilde, Elysium oder Himmel. Die Bösen fallen an einen Ort der Finsternis und vielfältiger Strafen, der etwa in der Unterwelt oder im Erdinnern gelegen gedacht wurde. Dazu zählen z. B. Hölle und Tartaros. Mit dem sittlichen Gedanken von Belohnung und Strafe sind ebenfalls die Seelenwanderungslehren in Indien (Karma), im antiken Griechenland und bei den Manichäern verbunden. Die Art der Wiedergeburt (im Hinduismus: als Gott, als ein Mensch, als Tier) wird hierbei durch die guten und bösen Taten eines Menschen in einer früheren Existenz bestimmt.

germanische Religion. Archäologische Hinweise auf Kulte, Riten und Mythen sind in Mittel- und Nordeuropa seit der Stein- und Bronzezeit vorhanden. Dazu gehören etwa die Felsritzungen in der schwedischen Landschaft Bohuslän, der Sonnenwagen von Trundholm

germanische Religion

oder der Bilderschmuck des Grabs von Kivik auf Schonen. Im Unterschied zum Sprachgebrauch der älteren Forschung beschränkt man den Begriff »germanisch« heute jedoch weitgehend auf den Zeitraum vom Einsetzen der schriftlichen Überlieferung bis zur Christianisierung, d. h. auf die Zeit vom 1. Jh. v. Chr. bis zum 11. Jh. nach Christus. Die Anwendbarkeit des Germanenbegriffs auf die archäologische Hinterlassenschaft der vorrömischen Eisenzeit ist umstritten. Zu den unmittelbaren Überresten germanischer Kultübungen in der römischen Kaiserzeit und der Völkerwanderungszeit gehören Opfer- und Weihegaben, Kultstätten und Kultbilder, bildliche Darstellungen auf einseitig geprägten Goldblechen (Brakteaten) sowie lateinische Weihinschriften für germanische Götter und Göttinnen. Die ältesten schriftlichen Angaben zur Religion der Germanen bieten antike Autoren, v. a. Tacitus. Aus der Zeit der Christianisierung stammen mehrere Runeninschriften religiösen oder magischen Inhalts, die »Merseburger Zaubersprüche« sowie Hinweise auf heidnische Kulte in Heiligenviten, katechetischen Texten und kirchengeschichtlichen Darstellungen.

■ **Götter und Weltentstehung** Hinweise auf Götterkulte bieten u. a. Orts- und Flurnamen. Ausführliche Hinweise auf eine germanische Mythologie im Sinne von Göttererzählungen findet man fast nur in Skandinavien, v. a. in der Skaldendichtung und in der →Edda, wobei jedoch christliche Einflüsse in Rechnung zu stellen sind. Zu den inschriftlich und/oder literarisch überlieferten Namen von Göttern und Göttinnen zählen →Baldr, →Donar, →Freyr, →Freyja, →Frigg, →Loki, →Nerthus (Njörd), →Odin und →Týr. Rein nordgermanisch ist die Zuordnung dieser Gestalten zu

germanische Religion: Götter (Auswahl)

Ägir	Idisen	Skuld
Alcis	Idun	Tamfana
Baldr	Jörd	Týr
Bragi	Kvasir	Urd
Donar	Loki	Saxnot
Forseti	Nanna	Ullr
Freyja	Nehalennia	Vali
Freyr	Nerthus	Ve
Frigg	Njörd	Verdandi
Heimdall	Odin/Thor	Vidar
Hel	Ran	Vili
Hödr	Sif	
Hönir	Skadi	

germanische Religion Die Wettkämpfe des Thor

In der germanischen Mythologie ist der Gott Thor der unermüdliche Streiter gegen die Riesen. Während eines Aufenthaltes beim Riesenkönig hat Thor ganz besondere Wettkämpfe zu bestehen. So versucht er, einem Riesen mit seinem Hammer auf den Kopf zu schlagen, doch dieser spürt nur ein Blatt bzw. eine Eichel, die ihm auf den Kopf fällt. Sodann unterliegt er bei einem Wettessen mit dem Koch des Riesen und schafft es nicht, trotz dreier gewaltiger Züge ein Trinkhorn auszutrinken. Schließlich soll er die Katze des Riesen hochheben, was ihm ebenfalls nicht gelingt, und endlich unterliegt er im Ringkampf mit der alten Amme des Riesen. Am nächsten Tag offenbart der König Thor, wie alles zugegangen sei: Er selbst war der Riese und hatte bei Thors Schlägen die Berge zwischen sich und den Hammer geschoben; dabei seien die Täler entstanden. Der Koch des Riesen war in Wirklichkeit das gefräßige Feuer. Das Trinkhorn stand unten im Weltmeer, und Thors Trinken habe die Ebbe geschaffen. Die Katze war die Midgardschlange, die außen die Welt umschlingt und von Thor bis zum Himmel gehoben wurde. Die Amme schließlich war das Alter selber, das niemand zu bezwingen vermag. Die Bronzeskulptur (um 1000; Reykjavík, Nationalmuseum) zeigt Thor mit seinem Attribut, dem zauberkräftigen Hammer Mjölnir, mit dem er auch Blitz und Donner erzeugt.

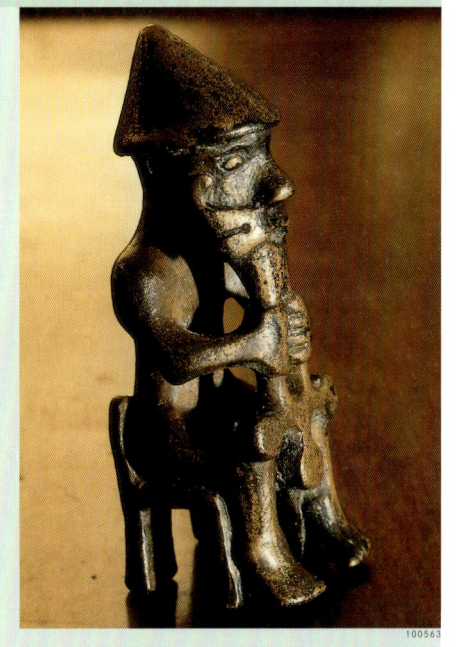

den beiden Götterkreisen der →Asen und →Vanen. Angaben über Vorstellungen vom Anfang und Ende der Welt und der Herkunft des Menschen findet man – wohl unter christlichem Einfluss, doch unter Rückgriff auf vorchristliche Anschauungen – in der Edda: Die Götter entstehen aus kosmischen Gegensätzen und schaffen zuerst den Urriesen Ymir, dann aus seinem Körper die Welt. Aus Hölzern schaffen die Götter das erste Menschenpaar (Askr und Embla). Am Weltende vergehen Götter und Menschen in einer endzeitlichen Schlacht (→Ragnarök).

■ **Kult** Im Mittelpunkt des Kults stand das Opfer (Sach-, Tier- und Menschenopfer). Wichtig war auch die Erkundung des göttlichen Willens durch die Zeichendeutung (→Mantik). Antike Autoren betonen die große Bedeutung hl. Haine, doch spielten auch Seen und Moore als Kultstätten eine wichtige Rolle. Tempel werden erst in späten Quellen erwähnt und sind archäologisch bisher kaum nachgewiesen worden. Frühe Belege für die Existenz von (hauptberuflichen) Priestern fehlen. Der Glaube an ein Weiterleben nach dem Tode war nach Ausweis des Grabbrauchtums weit verbreitet, doch stammen die ältesten schriftlichen Nachrichten darüber – etwa vom düsteren Totenreich Hel und dem Kriegerparadies →Walhall – erst aus dem skandinavischen Spätheidentum.

■ Siehe auch
SACHBEGRIFFE →Asgard · Avalon · baltische Religion · Druiden · Edda · Gudme · Gutuater · Hel · keltische Religion · Merseburger Zaubersprüche · Midgard · Niflheim · Ragnarök · Stonehenge · Utgard · Völuspá · Walhall · Yggdrasil
PERSONEN →Asen · Baldr · Belenus · Belisama · Donar · Esus · Epona · Forseti · Freyja · Loki · Mimir · Nerthus · Njörd · Nornen · Odin · Taranis · Teutates · Vanen

Gerschom Ben Jehuda, Gerson Ben Jehuda, Talmudgelehrter und liturgischer Dichter, *um 960, †Mainz 1028. Als »Leuchte des Exils« (Meor ha-Gola) verehrt, prägte er durch seine Mainzer Talmudakademie das mittelalterliche Judentum in Deutschland, Frankreich und Italien, besonders durch seine »Verordnungen« (»Taqqanot«), z. B. das Verbot der Mehrehe und die Forderung nach Zustimmung der Frau zur Scheidung.

Gesellschaft Jesu, die →Jesuiten.

Gesetz [althochdt. gisezzida, eigentlich »Festsetzung«, zu setzen], in den Religionsgemeinschaften die Normen und Vorschriften zur Regelung des religiösen und alltäglichen Lebens, die auf göttliche Offenbarung, Verordnungen der Religionsstifter und Tradition zurückgeführt werden. Die Gesetze gelten als Ausdruck des göttlichen Willens. Ihre Befolgung ist für die Mitglieder der Religionsgemeinschaften verbindlich und im Rahmen eines bestimmten (»fundamentalistischen«) Frömmigkeitsverständnisses auch heilsnotwendig. Gesetzlichkeit findet sich in allen Religionen. Religionen, die überwiegend durch sie geprägt sind, werden **Gesetzesreligionen** genannt. Als klassische Gesetzesreligionen gelten das Judentum und der Islam.

■ **Altes Testament** Im A. T. ist Gesetz (hebräisch Thora) ursprünglich eine Bezeichnung für die kurze mündliche Belehrung des kultischen Laien durch den Priester (Ps. 15; Hag. 2, 11–14). Spätestens vom Deuteronomium an wird Gesetz als Ausdruck für die gesamte Willensoffenbarung Gottes gebraucht (5. Mos. 17, 19 und öfter). Seit nachexilischer Zeit bezeichnet es den →Pentateuch. Diese Begriffsausweitung zeigt, dass Gesetz im A. T. eine komplexe Größe ist: Zivil-, straf-, prozess- und kultrechtliche Bestimmungen stehen nebeneinander. Man unterscheidet kasuistische Gesetze, die für konkrete Rechtsfälle bestimmte Rechtsfolgen festsetzen (häufig mit einer »Wenn«-Formulierung), und apodiktische Gesetze, die grundsätzlich in jeder Situation verbindlich sind (in der Art der →Zehn Gebote). Im israelitischen Bewusstsein wird das Gesetz zunehmend zur Grundlage des Bundesverhältnisses zwischen Gott und Israel.

■ **Neues Testament** Im Verständnis des N. T. löst Jesus das Gesetz ab, indem er es erfüllt (Mt. 5,17). Sein Evangelium vom Gottesreich zielt im Gegensatz zur Gerichtspredigt Johannes' des Täufers auf Gnade und Versöhnung. In Botschaft und Verhalten übt Jesus Kritik am jüdischen Gesetz, besonders in Bezug auf Sabbatruhe und Tempelkult (Mk. 3, 1–6; 11, 15–18). Die Vielfalt der Gesetzesvorschriften fasst das eine Doppelgebot der Gottes- und Nächstenliebe zusammen (Mt. 22, 35–40). Die Gesetzestheologie des Paulus ist differenziert: Der Galaterbrief lehnt das jüdische Gesetz scharf ab zugunsten der Freiheit des Christen. Nach dem Römerbrief ist das Gesetz zwar nicht an sich gut und heilig, aber es provoziert durch seine Strenge den schwachen Menschen zur Sünde. Christus hat als »das Ende des Gesetzes« die Gerechtigkeit aus Gesetzeswerken durch die Gerechtigkeit aus Glauben überwunden. Das neue Gesetz Christi ist »das Gesetz des Geistes und des Lebens«, denn »der Buchstabe tötet, der Geist macht lebendig« (2. Kor. 3,6). Außerdem ist für Paulus die Liebe »die Erfüllung des Gesetzes«.

■ **Christliche Theologie** Die spätere Theologie hat das Verhältnis von »Gesetz und Gnade« bzw. »Gesetz und Evangelium« erörtert. Die christliche Frühzeit betont mit Paulus (Röm. 1), dass schon dem »Heiden« ein Naturgesetz ins Herz geschrieben ist, das durch Christus vertieft und entbunden wird. Das Gottesgesetz ist daher keine von außen auferlegte Satzung, sondern entspricht der Wesensbestimmung des Menschen als Geschöpf. »Das Gesetz ist gegeben, damit die Gnade gesucht wird; die Gnade ist gegeben, damit das Gesetz erfüllt wird« (Augustinus).

Martin Luther forderte das reine Evangelium gegen Vergesetzlichung des Glaubens. Bei ihm hat aber auch das Gesetz bleibende Bedeutung, und zwar im »bürgerlichen Gebrauch«, indem es durch die Zehn Gebote das äußere Leben regelt, und im »theologischen Gebrauch«, indem es den Menschen seiner Sündhaftigkeit überführt.

Das Konzil von Trient (1545–63) gibt der reformatorischen Lehre darin Recht, dass weder das natürliche noch das mosaische Gesetz die Kraft zur Rechtfertigung haben, die allein der Gnade Christi zu verdanken ist. Doch auch der Christ kann und muss in der Kraft der Gnade die Gebote beobachten, und Christus selbst ist nicht nur der Erlöser, sondern auch Gesetzgeber.

Im 20. Jh. wurde die Gesetzesdiskussion wieder aktuell. Besonders für Karl Barth hat das Evangelium, das die anklagende Funktion des Gesetzes einschließt und aufhebt, den unbedingten Vorrang. Die genauere Erforschung des altjüdischen Gesetzes macht auch die Kontinuität vom A. T. zum N. T. deutlich, das in seinem doppelten Liebesgebot (Gottesliebe und Nächstenliebe) Schriftstellen des A. T. (5. Mos. 6, 5 und 3. Mos. 19, 18) verbindet.

Gesetzeslade, →Bundeslade.

Ghanta [Sanskrit], indische Glocke, meist aus Bronze, die als Kultgerät im religiösen Ritual aller indischen Religionen verwendet wird. Der Klang soll u. a. die Aufmerksamkeit des verehrten Gottes erregen. Wegen des schnell verhallenden Klanges steht der Ghanta für die Vergänglichkeit der Erscheinungswelt. Im tantristischen Zusammenhang versinnbildlicht die Glocke (wie auch der Lotos) den weiblichen Schoß und symbolisiert somit das weibliche Prinzip als Gegenstück zum männlich gedachten →Vajra. In der hinduistischen wie in der buddhistischen Kunst ist der Ghanta Attribut verschiedener Gottheiten.

Ghasali [arab. r-], **al-Ghasali, al-Ghazali, Algazel** [-ˈzeːl], Abu Hamid Muhammad, islamischer Theologe, Philosoph und Mystiker, * Tus (bei Meschhed) 1059, † ebenda 18. 12. 1111; verließ 1095 seinen Lehrstuhl in Bagdad, um ein zurückgezogenes Leben als Sufi in Tus zu führen, lehrte jedoch erneut (1106) in Nischapur. Seine Schrift »Die Widersprüchlichkeit der Philosophen« wendet sich gegen Versuche, philosophisch-metaphysische Argumente auf theologischem Gebiet vorzubringen, und tritt für den Islam ein. Ghasali begründete damit eine Tradition der Metaphysikkritik aus theologischem Interesse, die den lateinischen Westen seit dem 13. Jh. stark beeinflusst hat. Mit seinem Hauptwerk »Die Wiederbelebung der religiösen Wissenschaf-

> Der islamische Mystiker **al-Ghasali** schreibt in seinem »Elixier der Glückseligkeit« über die Liebe:
>
> »Omar sprach: ›Wenn einer von euch von seinem Bruder Liebe erfährt, so greife er danach, denn gar selten wird ihm solches zuteil werden.‹
> Mudjahid sagte: ›Wenn zwei, die sich in Gott lieben, sich begegnen und einander zulächeln, so fallen die Sünden von ihnen ab wie die dürren Blätter von den Bäumen im Winter.‹
> Fudail sagte: ›Ein Blick voll Liebe und Zärtlichkeit in das Angesicht des Bruders, das ist Gottesdienst.‹ …
> Wisse: Die Liebe in Gott und der Hass in Gott sind geheimnisvolle Dinge; doch werden sich alle Zweifel lösen, durch das, was wir sagen werden.«

ten« versuchte er, den Islam im Sinne eines Lebens aus dem Geist der Mystik zu vertiefen. Ghasali gilt als einer der bedeutendsten Denker und Theologen des Islam.

Ghat [von Sanskrit ghatta], in Indien terrassen- oder treppenartige Uferanlage an Flüssen und Tempelteichen, die als Prozessions-, Leichenverbrennungs- und Badestätte dient.

Ghom, →Kum.

Ghost Dance, englischer Name der →Geistertanzbewegung.

Ghusl [arab. r-, »Waschung«], *Islam:* die Ganzkörperwaschung zur Herstellung der rituellen Reinheit. Sie ist vorgeschrieben nach dem Geschlechtsverkehr, bei der Frau auch nach der Menstruation, sowie vor dem Freitagsgebet (Djuma) und den Gottesdiensten der Feiertage. Bei Wassermangel darf Sand verwendet werden.

Giganten, *griechische Mythologie:* wilde, frevlerische Riesen. Nach Hesiod von Gaia aus den Blutstropfen des entmannten Uranos geboren, waren die Giganten unversöhnliche Gegner der olympischen Götter. Von diesen wurden sie in einer großen Schlacht (**Gigantomachie**) besiegt. An ihr nahm Herakles teil, da die Hilfe eines Sterblichen für den Sieg notwendig war.

Ursprünglich Verkörperungen roher, oft vulkanische Erdkräfte, wurden die Giganten schon seit Euripides mit den im Gegensatz zu ihnen unsterblichen Titanen gleichgesetzt und häufig als Repräsentanten barbarischer Unkultur aufgefasst, die der Ordnung und Kultur (vertreten durch die olympischen Götter) weichen müssen.

Gilgamesch, ursprünglich **Bilgamesch,** sumerischer König der ersten Dynastie von Uruk, der um etwa 2600 v. Chr. gelebt hat. Gilgamesch ist der Held der in der altorientalischen Literatur weit verbreiteten Gilgameschdichtungen, deren Stoff vom 3. bis zum 1. Jt. v. Chr. in sumerischer, akkadischer, hurriti-

---

Abu Hamid Muhammad al-Ghasali
* 1059, † 1111

- gilt als einer der bedeutendsten und angesehensten Denker und Theologen des Islam
- zog sich aufgrund einer inneren Krise aus dem öffentlichen Leben zurück und fand seine Erfüllung im Sufismus
- verstand es, Mystik, Theologie und Philosophie in kohärenter Weise zu verbinden
- schuf als sein wichtigstes Werk »Die Wiederbelebung der religiösen Wissenschaften«

G Gitagovinda

Gilgamesch Das Zwölf-Tafel-Epos

Von Gilgamesch, einem sumerischen König der ersten Dynastie von Uruk, wurden vom 3. bis zum 1. Jt. v. Chr. zahlreiche Legenden überliefert. Das Zwölf-Tafel-Epos führt nach Uruk, der Geburtsstätte des Gilgamesch: Um Gilgamesch von der Knechtung seiner Untertanen abzulenken, erschaffen die Götter den wilden »Urmenschen« Enkidu, der aber nach einem Zweikampf mit Gilgamesch zu dessen Freund wird. Ihr erstes gemeinsames Abenteuer, der Zug zum Zedernwald, endet mit der Tötung des Dämonen Huwawa (vermutlich abgebildet in dem Relief aus dem 8./7. Jh. v. Chr.; Berlin, Vorderasiatisches Museum). Nach Uruk zurückgekehrt, weist Gilgamesch die Liebe der Göttin Ischtar ab, die ihm aus Rache den Himmelsstier sendet, den aber Gilgamesch und Enkidu erschlagen. Der Tod des Enkidu lässt Gilgamesch auf die Suche nach dem ewigen Leben gehen. Er begibt sich auf eine Reise zu dem von den Göttern an das Ende der Welt entrückten Sintfluthelden Utnapischtim. Dieser enthüllt ihm das Geheimnis der Lebenspflanze. Doch eine Schlange entwendet Gilgamesch das vom Meeresgrund geholte Kraut, sodass ihm nur die Ergebung in sein menschliches Todeslos und der Nachruhm seiner Taten bleiben.

---

scher und hethitischer Sprache überliefert worden ist.

Das *sumerische Erzählgut* besteht aus noch voneinander unabhängigen Einzeldichtungen: 1) Das Kurzepos »Gilgamesch und Agga von Kisch«, das von dem Konflikt zwischen Uruk und der nordbabylonischen Stadt Kisch berichtet; 2) »Gilgamesch und Huwawa« existiert in mehreren Versionen, die den Zug des Gilgamesch und seines Freundes Enkidu gegen Huwawa, den Dämon und Hüter des Zedernwaldes im Libanon, beschreiben; 3) »Gilgamesch, Enkidu und der Himmelsstier«; 4) »Gilgamesch, Enkidu und die Unterwelt«; 5) »Krankheit und Tod des Gilgamesch«, das auch des Helden Ankunft in der Unterwelt schildert.

Wohl um 1700 v. Chr. entstand daraus ein einheitliches Epos in akkadischer (altbabylonischer) Sprache, das bis zum 13. Jh. v. Chr. auch in Hattusa und Megiddo verbreitet war. Das eigentliche **Gilgameschepos** (um 1000 v. Chr.) ist auf elf Tafeln mit etwa 3600 Verszeilen aus der Bibliothek König Assurbanipals (688 bis etwa 627 v. Chr.) in Ninive überliefert. Als Autor oder dichterischer Bearbeiter wird der Priester Sinleke-Unninni genannt. Dieser Fassung wurde als zwölfte Tafel eine Teilübersetzung der sumerischen Dichtung »Gilgamesch, Enkidu und die Unterwelt« angefügt.

Gitagovinda [Sanskrit], indisches Gedicht, in dem der indische Gott Govinda (das ist Krishna) mit Liedern gefeiert wird, in zwölf Gesängen. Verfasser war der Hofdichter Jayadeva (12. Jh.). Das Gitagovinda besteht aus lyrischen, z. T. erotischen Tanzliedern, die durch eingeschaltete Erzählstrophen zu einer einfachen Rahmenhandlung verbunden sind. Deren Inhalt ist die eifersüchtige Entzweiung, Sehnsucht und Wiedervereinigung Krishnas mit seiner Geliebten, der Hirtin Radha. Heute interpretiert man das Gitagovinda sinnbildlich als eine mystische Allegorie auf das Verhältnis der Menschenseele zu Gott nach den Lehren der Bhaktireligion.

Gjöll [altnord. »der Brausende«], *nordische Mythologie:* Fluss zwischen Ober- und Unterwelt, über dessen Brücke (Gjallarbru) die Toten ins Reich der Göttin des Totenreichs, Hel, reiten.

Glaube, siehe Sonderartikel S. 210.

Glaubensbekenntnis, *Christentum:* formelhafte Zusammenfassung der wesentlichen Aussagen der christlichen Glaubenslehre. Besondere Bedeutung haben das →Apostolische Glaubensbekenntnis in den westlichen Kirchen und das im Ergebnis der dogmatischen Auseinandersetzungen des 4. und 5. Jahrhunderts entstandene Nicänokonstantinopolitanum (→Nicänisches Glaubensbekenntnis) in den östlichen (orth.) Kirchen erlangt. In der alten Kirche war das Glaubensbekenntnis ursprünglich das Taufbekenntnis. Heute ist es ein wesentlicher Bestandteil des christlichen Gottesdienstes. Zum islamischen Glaubensbekenntnis: →Schahada.

Glaubens-, Gewissens- und Bekenntnisfreiheit, die Freiheit und das Recht des Einzelnen, religiöse, weltanschauliche und moralische Überzeugungen zu bilden, zu äußern und zu befolgen. Es handelt sich hierbei um eines der ältesten Grundrechte. Als **Religionsfreiheit** wurde es bereits in den Religionskriegen des 16. und 17. Jahrhunderts gefordert.

In Deutschland ist die Glaubens- und Bekenntnisfreiheit durch Artikel 4 des Grundgesetzes gewährleistet. Dieser Schutz umschließt auch das Recht auf ungestörte Religionsausübung (Kultusfreiheit). Die Glaubens- und Bekenntnisfreiheit gilt an sich schrankenlos, findet jedoch dort ihre Grenze, wo sie nicht mit den Grundrechten andersdenkender Grundrechtsträger zu vereinbaren ist. In erster Linie ist dieses Recht Abwehrrecht des Einzelnen gegen die öffentliche Gewalt. Gleichzeitig gibt es dem Staat aber auch auf, Raum für die aktive Betätigung der Glaubensüberzeugung und die Verwirklichung der autonomen Persönlichkeit auf weltanschaulich-religiösem Gebiet zu sichern. Es verpflichtet den Staat zu weltanschaulich-religiöser Neutralität und verbietet es ihm insbesondere, einzelne Kirchen zu bevorzugen.

Die Religionsgemeinschaften sind, wenn die Mitgliedschaft in ihnen auf freiwilliger Basis beruht, ihren Mitgliedern gegenüber nicht an Artikel 4 des Grundgesetzes gebunden. Kirchen, Religionsgemeinschaften und ähnlichen Gemeinschaften steht die Bekenntnis- und Kultusfreiheit zu. Die Glaubens- und Weltanschauungsfreiheit schützt sowohl religiöse als auch nicht religiöse Weltanschauungen und die Freiheit zur Bildung religiöser und weltanschaulicher Gemeinschaften, ferner auch die Freiheit, nichts zu glauben (**negative Glaubens- und Weltanschauungsfreiheit**). In diesen Zusammenhang gehört auch das Recht, den Besuch des Religionsunterrichts abzulehnen.

Glaubenskongregation, inoffizielle Bezeichnung für die 1965 »Kongregation für die Glaubenslehre« benannte →Kurienkongregation.

Glaubenskriege, →Heilige Kriege, →Religionskriege, →Djihad.

Gleichnis, Form des Vergleichs, bei dem z. B. eine Vorstellung durch einen entsprechenden Sachverhalt aus einem anderen sinnlich konkreten, dem Vorstellungsvermögen der Leser/Hörer näher stehenden Bereich veranschaulicht wird. In der Verkündigung der Religionsstifter (Buddha, Jesus und Mohammed), aber auch in heiligen Schriften (z. B. in den Veden, im A.T. und im N.T.) dienen die Gleichnisse der Verdeutlichung der Lehre oder auch dem Gegenteil, nämlich der Geheimhaltung vor der breiten Öffentlichkeit.

Die biblischen Gleichnisse machen religiöse Wahrheiten anschaulich, indem sie Vorgänge aus der Natur und dem menschlichen Leben schildern. Die ältesten Beispiele sind die Fabel des Jotham (Ri. 9, 7–15) und die Parabel des Nathan (2. Sam. 12, 1–12). Gleichnisse in großer Zahl sind v. a. von Jesus überliefert.

Glossolalie [zu griech. glõssa »Zunge« und lalía »Geschwätz«], ekstatisches, unverständliches Sprechen, das der Deutung bedarf. Religionsgeschichtlich ist Glossolalie u. a. in den antiken Religionen (besonders in den Mysterien) wie auch im Judentum (Apokalyptik) beheimatet. Das N.T. beschreibt die Glossolalie als besondere Gnadengabe bzw.

Fortsetzung S. 212

Gleichnis.
Jesus formuliert seine Lehre vom Reich Gottes in vielen Fällen als Gleichnis. Eines der bekanntesten handelt vom verlorenen Sohn: Ein Vater empfängt seinen Sohn, der ihn verlassen hat, sein Geld verprasst und verspielt hat und nun demütig nach Hause zurückkehrt, mit offenen Armen. So vergibt auch Gott der Vater dem reuigen Sünder (Gemälde von Rembrandt, um 1668/69; Sankt Petersburg, Eremitage).

Das Apostolische **Glaubensbekenntnis** ist das gemeinsame Bekenntnis der katholischen und evangelischen Kirche zum dreifaltigen Gott:

»Ich glaube an Gott, den Vater, den Allmächtigen,
den Schöpfer des Himmels und der Erde.
Und an Jesus Christus, seinen eingeborenen Sohn,
unseren Herrn,
empfangen durch den Heiligen Geist,
geboren von der Jungfrau Maria,
gelitten unter Pontius Pilatus,
gekreuzigt, gestorben und begraben,
hinabgestiegen in das Reich des Todes,
am dritten Tage auferstanden von den Toten,
aufgefahren in den Himmel;
er sitzt zur Rechten Gottes, des allmächtigen Vaters;
von dort wird er kommen, zu richten die Lebenden und die Toten.
Ich glaube an den Heiligen Geist,
die heilige katholische/christliche Kirche,
Gemeinschaft der Heiligen,
Vergebung der Sünden,
Auferstehung der Toten
und das ewige Leben.
Amen.«

Glaube

Glaube
→ GEO **Dossier**
Warum glaubt der Mensch?, Bd. 15

Glaube
→ GEO **Dossier**
Glaube, Liebe, Hoffnung?, Bd. 15

Glaube ist ein Begriff, der in allen Religionen von grundlegender Bedeutung ist, wobei die »gläubige« vertrauensvolle Hinwendung zu Gott, den Göttern oder dem Göttlichen meist einhergeht mit einem Für-wahr-Halten bestimmter religiöser Vorstellungen und Lehren. Glaube in solch weiterem Sinn findet sich – personifiziert als Göttin »Sraddha« – im Hinduismus, für den das gläubige Vertrauen und die zuversichtliche Liebe zu Gott einer der möglichen Heilswege ist, und im Buddhismus, in dem der Glaube an den Buddha und seine Verkündigung als Voraussetzung für die ersten beiden Stufen des achtfachen Weges zur Erlösung gilt. In Stammesreligionen, in denen es keine Bindung an festgeschriebene Glaubenslehren gibt, ist neben dem Glauben an einen Schöpfergott und andere göttliche Mächte der Glaube an das Weiterleben der Ahnen und deren Verbindung mit den Lebenden entscheidend. Ausdruck des Glaubens ist der religiöse Kult, doch soll der Glaube im Anspruch der Religionen grundsätzlich das ganze Leben, Handeln und Denken durchdringen.

Der Glaube an den einen Gott
In den monotheistischen Religionen, in Judentum, Christentum und Islam, ist Glaube auf das personale Gegenüber »Gott« bezogen. Zu dem Glauben an die Existenz Gottes tritt das Vertrauen auf ihn und der Glaube an seine »Offenbarung«, die in Heiligen Schriften – der Thora, der Bibel und dem Koran – ihren Ausdruck gefunden hat. Dabei gelten das jüdische Gesetz und der Koran als direkte göttliche Offenbarungen, die an Mose bzw. Mohammed vermittelt wurden. Nach christlichem Glauben hat sich Gott hingegen in der Person Jesu Christi offenbart, dessen »gute Botschaft« im Evangelium niedergeschrieben wurde. Zentraler Inhalt des jüdischen und islamischen Glaubens ist das Bekenntnis zur »Einzigkeit« Gottes – formuliert im jüdischen Hauptgebet, dem »Schema Israel« (»Höre Israel«), und in der muslimischen »Schahada«, dem Bekenntnis, »dass es keinen Gott außer Gott gibt und dass Mohammed der Gesandte Gottes ist«. Im Christentum wird das Bekenntnis zur »Einzigkeit« Gottes erweitert durch die Lehre von der Trinität, die besagt, dass im »einen« Gott die drei »Personen« Vater, Sohn und Heiliger Geist unterschieden werden können. Unglaube oder Abfall vom Glauben erscheint in allen monotheistischen Religionen als schwere Sünde, die im Christentum die Exkommunikation und im Islam im schlimmsten Fall die Todesstrafe nach sich zieht. Im Judentum bleibt nach der Gesetzessammlung Halacha auch ein vom Glauben Abgefallener ein Jude.

Glaube und Wissen
Problematisch wird das traditionelle Glaubensverständnis, wenn die Glaubenslehren in Konkurrenz oder Widerspruch zu der der menschlichen Vernunft erreichbaren Erkenntnis treten. Die Spannung zwischen Glaube und Wissen, die vor allem in der christlichen Kultur aufgebrochen ist, hat die abendländische Geistesgeschichte wesentlich geprägt und – durch die Erarbeitung unterschiedlicher philosophischer und theologischer Lösungsmodelle – maßgeblich vorangetrieben.
In der alten Kirche kam es durch innerkirchliche Auseinandersetzungen zur Ausbildung von schriftlich fixierten »Glaubensbekenntnissen«, besonders zur Christologie und Trinitätslehre, die seither als ausformulierter Inhalt des Glaubens gelten. Die Schwierigkeit, dass diese in einer bestimmten historischen Situation als »Formelkompromiss« zustande gekommenen Be-

Thomas, einer der Jünger Jesu, wollte die Auferstehung Jesu erst glauben, als er die Wundmale mit eigenen Augen sah (»Der ungläubige Thomas«, Gemälde von Caravaggio, um 1595/1600; Potsdam, Schloss Sanssouci).

kenntnisse von da an den Christen in späteren Epochen und anderen geistigen und kulturellen Zusammenhängen verbindlich vorgegeben waren, löste immer wieder große Konflikte aus. Bereits einige frühchristliche Kirchenväter, vor allem aber die mittelalterlichen Theologen, erkannten die Diskrepanz zwischen »fides« (Glaube) und »intellectus« (Vernunft) und unternahmen diverse Versuche, die Widersprüche zu harmonisieren. Der menschliche Intellekt sah sich durch das überlieferte Glaubensgebäude herausgefordert und mobilisierte alle Kräfte der Erkenntnis, um es zu durchdringen. Die auf Anselm von Canterbury zurückgehende programmatische Formel dafür lautete »fides quaerens intellectum«: Der Glaube verlangt nach intellektueller Einsicht, oder anders ausgedrückt: Der menschliche Verstand ist aufgerufen, sich die »Glaubensgeheimnisse« anzueignen, soweit er es vermag. In der Hochscholastik kam es dadurch zu intellektuellen Glanzleistungen, die jedoch in letzter Konsequenz die Differenzen zwischen Glaube und Vernunft nicht ausräumen konnten. Die Neuzeit ist schließlich dadurch gekennzeichnet, dass Glaube und Vernunft als Gegensätze begriffen werden.

Glaube in der Neuzeit

Martin Luther und die Reformatoren wandten sich kritisch gegen das im Mittelalter aufgebaute Gebäude kirchlicher Glaubenslehren und versuchten eine Reduktion auf das Wesen des Christentums, wie es unmittelbar in der Person Jesu und im Neuen Testament zum Ausdruck kommt. Gleichzeitig erhielt der Glaube als menschliche Haltung gegenüber Gott eine neue Wertigkeit: »Allein durch den Glauben« (sola fide) – so Martin Luther in seiner »Rechtfertigungslehre« – könne der Mensch zum Heil gelangen. Glaube käme aber nicht eigentlich aus menschlichem Vermögen oder Willen, sondern allein als voraussetzungslose Gabe der göttlichen Gnade zustande.

Die Aufklärung brachte eine weitgehendere Emanzipation des menschlichen Verstandes von den Glaubensüberlieferungen, die für die Theologie zu einer bleibenden Herausforderung wurde. Aufgeklärt-rationalistisch gesinnte Theologen versuchten, den Glauben – nicht einzelne Glaubensinhalte – als vernunftgemäß zu erweisen, und sprachen von einer anthropologisch gegründeten »natürlichen Religion« oder »natürlichen Theologie«, das heißt einer Religion, die ganz unabhängig von Offenbarungen und Glaubenssätzen einem jeden Menschen zugänglich wäre. Ähnlich versuchten und versuchen auch andere neuzeitliche Entwürfe, entsprechend den geistigen Gegebenheiten einer säkularisierten Welt, »Glaube« vor allem als ein natürliches Gefühl und notwendiges Bedürfnis im Menschen wahrzunehmen, dessen Ziel die Bewältigung der »letzten Fragen« des Menschen ist.

In der Apostelgeschichte wird erzählt, wie die Jünger nach der Himmelfahrt Christi Menschen heilen. Durch solche Wunder kamen viele zum Glauben an Jesus Christus (»Die Auferweckung des Sohnes des Theophilus« und »Petrus in Cathedra«, Teil eines Freskos von Masaccio und Filippino Lippi, 15. Jh.; Florenz, Brancaccikapelle).

Glykon

Fortsetzung von S. 209

Charisma des Heiligen Geistes (u.a. 1. Kor. 12,10; 14,2ff.) und bezeugt sie zuerst beim Pfingstgeschehen (Apg. 2,4). Als **Zungenrede** wird die Glossolalie heute in der Pfingstbewegung und in der charismatischen Bewegung gepflegt, wobei sie oft als ein in besonderer Unmittelbarkeit zu Gott gebetetes »Sprachengebet« verstanden wird.

Glykon, *griechische Religion:* eine schlangengestaltige, dem Äskulap angeglichene Gottheit, deren Kult von einem Alexandros im nordostgriechischen Abonuteichos, später Ionopolis, in der 2. Hälfte des 2. Jh. n. Chr. etabliert wurde und von dort – trotz erheblicher Kritik von Zeitgenossen – ausstrahlte, wie u.a. Münzzeugnisse belegen.

Gnade [althochdt. gināda »(göttliches) Erbarmen«, eigentlich »Hilfe«, »Schutz«], allgemein die Hilfe (eines) Gottes. In den prophetischen Religionen (z.B. Judentum, Christentum, Islam) wird Gnade vornehmlich als Zuwendung Gottes zu den Menschen und unverdiente Vergebung menschlicher Sünde verstanden, in den Religionen indischer Herkunft in erster Linie als Erlösung aus dem ewigen Kreislauf der Wiedergeburten.

Im A.T. erfährt Israel Gottes Gnade v.a. in der grundlosen Auserwählung zum Bundesvolk und in der alle Gerechtigkeit überbietenden Treue, die Gott auch seinem untreuen Volk gegenüber beweist. Im N.T. bezeugt Jesus selbst in den Gleichnissen und in seinem Verhalten den gnädigen Vatergott. Das Evangelium der Gnade (Charis) steht im Mittelpunkt der paulinischen Theologie. Der Sünder wird nach Paulus (Röm. 3,24) allein durch Gottes Gnade ohne eigenes Verdienst gerechtfertigt und mit neuem Leben beschenkt.

■ **Gnadenlehre** Für die Kirchenväter des Ostens bedeutete Gnade v.a. Vergöttlichung des Menschen. Im lateinischen Westen trat dagegen mehr das anthropologische Problem von Gnade und Freiheit in den Vordergrund des Interesses. Die mittelalterliche Theologie suchte das Wesen der Gnade als übernatürliche Erscheinungsform (Habitus) der Seele zu bestimmen. Seit der Scholastik unterscheidet die kath. Theologie zwischen der ungeschaffenen Gnade (gratia increata) als der Gnade Gottes und der geschaffenen Gnade (gratia creata) als den Gaben und Wirkungen, die die Gnade Gottes im Menschen zur Folge hat. Auf dieser Grundlage betonte das Konzil von Trient im Rechtfertigungsdekret (1547) die Mitwirkung des Menschen als unerlässlich für seine Rechtfertigung.

Martin Luther griff in seiner Gnadenauffassung unmittelbar auf den biblisch-paulinischen Gnadenbegriff als die unverdiente Rechtfertigung der Sünder durch Gott zurück: Rechtfertigung erfolgt allein aus Gnade (sola gratia). Ausgeformt zur Rechtfertigungslehre ist dieses Gnadenverständnis zum Charakteristikum reformatorischer Theologie geworden (→Rechtfertigung).

Gnosis [griech. »Erkenntnis«], im heutigen Sprachgebrauch eine esoterische Philosophie, Weltanschauung oder Religion.

Die Griechen verstanden unter Gnosis Erkenntnis überhaupt. Das N.T. bezeichnet mit Gnosis oft die christliche Erkenntnis als Heilswahrheit (z.B. 1. Kor. 1,5) und nennt die Irrlehren eine falsche Gnosis (1. Tim. 6,20). Schon im späten Hellenismus und besonders dann im Frühchristentum differenzierte sich aber die ursprüngliche allgemeine Bedeutung in eine Reihe von verschiedenen Variationen.

Gnosis in diesem Sinne (auch **Gnostizismus** genannt) dient als zusammenfassende Bezeichnung einer Reihe spätantiker religiöser dualistischer Bewegungen, die im N.T. wie auch in vielen altchristlichen Gruppen nachweisbar sind. Ihr theologisches Wissen, mit dem sie dem suchenden Menschen höchste Wahrheiten zu offenbaren strebte, galt häufig als streng geheim zu haltende Tradition (Arkandisziplin). Ihre Originalschriften waren bis vor einigen Jahrzehnten fast nur aus Zitaten der Kirchenväter bekannt, die die Gnosis bekämpften. 1945/46 wurden jedoch in der oberägyptischen Stadt Nag Hammadi umfangreiche gnostische Originalschriften entdeckt.

■ **Geschichte** Die Ursprünge der Gnosis sind unklar, und es ist umstritten, ob es eine vom Christentum unabhängige heidnische oder jüdische Gnosis gegeben hat. Innerhalb der Kirche werden gnostische Tendenzen schon im Urchristentum deutlich. Sie erreichten im 2. Jh. ihren Höhepunkt. Die Grenze zur Rechtgläubigkeit war in dieser Zeit noch fließend. Marcion, Valentinos (*um 100, †um 160) sowie die Mandäer ausgenommen, brachte es die Gnosis nicht zu größeren Kirchen- und Gemeindebildungen.

■ **Lehre** Die Gnosis lehnte sich an orientalische Mysterienreligionen an, die sie in der Regel allegorisch deutete. Sie zeigte durchweg einen rationalen Grundzug im Anschluss an die antike Philosophie, besonders Platons. Entsprechend ihrem dualistischen Ansatz (→Dualismus) schließt die Gnosis von der Erlösungsbedürftigkeit des Menschen auf den Satan oder das böse Prinzip als »Herrn der Welt«, da der gute Gott für sie nicht verantwortlich gemacht werden kann. Grundlegend ist die Vorstellung von einem Sturz der Seele in die niedere, materielle Welt, die nicht vom höchsten, sondern von einem niederen Gott (Demiurg) geschaffen ist und als aktive, böse Macht vorgestellt wird: Die Materie ist gottfeindlich und muss überwunden werden. In dieser Welt sind Teile des jenseitigen Lichts eingeschlossen, die erlöst werden müssen. Das Licht schickt Gesandte, die die zerstreuten Lichtteile erwecken, sammeln und in die

Gnade.
Die »Schwarze Madonna« von Tschenstochau (Polen) ist eines der berühmtesten Gnadenbilder der katholischen Welt. Die Gläubigen bitten die Gottesmutter, bei Gott und Jesus Christus um Gnade zu bitten.

Gnade
→ GEO **Dossier**
Glaube, Liebe, Hoffnung?, Bd. 15

Lichtheimat zurückführen. Erlöser ist v. a. Christus, dessen Ruf jedoch nur die den »Geist« (griechisch pneuma) besitzenden »pneumatischen« Naturen folgen. Andere, in nicht gnostischen Gemeinden verharrende, gelangen nur bis zum »Glauben« statt zur wahren, vollen »Erkenntnis« oder verharren völlig im Sinnlichen.

Im Hintergrund dieser Erlösungslehre steht die Vorstellung von den Stufen oder Sphären der Welt und ihren dämonischen Herrschern, die den Aufstieg der Erlösten hindern und sie verführen. Gott wurde als überweltlicher, transzendenter Urgrund gedacht, der nur negativ oder durch Metaphern wie »Licht« oder »Geist« beschrieben werden kann. Er ist von ewigen Wesen (Äonen), Emanationen (d. h. aus ihm hervorgegangenen Wesenheiten) und Aspekten Gottes umgeben, die in hierarchischer Ordnung Teile der Gottheit in ihrer Fülle (griechisch pleroma) sind. Die maßgebenden Gnostiker stammen aus dem Orient.

■ **Wirkung** Eine spätere Bildung der Gnosis ist der persische →Manichäismus. Die alte Kirche bekämpfte die Gnosis, indem sie ihre dualistischen Motive durch das N. T. abschwächte, eine feste Organisation ausbildete (monarchisches Bischofsamt) und indem sie die Polemik des Neuplatonismus gegen die Gnosis aufnahm. Die gnostische Tradition pflanzte sich bis zu den Katharern des Mittelalters fort. Eine gnostische (nicht christliche) Gruppe mit umfangreichem Schrifttum hat sich bis heute erhalten: die →Mandäer. Gnostische Gedanken wurden auch in die philosophische Literatur aufgenommen (Jakob Böhme, Franz Xaver von Baader, Friedrich Wilhelm von Schelling). An gnostische Gedanken erinnern außerdem Spekulationen der auf Helena Petrowna Blavatsky zurückgehenden Theosophie und der von Rudolf Steiner (* 1861, † 1925) begründeten Anthroposophie.

Gogarten, Friedrich, deutscher ev. Theologe, * Dortmund 13. 1. 1887, † Göttingen 16. 10. 1967; war ab 1931 Professor in Breslau, ab 1935 in Göttingen und zählt mit Karl Barth, Rudolf Bultmann, Emil Brunner u. a. zu den Begründern der →dialektischen Theologie. Er stellte, beeinflusst von Søren Kierkegaard, den absoluten Gegensatz von Gott und Mensch heraus. Durch sein Bemühen um eine theologische Anthropologie kam es zum Bruch mit Barth, der durch Gogartens Beitritt zu den Deutschen Christen endgültig wurde. Zunehmend rückte für Gogarten das Problem der neuzeitlichen Säkularisierung in den Mittelpunkt.

Goi, Goj [bibl.-hebr. »Volk«, später »Heidenvölker« im Gegensatz zum auserwählten Gottesvolk Israel], Nichtjude, Christ. **Goje** ist entsprechend die Nichtjüdin oder Christin, das Adjektiv **gojisch** bedeutet »nicht jüdisch«.

Schabbes- oder **Schawwesgoi** nennt man einen nicht jüdischen Angestellten bzw. eine nicht jüdische Angestellte oder einen Bekannten (eine Bekannte), der bzw. die am Sabbat die Hausarbeit der Juden verrichtet.

goldene Regel, Bezeichnung für das bei Mt. 7,12 empfohlene sittliche Verhalten gegenüber den Mitmenschen: »Alles, was ihr wollt, dass euch die Leute tun, das tut ihnen auch.« In negativer Form findet sich die goldene Regel vielfach in der Religionsgeschichte, z. B. in Gesprächen des Konfuzius (»Lun-yu«), in der griechischen und römischen Antike und in Indien.

Goldener Tempel, Hauptheiligtum der Sikhs in →Amritsar.

goldenes Zeitalter, sagenhaftes Zeitalter des Friedens und der Glückseligkeit, in dem nach der Überlieferung vieler Völker (besonders bei Hesiod und in der indischen Mythologie) das älteste Menschengeschlecht lebte.

Golem [hebr. »formlose Masse«], in der jüdischen Mystik und Legende ein stummer künstlicher Mensch aus Lehm, den fromme Meister bauen. Mittels Buchstabenkombinationen im Sinn des sprachmagischen »Buchs der Schöpfung« (Sefer Jezira) kann der Golem belebt und wieder stillgelegt werden. Einigen Gelehrten, die sich mit Mystik oder Alchimie beschäftigten, wurde die Herstellung eines Golems nachgesagt, so Ibn Gabirol im 11. Jh. und dem Hohen Rabbi Löw in Prag im 16. Jahrhundert.

Golgatha, Golgotha [hebr. gulgolet »Schädel«, »Kopf«], zunächst allgemeine Bezeichnung für einen Hügel; nach den Evangelien die außerhalb der alten Stadtmauer Jerusalems gelegene Kreuzigungsstätte Jesu, die in Mt. 27,33 und Mk. 15,22 **Schädelstätte (Kalvarienberg)** genannt wird. Zur Zeit Kaiser Konstantins des Großen erschloss man den Ort aus der Lage des Grabes Jesu, die man wiederentdeckt zu haben glaubte. Kreuzigungs- und Grabesstätte werden heute in der Grabeskirche gezeigt. Der Name Golgatha wurde später mit dem Schädel Adams in Verbindung gebracht, der nach der Legende hier begraben sein soll. Dahinter steht wohl der Gedanke, dass Christus als zweiter Adam die Schuld Adams sühnt (vgl. Röm. 5,12 ff.).

Gollwitzer, Helmut, deutscher ev. Theologe, * Pappenheim 29. 12. 1908, † Berlin 17. 10. 1993; Schüler Karl Barths, ab 1936 Mitglied der Bekennenden Kirche und seit 1938 (nach der Verhaftung Martin Niemöllers) Pfarrer in Berlin-Dahlem. 1940 wurde Gollwitzer zur Wehrmacht einberufen und befand sich 1945–49 in sowjetischer Kriegsgefangenschaft. Ab 1949 war er Professor für systematische Theologie in Bonn, 1957–75 an der Freien Universität Berlin. In seinen Arbeiten hob Gollwitzer die politische Dimension des christlichen Glaubens hervor, stellte dabei das politische Enga-

Golgatha
→ GEO Dossier
Wer war Jesus?, Bd. 15

Friedrich Gogarten

gement des Christen als einen wesentlichen Aspekt christlicher Existenz heraus und widmete sich im großen Umfang Fragen des Verhältnisses von Christentum und Marxismus. Auf dem Höhepunkt der Studentenbewegung war er einer der zunächst wenigen Professoren, die den Dialog mit den Studenten suchten. 1976 hielt er die Grabrede für die Terroristin Ulrike Meinhof.

Werke: Forderungen der Freiheit (1962); Die marxistische Religionskritik und der christliche Glaube (1962); Denken und Glauben (1965); Krummes Holz, aufrechter Gang (1970); Die kapitalistische Revolution (1974); Befreiung zur Solidarität (1978); Was ist Religion? (1980).

Gorakhnath, indischer Yogi, der zwischen dem 9. und 12. Jh. lebte. Er gilt als Begründer der Sekte der Kanpatha-Yogis (→Shivaismus).

Goshala [-'ʃaːla], indischer Wanderasket, † 484 v. Chr.; Begründer der neben den Buddhisten und den Jainas dritten Asketengemeinschaft, →Ajivika.

Gotama [Pali], **Gautama** [Sanskrit], Beiname des →Buddha.

Gott.
Der indische Gott Shiva symbolisiert als »Herr des Tanzes« den Schöpfungsakt und die ewige Energie des Kosmos. In einer Flammenaureole tanzt er auf dem Dämon Apasmara, Symbol der Unwissenheit und Dunkelheit (11. Jh.; Paris, Musée National des Arts Asiatiques Guimet).

Gott [althochdt. got, vielleicht eigtl. »das (durch Zauberwort) angerufene Wesen«, zu einem indogermanischen Verb mit der Bedeutung »anrufen«], die im Glauben erfahrene transzendente und unendliche Macht in personaler Gestalt.

■ **Religionsgeschichte** Gott wird erfahren und gelehrt als Schöpfer und damit Ursache allen Naturgeschehens, als Herr über Leben und Tod, der in die Welt eingreift, das Schicksal der Menschen lenkt und als Richter am Ende der Zeiten auftritt, als erhaltender Urgrund von allem, was ist, als normativ für das sittliche Verhalten der Menschen und als Gegensatz zum Irdischen, das schlechthin Andere. Viele zur Charakterisierung des Göttlichen gewählte Bestimmungen (»Person«, »männlich«, »weiblich« u. a.) sind den menschlichen Verhältnissen nachgebildet (anthropomorph) und gelten daher nur im übertragenen Sinne. Gott wird »gerufen«, Formen seiner Präsentation sind sein als heilig geltender Name sowie häufig auch sein Bild. Die Fülle göttlicher Qualitäten und Prädikate vereinigt der Monotheismus auf eine einzige Gottheit, während der Polytheismus die göttlichen Funktionen als auf verschiedene Gottheiten verteilt annimmt.

Polytheistische Götter genießen seitens des Menschen keine einheitliche, sondern eine sehr differenzierte Verehrung. Häufig findet sich innerhalb des Polytheismus ein subjektiver Monotheismus, der dem Gläubigen, v. a. beim Gebet, den von ihm verehrten Gott als alleinigen erscheinen lässt, auf den er die Attribute anderer Götter überträgt. Diese Erscheinung wird als →Henotheismus bezeichnet. Die Geschichte Gottes vermittelt in den polytheistischen Religionen der Mythos. Im Monotheismus verleihen die heiligen Schriften der göttlichen Offenbarung Ausdruck. Durch sie werden die Geschichte und der Wille Gottes mit und für den Menschen erfahrbar.

■ **Der Gottesglaube** Der Gottesglaube ist kennzeichnend und von zentraler Bedeutung für die Vorstellungswelt fast aller Religionen. Die Frage nach dem Ursprung von Gottesvorstellungen wird im Allgemeinen mit der Frage nach dem Ursprung der Religion gleichgesetzt und hat in der Geschichte der Religionsforschung zu unterschiedlichen Erklärungsversuchen geführt. Der griechische Philosoph und Schriftsteller Euhemeros von Messene (* um 340, † um 260 v. Chr.) sah den Gottesglauben in der Verehrung früherer irdischer Herrscher und als weise geltender Menschen gegründet. In neuerer Zeit sind über den Ursprung des Gottesglaubens verschiedene evolutionistische Theorien aufgestellt worden. So vertrat der britische Ethnologe Edward Burnett Tylor (* 1832, † 1917) im Zusammenhang mit seinem Begriff des →Animismus die Ansicht, die Gottesvorstellung habe sich aus einem primitiven Glauben an Allbeseeltheit, an Geister in jeder Form, entwickelt. Demgegenüber sieht der →Dynamismus die von ihm meist mit dem melanesischen Wort →Mana bezeichnete unpersönliche und übernatürliche Macht als primäres religiöses Erlebnis an. Ein solcher Machtbegriff sei dann in die Vorstellung eines persönlichen Gottes übergegangen.

In der neueren Forschung zeigt sich zunehmend die Abwehr eines Evolutionismus, der die Entwicklung der Religion aus primitiven Anfängen des Seelen- oder Machtglaubens bis zum Monotheismus meinte verfolgen zu können. Häufig vorherrschend ist heute die Annahme eines ursprünglichen Glaubens an ein

Höchstes Wesen. Am bekanntesten ist die Urmonotheismustheorie geworden, die von der Uroffenbarung des einen (christlichen) Gottes ausgeht und dann die allgemeine Religionsgeschichte unter der Perspektive des Verlustes dieser Offenbarung sieht. Demgegenüber versucht die historisch-empirisch orientierte Religionswissenschaft die historischen Rahmenbedingungen zu erfassen, unter denen bestimmte Typen von Gottesvorstellungen aufgetreten sind. So sei eine Trennung zwischen unpersönlicher und persönlicher Gottesvorstellung erst möglich, wenn die kulturellen Bedingungen »Person« als Deutungskategorie zulassen.

■ **Der biblische Gottesbegriff** Der Gottesbegriff der Bibel ist monotheistisch, unterscheidet sich vom religionsgeschichtlichen Monotheismus jedoch durch eine Transzendenz, die alles Räumliche, Zeitliche und überhaupt Welthafte übersteigt. Gott ist der absolute Schöpfer und Herr des Kosmos. Eine Entstehung Gottes (Theogonie) ist undenkbar. Kenntnis von Gott gewinnt der Mensch ausschließlich aus der Selbstmitteilung (Offenbarung) Gottes, wie sie sich in der Schöpfung und in der Geschichte erschließt. Erst die jüdischen Scholastiker wie Maimonides, Abraham Ben David Ibn Daud u. a. hielten Gottes Dasein, Einheit und Unsterblichkeit für beweisbar. Das jüdische Gottesverständnis wird v. a. durch die Aussagen über Gott in 2. Mos. 3, 14, der Selbstoffenbarung seines Namens (hebräisch Jahwe: »ich werde sein, der ich sein werde«), und in 2. Mos. 20, 1–7, der Gesetzgebung im Sinai, bestimmt: Gott ist der Herr, der Heilige, der Eine, der Barmherzige, der Zornige. Der Mensch soll und kann sich kein Bild von ihm machen. Gott wird als der Gott Israels bezeichnet.

Nach christlichem Gottesverständnis hat sich Gott als der Gott aller Völker in einmaliger und vollkommener Weise in Jesus Christus offenbart. Dieser ist nach neutestamentlichem Verständnis das alleinige Bild Gottes (Kol. 1, 15), und nur in ihm kann der Mensch Gott erkennen. In Christus ist Gott Mensch (»Fleisch«) geworden (Joh. 1, 14). Von zentraler Bedeutung für das christliche Gottesverständnis ist die Aussage »Gott ist Liebe« (1. Joh. 4, 8, 16), die in ihrer Entfaltung Gott als den liebenden Vater beschreibt, der denen, die an ihn glauben, durch seinen Sohn Jesus Christus das ewige Leben schenken wird.

■ **Katholische Theologie** Die kath. Theologie war lange Zeit durch den Versuch geprägt, Gott und Gotteserfahrung mit den Mitteln v. a. der platonisch-aristotelischen Philosophie zu verstehen. Dabei hat sie vieles von der dynamisch-geschichtlichen Gottesvorstellung der Bibel an ein philosophisches Seinsdenken verloren. Zwar hatte die Kirche schon in den christologischen Auseinandersetzungen des 4. Jh. (→Christologie, →Jesus Christus) die maßgebliche Gestalt ihrer Gotteslehre mit den Aussagen über Gottes dreifaltiges Wesen und Wirken in Schöpfung, Erlösung, Heiligung und Vollendung gefunden. Doch blieb die →Trinität v. a. in der westlichen Kirche als Ursprung der Heilsgeschichte weitgehend von den philosophischen Systembildungen über Gott als das »Sein an sich« (»ens a se«), das dem geschaffenen Sein (»ens ab alio«) als »das ganz Andere« gegenübersteht, und über seine philosophische Beweisbarkeit verdeckt. Erst die kath. Gegenwartstheologie besinnt sich wieder stärker auf die existenziellen Aussagen der Bibel über Gott (»Gott hilft«, »Gott ist da« usw.).

■ **Reformatorische Theologie** Die Gotteslehre und -anschauung der reformatorischen Kirchen sind im Wesentlichen ein Spiegelbild der verschiedenartigen Theologien der drei Hauptreformatoren Martin Luther, Johannes Calvin und Ulrich Zwingli. Gemeinsam ist ihnen der Ausgangspunkt in der Christologie.

Für Luther ist Gott in der Natur und dem Gesetz verborgen (Deus absconditus), dagegen offenbart er sich im paradoxen Geschehen des Leidens und Sterbens seines Sohnes am Kreuz (Deus revelatus). Luther betont deshalb in bewusstem Gegensatz zur kath. Tradition die existenzielle Bedeutung von Gnade, Macht und Wirksamkeit Gottes.

Nach Calvin vermag der Mensch Gott nicht wirklich zu erkennen, wenn dieser sich ihm nicht in seinem Wort (d. h. in Jesus Christus) erschließt. Gottes Handeln geschieht um seiner eigenen Ehre und Selbstverherrlichung willen, die sich sowohl in erwählender Liebe als auch in strafender Verdammung (→Prädestination) erweisen kann.

Zwingli bezeichnet zwar Gott im Sinne der scholastischen Tradition als Summum Bonum (höchstes Gut), betont aber v. a. die sich dem Menschen zuwendende Güte Gottes in Jesus Christus. Für ihn kann nur Gott durch seine Gnade kirchliche und politische Missstände beseitigen. Darum trägt Zwinglis Gottesbild mehr als das Luthers und Calvins Züge, die ins Politische und Soziale hineinreichen.

■ **Atheismus im 19. Jahrhundert** Der Atheismus des 19. Jh. sieht Gott als Selbstpro-

Gott.
In fast allen Religionen sind Gottesvorstellungen mit der Weltschöpfung verbunden. Nach jüdisch-christlichem Glauben bildete die Erschaffung des Menschen den Höhepunkt des Schöpfungswerkes. Der Ausschnitt aus Michelangelos berühmtem Deckenfresko in der Sixtinischen Kapelle zeigt die »Erschaffung des Adam« (1508–12, restauriert 1984–89; Rom).

Gott
→ GEO **Dossier**
Warum glaubt der Mensch?, Bd. 15

Gott
→ GEO **Dossier**
Wer war Jesus?, Bd. 15

Gott
→ GEO **Dossier**
Glaube, Liebe, Hoffnung?, Bd. 15

jektion des Menschen (Ludwig Feuerbach) oder als Ausdruck eines verkehrten Weltbewusstseins und des Aufbegehrens gegen das Elend der entfremdeten Existenz an (Karl Marx). Einzelne Entwürfe der Existenzphilosophie des 20. Jh. verzichten ganz auf Gott und sehen den Menschen in unbegrenzter Freiheit ins (unbehauste) Sein geworfen, so etwa der französische Philosoph Jean-Paul Sartre (*1905, †1980).

Ethnologie: Viele, auch sehr alte Religionen wie die mancher Ureinwohner Australiens (→Aborigines) oder der Buschleute beinhalten den Glauben an ein →Höchstes Wesen, einen Schöpfer oder Vorfahren der Menschheit oder des speziellen Volkes, häufig »Unser aller Vater« oder ähnlich genannt. Etwas seltener wird eine Muttergottheit vorgestellt, oft ein göttliches Paar (»Unsere Eltern«). Neben diesen Schöpfergottheiten stehen höhere Wesen, die an der Gestaltung der Erde beteiligt waren und besonders der einzelnen Kultur wesentliche Gesetze, Institutionen u. a. wie Feuer oder Anbaupflanzen gegeben haben (→Kulturheros).

Götterbilder, Kultbilder, die von Gläubigen im öffentlichen Kult verehrt werden oder/und denen von Priestern Dienst geleistet wird. In vielen Religionen wird dabei die tatsächliche Anwesenheit (Realpräsenz) der Gottheit in ihrem Bild angenommen. Im christlichen Verständnis gilt die Verehrung nicht dem Bild als solchem (→Bilderverehrung). Vom Standpunkt der jüdischen und christlichen Religion sind alle heidnischen Götterbilder Idole.

Die Gestalt eines Götterbilds reicht vom unbehauenen Stein oder kaum bearbeiteten Holz über Tiergestalt und Tierköpfigkeit bis zur Menschengestaltigkeit. Jede Gottheit wurde in bestimmter Gestalt oder bestimmten Weisen dargestellt und hatte meist feste Attribute. Götterbilder waren in den meisten Religionen des Altertums üblich, so z. B. in Ägypten, Mesopotamien, Griechenland und Rom. Verschiedene Religionen, die ursprünglich Götterbilder ablehnten, gingen später zu Götterdarstellungen über, z. B. die Lehre Zarathustras und der Shintoismus. Oft kannten die Religionen auch Abstufungen in der Bewertung ihrer Götterbilder unter religionspädagogischem Gesichtspunkt. Bis heute sind v. a. Hinduismus und Buddhismus besonders bilderfreundlich. Der Islam dagegen lehnt ein Gottesbild und Darstellungen von Bildszenen in der Moschee ab.

Gottesbeweise, die Versuche, das Dasein Gottes ohne Rückgriff auf die Offenbarung allein aus Gründen der Vernunft zu beweisen. Gottesbeweise sind keine Beweise im naturwissenschaftlichen Sinn. Sie nehmen die natürliche Erkennbarkeit (Vernunfterkenntnis) Gottes an und basieren auf der Bewegung, der zweckmäßigen (vernünftigen) Ordnung der Welt oder der Tatsache, dass es in allen Völkern Gottes- und allgemeine Moralvorstellungen gibt.

▪ **Geistesgeschichtliche Wurzeln** Die geistesgeschichtlichen Wurzeln der Gottesbeweise liegen in der Suche nach letzten Gründen des Seins, die schon sehr früh einen wesentlichen Teil der Philosophie bildete. Bei Platon ist jener Grund aller Gründe die »Idee des an sich Guten«, die »Erzeugerin« von allem Seienden, Wahren und Guten.

Den klassischen Gottesbeweis entwickelte im 4. Jh. v. Chr. Aristoteles mit dem Bewegungsbeweis, den die Scholastik von ihm übernahm: Die Bewegung oder Veränderung des welthaft Seienden wird als Wirklichkeitssteigerung verstanden. Sie setzt als Erklärungs- und Seinsgrund den reinen Akt (actus purus) voraus, der alle Wirklichkeit umfasst und von dem daher jede Steigerung an Wirklichkeit ausgeht. Dem »ersten unbewegten Beweger« schreibt Aristoteles neben Unveränderlichkeit und Notwendigkeit auch Leben und Vernunft zu. Dieser Gottesbeweis gehört zu den fünf Wegen zu Gott bei Thomas von Aquino.

▪ **Motivation und Arten** Gottesbeweise wollen weiterhin zeigen, dass allem Verursachten eine in sich ruhende erste Ursache zugrunde liegt, ebenso allem Kontingenten (d. h. nicht notwendig Seienden) ein absolut Notwendiges, allem in endlichen Stufen Vollkommenen (der kontingenten Wirklichkeit) ein unendlich Vollkommenes (**kosmologischer Gottesbeweis**). Dass aller Sinnhaftigkeit und Zielstrebigkeit ein sie entwerfender denkender Geist zugrunde liegt, versucht der **teleologische Gottesbeweis** zu zeigen. Der **noologische Gottesbeweis** dagegen nimmt an, dass die Vernunft immer das Unendliche als das Wahre und Gute voraussetzt, und schließt daraus, dass damit im Denken ein Weg zu Gott gegeben ist. Dieser Gottesbeweis findet sich etwa bei Augustinus, René Descartes und Gottfried Wilhelm Leibniz. Anselm von Canterbury entwickelte den **ontologischen Gottesbeweis,** der in abgewandelter Form u. a. von Descartes, Leibniz und Georg Wilhelm Friedrich Hegel aufgenommen wurde. Dieser Gottesbeweis folgert aus der Tatsache, dass es einen Begriff des höchsten Wesens gibt, dass dieses höchste Wesen auch existieren muss.

Immanuel Kant lehnte alle mit den Mitteln der spekulativen oder theoretischen Vernunft geführten Gottesbeweise ab. Ihm zufolge sind das höchst vollkommene Wesen und sein notwendiges Dasein zwar als Ideal der Vernunft anzuerkennen, doch könne menschliches Erkennen und Begreifen niemals bis zur Einsicht in das schlechthin Unbedingte gelangen, weder seinem Wesen noch seiner Existenz nach. Deswegen seien der ontologische und mit ihm der kosmologische (vom Gegebensein der Welt ausgehende) wie auch der teleologische (von der Naturordnung her schließende) Gottesbeweis zu verwerfen. Die Vernunft eröffnet Kant zufolge nicht in ihrem spekulativen, sondern vielmehr in ihrem praktischen Gebrauch (als Prinzip, das das menschliche Handeln bestimmt) ein Wissen des Daseins Gottes, auf das sich das sittliche Bewusstsein gründet (**moralischer Gottesbeweis**).

Die Gottesbeweise gehören nach *kath. Lehre* zur natürlichen Erkenntnis (Vernunfterkenntnis) Gottes, die außer seinem Dasein auch seine Personalität und andere Eigenschaften erfasst. Ebenso dringt sie zu ihm als Schöpfer der Welt und Begründer des natürlichen Sittengesetzes vor und bereitet damit den übernatürlichen Glauben (Offenbarungsglauben) an Gott vor.

In der *ev. Theologie*, soweit sie sich Kants Kritik angeschlossen hat, spielen die Gottesbeweise nur noch eine historische Rolle.

Gottesdienst, allgemeine Bezeichnung für die durch bestimmte Formen geprägte Gottesverehrung. Im christlichen (v. a. protestantischen) Sprachgebrauch bezeichnet Gottesdienst die liturgisch ausgeformte gemeinschaftliche Gottesverehrung mit den Elementen Anrufung, Lob Gottes, Danksagung, Lesung und Predigt des Wortes Gottes, Bekenntnis des Glaubens an Gott und Feier der Eucharistie (des Abendmahls). In der *kath. Kirche* ist die Bezeichnung »heilige Messe« (→Messe), in den *Ostkirchen* die Bezeichnung »göttliche Liturgie« (→Liturgie) für den Gottesdienst üblich.

Im Verständnis der *reformatorischen Kirchen* ist Gottesdienst jede Versammlung von Gläubigen, in der Gottes Wort als Schriftlesung oder -auslegung und/oder im Sakrament verkündigt wird und die Gemeinde im Gebet antwortet. Gottesdienst gehört neben Lehre, Seelsorge und Diakonie zu den zentralen Elementen der christlichen Gemeinde. Ziel des Gottesdienstes – neben dem Grundziel der Verherrlichung Gottes – ist in Bezug auf den Menschen die Vermittlung von Lebenshilfe vom Evangelium her. Dazu gehören das Spenden von Trost und Erbauung wie auch der Aufruf zu Buße und Umkehr, woraus auch soziales und politisches Engagement folgen können.

Gottesdienst im weitesten Sinn ist das Leben selbst, wenn es unter Gottes Geboten steht. Neben dem sonntäglichen Hauptgottesdienst gibt es auch den Predigtgottesdienst und liturgisch geprägte Gebetsgottesdienste. Grundsätzlich ist der Ablauf des Gottesdienstes in liturgischen Büchern festgelegt, den so genannten Agenden. Neben dem agendarischen Gottesdienst werden jedoch heute vielfach auch neue Gottesdienstformen praktiziert, die zusammen mit der Gemeinde entwickelt wurden und diese an der Vorbereitung und Durchführung des Gottesdienstes beteiligen, z. B. der Familiengottesdienst.

Der *Islam* kennt das tägliche Gebet (Salat) als Form des Gottesdienstes. Im Freitagsgottesdienst (→Djuma) hält der Imam eine Art Predigt (→Chutba).

Im Zentrum des *jüdischen Gottesdienstes* in der Synagoge stehen die Lesung der Thora und das Gebet. Die Lesung kann jeder volljährige Gläubige vornehmen. Eine besondere Funktion im Gottesdienst kommt dem Vorbeter zu, nicht aber dem Rabbi.

Gottesgnadentum, Bezeichnung für den göttlichen Auftrag des christlich-abendländischen Herrschers. In dieser Herrscheridee verbanden sich antike, germanische und christliche Vorstellungen. Die in germanischer Zeit verbreiteten Vorstellungen von der besonderen Abstammung des Adels und seines besonders in der Familie des Herrschers liegenden wunderwirksamen Heils wurden christlich legitimiert (Röm. 13, 1) und fanden dann ihren Ausdruck in Königsweihe und -krönung sowie im Krönungseid. Dem Herrschertitel wurde seit der Karolingerzeit die Formel »Dei gratia« (»von Gottes Gnade«) beigefügt. Die dem Herrscher dabei aufgetragene Sicherung des Friedens und Rechts als der göttlichen Ordnung begründete, wenn er diesen Auftrag missachtete, ein Widerstandsrecht gegen ihn. Das Gottesgnadentum ist der Ausdruck der Pflicht des Herrschers in erster Linie gegenüber Gott und erst danach und dadurch gegenüber dem Volk.

Gotteshaus, ein Gebäude, in dem die Gottheit (kultisch) verehrt wird und/oder in dem sich die (Kult-)Gemeinde zur Feier des Gottesdienstes und zum (regelmäßigen) Gebet versammelt (→Kirche, →Moschee, →Synagoge, →Tempel).

Gotteslästerung, Blasphemie, die Beschimpfung der Gottheit durch Wort, Bild

Gottesdienst. Im Zentrum des christlichen Gottesdienstes steht die Feier des Abendmahls, in der Christi Gegenwart erfahren werden soll. Seit dem 2. Vatikanischen Konzil wird die katholische Messe, die bis dahin (bis auf die Predigt) in Latein gehalten wurde, in der jeweiligen Landessprache gefeiert. Das Foto zeigt eine Gottesdienstfeier in einem Kloster.

oder sonstige Ausdrucksmittel. Gotteslästerung wurde in bestimmten Abschnitten der Rechtsgeschichte vieler Völker unter z. T. drakonische Strafen gestellt. So kannte das altisraelitische Recht für die Lästerung (des Namens) Gottes die Strafe der Steinigung (3. Mos. 24, 10 ff.). Im N. T. sieht sich Jesus aufgrund seines Anspruchs, Sünden zu vergeben, seitens der »Schriftgelehrten« dem Vorwurf der Gotteslästerung ausgesetzt (Mt. 9, 3). Für das christliche Selbstverständnis besteht die eigentliche Gotteslästerung und »Sünde gegen den Heiligen Geist« darin, vom einmal gewonnenen Glauben an Jesus Christus als den Erlöser wieder abzufallen. Diese wird nach neutestamentlichem Verständnis nicht vergeben (2. Petr. 2, 20–22; Hebr. 6, 4–6).

Götze.
Das zweite der Zehn Gebote, die Mose auf dem Berg Sinai von Gott empfängt, beginnt: »Du sollst Dir kein Gottesbild machen.« Doch dieses Gebot gegen den Gebrauch und die Anbetung von Götzen bricht das Volk Israel, noch während Mose auf dem Sinai ist. Es schafft sich ein Kalb aus Gold und betet es an (Gemälde von Marc Chagall, 1976; Privatsammlung V. Chagall).

Göttin, weibliche Gottheit. Eine der Grundunterscheidungen von Göttertypen und -klassen, differenziert nach männlichen und weiblichen Göttern (→Polytheismus). Eine Reihe von Bereichen, z. B. der Himmel oder das Meer, oder Funktionen wie Krieg oder Liebe können sowohl Göttinnen wie auch Göttern zugeordnet sein. Die soziale Stellung und Funktion der Mutterschaft spielt dabei eine besondere Rolle (→Muttergöttin). Göttinnen üben auch Herrschaft aus, können aber wohl nicht als Beleg für ein universales Matriarchat als Entwicklungsstufe der menschlichen Gesellschaft gewertet werden. Die monotheistischen Religionen tendieren dazu, ihre Götter mit patriarchalen Zügen zu versehen, lassen jedoch in einigen Fällen Anspielungen auf weibliche Züge zu (→feministische Theologie).

Gottkönigtum, Sakralkönigtum, als sakral angesehene Herrschaft. Solange weltliche und religiöse Institutionen, Staat und Kirche, nicht getrennt waren, erschien der König, ähnlich wie dem Häuptling eines Stammes religiöse Bedeutung zukommen kann, als Inkarnation, Sohn oder Beauftragter Gottes, sodass er religiös tabuiert oder sogar kultisch verehrt (→Herrscherkult) und ihm ein besonderes Charisma zugeschrieben wird. Im Christentum hat sich trotz der Trennung von Staat und Kirche (seit dem Investiturstreit) lange die Vorstellung von einem →Gottesgnadentum erhalten.

göttliches Recht, in der *kath.* Theologie Bezeichnung für das Recht, das unmittelbar von Gott allein gesetzt ist. Es gliedert sich in das **natürliche göttliche Recht (Naturrecht)** und das **positive göttliche Recht** (→Kirchenrecht), das die unveränderliche, weil von Gott geoffenbarte Grundordnung der Kirche beschreibt und entfaltet.

Götze [mittelhochd. götz »Heiligenbild«, bei Martin Luther dann »falscher Gott«], ein als höheres Wesen verehrter Gegenstand oder die abwertende Bezeichnung eines fremden Gottes und seines Bildes durch eine monotheistische Religion. So verurteilt das Christentum den Polytheismus als »Götzendienst«. Bilderfeindliche Religionen betrachten auch jeden Bildkult, selbst innerhalb einer monotheistischen Religion, als Götzendienst.

In der *Völkerkunde* und *Religionswissenschaft* wird der Ausdruck Götze nicht mehr gebraucht. Stattdessen spricht man z. B. von Kultbild, Götterbild, Ahnenfigur oder Fetisch.

Gournay-sur-Aronde [gurˈnɛ syr aˈrɔ̃d], vorgeschichtlicher Fundort eines Heiligtums im Département Oise, Frankreich. Das zunächst keltische, dann gallorömische Heiligtum wurde vom 3. Jh. v. Chr. bis ins 4. Jh. n. Chr. genutzt. Es umfasst einen viereckigen Bezirk, der ursprünglich nur durch einen Graben, später durch eine Palisade und einen zusätzlichen äußeren Graben gesichert war. Im inneren Graben fand man etwa 2 000 Metallobjekte (darunter mehrere Hundert Eisenwaffen) und Knochen von 208 Tieren. In einer ersten Phase war der innere Bezirk des Heiligtums vermutlich eine freie Fläche mit mehreren Opfergruben. Seit dem 2. Jh. v. Chr. wurden mehrere einander ablösende Tempelbauten errichtet, die zentrale Opfergrube in römischer Zeit zugeschüttet und durch eine Feuerstelle ersetzt.

Govardhanadhara, Darstellung des indischen Hirtengottes →Krishna, der zum Schutz vor einem Unwetter den Berg Govardhana in der Nähe der Stadt Mathura über Menschen und Vieh hochstemmt.

Gral [altfranzös. graal, greal, weitere Herkunft ungesichert], in der mittelalterlichen Dichtung ein geheimnisvoller, hl. Gegenstand, der seinem Besitzer irdisches und himmlisches Glück verleiht, den aber nur der dazu Vorherbestimmte finden kann. Bereits die ältesten erhaltenen Fassungen zeigen die Sage durch Verbindung mit dem Artus- und Parzival-Kreis so umgestaltet, dass ihre Heimat und ihre ursprüngliche Form sich nicht näher bestimmen lassen.

Grannus, keltischer Heilgott, dessen Kult besonders in Nordostgallien und in Faimingen (Donau) in Rätien verbreitet war. Von den Römern wurde er mit Apollon identifiziert. Grannus ist daher oft dessen Beiname.

Granth, das hl. Buch der Sikhs (→Adigrantha).

Gratian, Gratianus, italienischer Theologe und Kanonist, *Ende des 11. Jh., †Bologna vor 1160; war Mitglied des Kamaldulenserordens und Lehrer der Theologie im Kloster St. Felix und Nabor in Bologna. Zur gleichen Zeit, als in Bologna eine wissenschaftliche Schule des römischen Rechts entstand, lehrte Gratian Kirchenrecht. Als Unterrichtsmittel verfasste er um 1140 ein nach scholastischer Methode angelegtes Lehrbuch, das »Decretum Gratiani«, in dem er eine Sammlung des Kirchenrechts (etwa 3 800 Texte) mit eigenen Erläuterungen verband (»dicta Gratiani«). Gratian wurde damit zum »Vater der Kanonistik«.

Grazi|en, im römischen Altertum drei göttliche Gestalten, Sinnbilder jugendlicher Anmut und Lebensfreude. Sie entsprechen den Chariten der Griechen.

Gregor I., der Große, Papst (590–604), *Rom um 540, †ebenda 12. 3. 604; stammte aus senatorischem Adel. Durch vorbildliche Verwaltung des Patrimonium Petri, des Vermögens des Bischofs von Rom, bereitete er die weltliche Macht des mittelalterlichen Papsttums und den Kirchenstaat vor. Die dadurch wachsende Entfremdung zum Byzantinischen Reich wurde durch Pflege der Beziehungen zu den Germanen aufgewogen. Gregor wurde zu einem der maßgeblichen Vermittler zwischen christlicher Antike und abendländischem Mittelalter sowohl in der Theologie als auch in der Praxis christlichen Lebens. Seine »Regula pastoralis«, die »Moralia in Job«, die Homilien (d. h. Auslegungen biblischer Texte) und »Dialogi« (Heiligenlegenden) prägten die folgenden Jahrhunderte, ebenso seine starke Förderung der Benediktregel. Seine liturgischen Reformen dienten v. a. der Ordnung und Bewahrung des Überlieferten. Nach ihm ist der gregorianische Gesang benannt. – Kirchenlehrer; Heiliger (Tag: 3. 9.; bis 1969: 12. 3.).

Gregor VII., Papst (1073–85), früher **Hildebrand,** *Sovana (?) (heute zu Sorano, bei Grosseto) zwischen 1019 und 1030, †Salerno 25. 5. 1085; Benediktiner. Er wurde ohne Beachtung des Papstwahldekrets von 1059 im Jahr 1073 formlos zum Papst erhoben. Erfüllt von religiösem Sendungsbewusstsein, kämpfte er leidenschaftlich für eine Reform der Kirche. Er trat gegen Simonie (Ämterkauf) und Priesterehe und für Reinheit und Freiheit der Kirche in seinem Verständnis ein. Der Anspruch zur Verwirklichung seiner im »Dictatus Papae« (1075) formulierten Auffassungen ergab sich im →Investiturstreit, der jahrzehntelang alle abendländischen Staaten ergriff, die schärfste grundsätzliche Zuspitzung aber im Reich mit dem Bußgang König Heinrichs IV. nach Canossa (1077) erfuhr.

Der von Gregor 1080 erneut verurteilte König antwortete auf der Synode von Brixen am 25. 6. 1080 mit der Erhebung des Gegenpapstes Klemens (III.), eroberte 1083/84 Rom und ließ sich von ihm zum Kaiser krönen. Gregor wurde dann Ende Mai 1084 vom Normannenherzog Robert Guiscard (1059–85) aus der Engelsburg befreit, in die er sich vor Heinrich IV. zurückgezogen hatte, musste aber nach der normannischen Plünderung Rom verlassen und starb als Gestürzter und Verbannter in Salerno.

Trotz des persönlichen Scheiterns Gregors wurde unter seinem Pontifikat die nach ihm als ihrem bedeutendsten Vertreter benannte **gregorianische Reform** endgültig in der Kirche durchgesetzt. Gregor ging von der Idee einer religiös bestimmten irdischen Ordnung aus, die vom Papst als dem Nachfolger des Apostels Petrus repräsentiert und durch die Überordnung der päpstlichen über die weltliche Gewalt bestimmt sein sollte. Dadurch wurde Gregor zu einer der prägenden Persönlichkeiten der hochmittelalterlichen Welt und einem der mächtigsten Päpste in der Kirchengeschichte. Sein Pontifikat bildet einen epochalen Höhe- und Wendepunkt in der Geschichte des Papsttums. – Heiliger (Tag: 25. 5.).

gregorianische Kirche, andere Bezeichnung für die Armenische Apostolische Kirche, →armenische Kirche 1).

gregorianischer Kalender, →Kalender.

Gregor von Nazianz, griechisch **Gregorios Nazianzenos,** genannt **Gregor der Theologe,** Bischof und Kirchenlehrer, *Arianz (Kappadokien) 330, †ebenda 390. Er übernahm 379 die Leitung der nicänischen Gemeinde von Konstantinopel. Während des Konzils von Konstantinopel 381 verzichtete er auf sein Amt und zog sich auf das Landgut seiner Familie in Arianz (beim damaligen Nazianz) zurück.

Gregor gehört mit Basilius dem Großen und Gregor von Nyssa zu den führenden Theologen des späten 4. Jh. (den »drei großen Kappadokiern«), die die theologischen Entscheidungen des Konzils von Konstantinopel ermöglichten. Sein schriftstellerisches Werk gehört zu den bedeutendsten Leistungen der altkirchlichen Literatur. – Heiliger (Tag: 2. 1.).

Gregor von Nyssa, griechisch **Gregorios Nysses,** Bischof und Kirchenvater, *Caesarea Cappadociae (heute Kayseri) um 335, †Nyssa um 394; Bruder Basilius' des Großen. Gregor wurde 372 Bischof von Nyssa und war um 380 für kurze Zeit Erzbischof von Sebaste. Auf dem Konzil von Konstantinopel 381 zählte er zu den bestimmenden Köpfen. In seinen Schriften verteidigte er das Nicänische Glaubensbekenntnis und formte die Trinitätslehre entscheidend mit. – Heiliger (Tag: 9. 3.).

griechische Mythologie. Die griechische Mythologie umfasst den gesamten Bereich der

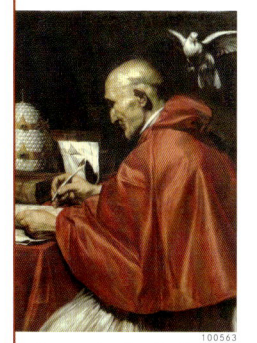

Gregor I., der Große
(Gemälde um 1610/20, Carlo Saraceni zugeschrieben; Rom, Galleria Nazionale d'Arte Antica)

Gregor VII.
* zwischen 1019 und 1030, † 1085

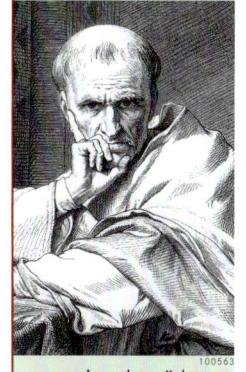

- war einer der mächtigsten Päpste der Kirchengeschichte
- löste den Investiturstreit aus
- kämpfte für das Zölibat
- betonte die Heiligkeit des Papstes als Nachfolger des Apostels Petrus
- starb als Verbannter in Salerno

griechische Religion

griechische Mythologie. Eine zentrale Gestalt der griechischen Mythologie ist Odysseus. Die Abenteuer des Königs von Ithaka, der die Gunst der Götter verliert und erst nach langer Irrfahrt heimkehrt, wurde als Metapher für den Menschen gedeutet, der sich in widrigen Umständen und unbekannten Gefilden bewähren muss. Das römische Mosaik zeigt den an den Mast gefesselten Odysseus bei der Insel der Sirenen (3. Jh.; Dougga, Tunesien).

Rechte Seite: Bronzestatue des Zeus oder des Poseidon, geborgen aus dem Meer bei Kap Artemision (um 460 v. Chr.; Athen, Archäologisches Nationalmuseum)

Erzählungen über griechische Götter und Heroen (→Heros). Durch sie gewinnt die griechische Religion gedanklichen Ausdruck, und in ihr sind Spuren von anfänglichen Deutungen des Lebens und der Welt zu erkennen.

■ **Ursprünge** Die griechischen Götter- und Heldensagen gehen bis ins 2. Jt. v. Chr. zurück. Wie in der griechischen Religion finden sich in ihnen orientalische, ägäische und indogermanische Elemente. Die Göttersagen wurden teils übernommen, teils entstanden sie aus Kultsagen, die erweitert wurden. Dabei wurden auf die Götter menschliche Eigenschaften und Verhaltensweisen übertragen (Anthropomorphismus). Die Heldensagen haben vielfach historische Grundlagen und reflektieren wirkliche Personen (so z. T. in den Heroenkulten) und Ereignisse oder allgemeine Zustände. Eigentümlich griechisch ist das Interesse, das Erscheinungen in der Umwelt, die Bewegungen der Gestirne, die Erscheinungen des Wetters, v. a. aber auch Vorgänge im chthonischen Bereich zu erklären sucht. Auf eschatologische Fragen antworten die Mythen von den Jenseitsfahrten des Herakles und von den »Inseln der Seligen«. Auch Märchenmotive sind in die griechische Mythologie verwoben. Dazu zählt z. B. die Tarnkappe des Hades und des Perseus.

■ **Sagenkreise** Die Göttermythen umfassen die Erzählungen von der Weltentstehung aus dem Chaos, der Durchsetzung der Herrschaft der olympischen Götter (Mythen von Uranos, Kronos, Zeus), der Entstehung und Entwicklung der Menschen sowie der Beziehungen der Götter zueinander und v. a. zu den Sterblichen. Sagenkreise bildeten sich um große Heroen (Herakles, Theseus) und Heldengruppen (Argonauten, Jagd auf den Kalydonischen Eber). Zum troischen Sagenkreis rechnet man die Kämpfe um Troja und die Zerstörung der Stadt (Achill, Agamemnon, Menelaos, Patroklos, Aias, Philoktet, Hektor, Paris, Priamos, Hekabe, Andromache, Kassandra), die langwierige und z. T. unglückliche Heimkehr der Griechen (Agamemnon, Menelaos, Odysseus) und die Schicksale der geretteten Troer (Aeneas, Antenor). Unter den Sagen der griechischen Landschaften kommt dem thebanischen Sagenkreis wirkungsgeschichtlich die größte Bedeutung zu (Ödipus, Eteokles und Polyneikes, Sieben gegen Theben, Antigone und Epigonen). Andere größere landschaftlich gebundene Mythen sind z. B. die Mythen von Perseus (Argos), von Minos (Kreta) und von Orpheus (Thrakien).

■ **Literarische Bearbeitungen** Schon bei Homer ist eine gewisse Systembildung und eine Ordnung der Mythen erkennbar. Ein umfassendes verwandtschaftliches System, das auf kosmologischer Grundlage die Götter untereinander und mit den Menschen verband, wurde von Hesiod geschaffen. Die homerischen Hymnen handeln von Kult oder Wesensart einzelner Götter. Die Dichter der Sagenzyklen bemühten sich um stoffliche Vervollständigung v. a. für die großen Sagenkreise. In der hellenistischen Epoche wurden außergewöhnliche Orts- und Verwandlungssagen gepflegt. In dieser und späterer Zeit drang die griechische Mythologie auch nach Rom und erlebte in der Rezeption durch die großen Dichter des Augusteischen Zeitalters (Vergil, Horaz, Properz, Ovid) eine neue Blüte.

griechische Religion. Die griechische Religion entstand in der 2. Hälfte des 2. Jt. v. Chr. bei den frühgriechischen Stämmen der Ionier und Achaier-Äolier, als sie sich nach der Einwanderung aus dem Norden in der ersten Hälfte des 2. Jt. mit der mediterranen Urbevölkerung vermischt hatten. Der Kult der auf Kreta und dem Festland bereits in vorindogermanischer Zeit verehrten göttlichen Wesen lebte bis weit in die historische Zeit fort. Deshalb enthält die griechische Religion viele nicht indogermanische Elemente, wie die Namen der im Kult verehrten und im Mythos erwähnten Götter und Heroen bezeugen.

■ **Die Wurzeln der griechischen Religion** Die Träger der in enger Verbindung mit der minoischen Kultur stehenden mykenischen Kultur (ab etwa 1600 v. Chr.) waren Griechen. Sicher ist, dass sie den Kult des Herdes mitbrachten, wie die Verehrung der Göttin Hestia zeigt. Auch Zeus, der Wettergott und göttliche Hausvater, wurde von den indogermanischen Stämmen schon vor ihrer Einwanderung verehrt. Aus solchen Grundelementen entstand in Auseinandersetzung mit und unter Aneignung von Zügen der →minoischen Religion die Religion der mykenischen Zeit. So kann man bei Athene die Umwandlung der minoischen Palastgöttin in die kriegerische Schutzgöttin der mykenischen Herren feststellen. Die Hauptschöpfung der frühen mykenischen Religion wird in einem organisierten Pantheon gesehen, für das sicher die politischen Verhältnisse jener Zeit Vorbild waren. Daneben bestand ein ausgeprägter Toten- und

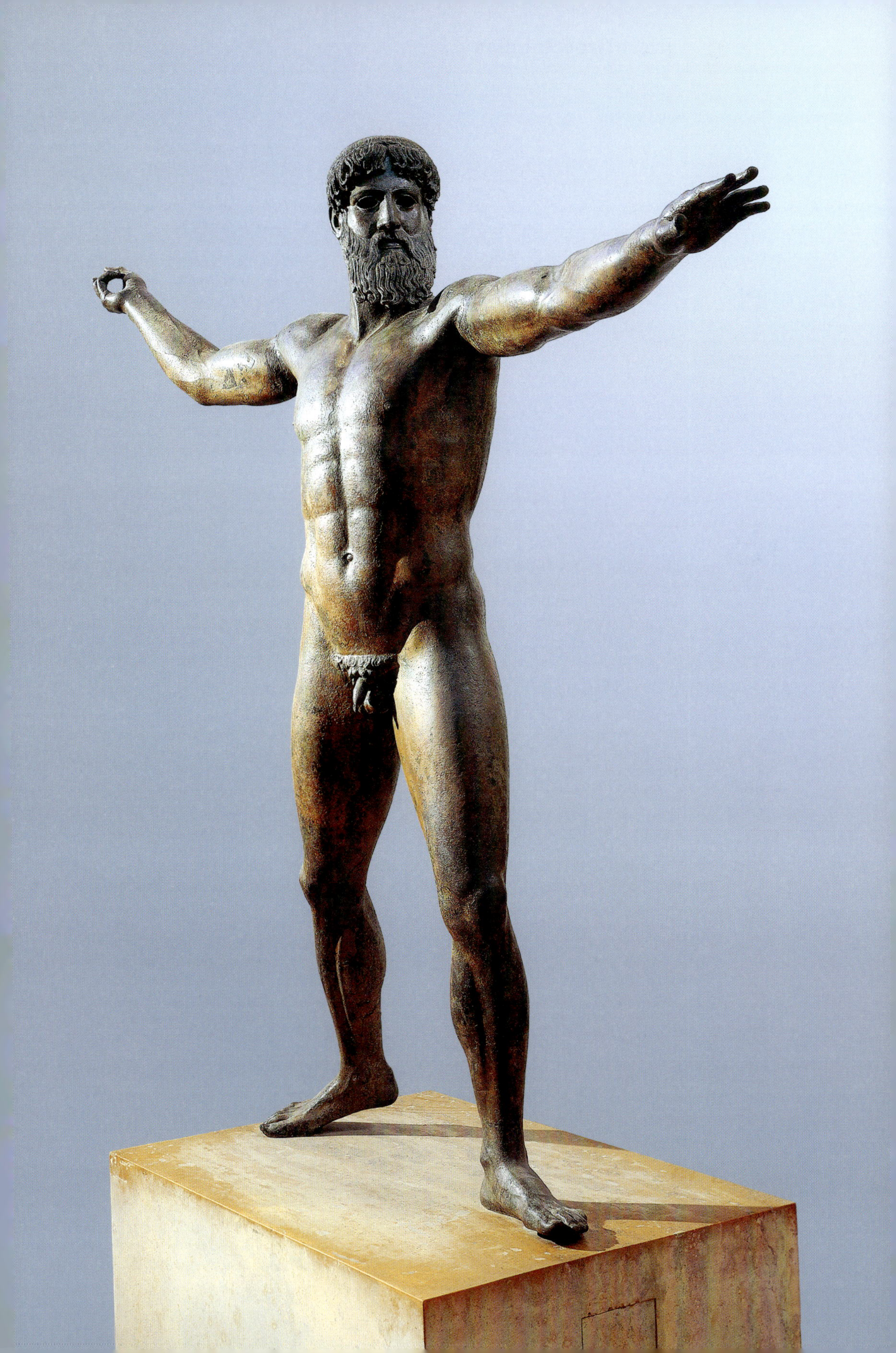

G griechische Religion

griechische Religion: griechische Götter und ihre römischen Entsprechungen

griechische Götter	Zuständigkeiten	Attribute	römische Götter
Acheloos	Flussgott		
Aglaia	eine der drei Chariten, »der Glanz«		
Allekto	eine der drei Erinnyen, »die Unablässige«	Fackeln, Geißeln, Schlangen im Haar	
Äolus	Gott der Winde		
Aphrodite	Göttin der Schönheit, der Verführung und der Liebe, Göttin des Gartenbaus	Gürtel, Granatapfel, Rose, Taube, Sperling, Delfin	Venus
Apollon	Gott der Weissagungen, der musischen Künste, der Sühne, des Todes, der Heilkunde, Gott des Lichtes und der Sonne	Pfeil, Bogen, Leier	Apollo
Ares	Kriegsgott	Wagen mit Flügelrossen, Lanze	Mars
Aristaios	Bauerngott, Meister der Bienenzucht, Olivenkultur und der Herdenhaltung		
Artemis	Göttin der Jagd, der Fruchtbarkeit, der Wälder und der Jungfräulichkeit	Bogen, Pfeil, Köcher, Hirschkuh	Diana
Äskulap	Gott der Heilkunde	Stab, Schlange, Ei	Aesculapius
Asopos	Flussgott		
Athene	Göttin der Weisheit, des Friedens, des Krieges, der Künste, des Handwerks, der Lehrer, Schauspieler und Ärzte, Stadtgöttin von Athen	Eule, Schild, Ölbaum, Speer, Helm	Minerva
Atropos	eine der drei Moiren, »das Unabwendbare«,		
Chariten	drei Göttinnen der Anmut	meist in langen Gewändern	Grazien
Demeter	Göttin der Fruchtbarkeit und des Getreidewachstums	teilweise mit Pferdekopf, Feld, Ähren	Ceres
Dionysos	Gott des Weines, des Rausches und der Ekstase, der Vegetation und der Fruchtbarkeit	mit Wein- und Efeuranken umkränzter Thyrsosstab, Trinkgefäß, Panther	Bacchus
Dryaden	Nymphen der Bäume		
Eileithyia	Göttin der Geburt		Lucina
Eirene	eine der drei Horen, Göttin des Friedens und der sittlichen Ordnung	Speer ohne Spitze	Pax
Eos	Göttin der Morgenröte und des Tages	geflügelt und als Wagenlenkerin	Aurora
Erato	Muse des Tanzes und der Liebesdichtung		
Erinnyen	drei Rachegöttinnen	Fackeln, Geißeln, mit Schlangen im Haar	Furien
Eris	Göttin der Zwietracht		
Eros	Liebesgott	Pfeil, Köcher	Amor
Euphrosyne	eine der drei Chariten, »Frohsinn«		
Euterpe	Muse des Flötenspiels		
Gaia/Ge	Erdgöttin, Mutter von Uranos	Füllhorn, mit Kindern dargestellt	
Hades	Gott der Unterwelt	Pferdewagen, Füllhorn, Zepter	Pluto
Hebe	Göttin der Jugendkraft		Iuventas
Hekate	Torhüterin und Göttin der »Dreiwege«, Unterwelts- und Totengöttin		
Helios	Gott der Sonne und des Lichts	Sonnenwagen, Strahlenkranz, Sonnenscheibe	
Hephaistos	Gott des Feuers, der Schmiede und des Handwerks	Hammer, Zange, Blasebalg, Doppelaxt	Vulcanus
Hera	Gemahlin des Zeus, Beschützerin der Ehe, der Hochzeit und der Geburt	Zepter, Zweig, Kuh	Juno
Hermes	Götterbote, Gott der Wanderer, der Herden und der Diebe, Gott der Redner, des Handels und der Gewerbe	Kappe, Heroldsstab, Flügelschuhe	Merkur
Hestia	Göttin des Herdes und des Herdfeuers, Schutz des Hauses		Vesta
Hygieia	Göttin der Gesundheit und des allgemeinen Staatswohles	Schlange	Salus
Hypnos	Gott des Schlafes	geflügelter Jüngling mit Mohnstängel	
Kalliope	Muse des Epos		
Klio	Muse der Geschichtsschreibung		
Klotho	eine der drei Moiren, spinnt den Lebensfaden		
Kronos/Chronos	Vater von Hestia, Demeter, Hera, Hades, Poseidon und Zeus, auch Gott der Zeit	Sichel, Stundenglas	Saturn

griechische Religion: griechische Götter und ihre römischen Entsprechungen (Fortsetzung)

griechische Götter	Zuständigkeiten	Attribute	römische Götter
Lachesis	eine der drei Moiren, teilt das Los zu		
Megaira	eine der drei Erinnyen, »die Neidische«	Fackeln, Geißeln, mit Schlangen im Haar	
Melpomene	Muse der Tragödie		
Mnemosyne	Mutter der Musen, Göttin der Erinnerung und des Gedächtnisses		
Moiren	drei Schicksals- und Geburtsgöttinnen	Spindel, Schriftrolle, Waage	Parzen (Nona, Decuma, Morta)
Morpheus	Gott der Träume und Traumbilder		
Musen	Göttinnen der Künste und der Wissenschaft		Camenae
Najaden	Nymphen der Landgewässer und Quellen		
Nemesis	Göttin des Maßes, der gerechten Verteilung irdischen Glücks und des Wettkampfes	Steuerruder, Elle	
Nereiden/Okeaniden	Nymphen des Meeres		
Nereus	Meergott	fisch- und schlangenleibig, später menschengestaltig	
Nike	Göttin des Sieges	Flügel, Palmzweig, Lorbeerkranz	Viktoria
Nymphen	weibliche Naturgottheiten, Töchter des Zeus		
Okeanos	ursprünglich Gott des Weltmeeres, später häufig Flussgott		
Oreaden	Nymphen der Berge		
Pan	Gott der Hirten und Jäger, Naturgott	Bocksohren, -hörner und -beine	Faunus
Persephone	Göttin der Unterwelt	Ähre, Granatapfel	Proserpina
Polyhymnia	Muse des Tanzes und der Pantomime		
Poseidon	Gott des Meeres, der Gewässer, der Stürme und Erdbeben, Schutzgott der Fischer	Dreizack	Neptun
Selene	Mondgöttin, Geburtsgöttin	Mondscheibe, Sichel, Nimbus, Schleier, Zweigespann	Luna
Terpsichore	Muse der Lyra und Kithara		
Thalia	Muse der Komödie, eine der drei Chariten, »blühendes Glück«		
Themis	Göttin der Gerechtigkeit und Ordnung		
Tisiphone	eine der drei Erinnyen, »die den Mord Rächende«	Fackeln, Geißeln, mit Schlangen im Haar	
Tyche	Göttin des Schicksals	Füllhorn, Steuerruder, Rad oder Kugel, Mauerkrone	Fortuna
Urania	Muse der Astronomie		
Uranos	Himmelsgott, Gemahl und Sohn der Gaia		
Zeus	Göttervater, Gott der Gerechtigkeit, Wettergott	Donnerkeil	Jupiter

Ahnenkult, aus dem sich der Heroenkult entwickelte. Damals wurde auch der Grundstock der griechischen Mythologie geschaffen. Hesiod ordnete sie später zu einem Stammbaum: →Uranos und →Gaia galten als Eltern der zwölf Titanen. Zu diesen gehörten →Kronos und →Rhea, deren Kinder (und Enkel) als die olympischen Götter verehrt wurden: →Zeus und →Hera, →Poseidon und →Hades, →Demeter und →Hestia, ferner als Kinder des Zeus →Athene, →Apoll, →Artemis, →Hermes, →Ares und →Dionysos, nach Homer auch →Aphrodite und →Hephaistos. Die Heroen wurden als Nachkommen dieser Götter angesehen, wobei es sich hier v. a. um ortsbezogene Kulte handelte.

■ **Archaische und klassische Zeit** Die Religion in der Blütezeit der griechischen Kultur war wesentlich Kult und Religion des Stadtstaates. Sie kannte weder ein festes Dogma noch Glaubenssätze irgendwelcher Art. Auch war in ihr keine Spannung zwischen den Prinzipien des Guten und des Bösen angelegt. Wohl aber wurden Warnungen vor der Hybris ausgesprochen, also vor dem Wahn, sich den Göttern gleich zu dünken. Denn dadurch würden der Neid der Götter, ihr Unwillen und die Nemesis, d. h. die Rache für den Frevel, hervorgerufen. Die olympischen Götter verkörperten das Prinzip der Ordnung und der Kultur gegenüber dem Chaos. Es gab jedoch keinen einheitlichen, festen Gottesbegriff. Auch die einzelnen Götter waren in ihrem Wesen äußerst verschieden. Gemeinsam war allen jedoch, dass sie konsequent anthropomorph (d. h. in Übertragung von menschlichen Eigenschaf-

griechische Religion

griechische Religion Das Pantheon – die göttliche Familie

Religion war im alten Griechenland ausschließlich Sache der Gemeinschaft und der Öffentlichkeit. Sie diente zur Aufrechterhaltung der Ordnung, war diesseitig orientiert und besaß keine heilige Schrift. Entsprechend haben auch die griechischen Götter mit unserer heutigen Vorstellung von Gott wenig zu tun. Sie waren weder liebende Götter noch allmächtig noch allgegenwärtig. Ihre Anwesenheit konnte unheimlich und angsterregend wirken. Die übliche Moral band sie nicht. So konnte etwa Zeus jedes beliebige Mädchen verführen. Die Griechen stellten ihre Götter als eine Art »Supermenschen« dar. Diese Orientierung an menschlichen Vorbildern geht wahrscheinlich zum Großteil auf die Epen Homers zurück. Eine Antwort auf die Frage nach dem Ursprung der einzelnen Götter Griechenlands ist folgende: Als um 2000 v. Chr. kleine Gruppen von Indoeuropäern Griechenland besiedelten, brachten sie die Vorstellung einer göttlichen Familie mit. Diese wurde dann mit »einheimischen« Göttern vermischt, womit das griechische Pantheon klassischer Zeit entstand: der eingewanderte Zeus neben den »einheimischen« Göttinnen Athene und Hera (Zeus entschleiert Hera, Metope aus Selinunt, Griechenland, um 460 v. Chr.).

---

ten) in Gestalt und Verhalten gedacht wurden, zugleich jedoch als die »Unsterblichen«, »Seligen« und »Stärkeren« galten: In ihren jeweiligen Bereichen greifen sie in die Geschicke der Menschen ein, ordnend, manchmal streng und furchterregend, meist freundlich und wohlwollend, ganz selten übelwollend.

■ **Kultus** Ihrem Wesen nach war die griechische Religion eine echte Volksreligion, die in erster Linie nicht von Einzelnen, sondern von Gemeinschaften getragen und ausgeübt wurde. Einen einheitlich organisierten Priesterstand gab es nicht. Priesterschaften wurden zumeist aus den politisch führenden Familien oder als Tradition einer Familie besetzt. In jeder Stadt wurden zahlreiche Götter und Heroen mit jeweils anderen Kulten und in jeweils anderen Festkalendern verehrt. Neben den großen Göttern, die lokal besondere Eigenschaften und Kultbeinamen besaßen, standen die Lokalgötter und Landesheroen. Von diesen hatte nur Herakles überall in Griechenland seinen Kult. Die Kulthandlungen selbst (Reinigung, Opfer, Gebet, Weihungen) waren äußerst mannigfaltig. Die olympischen Götter erhielten in der Regel Speiseopfer, bei denen die Teilnehmer den größten Teil des Opfertieres selbst verzehrten, für die unterirdischen Götter dagegen wurde das Opfer ganz verbrannt. Vereinheitlichend in dieser Vielgestaltigkeit der griechischen Religion wirkten das homerische Epos, die »Theogonia« des Hesiod, das Orakel des Apoll in →Delphi, die großen Festspiele in Olympia, Delphi, am Isthmus von Korinth und in Nemea und v. a. die Mysterien der Demeter, später die des Dionysos und seit dem 6. Jh. die →Orphik. Die Mysterien versprachen dem Einzelnen Vereinigung mit der Gottheit und ein seliges Leben im Jenseits. Eine Neuschöpfung der hellenistischen Zeit war der →Herrscherkult.

■ **Fremde Gottheiten** Wie jede polytheistische Religion nahm auch die griechische Religion viele fremde Gottheiten auf: aus Kleinasien →Kybele (die Große Mutter) und Sabazios, aus Ägypten Ammon, aus Thrakien Bendis, aus Samothrake die Kabiren, aus dem Orient Adonis. Damit setzte sich ein kultureller Austausch fort, der schon in archaischer und mykenischer Zeit die Entwicklung »griechischer« Kulturen am Rande der altorientalischen Großreiche (Hethiter, Ägypten) stark geprägt hatte. Mit der Bildung der Diadochenreiche (seit 323 v. Chr.) verstärkte sich der Einfluss des Orients erneut. Aus Ägypten wurden Sarapis, Isis, Osiris, Anubis, Horus u. a., aus Phrygien noch einmal Kybele (mit stärker orientalischen Zügen) und der mit ihr verbundene Attis übernommen, ferner syrische Gottheiten wie Jupiter Dolichenus, Dea Syria und Sol Invictus, v. a. aber auch der iranische →Mithras. Astrologie und Gestirnkult, die mesopotamische und ägyptische Wurzeln aufweisen, fanden weite Verbreitung und gelangten von hier aus bis nach Indien. Nach der Einverleibung Griechenlands ins Römische Reich fanden auch römische Kultpraktiken und der Kult römischer Gottheiten und Herrscher Verbreitung, zugleich gab es aber auch eine Rückbesinnung auf alte einheimische Kulte.

griechisch-orthodoxe Kirche, die autokephale orth. Kirche Griechenlands. Ihr Oberhaupt führt den Titel »Erzbischof von Athen und ganz Griechenland« führt. Sitz des Erzbischofs ist Athen, die liturgische Sprache ist Griechisch.

■ **Organisation** Die griechisch-orthodoxe Kirche umfasst 79 Metropolien (Bistümer), wobei verschiedene Metropolien der griechischen Inselgruppe Dodekanes der Jurisdiktion des Ökumenischen Patriarchen unterstehen, ebenso die Mönchsrepublik Athos, das einen quasi autonomen Status besitzende Erzbistum Kreta (Sitz in Heraklion, sieben Metropolien) sowie eine Reihe griechisch-orthodoxer Metropolien in Amerika, Australien und Westeuropa. Dasselbe gilt für die griechisch-orthodoxe Metropolie von Deutschland, die ihren Sitz in Bonn hat.

■ **Geschichte** Das Christentum fand in Griechenland durch die Missionstätigkeit des Apostels Paulus Eingang, der in Philippi, Thessalonike (Saloniki), Athen, Korinth und anderen Städten die ersten christlichen Gemeinden Europas gründete. Rechtlich gehörte die in der östlichen Hälfte des Römischen Reiches liegende Kirche Griechenlands zunächst zum römischen Patriarchat und wurde durch den Metropoliten von Thessalonike geleitet. 732/733 wurde sie durch Kaiser Leon III. dem Ökumenischen Patriarchat unterstellt. Während der türkischen Herrschaft über Griechenland (1453–1830) verkörperte die griechisch-orthodoxe Kirche die nationale und kulturelle Identität der Griechen.

Nach der Gründung des Königreiches Griechenland (1830) proklamierte der die Regentschaft bis 1835 führende Georg Ludwig Ritter von Maurer 1833 einseitig die Autokephalie der Kirche Griechenlands. Diese wurde 1850 vom Ökumenischen Patriarchat anerkannt. Gegen die Auffassungen des Ökumenischen Patriarchats blieb jedoch der Heilige Synod der Oberhoheit des Königs unterstellt, der über ein eigenes Ministerium auf die kirchlichen Angelegenheiten Einfluss nehmen konnte. Die enge Verbindung zwischen dem griechischen Staat und der griechisch-orthodoxen Kirche besteht bis heute, doch wird eine künftige Trennung von Staat und Kirche diskutiert.

■ **Konfessionskunde** Als konfessionskundliche Bezeichnung steht die Bezeichnung »griechisch-orthodoxe Kirche« zusammenfassend für die geschichtlich aus der nachkonstantinischen Reichskirche hervorgegangenen autokephalen orth. Kirchen, die den byzantinischen Ritus in griechischer Sprache als Hauptliturgiesprache feiern: die orth. Kirchen Griechenlands und Zyperns, das Ökumenische Patriarchat und die orth. Patriarchate von Alexandria, Antiochia und Jerusalem.

Große Mutter, deutsch für Magna Mater, →Kybele.

Großes Fahrzeug, eine Richtung des Buddhismus, →Mahayana.

Gründonnerstag [wohl nach dem Brauch, an diesem Tag etwas Grünes zu essen; vielleicht auch nach mittellatein. dies viridium »Tag der Büßer« (eigtl. der Grünen, d. h. derer, die durch ihre Buße wieder zu lebendigen, grünen Zweigen der Kirche werden)], lateinisch **Feria quinta in Coena Domini, Feria quinta Hebdomadae sanctae,** der fünfte Tag der Karwoche, nach 1. Kor. 11,23 Tag des letzten Abendmahls. Zu seinem Gedächtnis findet in allen christlichen Liturgien ein seit dem 4. Jh. nachweisbarer Abendgottesdienst statt. In zahlreichen kath. Kirchen wird dabei traditionell die Fußwaschung (Joh. 13,5; 14) symbolisch nachvollzogen. Am Gründonnerstag als dem letzten Tag der ursprünglichen Fastenzeit erfolgte nach einem öffentlichen Bußverfahren die erst Mitte des 20. Jh. aus der kath. Liturgie gestrichene Wiederaufnahme Exkommunizierter (Rekonziliation).

Guan [chines. »schauen«], Bezeichnung für Klöster im Daoismus, deren Aufbau stark vom Buddhismus beeinflusst ist. In den Guan lebten ursprünglich, je nach daoistischer Schulrichtung, entweder Mönche und Nonnen oder Laienpriester (→Dao-shi) mit ihren Familien. Seit der Klosterreform Sung Wenmings im 6. Jh. n.Chr. sind die Klöster ausschließlich Wohnsitze der zölibatär lebenden Mönche und Nonnen. Die verheirateten Lehrer oder Priester leben mit ihren Familien außerhalb, aber stets in der Nähe des Klosters.

Guandi, Kuan-ti, chinesischer Gott des Krieges und der Gerechtigkeit. Guandi lässt sich auf den aus dem Roman »Die Geschichte der drei Reiche« bekannten Helden Guan Yu (3. Jh.) zurückführen. Mit Beginn der Qingdynastie (ab 1644) wurde Guandi in den Rang eines Schutzgottes der Dynastie erhoben. Danach entstanden in jeder größeren Stadt ihm geweihte Tempel. Als Kriegsgott erscheint er mit tiefrotem Gesicht in Rüstung auf einem Pferd reitend und mit einer Hellebarde ausgestattet.

Guanyin [»die Töne (der Welt) Hörende(r)«], **Kuan-yin, Guanshiyin** [-ʃi-], **Kuan-shih-yin,** im chinesischen Buddhismus vorkommende Sonderform des Bodhisattva Avalokiteshvara, die bei Gefahren und zur Erlangung von Kindersegen angefleht wird. Bis etwa ins 9. Jh. wurde Guanyin als männliche, oft vieläugige und vielarmige Figur dargestellt. Danach nahm er, wahrscheinlich unter Einfluss des »tantrischen« tibetischen Buddhismus und verschiedener Vorformen im chinesischen Volkskult, weibliche Gestalt an und wurde zur weitaus populärsten buddhistischen »Gottheit« Chinas. Vielfach wird er als Frau mit Kind auf dem Arm dargestellt und er-

Guru. Die Weitergabe spirituellen Wissens durch einen Guru, einen geistlichen Führer, hat in den indischen Religionen eine lange Tradition. Der Maharishi Mahesh Yogi, Begründer und Guru der Tranzendentalen Meditation, ist hier bei einer Veranstaltung in der Düsseldorfer Philippshalle vor dem Bild seines eigenen Gurus, Svami Brahmananda Sarasvati, zu sehen.

innert insofern an christliche Mariendarstellungen.

Gudme [»Götterheim«], germanisches Heiligtum aus der Völkerwanderungszeit auf Fünen in Dänemark. In einem Areal von 4 × 6 km wurden etwa 50 gleichzeitig bewirtschaftete Höfe und zahlreiche Weihegaben aus Edelmetall gefunden. Sehr wahrscheinlich handelt es sich dabei um ein überregional bedeutsames politisches und religiöses Zentrum.

Gungnir [altnord. »der Schwankende«], der Speer Odins, der – der Snorra-Edda zufolge – von Zwergen geschmiedet wurde.

Guru [Sanskrit »ehrwürdiger Lehrer«], ein religiöser Lehrer im Hinduismus, im engeren Sinn der spirituelle Meister einer Gemeinschaft. In diesem ursprünglichen Sinn wird der Guru bis heute in Indien von den Hindus und auch den Sikhs als ein von ihnen frei gewählter geistlicher Führer geachtet und verehrt. Er führt sie in die Religion ein, erklärt ihnen den durch diese vorgegebenen Sinn des Lebens und begleitet sie auf ihrem (Heils-)Weg dorthin.

In der westlichen Welt und seit Anfang der 1990er-Jahre auch in den ehemaligen kommunistischen Staaten Mittel- und Osteuropas wird der Begriff Guru überwiegend im Zusammenhang mit so genannten **Gurubewegungen** (»Guruismus«) gebraucht und ist oft negativ besetzt. Einigen der diese Bewegungen leitenden Gurus werden autoritäre und z. T. auch »totalitäre« Führungsansprüche vorgeworfen, damit verbunden die Schaffung einseitiger Abhängigkeitsverhältnisse und auch bloßes finanzielles Gewinnstreben. Als »klassische« neuzeitliche Gurubewegungen gelten Ananda Marga, Divine Light Mission, die Bhagvan-Bewegung (Osho-Bewegung) und die Hare-Krishna-Bewegung (ISKCON).

Guru Nanak, indischer Religionsstifter, →Nanak.

Gute, das Gute, in der *Religionswissenschaft* ein sittliches Verhalten, das einer übergreifenden und daher verpflichtenden Ordnung entspricht, die in monotheistischen Religionen auf Gott als »das höchste Gut« (lateinisch summum bonum) zurückgeführt wird und keine Autonomie des Moralischen gegenüber dem Religiösen, sondern nur ein sakrales Ethos des persönlichen Angerufenseins kennt. Für dualistische Religionen ist die Prophetie Zarathustras charakteristisch. Sie führt den in der irdischen Lebenswelt vorherrschenden Gegensatz zwischen Gut und Böse auf zwei uranfängliche metaphysische Prinzipien zurück, die in personaler Form gedacht werden. Polytheistische Religionen verehren oft einen Himmelsgott, der alles sieht, als Wächter über das Gute und Bestrafer des Bösen. Der Urbuddhismus relativiert den Sinn des Guten insofern, als er alles irdische Handeln einer Welt zuordnet, die er als Illusion versteht.

Gutuater, etymologisch nicht sicher gedeutete Bezeichnung eines keltischen Priesters. Das Wort erscheint in vier lateinischen Inschriften aus dem römischen Gallien, begegnet jedoch bei dem Historiker Aulus Hirtius († 43 v. Chr.) in dessen Fortsetzung von Caesars »De bello Gallico« (8, 38) nicht als Funktionsbezeichnung, sondern als Eigenname.

Habakuk, hebräisch **Havaqquq,** einer der zwölf Kleinen Propheten des A. T. und Verfasser des gleichnamigen Buches. Das **Buch Habakuk** gilt in der Forschung als einer der rätselhaftesten Texte des A. T. und ist in seiner Deutung hinsichtlich Heils- und Kult- oder Gerichtsprophetie und Datierung (vor 612, zwischen 612 und 538 oder um 330 v. Chr.) umstritten. Es enthält prophetische Klagen über ein nationales Unglück Israels, Gottessprüche, Fluchworte gegen einen Gottlosen und einen Psalm. Thema ist die Ankündigung von Gottes Gericht über die Gottlosen.

Habdala [hebr. havdalah »Scheidung«], Lobpreis, den der jüdische Hausherr in der häuslichen Feier beim Ausgang des Sabbats oder eines Feiertags spricht. Er ist verbunden mit einer Segnung eines von Wein überfließenden Bechers, einem Symbol des überströmenden Segens, sowie einem Segensspruch über ein Gewürz, dessen Wohlgeruch als Symbol der Sabbatwonne gilt. Die Habdala wendet sich an Gott, der das Heilige vom Unheiligen, Israel von den Heiden und den siebten Tag von den sechs Tagen der Arbeit geschieden hat.

Hadad, aramäisch für →Adad.

Hades, griechisch auch **Haides** und **Aides,** *griechische Mythologie:* Sohn des Kronos und der Rhea, Bruder des Zeus und des Poseidon. Nach dem Kampf der Götter mit den Titanen fiel ihm bei der Teilung der Erde die Unterwelt zu, wo er als Gott der Toten wirkte. Im Kult spielte er in dieser Funktion nur in Pylos in Elis eine Rolle. Im Mythos sind zwei ältere Erzählungen bekannt: seine Verwundung im Kampf mit Herakles und – wohl nach der Gleichsetzung des Hades mit Pluton als Dämon der Fruchtbarkeit der Erde – der Raub der →Persephone (Kore). Später wurde Hades mit dem Totenreich selbst gleichgesetzt.

Hadith [arab. »Mitteilung«, »Erzählung«], die Mohammed zugeschriebenen Aussprüche, Verordnungen und Stellungnahmen zu unterschiedlichen Fragen des Lebens, v. a. zur Religionsausübung, aber etwa auch zu Essen, Kleidung und Ehe. Außerdem wird das praktische Verhalten Mohammeds in einzelnen Situationen geschildert. Die Hadithe sind neben dem Koran die Quelle religiöser Vorschriften im Islam. Ein Teil geht wohl tatsächlich auf Mohammed zurück, während der größere Teil die theologischen Erörterungen der ersten drei Jahrhunderte des Islam (7.–10. Jh.) widerspiegelt. Die Sunniten kennen sechs kanonische Hadithsammlungen (abgeschlossen im 9. und 10. Jh.), als deren wichtigste die Sammlungen der arabischen Traditionsgelehrten Mohammed Ibn Ismail al-Buchari und Muslim Ibn al-Hadjdjadj (* um 820, † 875) gelten. Die Schiiten haben eine gesonderte, auf die →Imame zurückgeführte Hadithtradition.

Hadjar al-Aswad [-dʒ-; arab. »schwarzer Stein«], **Hadschar al-Aswad,** der an der Südostecke der Kaaba in Mekka eingemauerte Meteorit. Er war bereits in vorislamischer Zeit Gegenstand religiöser Verehrung.

Hadjdj [-dʒ], **Haddsch,** die Wallfahrt nach Mekka, die zu den fünf Grundpflichten (»Säulen«) des Islam gehört und jedem Muslim – beiderlei Geschlechts –, der körperlich und finanziell dazu in der Lage ist, einmal in seinem Leben vorgeschrieben ist. Der Hadjdj findet im letzten Monat des islamischen Mondjahres (Dhu l-hidjdja) statt. Seine Riten stammen größtenteils aus vorislamischer Zeit und werden in Mekka und an benachbarten Orten vollzogen. Zu ihnen gehören u. a.: das Umkreisen der Kaaba und der Lauf zwischen den Hügeln Safa und Marwa – beides wird als »Kleine Wallfahrt« (arabisch umra) auch separat durchgeführt –, dann das Verweilen in der Ebene Arafat, der Lauf nach Muzdalifa sowie Steinewerfen und Schlachten von Opfertieren in Mina. Vor Betreten des hl. Bezirks versetzen sich die Pilger in den Weihezustand (→Ihram).

Derjenige, der die Pilgerfahrt vollzogen hat, wird **Hadjdji** genannt.

Haftara [hebr. »Abschluss«], **Haphtara,** im jüdischen Ritus der Synagoge der Abschnitt aus den Prophetenbüchern, der sich an Sabbaten, Feier- und Fasttagen an die Vorlesung aus dem Pentateuch anschließt.

Haggada [hebr. »Erzählendes«, »Erzählung«], Teil der »mündlichen Lehre« und damit des rabbinischen und mittelalterlichen jüdischen Schrifttums. Im Gegensatz zur →Halacha, die von den gesetzlichen Normen und Regelungen handelt, werden von der Haggada alle nicht gesetzlichen Bereiche erfasst, also vorwiegend Erzählungen, Legenden, Fabeln, ethische Maximen, Predigten und erbauliches Schrifttum. Diese finden sich v. a. in der Midrasch-Literatur und im Talmud.

Besondere Bedeutung in der Ordnung für die häusliche Feier des Passahfestes, den Sederabend, hat die **Pessach-Haggada.** Sie schildert die Befreiung aus der ägyptischen Sklaverei in Belehrung, Gesang und Gebet und wird vor dem Passahmahl verlesen. Ihr seit dem Mit-

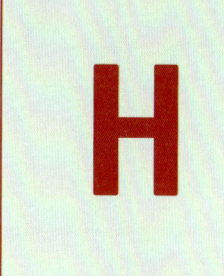

Hadjdj
→ **GEO** Dossier
Allahs größtes Aufgebot,
Bd. 16

Hadith   … aus dem Leben Mohammeds

In den Hadithen sind Szenen festgehalten, die schildern, wie Mohammed sich verhielt oder was er sagte. Um die Zuverlässigkeit zu betonen, beginnt jedes Hadith mit einer Überlieferungskette nach dem Schema: »Ich, A., hörte einmal B. erzählen, dass von C. erzählt wird, dass er einmal dabei war, wie der Prophet sagte: …« Im 9. Jahrhundert wurden sechs Hadithsammlungen erstellt, von denen jene von al-Buchari und Muslim die bedeutendsten sind. Sie gelten als »sahih« (= authentisch), während die anderen Sammlungen auch Material bieten, das nur als »schön« oder »schwach« angesehen werden kann.

Bereits im Koran ist die Autorität der Hadithe verankert, indem mehrfach auf den Gehorsam, der dem Gesandten, also Mohammed, zu leisten sei, hingewiesen wird.

H — Haggai

Hakenkreuz.
Das Hakenkreuz gilt im Buddhismus als Symbol des Dharmachakra, des »Rads der Lehre«. Die Abbildung zeigt das mit einem Hakenkreuz geschmückte Dach eines buddhistischen Tempels in Kyŏngju, Süd-Korea.

Halacha
→ **GEO Dossier**
Das heilige Herz des Zorns, Bd. 16

telalter feststehender Text ist in zahlreichen wertvoll illuminierten Handschriften erhalten.

Haggai [hebr. »der am Festtag Geborene«], in der Vulgata **Aggäus,** einer der zwölf Kleinen Propheten des A. T.; wirkte im Jahr 520 v. Chr. in Jerusalem, nachdem die Juden aus dem Babylonischen Exil zurückgekehrt waren, und forderte den Wiederaufbau des Tempels. Das **Buch Haggai** ist wohl schon bald nach 520 v. Chr. zusammengestellt worden.

Hagiografie [griech.], Lebensbeschreibung der Heiligen und die wissenschaftliche Arbeit an Überlieferung, Geschichte und Kult der Heiligen. Die christliche Hagiografie entwickelte sich im Altertum aus der Sammlung von Märtyrerberichten und lieferte später die festen liturgischen Lesungen für den Gottesdienst. Sie ist daher in erster Linie erbaulich stilisiert und förderte die unkritische Legendenbildung (→Legende), an deren Anfang die »Vita Antonii« des Athanasios steht. Im Osten wurde gegen Ende des 10. Jh. mit der großen, nach dem Heiligenkalender geordneten Sammlung des byzantinischen Theologen und Historikers Symeon Metaphrastes ein gewisser Abschluss erreicht, während im Westen die volkstümliche »Legenda aurea« des Jacobus de Voragine (vor 1267) weiteste Verbreitung erreichte.

Hakenkreuz, Swastika [Sanskrit »Heil bringendes Zeichen«], lateinisch **Crux gammata,** altenglisch **Fylfot,** althochdeutsch **Fyrfos** (»Vierfuß«), ein Kreuz, dessen vier gleich lange Balken rechtwinklig oder bogenförmig gestaltet sind, sodass es wie ein laufendes Rad erscheint.
Als Symbol kommt das Hakenkreuz sowohl in Europa als auch in Asien, vereinzelt ostwärts bis Polynesien und selten in Afrika und Mittelamerika vor. In Indien erscheint es als Glückssymbol in der Induskultur bei Mohenjo-Daro und Harappa (um 2500–1500 v. Chr.). Im indischen Buddhismus bedeuten rechtsgeflügelte Hakenkreuze Aufstieg, Geburt und Glück, linksgeflügelte Hakenkreuze Niedergang, Vergehen und Tod. Das Hakenkreuz ist gedeutet worden als Sonnenrad, Thors Hammer, als doppelte Wolfsangel, sich kreuzende Blitze, Spiralmotiv. Seine Funktion ist wohl ähnlich anderen Glücks- und Heilszeichen. Da es der Nationalsozialismus zum Symbol der Bewegung machte, gilt das Zeigen des Hakenkreuzes in der Bundesrepublik Deutschland als verfassungswidriges Verhalten und ist verboten.

Hakim, eigtl. **al-Hakim bi-amr Allah,** der sechste Kalif aus der Dynastie der Fatimiden (996–1021), * 985, verschwunden (wohl ermordet) auf dem Mokattam (Kairo) 13. 2. 1021; wurde seit 1017/18 von den →Drusen als göttlich verehrt. Entgegen früherer Ansicht liefern zeitgenössische Quellen keine Belege dafür, dass Hakim geistesgestört gewesen wäre und sich selbst für göttlich gehalten hätte. Er trat jedoch der drusischen Propaganda nie energisch entgegen. Hakim suchte strengere öffentliche Sitten zu erzwingen, ordnete diskriminierende Maßnahmen (z. B. Kleidervorschriften) gegen Juden und Christen sowie die Beschlagnahme von Kirchengütern und die Zerstörung von Kirchen (u. a. der Grabeskirche in Jerusalem) und Synagogen an. Er hatte mit vielerlei Aufständen zu kämpfen.

Halacha [hebr. »Wandel«], Bezeichnung sowohl für den gesetzlichen Teil der jüdischen Überlieferung im Ganzen als auch für eine Einzelbestimmung. Die Halacha umfasst die schriftliche Thora, also die Gebote des Pentateuch, die mündliche Thora als deren Interpretation sowie nicht in der hebräischen Bibel enthaltene Vorschriften. Eine wichtige Halacha-Sammlung ist die →Mischna.

Halal [arab. »erlaubt«, »legitim«], *Islam:* das (von Gott) Erlaubte bzw. nicht mit Unreinem in Kontakt Gekommene, im Gegensatz zum religiös und gesetzlich Verbotenen (Haram). Der Koran bezieht halal (z. B. Suren 2, 29; 31, 20; 45, 13) auf alles, was von Gott für den Menschen zu seinem Gebrauch und Nutzen erschaffen wurde, doch wird es im Alltag zumeist auf Speisevorschriften bezogen, etwa auf den Genuss des Fleisches von vorschriftsmäßig geschächteten Tieren. In pragmatischer Auslegung gilt allgemein: Erlaubt ist, was nicht ausdrücklich verboten ist.

Halladj [-dʒ], **Halladsch,** Husain Ibn Mansur **al-Halladj,** islamischer Mystiker, * Tur (bei Bajgah, Fars) 858, † (gehängt) Bagdad 27.3. 922; lehrte die völlige Einswerdung des Mystikers mit Gott. Als Grund für seine Hinrichtung wird meist sein berühmter Ausspruch »Ana l-hakk«, »Ich bin die (göttliche) Wahrheit«, genannt, der möglicherweise im Sinne einer Inkarnationslehre interpretiert und daher als Häresie geahndet wurde. Es konnte jedoch nachgewiesen werden, dass in erster Linie politische Motive ausschlaggebend waren. Halladj hatte zu seinen Lebzeiten großen Einfluss auf die Massen und wurde auch in der Folge als Verkörperung eines vergeistigten Islam verehrt. Seine Spiritualität lebt im Sufismus weiter.

Halljahr, *Judentum:* andere Bezeichnung für das →Jobeljahr.

Hamsa [Sanskrit], der indische Ganter (oder Schwan). Er ist das Reittier der Gottheiten Brahma und Sarasvati.

Hanbaliten, Anhänger einer der vier Rechtsschulen (Madhhab, →islamisches Recht) des sunnitischen Islam. Sie ist benannt nach ihrem Gründer, dem Theologen Ahmed Ibn Hanbal (* 780, † 855). Die Hanbaliten vertreten rigoros traditionalistische Ansichten und bilden die am wenigsten verbreitete Rechtsschule. Ihr geistiges Erbe lebt heute v. a. in Saudi-Arabien fort (→Wahhabiten). Der Reformislam des 20. Jh. ist in starkem Maße von hanbalitischen Anschauungen beeinflusst.

Hanefiten, Hanafiten, Anhänger einer der vier Rechtsschulen (Madhhab, →islamisches Recht) des sunnitischen Islam, benannt nach ihrem Stifter, dem Gelehrten Abu Hanifa (*699, †767). Die Rechtsschule der Hanefiten, der etwa ein Drittel aller Muslime angehören, war die offizielle des Osmanischen Reiches und ist heute v. a. in dessen Nachfolgestaaten (u. a. der Türkei) sowie in Afghanistan, Pakistan, Zentralasien, Indien und China verbreitet. In Österreich ist der Islam nach hanefitischem Ritus als Religionsgemeinschaft staatlich anerkannt. Die Hanefiten lassen als unterstützendes Rechtsfindungsprinzip das »Für-gut-Halten« mittels eines Vernunfturteils zu. Sie hatten einen bedeutenden Anteil an der Modernisierung des islamischen Rechts im 19. Jahrhundert.

Hanifen [von arab. ḥanīf »Rechtgläubiger«], nach dem Koran diejenigen Gläubigen, die schon in vorislamischer Zeit nur einen Gott verehrten, ohne sich jedoch zu einer der monotheistischen Religionen zu bekennen, und somit »Muslime« vor dem Islam waren. Besonders Abraham wird als Hanif betrachtet.

Hanuman [Hindi], **Hanumat,** *indische Mythologie:* ein Affenkönig. Im altindischen Epos »Ramayana« ist Hanuman Minister des Affenkönigs Sugriva und Verbündeter Ramas bei dessen Zug gegen den Dämonenkönig Ravana. Er gilt in Indien als Schutzpatron der Ringer und Wanderasketen sowie als Gelehrter der Grammatik. Von der Landbevölkerung wird er als Gott verehrt. Hanumans Attribute sind Keule, Bogen oder Donnerkeil (Vajra).

Han Yu, Han Yü, chinesischer Staatsmann, Philosoph und Dichter, * Nanyang (Henan) 768, † Chang'an (heute Xi'an) 824; bemühte sich im zu seiner Zeit stark buddhistisch geprägten China um die Rückkehr zur konfuzianischen Weltanschauung und zu einem ihr entsprechenden, schlichteren literarischen Stil. Seine Essays initiierten die »Alt-Stil-Bewegung« (Guwen), die ideologisch dem seit dem 10. Jh. vorherrschenden Neokonfuzianismus den Weg bahnte.

Hapi [ägypt. »Nil«], altägyptische Bezeichnung der Nilüberschwemmung und zugleich die Verkörperung des Flusses als Gott, der mit betont üppigem Leib dargestellt wird. Neben ihm erscheinen häufig weitere »Nilgötter«, in denen sich Nahrungsfülle und Fruchtbarkeit personifizieren.

Hara [Sanskrit »der Hinwegraffer«], Beiname des hinduistischen Gottes Shiva, wie er sich als Vernichter des Lebens im kosmischen Kreislauf zeigt.

Harachte, Erscheinungsform des →Horus.

Haram [arab. »geweihter Platz«, eigtl. »das Verbotene«], das religiös und gesetzlich Verbotene im Gegensatz zu →Halal. Al-Haram wird auch ein hl., nur Muslimen zugänglicher Bezirk genannt. Als »die beiden hl. Bezirke« (arabisch al-haraman) bezeichnet man im Islam die entsprechenden Bezirke von Mekka und Medina, als »edlen« oder »geehrten Haram« (arabisch al-haram asch-scharif) den islamischen Heiligtumsbezirk auf dem Tempelberg zu Jerusalem, der den Felsendom und die Al-Aksa-Moschee umfasst.

Hare-Krishna-Bewegung [-'kriʃna-], eigentlich **Internationale Gesellschaft für Krishna-Bewusstsein,** englisch **International Society for Krishna Consciousness,** Abk. **ISKCON,** 1966 von dem Inder A. C. Bhaktivedanta Svami Prabhupada, eigentlich Abhay Charan De, gegründete religiöse Gesellschaft. Sie hat den Anspruch, die westliche Gesellschaft durch die Einführung der Verehrung des indischen Gottes Krishna und die Schaffung einer brahmanischen Führungsschicht spirituell zu erneuern. Ihre Anhänger berufen sich auf die vedischen Schriften und besonders die Bhagavadgita. Sie leben vegetarisch, ohne Alkohol, Nikotin u. a. Rauschmittel, üben sexuelle Enthaltsamkeit und praktizieren den hinduistischen Kult, v. a. mit Anruf Krishnas (das so genannte »Chanten«: »Hare Krishna…«). Ihre Tracht ist eine safrangelbe Kutte.

Nach dem Tod des Gründers übernahmen elf Gurus geografisch aufgeteilt die Nachfolge in der Leitung der Hare-Krishna-Bewegung. Straffälligkeit von Führern der Bewegung hat zu Skandalen geführt. Daneben stießen v. a. die Geld- und Spendensammelpraktiken sowie das an hinduistischen Wertvorstellungen orientierte (Kinder-)Erziehungskonzept der Hare-Krishna-Bewegung auf Kritik. Seit Beginn der 1990er-Jahre versucht die Hare-Krishna-Bewegung von sich aus, Konflikte zu entschärfen, und hat ihr bis dahin in den Augen der westlichen Öffentlichkeit »exotisches« Erscheinungsbild weitgehend abgelegt.

> **Hanifen** Abraham, der Gottsucher
>
> Im Islam genießt Abraham, arabisch Ibrahim, als Prophet höchste Verehrung. Er gilt als das Urbild des Hanifen, eines Gottsuchers und »Trägers der reinen Gottesverehrung«. Insgesamt wird er in 25 Suren des Korans erwähnt und ist damit nach Moses die biblische Figur, die am häufigsten genannt wird. Auch gilt er, zusammen mit seinem älteren Sohn Ismail, dem Stammvater der arabischen Völker, als Erbauer der Kaaba in Mekka. Diese habe er zur Verehrung des einzigen Gottes errichtet, weshalb der Prophet Mohammed sich nicht als Religionsgründer verstand, sondern als »Siegel der Propheten«, welcher die Menschen zur monotheistischen Urreligion des Stammvaters Abraham zurückführte. In der islamischen Tradition erscheint Abraham als Streiter Gottes im Kampf gegen den Götzendiener König Nimrod und übersteht sogar unversehrt einige Tage im Feuerofen, in den ihn der König steckt. Außerdem wird Abraham am Tag des Jüngsten Gerichts zur Linken Gottes Platz nehmen und die Gläubigen ins Paradies führen.

Haram
→ GEO **Dossier**
Das heilige Herz des Zorns, Bd. 16

Häresie

Hare-Krishna-Bewegung.
Die aus dem Hinduismus entstandene Hare-Krishna-Bewegung ist eine international agierende religiöse Gesellschaft. Ihr Ziel ist es, die Menschheit nach ihrer am vedischen Schrifttum ausgerichteten Lehre spirituell zu erneuern. Hier versammeln sich Anhänger der Bewegung im New Yorker Central Park.

Adolf von Harnack

Die Zentrale der Hare-Krishna-Bewegung befindet sich in Mayapur (Westbengalen), die Zentrale für Deutschland in Jandelsbrunn (Landkreis Passau). Weltweit gehören der Bewegung rund 10 000 Ashramiten, d. h. Vollzeitmitglieder, in 280 Tempeln, in Deutschland rund 350 Ashramiten an.

Häresie [zu griech. haíresis »das Nehmen«, »Wahl«], in der *griechischen und hellenistischen Antike* Bezeichnung für ein Bekenntnis religiösen oder politischen Inhalts und für eine wissenschaftliche Denkweise. Im *frühen Christentum* bezeichnete der Begriff seit dem 2. Jh. eine von den Normen der Orthodoxie abweichende theologische Auffassung. Im *Mittelalter* war er identisch mit dem Begriff der Ketzerei (→Ketzer).

Das *kath. Kirchenrecht* definiert Häresie als ein Glaubensdelikt, nämlich das Leugnen oder Bezweifeln des kirchlichen Dogmas (nicht des christlichen Glaubens). Im *protestantischen Verständnis* gilt als Häresie, was die Botschaft des Evangeliums entscheidend verkürzt oder entstellt.

Häretiker, Anhänger einer →Häresie, →Ketzer.

Hari [Sanskrit »der Gelbbraune«], Beiname des hinduistischen Gottes Vishnu bzw. Krishna.

Harihara, Haryardha-Shiva [-ʃiva; Sanskrit »Halb-Vishnu-Shiva«], hinduistisches Götterbild, das die Vereinigung der beiden Hauptgottheiten Vishnu (Hari) und Shiva (Hara) in einer Gestalt darstellt. Meist zeigt dabei die rechte Bildhälfte die typischen Attribute und Züge einer Shivafigur, die linke diejenigen einer Vishnudarstellung.

Hariti [Sanskrit »die (Kinder) Stehlende«], volkstümliche indische Göttin wahrscheinlich ursprünglich dämonischer Natur (Pockengöttin), die als Fruchtbarkeits- und Muttergöttin besonders in Nordindien in den Buddhismus integriert wurde. Skulpturen der Gandharakunst (1. bis 5. Jh.) und aus Ajanta (5. bis 7. Jh.) zeigen sie von Kindern umgeben. Häufig wird Hariti auch zusammen mit ihrem männlichen Partner Pancika dargestellt, wobei beide gleichberechtigt nebeneinander thronen.

Harivamsha [-ʃa; Sanskrit »Geschlecht des Hari«, d. h. des als Krishna Mensch gewordenen Vishnu], altindisches Epos in 16 374 Doppelversen. Es wird als Anhang zum →Mahabharata überliefert, gehört aber sachlich zu den →Puranas. Der Inhalt ist eine legendenhafte Lebensgeschichte Krishnas.

Harmachis, eine der Erscheinungsformen des ägyptischen Sonnengottes →Horus.

Harmagedon [griechisch, wohl aus hebräisch har-Magiddô »Berg von Megiddo«], **Armageddon,** nach Apk. 16, 16 der Ort, an dem sich die gottfeindlichen Mächte (die »Könige der ganzen Welt«, zusammengeführt durch drei »unreine« Geister) zum endzeitlichen letzten großen Kampf versammeln. Die biblische Aussage spielt eine große Rolle bei den Zeugen Jehovas, die in der »**Schlacht von Harmagedon**« die Vernichtung alles Schlechten (»dieses Systems der Dinge«) erwarten. – Im englischen Sprachgebrauch wird der Begriff (Armageddon) auch für politische Katastrophen verwendet.

Harnack, Adolf von (seit 1914), deutscher ev. Theologe, * Dorpat 7. 5. 1851, † Heidelberg 10. 6. 1930; wurde 1876 Professor in Leipzig, 1879 in Gießen, 1886 in Marburg und 1888 in Berlin. Er war Mitglied der Preußischen Akademie der Wissenschaften. Von 1911 bis zu seinem Tod war er Präsident der »Kaiser-Wilhelm-Gesellschaft zur Förderung der Wissenschaften« (1948 in die Max-Planck-Gesellschaft umgewandelt), die mit auf seine Initiative gegründet worden war.

Harnack war vom Beginn seines Wirkens an bemüht, die Einheit von Christentum und Bildung und das »Evangelium als die alleinige Grundlage aller sittlichen Kultur« zu erweisen. Immer offen gegenüber den Fragen seiner Gegenwart, verhielt er sich dem bürgerlichen Liberalismus des 19. Jh. gegenüber betont kritisch und stellte sich der sozialen Problematik der Zeit. So war er u. a. Mitgründer des Evangelisch-sozialen Kongresses (1890).

Mit seinen Vorträgen, u. a. über »Das Wesen des Christentums« (1900), sprach er eine größere Öffentlichkeit an und löste z. T. erbitterte Auseinandersetzungen aus. Theologiegeschichtlich bedeutsam und nach wie vor ein theologisches Standardwerk ist sein »Lehrbuch der Dogmengeschichte« (1886–90).

Harpokrates, eine Form, in der der ägyptische Gott →Horus verehrt wurde.

Hasan, der fünfte Kalif (661), * Medina 625, † ebenda 669, ältester Sohn des Kalifen Ali Ibn Abi Talib und der Fatima, der Tochter Mohammeds. Er wurde nach der Ermordung seines Vaters am 24. 1. 661 im Irak zum Kalifen ausgerufen, verzichtete aber gegen eine hohe Abfindungssumme nach sechs Monaten zugunsten des Omaijaden Moawija I. Für die Schiiten ist Hasan der zweite →Imam, sein Nachfolger und damit dritter Imam wurde sein Bruder Husain.

Hasenhüttl, Gotthold Nathan Ambrosius, kath. Theologe, * Graz (Österreich) 2. 12. 1933, studierte 1953–62 an der Pontifica Universitas Gregoriana in Rom. Priesterweihe 1959. Lehrte 1974–2002 Systematische Theologie in Saarbrücken. 2001 erschien sein Lebenswerk »Glaube ohne Mythos«. Hasenhüttl vertritt eine »kritische Dogmatik« sowie eine Theologie der Beziehung, die sich an dem Satz »Gott ist die Liebe« (1. Joh. 4, 16 b) orientiert. Im Rahmen des Ökumenischen Kirchentages 2003 hat er eine kath. Messe gefeiert, bei der er auch Protestanten zum Empfang der heiligen Kommunion einlud. Da dies aus Perspektive der kath. Kirchenleitung unerlaubt ist, wurde Hasenhüttl vom Priesteramt suspendiert, wogegen er in Rom Revision eingelegt hat.

Haskala [hebr. »Aufklärung«], Bezeichnung für die jüdischen Emanzipationsbestrebungen der jüdischen Aufklärer (Maskilim) in West- und Mitteleuropa (18. Jh.) sowie in Osteuropa (um die Wende vom 18. zum 19. Jh.), die durch die europäische Aufklärung inspiriert waren. Grundlegend für die Bewegung waren der neue Religionsbegriff der Aufklärung (Vernunftreligion) und das Ideal einer neuen Humanität, wie es in Deutschland v. a. von Gotthold Ephraim Lessing und Moses Mendelssohn, der als »Vater der Haskala« gilt, vertreten wurde. Hauptanliegen war die Hinwendung zur nicht jüdischen Umwelt und Wissenschaft und, damit verbunden, der Auszug aus dem – materiellen und geistigen – Getto. In West- und Mitteleuropa führte die Haskala im 19. Jh. zur Assimilierung v. a. des jüdischen Bürgertums, in Osteuropa scheiterte sie weitgehend am Widerstand orth.-jüdischer Kreise. Pogrome, nationalreligiöse und sozialistische Bestrebungen führten hier zum →Zionismus. Die Haskala war die Grundlage der zu Beginn des 19. Jh. in Deutschland entstehenden Wissenschaft des Judentums und des →Reformjudentums.

Hasmonäer, in der außerbiblischen Literatur Bezeichnung für die →Makkabäer.

Hatha-Yoga, *Hinduismus:* auf Körperübungen (Asanas) in Verbindung mit Atemübungen (Pranayama) aufbauende »körperliche« Form des →Yoga, mit dem er im Abendland fälschlicherweise meist gleichgesetzt wird. Hatha-Yoga soll der Gesundheit dienen und die →Kundalini zu höheren Bewusstseinsebenen aufsteigen lassen.

Hathor [ägypt. »Haus des Horus«], griechisch **Athyr,** ägyptische Himmelsgöttin mit ausgeprägten mütterlichen Zügen. Sie wurde als »Auge« des Sonnengottes vorgestellt, galt aber auch als Verderben bringend. Hathor wurde ebenfalls als Liebesgöttin, der griechischen Aphrodite entsprechend, und v. a. in Theben als Totengöttin verehrt.

Hattusa, Ḫattuša [-ʃ-], **Ḫattuscha, Chattusa** [-x-], seit etwa 1570 v. Chr. die Hauptstadt des Hethiterreiches, rund 200 km östlich des heutigen Ankara gelegen. Hattusa erlebte 1500–1200 v. Chr. eine Blütezeit. Sie bestand aus der Unterstadt mit der Königsburg und der Oberstadt. In der Unterstadt befand sich u. a. der »Große Tempel« von Hattusa, ein auf einer künstlichen Terrasse errichteter Doppeltempel des Wettergottes und der Sonnengöttin. Das in der Oberstadt gelegene Tempelviertel beherbergte 30 rechteckige Kultbauten aus der Spätzeit.

Hauchseele, Bezeichnung für die im Altertum und bei vielen Naturvölkern verbreitete Vorstellung, dass der Atem oder Hauch Träger der Seele sei, der den Menschen auch verlassen und eine magische, heilende oder schädigende Wirkung haben kann. So heißt das lateinische »spiritus« sowohl Hauch oder Atem als auch Seele. Das A. T. versteht unter der Hauchseele (hebräisch ruach) nach 1. Mos. 2,7 den von Gott gespendeten »Lebensodem«.

Hauptsünde, seit dem Mittelalter Bezeichnung für den aus wiederholten Einzelsünden entstandenen sündhaften Hang. Die Moraltheologie kennt sieben Hauptsünden: Stolz, Habsucht, Neid, Zorn, Unkeuschheit, Unmäßigkeit, geistliche Trägheit (Acedia); im Mittelalter theologisch als →Todsünde fixiert.

Hayagriva [Sanskrit], pferdeköpfige Verkörperung des hinduistischen Gottes Vishnu. Einem Traditionsstrang zufolge vernichtete dieser einen Dämon gleichen Namens, nach einem anderen holte er die von den Dämonen gestohlenen heiligen Schriften der Hindus, die Veden, zurück. Nach hinduistischer Auffassung steht Hayagriva für Wissen und Weisheit. Seine Gestalt wurde auch in andere indische Religionen übernommen: Im Jainismus ist Hayagriva ein Feind der Götter, im Mahayana-Buddhismus als **Vidyaraja Hayagriva** ein furchterregender Geist mit magischen Kräften, der als Erfüller von Wünschen oder als Beistand bei Verwünschungen angerufen wird. Als solcher wurde er mit grimmigen menschlichen Köpfen und mit Pferdekopf dargestellt.

Hebräer, griechisch **Hebraioi,** lateinisch **Hebraei,** hebräisch **Ivrim** (Plural **Ivriyyim**), biblische Bezeichnung für die Angehörigen des Volkes Israel (Israeliten; u. a. 1. Mos. 40,15, 1. Sam. 4,6), im N.T. Bezeichnung für die Aramäisch sprechenden Juden in Palästina (Apg. 6, 1).

Hebräerbrief, in Briefform gekleidete, vor 95 n. Chr. entstandene Schrift des Neuen Testaments. Verfasser sowie Adressat sind unbekannt. Der Brief wurde jedoch im 2. Jh. fälsch-

Hathor.
Die ägyptische Göttin Hathor stand in engem Zusammenhang mit dem Himmels- und Königsgott Horus, weshalb auch sie als Himmelsgöttin erscheint. Hier ist sie zusammen mit König Sethos I. (1312–1298 v. Chr.) abgebildet. Charakteristisch sind das Kuhgehörn und die Sonnenscheibe.

Hasmonäer
→ **GEO Dossier**
Das heilige Herz des Zorns, Bd. 16

lich Paulus zugeschrieben. Wahrscheinlich handelt es sich beim Hebräerbrief um eine niedergeschriebene Predigt (»Mahnrede«). Eine christliche Gemeinde (oder Gruppe) wird bestärkt, am Glauben festzuhalten, wobei das A. T. auf Christus bezogen ausgelegt wird, der als der wahre Hohepriester und Mittler des neuen Bundes bezeichnet wird (Hebr. 9,15). Die nicht vom Verfasser stammende Überschrift »An die Hebräer« ist bereits in der zweiten Hälfte des 2. Jh. bezeugt und beruht auf dem Irrtum, dass der Hebräerbrief eine an Juden gerichtete Missionspredigt sei.

hebräische Bibel, das hl. Buch des Judentums, die im christlichen Sprachgebrauch »Altes Testament« genannt wird. Die abschließenden Textfassungen der biblischen Schriften (zunächst der Thora) entstanden seit etwa 400 v. Chr. Der Kanon der hebräischen Bibel wurde nach 70 n. Chr. festgelegt. (→Bibel)

Hechalot [hebr. »Vorhallen«], Sammlung spätantiker esoterisch-spekulativer Texte, in denen erstmalig mystisches Denken im Judentum zu belegen ist. Der Begriff Hechalot bezeichnet die sieben himmlischen Vorhallen, die der Mystiker auf dem Weg zum Thron Gottes (vgl. Ez. 1,10) durchschreitet. Wahrscheinlich in talmudischer Zeit in Palästina entstanden, durchliefen die Texte im Verlauf ihrer Überlieferung verschiedene Redaktionen, sodass eine exakte Datierung und Benennung ihrer Tradenten und Adressaten schwierig sind. In der Hechalotliteratur finden sich ausführliche Anweisungen für den gefahrvollen Aufstieg des Mystikers zum göttlichen Thronsaal, wo er an der himmlischen Liturgie teilnehmen kann. Ein Teil der in diesem Zusammenhang überlieferten hymnischen Traditionen fand Eingang in die synagogale Liturgie.

Hedjra [-dʒ-], →Hidjra.

Hegel, Georg Wilhelm Friedrich, deutscher Philosoph, * Stuttgart 27. 8. 1770, † Berlin 14. 11. 1831; wurde im Sinne einer humanistischen Aufklärung erzogen und trat 1788 ins Tübinger Stift ein, wo er das Studium der Philosophie und Theologie 1790 bzw. 1793 abschloss. Mit Friedrich Wilhelm von Schelling und dem Dichter Friedrich Hölderlin verband ihn eine enge Freundschaft. Ab 1801 lehrte er in Jena, seit 1805 außerordentlicher Professor, und gab hier (1802/03) zusammen mit Schelling das »Kritische Journal der Philosophie« heraus. Ab 1816 lehrte er an der Universität in Heidelberg, wo er in die Redaktion der »Heidelberger Jahrbücher« eintrat. 1817 wurde er Nachfolger Johann Gottlieb Fichtes (* 1762, † 1814) an der Universität Berlin. Hier entfaltete Hegel seine größte Wirksamkeit.

Hegel veröffentlichte Schriften erst ab 1801. Die vorherigen Entwürfe sind nur handschriftlich erhalten. Für die Theologie bedeutsam wurden die »Phänomenologie des Geistes« (1807), die »Wissenschaft der Logik« (1812–16), die »Encyklopädie der Wissenschaften« (1817) und die »Grundlinien der Philosophie des Rechts« (1820). In ihnen versuchte er – im Sinne des »Deutschen Idealismus« – die gesamte Wirklichkeit als Entfaltung Gottes in die Welt und den Menschen hinein und wieder zurück aufzuzeigen. In diesen drei dialektischen Schritten, die er auch mit den trinitarischen Namen Vater, Sohn und Geist charakterisiert, will er Religion und Philosophie, Offenbarungs- und Volksreligion, Freiheit und Notwendigkeit miteinander versöhnen.

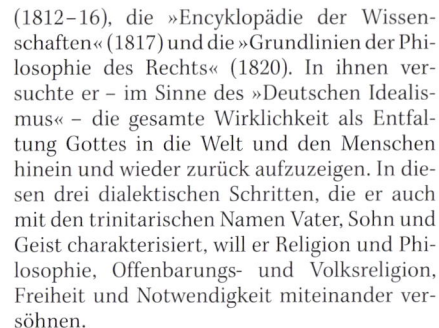

Heidegger, Martin, deutscher Philosoph, * Meßkirch 26. 9. 1889, † Freiburg im Breisgau 26. 5. 1976; studierte 1909–11 kath. Theologie, 1911–13 Philosophie, Geschichte und Mathematik in Freiburg, war 1916–23 Privatdozent in Freiburg und wurde 1923 ordentlicher Professor der Philosophie in Marburg. 1928 wurde er Professor in Freiburg und 1933/34 Rektor der Universität. Heidegger erhielt 1946–49 Lehrverbot durch die französische Besatzungsmacht wegen seines Engagements für die nationalsozialistische Bewegung.

In seinem Hauptwerk »Sein und Zeit« (1927) geht es um die »Seinsfrage«. Im Rückblick gliedert Heidegger seinen Denkweg in drei Phasen: 1. Phase (etwa 1922–33): Frage nach dem »Sinn von Sein«, die an den »Entwurf« bzw. das »Seinsverständnis« des (menschlichen) Daseins gebunden bleibt. Als Sinn von Sein wird die Zeit herausgestellt. 2. Phase (etwa 1934–46): Frage nach der »Wahrheit des Seins«, womit die Wahrheit als geschichtliches Geschehen gefasst wird. 3. Phase (ab 1947): Frage nach der »Ortschaft des Seins« und dessen Herkunft aus dem »Ereignis«. Das Seinsdenken wird jetzt explizit zur »Topologie des Seins«.

Der Mensch als »Dasein« ist bestimmt von der »Sorge« um das eigene »Seinkönnen«, das vom »Bevorstand des Todes« (»Sein zum Tode«) geprägt ist. In der Freilegung der Seinsweisen seiner Existenz (»Existentialien«) »entwirft« sich der Mensch selbst in Bemühung um seine »Eigentlichkeit«, in der er sich um seine »Verfallenheit« an das »Man« löst.

Heideggers Philosophie wurde in der protestantischen Theologie v. a. bei Rudolf Bultmann für die existenziale Interpretation des N. T. bestimmend. In der kath. Theologie spricht man von einer »thomistischen (nach Thomas von Aquino) Heideggerschule«, deren wichtigster Vertreter Karl Rahner war.

Heidelberger Katechismus, neben Martin Luthers »Kleinem Katechismus« der bedeutendste deutsche ev. →Katechismus des 16. Jahrhunderts. Er wurde 1563 auf Veranlassung Friedrichs III. von der Pfalz von den reformierten Theologen Zacharias Ursinus und Caspar Olevianus verfasst und enthält die Grundzüge der reformatorischen Lehre unter

Georg Wilhelm Friedrich Hegel

Abgrenzung von der römisch-kath. Theologie und von der lutherischen Christologie und Abendmahlslehre. Im Unterschied zu Luthers Katechismus verbindet der Heidelberger Katechismus die alten Hauptstücke systematisch und ist in drei Teile mit 129 Fragen gegliedert: von des Menschen Elend, Erlösung und Dankbarkeit. Auf der Dordrechter Synode (1618/19) als Bekenntnisschrift allgemein anerkannt, fand der Heidelberger Katechismus weiteste Verbreitung in den reformierten Kirchen.

Heiden, Begriff, der im christlichen Sprachgebrauch ursprünglich alle Menschen bezeichnete, die nicht die Taufe empfangen hatten und somit außerhalb der Kirche standen. Seit Beginn der Neuzeit ist er nur noch für Bekenner nicht monotheistischer Religionen gebräuchlich, wird also nicht auf Juden und Muslime angewandt. Heute ist er fast durchgängig durch den Begriff »Nichtchristen« ersetzt.

Heidenchristen, im 1. Jh. Bezeichnung für die Christen nicht jüdischer Herkunft, im Gegensatz zu den →Judenchristen. Das Apostelkonzil (Apg. 15, 1–29) klärte ihre Stellung zur judenchristlichen Jerusalemer Urgemeinde und verzichtete bis auf ein Minimum an rituellen Forderungen darauf, sie vor ihrer Aufnahme in die christliche Gemeinde auf das jüdische Gesetz zu verpflichten. Die heidenchristlichen Gemeindebildungen des 1. Jh. gehen v. a. auf die Missionstätigkeit des Paulus und seiner Schüler zurück.

Heil [althochd. »Glück«], Bezeichnung für die Daseinsweise und/oder für die über die Grenzen des menschlichen Lebens hinausweisende Dimension, die den Menschen individuell oder kollektiv durch die Religionen zugesagt und mit exklusivem Anspruch vermittelt wird. Dazu gehören z. B. Befreiung von der Macht der Sünde, ein Bund mit Gott, ein endzeitliches Gottesreich, religiöse Erkenntnis, Erlösung, Glück, Gnade, Nirvana und Unsterblichkeit. Der Gegenbegriff ist Unheil. Zur Erlangung des Heils können Heilsmittel wie etwa Gebet, Sakramente oder gute Werke sowie das Beschreiten eines Heilsweges (z. B. im Buddhismus) dienen. Heil wird aber auch als eine göttliche Gnadengabe angesehen, die den Menschen durch einen →Heilbringer, Erlöser (→Heiland) oder einen →Messias vermittelt wird.

Heiland [altsächs. hēliand, althochd. heilant, zu heilan »heilen«, »erlösen«], im Christentum Bezeichnung Jesu Christi als der Erlöser. Das Wort entspricht dem griechischen Begriff Soter im N. T., der lateinisch mit Salvator wiedergegeben wird. (→Messias)

Heilbringer, Begriff, der meist mit dem des Kulturbringers (→Kulturheros) gleichgesetzt wird. Der Heilbringer tritt in vielen Mythen als urzeitlicher Bote des Hochgottes auf, um den Menschen Nahrung, ethische und rechtliche Normen sowie kulturelle Errungenschaften (z. B. das Feuer) zu vermitteln.

Heiler, heute häufiger verwendeter Begriff für →Medizinmann.

heilig [zu neuhochd. heil oder zu einem (nicht belegten) germanischen Wort haila »Zauber«, »günstiges Vorzeichen«, »Glück«], Bezeichnung dessen, was einer Gottheit angehört und/oder ihrem Dienst geweiht ist (z. B. heilige Stätten und Schriften) und durch diese Beziehung auch Ausdruck der in der Gottheit selbst repräsentierten Heiligkeit ist.

■ **Religionswissenschaft** Seit ihren Anfängen lassen sich in der Religionswissenschaft bei der Behandlung der Begriffe »heilig« und »das Heilige« zwei Hauptströmungen verfolgen: Der ev. Theologe Rudolf Otto (* 1869, † 1937) beschrieb »das Heilige« als den unableitbaren Grund allen religiösen Erlebens, womit der Begriff zum Hauptgegenstand der an ihn anknüpfenden Religionswissenschaft wurde. Besonders die deutsche Religionsphänomenologie hat die Kategorie des »Heiligen«, die nicht im strengen Sinne definierbar sein soll, aufgegriffen und die »erlebnishafte Begegnung des Menschen mit heiliger Wirklichkeit« (Gustav Mensching, * 1901, † 1978) zur Definition von Religion erhoben. In Weiterführung der romantischen Offenbarungstheologie des 19. Jh. und im Rückgriff auf Rudolf Otto hat v. a. der rumänische Religionswissenschaftler Mircea Eliade (* 1907, † 1986) in einer Vielzahl von Publikationen die Grundauffassung von der kontinuierlichen Offenbarung des Heiligen, der so genannten Hierophanie, vertreten. Geschichte ist für Eliade eine »Minderung« oder ein »Absturz« des Heiligen, den es rückgängig zu machen gilt.

Die andere Richtung, eine empirisch-historisch orientierte Religionswissenschaft, geht von der Beobachtung aus, dass Kulturen unterschiedliche Dinge oder Sachverhalte zu unterschiedlichen Zeiten und Gelegenheiten als »heilig« einordnen. Der französische Soziologe Émile Durkheim (* 1858, † 1917) hatte eine Unterscheidung von heilig und profan zur Grundstruktur der Religion erklärt und die Religionssoziologie darauf aufgebaut.

■ **Christliche Theologie** Das christliche Verständnis von heilig knüpft an das des A. T. an: Wie dort Gott, der Ort, an dem er erscheint, die Menschen, die ihm dienen, oder das Volk Israel heilig sind, so werden auch im N. T. Gott, Christus und die Gemeinde Jesu Christi als »heilig« oder »die Heiligen« beschrieben. Die Heiligkeit Gottes ist nach biblischem Verständnis nicht eine Eigenschaft neben anderen, sondern macht sein Wesen aus (z. B. Jes. 43, 3; Apk. 3, 7). Gleichzeitig hat die Theologie die ethische Vollkommenheit in die Heiligkeit beim Gottesbegriff und beim Gottesvolk einbezogen, wie es schon im A. T. vorgebildet ist.

heilig. Aus Ehrfurcht vor der Heiligkeit Gottes wird er oft nur in Form eines Symbols abgebildet. Neben dem Auge ist besonders die Hand, die für den handelnden bzw. schöpferischen Gott steht, verbreitet (»Die Hand Gottes«, Mosaik im Narthex von San Marco in Venedig, 13. Jh.).

H | Heilige

Heilige (Auswahl)

Heilige/Heiliger	Charakterisierung	Lebensdaten	Attribute in der Kunst	Tag
Agnes	Märtyrerin	† 258/259	Lamm, Flammen, Schwert	21. 1.
Andreas	Apostel		Schrägbalkenkreuz	30. 11.
Ansgar	»Apostel des Nordens«	* 803, † 865	Stab, Kirchenmodell	3. 2.
Antonius der Große	Eremit, Wüstenvater	* 251/252, † 356	Schwein, Glocke, Stab mit T-förmigem Kreuz	17. 1.
Barbara	Märtyrerin	† 306	dreifenstriger Turm, Kelch, Schwert	4. 12.
Bartholomäus	Apostel		Messer	24. 8.
Benedikt von Nursia	Gründer des Benediktinerordens	* um 480, † 547	Abtstab, zerbrochener Giftbecher	11. 7.
Birgitta	schwedische Nationalheilige	* um 1303, † 1373	Stab, Buch, Schreibzeug, Herz mit Kreuz	8. 10.
Bonifatius	»Apostel der Deutschen«	* 672/673, † 754	Evangelienbuch, Pontifikalkleidung	5. 6.
Cäcilia	Märtyrerin	† angeblich 230	Blumenkranz, Musikinstrumente	22. 11.
Christophorus	Märtyrer, »Christusträger«		Schwert, Lanze, Schild	24. 7.
Columban der Jüngere	Missionar in England, Frankreich und bei den Alemannen	* um 530, † 615		23. 11.
Dionysius	Bischof von Paris, französischer Nationalheiliger, Märtyrer	3. Jh.	Kopf in der Hand	9. 10.
Dorothea	frühchristliche Märtyrerin	† um 304	Blumen, Früchte	6. 2.
Drei Könige (Caspar, Melchior und Balthasar)	Magier oder Weise (Mt. 2, 1–12)		Gold, Myhrre, Weihrauch	6. 1.
Elisabeth von Thüringen	mildtätige Landgräfin	* 1207, † 1231	Krone, Kanne, Fische, Rosen, Brot	19. 11.
Emmeram	Bischof von Regensburg, Märtyrer			22. 9.
Franz von Assisi	Bußprediger, Gründer des Franziskanerordens	* 1181/1182, † 1226	Buch, Kreuz	4. 10.
Gabriel	Erzengel		Boten- oder Kreuzstab, Palmzweig, Lilienzweig	29. 9.
Georg	Märtyrer, Drachenkämpfer	soll im 4. Jh. gelebt haben	Drache, Palmzweig	23. 4.
Helena	Mutter Konstantins I., sie soll das Kreuz Christi in Jerusalem aufgefunden haben	* um 250, † 329	Kreuz, Kirchenmodell	18. 8.
Hubertus	»Apostel der Ardennen«	* um 655, † 727	Jagdhorn, Buch, Bischofsstab, Hirsch mit Kreuz	3. 11.
Jakobus der Ältere	Apostel	44 n. Chr.	Pilgerstab	25. 7.
Jakobus der Jüngere	Apostel		Walkerstange	3. 5.
Johanna von Orléans	französische Nationalheilige	* zwischen 1410 und 1412, † 1431		30. 5.
Johannes	Evangelist		Schriftrolle, Buch, Ölfass, Kelch mit Schlange	27. 12.
Johannes der Täufer	Täufer und Prophet	um 28 n. Chr.	Kreuzstab, Schwert, Lamm, Buch	24. 6.
Johannes von Nepomuk	Beichtvater der böhmischen Königin, Märtyrer	* um 1350, † 1393	Kruzifix, Märtyrerpalme, 5 Sterne, Zunge	16. 5.
Joseph	Ziehvater Jesu		Wanderstab, Säge, Lilie, blühender Stab	19. 3.
Katharina von Alexandrien	frühchristliche Märtyrerin	† Anfang des 4. Jh.	Rad, Palme, Buch, Schwert	25. 11.
Kilian	irischer Wanderbischof, Stadtheiliger von Würzburg	† um 689		8. 7.
Klara von Assisi	Gründerin des Klarissenordens	* 1194, † 1253		11. 8.
Kunigunde	mit ihrem Mann Heinrich II. Stadtheilige von Bamberg	† 1033 (1039?)	Krone, Zepter, Reichsapfel, Handkreuz, Pflugschar, Kirchenmodell	3. 3.
Lukas	Evangelist		Arztgeräte, Malutensilien	18. 10.
Margareta von Antiochia	frühchristliche Märtyrerin	3. Jh.	Drache	20. 7.
Maria Magdalena	Jüngerin Jesu		Salbgefäß	22. 7.
Markus	Evangelist		Löwe	25. 4.
Martin von Tours	fränkischer Nationalheiliger, der seinen Mantel mit einem Bettler teilte	* 316/317, † 397	Bischofsstab, Buch, Kirchenmodell, Mantel, Gans	11. 11.

Heilige (Auswahl; Fortsetzung)

Heilige/Heiliger	Charakterisierung	Lebensdaten	Attribute in der Kunst	Tag
Matthäus	Apostel		Schwert, Hellebarde, Hellebarde, Winkelmaß, Zählbrett, Waage	21. 9.
Matthias	Apostel		Beil	24. 2.
Michael	Erzengel		geflügelt, Weltkugel, Wächterstab, Schwert, Lanze	29. 9.
Nikolaus von Myra	Bischof von Myra	* um 270, † um 342	3 Goldkugeln, Stab, Mitra	6. 12.
Norbert von Xanten	Bußprediger, Gründer des Prämonstratenserordens	* 1082, † 1134	Bischofs- oder Kreuzstab, Kelch	6. 6.
Patrick	Apostel Irlands	* um 385, † 461	dreiblättriges Kleeblatt	17. 3.
Paulus	Missionar und Verfasser der ältesten Schriften des N. T.	* Anfang des 1. Jh., † 60 oder 62	Rolle, Buch, Schwert,	29. 6.
Philippus	einer der 7 Diakone nach Apg. 6,1–7		Kreuzstab, T-Kreuz	3 5.
Raphael	Erzengel		Stab, Kürbisflasche	29. 9.
Scholastika	Schwester des Benedikt von Nursia, Ordensgründerin	* um 480, † um 547	Taube, Wimpel, Abtsstab und Regelbuch	10. 2.
Sebastian	römischer Märtyrer	im 3. oder 4. Jh.	Pfeile, Märtyrerkrone	20. 1.
Silvester	Papst, der Konstantin den Großen getauft haben soll	† 335	Muschel	31. 12.
Stephanus	einer der 7 Diakone nach Apg. 6,1–7, Märtyrer		Palme, Buch, Stein	26. 12.
Thomas	Apostel		Buch, Schriftrolle, Lanze, Winkelmaß	3. 7.
Thomas Becket	Erzbischof von Canterbury, Märtyrer	* 1118, † 1170	Kirchenmodell, Palmzweig, Buch, Schwert	29. 12.
Ulrich	Stadtheiliger von Augsburg	* 890, † 973	Buch, Bischofsstab, Fisch	4. 7.
Veronika	Jüngerin Jesu, die ihm ihr Schweißtuch gereicht haben soll			4. 2.
Viktor	Stadtheiliger von Xanten	um 300	Schild, Lanze	10. 10.
Willibald	Stadtheiliger von Eichstätt	* um 700, † 787	Bischofsstab, Mitra	7. 7.
Wolfgang	Stadtheiliger von Regensburg	* um 924, † 994	Stab, Buch, Beil	31. 10.

Bei Anwendung des Prädikats heilig auf die einzelnen Christen führte diese Ethisierung bald zu einer Verengung. Während die an Jesus Christus Glaubenden im N. T. noch vielfach schlechthin »die Heiligen« heißen, weil sie Gott durch die Taufe und das rechte Bekenntnis angehören, wurde die Bezeichnung heilig bald auf diejenigen Christen eingeschränkt, die ihren Glauben in einer ganz besonderen (vorbildlichen) Weise lebten. Da sie in vielen Fällen schon bald nach ihrem Tod in den christlichen Gemeinden verehrt wurden (erstmals im 2. Jh. die christlichen Märtyrer), wurde die Auffassung von der persönlichen Heiligkeit zur Wurzel der christlichen →Heiligenverehrung. Heiligkeit ist auch eines der Kennzeichen der Kirche.

Heilige, Menschen, die in besonderer Weise Vorbilder, Lehrer, Bekenner oder Märtyrer des Glaubens sind. Der *Islam* kennt entsprechend die »Freunde Gottes« (Wali Allah), der *Buddhismus* die »Erleuchteten« (Buddhas). Im N. T. werden die Mitglieder der Gemeinde Jesu Christi »Heilige« (z. B. 1. Kor. 1, 2; Kol. 3, 12) genannt, im *frühen Christentum* die Märtyrer. Seit dem 10. Jh. gelten in der *kath. Kirche* als Heilige die Zeugen des Glaubens, die nach ihrem Tod sowie abgeschlossenem Heiligsprechungsprozess und päpstlicher Bestätigung (→Heiligsprechung) in der Gesamtkirche als Fürbitter bei Gott amtlich verehrt werden (→Heiligenverehrung). In den *Ostkirchen* sind Heilige die verstorbenen (»vor dem Thron Gottes stehenden«) und in ihren Ikonen im Gottesdienst wirkmächtigen Zeugen des Glaubens. Dazu zählen die Märtyrer, die großen Kirchenväter und Asketen. Die *lutherischen Kirchen* sehen in den Heiligen im Anschluss an Martin Luther Vorbilder des Glaubens zur Stärkung des eigenen Glaubens, die jedoch nicht auf besondere Weise verehrt werden. Die *reformierten Kirchen* lehnen jegliche Heiligenverehrung ab.

Die christliche Verehrung der Heiligen hat eine religionshistorische Parallele im →Heroenkult.

Heilige der letzten Tage, die →Mormonen.

Heilige Drei Könige, *Christentum:* →Drei Könige.

Heilige Famili|e, die häusliche Gemeinschaft des Kindes und Jünglings Jesus mit Maria und Joseph. In der kath. Kirche wird sie seit dem 17. Jh. als Vorbild der christlichen Familie verehrt, u. a. durch das 1921 allgemein vorgeschriebene **Fest der Heiligen Familie** am Sonntag nach Epiphanie.

heilige Hochzeit, deutsche Bezeichnung für →Hieros Gamos.

H | Heilige Kriege

Heilige Kriege
→ GEO **Dossier**
Das heilige Herz des Zorns, Bd. 16

Heilige Kriege, Kriege, die wegen einer religiösen Idee, einer vermeintlich göttlichen Verpflichtung oder zur Verteidigung »heiliger« Bereiche geführt werden. Sie kommen in der Geschichte in vielerlei Formen vor. Oft dienten religiöse Gründe auch als Vorwand für Gebietsansprüche oder wirtschaftliche Interessen. In den Universalreligionen haben nur die prophetischen Religionen Heilige Kriege geführt (z. B. →Kreuzzüge, Religionskriege des 16./17. Jh.), nicht aber die mystischen. Im Islam gehört der Heilige Krieg zu den im Koran gebotenen Pflichten (→Djihad).

Heilige Nacht, die Nacht der Auferstehung Jesu Christi (→Ostern), im heutigen Sprachgebrauch allerdings vorwiegend die Nacht seiner Geburt (→Weihnachten). Seit dem 5. Jh. wird die Heilige Nacht mit Vigilmessen, d. h. Messfeiern am Vorabend des eigentlichen Festtags, begangen.

Heiligenverehrung, im weiteren Sinn die in vielen Religionen verbreitete Verehrung geschichtlicher oder mythischer Persönlichkeiten, die als Heilige, Heiland, Heilbringer oder Heros gelten. Im engeren und eigentlichen Sinn bezeichnet Heiligenverehrung die Verehrung der Heiligen im Christentum, die besonders in der kath. Kirche praktiziert wird. Erste Ansätze dazu finden sich bereits in der seit dem 2. Jh. bekannten Märtyrerverehrung, die schon bald in der jährlichen Feier des Todestags des betreffenden Märtyrers feste Gestalt als **Heiligenfest** annahm. Die Heiligenverehrung mittels eines **Heiligenbildes** ist theologisch so zu verstehen, dass die Verehrung dem im Bild Dargestellten, nicht aber dem Bild selbst gilt. Allerdings hat diese Form der Verehrung in der Geschichte oftmals Formen eines bloßen »Bilderkultes« angenommen.

Die protestantischen Kirchen kennen keine Heiligenverehrung, erkennen jedoch (v. a. die lutherischen und anglikanischen Kirchen) die Heiligen als Vorbilder des Glaubens an.

Heiligenvita, Heiligenlegende, im weiteren Sinn die Legende um das Leben eines Heiligen, im engeren Sinn die schriftlich fixierte legendarische Vita eines Heiligen sowie das Buch, das Lebensbeschreibungen von Heiligen, meist nach dem Kalender geordnet, enthält. (→Legende)

Heiliger Abend, Heiligabend, der Abend vor →Weihnachten.

Heiliger Geist, griechisch **Hagion pneuma,** lateinisch **Spiritus sanctus,** biblische Bezeichnung des Geistes Gottes. Sie beschreibt im A. T. die Schöpfermacht Gottes (1. Mos. 1, 2), die Leben spendet und den Menschen mit Weisheit und Erkenntnis ausrüstet.

Heilige Kriege   Der Djihad

Das arabische Wort Djihad wird meist ausschließlich mit »Heiliger Krieg« übersetzt, bedeutet aber viel umfassender das »Sichbemühen« um die Sache und Ausbreitung des Islam. Dazu ist die ganze Gemeinde der Gläubigen verpflichtet, aber auch der Einzelne in seinem Einsatz für ein gottgefälliges Leben. Ursprünglich strebte der »Kampf für den Islam« die Oberhoheit des Islam über alle Länder an, doch waren damit nicht in jedem Fall der bewaffnete Kampf gegen Nichtmuslime bzw. deren Zwangsbekehrung gemeint. Nicht einhellig sind die Meinungen darüber, wer das Recht hat, zum Djihad aufzurufen. So war es für Sunniten allein Sache des Kalifen als Nachfolgers Mohammeds, zum allgemeinen Djihad aufzurufen (Mohammed und seine Reiter, persische Miniatur; Paris, Bibliothèque Nationale de France). Liberale Gelehrte glauben daher, dass nach dem Ende des Kalifats niemand mehr berechtigt sei, zum allgemeinen Djihad aufzurufen. Auch durfte ursprünglich ein Krieg zwischen Muslimen niemals als Djihad bezeichnet werden, was in der Praxis bald unterlaufen wurde. Tolerante Gelehrte der Schiiten betonen, dass es allein dem verborgenen zwölften Imam, dem Mahdi, bei seiner Wiederkunft zustehe, zum Djihad aufzurufen.

Im N.T. ist der Heilige Geist der »Geist des Herrn«, der zu einem neuen Leben im Glauben befreit (2. Kor. 3,17), die Kirche begründet (Apg. 2,33), sie leitet und ihr beisteht. Die *christliche Theologie* bezeichnet als Heiligen Geist die (neben dem Vater und dem Sohn) dritte Person der →Trinität.

Systematisch wurde die Lehre vom Heiligen Geist in der Kirche ab dem 2. Jh. unter dem Einfluss der philosophisch-theologischen Erörterungen zum Begriff des Logos entwickelt. Die in diesem Prozess hervorgetretenen theologischen Unterschiede in den Lehrmeinungen der westlichen und der östlichen Kirche bestehen z.T. bis heute (→Filioque). Die Theologie des Mittelalters vernachlässigte die Lehre vom Heiligen Geist, indem sie sie in die Gnadenlehre einbezog. Auch in der reformatorischen Theologie spielt die Lehre vom Heiligen Geist keine herausragende Rolle, da sie sie zu einem Bestandteil ihrer Lehre von Christus und von der Rechtfertigung machte. Diese Vernachlässigung führte im Lauf der Geschichte immer wieder zu spiritualistischen »Gegenbewegungen« (→Schwärmer, →Täufer). Im 19. und 20. Jh. sind die Pfingstbewegung und die charismatische Bewegung stark durch eine »Theologie des Heiligen Geistes« geprägt.

In der *bildenden Kunst* wird der Heilige Geist schon seit dem 4. Jh. in der Gestalt einer Taube dargestellt, immer in Verbindung mit der Darstellung der Trinität.

Heiliger Synod, →Synod.

Heiliger Vater, Ehrentitel und Anrede des Papstes.

Heilige Schrift, zusammenfassende Bezeichnung für die Schriften des A.T. und des N.T., die →Bibel.

heilige Schriften, die Aufzeichnungen und Sammlungen religiöser Texte, die von einer Religionsgemeinschaft anerkannt (kanonisiert) sind. Je nach der Eigenart der betreffenden Religion enthalten sie Mythen, Lehrreden des Religionsstifters, Ritualbestimmungen, ethische Gebote oder Rechtssatzungen. In manchen Religionen gibt es die Vorstellung, dass die heiligen Schriften bereits vor ihrer Offenbarung an die Menschen existiert hätten (Präexistenz). So bestand nach indischem religiösem Denken der →Veda, noch ehe ihn die Seher (Rischi) der Vorzeit erschauten und überlieferten. Ähnliches gilt vom →Koran, den der Erzengel Gabriel dem Propheten Mohammed nach und nach übermittelt haben soll.

Da für nachfolgende Generationen die heiligen Schriften immer schwerer verständlich waren, entstand die neue Literaturgattung der Kommentare, die den Wahrheitsgehalt einer heiligen Schrift den Zeitgenossen nahezubringen suchen. Dabei bringen sie nicht selten neue religiöse Ideen zum Ausdruck. Angesichts neu auftretender ethischer und religiöser Probleme füllten – besonders in den gesetzlich orientierten Religionen – »Traditionen« die in den heiligen Schriften notwendig vorhandenen Lücken. Als Quellen der Offenbarung galten dann sowohl Schrift als auch Tradition, oft mit abgestufter Verbindlichkeit. Bisweilen, v. a. in der Mystik, entstanden auch religiöse Richtungen, die nur die innere subjektive Offenbarung anerkennen, über die heiligen Schriften ihrer überlieferten Religion hinaus. So lehnt etwa der Zen-Buddhismus jede heilige Schrift ab und gründet sich allein auf die eigene religiöse Erfahrung. Die späten Upanishaden lehnen zwar den alten Veda nicht unbedingt ab, betrachten ihn aber doch nur als »niederes Wissen«, dem gegenüber sie die Erkenntnis des Ewigen als »höheres Wissen« lehren.

Zu den heiligen Schriften gehören im *Hinduismus* die →Bhagavadgita, im *Buddhismus* →Suttapitaka und →Tipitaka, im *Parsismus* das →Avesta, im *Sikhismus* das →Adigrantha, im *Judentum* die →hebräische Bibel und der →Talmud, im *Christentum* die →Bibel.

heiliges Jahr, 1) im *Judentum* das →Jobeljahr;

2) in der *kath. Kirche* ein Jahr, das der inneren Erneuerung der Gläubigen dienen soll. Es wird auch als Jubiläums- oder Jubeljahr (italienisch Anno santo) bezeichnet. Seit 1300 wird es in bestimmten Zeitabständen, seit 1475 alle 25 Jahre begangen. Ein heiliges Jahr wird in der Nacht vom 24. auf den 25. Dezember durch den Papst mit dem Öffnen der Heiligen Pforte in der Peterskirche eingeleitet und durch ihre Vermauerung wieder beschlossen.

Heiliges Land, aus dem A.T. (Sach. 2,16) übernommene Bezeichnung für Palästina (→Gelobtes Land).

heilige Stätten, Bezeichnung für alle Bauten, Orte, Städte, Regionen und natürlichen Stätten (z.B. Bäume, Quellen, Höhlen, Berge) mit spezifisch religiöser Bedeutung. Dabei kann es sich z.B. um Wohnorte der Gottheit, Orte der Gottesoffenbarung, geschehener Wunder oder bedeutender Ereignisse im Leben der Religionsstifter handeln. Oft ist (geschichtlich) mit ihnen ein Asylrecht verbunden, häufig auch ein bestimmter Verhaltenskodex, der auf den Vorschriften der kultischen Reinheit oder der gebotenen Ehrfurcht vor der Gottheit beruht. Daraus erklärt sich die Sitte, in Tempeln und Moscheen die Schuhe auszuziehen, in Kirchen die Kopfbedeckung abzunehmen oder in der Synagoge den Kopf zu bedecken oder zu verhüllen. Im christlichen Sprachgebrauch sind heilige Stätten die mit dem Leben Jesu in Verbindung stehenden Orte in Palästina, die Ziel von Wallfahrten sind. – Abb. S. 238

heilige Woche, die →Karwoche.

heilige Zeiten, Zeiten, die vom Alltag durch das Verbot der üblichen Tätigkeit und durch das Gebot besonderer Feste und Feiern,

Heiligenverehrung. In der katholischen Kirche wie in den Ostkirchen gibt es eine ausgeprägte Heiligenverehrung. Sie findet ihren Ausdruck unter anderem in Kultbildern. In den Ostkirchen sind besonders Ikonen verbreitet, die als authentische und gnadenhafte Abbilder der dargestellten Urbilder verehrt, aber nicht angebetet werden dürfen (Ikone »Gottesmutter Wladimirskaja«).

heiliges Jahr
→ **GEO** Dossier
Glaube, Liebe, Hoffnung?, Bd. 15

H Heiligkeit

heilige Stätten. So gut wie alle Religionen kennen heilige Stätten, die oft mit als heilig verehrten Menschen verbunden sind und Pilgerziele darstellen. In Medina ließ der omaijadische Kalif Walid I. (705–715) am Ort des ehemaligen Hauses sowie der Grabstätte Mohammeds und seiner Tochter Fatima die »Große Moschee« errichten; deshalb wurde Medina als »Stadt der Propheten« beziehungsweise »erleuchtete Stadt« eine der heiligen Stätten des Islam.

auch durch bloße Ruhe, Fasten usw., abgegrenzt sind.

Heiligkeit, Wesenseigentümlichkeit der Gottheit, →heilig.

Heiligsprechung, Kanonisation, in der kath. Kirche die in liturgischer Form erfolgende feierliche Erklärung, durch die ein zuvor Seliggesprochener unter die Heiligen aufgenommen wird. Diese Erklärung erfolgt auf der Grundlage eines abgeschlossenen Verfahrens (**Heiligsprechungsprozess**) und ist seit 1234 dem Papst vorbehalten. Nach der Heiligsprechung ist die amtliche Verehrung des betreffenden Heiligen in allen Formen in der ganzen Kirche gestattet. Dagegen ist die Verehrung eines Seligen nur für eine bestimmte Teilkirche oder kirchliche Gemeinschaft und nur in bestimmten Formen zugelassen.

Im **Seligsprechungsprozess** geht es v. a. um die Prüfung der Schriften des Seligzusprechenden und seiner Lebensführung sowie um die Untersuchung der ihm zugeschriebenen Wunder. Zur Heiligsprechung sind in einem neuen Prozess weitere, nach der Seligsprechung auf seine Fürbitte hin geschehene Wunder nachzuweisen.

Heiligtum, Bezeichnung für eine Kultstätte. (→heilige Stätten, →Kultort, →Schrein, →Tempel)

Heiligung, *Christentum:* der Anspruch und das Bestreben, ein Leben als Christ zu führen. Beides ergibt sich für den Glaubenden aus dem neuen Leben, das ihm durch die unverdiente Zuwendung Gottes (→Gnade) geschenkt worden ist. In der pietistisch und charismatisch geprägten Frömmigkeit (→Pfingstbewegung) bedeutet Heiligung die Vervollkommnung des Glaubens durch Bekehrung (»Wiedergeburt« im Heiligen Geist) und die Geistesgaben.

Heilsarmee, Salutisten, englisch **Salvation Army,** ev. Freikirche, hervorgegangen aus der von dem Methodistenpastor William Booth (*1829, †1912) und seiner Frau Catherine (*1829, †1890) im Jahr 1865 gegründeten »Ostlondoner Christlichen Mission«, die 1878 in »Heilsarmee« umbenannt wurde. Nach militärischem Muster organisiert, hatte die Heilsarmee zunächst v. a. wegen ihrer ungewöhnlichen Predigt- und Arbeitsmethoden (u. a. Straßenmusik und -predigt) zahlreiche Gegner. Sie verbindet die evangelistische Tätigkeit mit einer umfassenden Sozialarbeit und sieht sich besonders den so genannten Randgruppen der Gesellschaft verpflichtet: im 19. Jh. den verelendeten Teilen des Industrieproletariats, heute den sozial schwachen Menschen.

■ **Organisation** Weltweit hat die Heilsarmee rund drei Millionen Mitglieder (darunter rund 25 700 Offiziere, d. h. ordinierte Geistliche) und ist in 111 Ländern tätig, organisiert in rund 15 000 Korps (örtlichen Gemeindezentren). Das Internationale Hauptquartier der Heilsarmee befindet sich in London. Sitz der Offiziersschule ist Basel. In Deutschland, wo die Heilsarmee seit 1886 tätig ist, zählt sie rund 2 000 Mitglieder und ist in 48 Korps organisiert. Sitz des Nationalen Hauptquartiers ist Köln. In der Schweiz, die mit Österreich und Ungarn zu einem Territorium zusammengefasst ist, tragen rund 5 000 Mitglieder in 97 Korps die Arbeit der Heilsarmee.

Heilsgeschichte, Begriff der *christlichen Theologie* für das geschichtliche Heilshandeln Gottes am Menschen. Anknüpfend an das Geschichtsverständnis des A. T. und damit im Gegensatz zum mythisch-religiösen Denken beschreibt der Begriff Geschichte nicht als bloße Abfolge von zufälligen oder nur in sich selbst begründeten Ereignissen, sondern als den konkreten örtlichen und zeitlichen Raum, in dem sich Gottes Heilstaten für den Menschen erfahrbar ereignen, und als Prozess, der auf ein von Gott gesetztes Ziel hinläuft. Zu den Heilstaten, die die Heilsgeschichte ausmachen, zählen insbesondere die Schöpfung, der Bund Gottes mit den Menschen, die Kreuzigung und Auferstehung Jesu Christi, seine Wiederkunft und die Aufrichtung des Reiches Gottes.

Heilsweg, das Verhalten, das dem Menschen zur Erlangung des Heils verbindlich vorgeschrieben und durch religiöse Vorschriften geboten ist. Die Religionswissenschaft verwendet den Begriff besonders für die Erlösungswege der Religionen indischer Herkunft.

Heilungsbewegung, zusammenfassende Bezeichnung für Gemeinschaften, die die Genesung von Krankheiten durch außermedizinische (religiöse) Mittel erstreben. Zu diesen können Handauflegung, Gebetsheilung, aber auch die Einsicht in religiöse »Irrtümer« zählen. Als klassische Heilungsbewegung gilt die →Neugeistbewegung; stark durch das Element geistlich-geistigen Heilens geprägt ist →Christian Science, darüber hinaus heute u. a. die auf den Heilpraktikergehilfen Bruno Gröning (*1906, †1959) und seine Lehre vom »göttlichen Heilstrom« zurückgehende **Bruno-Gröning-Freundeskreise** in Deutschland, Westeuropa und den USA sowie verschiedene Angebote des Esoterikmarktes.

Heimdall, Gestalt der altnordischen Götterwelt, die zu den →Asen gehört. In der Edda erscheint Heimdall als strahlender, der Zukunft kundiger Gott und als Wächter der Götter mit dem Wohnsitz Himinbjörg (Himmelsberg), in der Völuspá als Stammvater von Göttern und Menschen und in der »Rigsthula« als Stammvater der Stände und der sozialen Ordnung.

Heinrich VIII., König von England (seit 1509) und Irland (seit 1541), *Greenwich 28. 6. 1491, †Westminster 28. 1. 1547. Obwohl er ein gläubiger Katholik war, trennte Heinrich VIII. England von der römischen Kirche. Der Grund war sein Wunsch, seine Ehe mit Katharina von Aragonien (*1486, †1536) annullieren zu lassen, die ihm keinen männlichen Thronerben geboren hatte. Als Papst Klemens VII. ablehnte, ließ Heinrich die Ehe durch den von ihm ernannten Erzbischof von Canterbury, Thomas Cranmer, 1533 für nichtig erklären. Mithilfe des Parlaments begründete Heinrich die königliche Oberherrschaft über die Kirche von England (1534) und hob die Klöster auf (1538–40).

Heirat, Eheschließung (→Ehe).

Hekate, latinisiert **Hecate**, *griechische Mythologie:* ursprünglich kleinasiatische Göttin, die bei Homer noch nicht erwähnt wird. In der Götterlehre des Hesiod wird sie als allumfassende Göttin beschrieben, deren Machtbereich Erde, Meer und Himmel umfasst. Seit dem 5. Jh. v. Chr. erscheint sie als Herrin von Spuk- und Zaubererscheinungen, die – umgeben von heulenden Hunden – in der Nacht mit einem wilden Heer durch die Lande zieht und die Menschen erschreckt. Sie galt jedoch auch als Torhüterin und Göttin der »Dreiwege«, d. h. der Schnittpunkte von drei Wegen. Häufig wurde sie mit Artemis gleichgesetzt, als Göttin der Frauen und Helferin bei Geburtswehen verehrt sowie mit Persephone als Unterwelts- und Totengöttin in Zusammenhang gebracht.

Hel, in der *(nord)germanischen Mythologie* eine der Totenwohnstätten und Reich der unter der Erde herrschenden gleichnamigen Göttin. Im Gegensatz zur christlichen Hölle galt die Hel nicht als Ort der Strafe. Auch gelangten nicht alle Toten zur Hel: Beispielsweise gelangten die Ertrunkenen zur →Ran, die in der Schlacht Gefallenen zu Odin nach →Walhall, wenngleich sich diese Vorstellungen vermutlich auf die Wikingerzeit beschränken. Eine Hauptquelle für die Vorstellungen über die Hel ist der Abschnitt über Baldr in der Snorra-Edda (→Edda).

Helikon, neugriechisch **Elikon**, Kalkgebirge in Griechenland, das seit Hesiod als Sitz der Musen gefeiert wurde. Im »Tal der Musen« unterhalb des nordöstlichen Gipfels fanden in hellenistischer und römischer Zeit Festspiele statt.

Heliopolis, ägyptisch **Iunu**, im A. T. **On**, altägyptische Stadt, die im Nordosten des heutigen Kairo lag. Heliopolis wurde im Alten Reich (2660–2160 v. Chr.) zum wichtigsten Kultort des Schöpfergottes →Atum und des Sonnengottes →Re. Hier entstand das theologische System der »Götterneunheit«, an deren Spitze der Urgott Atum stand, der das Götterpaar Schu und Tefnut schuf. Diese beiden brachten ihrerseits den Erdgott Geb und die Himmelsgöttin Nut hervor. Deren Kinder sind Osiris und Seth mit ihren schwesterlichen Gemahlinnen Isis und Nephthys.

Die Araber benutzten die Steine des bereits vor der Zeitenwende verfallenen Heliopolis zum Bau von Kairo. Erhalten blieb nur ein Obelisk aus der Zeit des Königs Sesostris I. (1971–1926 v. Chr.).

Helios, *griechische Mythologie:* der Sonnengott. Nach Homer fuhr er am Morgen aus einer Bucht des Okeanos im Osten in einem von feurigen Rossen gezogenen Wagen über den Himmel und wurde nachts im Schlaf über den Okeanos zurückgeführt (nach Mimnermos, um 600 v. Chr.). In unterschiedlichen Versionen des Mythos erscheint die Mondgöttin Selene als seine Gemahlin, Schwester und/oder Tochter. Relativ spät, etwa in den Tragödien des Euripides (*485/484 oder um 480, †406 v. Chr.), wurde er mit Apoll gleichgesetzt. Da Helios bei seinen Fahrten über den Himmel alles sehen und hören konnte, wurde er auch beim Schwur als Zeuge angerufen. Als Lichtgott wurde ihm die Fähigkeit zugeschrieben, Blindheit zu heilen, andererseits konnte er auch Frevler mit Blindheit bestrafen.

Wie alle Gestirne wurde Helios bei den Griechen nur wenig verehrt. Seine Kultstätte in Rhodos entstand wohl unter fremdem Ein-

Heilsarmee. Im Sinne des Epheserbriefes, der empfiehlt, die Waffenrüstung Gottes anzuziehen, den Panzer der Gerechtigkeit, den Schild des Glaubens und die Schuhe der Bereitschaft, für das Evangelium zu kämpfen, anzulegen, gründete William Booth (hier mit Sohn und Enkel) 1865 die Heilsarmee.

Hengemonumente

Helios. Der griechische Sonnengott Helios als »Koloss von Rhodos« (Kupferstich um 1700 nach einer Zeichnung von Fischer von Erlach, die auf den Beschreibungen des Plinius d. Ä. beruht). Helios gehörte die griechische Insel Rhodos, die ihm Zeus dem Mythos nach schenkte.

fluss. In der Spätantike entwickelte sich eine Sonnentheologie, unter orientalischer Einwirkung eine Sonnenreligion. (→Elagabal, →Mithras, →Sol invictus)

Hengemonumente [ˈhendʒ-, engl.], vorgeschichtliche Anlagen, die aus konzentrischen Steinkreisen angelegt sind, deren Steinpfeiler durch aufliegende Decksteine (»hängende Steine«) miteinander verbunden sind. Es handelt sich dabei um jungsteinzeitliche Kultanlagen, die v. a. in England (Avebury, →Stonehenge) vorkommen. Es gilt als gesichert, dass einige Hengemonumente auf astronomische Grunddaten bezogen sind. Außerdem werden Hengemonumente mit Götterriten und dem Totenkult in Verbindung gebracht.

Henoch, Enoch [hebr. Ḥănôk »der Eingeweihte«], biblische Gestalt; einer der Urväter Israels; nach 1. Mos. 4, 17 Sohn des Kain; nach 1. Mos. 5, 18 ff. Sohn des Jared und Vater des Methusalem. Der biblische Bericht in 1. Mos. 5, dem zufolge Henoch in unmittelbarer Verbindung mit Gott stand und im Alter von 365 Jahren, ohne zu sterben, in den Himmel entrückt wurde, bildete im Judentum die Grundlage für eine reiche apokalyptische Literatur **(Henoch-Bücher):** 1) Der *äthiopische Henoch* entstand zwischen 170 und 30 v. Chr. und ist in Bruchstücken auch griechisch erhalten. Das wichtigste Stück sind die aus der Makkabäerzeit stammenden Bilderreden mit Schilderungen des Menschensohnes als Zeugnisse der vorchristlich-jüdischen Messiaserwartung; 2) der *slawische Henoch* (vor 70 n. Chr.), vom äthiopischen Henoch abhängig und christlich beeinflusst, schildert die Himmelsreise des Henoch als Erzählung an seine Söhne; 3) der *hebräische Henoch* (um 200–300 n. Chr.) ist ein Sammelwerk rabbinischer Henoch-Überlieferungen.

Henotheismus [zu griech. heís, henós »eins« und theós »Gott«], Bezeichnung für einen subjektiven Monotheismus innerhalb polytheistischer Religionen, der vorliegt, wenn der Gläubige die von ihm jeweils verehrte Gottheit als alleiniges göttliches Wesen erlebt. Die kultische Verwirklichung des Henotheismus nennt man **Monolatrie.**

Hephaistos, *griechische Mythologie:* lateinisch **Hephaestus,** der Gott des Erdfeuers und Schutzgott der Schmiede, auch der Künste und des Handwerks, der mit seinen Gehilfen (u. a. den Kyklopen) in einer unterirdischen Schmiede wirkte. Je nach Überlieferung gilt er als Sohn des Zeus und/oder der Hera, z. T. auch nur der Hera. Der Name Hephaistos wurde häufig im übertragenen Sinn für »Feuer« verwendet.

Bei Homer erregt der hinkende Hephaistos als absonderlich-ungewöhnliche Gestalt das »homerische Gelächter« der anderen Götter, wird aber als Künstler bewundert. So erbaut er den Göttern Paläste und schmiedet glänzende Waffen, z. B. den Schild des Achill. Als Gott der Künste trat Hephaistos auch mit göttlichen Wesen der Schönheit in Verbindung: In Homers »Ilias« ist Charis seine Gattin, in der »Odyssee« Aphrodite, bei Hesiod Aglaia, die jüngste der Chariten. Darüber hinaus erscheint sein Wesen als zauberisch und listig.

Hephaistos ist wohl auf eine vorderasiatische Gottheit zurückzuführen. Er wurde zuerst in Kleinasien als Dämon des vulkanischen Erdfeuers, dann auf der Insel Lemnos und schließlich in Athen verehrt, wo er einen größeren Tempel, das **Hephaisteion,** erhielt. Das athenische Fest zu Ehren des Hephaistos **(Hephaistia)** wurde mit einem Fackellauf begangen.

Von den Römern wurde Hephaistos dem Vulcanus gleichgesetzt.

Hera, *griechische Mythologie:* **Here,** griechische Göttin, Tochter des Kronos und der Rhea, Schwester und Gemahlin des Zeus, Mutter des Ares, der Hebe und der Eileithyia sowie des Hephaistos, den sie aber wegen seiner Hässlichkeit vom Olymp warf. Als Gemahlin des Zeus war sie die Beschützerin der Ehe und der Hochzeit. Auch wurde sie von den Frauen als Geburtsgöttin angerufen. Die Verbindung von Zeus und Hera wurde in Athen, auf Samos und in Knossos als →Hieros Gamos gefeiert. Ihr Kult, dessen Anfänge vorgriechisch sind, ging von Argos aus, wo – neben demjenigen von Samos – ihr bedeutendstes Heiligtum (ein Heraion) stand. Auch der älteste Tempel Olympias war ihr geweiht. Das der Hera heilige Opfertier war die Kuh, doch auch Löwe und Greif sind ihr zugeordnet.

Homer stellt Heras leidenschaftliche Eifersucht in den Vordergrund, durch die sie (auch als Göttin der Ehe) als Rivalin des Zeus erscheint. Diese Missgunst kennzeichnet ihr Verhalten gegenüber den verschiedenen Geliebten des Zeus und gegenüber seinen Kindern mit

Hephaistos. Dem griechischen Gott der Schmiedekunst wurden die Vulkane Ätna und Vesuv als Wohnstätten zugeschrieben. Wegen seines Hinkens und seiner Hässlichkeit wurde er von den anderen Göttern verspottet und vom Olymp gestoßen. Er rächte sich dafür mit einem goldenen Thron für seine Mutter Hera, aus dem sie nicht mehr aufstehen konnte (Gemälde von Peter Paul Rubens, 1676; Madrid, Prado).

sterblichen Frauen (z. B. Herakles). Beim Kampf um Troja ist sie Parteigängerin der Griechen. Die Römer setzten Hera der →Juno gleich.

Heraion, Heiligtum der Hera, u. a. das Argivische Heraion (in Argos), das Heraion auf Samos, in Olympia sowie in den italienischen Städten Kroton und Paestum.

Herakles, lateinisch **Hercules, Herkules,** *griechische Mythologie:* Sohn des Zeus und der Alkmene, auch **Perseides, Alkeides (Alkide, Alcide)** genannt. Sein Name hängt vermutlich mit Hera (»der durch Hera berühmte«) zusammen.

■ **Mythos** In den überlieferten Mythen erscheint Hera als Gegenspielerin des Herakles. Sie verzögerte aus Eifersucht gegen Alkmene Herakles' Geburt, um Eurystheus zum Herrscher über Argos werden zu lassen und Herakles damit in dessen Dienst zu zwingen. Sie schickte dem Neugeborenen Schlangen in die Wiege (die dieser sofort erwürgte) und schlug den erwachsenen Herakles mit Wahnsinn, sodass er seine Söhne aus der Ehe mit Megara tötete.

Im Dienst des Eurystheus musste Herakles zwölf »Arbeiten« (griechisch athloi oder erga) verrichten, darunter die Reinigung der Augiasställe und der Erwerb der Äpfel der Hesperiden. Über die klassische Zwölfzahl hinaus stehen neben den »Athloi« oder »Erga« die »Parerga«, u. a. die Errichtung der Heraklessäulen und die Befreiung des Theseus und des Prometheus.

Auch in die Sagen um Troja und die Argonauten wurde Herakles einbezogen. Herakles endete auf einem Scheiterhaufen auf dem Berg Öta, wo er verbrannte, als er das fleischzerfressende Gewand des Kentauren Nessos anlegte, das seine Gattin Deianeira ihm als vermeintlichen Liebeszauber geschickt hatte. Aus den Flammen wurde er zu den Göttern entrückt. Nach einigen Darstellungen führte Athene, die auch sonst als Helferin bei Herakles' »Arbeiten« auftritt, ihn in den Olymp ein, wo er mit Hebe, der Göttin der Jugend, vermählt wurde. Er erlangte Unsterblichkeit, ewige Jugend und Versöhnung mit Hera.

Viele Mythen des gesamtgriechischen Nationalheros scheinen in der Argolis, der Gegend um Argos, entstanden zu sein. Auf andere Gegenden weisen der schon von der archaischen Kunst dargestellte Kampf des Herakles mit Apollon um den Dreifuß, d. h. um Delphi, sowie Herakles' Beziehungen zu Eleusis und seine Selbstverbrennung auf dem Berg Öta.

■ **Kultus** Im Kult des Herakles verfließen die Grenzen zwischen Heros und Gott. Große Verehrung genoss er in Attika, auf den Inseln und an den Küsten des Ägäischen Meeres. Er wurde als Siegesheld **(Herakles Kallinikos)** und zur Abwehr von Übel **(Herakles Alexikakos)** sowie als Heil- und Orakelgott und allgemein als Retter in Nöten (Soter) angerufen. Daneben wurde er zum Schützer der Jugend sowie zum Schutzherrn von Übungs- und Wettkampfstätten **(Herakles Enagonios).**

Obwohl Herakles nicht dorischen Ursprungs war, erhoben ihn gerade die Dorer zu ihrem Haupthelden, der ihnen durch seine Söhne (Herakliden) ihre Ansprüche auf die Peloponnes (außer Arkadien) sicherte: Bei ihren Koloniegründungen waltete er als »Gründer« und viele Städte wurden nach ihm benannt. In Mittelitalien war er seit dem 6. Jh. v. Chr. bekannt. Die Römer errichteten ihm 312 v. Chr. als **Hercules** einen Staatskult.

In der *bildenden Kunst* wurden Herakles als Attribute Keule, Löwenfell, Bogen und Köcher sowie das Füllhorn beigegeben.

Herakles. Wegen der Bewältigung von zwölf übermenschliche Kräfte erfordernden »Arbeiten« und seines freiwilligen Todes auf dem Scheiterhaufen erlangte Herakles Unsterblichkeit und seine Aufnahme in den Olymp. Von den Griechen wurde er als Nationalheros verehrt (»Herakles ringt mit einer Amazone«, Reliefmetope vom Tempel E in Selinunt, 6./5. Jh. v. Chr.; Palermo, Museo Archeologico Regionale).

Herbalist [zu latein. herba »Kraut«], ein Heiler in schriftlosen, nicht westlichen Gesellschaften, der Krankheiten hauptsächlich mithilfe von pflanzlichen Substanzen behandelt. Seine Kenntnisse erwirbt er in langjähriger Ausbildung. Die Wirksamkeit der Stoffe wird durch zwei Prinzipien unterstützt: die Analogie in Farbe und Form von pflanzlichem Ausgangsmaterial und Krankheitsbefund – eine entzündete Geschwulst muss etwa mit einer roten, runden Frucht behandelt werden – und das →Mana. Wirksam wird die Medizin erst durch ein magisch-religiöses Ritual, das aus einer gesprochenen Formel (Zauberspruch) bestehen kann, aber auch einfach aus der traditionell richtigen Reihenfolge des Herstellungsprozesses vom Sammeln der Pflanzen bis zur Anwendung am Patienten. Herbalisten können Männer und Frauen sein.

Hermaphroditos, *griechische Mythologie:* ursprünglich wohl eine orientalische Zwittergottheit, im späteren, griechischen Mythos Sohn des Hermes und der Aphrodite. Auf die Bitte der Quellnymphe Salmakis an die Götter, ihren Körper und den des Hermaphroditos verschmelzen zu lassen, weil dieser ihre Liebe zurückgewiesen hatte, entstand ein androgynes Wesen. Der Kult des Hermaphroditos gelangte wahrscheinlich von Zypern nach Athen.

Hermes, *griechische Mythologie:* griechischer Gott, Sohn des Zeus und der Nymphe Maia, Gott der Wege und der Reisenden. Seine ältesten Kultbilder, die so genannten Hermen, waren an Wegen aufgestellt. Als Wegegott geleitete er auch die Seelen auf ihrem Gang vom Diesseits ins Jenseits **(Hermes Psychopompos).** Schon früh wurde Hermes auch als Gott der Hirten und Herden verehrt **(Hermes Nomios).** Der Hirtengott Pan galt als sein Sohn. Eine enge Beziehung hatte Hermes als rivalisierender Bruder des Apoll zur Kunst: Ihm wurde die Erfindung der Leier und des improvisierenden Gesangs zugeschrieben. Auch andere Kunstfertigkeiten, so das Entfachen des Feuers durch Reiben, sollten auf ihn zurückgehen. Mit dem Wettkampf war er gleichfalls verbunden.

Seine Fähigkeit des Findens und Erfindens auf geistigem Gebiet und damit auch des Erklärens und Auslegens als **Hermes Logios** ließ Hermes zum Gott der Redner werden. Zwischen dem aller Wege kundigen, gewandten Gott und der für den glücklichen Fund (hermaion) und dem An-sich-Nehmen dieses Fundes gedachten Gestalt wurde eine Verbindung hergestellt. So entstand der listige Gott der Diebe, der schon als Knabe Apoll eine Rinderherde stahl. Die göttliche Wirkung seiner List ging aus dem Zauber hervor. Der Stab des Hermes war ursprünglich ein reiner Zauberstab, dessen Berührung Träume, Segen und Reichtum brachte. Später wurde er als Heroldsstab verstanden. Durch seine Gewandtheit galt Hermes auch als Götterbote, als Mittler zwischen Göttern und Menschen, der (außer mit Heroldsstab) mit Flügelschuhen und Reisehut dargestellt wurde. Den Römern galt Hermes als Gott der Kaufleute. Sie setzten ihn dem →Merkur gleich und fügten zu seinen traditionellen Attributen den Geldbeutel hinzu.

Hermes Trismegistos, griechischer Name für den ägyptischen Gott Thot, der mit Hermes identifiziert wurde. Ihm wurden astrologische und okkulte sowie theologische und philosophische Schriften (so genannte hermetische Literatur) zugeschrieben.

Heroenkult, die kultische Verehrung eines Heros. Der Heroenkult ist neben dem Götterkult ein bedeutendes Element der griechischen Religion. Er reicht bis in die mykenische Zeit (etwa 1600–1200 v. Chr.) zurück und setzt den Totenkult für die Könige fort. Die Kulte für die einzelnen Heroen waren durchweg lokal gebunden. Das Grab, die Gebeine des Heros verbürgten den Weiterbestand der Stadt. Das im →Heroon dargebrachte Opfer unterschied sich von dem Opfer für die Götter: Es fand abends statt, das Opfertier war schwarz und man ließ sein Blut in eine Grube hinabfließen. Auch wurde kein festliches Mahl abgehalten. Vielmehr verbrannte man das Tier ganz. Oft wurden auch Spiele zu Ehren der Heroen abgehalten.

Heroon [griech.], in der Antike Kultstätte eines Helden (Heros) mit seinem Grab. Es lag z. B. auf dem Marktplatz oder bei einem Stadttor. Hier wurden Opfer dargebracht, Totenklagen zelebriert, Weihereliefs aufgestellt und z. T. aufwendige Bauwerke errichtet.

Heros [griech.], götterähnlicher Held oder Halbgott, der wunderbare Taten vollbringt. Nach dem Mythos entstammte der Heros meist der Verbindung eines Gottes oder einer Göttin mit einem Menschen. Bei Homer wird das Wort »Heros« noch in der Bedeutung von »Held« oder »Krieger« verwendet. Bei späteren Schriftstellern konnte Heros einen Verstorbenen bezeichnen, dem ein allgemeiner Kult gewidmet wurde. Dies waren in historischer Zeit besonders Könige, Stadtgründer und im Krieg Gefallene. Weiterhin konnte der Ahnherr eines der Geschlechtsverbände der ältesten Zeit, eine Gestalt des Mythos und der Dichtung oder auch eine ursprüngliche Gottheit als Heros gelten. Auch die später geschaffenen künstlichen Volksverbände – etwa die im 6. Jh. v. Chr. durch Kleisthenes eingerichteten Phylen in Athen – erhielten einen Heros als angenommenen Ahnherrn **(Heros eponymos),** um den sie sich im Heroenkult versammelten.

Herr der Tiere, ein vornehmlich in Jägerkulturen verehrtes göttliches Wild-, Jagd- und Waldwesen, das als Besitzer und Hüter der Jagdtiere gilt. Der Herr der Tiere enthält den Jägern die Jagdtiere vor, wenn sie mutwillig töten oder erlegtes Wild unehrerbietig behandeln. Andererseits führt er seine Tiere den Jägern zu, wenn diese die mit der Jagd verbundenen rituellen Handlungen vollziehen. Ebenso gibt es Zeugnisse für eine **Herrin der Tiere,** z. B. bei den Griechen die Artemis.

Herrenworte, Aussprüche Jesu, →Logia Jesu.

Herrnhuter Brüdergemeine, die →Brüdergemeine.

Herrscherkult, die sakrale Verehrung des Herrschers, der als machterfüllter Mensch und sichtbarer Gott, Sohn eines Gottes oder göttlicher Erwählter gilt und neben seinen herrscherlichen Funktionen meist diejenige des obersten Priesters innehat. Seine Insignien und Gewänder symbolisieren das göttliche

Herrscherkult   Der göttliche Kaiser Augustus

Mit Kaiser Augustus (Statue; Rom, Vatikanische Sammlungen) begann die Vergöttlichung der römischen Herrscher. Dieser wurde nicht nur als Kriegsherr verehrt, sondern vor allem als Friedensbringer und »Weltenheiland«. Er erhob die »Pax Romana«, den von Rom ausgehenden Weltfrieden, zum politischen Programm und stand für die Ablösung des Kriegszeitalters durch ein Zeitalter des Friedens. Den neu aufkommenden Herrscherkult unterstützte insbesondere der Dichter Vergil, der im sechsten Gesang der »Aeneis« schrieb: »Dies ist der Mann, er ist es, der so oft vom Schicksal verheißene: Cäsar Augustus, des Göttlichen Sohn, der das Goldene Zeitalter nach Latium bringt, wo vor Zeiten Saturn König gewesen ist.« Auch eine Legende über die Geburt des Augustus will seine Göttlichkeit veranschaulichen. Dieser zufolge träumte seine Mutter Atia, ihr Schoß würde zu den Sternen emporgetragen und sich über Himmel und Erde ausbreiten. Augustus bediente sich verschiedener Herrschafts- und Friedenssymbole, etwa der strahlenden Sonne oder des Schweifsterns (Kometen) sowie des Steinbocks und des Ochsen, die das Füllhorn des Wohlstandes über die Bewohner des Erdkreises ausgießen.

Charisma, das er besitzt. Das Hofzeremoniell umgibt ihn mit einem starren Ritual, dem er sich selbst fügen muss. Sein Leben vollzieht sich meist in strenger Abgeschlossenheit. Krönung und Bestattung sind kultische Akte. Der Brauch, beim Tod des göttlichen Herrschers die Menschen seiner engeren Umgebung ebenfalls zu töten und mit ihm zu bestatten, war gelegentlich Bestandteil des Herrscherkults.

Im alten Ägypten hatten die Könige seit Beginn der geschichtlichen Zeit eigene Priester und Kultstätten, um für ihr jenseitiges Dasein die nötige materielle Versorgung aufrechtzuerhalten. Auch Königsstatuen genossen wie Götterbilder einen eigenen Kult. Dieser Königskult ist somit ein Vorläufer des Totenkults, der in späterer Zeit allen Verstorbenen galt. Die göttlichen Titel und Beinamen des regierenden Königs meinten nicht seine Person, sondern die Rolle des Schöpfergottes, die er auf Erden zu vertreten hatte.

Teilweise von ägyptischen Vorstellungen beeinflusst war die göttliche Verehrung Alexanders des Großen (336–323 v. Chr) und seiner Nachfolger. Auf sie wurden die der religiösen Sphäre entstammenden Bezeichnungen Epiphanes (»sichtbarer Gott«) und Soter (»Retter«, »Heiland«) übertragen. Rom sah im →Kaiserkult ein Mittel zum Zusammenhalt seines Reiches.

In den germanischen Reichsbildungen der Völkerwanderungszeit und des frühen Mittelalters sowie in Skandinavien bis ins 10. Jh. legitimierten die Könige ihre Herrschaft durch Abkunft von den Göttern. Dieses Königsheil germanischen Ursprungs verschmolz mit einem sakralen Charakter, den auch das Christentum dem König und Kaiser beimaß, indem es die Krönung als Sakralakt gestaltete (→Gottesgnadentum).

Herrscherkulte finden sich noch heute bei einigen indigenen Völkern. Bis ins 20. Jh. bestanden Herrscherkulte um den Kaiser als »Sohn des Himmels« in China und den Tenno in Japan.

Herzl, Theodor, österreichischer Schriftsteller, *Budapest 2. 5. 1860, †Edlach an der Rax (Niederösterreich) 3. 7. 1904. Unter dem Einfluss des Dreyfusprozesses 1894 kam Herzl zu der Überzeugung, dass die Juden eine Nation seien und daher die Gründung eines jüdischen Staates notwendig sei. Diese Anschauung brachte er in seiner Schrift »Der Judenstaat« (1896) zum Ausdruck. Er gab mit seinen Ideen den Anstoß zur Entstehung des politischen →Zionismus.

Heschel, Abraham Joshua, jüdischer Theologe, Philosoph, Rabbiner, *Warschau 11. 1. 1907, †New York 23. 12. 1972; hatte chassidische Vorfahren; wurde 1937 von Martin Buber

H Hesekiel

an das jüdische Lehrhaus in Frankfurt (Main) berufen und 1938 von den Nationalsozialisten nach Polen ausgewiesen. 1939 floh er über England in die USA, wo er 1940–45 Professor am Hebrew Union College in Cincinnati und ab 1945 am Jewish Theological Seminary in New York war. Er schrieb u. a. »The Prophets« (1933; deutsch »Die Prophetie«, 1936), »Maimonides« (1935) und als Hauptwerk »God in Search of Man« (1956; deutsch »Gott sucht den Menschen«, 1980).

Hesekiel, →Ezechiel.

Hesiod, griechisch **Hesiodos,** griechischer Dichter um 700 v. Chr. aus Askra in Böotien; wurde nach eigener Aussage beim Weiden von Schafen am Helikon von den Musen zum Dichter berufen und siegte in dem Dichterwettkampf bei den Leichenspielen für König Amphidamas in Chalkis. Hesiod folgte formal Homer, setzte sich jedoch vom homerischen Epos durch den Anspruch auf die Wahrheit seiner Aussagen ab. Mit Homer formte er die Vorstellung der Griechen von ihren Göttern (→griechische Religion) und die Überlieferung der →griechischen Mythologie in der Nachwelt.

In der »Theogonia« schuf Hesiod ordnend und deutend ein Gesamtsystem der griechischen Götterwelt – zugleich auch eine Kosmogonie –, in das vorgriechische (Sukzessions-)Mythen verwoben sind. Ziel ist die theologische Rechtfertigung des mit Gerechtigkeit herrschenden Gottes Zeus. In den »Erga kai hemerai« (deutsch »Werke und Tage«) entwarf Hesiod ein Bild des menschlichen Lebens. Eingefügt sind u. a. Mythen (z. B. von Prometheus, Pandora und von den vier Zeitaltern) und zahlreiche Sinnsprüche. Im Anschluss an Hesiod entstanden die nur fragmentarisch überlieferten »Eöen« (Ehoien), ein Katalog der Liebesverbindungen von Göttern mit sterblichen Frauen und den sich von ihnen herleitenden Heroen- und Adelsgeschlechtern.

Hestia, *griechische Mythologie:* Göttin des Herdes und Herdfeuers als Schutz bietender Mittelpunkt des Hauses und – im übertragenen Sinn – des Staates mit entsprechendem häuslichem und staatlichem Kult. Hestia galt als Tochter des Kronos und der Rhea. Wesentliche Züge hat sie mit der römischen →Vesta gemeinsam, deren Name etymologisch mit dem der Hestia identisch ist.

hethitische Religion. Über die religiösen Vorstellungen der Hethiter bzw. der Bevölkerung Kleinasiens und Nordsyriens während der zweiten Hälfte des 2. Jt. v. Chr. berichten die hethitischen Keilschrifttafeln. Das hethitische Pantheon der Großreichszeit umfasst eine Vielzahl kleinasiatischer Göttergestalten, die mitsamt ihren Kulten in der Metropole Hattusa verehrt wurden. An der Spitze standen der Wettergott Taru und seine Gemahlin, die Sonnen- und Unterweltsgöttin Arinna Wurusemu, im Neuen Reich (14. und 13. Jh. v. Chr.) das hurritische Paar Teschup und Hepat. Die babylonische Ischtar wurde in Gestalt der hurritischen Schauschga verehrt. Im religiösen Leben bzw. in den großen agrarischen Festen spielten Vegetationsdämonen mit z. T. eigenen Mythen sowie Naturgottheiten wie Fluss-, Quell- und Berggottheiten eine bedeutende Rolle, unter hurritisch-babylonischem Einfluss auch Gestirnsgötter. Die Mythen zeigen zahlreiche Parallelen zu anderen klein- und vorderasiatischen Überlieferungen, so etwa der Kampf des Donnergottes mit einem Schlangendrachen. Der hurritisch-hethitische Mythos um →Kumarbi wird noch in der Götterlehre des griechischen Dichters Hesiod sichtbar.

Der König war als oberster Priester Garant für die Fruchtbarkeit und das Gedeihen des Landes. Er war der Verwalter des dem Wettergott und der Sonnengöttin gehörenden Landes. Ihm und der Königin oblag der Kultus. Nach ihrem Tod wurden beide vergöttlicht. Menschen und Götter waren durch die Kulthandlungen eng miteinander verbunden. Der Wille der Götter wurde durch Orakel (Eingeweideschau, Losorakel), Magie oder Traum erkundet.

Hexagramm, sechsstrahliger Stern, →Davidstern.

Hexe [althochdt. hagzissa, wohl verwandt mit hag »Hecke«, »Wald« und norweg. tysja »Elfe«, also eigtl. »auf Zäunen oder in Hecken sich aufhaltendes dämonisches Wesen«], im *Volksglauben* Bezeichnung für eine zauberkundige Frau, die angeblich im Dienste von Dämonen und Teufeln steht und mittels der ihr innewohnenden magischen Kräfte einen meist schädigenden Einfluss auf andere Menschen ausübt. Männliche Entsprechungen sind Hexenmeister und Zauberer. Aufgrund der ihr zugeschriebenen Macht erscheint die Hexe als numinose und angsterregende Gestalt.

■ **Hexenglaube** Der Glaube an die Realität von Hexerei und die gelegentliche Bestrafung von Zauberern und Hexen finden sich in sehr vielen Kulturen und zu allen Zeiten, in Afrika und Asien z. T. vereinzelt noch heute, während die systematischen Hexenverfolgungen im christlichen Europa zwischen etwa 1400 und 1750 einzig blieb. Judentum, Islam und die orth. Kirche kannten keine Verdammung und Verfolgung von Hexen.

Die Kirche bekämpfte bis zum 12. Jh. Dämonenglauben und Zauberei lediglich als Äußerungen heidnischen Aberglaubens. Seit dem 13. Jh. wurden Ketzer als vom Glauben Abgefallene systematisch verfolgt (→Inquisition). In diesem Zusammenhang kam es seitens der Kirche zur »Anerkennung« der realen Existenz von Hexen. Schrittweise wurden Hexerei und Ketzerei als Straftatbestände miteinander verquickt. Eine theologische Begründung dafür lieferte die Lehre vom Teufelspakt, die spätes-

---

Hexe
→ GEO Dossier
Der Teufel und seine Handlanger, Bd. 15

hethitische Religion.
Die Hethiter werden das »Volk der 1000 Götter« genannt. Die hethitische Religion kennt eine Vielzahl von Lokalkulten und hat verschiedene kultische Traditionen integriert (Darstellung eines Gottes auf einem Reliefdetail; Aleppo, Archäologisches Museum).

tens seit Augustinus fester Bestandteil der christlichen Dämonenlehre war, aber erst in der Hochscholastik des 12./13. Jh. zu einer umfassenden Theorie ausgebaut wurde.

Überreste des Hexenglaubens lassen sich in Europa bis in die Gegenwart nachweisen. In den angelsächsischen Ländern ist seit den 1940er-Jahren der →Wicca-Kult verbreitet. Seit den 1980er-Jahren ist eine Wiederbelebung okkulter Praktiken und Vorstellungen als Modephänomen erkennbar.

Hexenverfolgung, Verfolgung, Folter und Mord der Hexerei bezichtigter Personen (insbesondere Frauen) im Spätmittelalter und der frühen Neuzeit. Während bis zum 11. Jh. Zauberei im Allgemeinen mit Kirchenbußen belegt wurde, setzte sich im Zuge der Ketzerverfolgung durch die →Inquisition auch für Zauberei die Todesstrafe durch. Berühmte frühe Opfer waren Jeanne d'Arc 1431 und Agnes Bernauer 1435. Größere Bedeutung gewann das Delikt der Zauberei (»crimen magiae«) seit dem 15. Jh., als die Inquisition Zauberer zu verfolgen begann und Tausende von Personen hingerichtet wurden. Die neuere Forschung sieht den Beginn der eigentlichen Hexenverfolgungen im Zusammenhang mit der Verfolgung der Waldenser in Savoyen Ende des 14./Beginn des 15. Jh. und betont die Rolle des Basler Konzils (1431–49).

In Deutschland wurde die systematische Hexenverfolgung durch die Hexenbulle Papst Innozenz' VIII. (1484) eingeleitet und durch den von dem dominikanischen Inquisitor Heinrich Institoris 1487 verfassten »Malleus maleficarum« entscheidend verschärft. Dieses deutsch »Hexenhammer« genannte Werk verband die überlieferten Elemente des Hexenglaubens zu einem System und prägte die Hexenvorstellung bis ins 17./18. Jahrhundert. Bedeutsam für die weitere Entwicklung der Hexenprozesse im Heiligen Römischen Reich, ihrem Schwerpunktgebiet, wurden die Einführung der Denunziation in das Prozessverfahren sowie die Anwendung der Folter zum Geständnis im Beweisverfahren. Folgenschwer war auch, dass die Reformation das Erbe des »Hexenhammers« übernahm.

Zwischen 1560/80 und 1630/50, der Zeit der Massenprozesse und -verbrennungen, fiel die Hexenverfolgung fast vollständig in die Hand der weltlichen Gerichtsbarkeit. Die Inquisition hatte sich im Verlauf des 16. Jh. zunehmend zurückgezogen.

Die Kernzonen der Hexenverfolgung lagen in Zentraleuropa, in Frankreich, den Niederlanden, der Schweiz und in Deutschland. Reformation und Gegenreformation sorgten für die Verbreitung des Hexenwahns u. a. nach Dänemark, Schottland, England und Polen. Auswanderer brachten ihn auch nach Nordamerika. Unklar ist bis heute die Zahl der Opfer. Schätzungen schwanken zwischen 100 000 und 500 000. Der Anteil der Frauen betrug 80 %.

Hidjra [-dʒ-; arab. »Ausreise«], **Hidschra, Hedjra** [-dʒ-], **Hedschra,** *Islam:* die Auswanderung Mohammeds von Mekka nach Medina im September 622. Unter Kalif Omar I. wurde als Ausgangspunkt der islamischen Zeitrechnung der Anfang des laufenden altarabischen Mondjahres festgesetzt (→Kalender), in das die Hidjra fiel. Das Jahr 1 der Hidjra beginnt demnach am 16. (nach anderer Berechnung am 15.) Juli 622. – Infokasten S. 246

Hiei, Berg nördlich von Kyōto, auf dem Saichō den ersten Tendai-Tempel errichtete.

Hieronymus, Sophronius Eusebius, lateinischer Kirchenvater und -lehrer, * Stridon (Dalmatien) um 347, † Bethlehem 30. 9. 419 (420?); studierte ab etwa 354 in Rom Grammatik, Rhetorik und Philosophie und ließ sich gegen Ende seiner Studienzeit dort taufen. 375–378 lebte er als Einsiedler in der Wüste Chalcis (bei Aleppo), wo er Hebräisch lernte. 379 wurde er zum Priester geweiht. Während eines Studienaufenthaltes in Konstantinopel (380/81) hörte er Vorlesungen bei Gregor von Nazianz und lernte das Werk des Origenes kennen, dessen Auffassungen er lange Zeit teilte und leidenschaftlich in Briefen und Streitschriften verteidigte. 382 kam Hieronymus nach Rom und wurde Sekretär Papst Damasus' I. Nach dessen Tod verließ er 385 Rom und leitete in Bethlehem ein Männerkloster und drei Frauenklöster.

Hieronymus zählt zu den bedeutendsten Gelehrten seiner Zeit. Seine wichtigste Leistung war die von Papst Damasus I. angeregte Revision des lateinischen Bibeltextes, später →Vulgata genannt. 392 verfasste er mit dem christlichen Schriftstellerkatalog »De viris illustribus« (»Berühmte Männer«) die erste christliche Literaturgeschichte. Daneben verfasste Hieronymus exegetische Schriften und Homilien und übersetzte griechische Werke ins Lateinische. – Heiliger (Tag: 30. 9.).

Hieros Gamos [griech. »heilige Hochzeit«], religionswissenschaftliche Bezeich-

Hexenverfolgung. Seit Mitte des 16. Jh. entwickelte die Praxis der Hexenverfolgung eine starke Eigendynamik. Missernten mit Hunger, Krankheiten und Seuchen sowie verschärfte Alltagsnöte lösten in einem von Ängsten geprägten Weltbild der religiösen Umbruchszeit immer wieder Wellen von Hexenverfolgungen aus. Das Flugblatt von 1555 zeigt die Verbrennung von »drei Zauberinnen«.

Hidjra Mohammed und Abu Bakr in der Höhle

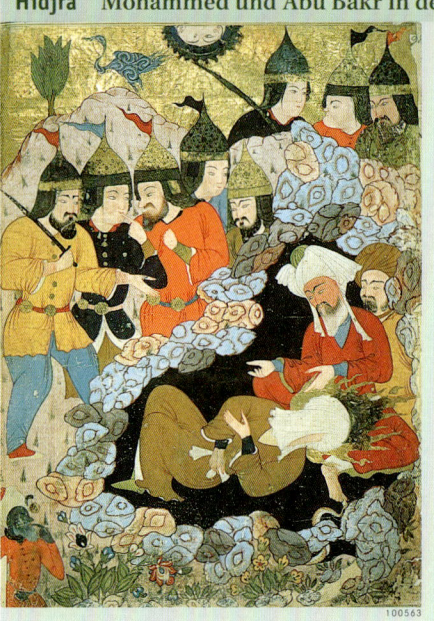

Der Überlieferung nach zogen die Anhänger Mohammeds in kleinen Gruppen nacheinander aus Mekka fort. Der Prophet aber blieb bis zuletzt, wohl wissend, dass die Mekkaner das Unternehmen sonst verhindert hätten. Schließlich aber verließen auch Mohammed und Abu Bakr heimlich die Stadt. Zahlreiche Ausschmückungen begleiten die Berichte von dieser Flucht: Auf ihrem Ritt durch die Wüste mussten sie sich einmal vor ihren Verfolgern in einer Höhle verstecken (Osmanische Miniatur, 17. Jh.; Dresden, Sächsische Landesbibliothek). Die Verfolger nahten, doch sie drangen nicht in die Höhle ein. Eine Spinne hatte in aller Eile ein Netz vor die Öffnung gespannt. Davor, in einer Felsspalte, befand sich das Nest einer brütenden Taube, sodass man glauben musste, die Höhle sei schon lange nicht mehr betreten worden.
So hatte Mohammed recht behalten, der seinen Gefährten beruhigt hatte: »Sei nicht traurig! Siehe, Allah ist mit uns.« (Sure 9, 11)

Hildegard von Bingen
*1098, †1179

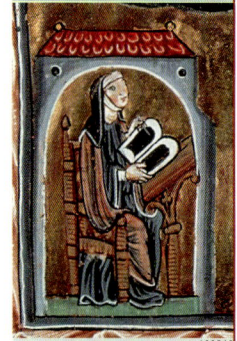

- hatte bereits als Kind Visionen
- wurde 1136 Äbtissin des Klosters Disibodenberg an der Nahe und gründete das Kloster Rupertsberg bei Bingen
- nahm Einfluss auf kirchlicher und politischer Ebene
- betätigte sich als Autorin naturkundlicher und geistlicher Werke, als Illustratorin und als Komponistin

---

nung für den Vollzug eines Fruchtbarkeitsritus. Mythologische Beispiele aus der griechischen Religion sind der Hieros Gamos zwischen Zeus und Hera, zwischen Demeter und Iasion, ein kultisches Beispiel der Hieros Gamos des Dionysos mit der Frau des Archon Basileus in Athen.

Die Kulthandlung des Hieros Gamos leitet sich wohl aus Uruk her: Der Hieros Gamos von Dumuzi (Tammuz) und Inanna wurde im Frühling, um die Fruchtbarkeit der Felder und Herden zu sichern, auf der Plattform der Zikkurat zelebriert und von der obersten Priesterin und dem König vollzogen. In Heiligtümern aufgefundene Terrakottapaare in der Umarmung werden mit dem Hieros Gamos in Verbindung gebracht.

High Church [ˈhaɪ ˈtʃəːtʃ], die hochkirchliche Bewegung innerhalb der Kirche von England, die die kath. Tradition bewahren und erneuern will. Bis zum Beginn des 18. Jh. in wechselnder Stärke, erlangte sie im 19. Jh. in der →Oxfordbewegung ihre bedeutendste Ausprägung. Heute v. a. durch den theologisch konservativen Teil der Geistlichen getragen, ist sie in ihrer Bedeutung innerhalb der Kirche von England hinter die evangelikal ausgerichtete und stark sozial engagierte Low Church zurückgetreten.

Hildegard von Bingen, deutsche Mystikerin, *1098, † Kloster Rupertsberg (bei Bingen am Rhein) 17. 9. 1179; trat als Benediktinerin ins Kloster Disibodenberg an der Nahe ein, gründete zwischen 1147 und 1150 das Kloster Rupertsberg und 1165 ein Filialkloster in Eibingen (heute zu Rüdesheim am Rhein). Sie setzte sich durch Predigtreisen und einen ausgedehnten Briefwechsel für die Reform des kirchlichen Lebens ein, das sie durch zahlreiche Missstände bedroht sah. Bereits in ihrer Kindheit hatte Hildegard von Bingen Visionen, die sie ab 1141, einem von ihr empfundenen göttlichen Auftrag gemäß, in lateinischer Sprache niederschrieb. Als Hauptwerk entstand so die mystische Glaubenslehre »Scivias« (deutsch »Wisse die Wege«), in der Hildegard in stark prophetischer Sprache eine eigene Theologie und Anthropologie entwickelte. Daneben entstanden homiletisch-exegetische und historische Abhandlungen, 70 selbst vertonte geistliche Lieder, außerdem naturkundliche Bücher wie das in zwei Teilen überlieferte Werk »Liber subtilitatum diversarum naturarum creaturarum« (etwa 1150–60). – Heilige (Tag: 17. 9.).

Hillel, Ehrenname **Hillel der Alte,** Vorsteher (Nasi) des Synedriums, *in Babylonien um 60 v. Chr., † in Palästina um 10 n. Chr.; bedeutender rabbinischer Gesetzeslehrer, der durch die Einführung von festen Auslegungsregeln (Middot) einen wesentlichen Beitrag zur Thoraexegese leistete. Hillel fasst das Gesetz in einer negativen Form der goldenen Regel zusammen: Was immer du verabscheust, füge keinem anderen zu.

Himmel [althochdt. himil, wohl ursprünglich »Decke«, »Hülle«], bei vielen Völkern ein hl. oder göttliches Wesen (Numen), wobei religiöse und astronomische Vorstellungen in der Frühzeit noch eng verbunden sind. Der Himmel gilt als Ort der Götter, von dem aus sie wirken und zu dem sich die menschliche Seele nach dem Tod erhebt, als (vorbildhaftes) Prinzip der Weltordnung (so in China). Vielfach gilt der Himmel auch als Symbol des Lichtes und des Guten. Der Himmel wird u. a. gedacht als Gewölbe (Mesopotamien), Zeltdach (Ps. 104/103,2) oder als Mantel Gottes (Ps. 102/101,27), als Gewand des babylonischen Gottes Marduk, als Leib der ägyptischen Göttin Nut, auch als flache Scheibe (China). Oft findet sich der Gedanke, Himmel und Erde seien ursprünglich vereinigt gewesen und später erst von einem Gott getrennt worden oder durch Teilung eines Urwesens (z. B. in Babylonien Tiamat, in der germanischen Mythologie der Urriese Ymir, in der indischen Mythologie ein Ur- oder Weltenei) zustande gekommen. In anderen Mythen gehen aus der Hochzeit von Himmel, der meist das männliche Prinzip verkörpert, und Erde, dem meist weiblichen Prinzip, alle Wesen hervor. Im babylonischen wie im biblischen Schöpfungsbericht wird zwischen den himmlischen und den irdischen Gewässern der Himmel als Scheidewand errichtet.

Im griechischen Mythos vereinen sich Himmel (Uranos) und Erde (Gaia) als erstes Paar und bringen die Titanen hervor (→Kosmogonie). Im Kult jedoch ist Zeus (bei den Römern Jupiter) der Gott des Himmels und der atmosphärischen Erscheinungen (Gewitter). Es sind dies wohl Züge, die schon der indogermanische Himmelsgott zeigte. Zeus thronte auf dem Olymp oder im Himmel, wohin er die anderen Götter zu sich zog. Das Himmelsgewölbe dachte man sich in früher Zeit als eine Kuppel (aus Bronze oder Eisen), die von dem Titanen Atlas oder von Pfeilern gestützt wird. In späterer Zeit wurde oft eine Mehrzahl von drei oder sieben Himmeln angenommen.

Das A. T. kennt den Himmel als Wohnort Gottes, aber auch als Geschöpf seiner Macht. Das N. T. umschreibt mit den Begriffen Himmel und Himmelreich bildhaft die Art und Dimension des Göttlichen und den Zustand der unmittelbaren Gottesnähe.

Himmelfahrt, die Vorstellung eines Aufstiegs, oft auch einer langen Reise der Seele in den Himmel als Bild einer zeitlichen oder (nach dem Tod) ewigen Vereinigung mit den Seligen und dem Göttlichen. Sie ist das Gegenstück zur →Höllenfahrt. Als zeitliche Vereinigung können die Verzückung des Paulus (2. Kor. 12,2) und die Himmelfahrt des Propheten Mohammed angesehen werden. Die Seelen der Toten bringt in der altindischen Religion der Feuergott Agni auf dem »Götterweg« zum Himmel. Nach den Vorstellungen u. a. der Spätantike durchläuft die Seele nach dem Tod bei ihrer Reise durch die Himmelssphären einen Läuterungsprozess, bis sie am überhimmlischen Ort Ruhe findet. Der Himmelfahrt liegt die Vorstellung zugrunde, das Individuum oder die Seele (auch der Geist), gedacht als ein gleichsam vom Körper abtrennbares »zweites Ich«, könne an einen entfernten Ort versetzt werden und ein besonderes Wissen erwerben.

Von der Himmelfahrt zu unterscheiden ist die Aufnahme (lateinisch assumptio) bzw. →Entrückung des ganzen Menschen (mit Leib und Seele) in den Himmel (z. B. Maria, Henoch, Elias).

Himmelfahrt Christi, die Erhöhung des auferstandenen Jesus zur Teilhabe an der Existenzweise Gottes. Die Himmelfahrt Christi ist im N. T. durch den Evangelisten Lukas überliefert (Apg. 1, 9–11; Lk. 24, 51) und wird von ihm als für die Apostel sichtbarer Aufstieg Jesu Christi vom Ölberg in den Himmel 40 Tage nach seiner Auferstehung geschildert. Sie ist Bestandteil des christlichen Glaubensbekenntnisses.

Das Fest **Christi Himmelfahrt** entstand im 4. Jh. und wird am 40. Tag nach Ostern gefeiert.

Himmelfahrt Marias, ursprünglich lateinisch **Dormitio Beatae Mariae Virginis** (Entschlafung der seligen Jungfrau Maria), im dogmatischen Sinn **Assumptio Beatae Mariae Virginis** (Aufnahme der seligen Jungfrau Maria), nach kath. Lehre die Aufnahme Marias, der Mutter Jesu, unmittelbar nach ihrem Tod »mit Leib und Seele« in den Himmel, die durch Papst Pius XII. 1950 für die kath. Kirche zum Dogma erhoben wurde.

Das Fest **Mariä Himmelfahrt,** das in den Ostkirchen als die »Entschlafung der Gottesgebärerin« Maria gefeiert wird, wurde um 600 durch Kaiser Maurikios im Byzantinischen Reich verbindlich vorgeschrieben und setzte sich im Westen spätestens im 7. Jh. durch. Es wird am 15. 8. gefeiert und ist das bedeutendste Marienfest sowohl der kath. Kirche als auch der Ostkirchen.

Himmelfahrt Mohammeds, Himmelfahrt des Propheten, arabisch **Miradj** (»Aufstieg«), in der islamischen Überlieferung und andeutungsweise auch im Koran die Reise Mohammeds durch die sieben Himmel bis vor Gottes Thron. Begleitet vom Erzengel Gabriel, trifft Mohammed auf Adam und Moses und bekommt einen Einblick in Hölle und Paradies. Im Zwiegespräch mit Gott wird die Zahl der fünf Pflichtgebete festgelegt. Ausgangspunkt der Himmelfahrt Mohammeds ist Jerusalem, woraus sich die besondere Heiligkeit dieses Ortes für die Muslime ergibt. Voraus geht eine »Nachtreise« (arabisch isra) auf dem Pferd →Burak von der Kaaba in Mekka nach Jerusalem. Die Muslime gedenken der Himmelfahrt Mohammeds am 27. Radjab des islamischen Kalenders (2003: 23./24. 9.). – Abb. S. 248

Hinayana [Sanskrit »kleines Fahrzeug«], die älteste Richtung des Buddhismus. Einst mit großem Verbreitungsgebiet von Afghanistan bis Sri Lanka, ist das Hinayana heute, mit seiner einzigen Schulrichtung »Theravada«, in Sri Lanka und Südostasien (Bangladesh, Birma,

Himmelfahrt Christi. In der Himmelfahrt Christi vollendet sich sein Sieg über das Reich des Todes. Sie bildet den Abschluss von Jesu Wirken auf der Erde (Gemälde von Andrea di Vanni, 1355/60; Sankt Petersburg, Eremitage).

Hindu

Himmelfahrt Mohammeds.
Die in Sure 70, 3 des Koran erwähnten Stufen bzw. Leitersprossen zum Himmel werden häufig auf die Himmelfahrt Mohammeds bezogen, da nach der Biografie des Ibn Ishak Mohammed mithilfe einer Leiter in den Himmel gelangt sein soll. Andere Legenden berichten dagegen, dass er sie mit dem Reittier Burak zurückgelegt habe (Miniatur aus den »Sieben Bildnissen« des Nisami, um 1540; London, British Library).

Hindu
→ GEO Dossier
Tod am Ganges, Bd. 16

Thailand, Laos und Kambodscha, wo unter der Diktatur der »Roten Khmer« 1976–79 seine völligen Ausrottung versucht wurde) vertreten. Das Hinayana wird deshalb gelegentlich auch als »südlicher Buddhismus« bezeichnet – im Gegensatz zum »nördlichen Buddhismus«, womit der vorwiegend in Ostasien verbreitete Mahayana-Buddhismus (→Mahayana) gemeint ist. Hinayana ist ursprünglich eine abwertende Bezeichnung seitens der Anhänger des Mahayana, von dem es sich dadurch unterscheidet, dass es den nach eigener Erlösung strebenden Arhat (Heiligen) als Ideal ansieht, nicht den auch für die Erlösung seiner Mitmenschen eintretenden Bodhisattva.

Hindu, Anhänger des Hinduismus. Das Wort Hindu ist eine mittelalterliche persische Bezeichnung für den Bewohner Indiens, die aus der iranischen Namensform des Flusses Indus (Sanskrit »Sindhu«, iranisch »Hindu«) abgeleitet ist. Sie löste im 18. Jh. den Begriff Gentoo (»Heide«), mit dem die Europäer die andersgläubigen Inder bezeichneten, ab. Die Muslime nannten seit dem Einbruch des Islam in Indien alle Nichtmuslime Hindus.

Weltweit gibt es über 811 Millionen Hindus. Davon leben rund 94 % in Indien, wo sie mit über 80 % die Mehrheit der Bevölkerung bilden. Ebenfalls die Bevölkerungsmehrheit bilden die Hindus in Nepal (89 %) und auf Bali (90 %). In Bhutan sind die Hindus mit 25 % die zweitstärkste Religionsgemeinschaft. Über 13 Millionen Hindus (12 % der Bevölkerung) leben in Bangladesh, rund 2,5 Millionen (1,5 %) in Pakistan. Die rund 3 Millionen Hindus in Sri Lanka sind fast ausschließlich Tamilen. Die indische Migration hat z. T. starke hinduistische Bevölkerungsgruppen in Südostasien, Ozeanien, Ostafrika, dem südlichen Afrika und in Südamerika sowie kleinere hinduistische Minderheiten in der Karibik und den »Ölstaaten« am Persischen Golf, in Kanada, den USA und in Westeuropa entstehen lassen.

Hinduismus, im Westen gebildete Bezeichnung für die traditionellen religiösen und gesellschaftlichen Strukturen und Institutionen der Inder. Sie umfasst eine Vielfalt religiöser Praktiken, literarischer und philosophischer Traditionen und regionaler Kulte. Es gibt jedoch keinen für alle Traditionen geltenden Grundtext, kein für alle Hindus verbindliches »Glaubensbekenntnis« und keine »Kirche«, die den Glauben institutionell repräsentiert. Die indische Eigenbezeichnung für den Hinduismus ist die »ewige Religion« (Sanskrit: »sanatana dharma«), die seit jeher bestand und immer wieder in neuen Formen von Heiligen, Sehern u. a., die zum Teil als Avataras (göttliche Inkarnationen) gelten, verkündet wurde.

Der Beginn des Hinduismus wird auf die Zeit der Upanishaden (etwa 600 v. Chr.) datiert. Historisch gesehen entwickelte sich der Hinduismus in der Auseinandersetzung mit der →vedischen Religion einerseits und den Erlösungslehren der Upanishaden, des Buddhismus und Jainismus andererseits. Dabei wurden Elemente aus den beiden erwähnten, im 5. Jh. v. Chr. entstandenen Traditionen übernommen: So wurden einerseits die aus der vedischen Tradition stammende Forderung nach dem Erhalt der Opfergemeinschaft und die Konzeption einer diese Gemeinschaft erhaltenden Weltordnung beibehalten. Andererseits wird das v. a. im Buddhismus formulierte Streben nach Erlösung von der Welt, d. h. vom Kreislauf von Tod und Geburt, mit dem Bezug des Menschen zu einem persönlichen Gott verbunden. Neben rituellen oder meditativen Praktiken wird jetzt auch die »Liebe zu Gott« (Bhakti) ins Zentrum des religiösen Lebens gerückt.

Die Hindus werden nicht durch eine gemeinsame dogmatische Struktur geeint, sondern können von außen betrachtet als Polytheisten, Monotheisten, Pantheisten oder Monisten erscheinen. In den verschiedenen Glaubensformen oder philosophischen Haltungen wird jedoch zumeist ein entweder unpersönlich oder persönlich interpretiertes »höchstes« bzw. »göttliches« Sein anerkannt. Viele Hindus gehören einer bestimmten religiösen Überlieferungstradition (Sampradaya, auch Panth) an, in die sich der Hinduismus ausdifferenziert. Dementsprechend sind Kultus und Lebensform (z. B. Vegetarismus) individuell verschieden. Gemeinsam ist den Hindus die Anerkennung des Veda, der Glaube an die Wiedergeburt und an ein unsterbliches »Selbst« (At-

Hinduismus

man). Für die hinduistischen Traditionen ist es charakteristisch, dass sie mit den hierarchischen Strukturen der Kastengesellschaft eng verbunden sind. Dazu gehören traditionell u. a. die von Geburt her vorgegebene unveränderbare Zugehörigkeit zu einer Kaste sowie Restriktionen in Bezug auf Ehe und Kommensalität. Das machte zumindest vor der weltweiten Verbreitung des Hinduismus die Konversion von Nichthindus fast unmöglich.

■ **Verbreitung** Auf dem indischen Subkontinent setzte sich der Hinduismus gegenüber dem bis um die Mitte des 1. Jt. n. Chr. vorherrschenden Buddhismus durch, der in der Folge bis auf kleine Minderheiten in Nordwestindien (Ladakh) und im östlichen Himalaja (Bhutan, Sikkim, Arunachal Pradesh) aus Vorderindien verdrängt wurde. Im 12. Jh. zur vorherrschenden Religion Indiens geworden, wurde der Hinduismus nun seinerseits in den ersten Jahrhunderten der islamischen Staatsgründungen in Indien durch den von Nordindien vordringenden Islam bedrängt. In Nepal wurde der Hinduismus seit dem 14. Jh. durch die Herrscher staatlich gefördert und ist auch heute die Religion der Königsfamilie und Staatsreligion.

Außerhalb des indischen Subkontinents erfolgte die Ausbreitung des Hinduismus in mehreren »Schüben«. Im 1.–6. Jh. breitete sich der Hinduismus entlang den Handelsstraßen in Südasien (Sri Lanka) und einem großen Teil Südostasiens aus (besonders auf der Malaiischen Halbinsel und in Indonesien [Bali]). In der Zeit der britischen Herrschaft in Indien zogen zahlreiche Inder als Arbeitskräfte (Kontraktarbeiter) oder Händler in andere Teile des britischen Kolonialreiches. Seit der Mitte des 20. Jh. sind die »Ölstaaten« am Persischen Golf und die USA die Hauptziele der indischen Arbeitsmigration. In Kanada ließen sich viele der 1972 aus Uganda vertriebenen Inder nieder. Die hinduistische Gemeinschaft in Großbritannien geht v. a. auf die indische Einwanderung nach 1945 zurück. 1995 wurde in London der größte Hindu-Tempel Europas eingeweiht. Nach der Erlangung der Unabhängigkeit Surinams 1975 zogen zahlreiche surinamesische Hindus aus Furcht vor politischer Diskriminierung in die Niederlande.

Der Eintritt des Hinduismus in seine missionarische Phase durch den Neohinduismus seit Ende des 19. Jh. (→Ramakrishna-Mission, Vedanta-Gesellschaften) hat in Westeuropa, den USA und seit 1990 auch in den ehemaligen kommunistischen Staaten Mittel- und Osteuropas zahlreiche individuelle hinduistische Konversionen zur Folge gehabt. Dabei haben jedoch die in der zweiten Hälfte des 20. Jh. entstandenen und an den Neohinduismus bzw. an Elemente der hinduistischen Lehre und Spiritualität anknüpfenden und auch außerhalb Indiens wirkenden Religionsgemeinschaften, religiös-politischen Bewegungen und geistigen Schulen (Ananda Marga, Bhagvan-Bewegung, Divine Light Mission, Hare-Krishna-Bewegung, Bewegung des Sai Baba, Transzendentale Meditation) der Religion selbst und ihrer Ausübung einen anderen Charakter gegeben.

In Indien erfolgte zeitgleich mit einer Periode großer Offenheit für am Vorbild des Westens orientierte Reformen im Rahmen des Neohinduismus die Rückbesinnung auf die traditionellen Werte (z. B. angeregt durch Svami Vivekananda; Ravindranath Tagore, *1861, †1941; Sri Aurobindo). Ab der Mitte des 20. Jh. wurde ein Hindu-Nationalismus (»Hindutva-Bewegung«) einflussreich. Danach ist derjenige ein Hindu, dessen Heimat Indien ist und dessen hl. Orte sich ebenfalls in Indien befinden (im Gegensatz z. B. zu den Muslimen oder Christen). Auch mithilfe verschiedener Organisationen wie etwa der »Weltgemeinschaft der Hindus« (Vishva Hindu Parishad VHP; gegründet 1964) bemüht man sich um eine Vereinheitlichung des Hinduismus und die Schaffung kirchenähnlicher Organisationsformen.

■ **Lehre** Das religiös-soziale System des Hinduismus ist begleitet von der Anschauung, dass alle Lebewesen in dieser in ständigem Entstehen und Vergehen begriffenen Welt eine »Hierarchie« des Seins bilden, die bei den Pflanzen beginnt und bei den höchsten Göttern endet. Die Menschheit wiederum als das Mittelstück in dieser Hierarchie zerfällt in zahlreiche Klassen, als deren oberste die Hindukasten gelten. Die Kastenzugehörigkeit beruht nicht auf Zufall oder dem unerforschlichen Willen eines Gottes, sondern ist gemäß den Lehren vom Kreislauf von Geburt, Tod und

---

Hinduismus
→ GEO Dossier
Unterwegs in magischen Welten, Bd. 15

Hinduismus
→ GEO Dossier
Tod am Ganges, Bd. 16

Hinduismus
→ GEO Dossier
Dem Himmel ganz nah, Bd. 16

Hinduismus. Die Riten im Hinduismus heißen Puja, was so viel wie Huldigung und Verehrung bedeutet. Es gibt eine große Anzahl verschiedener Formen der Puja. So können sie zu Hause oder im Tempel, wie hier im Tempel von Arunachalasvara in der Tempelstadt Tiruvannamalai, vollzogen werden.

Hinduismus

Hinduismus

Zahl der Hindus weltweit
rd. 811 Mio. (eingeschlossen die im hinduistischen Verständnis kastenlosen Inder)

Hauptverbreitungsgebiet
Indien

große hinduistische Gemeinschaften (über 1 Mio. Hindus) **außerhalb Indiens**
Nepal (Religion des Königshauses)
Bangladesh
Indonesien (besonders Bali)
Pakistan
Sri Lanka
Malaysia

Hauptrichtungen
Vishnuismus
Shivaismus
Shaktismus

wichtige Feste (Auswahl)
Holi (Farbenfest; Februar/März)
Mahashivaratri (das große Fest zu Ehren Shivas; Februar/März)
Ramnavami (Ramas Geburtstag; März/April)
Janmashtami (Krishnas Geburtstag; August, September)
Divali (Lichterfest; Oktober/November)

wichtigstes Pilgerfest
Kumbhamela

wichtige Wallfahrtsorte, heilige Stätten (Auswahl)
Allahabad
Hardwar
Kanchipuram
Mathura
Nasik
Puri
Ujjain
Varanasi (Benares)
der Berg Kailas (Tibet, China)

Wiedergeburt der individuellen Seele (Samsara) und von der Wirkung des Karmagesetzes durch die sittliche Weltordnung (Dharma) bedingt. Der ganze Kosmos wird beherrscht von der Vergeltungskausalität aller Taten (Karma), die jedem Wesen, das geboren wird, seinen Platz aufgrund seiner guten oder bösen Handlungen in einer vorausgegangenen Existenz anweist. Die Lehre von der →Seelenwanderung wird somit zur Grundlage des Kastenwesens. Die Seelenwanderung hat keinen Anfang und findet ein Ende nur dann, wenn eine Seele, nachdem sie in zahllosen Existenzen in Tier- und Menschengestalt, höllischen und himmlischen Existenzweisen geläutert worden ist, durch Weltentsagung, göttliche Gnade oder selbst erworbene Erkenntnis die endgültige Erlösung von allen Formen weltlicher Bindung erreicht (Moksha). Der Zustand der Erlösung wird in den verschiedenen Traditionen unterschiedlich gedeutet: u. a. als ein unwandelbarer Bewusstseinszustand, als ein verklärtes individuelles Dasein, als ein Aufgehen des individuellen Selbst (Atman) in das unpersönliche Sein (Brahman) oder als ewige Nähe zu Gott bzw. zur Göttin. Je nach Tradition werden unterschiedliche Erlösungswege gelehrt (u. a. rituelle, meditativ-asketische, die Gefühle der Gottesliebe aktivierende).

■ **Götter** Das Pantheon ist ebenso umfangreich wie vielgestaltig. Verehrt werden die verschiedensten Dorfgottheiten, Könige und Heilige, Heroen, Geister und Dämonen. In den Mythologien der hl. Schriften treten die Götter der vedischen Zeit, meist mit besonderen Attributen versehen, als Schirmherren von Naturelementen und -vorgängen sowie vielfältigen Lebenserscheinungen auf: Indra (Krieg, Regen), Surya (Sonne), Soma (für die halluzinogene Pflanze des Opfertranks; Mond), Vayu (Wind), Agni (Feuer), Varuna (Gewässer), Yama (Tod), Kama (Liebe), Kubera (Reichtum), Skanda (Krieg), Ganesha (Beseitigung von Hindernissen). Besetzt ein Gott oder eine Göttin den obersten Rang in der »Hierarchie des Seins«, so muss er oder sie verschiedene Aufgaben erfüllen können. Dazu gehören die Schöpfung, der Erhalt und die Zerstörung der Welt (»Trimurti-Funktion«) sowie die Gewährung der Erlösungsmöglichkeiten für die individuelle Seele. Die ersten drei Funktionen werden meistens durch drei Erscheinungsformen des höchsten Gottes repräsentiert, ohne dass dadurch dessen Singularität angetastet wird. So ist der Gott Brahma der Weltschöpfer, Vishnu deren Erhalter, während Shiva sie zerstört. Die drei Götter werden von ihren Frauen Sarasvati (Gelehrsamkeit), Lakshmi (Wohlergehen) bzw. Shakti (Urenergie) begleitet. Die Abhängigkeit von der höchsten Gottheit wird im Fall von Brahma besonders deutlich, der als Demiurg fungiert, indem er im Auftrag von Vishnu, Shiva oder der Göttin (Devi) die Weltschöpfung ausführt. Vishnu, der als Narayana und als Krishna menschliche Gestalt annahm, und der unter dem phallischen Symbol des Linga verehrte Shiva stehen seit langem im Mittelpunkt des Glaubens und Kultus. Für die Anhänger des →Vishnuismus ist Vishnu, für den →Shivaismus Shiva der einzige ewige Welterhalter, während alle anderen Götter der Seelenwanderung unterworfen sind und dem Höchsten als Gefolge dienen. Die ebenfalls sehr zahlreichen Shaktas, Anhänger Shaktis (→Shaktismus), sehen in der »Großen Göttin« (Mahadevi, Devi) oder auch Shakti (u. a. auch unter den Namen Durga, Kali) das höchste Sein und die Ursache der Welt. Die meisten Hindus verehren oder zumindest respektieren, unabhängig von ihrer Zugehörigkeit zu einer bestimmten religiösen Tradition, diese »großen« Götter. Für diejenigen Hindus, die der Vedantaphilosophie des Shankara (→Vedanta) und somit einem Monismus anhängen, gehören alle persönlichen Götter der Welt des Scheins an, in Wahrheit existiert nur das eine unpersönliche Absolute, der Allgeist (Brahma). Im Kontext der brahmanischen Orthodoxie (»Smarta-Hinduismus«) werden fünf Gottheiten mit vedischen Opfersprüchen (Mantra) verehrt: Vishnu, Shiva, Durga, Ganesha und Surya.

■ **Kosmologie** Der Hinduismus hat auch detaillierte mythologische und philosophische Vorstellungen über die Beschaffenheit des Kosmos entwickelt, die im Einzelnen oft abweichend, doch morphologisch eine gleichartig inspirierte Konzeption zeigen. Die Welt als solche ist ewig, erfährt aber einen zyklischen Wechsel von Entfaltung und Vernichtung. Dazwischen wird eine längere Periode der Ruhe angenommen, in der die Gottheit verschiedenes Prinzip, in unentfaltetem Zustand verharrt. Ihre drei die gesamte Erscheinungswelt bestimmenden Konstituenten (Guna) sind »Güte« (Sattva), »Leidenschaft« (Rajas) und »Finsternis« (Tamas).

Wenn ein neuer »Weltentag« beginnt, vermischen sich die drei Konstituenten zu den fünf Elementen Äther, Luft, Feuer, Wasser und Erde. Aus deren Kombination entwickelt sich das Weltei, in dem sich die Gottheit als Gott Brahman manifestiert, der dann die ganze Schöpfung mit ihren Göttern, Titanen, Menschen, Tieren, Pflanzen und Höllenwesen aus sich entlässt. Unter der Erde liegen die sieben Unterwelten (Patala), wo Schlangengeister (Naga) leben, und unter ihnen die Höllen. Im Zentrum des Universums liegt der Weltberg Meru, der Wohnsitz der Götter ist. Indien wird in dieser Kosmografie als »Bharata« bezeichnet und als der südlichste Teil des Kontinents Jambudvipa (»Insel des Rosenapfelbaums«). Nur in Bharata vergeht die Zeit in den vier Weltzeitaltern.

Eine jede Weltperiode (Kalpa) umfasst vier Weltzeitalter (→Yugas), in denen sich die Religion, die Rechtschaffenheit und die Lebensumstände der Menschen zunehmend verschlechtern: Krita (Goldenes Zeitalter), Treta, Dvapara und schließlich das Kali-Yuga, die Zeit des Verfalls. Am Ende des letzten Zeitalters wird die Welt durch einen großen Brand zerstört, und nach einer Periode der Ruhe beginnt der geschilderte Weltprozess von neuem.

■ **Kultus** Der Hinduismus kennt, verbunden mit der Verehrung der Götter, von Tieren (Kuh, Affe, Elefant, Schlange) und Naturelementen (u. a. Steine und Pflanzen, z. B. Lotos), eine Vielfalt von im Haus (→Rites de Passage) und im Tempel verrichteten Kulten. In den Riten bestehen schon seit dem ältesten Hinduismus große lokale sowie an Familien- und Kastentraditionen gebundene Unterschiede. Zu Ehren der Götter werden Feste veranstaltet: die »Nacht des Shiva« im Februar, →Holi, eine Art Karneval, zum Frühlingsanfang, im Herbst →Navaratri, das Fest der Tagundnachtgleiche, das Lichterfest →Divali. Wie reiche Prozessionen mit Götterbildern und -statuen bilden auch Wallfahrten einen wesentlichen Bestandteil der hinduistischen Religiosität. Besucht werden z. B. Mathura sowie Varanasi (Benares), wo ein Bad in dem als heilig verehrten Ganges von der Sünde reinigen soll. Während manche Kulte weltzugewandt sind, auch das Erotische einbeziehen und eine Rolle im religiösen Leben vieler Dörfer spielen (z. B. Shaktismus), tragen andere einen asketischen Charakter (Mönchsorden, Einsiedler) und legen das Hauptgewicht auf eine durch yogische Übungen (→Yoga) angestrebte Läuterung.

Außer den angeführten religiösen, sozialen, mythologischen und kultischen Vorstellungen sind für den orth. Hinduismus auch noch bestimmte Bräuche charakteristisch, so u. a. die Verbote der Wiederverheiratung von Witwen, selbst Kinderwitwen, und der Tötung von Kühen. Unter islamischem Einfluss entstanden seit dem 15. Jh. Reformbewegungen, die die bildlose Verehrung eines Gottes lehrten (→Kabir, →Sikhs). Diese haben sich aber gegenüber dem Gesamthinduismus ebenso wenig durchgesetzt wie die ähnliche Ziele verfolgenden Religionsgemeinschaften des →Neohinduismus im 19. und 20. Jh. (→Aryasamaj, →Brahmasamaj, →Ramakrishna-Mission).

■ **Siehe auch**
SACHBEGRIFFE →Bhagavadgita · Brahma · Dharma · Divali · Guru · Jainismus · Kali · Karma · Kaste · Krishna · Kuh · Shakti · Shiva · Upanishaden · Varanasi · vedische Religion · Vishnu · Yoga
PERSONEN →Aurobindo · Caitanya · Gandhi, Mahatma · Nimbarka · Ramakrishna · Ramanuja · Roy, Ram Mohan · Shankara · Shivananda · Tulsidas · Vivekananda

Hiob, Ijob, hebräisch **Iyyov,** in der Septuaginta und in der Vulgata **Job, Iob,** zentrale Gestalt des nach ihr benannten alttestamentlichen Buches, das zu den bedeutendsten Werken der Weltliteratur zählt. Der Name entstammt wohl der vorisraelitischen Form einer alten Legende, die in mehrfach redigierter Fassung in die erstmals selbstständige Rahmenerzählung (»Hiobssage«, 1,1–2,13 und 42,7–17) eingegangen ist. Hauptthemen v. a. des Redeteils, der Reden Hiobs, seiner vier Freunde und Gottes enthält, sind die Erprobung der Frömmigkeit Hiobs und dessen Heimsuchung mit den Hiobsbotschaften (Unglücksbotschaften), die Rehabilitierung Hiobs durch Gott und die Frage der Gerechtigkeit Gottes (Theodizee).

Das Buch Hiob ist wahrscheinlich in nachexilischer Zeit, aber vor 200 v. Chr. entstanden.

Hiob.
Ausgangspunkt des biblischen Buches Hiob ist eine Art Wette zwischen Gott und Satan, in dem sie beschließen, den frommen Hiob auf die Probe zu stellen (42-zeilige Gutenberg-Bibel, vollendet spätestens 1454; Berlin, Staatsbibliothek Preußischer Kulturbesitz).

Hirata, Atsutane, japanischer Philosoph, *Akita 1776, †ebenda 1843; zählt als Schüler des Philosophen Motoori Norinaga (*1730, †1801) zu den Begründern der Kokugaku (»Nationale Schule«), die – kritisch gegen außerjapanische Einflüsse gewendet – für alle Lebensbereiche eine Rückkehr zur japanischen Tradition, zum Shintō als »Weg der Wahrheit« forderte.

Hirsch, Samson Raphael, deutscher Rabbiner und jüdischer Theologe, *Hamburg 20. 6. 1808, † Frankfurt am Main 31. 12. 1888; war ab 1847 Landesrabbiner von Mähren in Nikolsburg und wurde 1851 Rabbiner der in diesem Jahr gegründeten orth. »Israelitischen Religionsgesellschaft« in Frankfurt am Main. Hirsch trat gegen das Reformjudentum und für die Bewahrung traditioneller jüdischer Werte und Kultformen ein.

Hirtenbrief, ein zur Verlesung bestimmtes Rundschreiben des Bischofs an seine Diözese zu lehramtlichen, seelsorgerischen oder aktuellen kirchenpolitischen und Zeitfragen.

Hochfest des Leibes und Blutes Christi, andere Bezeichnung für →Fronleichnam.

Hochgott, Bezeichnung für den Schöpfer in Schriftreligionen, im Gegensatz zum →Höchsten Wesen.

Hochreligionen, nicht eindeutig festgelegte Bezeichnung für die →Kulturreligionen und im engeren Sinn für die fünf großen Weltreligionen.

Höchstes Wesen, Schöpferwesen in schriftlosen Religionen. Es wird abgegrenzt gegen den als **Hochgott** bezeichneten Schöpfer in Religionen mit einer (hl.) Schrift. Es handelt sich meist um ein männliches, seltener weibliches Geistwesen, das erschaffen hat, was allen Menschen gemeinsam gehört: u. a. Erde, Wasser, Meer, Wald. Das Höchste Wesen wohnt auf der höchsten Stufe des Himmels und greift nicht mehr in die von ihm geschaffene Welt ein (→otios). Menschen wenden sich (durch Gebet und Opfer) daher selten direkt an das Höchste Wesen, sondern an ihre Ahnengeister.

Hödr, nicht eindeutig fassbarer altnordischer blinder Gott, der als Sohn Odins gilt. Auf Anstiften Lokis tötet er unwillentlich seinen Bruder Baldr mit einem Mistelzweig, ein Verbrechen, das mit zum Untergang der Götter (→Ragnarök) führt. Hödr wird von Baldrs Rächer Vali erschlagen, zieht aber (nach dem Ragnarök) mit Baldr wieder in die neue, friedvolle Welt ein.

Hoffnung, siehe Sonderartikel Seite 254.

Hohelied, Hohes Lied, Lied der Lieder, hebräisch **Schirha-Schirim,** lateinisch **Canticum Canticorum,** Buch des A.T., das eine Sammlung (ursprünglich selbstständiger) populärer Liebes- und Hochzeitslieder enthält. Von der jüdischen Tradition König Salomo zugeschrieben, ist das Hohelied jedoch wahrscheinlich in spätnachexilischer Zeit (3./2. Jh. v. Chr.) gesammelt und (in Jerusalem?) zusammengestellt worden.

Die die *jüdische* (seit Rabbi Akiba) und *christliche Auslegungstradition* (seit Origenes und Hippolyt, *2. Hälfte 2. Jh., † um 235) lange Zeit beherrschende allegorische Deutung sah in dem Bräutigam Gott bzw. Christus und in der Braut die »Gemeinde Israel« bzw. die Kirche oder die gläubige Seele. Seit Johann Gottfried Herder (*1744, †1803) ist diese Auslegung zuerst in der ev. Theologie zugunsten einer »natürlichen Interpretation« des Hohelieds im Sinne eines Lobes der geschlechtlichen Liebe in den Hintergrund getreten.

Höhenkult, Bergkult, die in vielen Religionen übliche Verehrung von Höhen und Bergen als Sitz der Götter oder als Offenbarungsstätte. Die Religionsgeschichte kennt eine Vielzahl hl. Berge und Höhenheiligtümer, z. B. die Berge Emei Shan, Fudschijama (Fuji), Kailas, Sinai (Horeb) und Zion, die höchsten Erhebungen des Karmel- und Hermongebirges, den Olymp, den mythischen Weltenberg Meru (Sumeru) und die Tempeltürme (Zikkurats) Mesopotamiens.

Hohepriester, Hoher Priester, Oberhaupt der Priesterschaft des Jerusalemer Tempels. Zunächst als religiöses Amt auf den Tempel beschränkt, gewann das Amt des Hohepriesters nach dem Untergang des Königtums in Juda und dem Babylonischen Exil eine große politische Bedeutung. Zu seinem Aufgabenbereich gehörten die Regelung des kultisch-religiösen Lebens und die innenpolitische Administration mit Aufsicht über gesetzliche und richterliche Körperschaften. Zur Zeit Jesu war der Hohepriester Vorsitzender des Hohen Rates (Synedrion). Mit der Zerstörung des Tempels (70 n. Chr.) erlosch auch das Amt des Hohepriesters. Als erster Hohepriester gilt in der jüdischen Tradition Aaron.

Hoher Rat, im N.T. Bezeichnung für die höchste jüdische Behörde, →Synedrion.

Holi, Frühlingsfest der Hindus am Vollmondtag des Monats Phalguna im Februar/März. Holi ist in Nordindien Krishna, in Südindien dem Liebesgott Kama gewidmet. Ursprünglich ein Fruchtbarkeitsfest, wird es heute (besonders in den niederen Kasten) karnevalähnlich gefeiert, wobei alle sozialen Schranken wie aufgehoben gelten.

Hölle [urspr. wohl »die Bergende« (zum Stamm des dt. Verbs hehlen)], Bezeichnung für die in zahlreichen Religionen herrschende Vorstellung von der →Unterwelt als Bereich des Todes, der Totengottheiten, unterweltlicher Dämonen, als Behausung der Toten sowie für einen jenseitigen Vergeltungsort. Im A.T. entspricht dem deutschen Begriff Hölle die →Scheol. Im N.T. findet sich die Vorstellung eines Ortes (→Gehenna) eschatologischer Strafe nach dem →Jüngsten Gericht für Leib

Hölle   Das ägyptische Totengesicht

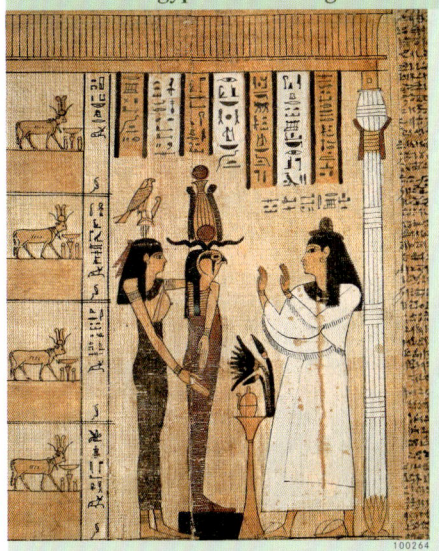

Innerhalb des ägyptischen Totenkultes nahm das Totengericht, dem sich jeder Verstorbene unterziehen musste, eine besondere Rolle ein. Im Angesicht des Totenherrschers Osiris führt der schakalköpfige Gott Anubis den Verstorbenen vor die Seelenwaage. Das Herz des Toten wird nun gegen die Feder der Maat, das Symbol der Gerechtigkeit und der Wahrheit, gewogen. Nur wenn die Waage sich der Maatfeder zuneigt, ist der Betreffende gerechtfertigt und kann, geführt vom Falkengott Horus, in das Reich des Osiris eingehen. Neben der Waage steht der ibisköpfige Gott Thot, der das Ergebnis der Wägung auf einem Täfelchen notiert. Unter der Waage aber wartet die weiblich gedachte Totengottheit Amenuit oder Ammit in hockender Stellung. Amenuit, »die Verschlingerin«, ist ein monströses Mischwesen mit dem Kopf eines Krokodils mit Löwenmähne, dem Vorderkörper eines Löwen und dem Hinterleib eines vielbrüstigen Nilpferdes. Sie verschlingt die Seelen der nicht Gerechtfertigten, wodurch diese einen »zweiten« und endgültigen Tod sterben. Im Rachen der Amenuit sind sie der ewigen Finsternis überantwortet (Miniatur aus dem Totenbuch, 1070–945 v. Chr.; Kairo, Ägyptisches Museum).

---

und Seele der Verdammten, auch für die Dämonen und den Satan.

■ **Christentum** Die christliche Tradition bezeichnet mit Hölle diejenige Wirklichkeit, in der der Mensch nach Gottes Gericht das Heil nicht erlangt hat und die Strafe der Verdammnis erleidet. Die mittelalterliche Theologie hat die Existenz der Hölle, die ewige Dauer der Höllenstrafen und den sofortigen Eintritt der Strafe nach dem Tod definiert. Es gibt jedoch weder dogmatische Bestimmungen über die Art der Höllenstrafen (ob diese etwa metaphorisch oder realistisch zu verstehen sind), noch wird von einem bestimmten Menschen ausgesagt, er sei in der Hölle (während sich die kath. Kirche jedoch in ihrem Glauben sicher ist, dass bestimmte Menschen, etwa die Heiligen, »im Himmel« sind). Innerhalb der ev. Theologie bildet die Beschreibung der Hölle als Zustand der (endgültigen) Gottesferne und -verlassenheit, der durch die dem Menschen mögliche freie Willensentscheidung gegen Gott begründet werde, seit der Aufklärung ein weit verbreitetes Deutungsmuster. Die Kirche von England setzte 1996 mit der Annahme einer kirchlichen Lehrstudie zur traditionellen Höllenauffassung durch ihre Generalsynode die Lehren von Höllenfeuer und ewiger Bestrafung offiziell außer Kraft und definierte die Hölle als dem Himmel (dem »Heil in Gott«) entgegengesetzte Realität des »Nichtseins« neu.

Der Volksglaube hat v. a. die drastischen Vorstellungen eines unauslöschlichen Feuers (Mt. 3, 12; 18, 8) und großer Qualen (»Heulen und Zähneknirschen«, Mt. 8, 12; 13, 42, 50 u. a.) aufgenommen.

■ **Islam** Auch im Islam gibt es ausgeprägte Höllenvorstellungen. Der Koran erwähnt die Hölle (arabisch djahannam) häufig und beschreibt sie als Ort der Strafe für die beim Jüngsten Gericht Verdammten. Hervorstechendstes Merkmal ist das Feuer (arabisch nar), das oft synonym mit Hölle verwendet wird. Die Hölle hat sieben Tore und wird von 19 Engeln bewacht.

■ **Hinduismus und Buddhismus** Im Hinduismus und Buddhismus gibt es mehrere, unterschiedliche Höllen (Naraka), die meist unterirdisch gedacht werden. Die Höllenstrafen und -qualen sind nie ewig, da sich die Folge der Wiedergeburten immer fortsetzt.

Höllenfahrt, die mythische Vorstellung, dass Gottheiten, Heroen oder auch einzelne Menschen in die Totenwelt hinabsteigen und dort Auskunft über die Zukunft erhalten oder die Macht des Schicksals und des Todes zu brechen suchen, wie etwa in der griechischen Mythologie Herakles und Orpheus. Ein sumerischer, ins Akkadische übertragener Mythos beschreibt die Höllenfahrt der Himmelsgöttin Inanna, die jedoch durch Tammuz wieder erlöst wird. Ein anderer sumerischer Mythos erzählt von der Erstürmung der Hölle durch Nergal, der die Unterweltsgöttin überwindet. Diese Erzählungen verweisen auf einen Zusammenhang mit Vegetationsmythen wie etwa dem von Demeter und Persephone.

Fortsetzung S. 256

Hoffnung

Hoffnung
→ GEO **Dossier**
Glaube, Liebe, Hoffnung?, Bd. 15

Die zentrale Frage »Was ist der Mensch?« lässt sich – so formulierte es Immanuel Kant – in drei Grundfragen präzisieren: »Was kann ich wissen? Was soll ich tun? Was darf ich hoffen?« Die letzte der drei Fragen – »Was darf ich hoffen?« – steht dabei für jene Dimension des menschlichen Daseins, die das intellektuelle Wissen ebenso übersteigt wie das praktische Handeln. Worauf sich die Hoffnung des Menschen richtet und worauf sie sich stützen kann, gehört zu den zentralen Glaubensinhalten der Religionen. Oft weist die religiöse Hoffnung über das Leben hinaus, doch ist sie ebenso Bestandteil des Lebens selbst, indem sie stabilisierend und motivierend wirkt.

»Hoffnung« stand in der Antike für die Erwartung von Zukünftigem, das sowohl schlecht als auch gut sein konnte. Die mit dem heutigen Sprachgebrauch verbundene positive Bedeutung des Begriffs ist vor allem auf die alttestamentlichen und mit der christlichen Endzeiterwartung zusammenhängenden Vorstellungen zurückzuführen.

Hoffnung in Philosophie und Theologie

Im Alten Testament ist Hoffnung von vornherein positiv qualifiziert und wird als Erwartung des Heils verstanden, eng verbunden mit Glauben und Vertrauen. Grundlage der Hoffnung ist der Bund Jahwes mit dem Volk Israel. Der Prophet Jeremia fasst zusammen: »Denn du, Herr, bist die Hoffnung Israels« (17, 13). Israels Hoffnung ist zunächst auf die Hilfe und das Handeln Gottes gerichtet, auf irdische Güter wie Gesundheit, Besitz, Nachkommen und Frieden, dann aber darüber hinaus auf das Kommen eines Messias, das verheißene Land als ewige Heimat Israels, den Beginn eines neuen Weltalters oder die mit dem Endgericht anhebende Ewigkeit einer gerechten Welt.

»Hoffnung für alle« heißt eine moderne Bibelübersetzung, die mit diesem Titel die christliche Lehre vom Neuen Bund Gottes in Christus aufnimmt, die die israelische Hoffnung auf Heil auf alle Menschen überträgt. Im Neuen Testament wird Hoffnung besonders in der Theologie des Paulus thematisiert. Hoffnung umfasst für ihn als wesentliche Momente Erwartung des Künftigen, Vertrauen und Geduld. Zusammen mit Glaube und Liebe bezeichnet er sie als höchste christliche Tugend. Die Ausgestaltung der paulinischen Theologie der Hoffnung wird dabei durch die besondere Situation der frühen christlichen Gemeinden bestimmt, die eine baldige Wiederkunft Christi und damit das Anbrechen der Endzeit erwarteten. Nach christlichem Glauben ist das Heil in Jesus Christus schon gegenwärtig angebrochen und steht in seiner Vollendung noch aus. Diese Spannung von Gegenwart und Zukunft bildet den Hintergrund christlicher Hoffnung. Augustinus fügt Hoffnung sowie Glaube und Liebe als christliche »Tugenden« zu den Kardi-

Als das Volk Israel 40 Jahre durch die Wüste wanderte, war seine Hoffnung auf den Beistand Gottes in allen Belangen des Lebens gerichtet. Mit dem süßen Manna, das die Israeliten jeden Morgen auf dem Wüstenboden fanden, ernährte er sie (»Die Mannalese«, Gemälde von Giuseppe Angeli, 1768; Venedig, San Stae).

naltugenden Tapferkeit, Besonnenheit, Gerechtigkeit, Weisheit hinzu. Seit der Aufklärung hatte »Hoffnung« im Zusammenhang mit einer evolutionären Geschichtsauffassung eine zentrale Bedeutung durch die mit der Entwicklung der Vernunft in Aussicht gestellten politisch-sozialen und moralischen Verbesserungen für die gesamte Menschheit. Für die praktische Philosophie bedeutsam wurde die Hoffnung durch Immanuel Kants moralischen Gottesbeweis: Als Grund für das menschliche Hoffen auf Glückseligkeit müssen nach Kant die Existenz Gottes, die Unsterblichkeit der Seele und die Freiheit des menschlichen Willens angenommen werden. Im 20. Jahrhundert entwickelte Ernst Bloch auf dem Boden des dialektischen Materialismus eine »Philosophie der Hoffnung«. Konkrete Utopien und menschliche Hoffnungen, wie sie sich in Tagträumen, Fantasien, aber auch in den Produktionen von Kunst, Technik, Philosophie und Religionen äußern, beziehen sich danach auf die in der Welt verborgen und angedeutet liegenden Möglichkeiten zu einem besseren, humaneren Leben. In der Auseinandersetzung mit Bloch entwickelte der evangelische Theologe Jürgen Moltmann eine »Theologie der Hoffnung« und der katholische Theologe Johann Baptist Metz eine »politische Theologie«, die ebenfalls in der christlichen Hoffnung ihren wichtigsten Bezugspunkt hatte. Denn die Hoffnung auf das endzeitliche Heil bedeutet nicht nur individuelle Erlösung, sondern ermöglicht auch die Verwirklichung von Recht, Humanität und Frieden. Auch die Frage des Menschen nach sich selbst und nach der Sinnhaftigkeit der Menschheitsgeschichte soll durch den christlichen Glauben »auf Hoffnung hin« beantwortet werden. Christliche Hoffnung ist das trotz aller in der Geschichte erfahrenen Absurdität und Widersinnigkeit in Jesus Christus gegründete Vertrauen auf einen letzten Sinn.

Hoffnung beim Individuum

Auch im alltäglichen Leben manifestiert sich Hoffnung. So erhofft der Inhaftierte Befreiung, der Arbeitslose eine Anstellung, der Trauernde Trost, der Kranke Genesung. Hoffnung in ihrer transzendenten Dimension ist vor allem auch bei unheilbarer Erkrankung oder existenzieller Ausweglosigkeit beobachtet worden, wobei die positive Erwartung meist nicht mehr mit einem Erreichen physischer Vitalität verknüpft wird, sondern auf eine religiöse Erfahrung, eine die Physis transzendierende Kraft oder innere Gewissheit gegründet ist.

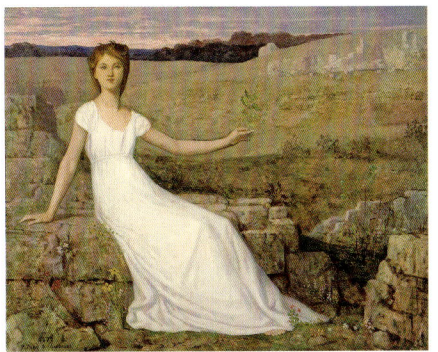

Die Psychologie stellt die Fähigkeit zu hoffen auch in einen Zusammenhang mit dem Vermögen des Urvertrauens und Glaubens, wie es durch die Mutter beim Kleinkind vorgebildet wird. Hoffnungen werden von einer Generation zur nächsten, von Mensch zu Mensch übertragen; auch in Form eines Glücksversprechens in Verbindung mit Ehrgeiz und Leistung. In allen Gesellschaftsformen finden sich mit besonderer Macht, Charisma und Anerkennung ausgestattete »Hoffnungsträger«: Schamanen, Gurus, Priester oder »die Kirche«, aber auch Herrscher, »die Partei«, Ärzte und Psychologen sollen helfende, sinngebende und heilende Funktionen erfüllen.

Allen Konkretisierungen von Hoffnung haftet etwas Unvollkommenes, Gebrochenes und Vorläufiges an. Letztlich impliziert Hoffnung immer ein »Mehr«, das vom Menschen eben »erhofft« wird, für ihn aber nicht unmittelbar greifbar ist und ihn auf eine »offene« Zukunft verweist.

In seiner symbolistischen Malerei behandelte der französische Maler Pierre Puvis de Chavannes mythologische, allegorische und religiöse Themen, wie zum Beispiel in der Personifikation der »Hoffnung« (1872, Ausschnitt).

Höllenfahrt Christi

Fortsetzung von S. 253

Höllenfahrt Christi, lateinisch **Descensus Christi ad inferos,** der Abstieg Jesu Christi in das Reich des Todes (Limbus patrum), um den Verstorbenen das Evangelium zu verkünden (1. Petr. 3, 18 ff.; 4, 6). Damit hat er nach christlicher Vorstellung den Tod als Ausdruck von Heillosigkeit und Gottesferne überwunden und den Verstorbenen durch seinen Tod und seine Auferstehung den Bereich der universalen Gottesherrschaft, das »ewige Leben«, eröffnet (Apk. 1, 18). Die Höllenfahrt Christi ist Bestandteil des Apostolischen Glaubensbekenntnisses.

Holocaust [engl. ˈhɔləkɔːst; »Massenvernichtung«, eigentlich »Brandopfer«, von griechisch holókaustos »völlig verbrannt«], neuhebräisch **Schoah, Shoa, Shoah,** ursprünglich das in 3. Mos. 1, 3 beschriebene Brandopfer, später jedes Opfer, das im Feuer verbrannt wird. Seit 1944/45 wird das Wort für die systematische Vernichtung des europäischen Judentums durch die Nationalsozialisten verwendet, bisweilen auch im erweiterten Sinne für systematischen Völkermord (Genozid) überhaupt (etwa an den Armeniern 1915).

> In seiner Erzählung »Die Nacht« (1958) schildert der jüdische Schriftsteller Élie Wiesel, der das Konzentrationslager überlebte, wie er während des **Holocaust** das Vertrauen in Gott verlor:
>
> *»Als wir eines Tages von der Arbeit zurückkamen, sahen wir auf dem Appellplatz drei Galgen.*
> *Antreten. Ringsum die SS mit drohenden Maschinenpistolen, die übliche Zeremonie. Drei gefesselte Todeskandidaten, darunter der kleine Pipel, der Engel mit den traurigen Augen...*
> *Alle Augen waren auf das Kind gerichtet. Es war aschfahl, aber fast ruhig und biss sich auf die Lippen. Der Schatten des Galgens bedeckte sich ganz... Die drei Verurteilten stiegen zusammen auf ihre Stühle. Drei Hälse wurden zu gleicher Zeit in die Schlingen eingeführt. ›Es lebe die Freiheit!‹, riefen die Erwachsenen. Das Kind schwieg. ›Wo ist Gott, wo ist er!‹, fragte jemand hinter mir. Auf ein Zeichen des Lagerchefs kippten die Stühle um... Ich hörte eine Stimme in mir antworten: ›Wo ist er? Dort – er hängt dort am Galgen.‹«*

Der nationalsozialistische Holocaust am Volk der Juden konnte auf eine weitgehende Duldung der Ausgrenzungsmaßnahmen durch die Bevölkerung aufbauen. Diese waren z. T. bereits im traditionellen, ursprünglich religiös motivierten Antisemitismus angelegt. Ihrer ideologischen Ausrichtung nach entstammte die Vernichtungspolitik des Nationalsozialismus jedoch dem rassistischen Antisemitismus des 19. Jh., den Adolf Hitler bereits in seinem Buch »Mein Kampf« (1924/26) propagiert hatte. Ziel der nationalsozialistischen Politik war zunächst die Herausdrängung der Juden aus dem öffentlichen Leben, später ihre Vernichtung als Rasse.

■ **Verlauf** Sofort nach Machtantritt des Nationalsozialismus in Deutschland am 30. 1. 1933 begann die sich mit der Zeit verschärfende Ausgrenzung der jüdischen Minderheit (1933 etwa 500 000 Menschen): vom Boykott jüdischer Geschäfte (1933) über die »Nürnberger Rassengesetze« (1935), das Verbot von Eheschließungen zwischen Juden und »Ariern« bis zur Kennzeichnungspflicht für Juden (1938, verschärft 1941) und zur Pogromnacht vom 9. 11. 1938 (»Reichskristallnacht«), in der Synagogen angezündet und jüdische Einrichtungen verwüstet wurden.

Bereits mit dem deutschen Überfall auf Polen (1939) entstanden Pläne zur »Aussiedlung« der europäischen Juden in Judengettos der Ostgebiete (Polen, Baltikum, Sowjetunion). Im Februar 1940 begannen die bürokratisch organisierten Massentransporte der westeuropäischen Juden in den Osten. Mit dem Überfall auf die Sowjetunion (1941) setzten sich in der politischen Führungsspitze die bereits ausgearbeiteten Pläne zur physischen Vernichtung des europäischen Judentums durch, die in der »Wannsee-Konferenz« am 20. 1. 1942 als »Endlösung der Judenfrage« nachträglich »legitimiert« wurden. Bei der geplanten Vernichtung kam der Ausrottung des Ostjudentums – unter massiver Mitwirkung der einheimischen Bevölkerung – ein besonderer Vorrang zu.

Bis April 1942 liquidierten Einsatzgruppen und Einsatzkommandos des Sicherheitsdienstes der SS sowie Polizeibataillone über 500 000 jüdische Menschen hinter der deutschen Front. Ab Herbst 1941 entstanden in Polen die Konzentrations- und Vernichtungslager Auschwitz und Majdanek sowie die reinen Vernichtungslager Kulm, Bełżec, Sobibór und Treblinka. In diesen Lagern wurden »fabrikmäßig« etwa sechs Millionen Juden, 2,5 Millionen nicht jüdische Menschen (meist slawischer Herkunft) und ca. 500 000 Ausgegrenzte, meist Sinti und Roma, ermordet. Große Teile der jüdischen Bevölkerung Polens und der Ukraine sowie fast das gesamte Judentum der baltischen Länder wurden ausgerottet.

Nach 1945 bildete der Holocaust am jüdischen Volk einen Hauptanklagepunkt der Kriegsverbrecherprozesse vor alliierten und deutschen Gerichten und wurde auch zum beherrschenden Thema historischer und innerkirchlicher Debatten.

■ **Jüdische Positionen zum Holocaust** Seit 1951 wird in Israel der Jom ha-Schoah als jährlicher Gedenktag für die Opfer des Holocaust am 27. Nissan (April), außerhalb Israels am 19. 4., begangen. Er ist gleichzeitig der Erinnerung an den Warschauer (Getto-)Aufstand 1943 gewidmet. 1953/57 wurde die Gedenk- und Forschungsstätte Yad Vashem (hebräisch »ein Denkmal und ein Name«) in Jerusalem gegründet. Seit 1996 ist in Deutschland der 27. 1. (Befreiung von Auschwitz) nationaler Gedenktag an die Opfer des Nationalsozialismus.

Der Holocaust hat v. a. bei den Juden Israels und der USA eine große Debatte über seine historische und heilsgeschichtliche Einordnung ausgelöst. Für einige extreme Positionen beruht der Holocaust auf der göttlichen Vorsehung mit Hitler in der Rolle eines »negativen Messias«, der das Leiden des Volkes Israel als Zeichen der Erwählung hervortreten lässt und die Gründung des Staates Israel (1948) allererst ermöglicht hat. Eine weitere Position interpretiert alle Leiden des jüdischen Volkes, selbst in diesem gewaltigen Ausmaß, als »gerechte Strafe« für die Sünden des Volkes Israel.

Die Frage nach der Anwesenheit Gottes in den Todeslagern wird etwa von Emil Fackenheim (»God's Presence in History«, 1970) entschieden bejaht. Er unterscheidet aber Gott in seinen Eigenschaften als Retter und als Gesetzgeber. Gott als Retter war im Holocaust nicht anwesend, wohl aber als Gesetzgeber, der dem jüdischen Volk aufgab, nicht unterzugehen und auch das Andenken der Ermordeten nicht untergehen zu lassen. Dagegen sieht der Theologe Richard Lowell Rubenstein (»After Auschwitz«, 1966) mit dem Holocaust den Tod des traditionellen jüdischen Gottesverhältnisses bzw. -verständnisses gegeben. Der nun zerstörten Abhängigkeit des Volkes Israel von einem rettend eingreifenden Gott setzt er den Appell an eine verstärkte Bewahrung seiner identitätsstiftenden Bräuche und Riten entgegen. Die Notwendigkeit eines neuen Bundes vertritt auch der Schriftsteller Élie Wiesel in seinen Romanen. Jetzt ist jedoch nicht mehr Gott Bundespartner des Menschen, sondern dessen eigene Erinnerungen an Leiden und Tod. Dieser neue Bund führt zu einer »Heiligung des Lebens«, zum Zeugnisablegen und zur Solidarität unter den Menschen. Zur Auseinandersetzung der christlichen Kirchen mit dem Holocaust →Antisemitismus.

Holosophische Gesellschaft [griech., zu Holosophie »Weisheit der Einheit«], Meditationsbewegung in der indischen Tradition des Sant Mat (→Radhasoami), gegründet im 19. Jh., die sich als hinduistische Reformbewegung mit sikhistischen Elementen versteht. Sie arbeitet mit den Elementen Klang und Licht, die als spirituelle Strukturelemente in einer komplexen Kosmologie mit mehreren himmlischen Sphären verstanden werden. Sie geriet 1993/1995 ins Zwielicht aufgrund von inhumanen Techniken bei der Meditation von Kindern.

Homer, griechisch **Homeros,** griechischer Dichter, lebte im 8. Jh. v. Chr. im ionischen Kleinasien. Im 19. Jh. als fiktive Gestalt angesehen, gilt er heute wieder als historische Person. Als seine Geburtsstadt gilt u. a. Smyrna. Die im Altertum unter Homers Namen überlieferten Epen »Ilias« und »Odyssee« wurden wahrscheinlich in der 2. Hälfte des 8. Jh. v. Chr. dichterisch gestaltet, wobei die Odyssee nach heute überwiegender Ansicht jünger ist.

Inhalt der »Ilias« ist die zehnjährige Belagerung Trojas durch die Griechen. Endpunkt der Handlung ist der Tod des trojanischen Helden Hektor durch den Griechen Achill und die Bestattung. Parallel zum menschlichen Geschehen verläuft eine Götterhandlung, in der die Götter versuchen, die Ereignisse nach ihrem Willen zu lenken. Ihre allzu menschlichen Handlungsweisen riefen später bei den griechischen Philosophen Widerspruch hervor. Die »Odyssee« erzählt die Irrfahrten und die Heimkehr des Odysseus nach der Eroberung Trojas durch die Griechen. Anders als in der »Ilias« handeln in der Odyssee auch Vertreter sozial niederer Schichten. Die Götterhandlung ist dagegen weniger ausgeprägt.

Den Griechen galt Homer als »der Dichter« schlechthin. Er war der Gestalter ihres Götter- und Menschenbildes und die Grundlage der griechischen Literatur. Während des gesamten Altertums nahm das Werk Homers den ersten Platz in der griechischen Schullektüre ein.

Homilie [griech. »Zusammensein«, »Gespräch«, »Versammlung«, »Unterricht«], Predigt, die eine Perikope Vers für Vers oder unter einem bestimmten thematischen Gesichtspunkt auslegt.

Hönir, *altnordische Mythologie:* zu den Asen gehörige, in ihren Funktionen unbestimmte Göttergestalt. Mit Odin u. a. ist Hönir an der Erschaffung der Menschen beteiligt, im Vanenkrieg wird er Geisel bei den Vanen.

Horeb, Horev, im A. T. Name des Gottesberges in der Wüste (Ort der Gesetzgebung) beim Elohisten, im Deuteronomium und in der deuteronomistischen Literatur (→Sinai).

Höre Israel, Anfangsworte des jüdischen Hauptgebets, →Schema.

Horen [latein. »Zeiten«, »Stunden«], die Gebetszeiten des christlichen →Stundengebets.

Horus, ägyptischer Gott in Falkengestalt. Er war schon in vorgeschichtlicher Zeit die wichtigste Gottheit Unterägyptens, in die alte Falkenkulte des Nildeltas eingegangen waren. In seinem ältesten Wesen Himmelsgott, der mit seinen Flügeln den Himmel überspannt und dessen Augen Sonne und Mond sind, verband er sich auch mit dem Sonnengott Re zur Gestalt des **Harachte** (»Horus vom Horizont«), dem Gott der Morgensonne. Horus wurde früh zum Königsgott, der sich in dem jeweils regierenden König verkörpert. Sein Name war daher

Homer.
Der »blinde« Homer (römische Kopie eines griechischen Originals aus der Mitte des 2. Jh. v. Chr.)

Horus   Isis, Osiris und Horus

Der Mythos von Isis, Osiris und Horus besaß im alten Ägypten den Rang eines Staatsmythos, da jeder König die Rolle des Horus verkörperte. Seth, der Gott der Wildnis und der Gewalt, hat seinen Bruder Osiris erschlagen, der als König über Ägypten herrschte, und die Teile des zerstückelten Leichnams verstreut. Isis findet die Glieder, setzt den Leichnam wieder zusammen und empfängt von dem vorübergehend Wiederbelebten ein Kind. Dieser Teil des Geschehens spiegelt die Vorstellungswelt des ägyptischen Totenkults, der der Überwindung des Todes dient. Nun muss Isis – versteckt vor Seth – das Kind, Horus, an einem geheimen Ort zur Welt bringen und aufziehen. Der folgende Kampf zwischen Horus und Seth, der als Rechtsstreit ausgetragen wird, ist der Gründungsmythos des pharaonischen Staates. In einem ersten Urteil erhält Horus Unterägypten und Seth Oberägypten. Das endgültige Urteil aber spricht Horus ganz Ägypten zu und Seth die Wüste. Das Recht (verkörpert in Horus) siegt über die Gewalt (personifiziert in Seth). Im letzten Teil des Mythos, dem Triumph des Horus, sind wieder Osiris, Isis und Horus die Hauptgestalten: Isis setzt Horus auf den Thron des Osiris (Brustschmuck, 9. Jh. v. Chr.; Paris, Louvre).

Bestandteil der offiziellen Bezeichnung des Königs.

Horus galt als »Schützer seines Vaters« (**Harendotes**) sowie als Beschützer der Kinder und Kranken. Als **Harpokrates** (gräzisiert »Horus das Kind«) war er bis in hellenistischer Zeit sehr populär. Dabei wurde das ägyptische Zeichen des Kindseins, der Finger am Mund, als Schweigegebot gedeutet.

An vielen Kultorten und in verschiedenen Formen wurde er auch als Morgengott verehrt, u. a. im oberägyptischen Edfu in der Gestalt einer geflügelten Sonnenscheibe (→**Flügelsonne**) und als Sieger über Seth mit dem Namen **Harmachis** (»Horus im Horizont«).

Das **Horusauge** diente als Amulett zum Schutz gegen Gefahren und war gleichzeitig Symbol für die kultische Opfergabe, die Königskrone und das Licht.

Hoschana rabba [hebr. »großes Hosianna«], der letzte Tag des →Laubhüttenfestes.

Hosea [hebr. Hôšeaʻ »Gott hat geholfen«], in der Vulgata **Osee**, der einzige aus dem Nordreich Israel stammende Schriftprophet; trat seit etwa 750 v. Chr. unter König Jerobeam II. und seinen Nachfolgern auf, vielleicht bis zum Ende des Nordreichs 722 vor Christus. Ein Hauptthema seiner sprachlich imponierenden Prophetie ist die unzerstörbare Liebe Jahwes zu seinem Volk trotz dessen Abfalls zu kanaanäischen Fruchtbarkeitsgöttern (Baalen), die Hosea durch seine Liebe zu seiner untreuen Ehefrau Gomer symbolisiert (Hosea 1–3). Ein zweites wichtiges Element sind Strafreden gegen den Baalskult in Israel und die Politik der israelitischen Könige. Das **Buch Hosea** eröffnet das →Zwölfprophetenbuch. Ihm liegen womöglich zwei ursprünglich selbstständige (Spruch-)Sammlungen zugrunde.

Hosti|e [latein. hostia »Opfer(tier)«], das ungesäuerte Weizenbrot, das in der kath. und lutherischen Eucharistie- bzw. Abendmahlsfeier verwendet wird. Vom 11./12. Jh. an wurde es für die Volkskommunion in dünnen Scheiben (Oblaten) gebacken und als Hostie bezeichnet.

Hotei [japan. »Leinwandsack«], chinesisch **Budai**, einer der sieben japanischen Glücksgötter und Schutzpatron der Kinder. Hotei ist ein historisch nachweisbarer chinesischer Bettelmönch, der um 900 lebte. In der Zenmalerei wird er häufig als wohlbeleibter, lächelnder Kahlkopf mit nacktem Bauch und geschultertem Sack dargestellt. Er verkörpert das buddhistische Ideal bedürfnisloser, ungezwungener Heiterkeit.

Hrabanus Maurus [althochdt. hraban »Rabe«; seinen Beinamen »Maurus« erhielt er von Alkuin nach dem Lieblingsschüler des Benedikt von Nursia], **Rhabanus Maurus,** mittellateinischer Schriftsteller, Universalgelehrter, *Mainz um 783, †ebenda 4. 2. 856; kam etwa achtjährig ins Kloster Fulda. Nach dem Studium bei Alkuin in Tours und am Kaiserhof zu Aachen wurde er Lehrer und Leiter der Fuldaer Klosterschule und 822 schließlich Abt. Aus politischen Gründen legte er sein Amt 842 nieder und zog sich auf den Petersberg bei Fulda zurück. 847 wurde er Erzbischof von Mainz.

Hrabanus war einer der vielseitigsten Gelehrten seiner Zeit. Unter seiner Leitung wurde die Fuldaer Schule zur damals führenden in Deutschland. In seinen Schriften trug er den Wissensstoff aus den Werken antiker Schriftsteller, der Kirchenväter und des frühen Mittelalters zusammen und schuf damit Grundlagen für den Unterricht in den Kloster-, Dom- und Stiftsschulen sowie für andere theologische und enzyklopädische Schriften. Hrabanus verfasste viele Lehr- und Schulbücher, kanonistische, homiletische und dogmatische Schriften, umfangreiche Bibelkommentare und das weitverbreitete Handbuch »De institutione clericorum«. Sein umfangreichstes Werk sind die 22 Bände »De rerum naturis« (unrichtig oft »De universo« genannt), eine theologisch ausgerichtete Enzyklopädie des Wissens. Die Echtheit der ihm zugeschriebenen Hymnen ist umstritten.

Hsüan-tsang, chinesischer buddhistischer Mönch und Reisender, →Xuanzang.

Hsün-tzu, chinesischer Philosoph, →Xunzi.

Huaca [ˈuaka, Ketschua], bei den Indianern der südamerikanischen Anden gebräuchliche Bezeichnung für hl. Orte jedweder Art (Bauten, Berge, Quellen u. a.) sowie für übernatürliche Erscheinungen oder Gestalten. Heute werden v. a. vorspanische Ruinenstätten (z. B. Huaca Prieta, Huaca de los Reyes) oder einzelne Gebäude als Huaca bezeichnet.

Huangdi [chines. »Gelber Kaiser«], **Huang-ti,** einer der legendären Kaiser (Urkaiser) Chinas, auf den nachfolgende Könige des chinesischen Altertums ihre Abstammung zurückführten. Huangdi gilt als Ahnherr der chinesischen Zivilisation und Erfinder zahlreicher Kulturerrungenschaften. Der Daoismus sieht in ihm den Begründer seiner Lehre. Daher ist der Kaiser ein beliebtes Motiv in daoistischen Darstellungen volksreligiösen Charakters.

Huayan [chines. »Blütenschmuckschule«], japanisch **Kegon,** eine der Hauptschulen des chinesischen Buddhismus, die ihren Namen vom Titel der chinesischen Übersetzung ihres Haupttextes, des »Buddhavatamsakasutra«, herleitet. Die Lehre des Huayan betrachtete sich selbst als den Höhepunkt der Lehre des historischen Buddha. Sie beruht auf der Gleichheit aller Erscheinungsformen, die sich in verschiedenen Zuständen befinden können, aber letztlich austauschbar sind. Der Huayan wurde 740 nach Japan gebracht.

Huber, Wolfgang, deutscher evangelischer Theologe, * Straßburg 12. 8. 1942, studierte in Heidelberg, Göttingen und Tübingen, trat als Vikar (1966–68) in den Dienst der württembergischen Landeskirche, war anschließend wissenschaftlich tätig und lehrte als Professor Sozialethik (ab 1980) in Marburg und Systematische Theologie (ab 1984) in Heidelberg. 1994–2003 war Huber Bischof der Evangelischen Kirche in Berlin-Brandenburg, seit Januar 2004 ist er Bischof der neu gebildeten Evangelischen Kirche Berlin-Brandenburg-schlesische Oberlausitz und seit November 2003 auch Vorsitzender des Rates der EKD.

Werke: Gerechtigkeit und Recht. Grundlinien christlicher Rechtsethik (1996); Kirche in der Zeitenwende. Gesellschaftlicher Wandel und Erneuerung der Kirche (1998); Der gemachte Mensch. Christlicher Glaube und Biotechnik (2002); Vertrauen erneuern. Eine Reform um der Menschen willen (2005).

Hugenotten [französ., entstellt aus »Eidgenossen«], seit dem Eindringen des Calvinismus in Frankreich (Mitte des 16. Jh.) deutsche Bezeichnung für die französischen Protestanten, die 1559 auf ihrer ersten Nationalsynode in Paris ihr Bekenntnis (Confessio Gallicana) formulierten. Die Hugenotten fanden ihre Anhänger v. a. beim hohen Adel, u. a. bei den Häusern Bourbon-Vendôme und Châtillon. Ihrem Ringen um Anerkennung ihres Glaubens sowie ihrer bürgerlichen und politischen Rechte stand das Bemühen der französischen Krone gegenüber, keinerlei Abweichungen vom staatstragenden kath. Glauben zu dulden. Dies führte zu den blutigen Hugenottenkriegen, die das Land im 16. Jh. schwer erschütterten. In mehreren Friedensschlüssen und Verträgen musste die Krone Zugeständnisse machen, sodass die Hugenotten eigene staatliche Strukturen aufbauen konnten.

■ **Anerkennung und Verfolgung** Unter König Heinrich IV. wurden Stellung und Rechte der Hugenotten im Edikt von Nantes (1598) definiert. Kardinal Richelieu (Erster Minister seit

Hugenotten
→ GEO **Dossier**
Glaube, Liebe, Hoffnung?, Bd. 15

Hrabanus Maurus. Der bedeutende Lehrer zur Zeit der so genannten Karolingischen Renaissance sah seine Aufgabe darin, das antike Wissen an seine Schüler zu vermitteln. Sein Hauptwerk ist die 22-bändige Enzyklopädie »De rerum naturis«, aus der die Miniatur (11. Jh.) des römischen Sonnengottes Sol stammt.

Hugenotten.
Der blutige Höhepunkt der französischen Auseinandersetzung der Glaubensparteien im 16. Jh. war am 24. August 1572 die »Bartholomäusnacht«, ein Massaker unter den französischen Calvinisten, den Hugenotten. Allein in Paris fielen ihr mehr als 3 000 Menschen zum Opfer (Gemälde von François Dubois aus demselben Jahr).

1624), dessen erklärtes Ziel die Stärkung der Zentralgewalt war, nahm bereits im »Gnadenedikt« von Nîmes (1629) die politischen Rechte der Hugenotten wieder zurück, während die religiösen Freiheiten noch bis 1685 erhalten blieben. Mit dem in diesem Jahr von Ludwig XIV. verkündeten Revokationsedikt von Fontainebleau wurde die Möglichkeit der Religionsausübung so stark eingeschränkt, dass die Hugenotten sich in Frankreich nur noch als »Église du désert« (Kirche der Wüste) in der Verborgenheit halten konnten.

Aufgrund starker Bedrohung verließen mehr als 200 000 Hugenotten ihre Heimat. Die französische Wirtschaft erlitt damit einen Schaden, von dem sie sich bis zur Französischen Revolution nicht erholte. Gegen die Restgemeinde in Frankreich, die so genannten Kamisarden, wurde 1702–04 der Cevennenkrieg geführt. Unter dem Einfluss des geistigen Klimas der Aufklärung wurden die hugenottischen Gemeinden seit dem Toleranzedikt von Versailles (1787) geduldet, aber erst nach der Revolution von 1789 erhielten sie durch den Code Napoléon volle Gleichberechtigung.

■ **Auswanderung aus Frankreich** Nach der Aufhebung des Edikts von Nantes fanden die Hugenotten Aufnahme in der Schweiz, in den Niederlanden, in England und im Heiligen Römischen Reich, hier vorwiegend in reformierten Gebieten. Von besonderer Bedeutung wurden die Hugenotten in Brandenburg-Preußen, wo der Große Kurfürst ihre Ansiedlung durch das Edikt von Potsdam (8. 11. 1685) förderte. Im Laufe des 19. Jh. setzte sich die kulturelle Angleichung fort, u. a. im Gebrauch der deutschen Sprache, nach und nach auch in der Predigt.

Kirchlich führten die Hugenotten ein streng geordnetes Leben, sie widmeten sich in der Theologie v. a. der Erforschung von A. T. und N. T. sowie der Kirchengeschichte.

Hugin [altnord. »Gedanke«], einer der beiden Raben, die Odin ausschickt, um die Welt zu durchforschen. Als »Aasvogel« war er das Attribut Odins in dessen Funktion als Schlachtengott. Vielleicht galt er auch als Verkörperung der geistigen Kräfte des Gottes (Munin).

Hugo von Cluny [-kly'ni], **Hugo der Große,** Benediktiner, *Semur-en-Brionnais (Département Saône-et-Loire) 1024, †Cluny 28. 4. 1109; ab 1049 Abt des Klosters Cluny. Hugo war Legat und Berater der damaligen Päpste und mit den Kaisern Heinrich III. sowie Heinrich IV. befreundet. 1077 trat er als Vermittler im Streit Heinrichs mit Papst Gregor VII. in Canossa auf. Unter ihm kam die →kluniazensische Reform zu ihrer höchsten Entfaltung.

Hugo von Sankt Viktor, französisch **Hugues de Saint-Victor,** scholastischer Theologe, Philosoph und Mystiker, *Hartingham (umstritten; möglicherweise bei Blankenburg [Harz]) 1096, †Paris 11. 2. 1141; Augustinerchorherr im Kloster von St. Viktor in Paris (ab etwa 1115/20). Hugo verfasste Werke über fast alle Gebiete des damaligen Wissens und trat dabei auch als Wissenschaftstheoretiker und als Pädagoge hervor. Sein »Didascalion«, eine Einführung in die Artes liberales (die »sieben freien Künste«) und die Theologie, gehört zu den Vorformen der systematischen Enzyklopädie. Nachhaltigen Einfluss übte er auf die Theologie der Scholastik und auf die Mystik aus.

Huineng, japanisch **E'nō,** chinesischer Chan-Mönch, *638 Xinzhou/Guangdong, †713 Shaolin-Kloster; sechster Patriarch des Zen-Buddhismus. Er soll dem Zen eine entscheidende Wende gegeben haben und gilt als Verfasser des »Plattformsutra«. Vieles ist jedoch legendär, und im autobiografischen Teil dieses Sutra finden sich Traditionen des 8. Jahrhunderts. Huineng wird zugeschrieben, dass er alle aus Texten gewonnene Weisheit ablehnte und die Relativität aller Dinge, auch der hl. Symbole des Buddhismus wie etwa des Bodhibaums, lehrte.

Huiracocha [span. ɥiraˈkotʃa], **Viracocha,** Schöpfergott der Indianer des zentralandinen Raums, v. a. der Inka. Er ließ Sonne und Mond aus dem Titicacasee aufsteigen und formte alle Lebewesen aus Lehm. Danach verschwand er über das Meer nach Westen, versprach aber, in Notzeiten wiederzukommen. Bildliche Darstellungen des Huiracocha aus den altamerikanischen Hochkulturen sind bisher noch nicht identifiziert.

Huitzilopochtli [ɥitsiloˈpotʃtli; aztek. »Kolibri zur Linken«], Stammesgott, Beschützer und Leitfigur der Azteken, gleichzeitig Kriegs- und Sonnengott. Er erscheint oft als Kolibri und als jugendlicher Kämpfer mit Federschmuck. Ihm und Tlaloc, dem Regengott, war der Doppeltempel, die typische Form aztekischer Tempelarchitektur, in der Hauptstadt Tenochtitlán geweiht. Der Name Huitzilopochtli wurde häufig zu **Vitzliputzli** entstellt.

Humanismus [latein.], allgemein das Bemühen um Humanität, um eine der Menschenwürde und freien Persönlichkeitsentfaltung entsprechende Gestaltung des Lebens und der Gesellschaft durch Bildung und Erziehung und/oder Schaffung der dafür notwendigen Lebens- und Umweltbedingungen selbst.

Im engeren Sinn dient der Begriff Humanismus als Epochenbezeichnung v. a. für die philologische, kulturelle und wissenschaftliche Bewegung des 14.–16. Jh., des **Renaissance-Humanismus,** der ausgehend von Italien in Mittel- und Westeuropa Verbreitung fand – im Unterschied zum Neuhumanismus, dem »zweiten Humanismus«, und dem »dritten Humanismus« zu Beginn des 20. Jahrhunderts.

Der Renaissance-Humanismus wandte sich zum Zwecke einer diesseitsorientierten Lebensgestaltung gegen die →Scholastik, indem er die Wiederentdeckung und Pflege der klassischen lateinischen und griechischen Sprache, Literatur und Wissenschaft forderte.

Weil sich der Humanismus von scholastischer Sprache und Methode abwandte und sich an der »heidnischen« Antike orientierte, wird er oft als entscheidender Schritt vom Mittelalter zur Neuzeit gewertet. Allerdings waren die antiken Autoren auch im Mittelalter hoch geschätzt. Neu ist die Art des Umgangs mit ihnen, die aus spätmittelalterlichen Individualisierungsschüben resultierte: Der Einzelne bestand auf seinem Recht, wollte sich selbst – gegenüber der Kirche – behaupten und stützte sich deswegen auf die Antike als alternative Autorität. Deswegen wurden die antiken Autoren nicht mehr christlich interpretiert. Die Devise »zurück zu den Quellen« und genaues philologisches Arbeiten sollten das Material sichern, das dem Individuum eine Stütze bei der Suche nach einer selbstbestimmten Humanität sein konnte. Ausgehend von Italien verbreitete sich der Humanismus in ganz Europa. Um 1500 prägte der Humanismus, begünstigt durch den Buchdruck, das Denken vieler Gebildeter, auch in Kirche und Politik.

Huracán [Maya »Einbein«], bei den Maya der Gott des Blitzes, der mit dem Sternbild des Großen Bären verbunden war. Wegen der in Mexiko senkrechten Stellung des Sternbilds wurde er einbeinig gedacht. Wie seine aztekische Entsprechung Tezcatlipoca (»rauchender Spiegel«) galt er als allwissender und allgegenwärtiger Gott, der v. a. wegen seiner Unberechenbarkeit gefürchtet wurde.

Huri [pers.-arab.], Bezeichnung für die nach islamischem Glauben zur Belohnung der Seligen im Paradies weilenden Jungfrauen, die nach der Schilderung im Koran von unvergänglichen Reizen sind (z. B. Sure 56, 22 ff.). Nach neueren philologischen Untersuchungen ist Huri allerdings mit »weiße Trauben« zu übersetzen.

Hus, Jan, deutsch **Johannes Huß,** tschechischer Theologe und Reformator, * Husinetz (bei Prachatitz) um 1370 (?), † (verbrannt) Konstanz 6. 7. 1415; studierte ab 1390 in Prag und wurde 1400 zum Priester geweiht. Hus war Prediger und Universitätslehrer in Prag sowie Beichtvater am Hof des böhmischen Königs Wenzel IV. Er vertrat die Gedanken John Wycliffes (Autorität des Gewissens, Kritik am weltlichen Besitz der Kirche), dessen Werke an der Prager Universität seit 1390 in Umlauf wa-

---

Jan Hus
*um 1370, †1415

- ist eine zentrale Figur für die nationale Identität Tschechiens
- wurde 1400 zum Priester geweiht und lehrte an der Prager Universität
- übernahm einige der Lehren John Wycliffes wie etwa die Autorität des Gewissens
- wurde als Ketzer am Pfahl verbrannt

Huitzilopochtli   Der Kolibri zur Linken

Mit dem Gott Huitzilopochtli verbinden sich verschiedene Mythen der Azteken. So gilt er als eines der vier Kinder des Urgötterpaares. Als »Kolibri zur Linken« (Lederlithografie aus Diego Duráns »Historia de las Indias de Nueva España«; Madrid, Biblioteca Nacional) ordnet er zusammen mit seinem Bruder Quetzalcoatl, der »Gefiederten Schlange«, nach 600 Jahren der Ruhe das Universum, schafft das Feuer, »die halbe Sonne«, die Menschen und den Kalender, später auch das Wasser mit seinen Wesen. Um die Geburt des Huitzilopochtli rankt sich ein besonders grausamer Mythos: Als seine Mutter Coatlicue mit ihm schwanger ist, beschließen ihre 400 Kinder unter Führung der Tochter Coyolxauhqui, sie auf dem Schlangenberg zu töten. Als sie heranstürmen, gebiert Coatlicue den bereits erwachsenen Huitzilopochtli in voller Rüstung. Gemeinsam töten und zerstückeln sie die Angreifer und rollen ihre Körper den Berg hinab. Dieses Geschehen vollzogen die Azteken rituell nach. Auf der Plattform des Haupttempels vor dem Schrein des Huitzilopochtli wurden Menschen getötet und ihre Körper die Treppenstufen hinabgeworfen, an deren Fuß eine Kolossalstatue der verstümmelten Coyolxauhqui stand.

Hus
→ GEO **Dossier**
Glaube, Liebe,
Hoffnung?, Bd. 15

ren und breite Zustimmung fanden. Durch eine Bulle Alexanders V. (1410) kam es in Prag zum Kampf gegen die Anhänger Wycliffes, zu Bücherverbrennungen sowie zu einem Predigtverbot und zur Verhängung des Banns über Hus (1411). Dieser konnte jedoch, von König und Volk gestützt, seine gegen die Ablass- und Kreuzzugsbulle von Johannes XXIII. gerichtete Predigttätigkeit bis 1412 fortsetzen. In diesem Jahr erklärte sich die Prager theologische Fakultät gegen ihn.

1414 stellte sich Hus dem Konzil von Konstanz. Trotz eines Geleitversprechens König Siegmunds (Römischer König 1410–37) wurde er festgenommen, erhielt aber Gelegenheit zu öffentlicher Verteidigung. Er lehnte es ab, eine Lehrautorität des Konzils anzuerkennen, sofern es nicht mit den Aussagen der Bibel übereinstimme, und verweigerte den Widerruf der am 4. 5. 1415 verurteilten und von ihm in der Schrift »De ecclesia« (1413) vertretenen Lehre. Nach dieser Lehre ist die Kirche die unhierarchische Versammlung der Prädestinierten, d. h. der von Gott von Ewigkeit her zum Heil Auserwählten, die allein Christus zu ihrem Haupt hat. Hus wurde schließlich ohne Geständnis verurteilt und verbrannt.

Die mit dem Wirken von Hus verbundenen geschichtlich bleibenden politischen und kulturellen Leistungen haben ihren Ausdruck in der kirchlich-nationalen Verselbstständigung der Tschechen und der Begründung einer einheitlichen tschechischen Schriftsprache gefunden.

Husain, Husayn, Hussein, *Medina 626 (?), †(gefallen) bei Kerbela 10. 10. 680, zweiter Sohn des Kalifen Ali Ibn Abi Talib und der Fatima, der jüngsten Tochter Mohammeds. Er hielt den Herrschaftsanspruch der Familie des Propheten aufrecht, auf den sein Bruder Hasan verzichtet hatte. Bei seinem Versuch, den Aufstand gegen Kalif Jasid I. (*um 642, †683) zu organisieren, fiel er, von der Mehrheit der Partei (Schia) Alis im Stich gelassen. Für die Schiiten ist Husain der dritte →Imam und ein Glaubensmärtyrer. Der zehnte Muharram wird von ihnen deshalb als religiöser Gedenk- und Trauertag begangen (→Aschura, →Schiiten).

Hussiten, von Jan Hus abgeleiteter Name für verschiedene, ihrer Zielsetzung nach unterschiedliche kirchenreformerische oder -revolutionäre Bewegungen in Böhmen. Gemeinsames religiöses Symbol war der »Laienkelch« als Zeichen eines bibelgemäßen Verständnisses der Eucharistie mit der Darreichung des Weins nicht nur an Kleriker, sondern auch an Laien.

Dabei können zwei Gruppen unterschieden werden: 1) die von Adligen und Bürgern unterstützten **Kalixtiner** (zu lateinisch calix »Kelch«) oder **Utraquisten** (zu lateinisch utraque specie »[Kommunion] in beiderlei Gestalt«), die freie Predigt, Laienkelch, Säkularisation des Kirchenguts und Rückkehr zur apostolischen Armut sowie strenge Kirchenzucht im Klerus forderten; 2) die von den Unterschichten getragenen **Taboriten,** die chiliastische (→Chiliasmus) und sozialrevolutionäre Motive zur Geltung brachten. Sie forderten die Aufrichtung des Reiches Gottes durch das Schwert und lehnten kirchliche Einrichtungen ab.

Der Prager Aufstand vom 30. 7. 1419 eröffnete die **Hussitenkriege.** Die utraquistischen Hussiten einigten sich vorübergehend mit der kath. Kirche auf dem Basler Konzil, das 1433 ihre Forderungen (zusammengefasst in den »vier Prager Artikeln«) weitgehend anerkannte. Diese Anerkennung wurde jedoch 1462 von Pius II. für nichtig erklärt. 1467 ging aus den Utraquisten die Brüderunität der Böhmischen Brüder hervor. Die Taboriten wurden 1434 bei Lipan von den Utraquisten und kaiserlich-kath. Truppen geschlagen. Teile ihrer Tradition leben jedoch ebenfalls in den Böhmischen Brüdern fort.

Hygieia, *griechische Mythologie:* Göttin und Personifikation der Gesundheit, als Tochter oder Gemahlin eng mit dem Heilgott Äskulap verbunden.

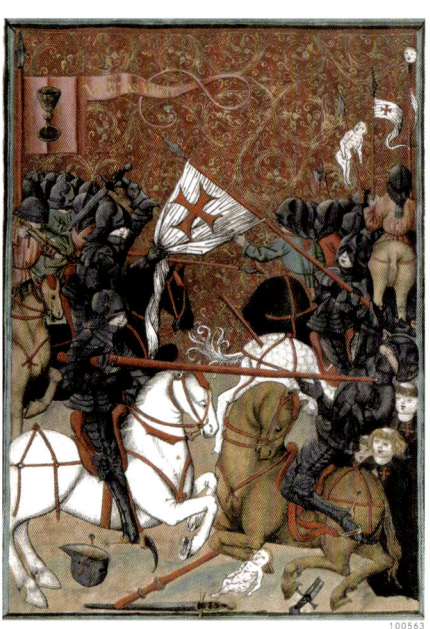

Hussiten. Die Hussiten forderten eine radikale Kirchenreform und empfanden sich auch als Gotteskrieger (»Schlacht zwischen Hussiten und Kreuzrittern«, zeitgenössische Buchmalerei aus dem Jenaer Codex; Prag, Nationalmuseum).

Ibaditen, Abaditen, islamische Sondergemeinschaft, →Charidjiten.

Iblis, im Islam Bezeichnung für den Teufel.

Ibn al-Arabi, Ibn Arabi, spanisch-arabischer Mystiker, * Murcia 28. 7. 1165, † Damaskus 16. 11. 1240; studierte in Sevilla, verließ 1201/02 Spanien und kam nach Stationen in Tunis und Kleinasien, Mekka und Bagdad nach Damaskus. Ibn al-Arabi beeinflusste nachhaltig den pantheistischen Zweig der islamischen Mystik. Er lehrte, dass das Weltgeschehen als Selbstentäußerung Gottes zu verstehen sei, welches in einer Erhebung des Geistes im vollkommenen Menschen bis zum endlichen Aufgehen in Gott seine Entsprechung finde.

Ibn Esra, Abraham, spanisch-jüdischer Gelehrter und Dichter, →Abraham Ben Meir Ibn Esra.

Ibn Gabirol, Salomon ben Jehuda, latinisiert **Avicebron** oder **Avencebrol,** jüdischer Philosoph und Dichter, * Málaga um 1021, † Valencia 1058 oder 1070; wirkte im arabischen Spanien als Philosoph und Dichter (z. T. auch in arabischer Sprache). Gabirols Dichtung umfasst Hymnen, Klagelieder, Gebete und Bußgesänge, von denen ein Teil in die jüdische Liturgie aufgenommen wurde. Sein berühmtestes Werk ist das hebräische Lehrgedicht »Keter malkut« (»Königskrone«). Sein ursprünglich in arabischer Sprache abgefasstes Hauptwerk, das im Allgemeinen unter dem hebräischen Titel »Meqor hayyim« zitiert wird, ist nur in der um 1150 erstellten lateinischen Übersetzung von Johannes Hispanus unter dem Titel »Fons vitae« (»Lebensquell«) erhalten. Es enthält jüdische religiöse Ideen, verbunden mit arabischem Aristotelismus und alexandrinischem Neuplatonismus, und behandelt metaphysische Probleme im Umkreis der Unterscheidung zwischen Form und Materie. Besonders wegen seiner pantheistischen Gedanken stieß Ibn Gabirol bei den Juden auf Widerstand. Er gilt als erster jüdischer Philosoph des Abendlandes und hatte bedeutenden Einfluss auf die Philosophie des Mittelalters bis Baruch de Spinoza (* 1632, † 1677).

Ibn Hanbal, Ahmed, islamischer Theologe, * Bagdad November 780, † ebenda Juli 855; begründete die islamische Rechtsschule der →Hanbaliten, die als Rechtsquellen allein den Koran und die →Sunna zulässt.

Ibn Is|hak, Mohammed, arabischer Geschichtsschreiber, * Medina um 704, † Bagdad um 768; wurde vom Kalifen Al-Mansur an den Hof nach Bagdad eingeladen, nachdem er in Medina mit den religiösen Führern in Streit geraten war. Er ist Verfasser der ersten Biografie Mohammeds. Allerdings ist sein Werk (»Sirat Rasul Allah«, »Biografie des Gesandten Gottes«) nur in einer Bearbeitung des Geschichtsschreibers Ibn Hischam (* 767, † 833) erhalten.

Ibn Ruschd, Abul Walid Mohammed Ibn Ahmad Ibn Mohammed, latinisiert **Averroes,** arabischer Philosoph, Theologe, Jurist und Mediziner, * Córdoba 1126, † Marrakesch 11. 12. 1198; war ab 1169 Richter (Kadi) in Sevilla und ab 1171 in Córdoba. Er stand in hohem Ansehen und besonderer Gunst bei den Kalifen Abu Jakub Jusuf (1163–84) und seinem Nachfolger Jakub al-Mansur, bis er 1195 wegen angeblicher Religionsfeindlichkeit seiner Lehre verbannt wurde und seine Schriften verboten wurden. Kurz vor seinem Tod erlebte er seine Rehabilitation.

■ **Lehre** Ibn Ruschd, letzter bedeutender Vertreter der arabischen Scholastik, galt im Mittelalter als der Kommentator des Aristoteles schlechthin. Er sah als Hauptaufgabe der »kleinen« (vor 1178) und der »großen« (nach 1180 verfassten) Kommentare die Rekonstruktion der ursprünglichen Lehre des Aristoteles und ihre Verteidigung gegen Verfälschungen im Neuplatonismus und in der älteren islamischen Philosophie, z. B. bei Ibn Sina, an. Seine rationalistische Position zielt auf die Versöhnung von Vernunft und Offenbarung. Widersprüche zwischen den wissenschaftlichen Beweisführungen der Vernunft und der wörtlichen Bedeutung von Sätzen des Korans werden durch Einführung einer übertragenen Bedeutung der Koransätze aufgelöst. Wo das nicht möglich ist, ist der Wortlaut des Korans verbindlich und gegen die pseudowissenschaftlichen Interpretationen der (islamischen) Theologie in Schutz zu nehmen.

Ibn Ruschd lehrte die Einheit Gottes (gegen die christliche Trinitätslehre). Außer in dem Traktat »Fasl al-Makal«, der die Methode zur Herbeiführung der Übereinstimmung von Religion und Philosophie behandelt, kommt die philosophische Position von Ibn Ruschd in seinem Hauptwerk, der gegen die »Destructio philosophorum« des Ghasali gerichteten »Destructio destructionis«, am klarsten zum Ausdruck. Zu seinen Schriften zählt u. a. auch ein großes medizinisches Handbuch mit dem lateinischen Titel »Colliget« (1255 lateinisch übersetzt).

■ **Wirkung** Ibn Ruschd wurde bestimmend für die Aristoteles-Auslegung bis etwa 1600 und leistete für die Scholastik einen bedeutenden Beitrag zur Differenzierung und Festigung ihres Begriffsapparates. Seine Lehren waren Gegenstand der Auseinandersetzungen in der christlichen, islamischen, v. a. jüdischen Philosophie und Theologie des Mittelalters, der Rezeption und Systematisierung im Averroismus, der Ablehnung u. a. durch Thomas von Aquino und Albertus Magnus. – Biografie S. 264

Ibn Sina, latinisiert **Avicenna,** persischer Philosoph und Arzt, * Afschana (bei Buchara)

Ibn Gabirol. Der bedeutendste Neuplatoniker unter den jüdischen Denkern verglich Gott mit der Sonne und die göttliche Schöpfung mit den von der Sonne ausgesandten Lichtstrahlen (Statue in Málaga, Spanien).

Ibn Taimija

um 980, † Hamadan 1037; nach eigenem Zeugnis Autodidakt, beeinflusst durch Aristoteles, den islamischen Philosophen Alfarabi (* um 870, † 950) und den Neuplatoniker Plotin (* um 205, † 270).

■ **Lehre** Ibn Sina entwickelte vor allem den Aristotelismus weiter. Dabei trennte er die Stoff-Form-Unterscheidung von der Potenz-Akt-(Möglichkeit-Wirklichkeit-)Unterscheidung so weit, dass im Stoff (materia) der Möglichkeit nach auch seine Formen (essentiae) bereits enthalten sind. Gott (actus purus) verleiht lediglich allen diesen Formen ihre Wirklichkeit (Existenz). Die neue Unterscheidung von Essenz und Existenz (Wesen und Sein) ging durch Vermittlung seines Gegners Wilhelm von Auvergne (* um 1180, † 1249) in die lateinische Scholastik ein und wurde bei Albertus Magnus und Thomas von Aquino zu einer Grundunterscheidung. Ibn Sina vertrat die These, dass die allgemeinen Begriffe (universalia) ante rem mit Rücksicht auf den Weltplan (im Verstande Gottes), in re im Blick auf die Natur und post rem in der menschlichen Erkenntnis da sind. Diese Unterscheidung wurde für den abendländischen →Universalienstreit grundlegend.

Ibn Sina stand mit seiner rationalistischen, den Naturalismus im Aristotelismus weiterführenden Philosophie oft im Gegensatz zur islamischen Orthodoxie, dabei sogar im Bund mit orientalischer Mystik, z. B. mit den persischen Sufis und mit den »Lauteren Brüdern von Basra« (→Ichwan as-Safa).

■ **Werke und Wirkung** Die drei großen philosophischen Werke sind die seit dem 12. Jh. in Teilen ins Lateinische übersetzte Enzyklopädie »asch-Schifa« (»Heilung der Seele vom Irrtum«; lateinisch »Sufficientia«), die die gesamte »theoretische« Philosophie im Sinne des Aristoteles behandelt, das »an-Nadja« (»Die Rettung«), eine Zusammenfassung des »asch-Schifa«, und sein reifstes Werk, die vermutlich zeitlich letzte, vierteilige Abhandlung »al-Ischarat wa at-Tanbihat« (»Beweise und Behauptungen«).

Die größte Wirkung hatte Ibn Sina als Arzt und Mediziner. Sein in Isfahan beendetes medizinisches Handbuch »Kanun fi attibb« (»Kanon der Medizin«) war 700 Jahre lang in Lehre und Praxis bis zum Beginn moderner Medizin unbestrittene Autorität.

Ibn Taimija, Ahmad, islamischer Gelehrter, * Harran 22. 1. 1263, † Damaskus 26. 9. 1328; verlangte – auf dem Boden des traditionsstrengen Sunnitentums hanbalitischer Richtung stehend – das strikte Festhalten am Wortlaut des Korans und an den Aussagen der Sunna (Ablehnung volksislamischer Vorstellungen und Praktiken wie z. B. Geisterglaube und Heiligenverehrung) und forderte die aktive Umsetzung des Islam im politisch-praktischen Handeln, wobei er einen mittleren Weg fern jeglicher Extreme lehrte. Wirkungsgeschichtlich hat Ibn Taimija besonders die islamische Reformbewegung der →Wahhabiten, aber auch andere Richtungen des neuzeitlichen Islam beeinflusst.

Ibn Tumart, Mohammed, religiöser Reformer des Islam, * im Antiatlas um 1080, † bei Marrakesch um 1130; von berberischer Abstammung; Begründer der Bewegung der Almohaden, die 1147–1269 in Nordwestafrika und Spanien herrschten. Ibn Tumart wurde als der erwartete Mahdi verehrt. Seine Anhänger bezeichnete er als Muwahhidun (»Bekenner der Einheit [Gottes]«). Seine Reformen verfolgten die Durchsetzung strenger Moralanschauungen. Theologisch, philosophisch und rechtswissenschaftlich gebildet, verfasste er Traktate in berberischer und arabischer Sprache.

Ibrahim [arab.], die von den Muslimen verwendete Namensform von →Abraham.

I-ching, →Yi-jing.

Ichthys [griech. »Fisch«], seit dem späten 2. Jh. nachweisbares Christussymbol; →Fisch.

Ichwan as-Safa [arab. »Brüder der Reinheit«], deutsch **Lautere Brüder von Basra,** Name eines ismailitischen religiös-politischen Geheimbundes im 10. Jh. mit dem Hauptsitz im südirakischen Basra. Aus dem Kreis seiner Anhänger ging eine Enzyklopädie der Wissenschaften in 51 Abhandlungen hervor, in der alle weltlichen, religiösen und philosophischen Wissenszweige der Zeit abgehandelt werden (»Rasā'il«, erstmals gedruckt in Bombay 1885–87). Beeinflusst von neuplatonischen und neupythagoreischen Gedanken, ist sie ein wichtiges Zeugnis für die Wirkung hellenistischen Denkens auf die arabisch-islamische Theologie und Philosophie.

Idäische Mutter, latein. **Magna mater deum Idaea,** kleinasiatische Muttergottheit, deren Kult 205/204 v. Chr. in Rom eingeführt wurde. (→Kybele).

Id al-Adha [arab.], **Opferfest,** türkisch **Kurban Bayramı,** Fest im Islam und Höhepunkt des →Hadjdj. Anlass ist die Erinnerung an das Opfer Abrahams, der nach Sure 37, 99 ff. seinen Sohn als Zeichen des Gehorsams opfern wollte, doch von Gott davon abgehalten wurde. Stattdessen opferte Abraham ein Schaf. Daher werden bis heute zum Id al-Adha vielfach Schafe geschlachtet sowie Almosen dargebracht.

Id al-Fitr [arab.], **Fest des Fastenbrechens,** türkisch **Ramasan Bayramı,** Fest im Islam zum Abschluss des →Ramadan, das mit Glückwünschen, Geschenken und einem besonderen Gemeinschaftsgebet in der Moschee begangen wird. Es wird der Dank für die als besonders gesegnet angesehene Zeit des Ramadan zum Ausdruck gebracht.

Idavöllr, Idafeld, *altnordische Mythologie:* das Gefilde in Asgard, auf dem die Götter ein glückseliges Leben führten, bis die drei

---

Ibn Ruschd
* 1126, † 1198

■ ist der letzte bedeutende Vertreter der arabischen Scholastik

■ entstammte einer einflussreichen muslimischen Familie aus Córdoba

■ zielte auf die Versöhnung von Vernunft und Glaube

■ wurde wegen angeblicher Religionsfeindlichkeit seiner Lehre verbannt, aber kurz vor seinem Tode rehabilitiert

Ignatius von Loyola Gründer des Jesuitenordens

Teil der katholischen Reaktion auf die Herausforderung der Reformation war die Gründung einer ganzen Reihe neuer Kongregationen, die sich in besonderer Weise der Erziehung und Bildung verschrieben. Als bedeutendste Neugründung gilt dabei der 1540 von Ignatius von Loyola ins Leben gerufene Jesuitenorden. Er und seine Mitgründer verpflichteten sich dabei zunächst außer zu Armut und Keuschheit zur Missionsarbeit und zum strikten Gehorsam gegenüber dem Papst. Seine praktische Ausrichtung zielte auf die Rückgewinnung der protestantischen Gebiete und die Intensivierung der katholischen Reformen. So fand man die Ordensangehörigen bald an den Schaltstellen der Macht, an Höfen und Universitäten, wo sie als Multiplikatoren wirkten. Die Betonung des Dienstes in der Welt machte nicht nur der Verzicht auf Ordenstracht und Ortsbeständigkeit, sondern auch die Aufgabe des Lebens in Konventen deutlich. Das jesuitische Ideal repräsentierte der ständig verfügbare Wanderapostel, dessen Präsenz in der Mission und Kolonisation derart auffällig war, dass der Jesuit bald zum Missionar schlechthin avancierte.

Nornen den Krieg in die Welt brachten. Nach dem »Götteruntergang« (→Ragnarök) trafen sich die verjüngten Götter auf Idavöllr wieder.

Idiorrhythmie [griech. rhythmós »Art und Weise«], seit dem 14. Jh. bestehende »eigene Art« monastischen Lebens im ostkirchlichen Mönchtum (z. B. Athos). Kennzeichnend sind: demokratische Verwaltung, Privatbesitz, eigener Haushalt sowie z. T. Klassenunterschiede zwischen armen und reichen Mönchen. Verbindendes Element ist die Teilnahme am Gottesdienst. Idiorrhythmische Klöster sind oft auch als Mönchs- bzw. Nonnendörfer organisiert.

Idisen, Disen, *germanische Mythologie*: mythische Wesen, die im Ersten Merseburger Zauberspruch erwähnt werden. Ihnen wurde die Fähigkeit zugeschrieben, ein (feindliches) Heer durch Fesseln zu hemmen, weshalb die moderne Forschung sie mit den altnordischen Walküren verglichen hat.

Idjma [-dʒ-; arab. »Übereinkommen«], *Islam*: die Übereinstimmung der gesamten muslimischen Welt in Bezug auf einen Gegenstand des Glaubens oder der religiösen Übung. Maßgebend ist die Übereinstimmung der Gelehrten einer Generation oder auch der Schulhäupter der vier sunnitischen Rechtsschulen. Der Idjma gilt als einer der vier Grundpfeiler der islamischen Gesetzeskunde.

Idjtihad [-dʒ-; arab. »stetige Bemühung«], *Islam*: das juristisch-theologische Privileg zur individuellen Meinungsbildung in Rechtsfragen, die nicht im Koran und im Hadith geklärt sind (im Gegensatz zur kollektiven Übereinstimmung, arabisch idjma). Über die Voraussetzungen zur Ausübung des Idjtihad, zu denen z. B. umfassende Gelehrsamkeit, Geduld und Ausdauer zählen, gibt es verschiedene Auffassungen. Nur wenige Gelehrte sind zum Idjtihad befähigt. Diese tragen bei den Zwölferschiiten Irans den Ehrentitel Ayatollah.

Idolatrie [griech.], die →Bilderverehrung.

Idole, siehe Sonderartikel S. 266.

Idun, Iduna, altnord. **Iðunn,** Gestalt der *altnordischen Mythologie*, eine selten und spät erwähnte (vielleicht Fruchtbarkeits-)Göttin, die ein Mittel gegen das Altern der Asengötter besitzt. Bei Snorri Sturluson sind dies Äpfel. Loki und der Riese Thjazi entführten Idun. Als die Götter jedoch zu altern begannen, zwangen sie Loki, sie wieder zurückzubringen. Vermutlich bestehen Zusammenhänge des nordischen Stoffes mit der antiken Überlieferung von den Äpfeln der Hesperiden sowie zu Mythenvarianten, die – wie im Mythos von Persephone – Verschwinden und Wiederkehr von Fruchtbarkeitsgottheiten enthalten.

Ifa-Orakel, Orakel der →Yoruba.

I Ging, →Yi-jing.

Ignatius von Loyola [loˈjoːla], eigtl. **Íñigo López Oñaz y Loyola,** kath. Ordensgründer baskischer Herkunft, * Schloss Loyola (bei Azpeitia, Provinz Guipúzcoa) 1491, † Rom 31. 7. 1556; zunächst in höfischen und militärischen Diensten, wandte er sich 1521 religiöser Literatur zu und wurde durch mystische

Fortsetzung S. 268

Idole

Künstlerische Darstellungen – ob Gemälde, Skulpturen oder Architektur – haben in allen Religionen einen festen Platz. Immer haben Menschen versucht, Transzendenzerfahrungen und religiösen Hoffnungen im Medium der Kunst Ausdruck zu verleihen. Die Versuche, auch Götter durch Bilder fassbar zu machen, werden Idole genannt. Viele Religionen lassen Bilder nicht uneingeschränkt zu, darauf hinweisend, dass diese dazu verleiten könnten, Gott mit dem Bild zu verwechseln, das Heilige zu fixieren oder das Transzendente sich magisch nutzbar machen zu wollen. Im Christentum hat man den Begriff des Idols verwendet, um Götterbilder anderer Religionen abzuwerten.

Dabei bleibt die Nähe von Kunst und Religion unübersehbar. Beide versuchen gleichermaßen, die Grenzen des Sagbaren oder das Nichtobjektivierbare erfahrbar zu machen. Heute rückt entgegen den oben bereits angedeuteten Vorbehalten gegenüber dem Götterbild seine positive Leistung wieder mehr ins Licht: Es artikuliert religiöse Sehnsucht und visualisiert das Erschreckende oder Überwältigende der Gotteserfahrung.

Bilder im Hinduismus und Buddhismus

Eine Religion, die keinerlei Scheu vor dem Abbilden von Göttern hat, ist der Hinduismus, der durch ausdrucksstarken Bilder- und Farbenreichtum besticht. Es finden sich mannigfache Illustrationen der Mythen und zahllose Skulpturen der Götter. Die Gläubigen schmücken die Götterbilder, beten vor ihnen oder legen Opfergaben nieder. Die prächtigen bunten Götterbilder spiegeln die Vielfalt der göttlichen Erscheinungsweisen.

Als Gegenbewegung zum Hinduismus kam es im Buddhismus zu deutlicher Kritik an Götterbildern und zu totaler Bildabstinenz. Als bilderkritisch ist der Ausspruch des Zen-Buddhismus »Triffst du Buddha, erschlag ihn« aufzufassen, ebenso die überlieferten letzten Worte des Buddha »Geh weiter«. Er verschrieb den Menschen eine permanente Suche nach der wahren Buddhanatur. Diese Forderung entsprang der Skepsis gegenüber der menschlichen Verdinglichungstendenz und der Sehnsucht nach Heil, die greifbares Glück mit letztgültiger Sinnerfahrung verwechselt. Die Erkenntnis der Leere der Welt und des Ichs soll zu Konzentration auf das Eine führen.

Jüdisches und islamisches Bilderverbot

Im zweiten Buch der jüdischen Thora wird erzählt, dass das Volk Israel während seiner langen Wüstenwanderung Gott untreu wurde. Es zimmerte sich ein Goldenes Kalb, dem es dann huldigte. Der »Tanz um das Goldene Kalb« wurde für die jüdisch-christliche Tradition zum Inbegriff der Idolatrie, der Bilderverehrung im negativen Sinne, und des Abfalls von Gott: Der Gott, der seine unbegreifbare Nähe zugesagt hat, wird zugunsten eines Götzen verlassen. »Du sollst dir kein Bild von Gott machen«, heißt es in den Zehn Geboten. Diese gesetzliche Verankerung des Bilderverbots erwächst nicht nur aus der Achtung vor der radikalen Andersheit Gottes, sondern ebenso aus der Vorsicht gegenüber einer übergroßen Nähe. Die Vorsicht

Bilder von Heiligen werden besonders in den orthodoxen Kirchen verehrt. Sie gelten als wesenhafte Abbilder der Dargestellten (Die Slawenapostel Kyrillos und Methodios; bulgarische Ikone, 1862).

gegenüber dem Bild äußert sich noch heute in der orthodoxen Tradition, die das Filmen oder Fotografieren von Personen untersagt.
Im Islam kennt man ebenfalls das Verbot der Abbildung von Menschen und Tieren, was zur Entwicklung einer höchst artifiziellen Kalligrafie und reichen Verwendung von Ornamentik führte. Der Koran nimmt das mosaische Bilderverbot auf. In Sure 5 heißt es: »Ihr Gläubigen! Wein, Glücksspiel, Lospfeile und Idole sind Gräuel und Satans Werk. Meidet es!« Damit der Prophet Mohammed nicht zum Idol wird und der strikte Monotheismus gewahrt bleibt, sind Abbildungen von ihm untersagt. Manchmal wird er verschleiert dargestellt.

Christliche Bilder und Bilderverbote
Das Christentum erbte das jüdische Bilderverbot und lehnte zunächst Götterbilder ab. Vom 4. Jahrhundert an entwickelten sich jedoch entsprechend den Kaiserbildnissen Christusdarstellungen. Dabei wurde hervorgehoben, dass man nicht das Bild selbst, sondern das Urbild verehrte. In der orthodoxen Kirche gilt das geweihte Bild, die Ikone, als wesenhaftes Abbild des Dargestellten. Durch das Bild werde ein Blick auf das verheißene Heil gewährt. Ausgelöst durch bilderfeindliche, »ikonoklastische« Predigten Kaiser Leons III. entflammte im 8. Jahrhundert in der orthodoxen Kirche ein Bilderstreit. Er endete vorerst mit der Dogmatisierung der Bilderverehrung auf dem 2. Konzil von Nicäa, was jedoch das Ausbrechen des ebenso heftig geführten zweiten Bilderstreits nicht verhinderte. Besonders die Mönche traten als Bewahrer der Ikone auf und halfen, sie im täglichen religiösen Leben zu verwurzeln.
In den lateinischen Kirchen wollte die gotische Kathedrale ein Sinnbild des himmlischen Jerusalem sein. Ebenso wie die Altarbilder bilden ihre leuchtenden Glasfenster das biblische Heilsgeschehen ab. Die Darstellungen Gottes und die Rechtfertigung des Bildes als Bibelersatz wurden von den Reformatoren kritisiert, und es kam zu einem Bildersturm, der am vernichtendsten in den Niederlanden war – eine Neuauflage des früheren Bilderstreits. Christliche Bildabstinenz ist am stärksten im Calvinismus ausgeprägt. Als Symbol für Gott dient hier häufig das Dreieck. Es trägt in sich ein (allwissendes) Auge oder eine Sonne, in die zu blicken unmöglich ist.

Postmoderner Bilderkult
Längst hat sich das Bild von religiös-christlichen Vorgaben emanzipiert, und der Begriff »Idol« hat erneut einen Wandel durchlaufen. Die gegenwärtige Popkultur bringt eine Fülle von »Idolen« hervor, die an alte Kulturheroen erinnern und das einstige Bilderverbot endgültig außer Kraft setzen. Stars werden von ihren Fans verehrt, massenmediale Großveranstaltungen werden kultisch inszeniert und zelebriert. Daneben werden durch die Werbung Produkte zu magisch-kultischen Gegenständen. Diese Fetischisierung von Personen oder Dingen durch die Werbung bezeichnet man als »Kultmarketing«. Trendforscher begreifen die Werbung als eine »Theologie der Namen und Marken«, denn sie kreiert Um- und Neubewertungen; Erlösungshoffnungen werden bedient und kommerziell genutzt. In ähnlicher Weise, wie der spätantike Gläubige gleichzeitig in mehrere Mysterienkulte eingeweiht war, verehrt der Zeitgenosse diverse werbeinszenierte Fetische und Idole.

Im Hinduismus sind farbige und lebensechte Abbildungen der meist menschengestaltig vorgestellten Götter erlaubt und verbreitet und haben einen festen Platz im Kultus (Gläubige am Grand Bassin, einem Heiligtum des Hinduismus auf Mauritius).

I Ihram

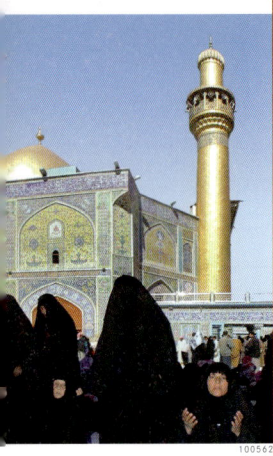

Imam 2).
Die Schiiten erkannten nur Ali, den Cousin und Schwiegersohn Mohammeds, als dessen Nachfolger, als ersten Imam, an. Seine Grabmoschee in Nedjef (Irak) ist daher die bedeutendste Pilgerstätte des schiitischen Islam.

Ihram
→ **GEO** Dossier
Allahs größtes Aufgebot, Bd. 16

Imam 2).
Stammbaum der Imame der Schiiten. In der schiitischen Welt werden zwölf Imame verehrt. Dabei unterscheiden sich die verschiedenen Gruppen der Schiiten danach, bei welchem Imam sie die Reihe enden lassen.

Fortsetzung von S. 265

Erlebnisse bekehrt. Nach einer Palästinawallfahrt 1523/24 studierte er in Barcelona, Alcalá de Henares, Paris und Venedig und wurde wegen seelsorglicher Tätigkeit, die für Laien verboten war, mehrfach vor das Inquisitionsgericht gestellt. 1534 schloss er sich mit einigen Freunden (Diego Laínez u. a.) in Paris zu einer religiösen Gemeinschaft zusammen und erhielt 1537 die Priesterweihe.

Sein Plan, mit den in Paris gesammelten Gefährten in Palästina missionarisch zu wirken, ließ sich nicht verwirklichen. Deshalb stellten sie sich in Rom dem Papst (Paul III.) zur Verfügung. Ab 1537 widmete sich Ignatius in Rom ganz dem Aufbau seiner Gemeinschaft, der Gesellschaft Jesu (→Jesuiten), die 1540 päpstlich bestätigt und deren erster Generaloberer Ignatius 1541 wurde. Seine Schriften (»Regel«, »Satzungen«, »Geistliche Übungen«, »Geistliches Tagebuch«, »Lebenserinnerungen«), seine schulisch-erzieherischen Initiativen (Gründung des deutschsprachigen Priesterseminars »Germanicum« in Rom und der päpstlichen Universität »Gregoriana«) sowie sein pastoraler Einsatz (→Exerzitien) und seine Ordensgründung hatten entscheidende Bedeutung für die kirchliche Erneuerung im 16. Jahrhundert – Heiliger (Tag: 31. 7.).

Ihram [ix'ra:m, arab.], *Islam:* 1) der für das rituelle Gebet und besonders für die Pilgerfahrt nach Mekka einzunehmende »Weihezustand«; 2) das Kleid des muslimischen Pilgers, bestehend aus zwei jeweils 4 m langen und $2\frac{1}{3}$ m breiten Baumwolltüchern: dem Isar, der um die Lenden gebunden wird und auf die Knie herabhängt, und der Rida, die, den rech-

ten Arm frei lassend, über die linke Schulter geschlagen wird.

Ijob, →Hiob.

Ikonodulie [zu griech. douleía »Knechtschaft«, »Sklaverei«], →Bilderverehrung.

Illuminaten [latein. »Erleuchtete«], Singular **Illuminat,** Anhänger esoterischer Vereinigungen, die sich v. a. einer höheren Erkenntnis Gottes rühmen.

Illuminatenorden, 1776 von Adam Weishaupt (*1748, †1830) in Ingolstadt gegründeter, über die Freimaurerei hinausgehender Geheimbund, der durch die Prinzipien der Aufklärung weltbürgerliche Gesinnung fördern und das monarchische Prinzip bekämpfen wollte. Als prominente Mitglieder werden u. a. Johann Gottfried Herder und Johann Wolfgang von Goethe genannt. In Verbindung mit Verschwörungstheorien gebracht, wurde der Orden ab 1784/85 verfolgt und löste sich auf. 1896 gründete der Schauspieler und Schriftsteller Leopold Engel (*1858, †1931) einen neuen Orden, der 1925 als »Weltbund der Illuminaten« (Sitz: Berlin) reorganisiert wurde und die Nachfolge des historischen Illuminatenordens beansprucht.

Imam [arab. »Führer«, »Vorbild«], **1)** ursprünglich der Vorbeter beim rituellen Gebet (→Salat) in der Moschee und danach auch Ehrentitel für hervorragende muslimische Theologen und Juristen.

2) Oberhaupt der Gemeinschaft aller Muslime (Umma) als Nachfolger des Propheten. Über die Frage der Rechtmäßigkeit des Imams spaltete sich die muslimische Gemeinschaft früh. Nach Auffassung der Sunniten ist der →Kalif zugleich der Imam. Dagegen erkennen die Schiiten als Imam nur Ali Ibn Abi Talib und nach ihm seine Söhne Hasan und Husain sowie die Nachkommen Husains an, wobei die schiitischen Gruppen bezüglich Zahl und Person der Imame unterschiedliche Auffassungen haben (→Imamiten, →Ismailiten, →Zaiditen). Herrscher aus der Nachkommenschaft des Propheten (Aliden) tragen vielfach den Titel Imam, so etwa die Dynastie der Idrisiden in Marokko und Aga Khan. Zu den verschiedenartigen Imamlehren gehört auch die Auffassung von einem verborgenen Imam als dem zukünftig am »Ende der Welt« erscheinenden Messias (→Babismus; →Mahdi).

Imamiten, arabisch Imamija, **1)** seltene Bezeichnung für die →Schiiten.
2) Anhänger der schiitischen Untergruppe, für die sich die Würde des Imams in meist gerader Abstammung vom Vater auf den Sohn von Ali bis auf den elften Abkömmling Hasan al-Askari fortsetzt. Dessen Sohn Mohammed, der zwölfte Imam, sei ab 874 in der damaligen Hauptstadt des Kalifats Samarra in die Verborgenheit eingegangen und residiere seitdem in der Nähe von Bagdad als »Herr der Zeit«. Es wird erwartet, dass er am Ende der Zeit als

IMAME DER SCHIA

1. Ali Ibn Abi Talib († 661)
   - 2. Hasan († 669)
   - 3. Husain († 680)
     - 4. Sain al-Abidin († 712/713)
       - Zaid († 739) Zaiditen, Fünferschiiten
       - 5. Mohammed al-Bakir († 731)
         - 6. Djafar as-Sadik († 765)
           - Ismail († 760) Ismailiten, Siebenerschiiten
           - 7. Musa al-Kasim († 799)
             - 8. Ali ar-Rida († 818)
               - 9. Mohammed at-Taki († 830)
                 - 10. Ali an-Naki († 868)
                   - 11. Hasan al Askari († 873/874)
                     - 12. Mohammed al-Mahdi († 874, entrückt) (Zwölferschiiten, Imamiten, Djafariten)

→Mahdi wiederkehren werde. Nach der Zahl der von ihnen anerkannten Imame heißen diese Imamiten gewöhnlich »Zwölferschiiten«. Sie sind besonders in Iran nach der gewaltsamen Einführung durch die Safawiden nach 1500, in Pakistan, Irak, Libanon und Syrien verbreitet.

Imbolc, im traditionellen irischen Kalender die etymologisch ungeklärte Bezeichnung des Frühlingsanfangs (1. Februar). Der Tag bezeichnete die Wiederaufnahme der landwirtschaftlichen Aktivitäten nach der Winterruhe und wurde nach der Christianisierung als Fest der irischen Nationalheiligen Brigitta begangen.

Imhotep, griechisch **Imuthes,** ägyptischer Baumeister, Arzt, Schriftsteller um 2600 v. Chr.; Ratgeber des ägyptischen Königs Djoser, für den er den Bau der Stufenpyramide von Sakkara und der zugehörigen Tempel leitete. In griechischer Zeit wurde Imhotep in Memphis und Theben als Gott der Heilkunst verehrt und mit Äskulap gleichgesetzt. Er galt als Sohn des Ptah. Imhotep wird dargestellt als Priester, der in einer Papyrusrolle liest.

Imitatio Christi, lateinisch für →Nachfolge Christi.

Inanna, Innini, sumerischer Name der →Ischtar.

Inari, japanische Reisgottheit. Sie wurde im Mittelalter dem Fuchs gleichgesetzt, der als Reisbringer galt. Inari wurde außerdem als Gott des Wohlstandes verehrt. Es gibt heute etwa 40 000 Inarischreine mit Fuchsstatuen.

Inca, Herrschertitel der Könige der →Inka.

indianische Religionen, im engeren Sinn die Religionen der Indianer Nordamerikas. Wegen der Ausdehnung der Landmasse, die sich über mehrere Klimazonen erstreckt, und der damit verbundenen geringen Dichte der Besiedelung unterschiedlicher Völker, die – in mehreren Schüben in das Land eingewandert – weitgehend isoliert voneinander lebten, gibt es kaum gemeinindianische religiöse Vorstellungen und religiös geprägte Verhaltensmuster. Götterhimmel im klassischen Sinne gab es in Nordamerika nicht. Die meisten Gruppen kannten ein Höchstes Wesen, das selten durch ein Abbild wiedergegeben wurde und oft auch als eine nicht personifizierte Kraft gedacht wurde. Vielfach ist diese Gottheit mit dem Schöpfer identisch, oder es steht diesem ein Kulturheros, oft in Tiergestalt, zur Seite. Dieser tierische Kulturheros kann bei einigen Gruppen gleichzeitig Schelmencharakter haben (»Trickster«). In Tiergestalt treten manchmal auch Gegenspieler des Schöpfers oder Kulturheroen auf, die die Schöpfung verhindern und das Geschaffene verfälschen wollen. Einem häufig dualistischen Denken der nordamerikanischen Indianer entspricht, dass dieser Gegenspieler manchmal der Zwilling des Schöpfers/Kulturheroen ist. Tiergeister bzw. Herren der Tiere spielen ebenfalls eine bedeutende Rolle, v. a. unter den Jägern und Fischern, bei denen sie oft eine dominante Stellung einnahmen (z. B. an der Nordwestküste). Schamanismus ist v. a. bei den kanadischen Waldlandindianern festzustellen, kommt jedoch in Andeutungen auch bei anderen, teils sesshaften Gruppen vor.

indianische Religionen. Den indianischen Religionen Nordamerikas ist der Glaube an die Heiligkeit der Natur und die göttliche Herkunft alles Existierenden gemeinsam. Das Bild zeigt einen Navajo-Indianer im Monument Valley (Utah) bei der Anfertigung ritueller Zeichnungen unter freiem Himmel.

Eine besondere Ausprägung fand die Religion bei den Puebloindianern, v. a. den Hopi. Neben einer Reihe von Gottheiten, die weder dargestellt werden noch Tempel oder Priester besitzen, stehen die Kachina genannten Geistwesen, die u. a. Mittler zwischen Menschen und Göttern sind, aber auch die Essenz von Pflanzen, Tieren usw. verkörpern. Darüber hinaus spielten Traumgesichter und Visionssuche bei fast allen nordamerikanischen Indianergruppen eine große Rolle.

Zu den Religionen der Indianer in Mittel- und Südamerika →Azteken, →Inka, →Maya.

indische Religionen, abendländische Sammelbezeichnung für die heterogene Gesamtheit indischer religiöser Strömungen und Traditionen. Zu den wichtigsten religiösen Überlieferungen gehören die →vedische Religion, der →Brahmanismus, der →Buddhismus, der →Jainismus, der →Hinduismus, der →Tantrismus und der Sikhismus (→Sikhs). – Tabelle S. 270

Indra, Hauptgott der →vedischen Religion, der im Hinduismus als Gott des östlichen Firmaments und Beherrscher des (Un-)Wetters (Blitz, Donner) und Spender des Regens den hinduistischen Hauptgöttern Shiva, Vishnu und Brahma untergeordnet wird. In der hinduistischen Kunst wird er als dreiäugiger Herrscher des Himmels dargestellt, wobei

I Infallibilität

indische Religionen: Götter (Auswahl)	
Aditi	»Mutter der Götter«, Trägerin des Himmels
Agni	Gott des Feuers, Götterbote
Ashvins	Zwillingsgötter, Bewahrer vor Unglück und Not
Brahma	Verkörperung des Prinzips der Weltschöpfung
Daksha	die vergöttlichte spirituelle Kraft, Sohn des Brahma
Durga	über alle Götter erhabene Herrin der Welt
Ganesha	Beseitiger aller Hindernisse und Beschützer der Gelehrsamkeit
Ganga	Flussgöttin (Ganges)
Indra	Hauptgott der vedischen Religion, im Hinduismus Beherrscher des Wetters, Gott des Lebens
Kala	Gott der Zeit und des Todes
Kali	Inkarnation der Göttin Durga und des Gottes Shiva, Göttin der Fruchtbarkeit und des Todes
Kama	Liebesgott
Karttikeya (Skanda)	Kriegsgott
Krishna	kosmologische Hochgottheit und Heros
Kubera	Gott des Reichtums und der Geister
Lakshmi	Göttin des Glücks, der Schönheit und der Vegetation
Mitra	Sonnengott, Gott des Vertrages
Parjanya	Regengott
Parvati	Göttin der Berge
Prana	Göttin des Lebens
Rama	Inkarnation des Vishnu, Heros
Rudra	Gott des Verderbens
Sarasvati	Göttin der Rede und Gelehrsamkeit, Schutzherrin der Künste
Savitar	Sonnengott
Shiva	Gott der Auflösung und Zerstörung
Sita	Göttin des Ackerbaus und der Feldfrüchte
Soma	Mondgott
Surya	Sonnengott, das Himmelslicht
Varuna	Hüter der Weltordnung, der Wahrheit und des Rechts, Herr der Gewässer
Vayu	Windgott, Wagenlenker des Indra
Vishnu	Gott der Erhaltung
Vishvakarma	Gott des Handwerks und der Industrie, Architekt des Universums
Yama	Todesgott, der erste Mensch

Initiation
→ GEO **Dossier**
Warum glaubt der Mensch?, Bd. 15

Initiation
→ GEO **Dossier**
Unterwegs in magischen Welten, Bd. 15

zur Unterscheidung vom dreiäugigen Shiva das dritte Auge hier horizontal liegt. Außerdem werden ihm der Elefant Airavata (oft mit vier Stoßzähnen) als Reittier und Vajra, der Donnerkeil, als Attribut beigegeben. Seit etwa dem 6. Jh. gilt Indra als einer der acht Hüter der Weltrichtungen (Dikpalas). Er ist der Wächter über den Osten. Wie Brahma wurde Indra als untergeordnete Gottheit in den Buddhismus übernommen und seit dem 1. Jh. n. Chr. in Reliefs der Buddhalegende abgebildet. In diesem Zusammenhang wird Indra mit einer konischen Kopfbedeckung dargestellt, da der Donnerkeil im buddhistischen Kontext dem Schutzgeist Vajrapani vorbehalten ist.

Infallibilität, lateinisch für →Unfehlbarkeit.

Inful, *christliche Liturgie:* →Mitra.

Initiation [latein. »Einweihung«], im weiteren Sinn die rituelle Aufnahme in eine geschlossene Gesellschaft. Die Initiation gehört zu den Übergangsriten (→Rites de Passage), die die soziale Identität des Betroffenen verändern und neu festsetzen. Häufig ist sie mit einer besonderen religiösen Erfahrung (»Neuwerdung«) verbunden. Initiation kann individuell vollzogen werden, z. B. als Weihe zum Schamanen oder Aufnahme in einen Geheimbund, Geheimkult oder Verband, oder kollektiv. Letzteres meint die Initiation im engeren Sinn, die in vielen Stammesgesellschaften anknüpfend an die Pubertät die Kindheit beendet oder den Eintritt in eine neue Altersklasse markiert. Sie bewirkt die Aufnahme in die Gesellschaft der Männer oder – weniger stark ausgeprägt und nicht so weit verbreitet – der Frauen einer Lokal- oder Verwandtschaftsgruppe. Mit der Initiation sind oft folgende Merkmale verbunden: zeitweilige Isolierung der Initianden von der Gesamtgesellschaft, Bestehen von Mutproben, Ertragen von Hunger, Durst und Schlafentzug, Zurücklegen weiter Strecken, Einhalten von Tabus, Beschneidung oder Deformierungen (ein Ritual, das im Allgemeinen mit dem Kultus der Gruppe verbunden ist, deren Mythen vergegenwärtigt und auf einer Symbolik von Tod und Wiedergeburt beruht), moralische Unterweisung und Belehrung der Initianden über die neue Altersstufe (»Buschschule«) sowie festliche Wiederaufnahme in die Gesellschaft.

Die religiöse Initiation bewirkte im Altertum den Zugang des Initianden zu einem Mysterienkult wie z. B. dem Mithraskult oder den Eleusinischen Mysterien (→Mysterien). Auch die christlichen Sakramente können im Sinne von Grundfiguren gemeinsamen Lebens als eine Art der Initiation aufgefasst werden.

Inka, ursprünglich Name einer Sippe Ketschua sprechender Indianer im Gebiet von Cuzco (Peru), mit der Herausbildung einer Gottkönigsidee als Herrschertitel (Inca), später die Bezeichnung aller Bewohner des Inkareiches im Hochland von Peru, die Ketschua sprachen. Die Kultur der Inka gehört zu den andinen Hochkulturen der vorkolumbischen Zeit (→vorkolumbische Religionen).

In der Religion der Inka stand zunächst der Schöpfergott Huiracocha an der Spitze. Er wurde jedoch in der Spätzeit durch den Sonnengott Inti verdrängt. Der nach dem Tode vergöttlichte Herrscher (Inca) galt als sein Sohn. Dessen Hauptfrau verkörperte die Mondgöttin. Mit der Ausdehnung des Reiches wurden auch die lokalen Götter der eroberten Gebiete in die religiöse Verehrung einbezogen. Für das Volk scheint die größte Bedeutung die Fruchtbarkeitsgöttin Pachamama (Erdmutter) gehabt zu haben, die noch heute im Bergland – teils in der Gestalt der Jungfrau Maria – verehrt wird. Außerdem betete man zahlreiche numinose Kräfte (Huaca) an, die in Bäumen, Quellen, Sternbildern u. a. ihren Sitz hatten. Die Riten sind durch Opfer, meist Coca-, Trank- und Tieropfer, selten auch Menschenopfer, geprägt. Sie wurden von männlichen und weiblichen Priestern vollzogen, die innerhalb des Tempelbezirks z. T. in klösterlichen Gemeinschaften lebten und nach ihren Aufgaben in zahlreiche Gruppen eingeteilt waren.

Von den monumentalen Sakralbauten der Inka zeugen gut erhaltene Reste u. a. in →Machu Picchu. In den Tempeln für den Sonnengott waren Silber- und Goldplatten aufgehängt.

Inkarnation [spätlatein., eigtl. »Fleischwerdung«], 1) im *christlich-theologischen* Sprachgebrauch die »Fleischwerdung des Logos« (nach Joh. 1,14). Die hellenistisch geprägte Christologie versteht darunter die Menschwerdung des göttlichen →Logos in Jesus Christus.

2) *Religionsgeschichte:* die irdische Gestaltwerdung göttlicher Wesen, z. B. im Hinduismus (→Avatara). Im tibetischen Buddhismus gilt der Dalai-Lama als eine Inkarnation des Bodhisattva Avalokiteshvara, jeder einzelne Dalai-Lama als Reinkarnation seines Vorgängers. Auch Religionsstifter und Heilige gelten manchmal als göttliche Inkarnation, bei den Drusen etwa der Kalif al-Hakim. Herrscher wurden vielfach auf göttlichen Ursprung zurückgeführt. So hießen die Inkaherrscher, die Pharaonen in Ägypten und der Tenno in Japan Gottessöhne.

Der gnostische Erlösungsmythos spricht von der Inkarnation eines Erlösers in Menschengestalt, der die Seelen aus ihrer Körpergebundenheit erlösen soll.

Im Bereich des Islam glauben die Schiiten an eine periodische Wiederkehr des →Imam.

Als Reinkarnation wird die →Seelenwanderung bezeichnet.

Inklusen [latein. inclusi »die Eingeschlossenen«], **Reklusen,** Männer oder Frauen, die sich für eine gewisse Zeit oder auch lebenslänglich häufig in der Nähe eines Klosters zu Askese und Gebet einschließen oder einmauern ließen. Auf Paulus von Theben († um 340) zurückgehend, bildete das Inklusentum in der Folge die strengste Form der christlichen Askese und bestand bis ins 17. Jahrhundert.

Inkubation [zu latein. incubare »in (oder auf) etwas liegen«], griechisch **Enkoimesis,** in der griechischen Antike der Tempelschlaf, der im Traum göttliche Offenbarungen und v. a. Heilung von Krankheiten bringen sollte. Er war besonders in den Heiligtümern des Äskulap verbreitet. Mit Fasten und anderen Reinigungsriten wurde die Inkubation vorbereitet. Nach dem heilenden Schlaf legten Priester das dem Kranken offenbarte Orakel aus.

Innozenz III., früher **Lothar** Graf **von Segni,** Papst (1198–1216), * Anagni 1160 oder 1161, † Perugia 16. 7. 1216; absolvierte theologische, v. a. kanonistische Studien in Paris und Bologna. Innozenz führte das mittelalterliche Papsttum auf den Gipfel seiner weltlichen Macht. Er erreichte die Unabhängigkeit der

Inka Feste und Spiele

Kein Jahr im alten Peru verstrich ohne zahlreiche, den Anbauzyklus begleitende Feste. Wesentlicher Bestandteil aller Feiern waren »Tinku« genannte Schaugefechte mit Peitschen oder Schleudern, bei denen Blut fließen musste. Opferblut war die Kraftquelle, das das rituelle Räderwerk schmierte und für das Fortbestehen der gesellschaftlichen Ordnung sorgte. Da man die Welt als Ansammlung von Gegensatzpaaren begriff, die die Wettkämpfer symbolisierten, ging es bei den Spielen vorrangig um magische Versöhnung, also Ausbalancierung dieser Kräfte. Mit Tinku, Musik und Tanz ehrten Bauern ihre Patronin Pachamama. Den nährenden Brüsten der Erdmutter verdankte so manche Anbauterrasse ihre typische Form. Im Kampf gegen Dämonen und andere Schadensmächte bemühten Schamanen von Trank-, Rauch- und Tieropfern herbeigelockte Berggeister und Feen. In Notzeiten brachte man oft Kinder auf hohe Berggipfel und ließ sie dort erfrieren, damit ihr Klagen die überirdischen Wesen rühre. Die »offizielle« Religion, bewahrt von Kultpriestern, unterschied sich von solchen Vorstellungen durch Hervorhebung einzelner Götter und ihre Einbindung in staatstragende Ideologien (Sonnenopfer der Inkas, Kupferstich von Bernard Picart, Amsterdam, 1725).

Inquisition

Inquisition. Die spanische Inquisition war von Rom unabhängig und unterstand direkt dem König. Sie tat sich besonders beim Aufspüren »heimlicher Juden« unter den Zwangsgetauften hervor. Gegenüber dem europäischen Hexenwahn im 16./17. Jh. blieb sie hingegen skeptisch, sodass Spanien davon weitgehend verschont blieb (»Der heilige Dominikus wohnt einem Autodafé bei«, Gemälde von Pedro Berruguete, 15. Jh.; Madrid, Prado).

Inquisition
→ GEO **Dossier**
Glaube, Liebe, Hoffnung?, Bd. 15

Inquisition
→ GEO **Dossier**
Gott und die Welt, Bd. 16

päpstlichen Hauptstadt Rom und des unter ihm erweiterten Kirchenstaates sowie die Oberhoheit über Sizilien. 1202–04 führte er den vierten Kreuzzug. Diplomatisches Geschick zeigte Innozenz im Umgang mit der sozialreligiösen Bewegung seiner Zeit, indem er neue Orden wie Humiliaten, Franziskaner u. a., die die Ketzerbewegung auffangen sollten, bestätigte und förderte. Innerkirchlich zeigte sich ferner seine Führungsstellung durch berühmte Rechtsentscheide und durch die Reform der Kurie und des Welt- und Ordensklerus. Die Grundlegung des kanonischen Inquisitionsprozesses durch Innozenz führte zu der von ihm gewollten Verschärfung der Inquisition. Höhepunkt und Ausklang seines Pontifikats wurde das 4. Laterankonzil (1215).

Inquisition [latein. »(gerichtliche) Untersuchung«], nach dem Verfahren des Inquisitionsprozesses benannte, v. a. von kirchlichen Institutionen seit dem Mittelalter betriebene und meist mit staatlicher Hilfe durchgeführte Verfolgung von Häretikern.

Das kirchliche Vorgehen gegen Häretiker war ursprünglich Sache der Bischöfe. Seitdem das Christentum im Römischen Reich Staatsreligion war, konnten Häretiker (z. B. Donatisten und Manichäer) nach dem Edikt Theodosius' I. von 380/381 auch reichsgesetzlich verfolgt werden.

■ **Mittelalter** Die Inquisition als eine eigene Behörde zur Aufspürung und Verfolgung der Häretiker bildete sich jedoch erst im Mittelalter im Zusammenhang mit der vermeintlichen Gefährdung der Kirche durch die so genannten Ketzer (Bogomilen, Albigenser, Katharer, Waldenser) heraus. Zunächst noch eine bischöfliche Einrichtung, kam die Inquisition seit dem Ende des 12. Jh. zunehmend unter päpstliche Kontrolle. Ein erster Schritt war die von Alexander III. auf dem 3. Laterankonzil (1179) ausgesprochene förmliche Exkommunikation der Ketzer, die von Lucius III. 1184 wiederholt und von Kaiser Friedrich I. Barbarossa durch die Verhängung des Reichsbanns unterstützt wurde. Innozenz III. erneuerte 1199 die bischöflichen Inquisitionsgerichte und setzte zusätzlich päpstliche Sonderbeauftragte zur Durchführung der Inquisition ein. 1215 forderte das 4. Laterankonzil die Auslieferung der verurteilten Ketzer an die weltliche Gewalt. Das Konzil von Toulouse regelte 1229 das Verfahren und die Bestrafung. Kaiser Friedrich II. hatte 1224 den Tod auf dem Scheiterhaufen als Strafe eingeführt (von Gregor IX. in seine Ketzerdekrete von 1231 übernommen) und wies die weltlichen Gerichte an, die Vollstreckung von Todesurteilen für kirchliche Inquisitionsgerichte durchzuführen. Den Feuertod begründete man »theologisch« (unter Berufung auf 1. Kor. 5,5) damit, dass auf diesem Weg wenigstens die Seele durch das Fürbittgebet der Kirche gerettet werden könne. Unter Gregor IX. wurde 1231/32 die Inquisition in einer päpstlichen Behörde zentralisiert, die von **Inquisitoren**, vornehmlich Dominikanern, verwaltet wurde.

■ **Frühe Neuzeit** Die Inquisition erreichte ihre Höhepunkte v. a. in Spanien, Italien und Frankreich. Seit der Mitte des 15. Jh. verband sich in Deutschland die Inquisition mit den →Hexenverfolgungen. In Spanien war die Inquisition seit 1478, in Portugal seit 1536 eine staatliche Einrichtung unter einem **Großinquisitor** und ein wichtiges Instrument zur Verfolgung der Marranen, Morisken und Protestanten. Charakteristisch für die spanische und portugiesische Inquisition waren die Autodafés, denen in Spanien zwischen 1481 und 1808 rund 31 000 Menschen zum Opfer fielen. Rund 270 000 wurden in dieser Zeit zu Kerkerhaft und Vermögensentzug verurteilt. Die neuzeitliche Trennung von Kirche und Staat sowie die Kritik an der Inquisition seitens der Aufklärung ließen Einfluss und Bedeutung der Inquisition allmählich zurückgehen. In einigen Ländern bestand sie jedoch bis ins 19. Jh., in Spanien bis 1834, in Italien bis 1859 und im Kirchenstaat bis 1870.

I. N. R. I., Abk. für Iesus Nazarenus Rex Iudaeorum (Jesus von Nazareth, König der Juden), lateinische Form der nach Joh. 19, 19 von Pilatus gesetzten Inschrift am Kreuz Jesu Christi.

inschallah [arab. »wenn Allah will!«], auf Zukünftiges bezogene muslimische Redensart, die Ergebung in den Willen Gottes ausdrückt.

Inspiration [latein., zu inspirare, eigtl. »(hin)einhauchen«], eine Form der Offenbarung Gottes, des göttlichen Geistes oder eines hl. Wissens »im Menschen« (göttliche Eingebung), die unabhängig von seinem Willen geschieht. In den Religionen wird sie als Inbesitznahme des Menschen durch Gott, die Götter bzw. die als göttlich angesehenen Mächte (in der christlichen Theologie durch den Heiligen Geist) beschrieben. Auch hl. Schriften können als inspiriert gelten: hl. Seher hätten sie geschaut (Veda), Gott habe sie übermittelt (Koran) oder ihre Verfasser zur Abfassung veranlasst. In letzterem Sinn geht die christliche Theologie von einer Inspiration der biblischen Schriften aus, wobei theologiegeschichtlich zwischen der **Verbalinspiration,** die die göttliche Eingebung Wort für Wort meint und v. a. in der protestantischen Orthodoxie des 17. Jh. behauptet wurde, der **Realinspiration,** der Eingebung nur des Inhalts, und der **Personalinspiration,** bei der nur eine Anregung des Autors angenommen wird, unterschieden wird. Heute gilt für die überwiegende Mehrheit der christlichen Theologen die Auffassung der inhaltlichen Inspiration der Bibel.

Inti [Ketschua »Sonne«], der Sonnengott der Inka und bedeutendster ihrer Himmelsgötter. Inti galt als Reichsgott, von dem die Inkaherrscher ihre Abstammung herleiteten. Er wurde meist als goldene Scheibe mit Strahlen dargestellt.

Investitur [mittellatein. »Einsetzung in ein Amt«, eigtl. »Einkleidung«], *kath. Kirchenrecht:* ursprünglich die Übertragung eines Kirchenamtes mit symbolischer Überreichung von Insignien (beim Bischof die Investitur mit Ring und Stab). Seit dem Hochmittelalter bezeichnet Investitur nur noch die tatsächliche Einweisung in ein (bepfründetes) Kirchenamt, die erst erfolgt, wenn es förmlich übertragen worden ist.

Investiturstreit, Bezeichnung für den Konflikt zwischen dem (Reform-)Papsttum und dem englischen, französischen und deutschen Königtum seit 1075 um die Investitur der Bischöfe und Äbte, der zur grundsätzlichen Auseinandersetzung zwischen geistlicher und weltlicher Gewalt wurde. Bis dahin wurden im Heiligen Römischen Reich, in Frankreich und England die Bischöfe und Äbte vom Landesherrn eingesetzt, der ihnen als Amtsinsignien Ring und Stab überreichte. Die Einweisung in das kirchliche Amt und die Übergabe der oft umfangreichen Besitzungen und Rechte bildeten eine Einheit. Im Reich und im normannischen England verfügte über die Bistümer und die wichtigsten Klöster der König, in Frankreich lag die Verfügungsgewalt auch bei den Herzögen und Grafen. Im ottonisch-salischen Reichskirchensystem schuf sich der deutsche (Römische) König im Epi-

---

Investiturstreit   Der Gang nach Canossa

Das Verhältnis zwischen Papst Gregor VII. und dem deutschen König Heinrich IV. war anfangs durchaus vertrauensvoll. Doch als Heinrich 1075 in Mailand und sogar innerhalb des Kirchenstaats Bischöfe erhob, kam es zum Bruch. Am 26. Januar 1076 forderten die deutschen Bischöfe Gregor auf, »vom Stuhl Petri herabzusteigen«, woraufhin der Papst den deutschen König für abgesetzt und exkommuniziert erklärte. In Deutschland fielen darauf die meisten Bischöfe vom König ab, und seine alten Gegner, die Sachsen und die Herzöge von Bayern und von Schwaben, planten eine Neuwahl. Es gelang Heinrich, einen Aufschub bis zum Frühjahr 1077 zu erreichen, doch bis dahin musste er vom Bann gelöst sein.
Mitten im Winter überschritt er daher die Alpen und erschien Ende Januar 1077 vor der Burg Canossa (südlich von Parma), wohin sich der Papst zurückgezogen hatte. In einem dreitägigen Bußgang erreichte der König (hier vor seinen Fürsprechern Hugo von Cluny und Mathilde von Tuszien, Handschrift, frühes 12 Jh.; Rom, Biblioteca Apostolica Vaticana), dass er vom Papst wieder in die Kirche aufgenommen wurde. Damit hatte Heinrich einen taktischen Erfolg errungen, zugleich aber anerkannt, dass der Papst ein Kontrollrecht über den König besaß.

iranische Religionen Gottheiten der Perser

»Von den Sitten der Perser weiß ich Folgendes: Es ist bei ihnen nicht üblich, Götterbilder, Tempel und Altäre zu errichten... Sie glauben nämlich nicht, wie mir scheint, dass die Götter wie bei den Griechen menschenähnliche Wesen sind. Dem Zeus pflegen sie auf den Gipfeln der Berge zu opfern und bezeichnen das ganze Firmament als Zeus. Sie opfern auch der Sonne, dem Mond, der Erde, dem Feuer, dem Wasser, den Winden.« So schreibt Herodot (I, 131) im 5. Jahrhundert vor Christus. Und in der Tat kennen wir aus der Frühzeit keinerlei iranische Götterbilder oder Tempel. Immer wieder ist in der Kunst das Symbol des Gottes Ahura Masda zu finden: der Oberkörper eines Mannes, der aus einer geflügelten und mit Schwanz versehenen Scheibe herausragt (Relief am Dareiospalast in Persepolis, 6. Jh. v. Chr.). Götterstatuen sind wohl erst im 4. Jahrhundert v. Chr. eingeführt worden, als man sich schon recht weit von der ursprünglichen Glaubenslehre Zarathustras entfernt hatte. Als Vorbilder nahm man Bilder der Assyrer oder Griechen.

---

skopat eine wesentliche politische Stütze seiner Herrschaft.

Die im 11. Jh. aufgekommene kirchliche Reformbewegung hatte zunächst nur die Vergabe von Kirchenämtern gegen Geld als Simonie bekämpft. Eine radikale Richtung verurteilte seit etwa 1060 jedoch jede Investitur durch Laien als Simonie. Papst Gregor VII. formte im »Dictatus Papae« diese Ansicht weiter aus (gregorianische Reform) und verbot bei Strafe des Kirchenausschlusses die Laieninvestitur. Dieses Vorgehen führte besonders in Deutschland zu schweren Kämpfen unter Heinrich IV. und Heinrich V.

Ein Kompromiss wurde erst dadurch möglich, dass die Unterscheidung zwischen geistlichem Amt und weltlicher Herrschaft des Bischofs wieder zur Geltung gebracht wurde. 1104 verzichtete der französische, 1107 der englische König auf die Investitur mit Ring und Stab. Beide behielten sich aber vor, den Gewählten mit dem Kirchenbesitz zu belehnen und den Treueid zu fordern, was den königlichen Einfluss auf die Wahl auch weiterhin sicherte. Ähnliches strebte das Wormser Konkordat (1122) an, mit dem der Investiturstreit schließlich beigelegt wurde.

Ipalnemoa, Ipalnemoani [aztekisch »(der) durch den man lebt«], aztekischer Schöpfergott, dem als einem hinter dem aztekischen Pantheon stehenden Hochgott monotheistische Verehrung zuteil wurde.

Iqbal [ɪkˈbaːl], Sir (seit 1922) Muhammad, indischer Dichter und Philosoph, * Sialkot zwischen 1873 und 1877, † Lahore 21. 4. 1938; wird als »geistiger Vater« Pakistans verehrt.

Iqbal studierte Jura und Philosophie in Großbritannien und Deutschland (1905–08), ließ sich in Lahore als Rechtsanwalt nieder und begründete dort seinen Ruhm als Urdu-Dichter. Nach Abkehr von einem indischen Nationalismus galt sein dichterisches und philosophisches Werk der Vertiefung und Verbreitung des Islam, dessen kreatives und dynamisches Potenzial für die menschliche Geschichte fruchtbar werden sollte. Iqbal hob den tätigen Einsatz des Individuums, im Einklang mit dem Koran und den Absichten Gottes, die gedankliche Bemühung (Idjtihad) und politische Reformen hervor. Als Präsident der Jahrestagung der Muslim League in Allahabad (1930) äußerte er erstmals den Gedanken eines von Indien getrennten muslimischen Staates, was die spätere Entstehung von Pakistan (1947) beeinflusst hat.

iranische Religionen, persische Religionen. Über die frühen (vorislamischen) Religionen der Iranier gibt es unterschiedliche Theorien, denn ihre Erforschung geht vorrangig von einem heterogenen Textkorpus, dem nicht vollständig erhaltenen →Avesta, von nicht einheitlichen religionswissenschaftlichen Modellen und von Vergleichen mit der vedischen Religion aus. Enge Beziehungen zur Letzteren müssen die frühen iranischen Religionen besessen haben. Erst durch die »Gathas« des Zarathustra (wohl Mitte des 1. Jt. v. Chr.), des Reformators der iranischen Religionen, lassen sich gewisse Vorstellungen der vorzoroastrischen iranischen Religionen gewinnen.

■ **Die Religion Zarathustras** Zarathustra brach mit der alten Götterwelt der Iranier, welche die moderne Wissenschaft in drei Klassen, nämlich in ein herrschaftliches, ein kriegerisches und ein nährendes Prinzip, geordnet versteht. An deren Stelle setzte er →Ahura Masda, der sich über gute und schlechte Geister erhebt, welche sich streng dualistisch gegenüberstehen. Die Lehre von einem allmächtigen und allgebenden Gott Ahura Masda wurde zur religiösen Staatsdoktrin unter den Achaimeniden, wie die Inschriften von Dareios I. (522–486 v. Chr.) zeigen. Ihrer zentralisierten Staatsauffassung entsprach eine Zentralisierung der Götterwelt: Das Überirdische (→Amescha spentas) war Ahura Masda, das Irdische dem persischen »König der Könige« zugeordnet.

Aber selbst in der Zeit des Dareios konnte sich diese »monotheistische« Vorstellung nicht durchsetzen, wie Opfertäfelchen aus dem Palast dieses Großkönigs zeigen, auf denen Gaben des Hofes an eine Vielzahl von Göttern, auch nicht iranische, verzeichnet sind. Und schon unter seinen Nachfolgern begegnen auf königlichen Inschriften neben Ahura Masda aus vorzoroastrischer Zeit der Lichtgott Mithras und die Fruchtbarkeitsgöttin Anahita. Die Vermischung der »reinen« Lehre des Zarathustra mit älteren Schichten der iranischen Religionen charakterisiert auch das »heilige« Buch der Zoroastrier, das vielfach überarbeitete Avesta.

Noch in nachachaimenidischer Zeit kam Ahura Masda im Pantheon der Iranier eine bedeutende Rolle zu, und nach den religiös toleranten und vom Hellenismus beeinflussten Parthern entstand unter den Sassaniden im 3. Jh. n. Chr. eine zoroastrische Reichskirche, der mehr an Orthopraxie als an Orthodoxie gelegen zu haben scheint.

■ **Manichäismus** Gegen diese Reichskirche, deren Lehren nur schwer rekonstruierbar sind, wandte sich der Gründer einer weiteren Religion iranischen Ursprungs, →Mani, der mit seiner vom iranischen Dualismus tief geprägten synkretistischen Lehre das Erbe aller Religionsstifter für sich antreten wollte und Anhänger weit über Iran hinaus fand.

Als eine Bewegung innerhalb des →Manichäismus, oder zumindest von ihm stark geprägt, wird die auf den wissenschaftlich schwer nachweisbaren Mazdak zurückgeführte Lehre betrachtet, von der wir nur durch spätere muslimische Autoren erfahren, Autoren, die Angehörige der Religion waren, der sich seit dem 8. Jh. n. Chr. mehr und mehr Iranier zuwandten und die starke Einflüsse auf den schiitischen Islam ausgeübt hat.

Irmin, Irmino, Ermin, mythischer germanischer Ahnherr der Herminonen, einer der drei germanischen Stammesgruppierungen nach Tacitus, Sohn des →Mannus.

iroschottische Kirche, Bezeichnung für die weitgehend eigenständige Kirche der von den Kelten besiedelten Insel Irland, die um 430 von Britannien aus missioniert wurde. Als erster Missionar gilt Palladius, eigentlicher Apostel Irlands ist jedoch der hl. Patrick. Die Christianisierung Irlands scheint ohne Zwang vor sich gegangen zu sein. Es gab keine Märtyrer, dafür Massenübertritte, wobei sogar Druidenschüler als Mönche aufgenommen wurden. Dabei kam es zu einer gegenseitigen Durchdringung: Das Christentum wurde in die keltische Religiosität integriert, und umgekehrt nahm das Christentum keltische Traditionen wie etwa die Clanordnung als soziale Struktur oder die keltische Sprache auf und verarbeitete sie. Es entstand eine von Rom unabhängige (Mönchs-)Kirche, die sich bis zur Synode von Whitby (664) mit ihren eigenständigen Elementen (eigener Ostertermin, Rundprozessionen, Tonsur, Praxis der Privatbeichte) behaupten konnte. Die kirchlichen Zentren bildeten die Klöster, deren Äbte die höchste Autorität in der kirchlichen Organisation darstellten. Bedeutende Klöster waren Armagh, Clonmacnoise und Bangor, denen berühmte Schulen angeschlossen waren.

Die eigenständige Kirchenform schwand vom 7. Jh. an durch die Romanisierung. Keltische Einflüsse, vermittelt durch eine starke mündliche Tradition, blieben jedoch durch die iroschottische Mission weiter in der christlichen Theologie (besonders bei Johannes Scotus Eriugena) wirksam.

Irrlehre, *Christentum:* Bezeichnung für eine von der kirchlichen Lehrauffassung abweichende Lehre (→Häresie).

Isa [arab.], die von den Muslimen verwendete Namensform für →Jesus.

Isaak ['i:zak, 'izaak], biblische Gestalt, Sohn des Abraham und der Sara, Vater Jakobs und Esaus sowie zweiter der →Erzväter Israels. Im Koran wird Isaak (arab. Ishak) zu den Propheten gezählt.

Ischkur, sumerischer Gewitter- und Sturmgott, der weitgehend dem akkadischen Adad gleichgesetzt wird.

Ein Hymnus auf die Göttin **Ischtar** aus altbabylonischer Zeit:

»*Die Ischtar besingt, die Ehrfurchtgebietendste unter den Göttinnen, die Herrin der Weiber, die Größte der Igigi.*
Sie ist voll schwellender Pracht, mit Liebreiz bekleidet, geschmückt mit geschlechtlicher Kraft, Verführung und Fülle!...
Grausig ist sie. Unter den Göttern ist übergroß ihre Stellung.
Gewichtig ist ihr Wort und über diese ist sie mächtig...«

Ischtar [akkad.], die bedeutendste babylonische Göttin und deshalb auch Bezeichnung für Göttin schlechthin im babylonisch-assyrischen Pantheon. Ischtar wurde im gesamten Alten Orient unter verschiedenen Namen verehrt. Wichtige Kultorte befanden sich in Uruk, Akkad und Ninive. In Sumer entsprach ihr

---

Irrlehre
→ **GEO** Dossier
Glaube, Liebe,
Hoffnung?, Bd. 15

I Ise

Ischtar.
Ischtar heißt schlicht »Göttin«. Sie war die beliebteste und am meisten verehrte Göttin des Alten Orients. Unter Nebukadnezar II. erlebte Babylon seine Blütezeit, in der auch das Ischtartor entstand, durch das die prachtvolle Prozessionsstraße führte (Rekonstruktion mit originalen Teilen; Berlin, Vorderasiatisches Museum).

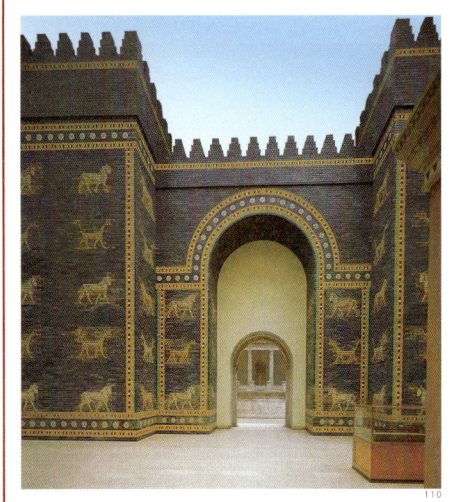

Inanna (»Himmelsherrscherin«) oder Innini, bei den Hurritern und Hethitern Schauschga, in Syrien-Palästina →Astarte.

Ischtar verkörpert gegensätzliche Aspekte: Sie ist Göttin der Liebe und des Geschlechtslebens (ihr Symbol ist der Venusstern), aber auch Herrin des Krieges. Sie ist »jungfräulich«, gilt aber als göttliche Geliebte schlechthin. Ihren Geliebten Tammuz fordert sie aus der Unterwelt zurück. Während sie dort weilt, ist die Erde mit Unfruchtbarkeit geschlagen.

Nach einigen örtlichen Traditionen ist sie Gattin des Himmelsgottes Anu oder des Assur. Uneinheitlich wird auch ihre Herkunft von Anu oder dem Mondgott Sin (sumerisch Nanna) angegeben. Immer ist sie Schwester des Sonnengottes Schamasch (sumerisch Utu). Das u. a. in frühgeschichtlicher Zeit ihren Abbildungen beigegebene Schilfringbündel symbolisiert Ischtar oder vielmehr Inanna als Ernährerin der Herde.

Ise, bis 1955 **Ujiyamada,** bedeutender Wallfahrtsort in Japan, der jährlich rund eine Million Pilger beherbergt. Ise ist das höchste shintoistische Heiligtum mit zwei der bedeutendsten Schreinanlagen. Der »Innere Schrein« (Naikū) ist der Sonnengottheit Amaterasu geweiht. Er ist Ahnenschrein der kaiserlichen Familie und Aufbewahrungsort des hl. Spiegels der Amaterasu. Der »Äußere Schrein« (Gekū) ist der Reisgottheit Toyouke geweiht. Die schlichten Holzbauten der Schreine (3.–5. Jh.) werden seit 685 alle 20 Jahre abgetragen – das geweihte Holz wird als Baumaterial an alle Schreine des Landes verteilt – und im gleichen Stil auf einem danebenliegenden Platz neu errichtet. Der Neubau soll der Erhaltung der Schönheit der Bauten und der Wiederbelebung der Gottheit dienen.

Ishtadevata [-ʃ-; Sanskrit »gewünschte Gottheit«], **Ishtadeva** [-ʃ-], *Hinduismus:* ein Lieblingsgott oder Hauptgott eines Anbeters oder eines Kultes, auch ein erwähltes Ideal, ein Heiliger oder ein Symbol, dem der Mensch auf dem Erlösungsweg des Bhakti-Yoga seine religiöse Hingabe und Anbetung widmet.

Ishvara [-ʃ-; Sanskrit »Herr des Universums«], *Hinduismus:* die Vorstellung eines höchsten und persönlichen Gottes als Schöpfer der Welt und aller Wesen. Brahman in Verbindung mit der Welt und als Ziel der Verehrung ist Ishvara, wohingegen alle anderen Götter, auch diejenigen fremder Religionen, Aspekte von Ishvara bilden.

Isidor von Sevilla [-seˈβiʎa], Bischof und Kirchenlehrer, * Cartagena (?) um 560, † Sevilla 4. 4. 636; seit 600 Erzbischof ebenda. Seine umfassenden theologischen und profangeschichtlichen Schriften haben die Bildung des Mittelalters entscheidend beeinflusst. Die 20 Bücher umfassenden »Etymologiae«, die auch »Origines« genannt werden, enthalten enzyklopädisch das gesamte Wissen seiner Zeit. Isidors theologisches Hauptwerk sind die »Sententiarum libri tres«, ein Lehrbuch der Dogmatik und Ethik. Daneben sind erhalten: »De viris illustribus«, eine christliche Literaturgeschichte, »Historia Gothorum«, eine Geschichte der Westgoten bis 625, und »De officiis ecclesiasticis«. Sein Trinitätstraktat »De fide catholica contra Iudaeos« wurde im letzten Jahrzehnt des 8. Jh. im Umkreis Alkuins ins Althochdeutsche übertragen. Isidor ist der letzte abendländische »Kirchenvater«. – Heiliger (Tag: 4. 4.).

Isis, ägyptisch **Ese,** ägyptische Göttin, die meist das Schriftzeichen des Herrscherthrones auf dem Kopf trägt, oft aber auch das Kuhhorn mit Sonnenscheibe, das eigentlich zu Hathor gehört. Im Osirismythos gilt sie als Schwester und Gemahlin des Osiris. Unterstützt von ihrer Schwester Nephthys, erweckt sie ihn nach seiner Ermordung durch Seth zu neuem Leben und empfängt das Kind Horus von ihm. Durch ihre Zauberkunst bewahrt sie das Kind vor allen Gefahren und wurde daher im Volksglauben als »zauberreiche« Göttin zu Hilfe gerufen. In hellenistischer Zeit verbreitete sich ihr Kult nach Griechenland, nach Rom und in die Provinzen des römischen Weltreiches. Sie stand dann an vielen Orten im Mittelpunkt von Mysterienkulten. Von ihren Heiligtümern ist das auf der Nilinsel Philae am

---

Isis   Göttin des Himmels

Die ägyptische Göttin Isis wurde auch von gebildeten Griechen als Allgöttin verehrt, da sie im Unterschied zu den griechischen Göttern nicht nur dem Schicksal nicht unterworfen war, sondern es auch bestimmte. Aus dem kleinasiatischen Kyme im 1./2. Jahrhundert n. Chr. stammt der folgende Text einer Isis-Hymne: »Ich habe die Erde vom Himmel geschieden. Ich habe den Sternen die Wege gezeigt. Ich habe den Gang der Sonne und des Mondes geordnet. Ich habe die Schifffahrt erfunden. Ich habe das Recht stark gemacht.« Isis wird meist in Gestalt einer Frau mit dem Schriftzeichen des Thronsitzes auf dem Kopf, aber auch mit Kuhgehörn und Sonnenscheibe dargestellt.

bekanntesten. In Alexandria wurde sie als Beschützerin der Schifffahrt verehrt.

Islam [arab. »Hingabe« (an Gott)], die von Mohammed zwischen 610 und 632 n. Chr. in Mekka und Medina (erste Gemeindeordnung) gestiftete monotheistische Weltreligion, zu der sich heute rund 1,19 Milliarden Menschen (rund 20% der Weltbevölkerung) bekennen. Die Anhänger des Islam bezeichnen sich selbst als → Muslime (weibliche Form: Muslimas oder Musliminnen). Der bewusste (d. h. nicht durch Geburt gegebene) Beitritt zum Islam geschieht durch das Aussprechen des islamischen Glaubensbekenntnisses (→ Schahada) vor muslimischen Zeugen; damit verbunden ist u. a. die Annahme eines islamischen Namens. Der Begriff »Islam« ist bereits im Koran, der heiligen Schrift des Islam, enthalten und meint die unbedingte Ergebung in den Willen des einen Gottes Allah (»Gott«). Im Mittelpunkt des Heilsgeschehens steht der Koran, dem als Urkunde der Offenbarung Gottes und damit Quelle des Glaubens und Norm des Handelns in der islamischen Gemeinde (Umma) die höchste und absolute Autorität zukommt, wohingegen der Prophet Mohammed allein dessen menschlicher Überbringer ist. Der Islam wird durch zwei Hauptrichtungen repräsentiert: die **Sunniten**, die sich theologisch als die islamische Orthodoxie verstehen, und die **Schiiten**.

■ **Lehre und Hauptmerkmale** Grundlegend für den islamischen Glauben ist die Überzeugung, dass es nur einen Gott gibt. Die einzige Sünde, die Gott dem Islam zufolge nicht vergibt, ist neben dem Abfall vom Glauben die »Beigesellung« (Schirk), d. h. die Vielgötterei. Der Islam zeichnet sich durch einen besonders strikten Monotheismus aus. Nach der im Koran entfalteten islamischen Lehre ist Gott der Schöpfer aller Dinge, und zwar nicht nur »im Anfang«, sondern immer (creatio continua, »immerwährendes Schaffen«). Er ist allmächtig, allwissend und barmherzig. Im Laufe der Geschichte hat er zu den verschiedenen Völkern immer wieder Propheten gesandt, die in der jeweiligen Muttersprache geoffenbarte Botschaften verkündeten. Deren Inhalt war im Wesentlichen immer der gleiche: Aufruf zum Glauben an den einen Gott, Mahnung zum Gehorsam gegen Gottes Gebote sowie Warnung vor den Strafen Gottes im Diesseits und Jenseits für fortgesetzt sündiges Handeln. Als Propheten werden auch Gottesmänner der biblischen Tradition anerkannt, so z. B. Adam, Noah, Abraham, Moses und Jesus Christus. Da Judentum und Christentum nach koranischer Auffassung durch von Propheten überbrachte echte Offenbarungsbücher begründet wurden, genießen Juden und Christen den Sonderstatus der »Schriftbesitzer«, die nach islamischem Recht gegen Zahlung einer Sondersteuer ihre Religion auch unter muslimischer Herrschaft beibehalten dürfen. Nach koranischer Darstellung haben sie jedoch den Inhalt ihrer heiligen Schriften nachträglich verfälscht. Abraham war dem Koran zufolge bereits Glaubender und hat zusammen mit seinem Sohn Ismael das Heiligtum der → Kaaba in Mekka nach einer Zeit der Zerstörung und Entweihung durch Götzendienst neu aufgebaut. Mohammed betrachtete sich nicht als Verkünder einer neuen Religion, sondern als Wiederhersteller der Religion Abrahams. Nach dem Koran, den die Muslime als wörtlich inspiriert auffassen, ist Mohammed das »Siegel der Propheten«, d. h. der Bestätiger aller früheren Offenbarungen und zugleich der Überbringer der letztgültigen und damit fortan für alle Menschen verbindlichen Offenbarung.

Der Mensch ist dem Koran zufolge von Gott mit einer besonderen Würde ausgestattet und muss sich Gott gegenüber für seine Taten verantworten. Gott aber verlangt von ihm nur das, was ihm auch möglich ist, d. h., die ethischen Anforderungen sind nicht so weitreichend, dass er deswegen immer und grundsätzlich versagt. Daher wird er beim Jüngsten Gericht nach seinen Taten beurteilt. Diese Taten und somit auch das zukünftige Los des Menschen sind gemäß einer Reihe von Textstellen im Koran von Allah selbst vorherbestimmt, nach einer anderen koranischen Tradition, die im Islam am weitesten verbreitet ist, Folge des menschlichen freien Willens. Frauen haben im Islam – ungeachtet ihres untergeordneten rechtlichen und sozialen Status – dieselben Heilsmöglichkeiten wie Männer. Nach geschehener Offenbarung sind alle Menschen gleichermaßen verpflichtet, ihr Leben nach Gottes Willen zu führen. Dabei kennt der Islam weder sakramentale Heilsvermittlung noch einen besonderen Priesterstand.

Die Gesamtheit der gottgewollten Verhaltensweisen, die in erster Linie aus dem Koran und der Prophetentradition (→ Hadith) entnommen wurden, ist im → islamischen Recht **(Scharia)** niedergelegt worden. Dieses umfasst außer Rechtsnormen im engeren Sinn auch

Isis.
Das Bildmotiv der säugenden Isis lebte in der christlichen Kunst weiter (Spätzeit; Berlin, Ägyptisches Museum).

Islam.
Der junge Islam machte nach der Einnahme Mekkas durch Mohammed 630 n. Chr. die Kaaba, ein würfelförmiges Gebäude um den »Schwarzen Stein«, zu seinem Hauptheiligtum (indische Miniatur, 16. Jh.).

Islam

Islam. Der Koran besteht der Tradition des Islam zufolge seit Anfang der Welt, und Gott hat ihn als Offenbarung seines Willens auf die Erde gesandt. Daher sind seine Verehrung und prachtvolle Ausgestaltung zu allen Zeiten und überall verbreitet gewesen (zwei Seiten einer Textausgabe von 100 Koranauszügen, 17. Jh.).

Islam
→ GEO Dossier
Allahs größtes Aufgebot, Bd. 16

Rechte Seite:
Traditionell gekleidete Frauen in Marokko

Kultvorschriften, ethische Normen und Etiketteregeln. Das Leben in genauer Übereinstimmung mit der Scharia stellte für Muslime des Mittelalters einen hohen Wert dar und wird auch heute noch von vielen Muslimen angestrebt. Dadurch erhielt der Islam weitgehend den Charakter einer Gesetzesreligion, wobei Rechttun höher bewertet wird als Rechtgläubigkeit. Wichtige ethische Normen sind Gerechtigkeit, Freigebigkeit, Gehorsam, Dankbarkeit, Geduld, Beharrlichkeit, Solidarität und Aufrichtigkeit. Unter den »**fünf Säulen des Islam**« versteht man die kultischen Pflichten, die jedem Muslim obliegen: das Aussprechen des Glaubensbekenntnisses (Schahada), das fünfmal täglich zu verrichtende Ritualgebet (→Salat), Pflichtalmosen (→Zakat), Fasten (Saum) im Monat →Ramadan und Wallfahrt nach Mekka (→Hadjdj). Die Gläubigen haben das Ritualgebet im Zustand kultischer Reinheit zu verrichten und sich des Genusses von Schweinefleisch und Wein zu enthalten. Verboten sind auch Glücksspiel und Unzucht. Die Religionsausübung tendiert im Islam mehr zur Öffentlichkeit als zum Rückzug in die Innerlichkeit und ist zumeist stark auf die Gemeinschaft der Gläubigen bezogen.

Das erste islamische Gemeinwesen, dem Mohammed in Medina vorstand, war Glaubensgemeinschaft und Staat zugleich. So enthält der Koran u. a. auch politische Handlungsanweisungen und Regelungen des Familien-, Erb- und Strafrechts. Eine Trennung von Religion und Politik, Geistlichem und Weltlichem war insofern von den Ursprüngen des Islam her nicht gegeben. Die enge Verbindung von Staat und Religion blieb durch das islamische Mittelalter bestehen und wirkt in der islamischen Welt bis heute fort, auch wenn beide Bereiche in der Realität der islamischen Geschichte niemals einfach deckungsgleich waren und sich unter dem Einfluss der europäischen Moderne zunehmend differenziert haben. Eine Säkularisierung der politischen und gesellschaftlichen Strukturen und des kulturellen Lebens hat in den mehrheitlich von Muslimen bewohnten Staaten bisher erst partiell stattgefunden. Die Verbreitung des islamischen Fundamentalismus seit den 1960er-Jahren, deren Folgen oft unter dem ungenauen Begriff »Reislamisierung« zusammengefasst werden, gab antisäkularistischen Kräften neuen Auftrieb.

■ **Religiöses Umfeld** Entstehungsgebiet des Islam ist die Landschaft Hidjas am Westrand der Arabischen Halbinsel, in der die Städte Mekka und Medina, die beiden hauptsächlichen Wirkungsorte Mohammeds, liegen. Die religiösen Verhältnisse auf der Arabischen Halbinsel waren zur Zeit des Auftretens Mohammeds, abgesehen von um Bäume, Steine und Quellen zentrierten Naturkulten und einem ausgeprägten Geisterglauben, v. a. durch verschiedene Formen des Polytheismus gekennzeichnet. In Südarabien wurde außer diversen Lokalgöttern eine Trias von Astralgottheiten verehrt, die auch im babylonisch-assyrischen Pantheon vorkam. In Mekka verehrte man u. a. den Lokalgott Hubal und drei Göttinnen benachbarter Orte. Auf der Arabischen Halbinsel existierte jedoch auch schon Monotheismus, an den Mohammed mit seiner Verkündigung anknüpfen konnte. Das Judentum war in mehreren Oasenstädten vertreten, so etwa in Jathrib (später Medina). Christlich waren einige Beduinenstämme, die Bewohner von Nadjran (im Südwesten der Arabischen Halbinsel) und zwei kleine arabische Pufferstaaten an den Grenzen zum Byzantinischen und Sassanidischen Reich. Einige arabische Gläubige, die Hanifen, waren zudem monotheistisch eingestellt, ohne zu Judentum oder Christentum überzutreten. Im Übrigen war nach Aussage des Korans Allah den Mekkanern bereits als Hochgott ohne besonderen Kult bekannt.

■ **Entstehung** Der Koran bietet nur wenige Hinweise auf Leben und Wirken Mohammeds. Die in der muslimischen Tradition berichteten Abläufe gehen v. a. auf Literatur aus dem 9. und 10. Jh. zurück. Danach nahm Mohammed sein prophetisches Wirken nach einem Berufungserlebnis 609 oder 610 n. Chr. in Mekka auf. Schon in sehr frühen Partien des Korans ist vom gütigen Schöpfergott, von Auferstehung und Jüngstem Gericht die Rede. Der strikte Monotheismus wurde hingegen erst im Verlauf der Auseinandersetzungen mit den Mekkanern zum Verkündigungsinhalt. Mangelnde Bekehrungserfolge und wachsende Gegnerschaft seitens der führenden Kreise in Mekka veranlassten laut späterer Überlieferung Mohammed, 622 mit der kleinen Schar seiner Anhänger nach Jathrib (Medina) auszuwandern (→Hidjra), wo sich ein Teil der Bevölkerung seiner Lehre angeschlossen hatte

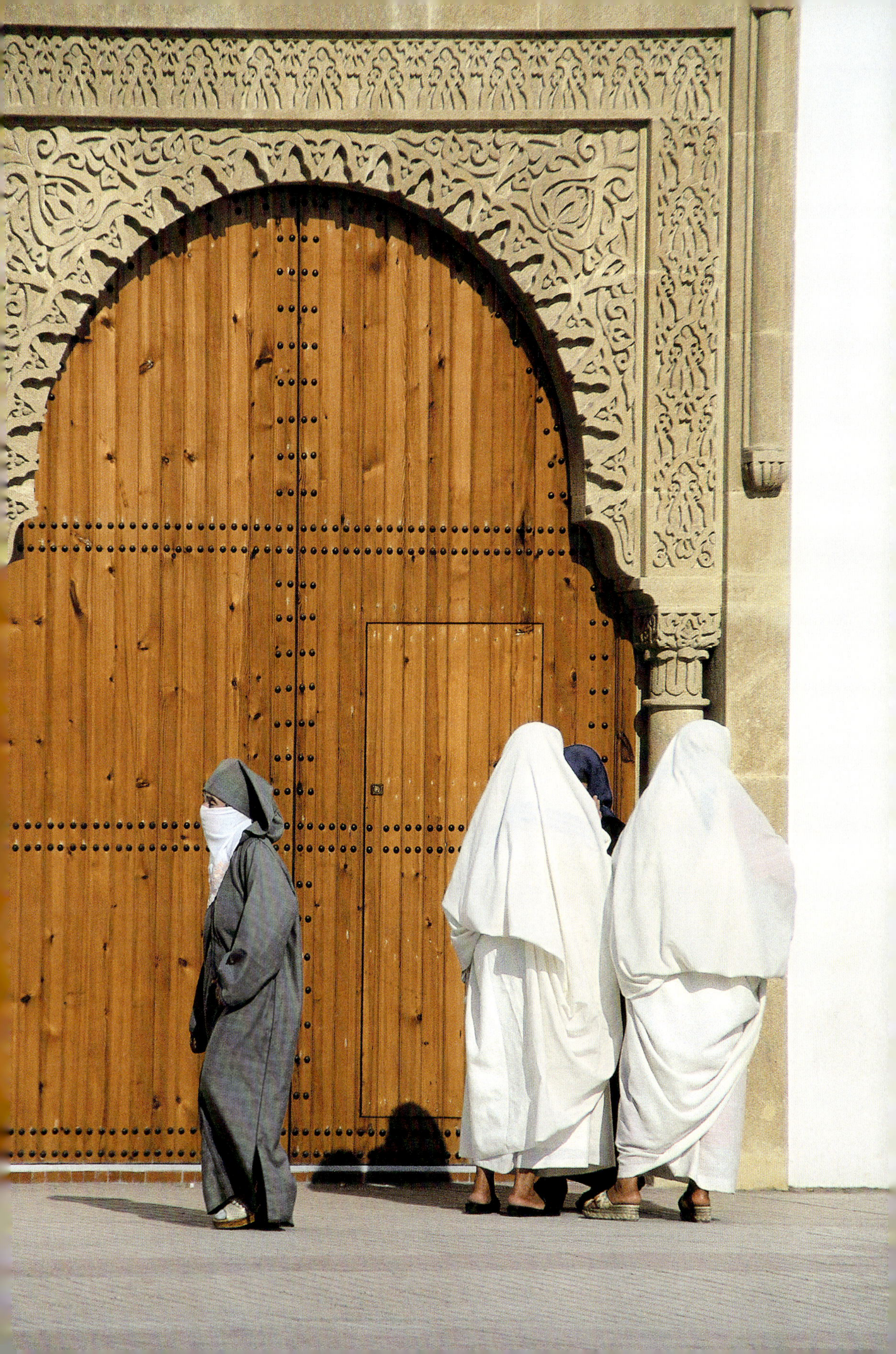

Islam

Islam.
Die Moschee ist das Haus Gottes und hauptsächlich Ort des Gebets. Zu Lebzeiten des Propheten Mohammed war die Nutzung allerdings noch flexibler. Die Moschee war auch Lehrstätte und Versammlungsort der Gemeinde, den auch Nichtmuslime betreten durften. Die ist heute nur noch in Ausnahmen gestattet. Das Foto zeigt eine Beerdigung in der Kairoer Al-Mardani-Moschee.

und er nach Vertreibung der dort lebenden Juden Stadtoberhaupt wurde. Die koranischen Rechtsvorschriften verkündete er aus dieser Position heraus und stellte auch die Gebetsrichtung (Kibla) der Gläubigen vom (jüdischen) Jerusalem nach Mekka um. Mekka wurde 630 von einem Heer unter seiner Führung erobert. Schon vor Mohammeds Tod (632) hatten sich ihm fast alle sesshaften Bewohner und Beduinenstämme der Arabischen Halbinsel unterstellt.

■ **Ausbreitung** Auch über das erste Jahrhundert nach dem Tod Mohammeds liegen nur Berichte aus dem 9. Jh. vor. Danach setzte unter den Kalifen Abu Bakr (632–634) und Omar I. (634–644) eine Eroberungswelle ein, die den arabischen Muslimen in weniger als zehn Jahren den größten Teil der alten Kulturländer des Nahen Ostens und in weniger als 80 Jahren ein Gebiet vom Indus bis zum Atlantik erschloss. 633 wurde Südmesopotamien erobert, 636 mit der Feldschlacht am Jarmuk das byzantinische Syrien gewonnen. 642 wurde die Eroberung Persiens und Ägyptens abgeschlossen, 711 drangen muslimische Armeen im Osten nach Transoxanien und Sind, im Westen (Berber) über Gibraltar nach Spanien, sodann bis nach Südfrankreich (732) vor. Später verbreiteten Türken den Islam in neuen Eroberungswellen: Mahmud von Ghazni dehnte um das Jahr 1000 sein Reich über Nordindien aus, die Seldschuken setzten sich nach ihrem Sieg bei Mantzikert 1071 im bislang byzantinischen Anatolien fest, die Osmanen eroberten seit Mitte des 14. Jh. die Balkanhalbinsel, vernichteten das Byzantinische Reich 1453 durch Einnahme Konstantinopels und gelangten 1529 und 1683 bis vor Wien. Trotzdem ist die gängige Vorstellung, der Islam als religiöses Bekenntnis sei durch den Glaubenskampf (→Djihad) »mit Feuer und Schwert« verbreitet worden, für die meisten eroberten Territorien falsch: Soweit dort »Schriftbesitzer« – d. h. Juden und Christen und die mit ihnen gleichgestellten Sabier (Mandäer) und Zoroastrier – lebten, wurden sie gegen Steuerzahlung (arabisch djisja) geduldet und nicht an ihrer Religionsausübung gehindert, waren aber von gesellschaftlicher und politischer Mitwirkung ausgeschlossen. Im Malaiischen Archipel wurde der Islam vorwiegend durch Händler verbreitet (12.–15. Jh.), ebenso in Schwarzafrika seit dem 9. Jahrhundert. Für den Abfall vom islamischen Glauben (arabisch irtidad) sah die Scharia jedoch die Todesstrafe vor.

Eine organisierte islamische Mission entstand erst seit Anfang des 20. Jh. in Reaktion auf die christliche Mission. Sie widmet sich v. a. der gründlicheren Bekehrung bisher nur oberflächlich islamisierter Bevölkerungsgruppen an der Peripherie der islamischen Welt (z. B. in Indonesien, Schwarzafrika), ist aber neuerdings auch in Europa tätig. Ihr Erfolg in Schwarzafrika während der letzten Jahrzehnte beruht großenteils darauf, dass der Islam sich dort als zukunftweisende Religion der Dritten Welt und auch als Stütze für die durch den Kolonialismus gebrochene Identität der Einheimischen darstellt, das Christentum hingegen nach wie vor mit den europäischen Kolonialherren verbunden wird. Die geografische Verbreitung des Islam wurde in jüngerer Vergangenheit durch Migration großer muslimischer Bevölkerungsgruppen in nicht islamische Länder gefördert. So emigrierten seit dem späten 19. Jh. zahlreiche indische Muslime nach Südafrika. In allen westeuropäischen Ländern ist der Islam aufgrund insbesondere der Nachwirkungen der Kolonialzeit und der Migrationsbewegungen der letzten Jahrzehnte präsent: in Deutschland mit weit über drei Millionen Muslimen (mehrheitlich Türken), in Frankreich mit geschätzt bis fünf Millionen (mehrheitlich Algerier), in Großbritannien mit zwei Millionen (mehrheitlich Pakistaner), in Belgien und den Niederlanden mit zusammen etwa einer Million (mehrheitlich Türken und Marokkaner). Als jeweils zweitstärkste Religion in diesen Staaten beanspruchen muslimische Verbände gesellschaftliches Mitgestaltungsrecht und Berücksichtigung ihrer Anliegen in der Gesetzgebung (Schächten, Religionsunterricht, Moscheebau und Gebetsruf, Kleidungstraditionen u. a.).

In Indien, Pakistan und Bangladesh gibt es mehr Muslime als im gesamten arabischen Nahen Osten. In Indonesien, dem Land mit der zahlenmäßig größten muslimischen Bevölkerung der Welt, leben rund 180 Millionen Muslime.

■ **Frühe theologische Entwicklungen** Zu den ersten Spaltungen und theologischen Diskussionen kam es im Islam aus Anlass des Streits zwischen Ali Ibn Abi Talib, dem Vetter und Schwiegersohn des Propheten und nach sunnitischer Zählung vierten Kalifen (656–661) nach Mohammeds Tod, und seinem Konkurrenten, dem späteren Omaijadenkalifen Moawija I. (661–680), um die legitime Herrschaft. Aus derjenigen Partei (Schia), die in diesem Streit und auch schon für die Zeit davor wegen seiner Verwandtschaft mit Mohammed Ali als einzig legitimen Imam, d. h. als Staats- und Gemeindeoberhaupt, nach dem Propheten betrachtete, gingen die Schiiten hervor. Die meisten ihrer späteren Untergruppen, so die bis heute existierenden Siebenerschiiten (→Ismailiten) und Zwölferschiiten (→Imamiten), unterscheiden sich allerdings vom Rest der Muslime, abgesehen von der Parteinahme für Ali, noch erheblich durch nachträglich entwickelte Lehrinhalte. Die →Charidjiten sonderten sich von Ali ab, weil er 657 in der Schlacht von Siffin ein Schiedsgericht zwischen sich und Moawija akzeptierte. Dies war nach Ansicht der Charidjiten eine schwere Sünde, die ihn zum Ungläubigen machte. Damit eröffneten sie die theologische Debatte über die – von ihnen verneinte – Zugehörigkeit des schwer Sündigenden zur Glaubensgemeinschaft. Die Abspaltung der »Partei Alis« und der der Charidjiten brachte zugleich erste grundsätzliche Differenzierungen in der islamischen Staatstheorie mit sich: War das Kriterium der Legitimität eines Imams für die Omaijadenanhänger die faktische Ausübung der Macht und für die Schiiten die Zugehörigkeit zur Familie des Propheten oder später die Abstammung von Ali, so war es für die Charidjiten allein die Korangemäßheit seiner Herrschaft. Während alle übrigen Muslime den primären Garanten der gottgewollten Ordnung im Imam (Kalifen) sahen, erblickten ihn die Charidjiten in der streng über dessen korankonforme Amtsführung wachenden charismatischen Glaubensgemeinschaft.

Schon kurz vor 700 setzte die Diskussion der Problematik von Prädestination und Willensfreiheit ein. Zu den Anhängern der Letzteren zählten die →Mutasiliten, eine rationalistische Theologenschule, die sich zu Anfang des 9. Jh. konsolidierte und die spekulativen Methoden der griechischen Philosophie in die islamische Theologie einführte. Die mutasilitische Lehre von der Erschaffenheit des Korans war unter den Abbasidenkalifen von 827 bis 849 Staatsdogma.

■ **Entstehung des sunnitischen Islam** Als Reaktion gegen die rationalistischen Tendenzen setzte sich in der islamischen Rechtsgelehrsamkeit mit dem Wirken asch-Schafiis († 820) eine auf die Prophetenüberlieferung des Hadith verpflichtende traditionalistische Strömung durch. Auch in der Theologie gewann etwas später die Orientierung an der Sunna, d. h. dem im Hadith tradierten vorbildhaften »Brauch« des Propheten, die Oberhand. Damit bildete sich der Islam der Sunniten heraus, dem heute etwa 90 % aller Muslime zugehören. Maßgeblichen Anteil an diesem Prozess hatte al-Aschari († 935/936), der in seiner Theologie Positionen der Hadithanhänger mit denen der Mutasiliten zu vermitteln suchte, dabei aber im Wesentlichen die Ersteren mit den muta-

Islam

Zahl der Muslime weltweit

rd. 1,19 Milliarden

davon in:

- Europa, einschließlich Russland (rd. 32 Mio.)
- Lateinamerika (rd. 2 Mio.)
- Nordamerika (rd. 5,6 Mio.)
- Afrika (rd. 318 Mio.)
- Asien (rd. 833 Mio.)
- Australien und Ozeanien (rd. 0,3 Mio.)

Hauptverbreitungsgebiete

Vorder- und Mittelasien

Nord- und Westafrika

Indonesien

überwiegend islamisch geprägte Länder bzw. Landesteile außerhalb dieser Gebiete (Auswahl)

Bangladesh

Nordwest- und Nordindien[1]

Pakistan

Somalia

Sudan

Hauptrichtungen

Sunniten

Schiiten

Sondergemeinschaften

Ahmadija

Ibaditen

Nusairier (Alawiten; Alevis/Aleviten)

Hauptfeste[2]

Beginn Ramadan 24. 9. 2006

Offenbarung des Korans 20. 10. 2006

Fest des Fastenbrechens 24. 10. 2006

Opferfest[3] 31. 12. 2006 bis 3. 1. 2007

Neujahr 20. 1. 2007

Ashura 29. 1. 2007

Geburtstag Mohammeds 31. 3.

Himmelsreise Mohammeds 8./9. 8. 2007

Beginn Ramadan 13. 9. 2007

Offenbarung des Korans 9. 10. 2007

Fest des Fastenbrechens 13. 10. 2007

Opferfest 20. 12. bis 23. 12. 2007

Neujahr 10. 1. 2008

Hauptwallfahrtsorte, wichtige heilige Stätten (Auswahl)

Mekka (gesamtislamisch)

Medina (gesamtislamisch)

Jerusalem (gesamtislamisch)

Nedjef (bes. schiitisch)

Kerbela (schiitisch)

Kum (schiitisch)

Meschhed (schiitisch)

Touba, Senegal (schwarzafrikanischer sunnitischer Islam)

1) Indien ist das Land mit der zweitgrößten muslimischen Bevölkerung auf der Welt (Bevölkerungsanteil: rd. 12 %). 2) Die Jahreszählung des islamischen Kalenders beginnt mit der Hidjra und folgt einem Mondkalender. Die zwölf Monate sind jeweils 29 oder 30 Tage lang. Tage werden vom Sonnenuntergang an gerechnet. 3) Das Opferfest wird in manchen Gegenden vier Tage lang gefeiert.

Islam

Islam. Verbreitung

silitischen Methoden philosophischer Spekulation untermauerte. Die von seinen Schülern, v. a. von al-Ghasali, fortentwickelte Theologie ist bis heute die sunnitische Theologie schlechthin. Sie lehrt u. a. die Prädestination und die Unerschaffenheit des Korans.

Der sunnitische Islam präzisierte seinen theologischen Standort z. T. auch in Auseinandersetzung mit der Doktrin der schiitischen Ismailiten. Diese hatten den Sitz ihres 909 in Nordafrika errichteten Fatimidenkalifates 969 nach Ägypten verlegt, und nach dem Schisma von 1094 wurde ihr nisaritischer Zweig unter Führung von Hasan Ibn Sabbah zu dem berüchtigten Geheimbund der Assassinen, die von der nordpersischen Bergfestung Alamut aus mit terroristischen Morden operierten. Im 10. und 11. Jh., während der Schutzherrschaft der schiitischen Bujiden (945–1055) über das Bagdader Abbasidenkalifat, konnten auch die Zwölferschiiten (Imamiten) ihre Eigenständigkeit festigen. Damals entstand ihre kanonische Literatur, und der für ihre Frömmigkeitspraxis wichtige Kult um die Gräber ihrer Imame blühte auf. In der imamitischen Theologie leben nicht nur Methoden, sondern auch wesentliche Glaubenssätze der Mutasiliten fort, wie z. B. die Lehre von der Erschaffenheit des Korans und die Leugnung der Prädestination.

■ **Mystik** Als Gegengewicht zur Vergesetzlichung des Glaubensbewusstseins durch Bindung des öffentlichen wie privaten Lebens an die bis ins Detail ausformulierten Normen des islamischen Rechts und zu den immer subtileren und abstrakteren Distinktionen der spekulativen Theologie entwickelte sich eine reiche Mystik (Sufismus), die ihren ersten Höhepunkt im 9. und 10. Jh. erlebte und in der später bei Denkern wie Ibn al-Arabi neuplatonisch-pantheistisches Gedankengut zum Tragen kam. Sie organisierte sich seit dem 12. Jh. in Ordensgemeinschaften (arab. tarika, Singluar turuk »Pfad«, »Weg«), auch →Derwischorden genannt. Besonders durch Letztere hat sie die islamische Volksfrömmigkeit stark mitgeprägt. Charakteristisch für den Volksglauben ist auch eine ausgedehnte Heiligenverehrung, die mit Besuchen an Heiligengräbern und mit Gelübden verbunden ist. In ihr, aber auch im volkstümlichen Geisterglauben und Amulettwesen wirken vorislamische Elemente fort.

■ **Entwicklung bis Ende des 18. Jh.** Nach al-Ghasali, der die ascharitische Theologie mit der Mystik zu verbinden suchte, hat der mittelalterliche Islam keinen grundlegenden theologischen Neuansatz mehr hervorgebracht. Ali Ibn Taimija aus der am stärksten traditionalistisch orientierten Rechtsschule der →Hanbaliten rief wegen von ihm empfundener Verfallserscheinungen in Politik, Volksfrömmigkeit und Mystik zu strikter Anwendung der Scharia gemäß dem Wortsinn von Koran und Hadith und zur Rückkehr zum Urislam der »rechtschaffenen Altvorderen« (d. h. Prophetengefährten) auf. Sein Programm übernahm in verengter Form die Mitte des 18. Jh. entstandene Bewegung der →Wahhabiten, aus der das Königreich Saudi-Arabien hervorging und deren Lehre dort bis heute das öffentliche Leben bestimmt.

■ **Neuzeitlicher Islam** Die Neuzeit begann für die islamische Welt um die Wende zum 19. Jh., als sie sich angesichts der politischen und ökonomischen Übermacht europäischer Staaten, unter deren direkte Kolonialherrschaft sie nach und nach größtenteils geriet, der modernen westlichen Zivilisation öffnen musste. Damit kam ein Prozess weitreichender Verwestlichung von politischen und wirtschaftlichen Strukturen, Gesellschaft und Kultur in Gang, der bis heute anhält. Das traditionelle islamische Staatsverständnis, nach dem Gott der alleinige Gesetzgeber und der Herrscher der Vollstrecker der Scharia ist, wich in den muslimischen Eliten zumeist dem Konzept der Volkssouveränität, und Verfassungen und politische Institutionen nach europäischen Vorbildern wurden zur Regel. Die Geltung des islamischen Rechts wurde fast durchweg auf das Familien- und Erbrecht beschränkt, während für andere Bereiche, z. B. das Strafrecht, säkulare Gesetze nach europäischen Vorbildern eingeführt wurden. Das herkömmliche religiöse Bildungswesen wurde durch ein säkulares ergänzt und von diesem gelegentlich verdrängt oder marginalisiert. Die abendländische Wissenschaft gewann zunehmend Einfluss. Die überkommenen, vielfach religiös begründeten Familienstrukturen und sozialen Verhaltensmuster glichen sich besonders in den Städten an die europäischen an.

In Reaktion auf die politische Umklammerung durch das moderne Europa verbreitete sich im späten 19. Jh. u. a. durch das Wirken des Schriftstellers und Publizisten Djamal ad-Din al-Afghani die Ideologie des →Panislamismus, der das europäische Joch durch Vereinigung aller Muslime und die Rückbesinnung auf die zivilisatorischen Kräfte der islamischen Religion abzuschütteln strebte. Als Repräsentantin eines reformierten Islam versteht sich die Ende des 19. Jh. entstandene Gemeinschaft der Ahmadija.

Zur gleichen Zeit entstand innerhalb des Islam auch ein auf Reformen drängender Modernismus, der davon ausging, dass richtig verstandener islamischer Glaube die Teilhabe an wesentlichen Komponenten der modernen europäischen Zivilisation gestatte. Der bedeutendste Anreger dieser Strömung war der ägyptische Gelehrte Mohammed Abduh, der den Islam als Religion der Vernunft und des Fortschritts darstellte. Zusätzliche Impulse erhielt sie u. a. aus der Anschauung des indomuslimischen Denkers Muhammad Iqbal vom nach Gottes Willen unendlich perfektiblen kreativen menschlichen Ich. Die modernistische Theologie ermöglichte eine grundsätzlich positive Einstellung zum unter europäischem Einfluss eingetretenen politischen, sozialen und kulturellen Wandel. Jedoch hat sie – genau wie die bis heute von der Mehrheit der Religionsgelehrten beibehaltene traditionelle Theologie mittelalterlicher Prägung – für die Erforschung der Grundlagen des Islam die historisch-kritische Methode nicht übernommen. Auf dem Gebiet des Rechts plädierten die Modernisten für eine modernen Bedürfnissen entsprechende Neuinterpretation der Scharia. Die liberalen, westlichen Vorstellungen von Demokratie und Fortschritt verpflichteten Politiker und Intellektuellen, die zwischen den Weltkriegen in weiten Teilen der islamischen Welt tonangebend waren, gingen ihrer religiösen Grundhaltung nach im Allgemeinen vom islamischen Modernismus aus. Für eine Trennung von Staat und Religion trat der ägyptische Religionsgelehrte Ahmad Abd ar-Raziq (*1888, †1966) ein. Er wurde damit zum wichtigsten Wegbereiter des Säkularismus im arabisch-islamischen Raum.

■ **Reislamisierung und Fundamentalismus** Schon in den späten 1920er-Jahren machte sich, vorbereitet durch die traditionalistisch orientierte salafitische Bewegung (→Salafija) des Abduh-Schülers Mohammed Raschid Rida und seiner Mitstreiter, auf breiter Basis als Gegenströmung der Fundamentalismus (Integralismus) mit stark antiwestlicher Tendenz bemerkbar: Die 1928 von Hasan al-Banna in Ägypten gegründete →Muslimbruderschaft, eine Massenorganisation, die inzwischen auch auf mehrere andere arabische Staaten übergegangen ist, verfolgte das Ziel der Wiedererrichtung einer geschlossenen islamischen Staats- und Gesellschaftsordnung mit einer Gesetzgebung auf der Grundlage der Scharia. Die später von mehreren anderen fundamentalistischen Gruppierungen übernommene Sozial- und Wirtschaftslehre des linken Flügels der Muslimbruderschaft wurde in den 1950er-Jahren von dem Ägypter Sajid Kutb und dem Syrer Mustafa as-Sibai (*1915, †1964) formuliert. Nachhaltig gewirkt hat auf den islamischen Fundamentalismus auch der indische (später pakistanische) Publizist Abu l-Ala Maududi, der 1941 die Kaderpartei Djamaat-e Islami gründete.

Seit den 1960er-Jahren geriet die gesamte islamische Welt unter den Einfluss des Fundamentalismus. Gleichzeitig hat seitdem besonders in Libyen, Iran, Ägypten, Sudan, Pakistan sowie nach 1990 v. a. in Algerien und Afghanistan in der Politik der Rekurs auf islamische – jedoch nicht in jedem Falle fundamentalistische – Legitimationsmuster sowohl aufseiten von Regierungen als auch aufseiten oppositioneller Gruppen auffällig an Häufigkeit gewonnen. »Reislamisierung« betrifft in diesem Zusammenhang nicht die islamische Welt als solche, sondern nur das staatliche Leben in ihr, wobei nicht der Islam schlechthin einen neuen Aufschwung erfuhr, sondern eine antilaizistische und fundamentalistische Ausformung modernistischer und teilweise säkularisierter Formen.

Die fundamentalistischen Gruppierungen in der islamischen Welt erhielten ihren entscheidenden »Motivationsschub« durch den Erfolg der islamischen Revolution in Iran, wobei das iranische Modell, da es die Führungsrolle der spezifisch zwölferschiitischen Hierarchie der Religionsgelehrten voraussetzt, von

islamisches Recht

islamisches Recht.
Die Eheschließung wird durch das islamische Recht im Sinne einer patriarchalischen Gesellschaftsordnung geregelt. Sie kommt einem Vertragsschluss gleich (Illustration aus dem »Schahname« des persischen Dichters Firdausi, wohl 16. Jh.; New York, Metropolitan Museum of Art).

der sunnitischen Mehrheit der Muslime nicht akzeptiert wird. Auch sonst hat der derzeitige islamische Fundamentalismus kein einheitliches Zentrum. Doch sind die fundamentalistischen Gruppen durch gemeinsame Hauptmerkmale ihrer Lehre verbunden. So bestehen sie auf einem wörtlichen Verständnis von Koran und Hadith und auf der Anwendung der Scharia. Sie vertreten den Grundsatz, der Islam sei Religion und Staat, und bezeichnen häufig den Koran als Verfassung des von ihnen erstrebten Gemeinwesens, obgleich dieser keine einzige Verfassungsnorm im modernen Sinne enthält. Sie verfechten ein integralistisches Religionsverständnis, dem zufolge der Islam ein vollkommenes System ist, das sämtliche Belange menschlichen Lebens erschöpfend und bestmöglich regelt. Ihr Geschichtsbild ist durch eine »rückwärtsgewandte Utopie« gekennzeichnet: Sie erstreben die Wiederherstellung des verklärten Urislam der Zeit des Propheten und seiner Gefährten. Einig sind sie sich in der Ablehnung wirklicher oder vermeintlicher Einflussnahmen der Staaten Europas und der USA auf innere Angelegenheiten der islamischen Welt sowie in der Zurückweisung der geistigen Grundlagen und der Lebensformen der westlichen Zivilisation. Sie wenden sich meist auch kritisch gegen die konservative Religionsgelehrsamkeit.

Die Konsequenzen des islamischen Fundamentalismus für das Leben der Frauen sind zwiespältig. Während unter seinem Einfluss einerseits eine Rückkehr zu traditionellen Formen der Geschlechtertrennung und die Verdrängung der Frauen aus bestimmten öffentlichen Ämtern (z. B. den Richterämtern in Iran) zu beobachten sind, lässt sich feststellen, dass andererseits unter dem Schutz der von den Fundamentalisten für Frauen gebilligten Verhaltensweisen und Institutionen nunmehr verstärkt Frauen aus traditionsgebundenen Kreisen in bisher Männern vorbehaltene Bereiche vordringen.

In Konkurrenz zum islamischen Fundamentalismus stehen die Vertreter eines aufgeklärten, in erster Linie ethisch orientierten Islam, die den Säkularisierungsprozess bejahen und eine vor der Vernunft verantwortete Synthese von islamischer Tradition und moderner Intellektualität westlicher Prägung erstreben. Die stark mystisch orientierte islamische Volksfrömmigkeit steht der Intoleranz und dem Rigorismus der zeitgenössischen islamischen Fundamentalisten ebenfalls größtenteils ablehnend gegenüber.

■ **Islamismus und islamistischer Terrorismus** Insoweit der Islam in eine politische Ideologie umgemünzt wurde, bezeichnet man diese auch als **Islamismus.** Hinter solch »religiös« begründeten islamistischen Ideologien stehen in der Regel totalitäre Machtansprüche islamistischer Organisationen und ihrer Führungspersonen, die deren Durchsetzung auch mit terroristischen Mitteln anstreben. Seit 1993 ist mit dem Terrornetzwerk al-Qaida (arabisch »Die Basis«) ein islamistischer Netzwerkterrorismus in den Fokus der weltweiten Terrorbekämpfung geraten, der mit den Terroranschlägen auf das World Trade Center in New York und auf das Pentagon am 11. 9. 2001 (insgesamt mehr als 3 000 Todesopfer) für eine bis dahin nicht gekannte Dimension terroristischer Gewalt steht.

In der westlichen Berichterstattung über islamistisch-terroristische Organisationen und ihre Protagonisten tritt oft in den Hintergrund, dass diese nur eine sehr kleine Zahl politisch radikalisierter Muslime repräsentieren und die übergroße Mehrheit der Muslime in der Welt den islamistischen Terrorismus und die dahinterstehenden ideologischen Leitbilder ablehnt.

■ **Siehe auch**
SACHBEGRIFFE →Derwischorden · Djihad · Hadjdj · Imam · islamisches Recht · Kaaba · Kalif · Koran · Mahdi · Medrese · Mekka · Moschee · Ramadan · Schiiten · Schleier · Sufismus · Sunniten · Wahhabiten
PERSONEN →Abduh, Mohammed · Abu Bakr · Afghani, Djamal ad-Din al- · Ali Ibn Abi Talib · Aschari, Abu i'Hasan al- · Banna, Hasan al- · Chadidja · Djalal od-Din Rumi · Ghasali, Abu Hamid Muhammad al- · Hakim · Halladj, Husain Ibn Mansur al- · Husain · Ibn Ruschd · Ibn Sina · Khomeini, Ruhollah · Kutb, Saijid · Mohammed

islamisches Recht, arabisch **Scharia,** türkisch **Şeriat, Scheriat,** das religiös begründete, auf Offenbarung zurückgeführte Recht des Islam. Es regelt nicht nur Rechtsfragen (z. B. Ehe- oder Strafrecht) im engeren Sinn, sondern beinhaltet der Idee nach die Gesamtheit der aus der Offenbarung zu gewinnenden Normen für das Handeln des Menschen im Verhältnis zu Gott und zu den Mitmenschen. Von daher enthält das islamische Recht u. a. auch Kultvorschriften, Normen der Sozialethik, Regeln für Hygiene, Etikette und stellt somit eine umfassende Lebensordnung dar. Nach traditioneller, heute jedoch nicht mehr von allen Muslimen geteilter Überzeugung ist die Verwirklichung des islamischen Rechts ein zentraler, unverzichtbarer Bestandteil der islamischen Religion. Die islamische Jurisprudenz teilt die menschlichen Verhaltensweisen nicht nur in »erlaubt« (Halal) und »verboten« (Haram) ein, sondern differenziert den Bereich des Erlaubten wiederum in vier Kategorien, in denen rechtliche und ethische Bewertung miteinander verbunden sind: »obligatorisch«, »empfohlen« (d. h. Gott besonders gefällig, aber nicht obligatorisch), »erlaubt« (rechtlich zulässig) und »zu missbilligen« (d. h. Gott nicht gefällig, doch rechtlich noch zulässig und gültig). Die Bestimmungen des islamischen Rechts wurden im frühen Mittelalter von den islamischen Rechtsgelehrten ausformuliert, wobei unter den Sunniten die Lehrmeinungen von vier verschiedenen Rechtsschulen (Madhhab) eine bis heute anerkannte Geltung erlangten. Diese Schulen sind die der →Hanefiten, →Malikiten, →Schafiiten und →Hanbaliten. Die heute hauptsächlich in Iran verbreiteten Zwölferschiiten (Imamiten) folgen einer eigenen Rechtsschule, die sich an Djafar as-Sadik anlehnt. Alle diese Schulen stimmen im größten Teil der Rechtsvorschriften überein und akzeptieren für deren Herleitung die folgenden vier »Grundlagen der Rechtskenntnis« (arabisch usul al-fikh): 1) den Koran, dessen Text zu rund einem Siebtel aus Rechtsvorschriften (v. a. des Familien- und Erbrechts sowie einigen des Strafrechts) besteht, 2) die in den kanonischen Sammlungen niedergelegten →Hadithe, d. h. die Traditionen über die als Sunna bezeichneten Worte und vorbildhaften Taten Mohammeds, 3) den Konsensus (→Idjma) der Glaubensgemeinschaft oder speziell der Gelehrten sowie 4) den Analogieschluss (arabisch kijas) zu den in Koran und Hadith enthaltenen Normen. In liberaleren Rechtsschulen darf sich ein Richter, wenn danach immer noch kein zwingendes Urteil möglich ist, auf sein freies Ermessen (arabisch rai) berufen, das nach Billigkeit entscheidet.

■ **Rechtsbestimmungen** Das traditionelle islamische *Strafrecht* unterschiedet drei Kategorien von Straftaten: 1) die in Koran oder Sunna bestimmten, als Recht Gottes geltenden drakonischen Hadd-Strafen für bestimmte Kapitalverbrechen (arabisch hadd »Grenze«), 2) Strafen für Tötungs- und Körperverletzungsdelikte, bei denen in der Regel das Prinzip der Wiedervergeltung angewendet wird, nach dem der Schuldige derselben Verletzung ausgesetzt werden soll wie sein Opfer, 3) Züchtigungs- oder Ermahnungsstrafen für alle nicht durch die Scharia geregelten Delikte (z. B. Eigentums- und Betrugsdelikte), die nach dem freien Ermessen des Rechtsprechenden festgelegt werden.

Das *Familienrecht* (Eheschließung, Scheidung, Vormundschaft für die Kinder) ist streng zugunsten des Mannes geregelt. Im Wesentlichen unter dessen Vormundschaft gestellt, obliegt der Frau die Pflicht des Gehorsams. Das *Erbrecht* bevorrechtigt nach sunnitischer Tradition die männliche Verwandtschaft des Verstorbenen, wohingegen es bei den Schiiten für die weiblichen Verwandten günstiger geregelt ist.

Das *Recht auf Geschäftsfähigkeit* erhalten männliche und weibliche Personen, wenn sie urteilsfähig (arabisch raschid) geworden sind, in der Regel, wenn die Pubertät erreicht ist.

Die gesamte Rechtsprechung liegt im traditionellen Recht in der Hand eines einzelnen, dem islamischen Recht verpflichteten Kadi, der jedoch in schwierigen Rechtsfragen von einem Rechtsberater, dem Mufti, ein Gutachten (→Fetwa) einholen kann. Es gibt keine Berufungsinstanzen, und obgleich rechtliche Vertretung bekannt ist, tragen Kläger und Beklagter ihre Sache dem Kadi meist persönlich vor. Bei bestimmten Vergehen sind Zeugen erforderlich.

■ **Geschichtliche Ausprägung** Um 900 setzte sich im sunnitischen Islam die Mehrheitsmeinung durch, dass nunmehr die rechtlichen Regelungen für alle wichtigen Fragen von den führenden Autoritäten der Rechtsschulen gefunden und formuliert seien und fortan den einzelnen Gelehrten das Bemühen um eigenständige Normenfindung mittels der Vernunft (Idjtihad) anhand der genannten Grundlagen nicht mehr erlaubt sei. Damit verfiel das islamische Recht der Erstarrung. Die Forderung nach einer Reform des islamischen Rechts (»Wiedereröffnung des Tores des Idjtihad«) wurde von einzelnen Muslimen seit dem späten 19. Jh. erhoben, als sich unter dem Einfluss des modernen Europa die Sozialverhältnisse und z. T. auch das Rechtsbewusstsein zu wandeln begonnen hatten. Die Reformbestrebungen waren v. a. darauf gerichtet, die Schariavorschriften in den Bereichen des Familienrechts, des Strafrechts, des Vermögensrechts und des Vertragsrechts den nunmehr aufgekommenen Vorstellungen von den Erfordernissen eines zeitgemäßen Gesellschafts- und Wirtschaftslebens anzupassen. Die Ergebnisse solcher Reformbemühungen wurden nicht muslimisches Gemeingut, gingen aber in einzelnen Staaten punktuell in das geltende Recht ein (so etwa das Polygamieverbot in Tunesien 1956).

Bis ins 19. Jh. stand das islamische Recht in der gesamten islamischen Welt in Geltung, und zwar nach der bis dahin herrschenden Staatstheorie als das für alle einzig verbindliche, wenngleich es in der Realität durch örtliches Gewohnheitsrecht und durch herrscherliche Erlasse mit Gesetzeskraft ergänzt und z. T. überlagert wurde. Im Zuge des Säkularisierungsprozesses wurden seit Mitte des 19. Jh. in fast allen Staaten der islamischen Welt allmählich weite

islamisches Recht. Unzucht, d. h. Geschlechtsverkehr zwischen Personen, die nicht verheiratet sind, ist nach islamischem Recht eines der schlimmsten Verbrechen, das mit 100 Peitschenhieben bzw. mit Steinigung bestraft werden soll (indische Miniatur des 15. Jh.; Berlin, Staatsbibliothek Preußischer Kulturbesitz).

Islamismus

Israel.
Das Alte Testament berichtet von einem Kampf des Erzvaters Jakob mit einem Engel. Als Jakob ihn bei Sonnenaufgang schließlich um seinen Segen bittet, sagt der Engel: »Nicht mehr Jakob wird man dich nennen, sondern Israel (Gottesstreiter).« So wird Jakob zum Stammvater des Volkes Israel (Holzstich nach einer Zeichnung von Gustave Doré, 1865).

Israel
→ **GEO** Dossier
Wer war Jesus?, Bd. 15

Bereiche der Rechtspflege der Normierung durch die Scharia entzogen und durch Codices nach modernen europäischen Vorbildern geregelt. Infolge dieser Entwicklung gilt das islamische Recht heute in der Mehrzahl der Staaten der islamischen Welt nur noch auf dem Gebiet des Familien- und Erbrechts, in der Türkei ist es seit 1926 sogar gänzlich abgeschafft. In Saudi-Arabien und Oman gilt das islamische Recht uneingeschränkt. Außerdem gehört die Wiedereinführung der Scharia zu den Hauptforderungen des islamischen Fundamentalismus.

Islamismus, im westlichen Sprachgebrauch Bezeichnung für politisch-extremistische Ausprägungen des →Fundamentalismus im →Islam.

Ismael [hebr. »Gott möge hören«], Sohn Abrahams und der ägyptischen Sklavin Hagar (1. Mos. 16, 11 ff.; 21, 9 ff.), legendärer Ahnherr arabischer Stämme (der Ismaeliten) in der Südwüste Palästinas (1. Mos. 25, 13 ff.). Nach dem Koran empfing er Offenbarungen (Sure 2, 136; 3, 84), gebot nach Sure 19, 54 f. seinem Volk als ein Gesandter und Prophet Gottes das Gebet (Salat) und die Almosengabe (Zakat) und gründete zusammen mit seinem Vater Abraham das Heiligtum der Kaaba (Sure 2, 125 ff.), vor der er und seine Mutter Hagar nach der Legende begraben wurden.

Ismail, islamischer Herrscher, Schah (1501–24) und religiöser Führer, * Ardebil (heute Aserbaidschan) 1487, † Täbris (heute Iran) Mai 1524; wurde 1494 erblicher Ordensmeister des schiitischen Ordens der Kizilbash (»Rotmützen«; gegründet um 1300) und eroberte seit 1499 die Macht in Iran. Seinen Machtanspruch unterstützte er dadurch, dass er sich selbst als →Mahdi bezeichnete. Nach der Einnahme von Täbris (1501) gründete er die Dynastie der Safawiden, die bis 1722 herrschte, und setzte die Zwölferschia als Staatsreligion durch (bis heute). Bis 1512 eroberte er auch den Irak und Ostanatolien, erlitt aber 1514 eine schwere Niederlage gegen die Osmanen.

Ismailiten, Richtung des schiitischen Islam, die als siebten Imam, anders als die Imamiten, Ismail († 760), Sohn des Djafar as-Sadik († 765), anerkennt. Sie werden daher auch **Siebenerschiiten** genannt. Einige der Ismailiten glauben, Ismail lebe in Verborgenheit weiter, bis er als Mahdi wieder erscheine. Die Ismailiten unterscheiden eine der Allgemeinheit zugängliche, exoterische Lehre (Zahir) und eine esoterische (Geheim-)Lehre (Batin), die Inhalte der Offenbarung, die Imamlehre und eine neuplatonisch-gnostisch beeinflusste spekulative Philosophie umfasst. Die Ismailiten fanden mit den →Karmaten und der Herrscherdynastie der Fatimiden im 10./11. Jh. große Verbreitung und bedrohten politisch den Bestand des Kalifats. Sie wurden jedoch von den sunnitischen Seldschuken und Aijubiden sowie den Mongolen zurückgedrängt und besiegt. Reste der Ismailiten leben heute in den fatimidischen Gruppen der Mustalier (in Indien, Jemen, Ostafrika; auch als »Bohoras«) und der Nisaris (in Syrien, Iran, Afghanistan, Turkestan, Ostafrika und – auch als »Hodjas« – in Indien), die den →Aga Khan als ihr Oberhaupt anerkennen, fort. Abspaltungen der Ismailiten waren auch die →Assassinen und die →Drusen.

Israel, hebräisch **Jisrael,** nach dem zweiten Namen des biblischen Erzvaters →Jakob (1. Mos. 35, 9–13) Bezeichnung für die Gesamtheit der im Gebiet westlich und östlich des Jordans sesshaft gewordenen Stämme (Ruben, Simeon, Levi, Juda, Dan, Naphtali, Gad, Aser, Issakar, Zabulon, Joseph, Benjamin) und bis zur Teilung des Reiches der Name für das gesamte Volk. Da Juda jedoch anscheinend erst spät zum Stämmeverband gestoßen ist, kann Israel auch allein die Nordstämme meinen. Die älteste Erwähnung findet sich auf der Siegesstele des Pharao Merenptah (1224–1214 v. Chr.). Von seiner Gründung bis zum Untergang heißt dann der Nordstaat »Israel«, im Unterschied zum Südreich →Juda.

Die israelitischen Stämme sind im 13. Jh. v. Chr. aus den östlichen und südlichen Wüsten in die westjordanischen Gebirge und das Ostjordanland eingedrungen und dort sesshaft geworden. Ihre Vorgeschichte ist unbekannt, die Überlieferung von den Erzvätern spiegelt aber noch die Lebensweise der Kleinvieh züchtenden Halbnomaden wider. Auch nach der Landnahme waren die einzelnen Stämme weitgehend selbstständig. Ein Zusammenschluss zu einem sakralen Stämmebund um ein Zentralheiligtum ist aus den Quellen nicht zu belegen. Gemeinsam war allen Stämmen der Glaube an den einen Gott →Jahwe.

Der politische Zusammenschluss der Stämme erfolgte erst mit der Errichtung des

Königtums durch Saul. Nach Ablösung der Herrschaft des Hauses Saul machte David aus Israel ein Großreich, das außer den Stammesgebieten auch die Territorien der kanaanäischen Stadtstaaten umfasste und dem die Nachbarvölker tributpflichtig waren. Die zwischen Israel und Juda bestehenden Gegensätze führten 926 nach dem Tod Salomos zur Spaltung des Reiches: Die Nordstämme machten Jerobeam I. zum König über Israel, die Herrschaft des Salomosohnes Rehabeam blieb auf das Südreich beschränkt. Das Verhältnis Israels zu Juda erfuhr erst unter König Omri einen Ausgleich. Zur Ausschaltung Jerusalems erhob Jerobeam I. die Tempel in Bethel und Dan zu Reichsheiligtümern des Nordreiches. Das Königtum in Israel erreichte nie die Stabilität der davidischen Dynastie, da v. a. in den letzten Jahrzehnten des Bestehens immer neue Usurpatoren Thron und Amt durch Beseitigung des regierenden Herrschers an sich rissen. Die Hauptstadt des Reiches wurde von Sichem nach Penuel und von dort nach Tirza verlegt, bis Omri Samaria als Residenz gründete und ausbaute. Aufgrund seiner Lage und Orientierung war Israel stärker den Einflüssen der Nachbarstaaten ausgesetzt als Juda. Gegen die Kanaanisierung des Kultes kämpften v. a. die Propheten Elias und Elisa.

Die Beteiligung an den antiassyrischen Koalitionen der syrischen Kleinstaaten führte zur Zerstörung Israels durch Tiglatpileser III. und Salmanassar V. Samaria wurde 722 nach dreijähriger Belagerung erobert. Der Restbestand Israels wurde zur assyrischen Provinz Samaria, nachdem bereits 732 große Teile des Staates als Provinzen dem assyrischen Weltreich eingegliedert worden waren. Die Bevölkerung wurde größtenteils deportiert, und fremde Völkerschaften wurden auf dem einstigen Staatsgebiet angesiedelt.

Israel ben Eliezer, Begründer des Chassidismus, →Baal Schem Tov.

Isthmische Spiele, zu den panhellenischen Spielen gehörende Wettkämpfe, die seit dem 6. Jh. v. Chr. alle zwei Jahre zu Ehren des Poseidon von Korinth auf dem nahe gelegenen Isthmus von Korinth (bei Isthmia) durchgeführt wurden. Die Isthmischen Spiele gelten nach den Olympischen Spielen als die bedeutendsten griechischen antiken Festspiele.

Itala [spätlatein., zu Italus »aus Italien«, »spätlateinisch«, auch »lateinisch«], ein Haupttyp der ältesten, der Vulgata vorausgehenden lateinischen Bibelübersetzungen auf der Grundlage der Septuaginta. Die Bezeichnung Itala geht auf Augustinus zurück.

Itzamná, Schöpfergott der Maya Yucatáns in vorspanischer Zeit.

Iuturna, Juturna, im alten Rom kultisch verehrte, als heilkräftig geltende Quelle auf dem Forum. Im Mythos war sie die Schwester des Turnus, als Quellgottheit wohl etruskischen Ursprungs.

Iuventas, Juventas, altrömische Göttin der Jugendkraft. Man opferte ihr, wenn die Knaben die Männertoga anlegten. Später wurde sie der griechischen Hebe gleichgesetzt.

Izanagi und Izanami, *japanische Mythologie:* das geschwisterliche Urgötterpaar. Nach dem shintoistischen Schöpfungsmythos entstand aus einem Urchaos ein Schilfschössling, aus dem wiederum der Himmelsvater Izanagi sowie seine Gemahlin Izanami hervorgingen. Beide zeugten die anderen Götter, einschließlich der Amaterasu, sowie die japanischen Inseln. Die Göttin Izanami verbrannte bei der Geburt des Feuergottes und residierte in der Unterwelt (Yomi), wo Izanagi sie aufsuchte, aber vor ihrem verwesenden Körper floh. Bei der anschließenden Waschung, die als das Urbild der Reinigungszeremonien des Shintō gilt, entsprangen aus Izanagis Augen und Nase die Sonnengöttin Amaterasu, der Izanagi die Herrschaft über den Kosmos überließ, und der Sturmgott Susanoo.

Izumo [iz-], shintoistisches Heiligtum im Westen von Honshū, Japan, das der Gottheit des früher in dieser Gegend herrschenden Izumo-Clans gewidmet ist. Es wurde angeblich 71 v. Chr. gegründet. Seine Gebäude wurden alle 20 Jahre erneuert, allerdings nur bis ins 18. Jahrhundert. Das Hauptgebäude stammt von 1744, die übrigen von 1874. Der Vorgängerbau zählte bis zum 12. Jh. zu den größten Holzbauten in Japan, und auch das kleinere heutige Gebäude ist der größte und älteste Schreinbau in Japan.

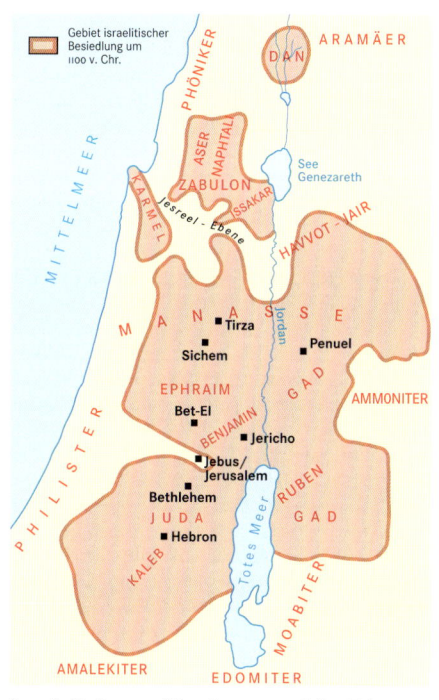

Israel. Siedlungsgebiete in vorstaatlicher Zeit

J

Jahwe
→ **GEO** Dossier
Das heilige Herz des Zorns, Bd. 16

Jadekaiser, →Yü-huang.

Jagannatha [dʒ-; Sanskrit »Herr der Welt«], **Juggernaut** [ˈdʒʌgənɔːt], eine Form des dunkelhäutigen Hindugottes Vishnu-Krishna, die v. a. in Bengalen und Orissa verehrt wird. Das Haupteiligtum des Jagannatha in Puri (Cuttack, Orissa) ist eine der bedeutendsten Pilgerstätten Indiens. Im Tempel von Puri (12. Jh.) wird Jagannatha (schwarz) zusammen mit seiner Schwester Subhadra (gelb) und seinem Bruder Balarama (weiß) in Form einfacher, bunt bemalter Holzidole verehrt. Hauptfeste des Jagannatha sind die Snanayatra (Badeprozession) im Mai/Juni sowie die Rathayatra (Wagenprozession) im Juni/Juli. Das Fest der Wagenprozession des Jagannatha wird in kleinerem Umfang in vielen anderen Orten wie Serampore bei Kalkutta, Jagannathpur bei Ranchi und Ramagar bei Benares ebenfalls begangen.

Jagdmagie, bei Jägern weltweit verbreitete religiöse Vorstellungen und Handlungen, durch die der Jagderfolg oder die Vermehrung der Jagdtiere beschworen wird. Verbreitet ist sie v. a. bei Jägervölkern Nordasiens und Nordamerikas, in Australien sowie bei den Pygmäen und Buschmännern Afrikas. Die Jagdmagie steht in engem Zusammenhang mit der Bedeutung der Jagdtiere für die Ernährung. Dabei gelten die Tiere als beseelte Wesen, die dem Menschen Leben und Schutz gewähren oder schaden können und daher zu versöhnen sind. Häufig werden sie in Mythen mit den Ahnen des Stammes und dem Stammesgeist verbunden und als Besitz oder Erscheinungsform eines höchsten Wesens angesehen (→Totem).

Vielfach wendet sich der Jäger vor der Jagd an den →Herrn der Tiere mit der Bitte, ihm ein Stück Wild zu überlassen. Bestandteile des **Jagdrituals (Jagdzaubers)** sind ferner Jagdimitationen, wobei durch Darstellung der Jagd oder symbolisches Beschießen von Tierfiguren der Sieg über die Tierseele beschworen wird. Die Tötung der Tiere steht häufig in einem kultischen Rahmen, wobei Reinigungsriten und die Opferung bestimmter Teile der Jagdtiere (z. B. Knochen, Schädel, Eingeweide) die Rache abwenden sollen, die von der Tierseele ausgehen kann. Solche Riten sind etwa bei den Ainu (Bärenfeste) und nordsibirischen Völkern üblich. Bei **Jagdtänzen**, z. T. mit Tiermasken, sollen die Tiere durch mimisches Nachahmen ihrer charakteristischen Bewegungen beschworen werden, so z. B. in den Bisontänzen der Prärie-Indianer. Jagdmagie spielte wohl schon in der Altsteinzeit (Felsbilder) eine Rolle.

Jahwe, Lesart der vier Konsonanten JHWH (Tetragramm), mit denen in der hebräischen Bibel der Gottesname umschrieben wird. Sie werden seit dem 12. Jh. auch als →Jehova gelesen. Herkunft und Bedeutung sind umstritten. Wahrscheinlich heißt Jahwe ursprünglich »Er ist« oder »Er erweist sich«, was der Umformung in die 1. Person in 2. Mos. 3, 14 entspricht: »Ich bin (werde sein), der ich bin (sein werde).« Nach 2. Mos. 3 begegnet Jahwe zuerst Moses am Sinai. Auf diesen Ort, der als Wallfahrts- und Offenbarungsstätte schon vor Moses bekannt war, oder auf die umwohnenden Halbnomadenvölker der Edomiter, Midianiter oder Keniter geht die Jahweverehrung zurück. Nach der Landnahme setzte sich dann allmählich in ganz Israel die ausschließliche Verehrung Jahwes durch. Das erste Gebot des Dekalogs nennt als grundlegende Tat Jahwes die Herausführung Israels aus Ägypten (Exodus). Also gehört rettendes Handeln in der Geschichte zum Wesen Jahwes. Es verbietet die Anbetung anderer Götter (Monotheismus) und untersagt, Jahwe bildlich darzustellen. Spätestens seit dem 1. Jh. n. Chr. vermeiden die Juden das Aussprechen des Namens Jahwe und lesen stattdessen **Adonai** (hebräisch »mein Herr«). Septuaginta und Vulgata übersetzen Jahwe mit »Kyrios« und »Dominus«, die meisten deutschen Bibeln mit »Herr«.

Jahwist, Bezeichnung für eine der vier Quellenschriften des Pentateuchs, die nach dem häufig gebrauchten Gottesnamen Jahwe benannt ist. Das Werk enthält die älteste zusammenhängende Geschichtserzählung Israels. Es beginnt mit der Erschaffung des Menschen (1. Mos. 2, 4 ff.), erzählt von Kain, Noah, von Abrahams Berufung (1. Mos. 12, 1–4 ist eine Schlüsselstelle des Jahwisten), von Isaak, Jakob und Joseph. Danach werden die Errettung aus Ägypten und die Sinaioffenbarung berichtet, wobei 2. Mos. 24, 9–11 und Kapitel 34 zum Jahwisten gehören, nicht aber der Dekalog. Nach den meisten Forschern endet der Jahwist mit Ri. 1. Das Werk entstand wahrscheinlich zwischen 950 und 900, jedenfalls vor 721 v. Chr., in Jerusalem. Der Verfasser ist unbekannt.

Jaina. Eine Anhängerin der indischen Religion des Jainismus betet in Sravana Belgola vor dem riesigen Fuß der 18 m hohen Granitstatue des Heiligen Bahubali (südindischer Name Gommata), der als Verkörperung der allumfassenden Liebe und Güte gilt. Er ist der Sohn des Adinath, des legendären ersten Verkünders der Lehre des Jainismus.

Jainismus

Jainismus Der Glaubensstifter Mahavira

Der Legende nach soll Mahavira, der Stifter des Jainismus, als Embryo vom Gott Indra dem Schoß einer Brahmanengattin entnommen und einer Frau aus dem Kriegergeschlecht (»kshatriya«) eingepflanzt worden sein, weil nur eine edle Familie als dem werdenden »Jina« (= Sieger) gemäß erachtet wurde. Mahavira wächst daraufhin in der Kshatriya-Familie auf, verheiratet sich und verlässt schließlich mit fast 30 Jahren, ähnlich wie der Buddha, dessen Zeitgenosse er ist, seine Familie, um die Erlösung aus dem Kreislauf der Geburten zu erlangen. Auf der Miniaturmalerei aus Gujarat (15. Jh. n. Chr.) wird seine »Weltentsagung« dargestellt. Nachdem der künftige Asket seinen Besitz verteilt hat, beginnt er sein Haar auszureißen. Der Götterkönig Indra reicht ihm Pilgerkleid, Donnerkeil und Bettelbüchse (Jinacaritra-Handschrift; Berlin, Museum für Indische Kunst).

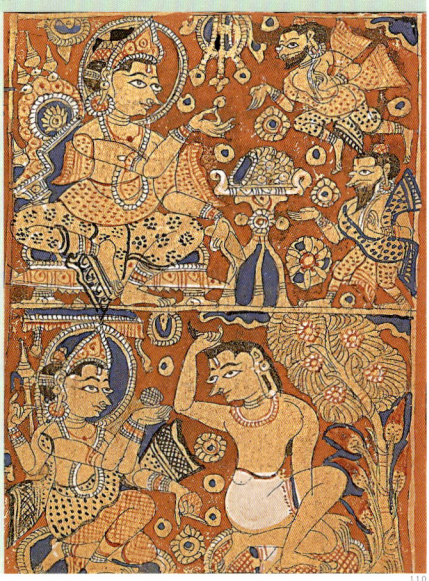

Jaina ['dʒaina; von Sanskrit jina »Sieger«, nach dem Ehrentitel der Religionsstifter], die Anhänger der indischen Religion Jainismus (Jinismus), über vier Millionen. Nach der Überlieferung der Jaina sollen 24 Tirthankaras (Sanskrit »Furtmacher«, d. h. Auffinder einer Furt zur Befreiung aus dem Strom des Geburtenkreislaufs) nach und nach auf Erden erschienen sein. Von diesen war der letzte, Mahavira, ein Zeitgenosse Buddhas. Auch sein Vorgänger Parshva (um 750 v. Chr.) ist historisch. Mahavira oder Vardhamana (»Wachsender«) war ein Prinz aus Vaishali (im heutigen Bundesstaat Bihar). Nach zwölf Jahren der Askese und Suche nach Erkenntnis trat er als Prediger auf und wurde zum Stifter des Jainismus.

Jainịsmus [dʒaı-], **Jinịsmus** [dʒ-], indische Religion der Jaina, die gleichzeitig mit dem Buddhismus entstand. Das Heilsziel besteht in der Befreiung des Menschen aus dem Geburtenkreislauf (Samsara) durch rechte Erkenntnis, rechtes Handeln und Askese.

■ **Religionsgemeinschaft** Die von Mahavira gegründete Gemeinde (Samgha) umfasste einen kleinen Kreis asketisch lebender Mönche und Nonnen sowie einen größeren Kreis von Laien. Meinungsverschiedenheiten über den Grad asketischer Strenge unter den Mönchen und Nonnen führten zur Entstehung der beiden bis heute bestehenden Gruppen, der →Digambaras (»Luftbekleidete«), deren Anhänger »den Luftraum« zum Kleid haben, d. h. nach dem Vorbild Mahaviras nackt gehen (ausgenommen die Nonnen), was heute jedoch selten ist, und der →Shvetambaras (»weiß Gekleidete«), deren Anhänger weiße Gewänder tragen.

Die Mönche und Nonnen ziehen als Wanderasketen umher. Sie befolgen die fünf großen Gelübde: Enthaltung von dem Verletzen von Lebewesen (Ahimsa), von Lüge, Stehlen, Sexualität und von Besitz. An diese sind Laien nur z. T. gebunden, verpflichtend ist jedoch besonders das Gebot des Ahimsa. Die Jaina sind daher Vegetarier, betätigen sich im Sinne des Tierschutzes, etwa durch Errichten von Tierhospitälern, und dürfen keine Berufe ausüben, bei denen Tiere getötet werden. In der Mehrzahl sind sie Kauf- und Bankleute.

Der Jainismus verbreitete sich zunächst in Bihar und Orissa, später gelangte er nach Nord- und Südindien, in den Dekhan und nach Gujarat. Verbunden mit der Entwicklung des Hinduismus und dem Vordringen des Islam setzte seit 1200 ein Rückgang ein. Jedoch üben die Jaina auch heute noch einen im Verhältnis zu ihrer geringen Zahl großen religiösen und kulturellen Einfluss aus. Außerhalb Indiens bestehen kleine jainistische Gemeinden in Großbritannien und in den USA.

Aufgrund der zunächst mündlich tradierten Predigten Mahaviras verfassten seine Schüler einen Kanon heiliger Schriften (Agama, Sanskrit »Überlieferung«, Anga »Glieder«) in der Volkssprache Ardhamagadhi (auch Jaina-Prakrit genannt). An diese Werke haben sich zahlreiche Kommentare, dogmatische Abhandlungen, Mönchsregeln sowie Legendendichtungen angeschlossen (indische Literaturen).

■ **Lehre und Kultus** Nach der jainistischen Lehre ist die Welt ewig und unvergänglich. Sie wird von keinem Gott regiert, sondern durch die ihr innewohnenden kosmischen und sittlichen Gesetze. Angenommen werden zwei Prinzipien der Wirklichkeit: eine unendliche Zahl geistiger individueller Seelen und fünf

Jainismus. Etwa gleichzeitig mit dem Buddhismus entstand in Nordindien der Jainismus, eine religiöse Tradition, die bis heute lebendig ist. Durch das Eingangstor eines jainistischen Tempels in Bhuj im westindischen Bundesstaat Gujarat geht eine Jaina im typischen weißen Gewand, das ihre asketische Reinheit symbolisiert.

ungeistige Wirklichkeitsmomente. Sie sind die Ursache der Bewegung, der Ruhe, des Raums, des Stoffs und der Zeit. Die mit materiellen Leibern umkleideten ewigen Seelen irren seit anfangsloser Zeit entsprechend ihren guten und bösen Taten (nach dem Karmagesetz) als (vergängliche) Götter, Menschen, Tiere, Pflanzen und Höllenwesen verkörpert umher. Es wird zwischen »erlösungsfähigen« Seelen und solchen, die es nicht sind, unterschieden. Sittliches Handeln in Gedanken, Worten und Werken, Askese, Meditation führen zur allmählichen Läuterung im Laufe unzähliger Wiedergeburten. Erlösung (Moksha) erfolgt nur, wenn die Verunreinigung der Seele durch die karmische Materie durch Observanzen (Samvara) gestoppt wird. Das kann nur in einem ganz der Askese geweihten Mönchsleben erreicht werden, das von meditativen Praktiken bis hin zum rituellen Sterbefasten (Sallekhana) reicht. Beim Erlösten (Kevalin) ist alle Materie aus der Seele geschwunden, sie ist erlöst.

In der Auffassung des Kosmos ähnelt die jainistische Lehre der hinduistischen und buddhistischen. Es werden drei Welten unterschieden, von denen die »Mittelwelt« mit dem Abschnitt Indien (Bharata) im Zentrum aller Aktivitäten steht. Auch kommen die Tirthankaras nur unter den Menschen zur Welt. Weiterhin werden Weltperioden (Kalpa) gelehrt, die zwei Phasen haben, die jeweils in sechs Ären unterteilt sind: Die eine Phase ist durch einen schrittweisen moralischen Verfall gekennzeichnet und führt »abwärts« (avasarpini). Die »aufwärts« führende Phase (utsarpini) führt zu einer kontinuierlich steigenden Prosperität. Gegenwärtig befindet man sich in der fünften Ära der Abwärtsbewegung.

Die Jainas lehnen die hinduistischen Veden ab. Der Haus- und Tempelkult gilt besonders dem Mahavira und seinen Vorgängern, in dem Glauben, dass die Verehrung eines Heiligen eine Läuterung des Verehrenden bewirke. Neben der Einhaltung der genannten Gebote gibt es die jährliche Zeremonie des persönlichen Schuldbekenntnisses und der Bitte um Vergebung, die während der Regenzeit durchgeführt wird. Daneben gibt es Pilgerfahrten (→Shravana Belgola) und Feste, wie z. B. am Geburtstag von Mahavira.

Jakob, biblische Gestalt; zweiter Sohn des Isaak und der Rebekka und dritter der Erzväter Israels. Jakob erkaufte sich nach 1. Mos. 25, 29–34 von seinem Zwillingsbruder Esau das Erstgeburtsrecht, erschlich sich den väterlichen Erstgeburtssegen (1. Mos. 27) und floh danach zu seinem Onkel, dem Aramäer Laban. Ihm diente er und heiratete dessen Töchter Lea und Rahel. Als reicher Mann zurückgekehrt, versöhnte er sich mit Esau und gelangte dann nach Sichem und Bethel. Die Josephsgeschichte (→Joseph) bringt ihn mit Ägypten in Verbindung, wo er starb. Durch die Umbenennung in Israel (1. Mos. 32, 23–33 und 1. Mos. 35, 9–13) gilt Jakob als Stammvater aller Israeliten und seine Söhne als Ahnherren der zwölf Stämme: Ruben, Simeon, Levi, Juda, Dan, Naphtali, Gad, Aser, Issakar, Zabulon, Joseph und Benjamin.

Jakobiten, in der älteren europäischen Kirchengeschichtsschreibung geprägte, heute nur noch vereinzelt anzutreffende Bezeichnung für die im 6. Jh. durch den syrischen Mönch Baradäus († 578; griechischer Name Jakob Zanzalos) kirchlich reorganisierten, traditionell als »monophysitisch« angesehen – theologisch-sachgerecht jedoch besser als »prächalzedonisch« beschriebenen – syrischen Christen.

Heute zählt die westsyrische Kirche, deren Selbstbezeichnung **Syrisch-orthodoxe Kirche** ist, rund 340 000 Mitglieder im Nahen und Mittleren Osten (Syrien, Libanon, Israel, Jordanien, Irak), in der Türkei und in der Diaspora (Mitteleuropa, Großbritannien, Skandinavien, Amerika). Das Kirchenoberhaupt führt den Titel »Patriarch von Antiochia und dem ganzen Orient«. Sitz des Patriarchen ist Damaskus. Liturgische Sprachen sind Altsyrisch (Aramäisch) und Arabisch.

In kanonischer Gemeinschaft mit dem syrisch-orth. Patriarchat steht die aus der Missionstätigkeit der Syrisch-orthodoxen Kirche entstandene und seit 1974 autonome **Syrisch-orthodoxe Kirche des Ostens** in Indien (rund eine Million Mitglieder). Ihr Oberhaupt mit Sitz in Muvattupuzha (Kerala) führt den Titel »Katholikos des Ostens«.

Jakobsweg, Bezeichnung für verschiedene Pilgerstraßen durch Frankreich und Spanien nach →Santiago de Compostela zum Grab des hl. Jakobus des Älteren.

Jakobus, ein Bruder Jesu (Mk. 6, 3; Gal. 1, 19: »Herrenbruder«). Nach Jesu Tod war er einer der führenden Männer der Jerusalemer Urgemeinde. Auf dem Apostelkonzil (Apg. 15, 1–29; Gal. 2, 1–10) vertrat er die strenge Befolgung des jüdischen Gesetzes für die Judenchristen, gestand aber den Heidenchristen die Freiheit davon zu. 62 starb er den Märtyrertod durch Steinigung. Seit Hieronymus wurde er häufig mit Jakobus dem Jüngeren gleichgesetzt. – Heiliger (Tag: 11. 5.).

Jakobusbrief, Abk. **Jak.**, einer der →Katholischen Briefe. Verfasser ist nach 1, 1 »Jakobus, Knecht Gottes und des Herrn Jesus Christus«. Der Brief scheint relativ spät geschrieben worden zu sein und wurde erst im 4. Jh. allgemein als kanonisch anerkannt. Er besteht v. a. aus Sprüchen und ethischen Ermahnungen. Theologisch bedeutsam ist die Auseinandersetzung mit der paulinischen Rechtfertigungslehre (2, 14 ff.). Vers 5, 14 wurde später als Begründung für das Sakrament der Krankensalbung verwendet. Stil und Inhalt des Briefes lassen einen jüdischen Verfasser vermuten.

Jakobus der Ältere, Jakobus Zebedäi, Jakob von Compostela, Apostel, Sohn des Zebedäus und Bruder des Johannes. Beide gehörten zum Kreis der Zwölf (der »Apostel«) um Jesus. Herodes Agrippa I. ließ Jakobus im Jahr 44 enthaupten (Apg. 12, 2).

Jakobus war einer der volkstümlichsten Heiligen überhaupt. Nach einer seit dem 7. Jh. nachweisbaren Legende soll er in Spanien gewirkt haben. Nach einer anderen Überlieferung sollen seine Gebeine um 70 von Jerusalem zum Sinai gebracht (→Katharinenkloster) und im 8. Jh. vor den Sarazenen nach Spanien gerettet worden sein. Am 25.7. 816 wurden sie dort in einer eigens gebauten Kirche feierlich beigesetzt. Um die Kirche und ein dazugehöriges Kloster entstand die Stadt →Santiago de Compostela. Jakobus gilt als Patron Spaniens und der Pilger. Zahlreiche Städte in Spanien, Portugal und Lateinamerika sind nach ihm benannt (»Santiago«). – Heiliger (Tag: 25.7.).

Jakobus der Jüngere, Apostel, Sohn des Alphäus; einer der Zwölf (der »Apostel«) um Jesus. Außer seinem Namen ist nichts über ihn bekannt. – Heiliger (Tag: 3.5.; in der orth. Kirche 9.10.).

Jakobusevangelium, seit dem 16. Jh. **Protevangelium des Jakobus,** apokryphe neutestamentliche Schrift, die nach 150 n. Chr. außerhalb Palästinas verfasst wurde. Das Jakobusevangelium schildert die Kindheit Jesu, v. a. aber das Leben Marias: ihre wunderbare Geburt als Tochter von Anna und Joachim, die Erziehung im Jerusalemer Tempel, Heirat mit Joseph und Geburt Jesu ohne Verletzung ihrer Jungfräulichkeit. Von daher wurde das Jakobusevangelium zur Quelle vieler Marienlegenden und beeinflusste maßgeblich die dogmatische Entwicklung in der Mariologie.

Jansenismus, eine von Cornelius Jansen (*1585, †1638) ausgehende kath. Reformbewegung im 17./18. Jh., die v. a. in Frankreich Theologie und Spiritualität stark geprägt hat. Anknüpfend an den Augustinismus des belgischen Theologen Michael Bajus (*1513, †1589) hatte Jansen in seinem Werk »Augustinus« (1640 posthum veröffentlicht) eine Gnadenlehre entwickelt, die v. a. der jesuitischen Theologie widersprach: Die göttliche Gnade verstand er als »unwiderstehliche« und »immer siegreiche«, gegenüber der dem freien Willen des Menschen kaum noch eine Bedeutung zukomme. Dieses Gnadenverständnis hatte eine religiös-asketische Verinnerlichung der Spiritualität und einen moralischen Rigorismus zur Folge. Das geistige Zentrum der jansenistischen Bewegung war das von Angélique Arnauld (*1591, †1661) geleitete Zisterzienserinnenkloster →Port-Royal bei Versailles.

Janus, Ianus, altrömischer Gott der öffentlichen Tore und Durchgänge sowie des Anfangs. Sein der Sage nach von König Numa Pompilius (7./8. Jh. v. Chr.) erbauter Tempel auf dem Forum Romanum war geschlossen, wenn im Römischen Reich Frieden herrschte (während der Regierungszeit des Augustus dreimal). Am Eingang jedes Gebetes angerufen, waren dem Gott auch die ersten Stunden des Tages, die ersten Tage des Monats und der erste Monat des Jahres (Ianuarius) heilig. Er wurde mit einem Doppelantlitz, nach außen und nach innen schauend, und mit den Attributen Schlüssel und Pförtnerstab dargestellt.

Japa [dʒ-], im *Hinduismus* eine Form der Meditation, die in dem lauten, in Gedanken oder tonlos mit den Lippen ausgeübten Wiederholen eines hl. Namens oder einer hl. Formel (Mantra) besteht. Japa soll der Läuterung des Denkens dienen.

Japamala, *Buddhismus, Hinduismus:* Perlenkette, →Mala.

japanische Religionen, zusammenfassende Bezeichnung für die Gesamtheit japanischer religiöser Traditionen, deren beide Hauptstränge das religiöse Leben Japans und die japanische Kultur bis heute entscheidend prägen: die des →Shintō und die im 6. Jh. von Indien über China und Korea nach Japan überlieferte Lehre des →Buddhismus, und zwar v. a. des Mahayana-Buddhismus (und seiner Schulen), der durch seine sozialere Ausrichtung in Japan größeren Anklang fand. Bereits in der Heianzeit (794–1185) erreichte er einen Höhepunkt in der von Saichō gegründeten →Tendai-Schule und in der von Kūkai gegründeten →Shingon-Schule. Der in dieser Zeit entwickelte religiöse Formenreichtum spiegelt sich in der Malerei, Plastik, Literatur und Musik wider. Der Reichtum der Klöster führte zu einem sittlichen Verfall unter dem buddhistischen Klerus. Als Folge verbreitete sich die Lehre von der Endzeit (Mappō) mit der Forderung nach umfassender religiöser Erneuerung.

Die Machtergreifung des Kriegerstandes führte auch im religiösen Bereich zu großen Veränderungen, da die Krieger (Samurai) einen einfachen Weg zur Erlösung, der nicht (wie nach traditioneller Lehre) an menschliche Anstrengung in zahlreichen Wiedergeburten gebunden ist, suchten. Diesen Weg zeigten nun die Schulen →Jōdo-shū und →Jōdoshinshū, die ganz der Gnade des Buddha Amitabha (japanisch Amida) vertrauen, der durch sein Gelübde alle, die an ihn glauben, zu retten versprochen hat. Durch diese Schulen wurde der Buddhismus in Japan zu einer Laienreligion eigener Färbung, die auf der »Gleichheit aller in der Lehre« fußte.

Einen solchen Heilsweg wies auch die von Nichiren begründete Schule, der mit seiner national ausgerichteten Lehre die Einheit Japans erstrebte. Heute wird die Lehre Nichirens durch die im ersten Drittel des 20. Jh. entstandenen Religionsgemeinschaften →Nichiren-shōshū und →Sōka-gakkai auf der Grundlage religiöser Absolutheitsansprüche vertreten.

Jakobus der Ältere.
Der Apostel Jakobus der Ältere gilt als Nationalheiliger Spaniens. Über seinem Grab wurde der Wallfahrtsort Santiago de Compostela errichtet (Gemälde »Der Heilige Jakobus als Pilger« von El Greco, um 1580/95).

Janus.
Von dem doppelgesichtigen Janus, dem römischen Gott des Anfangs, der Tore und Durchgänge, berichtet Ovid in seinen »Metamorphosen«, er habe von einer Nymphe die Macht erhalten, Vampire zu vertreiben (römisches Münzbild, zwischen 222 und 205 v. Chr.).

J | Jarmulke

japanische Religionen — Die Kultstätten des Shintō

Die Hauptkultstätten des Shintō sind Schreine, in denen das »Realsymbol« der Gottheiten (Kami), der »Gottkörper« (Shintai), aufbewahrt und verehrt wird. Ihre Anlage geht auf die Einfriedungen zurück, die ursprünglich als Kultstätten dienten. Diese wurden zumeist auf Waldlichtungen oder in der Nähe von Bergen errichtet und nach jeder Zeremonie wieder abgebaut. Der Kultplatz wurde mit Stäben im Viereck abgeteilt, die durch Strohseile miteinander und mit einem Pfahl in der Mitte, der die Weltachse symbolisierte und Yama (»Berg«) genannt wurde, verbunden. Durch diese Absteckungen, die später durch Steinmauern ersetzt wurden, entstand ein »heiliger Raum«, der ein Innen (Uchi) gegen ein Außen (Soto) abgrenzte. Diesen heiligen Bezirk nennt man auch Niwa (»Garten«). Hier soll sich die Gottheit niederlassen, der die Zeremonie gilt. Solche Kultanlagen lassen sich auch heute noch in der Nähe von Quellen und Bergflüssen finden, da das Wasser als Geschenk der Berge gilt und bei den Reinigungsritualen des Shintō eine bedeutende Rolle spielt. Im Bild das Torii (Eingangstor) des Itsukushima-Schreins vor der Insel Miyajima, Japan.

Auch die Verbreitung des Zen-Buddhismus (→Zen) war mit der gesellschaftlichen Umschichtung jener Zeit eng verbunden. Sowohl Eisai Myōan (*1141, †1215), Gründer der Rinzai-Schule, als auch Dōgen Kigen, Lehrer der Sōtō-Schule, haben die Lehre des Zen in China kennengelernt. Diese Lehre, die geistige Läuterung und Erleuchtung des Menschen durch Konzentration der Sinne, Meditation, zu erreichen sucht, beeinflusste nachhaltig das geistige und kulturelle Leben wie auch die japanischen Künste bis heute.

Shintō und Buddhismus haben sich gegenseitig beeinflusst und sind zuweilen in einem synkretistischen System (→Ryōbu-shintō) verschmolzen.

■ **Neuere Entwicklungen** Im 16. Jh. trat zu den beiden alten Traditionssträngen das von den Europäern vermittelte Christentum hinzu. Seit dem 19. Jh. entstanden zahlreiche, von charismatischen Führern verkündete neue religiöse Bewegungen (Shinkō-shūkyō), deren Glaubensinhalte meist auf eine der oben genannten drei Traditionen zurückgeführt werden können und die durch eine starke Diesseitsbezogenheit gekennzeichnet sind: Durch Bekehrung und Glaubensleben wird den Anhängern Befreiung von Armut und Krankheit versprochen. Zu den bedeutendsten dieser neuen Religionen zählen neben den Nichiren-Gesellschaften Nichiren-shōshū und Sōka-gakkai die →Tenrikyō, die →Reiyūkai, die →Risshō-kōseikai und die 1959 von Kogyoku Ōkada (*1901, †1974; nach seinem Berufungserlebnis Kotama [»Lichtkugel«] Ōkada) begründete shintō-buddhistische, auch christliche Anleihen einschließende Bewegung Mahikari (»Licht der Wahrheit«), die seit 1974 mit zwei Zweigen mit insgesamt rund 900 000 Mitgliedern besteht. Daneben bestehen mehrere Hundert kleinere neureligiöse Gemeinschaften. Sie sind staatlich als Religionsgemeinschaften registriert und unterhalten weit über 16 000 Kultstätten. In diese Gruppe gehört auch die Aum-Sekte.

Auch der Daoismus und der Konfuzianismus sind früh von China nach Japan gelangt, haben dessen Kultur zwar stark beeinflusst, weisen aber nur in begrenztem Umfang Merkmale einer Religion auf.

Jarmulke, polnisch für →Kippa.

Jataka [dʒ-], moralisch belehrende Prosaerzählung der altbuddhistischen Literatur mit eingestreuten Versen (Gatha), in der unter Verwendung alten Erzählstoffs jeweils eine Begebenheit aus einem früheren Leben des Buddha (als Mensch, Dämon oder Tier) als vorbildhaft geschildert wird. Gepriesen wird in den über 500 Jataka v. a. die Tugend der Hingabe und Opferbereitschaft bis zur Aufgabe des eigenen Lebens.

Jehova, um 1100 im Anschluss an den Bibeltext der Masoreten aufgekommene Lesart des Gottesnamens JHWH (Jahwe), dessen Aussprache von den Juden aus Ehrfurcht grundsätzlich vermieden wurde. Da der hebräische Text ein Wort nur durch Konsonanten fixierte, legte man durch die nachträgliche Einfügung von Vokalen die Lesart fest. JHWH wurde dabei mit den Vokalen von Adonai (hebräisch »mein Herr«) verbunden, wobei die Masoreten »e« statt »a« vokalisierten. Die ältere Lesart

»Jahwe« wird in außerbiblischen Texten v.a. durch die Samaritaner, bei denen die Aussprache des Gottesnamens üblich war, bestätigt.

Jehuda ben Samuel Hallevi, Juda Halevi, arabisch **Abu l-Hasan Ibn Allavi,** jüdischer Dichter, Arzt und Philosoph, *Tudela (Spanien) vor 1075, †in Ägypten 1141; lebte unter christlicher wie muslimischer Herrschaft in Nord- und Südspanien. 1140 verließ er Familie, Freunde und Schüler, um in das Heilige Land zu ziehen. Nach einem Aufenthalt in Alexandria und Kairo starb er in Ägypten. Eine spätere Legende berichtet von seinem Tod vor den Toren von Jerusalem.

Jehuda ben Samuel Hallevi gilt als der bedeutendste hebräische Dichter der »spanischen Schule«. Seine weltliche und geistliche Lyrik stand schon früh in hohem Ansehen, und zahlreiche seiner Hymnen wurden in das Gemeindegebet aufgenommen. Im »Buch vom Chasaren« verfasste Jehuda eine dialogische Darstellung der jüdischen Religion in Auseinandersetzung mit Philosophie, Islam und Christentum. Dieses in arabischer Sprache geschriebene Werk (»Sefer ha-Kusari«, 1171, Erstdruck 1506) ist in der 2. Hälfte des 12. Jh. von Jehuda Ibn Tibbon ins Hebräische übersetzt worden.

Jehuda ha-Nasi [hebr. »Jehuda der Fürst«], palästinischer Patriarch, *2. Hälfte des 2. Jh., †Anfang des 3. Jh.; bedeutender jüdischer Schriftgelehrter, der in Bet Schearim, später in Sepphoris residierte und dort entscheidenden Einfluss auf die Institutionalisierung der rabbinischen Bewegung und auf die Formation ihrer Schultraditionen hatte. Ihm werden Sammlung und redaktionelle Auswahl rabbinischer Überlieferungen und Lehren in der Mischna zugeschrieben.

Jenseitsvorstellungen, siehe Sonderartikel Seite 294.

Jenseitswanderungen. Reisen in das Jenseits sind als Motiv vieler Mythen und Erzählungen, aber auch als Bestandteil schamanistischer Riten seit alter Zeit und bei fast allen Völkern bekannt. Der babylonische Gilgamesch geht bis an das Ende der Welt und fährt über die Wasser des Todes zu seinem Urahn Utnapischti, in den griechischen Mythen müssen Orpheus und Herakles in den Hades hinabsteigen, und der germanische Gott Hermod reitet in das Totenreich Hel. Im Ritus finden sich Jenseitswanderungen als Begleitung der Seele ins Jenseits oder zum Erkenntnisgewinn. Eine häufige mythologische Ausformung der Jenseitswanderung ist die →Höllenfahrt.

Jeremia, in der Vulgata **Jeremias,** einer der großen biblischen Propheten, *in Anatot (bei Jerusalem) um 650 v. Chr.; entstammte einer Priesterfamilie, wurde 627 zum Propheten berufen und wirkte als solcher etwa 40 Jahre fast ausschließlich in Jerusalem. Mit seiner prophetischen Botschaft in scharfem Gegensatz zur Politik der Könige und der Meinung des Volkes stehend, wurde er angefeindet, verfolgt, während der Belagerung Jerusalems 587 als Hochverräter gefangen genommen und nach Ägypten verschleppt, wo er starb. Seine Botschaft ist im Wesentlichen Unheilsankündigung. Jeremia prophezeite den Untergang des Südreiches Juda als gerechte Strafe Gottes für das untreue Gottesvolk und rief es zur Umkehr auf.

Das biblische **Buch Jeremia,** Abk. **Jer.,** ist keine literarische Einheit, sondern eine Sammlung verschiedener, nicht ausschließlich von Jeremia bzw. seinem Schüler und Sekretär Baruch verfasster Texte. In Kapitel 1–25 stehen vorwiegend Unheilsankündigungen gegen Juda, in Kapitel 26–45 Heilsweissagungen und biografische Berichte über Jeremia, in Kapitel 25 und 46–51 Worte gegen andere Völker; Kapitel 52 ist eine Wiederholung von 2. Kön. 24, 18–25, 30. Prophetensprüche, Prosapredigten, Eigen- und Fremdberichte sind die literarischen Hauptformen. Nach Kapitel 36, 1–10 hat Jeremia Baruch 605 v. Chr. eine Sammlung seiner Sprüche diktiert: die »Urrolle« (v.a. Kapitel 1–9). Die Prosapredigten sind mündlich tradierte Jeremiaworte. Eigenberichte sind besonders die Klagen (»Konfessionen«, z.B. 11, 18–23, 12, 1–6), die stark an die →Klagelieder erinnern. Die Biografie des Jeremia ist wohl von Baruch verfasst. In den Heilsworten, den Völkersprüchen und im gesamten Buch sind echte Worte Jeremias mit später gebildeten vermischt.

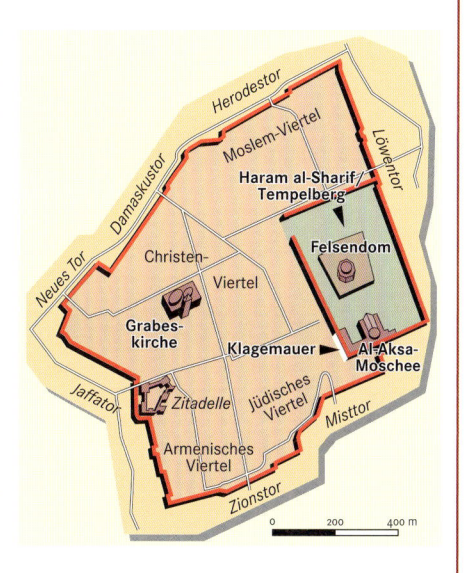

Jerusalem, hebräisch **Jeruschalajim,** arabisch **El-Kuds** (»die Heilige«), Hauptstadt Israels und damit Sitz des Parlaments und des Obersten Gerichtshofes sowie des muslimischen Obersten Gerichtshofes (Scharia) und des Wakf (Verwaltung des islamischen

Fortsetzung S. 296

Jerusalem
→ **GEO** Dossier
Wer war Jesus?, Bd. 15

Jerusalem
→ **GEO** Dossier
Das heilige Herz des Zorns, Bd. 16

Jerusalem.
In der Altstadt befinden sich zentrale Heiligtümer von Judentum, Christentum und Islam, was einen unlösbar erscheinenden politisch und religiös aufgeladenen Konflikt ausgelöst hat.

Jenseitsvorstellungen

Auf einem »feurigen Wagen mit feurigen Pferden« wurde der Prophet Elias in einem Wirbelsturm zum Himmel entrückt (2. Kön. 2, 11). Elias gehört damit zu den wenigen Menschen, die – so will es die Überlieferung des Alten Testaments – nicht durch den Tod, sondern direkt als Lebende ins Jenseits gelangten.

Jenseitsvorstellungen gehören zu den wesentlichen Elementen nahezu jeder Religion. Dahinter steht die Sehnsucht des Menschen, dass der Tod nicht das endgültige Ende des Daseins bedeutet, dass es ein »Danach« gibt und er die Chance erhält, das Schöne und Gelungene des irdischen Lebens – Liebe, Glück und Freude – fortzusetzen und die Defizite – Schuld, Versagen und Leid – auszugleichen oder wiedergutzumachen. Die konkreten Vorstellungen vom Jenseits variieren in den verschiedenen Religionen, je nachdem, was als Idealzustand einer »Heilszeit« gedacht wird. Allen gemeinsam ist, dass es sich um einen Bereich handelt, der die sichtbare Welt und ihre Erfahrungen übersteigt, dem »Diesseits« also unvergleichbar gegenübersteht und deshalb nur in mythischen Bildern zur Sprache kommen kann.

Besonders ausgeprägt war der Glaube an ein Leben nach dem Tod im alten Ägypten. Oft gab man den Toten das Abbild der Sonnenbarke des Gottes Re mit ins Grab, um ihnen einen Platz darin zu sichern (Seite aus dem Totenbuch; Kairo, Ägyptisches Museum).

Jenseitsreiche und Endgericht

Weit verbreitet ist die Vorstellung von einer Dreiteilung der Welt: Neben der Erde, dem Lebensraum der Menschen, gibt es je eine jenseitige Welt »unter« und »über« ihr: die Unterwelt oder die Hölle und den Himmel oder das Paradies. Im späten Judentum, im Christentum und im Islam entspricht dieser Ordnung eine Unterscheidung nach ethischen Gesichtspunkten: Die Hölle ist Ort der Verdammten und der Himmel oder das Paradies Ort der Seligen.

Dass auch nach anderen Kriterien unterschieden werden kann, zeigt etwa die aztekische Religion, die vier Jenseitsreiche kannte. In das paradiesische »Reich der Sonne am Himmel« gelangten die gefallenen Krieger; die im sakralen Kontext Getöteten und die im Kindbett gestorbenen Frauen hatten einen eigenen Bereich; die Ertrunkenen und vom Blitz Erschlagenen fanden sich in dem auf wolkenverhangenen Bergen lokalisierten Reich des Regengottes Tlaloc wieder, und alle übrigen Verstorbenen erwartete das schreckensvolle Unterweltsreich Mictlan.

In der germanischen Religion gab es die Jenseitsorte Hel, Ran und Walhall – Letzteres ebenfalls Aufenthaltsort der gefallenen Krieger. Die Griechen kannten den Hades als unterweltliches Totenreich und außerdem für die aus dem irdischen Leben auf wundersame Weise Entrückten das Elysium, eine Insel der Seligen.

Mit der ethischen Unterscheidung verschiedener Jenseitsbereiche eng verbunden ist die Vorstellung von einem Gericht Gottes nach dem Tod und/oder am Ende der Zeiten, in dem nach den Taten eines Menschen im Leben über sein Wohl und Wehe im Jenseits entschieden wird. Ausgeprägt findet sich diese Anschauung bereits im alten Ägypten, wo dem Gott Osiris, dem Herrscher der Totenwelt, zugleich die Funktion des Richters über die Verstorbenen zukam.

Unsterblichkeit der Seele und Auferstehung

Auf die Frage, wer oder was im Jenseits weiter-»leben« wird, bieten die Religionen verschiedene Antworten, die sich auf zwei Grundmodelle zurückführen lassen: Das eine geht davon aus, dass das, was das Wesen, die Identität, die

Personalität des Menschen ausmacht, »Seele« oder »Geist« genannt, nach dem Tod erhalten bleibt und damit eine Fortdauer (»Unsterblichkeit«) seiner Person möglich ist. Diese Vorstellung ist z. B. im alten Ägypten, im Hellenismus, aber auch in der jüdisch-christlichen Tradition zu finden.

Das zweite Modell gründet in der Auffassung, dass sich die Person im Jenseits »auflöst«. Und gerade die Aufhebung der Individualität bedeutet Ziel und höchste Erfüllung. Im Hinduismus gilt das irdische Dasein als Teil einer Kette von zahllosen Wiedergeburten, die vom Gesetz des Karma bestimmt werden – eine Vorstellung, die in der indisch-hinduistischen Volksreligion allerdings von einem Ahnenkult und dem Glauben, dass die Ahnen als Geister mit den Hinterbliebenen weiterleben, dominiert wird. Der Buddhismus hat ausdrücklich keine fest umrissenen Jenseitsvorstellungen ausgebildet, lediglich der japanische Amida-Buddhismus kennt als Jenseits das im Westen gedachte »Reine Land«.

In der christlichen Tradition ist die Jenseitsvorstellung vom Glauben an die Auferstehung geprägt. Ansätze dazu finden sich in den Spättexten des Alten Testaments, die allerdings in einer gewissen Spannung zu älteren Überlieferungen stehen. Ursprünglich ist das Alte Testament durch eine ganzheitliche Anthropologie gekennzeichnet, die vor allem das Leben des Menschen im Blick hat und den Tod als Nicht-Leben allenfalls mit negativen Assoziationen reflektiert. Nach dem Tod ist der Mensch Gott fern und fristet ein trostloses Dasein im Totenreich, der »Scheol«.

Unter hellenistischem Einfluss entsteht dann eine Sicht, die die Gerichtsvorstellung integriert und zwischen dem Schicksal der »Guten« und der »Bösen« im Jenseits unterscheidet (Weish. 3, 1–12). Im Buch Daniel findet sich erstmals sehr deutlich die Vorstellung von einer »Auferstehung« der Toten, die dann im Neuen Testament – in christologischer Interpretation – nachwirken kann: Die an Jesus Christus glauben, den Menschensohn, der sich nach seiner Auferstehung »zur Rechten Gottes setzte«, haben wie er »ein Haus im Himmel« (2. Kor. 5, 1; Mt. 5, 12; Lk. 6, 23), während der Aufenthaltsort der Sünder die »Hölle« oder »Gehenna« ist.

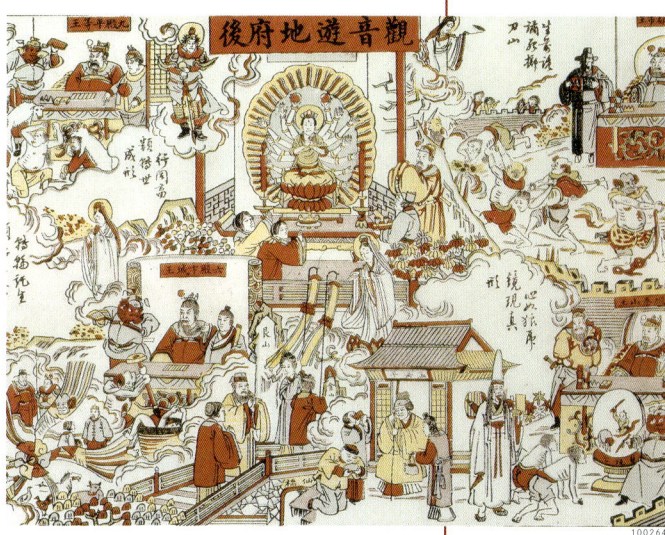

Die christliche Theologie hat diese Vorstellung weiter entfaltet, die Unsterblichkeit der Seele und ihre Nähe zu Gott dogmatisch festgeschrieben und einen Zwischenzustand nach dem Tod angenommen, der die Zeit bis zur endgültigen »Auferstehung des Leibes« überbrückt. Die auch in anderen Religionen in Betracht gezogene Notwendigkeit einer Läuterung nach dem Tod wurde theologisch mit dem Begriff »Purgatorium«, deutsch »Fegefeuer«, umschrieben, das in der Volksfrömmigkeit ebenso wie Himmel und Hölle breit ausgemalt wurde.

Im Gefolge von Aufklärung und Rationalismus wurden diese Jenseitsvorstellungen seit dem 18. Jahrhundert kritisch hinterfragt und weitgehend »entmythologisiert«. Geblieben ist dennoch die Hoffnung, dass etwas vom Menschen nach seinem Tod bleibt und unsterblich ist oder dass nach dem Tod ein Jenseits auf ihn wartet.

Im chinesischen Volksglauben gibt es die Vorstellung einer Unterwelt und eines Jüngsten Gerichts. Hier besucht Guanyin, die Göttin des Mitleids, die Hölle und nimmt sich der Seelen der Sünder an (Paris, Bibliothèque Nationale de France).

Jesaja

Fortsetzung von S. 293

religiösen Besitzes). Als geistliches Zentrum und Sitz wichtiger religiöser Institutionen hat Jerusalem für die Juden, Muslime und Christen in Israel und im Westjordanland große Bedeutung. Es ist Sitz der beiden Oberrabbiner (des aschkenasischen und des sefardischen Ritus), des griechisch-orth., des lateinischen (römisch-kath.) und des armenischen Patriarchen von Jerusalem, eines koptischen, eines äthiopisch-orth., eines syrisch-orth. und eines melchitischen Bischofs sowie des Bischofs der anglikanischen »Episkopalkirche in Jerusalem und im Mittleren Osten«, eines armenisch-kath., eines syrisch-kath. und eines chaldäischen Patriarchalvikars, des Exarchen des maronitischen Erzbischofs von Tyros, eines lutherischen Propstes und des Imams der →Al-Aksa-Moschee, der zugleich die Funktion des geistlichen Oberhaupts der Muslime Jerusalems und des Westjordanlands wahrnimmt. Darüber hinaus hat Jerusalem weltweit einmalige Bedeutung als hl. Stadt der Juden, Christen und Muslime (drittheiligste Stadt nach Mekka und Medina) und ist einer der bedeutendsten Wallfahrtsorte der Erde. Zahlreiche religiöse Lehr- und Forschungsinstitute prägen das kulturelle und schulische Leben der Stadt. Die Ordensniederlassungen mit ihren Klöstern und Kirchen, die Synagogen und Moscheen unterhalten eine Vielzahl von Schulen, Krankenhäusern und Wohlfahrtseinrichtungen.

■ **Heilige Stätten** Die Altstadt Jerusalems ist seit dem Mittelalter in vier Quartiere aufgeteilt: im Osten das Muslimviertel, im Nordwesten das Christenviertel, im Südwesten das Armenier- und im Süden das Judenviertel. Letzteres, das im Krieg von 1948 von den jordanischen Streitkräften völlig zerstört worden war, wurde ab 1967 wieder aufgebaut. Es beherbergt zahlreiche jüdische religiöse Institutionen. Fast der gesamte Ostteil der Altstadt wird vom Tempelberg eingenommen, der unter islamischer Verwaltung steht. Hier befinden sich die beiden wichtigsten islamischen heiligen Stätten: →Felsendom und →Al-Aksa-Moschee. Unter den zahlreichen christlichen Stätten sind die Grabeskirche und die »Via Dolorosa« die wichtigsten. Für die Juden ist ebenfalls der Tempelberg als Ort des salomonischen Tempels und damit einstiges religiöses und kulturelles Zentrum des Volkes Israel Identifikationspunkt. Darüber hinaus gibt es nur eine heilige Stätte: die über 400 m lange →Klagemauer, von den Juden »Westliche Mauer« genannt. Östlich der Altstadt erhebt sich der Ölberg, dessen Westabhang seit dem Altertum als jüdische Begräbnisstätte gilt.

Jesaja [hebr. »Jahwe hat geholfen«], in der Vulgata **Isaias,** einer der großen biblischen Propheten, * wohl in Jerusalem um 770 v. Chr.; soll nach dem babylonischen Talmud unter Menasse (696–642) den Märtyrertod erlitten haben. Jesaja gehörte wahrscheinlich zur Aristokratie Jerusalems und wirkte zwischen dem Todesjahr des Königs Usija (736? v. Chr.) und der Belagerung Jerusalems durch die Assyrer (701 v. Chr.) – einer Zeit wachsender äußerer Bedrohung Judas und Israels – als Prophet in Jerusalem. Er klagte gesellschaftliche Missstände an, rief König Ahas zum Glauben und kündigte den Untergang des Nordreiches Israel an. Zu den zentralen Themen der Botschaft des Jesaja gehört das Bekenntnis zur »Heiligkeit« Jahwes und zur »Zionstradition«. Trotz der politischen Teilung von Nord- und Südreich denkt Jesaja gesamtisraelitisch.

Das biblische **Buch Jesaja**, Abk. **Jes.**, gliedert sich in mehrere Teile: Kapitel 1–39 gehen überwiegend auf Jesaja selbst zurück. Von besonderer Aussagekraft sind die Darstellungen der Berufungsvision (Kapitel 6), das »Weinberglied« (5, 1–7), die Mahnung zum Glauben (7, 9) sowie die Verheißung der Geburt des Immanuel (7, 14). Die »Jesaja-Apokalypse« (Kapitel 24–27, Prophezeiungen und Lieder) stammt ebenso wie Kapitel 40 ff. nicht von Jesaja selbst. Die auf einen nicht näher bekannten, daher als **Deuterojesaja** (»zweiter Jesaja«) bezeichneten Autor zurückgehenden Kapitel 40–55 wurden um 550 v. Chr. während des Babylonischen Exils verfasst. In Liedern und Hymnen bringen sie die Hoffnung auf Befreiung durch Gott und einen von ihm gesandten Retter und auf die Rückkehr der Exilierten zum Ausdruck. Den historischen Hintergrund bildet der um diese Zeit beginnende Siegeszug des Perserkönigs Kyros II. Wirkungsgeschichtlich wichtig wurden v. a. die Lieder über den Gottesknecht. **Tritojesaja** (Kapitel 56–66), entstanden nach dem Exil, ist eine Sammlung prophetischer Einzelstücke. (→Monotheismus)

Jeschiwa [hebr. »Sitz«], höhere Talmudschule (im Anschluss an den →Cheder) zur Ausbildung der Gelehrten und Rabbiner. Berühmte deutsche Talmudschulen waren im Mittelalter die Jeschiwa des Rabbi Gerschom Ben Jehuda in Mainz, im 17.–19. Jh. die Jeschiwot in Frankfurt am Main, Fürth und Altona. Heute sind v. a. die Jeschiwa in Jerusalem (ge-

Jesaja.
»Der Prophet Jesaja«, Gemälde von Marc Chagall, 1968 (Privatsammlung V. Chagall).

gründet 1921) und die »Jeshiva University« in New York (gegründet 1886) von Bedeutung.

Jesiden, Jeziden [-z-], **Jezidis** [-z-], Angehörige einer unter den Kurden verbreiteten Religionsgemeinschaft. Von ihren muslimischen Nachbarn werden die Jesiden auch Teufelsanbeter genannt, weil im Mittelpunkt ihrer Religion der aus dem Himmel verstoßene und dann wieder in Gnaden aufgenommene Engel steht, den sie als Pfau, auf einem Kandelaber stehend, abbilden und Engel Pfau (Malak Tawus) nennen. Ihr Glaube, den sie vor Andersgläubigen verbergen, vereint Elemente altorientalischer Religionen, des Parsismus, der Gnosis, des Islam (Sufismus) und des orientalischen Christentums. Der wichtigste Heilige der Jesiden ist der Sufi-Scheich Adi Ibn Musafir († 1162). Sein Grab in Lalesch (nordöstlich von Mosul) ist ihr zentrales Heiligtum.

Heute leben die Jesiden (etwa 265 000), die sich selbst als eine Volks- und Religionsgemeinschaft verstehen, die Nichtjesiden verschlossen ist, im Nordirak, in Nordostsyrien, Armenien und in der Südosttürkei. In Deutschland leben etwa 20 000 Jesiden, die ihre traditionellen Siedlungsgebiete überwiegend aufgrund gesellschaftlicher Benachteiligungen oder Verfolgungen verlassen haben.

Jesuiten, Gesellschaft Jesu, lateinisch **Societas Jesu,** Abk. **SJ,** kath. Regularklerikerorden (Orden mit Verzicht auf die »Stabilitas Loci«, d.h. die Bindung des Ordensangehörigen an das Kloster seines Eintritts).

■ **Entstehung und Aufgaben** Der Ursprung liegt im Zusammenschluss des Ignatius von Loyola und einiger seiner Studiengefährten (u. a. Diego Laínez) am 15. 8. 1534 in Paris zu einer religiösen Gemeinschaft. Sie gelobten, »arm« und »keusch« zu leben und nach Beendigung ihrer Studien von Venedig aus zur Mission in Palästina aufzubrechen. Sollte dies nicht möglich sein, würden sie sich dem Papst für jegliches Apostolat zur Verfügung stellen. Als die Palästinamission tatsächlich nicht zustande kam, gingen sie nach Rom und sahen ihre vorrangige Aufgabe in der Glaubensunterweisung durch Predigt, Katechese und in der Spendung der Sakramente (v. a. Beichte, Eucharistie).

Am 27. 9. 1540 wurde die erste Regel der Jesuiten (»Formula Instituti«) von Papst Paul III. bestätigt, 1550 billigte Julius III. eine überarbeitete Fassung. Ergänzt wurde sie durch die »Konstitutionen« von 1558. Ziele der Jesuiten sind demnach »die Verteidigung und Verbreitung des Glaubens« und die Hinführung der Menschen zu einem christlichen Leben durch Predigt, Vorträge, geistliche Übungen (→Exerzitien), christliche Unterweisung insbesondere von Kindern und Jugendlichen, Spendung der Sakramente und jegliche Form der Seelsorge. Schwerpunkt wurde der schulische Unterricht, der 1599 durch die »Studienordnung« (»Ratio Studiorum«) inhaltlich und organisatorisch festgelegt wurde. Wichtige durch Jesuiten gegründete Ausbildungsstätten sind bis heute das deutschsprachige Priesterseminar »Germanicum« in Rom sowie die päpstliche Universität »Gregoriana«.

■ **Organisation** Um sich die für ihre Tätigkeit notwendige Mobilität zu bewahren, leben die Jesuiten nicht wie monastische Orden in Klöstern (mit Klausur), sondern in offenen »Häusern« und »Kollegien«. Sie sind nicht zum gemeinsamen Chorgebet verpflichtet und tragen keine eigene Ordenskleidung. Innerhalb der Gemeinschaft gibt es vier verschiedene Stufen der Mitgliedschaft: »Novizen«, »Scholastiker«, die noch in der (wissenschaftlichen) Ausbildung stehen, »Koadjutoren« (unterschieden in »geistliche« und »weltliche«) und »Professen« (nur sie können die höchsten Ämter innehaben). Die Ordensgemeinschaft ist aufgeteilt in einzelne »Ordensprovinzen« und zentralistisch organisiert. Die Leitung liegt bei einem auf Lebenszeit gewählten Generaloberen mit Sitz in Rom, der von der »Generalkongregation« gewählt und beraten wird.

Die Jesuiten haben keinen weiblichen Ordenszweig und wurden 1547 auf Wunsch des Ignatius von jeglicher Verpflichtung zu einer regelmäßigen geistlichen Betreuung von Frauen entbunden. Parallel zum Orden der Jesuiten, aber formell unabhängig von ihm, entstanden jedoch zahlreiche Vereinigungen von Jesuitinnen.

■ **Geschichte** Im 16./17. Jh. waren die Jesuiten die wichtigsten Träger der kath. Reform. Sie breiteten sich in ganz Europa aus (seit 1540/44 durch Petrus Faber [den ersten Gefährten des Ignatius] in Deutschland). 1541 fuhr der spanische Jesuit Franz Xaver mit drei Gefährten nach Ostindien und begann damit die jesuitische Mission außerhalb Europas. Bedeutende jesuitische Missionare im 17. Jh. waren M. Ricci in China, Antonio de Andrade, der erste Europäer in Tibet, und Jacques Marquette und Claude-Jean Allouez in Nordamerika.

Jesuiten. Der Altar von Peter Anton von Verschaffelt in der Mannheimer Jesuitenkirche (1733–60) zeigt den Gründer der Jesuiten, Ignatius von Loyola, mit seinem Freund und Mitbegründer Franz Xaver.

Jesuiten
→ GEO Dossier
Warum glaubt der Mensch?, Bd. 15

Jesus

Jesus — Erlöser oder Prophet?

Jesus, arabisch Isa, genießt im Islam höchste Verehrung. Im Koran wird er als »Geist Gottes« oder »Wort Gottes« und als »gesegnet« bezeichnet und als von der Jungfrau Maria geboren. Nach Sure 3 gelten Jesus und Maria als die einzigen Menschen, die ohne Neigung zur Sünde geboren wurden. Jesus ist der Gerechte, der die Macht hat, Tote zu erwecken und Kranke zu heilen, und gilt als direkter Vorläufer Mohammeds.

Gemäß seinem strengen Monotheismus bestreitet der Islam aber jede Göttlichkeit oder Gottessohnschaft Jesu. Obwohl viele Aussagen über Jesus eine starke Nähe zu den neutestamentlichen Apokryphen aufweisen, gilt die Betonung der Göttlichkeit Jesu Christi dem Islam als eine verfälschende »Übertreibung« der Christen. Auch sein Tod am Kreuz wird im Islam nicht geglaubt. Jesus spielt aber eine besondere Rolle in der apokalyptischen Tradition des Islam. Danach wird Isa am Ende der Zeiten auf die Erde zurückkehren, den herrschenden Widersacher (Antichristen) töten und 40 Jahre lang als Vorbild des frommen und gerechten Muslims auf Erden herrschen. Anschließend wird er sterben und von den Muslimen in Medina neben Mohammed begraben werden.

Im 17./18. Jh. gerieten die Jesuiten zunehmend in Misskredit. Ausschlaggebend waren dabei gleichermaßen theologische Gründe, wie der Konflikt mit dem Jansenismus oder die Gegenposition der jesuitischen scholastischen Theologie zur Aufklärung, und politische Gründe. Zu Letzteren gehörten etwa der politische Einfluss der Jesuiten als geistliche Berater an den Königshöfen und die Verhältnisse in den Kolonien, wo sich die Jesuiten gegen die europäischen Machthaber stellten. Nach Verboten in Portugal (1759), Frankreich (1762) und Spanien (1767) wurde der Orden 1773 durch den Papst formell aufgelöst. 1814 wurde die Aufhebung, die nur in Preußen und Russland unbeachtet geblieben war, durch päpstlichen Entscheid wieder zurückgenommen.

Jesus. Die Geburt Jesu im ärmlichen Stall zu Bethlehem wurde im christlichen Glauben zum Sinnbild für den Gottessohn, der nicht in irdischer Pracht und Herrlichkeit auf die Welt kam, sondern das Leben der Einfachsten teilte und ein Reich verkündete, das »nicht von dieser Welt ist« (»Christi Geburt«, Gemälde von Lorenzo Lotto, 1523; Samuel H. Kress Collection).

Heute hat der Orden rund 19 800 Mitglieder und ist mit über 1 500 Niederlassungen in rund 120 Ländern vertreten. Die deutsche Ordensprovinz umfasst in ihrem Gebiet Deutschland, Dänemark und Schweden. Österreich und die Schweiz bilden jeweils eine Ordensprovinz. Wichtige Tätigkeitsfelder sind neben der Seelsorge pädagogische und wissenschaftliche Tätigkeiten an Schulen und Hochschulen sowie die Arbeit in der Mission und Entwicklungshilfe.

Jesus, religiöser Lehrer, zentrale Gestalt des Christentums. Der Name ist die griechische Form des jüdischen Jeschua, was wiederum die Kurzform von Josua ist (hebräisch »Jahwe ist Heil«). Der Beiname Christus (griechisch christos »der Gesalbte«; Übersetzung des hebräischen Messias) war zunächst Würdetitel, dann im Christentum fester Namensbestandteil. Das Bekenntnis zu Jesus als dem »Christus« ist Mittelpunkt des christlichen Glaubens.

■ **Quellen** Wichtigste Quellen für Leben und Lehre Jesu sind die zwischen 65 und 100 n.Chr. in griechischer Sprache verfassten Evangelien des N.T. (Matthäus, Markus, Lukas, Johannes), die jedoch weniger als historische Dokumente denn als Glaubenszeugnisse aufzufassen sind, die die »Gute Botschaft« (das Evangelium) von Leben, Tod und Auferstehung Jesu vermitteln wollen. Sie spiegeln die Überzeugung der nach Jesu Tod entstandenen christlichen Gemeinden, in Jesus den Erfüller ihrer soteriologischen Hoffnungen erfahren zu haben. Die Verfasser der Evangelien waren nicht selbst Zeugen des Geschehens um Jesus, sondern berufen sich auf eine längere mündliche Tradition und bieten insgesamt ein vielschichtiges Jesusbild. Matthäus, Markus und Lukas weisen dabei in Textauswahl und Aufbau weitgehende Übereinstimmungen auf und lassen sich »synoptisch« (→Synoptiker) miteinander vergleichen, während Johannes theologisch und literarisch eine Sonderstellung einnimmt. Allen gemeinsam ist ihr kerygmatischer Charakter: Die historischen Gegebenheiten werden theologisch interpretiert und in den Dienst der Verkündigung gestellt. Für eine Rekonstruktion des Lebens Jesu sind die Evangelien also nur unter diesem Vorbehalt zu gebrauchen (→Leben-Jesu-Forschung). Sie sind jedoch die einzigen Quellen, aus denen sich überhaupt nähere Hinweise auf Leben und Wirken Jesu erschließen lassen.

Die übrigen Schriften des N.T. sind aufgrund ihrer theologischen Fragestellung (→Paulusbriefe) und ihrer gesamtgeschichtlichen Perspektive (→Apostelgeschichte) nicht an historischen Details des Lebens Jesu interessiert. Auch außerbiblische Quellen liefern keine weiteren Erkenntnisse, belegen aber die historische Existenz Jesu. Der römische Geschichtsschreiber Tacitus berichtet in seinen »Annalen« (Buch 15,44) im Anschluss an die

Darstellung des Brandes von Rom unter Nero (64 n. Chr.) über die christliche Gemeinde und ihren Gründer: »Der Stifter dieser Sekte, Christus, ist unter der Regierung des Tiberius durch den Prokurator Pontius Pilatus hingerichtet worden.« Die Römer Sueton (»Vita Claudii«, Kapitel 25, 4) und Plinius der Jüngere (»Epistola ad Traianum«, 94–97) erwähnen ebenfalls »Christus« ohne biografische Einzelheiten. Der Hinweis bei Josephus Flavius auf Jesus Christus als Initiator einer jüdischen Sekte ist wahrscheinlich eine spätere Interpolation.

■ **Zeitgeschichtlicher Hintergrund und religiöses Umfeld** Seit der Eroberung Jerusalems durch Pompeius (63 v. Chr.) unterstand Palästina der römischen Oberherrschaft. 43 v. Chr. ernannte der römische Senat Herodes den Großen zum König von Judäa, der 37 v. Chr. seine Regentschaft antrat und sich durch unbedingte Romtreue auszeichnete. Sein Territorium erstreckte sich auf Judäa, Samaria, Galiläa, einen Küstenstreifen und einige Teile des Ostjordanlandes. Nach seinem Tod (4 v. Chr.) wurde das Land unter seine Söhne aufgeteilt. Nachdem Archelaus 6 n. Chr. von Rom seines Amtes enthoben und nach Gallien verbannt worden war, verwaltete ein römischer Prokurator die Provinz Judäa und Samaria. Im Kontext von Jesu Leben und Tod wurde besonders der fünfte Prokurator, Pontius Pilatus (26–36 n. Chr.), gefürchtet wegen seiner Grausamkeiten, bekannt.

Die religiösen Verhältnisse zur Zeit Jesu müssen innerhalb dieses politischen Rahmens gesehen werden. Die Juden, die bereits seit dem Babylonischen Exil (587–538 v. Chr.) ohne eigenen Staat lebten, hatten in der Zeit der Herrschaft der Hasmonäer nach unruhigen Jahren mit permanenten Aufständen (167–63 v. Chr.) eine eingeschränkte Selbstständigkeit erreicht, die zur Zeit Jesu noch fortdauerte. Der »Hohepriester« galt als höchster Repräsentant des jüdischen Volkes und war gleichzeitig Vorsitzender des Synedrions (»Hoher Rat«), des höchsten nachexilischen Selbstverwaltungsorgans, mit eigener Gerichtsbarkeit. Von 6 bis 15 n. Chr. hatte Hannas dieses Amt inne, gefolgt von seinem Schwiegersohn Kajaphas (18–36 n. Chr.). Das Synedrion war ausschließlich mit religiösen und zivilrechtlichen Angelegenheiten befasst, während politische Entscheidungen der römischen Verwaltung oblagen.

Die Auseinandersetzung mit der als Fremdherrschaft erfahrenen hellenistischen Umwelt prägte gleichermaßen das politische wie religiöse Selbstverständnis der Juden. Charakteristisch für das religiöse Leben zur Zeit Jesu, das v. a. von den verschiedenen »Religionsparteien« (Pharisäer, Sadduzäer, Essener, Zeloten) getragen wurde, sind zum einen eine rigorose Gesetzesfrömmigkeit im ethischen wie kultischen Bereich, die Speisegesetze und Reinheitsgebote ethischen Vorschriften nahezu gleichstellte, sowie eine Aufwertung des Kultes mit Betonung der Heiligkeit des Tempels und der hl. Stadt Jerusalem, zum andern das Anwachsen apokalyptischer Strömungen. Die Apokalyptik mit ihrer Naherwartung des kommenden Weltgerichts und die mit ihr verbundene Erwartung eines politischen und eschatologischen Messias bildet den geistesgeschichtlichen Hintergrund des Wirkens Jesu.

■ **Das Leben Jesu** Aus den historisch eruierbaren Daten der Zeitgeschichte Jesu und den innerbiblischen Verweisen lassen sich einige Fixpunkte und eine ungefähre Chronologie erschließen. Als Heimatort Jesu gilt das galiläische Nazareth (Mk. 1, 9; Mt. 2, 23; 4, 13; 21, 11; Lk. 1, 26; 2, 4.39.51). Mehrmals wird Jesus »Nazarener« genannt (Mk. 1, 24; 10, 47; 14, 67; 16, 6). Der Verweis der Kindheitsgeschichten auf Bethlehem als Geburtsort (Mt. 2, 1–12; Lk. 2, 1–20) ist nicht als geografische Ortsangabe, sondern als messianische »Interpretation« zu verstehen, als Erfüllung der alttestamentlichen Prophezeiung in Mi. 5, 1: »Du aber, Bethlehem in Ephrata, klein unter den Gauen Judas, aus dir soll einer hervorgehen, um Herrscher in Israel zu sein.« Diesen messianischen Anspruch unterstreichen auch die beiden unterschiedlichen und nicht miteinander in Einklang zu bringenden Stammbäume Jesu (Mt. 1, 1–17; Lk. 3, 23–38), die die Abstammung Jesu auf David zurückführen. Mutter Jesu ist Maria, als Vater wird Joseph genannt (Mt. 13, 55; Joh. 6, 42). Auch Brüder und Schwestern Jesu werden erwähnt (Mk. 6, 3; Mt. 13, 55 f.). Die im Gegensatz dazu stehenden Aussagen über die Jungfrauengeburt (Mt. 1, 18–25; Lk. 1, 26–38) haben v. a. theologisch-kerygmatischen Charakter.

Als Geburtsdatum Jesu und als Beginn der christlichen Ära galt lange das Jahr 754 nach der Gründung Roms. Diese auf die Zeitrechnung des römischen Abtes Dionysius Exiguus

Jesus.
Der Kreuzestod Jesu Christi zwischen zwei Schächern auf dem Kalvarienberg bildet den düsteren Höhepunkt des Karfreitagsgeschehens. Stellvertretend für die Sünden der Menschheit nahm der Gottessohn Schmerzen und Tod auf sich (»Kalvarienberg«, Altarbild von Andrea Mantegna in San Zeno, Verona; 1457–59; Paris, Louvre).

Jeus
→ **GEO** Dossier
Wer war Jesus?, Bd. 15

Jesus

(6. Jh.) zurückgehende Datierung ist rein fiktiv. Die Geburtsangabe in Lk. 1, 5 nennt die Zeit des Königs Herodes (bis 4 v. Chr.). Die dabei erwähnte Volkszählung ist historisch nicht verifizierbar. Über die Zeit zwischen Kindheit und öffentlichem Auftreten Jesu findet sich im N. T. lediglich die Geschichte vom zwölfjährigen Jesus im Tempel (Lk. 2, 41–52), die jedoch theologisch motiviert ist und nicht als historische Information gelten kann.

Ein Datum für den Beginn des öffentlichen Wirkens Jesu ist die Mitteilung in Lk. 3, 1 f. vom Auftreten des Täufers Johannes: »Es war im fünfzehnten Jahr der Regierung des Kaisers Tiberius; Pontius Pilatus war Statthalter von Judäa, Herodes Tetrarch von Galiläa, sein Bruder Philippus Tetrarch der Ituräa und Trachonitis …; Hohepriester waren Hannas und Kajaphas.« Rechnet man die Regierungszeit des Kaisers Tiberius von seiner Alleinherrschaft nach dem Tod des Augustus (14 n. Chr.) an, so bezeichnet Lukas mit seiner Zeitangabe die Jahre 28/29 n. Chr. Das Auftreten Jesu stand anfangs in engem Zusammenhang mit der Predigt und Tauftätigkeit des Johannes. Übereinstimmend berichten die Evangelien von einem Konkurrenzverhältnis zwischen Johannes dem Täufer und Jesus. Letzterer war zunächst offenbar ein Schüler des Johannes und ließ sich von ihm taufen (Mk. 1, 9–11; Joh. 1, 29–34). Einige Texte enthalten dabei eine implizite Abwertung des Täufers zugunsten der Darstellung Jesu (Mt. 3, 13–17; Joh. 1, 19–24; 3, 22–26). Fest steht, dass Jesus seine ersten Jünger aus dem Kreis um Johannes sammelte (Joh. 1, 35–51) und neben diesem wirkte (Joh. 3, 22–36; 4, 1 f.).

Bezüglich der Chronologie des öffentlichen Wirkens Jesu enthalten die Evangelien unterschiedliche und einander widersprechende Angaben. Während Johannes drei Passahfeste erwähnt und somit das öffentliche Auftreten Jesu auf 2½ bis 3 Jahre festlegt, kennt Markus nach der Tätigkeit Jesu in Galiläa mit dem Schwerpunkt in Kapernaum nur eine Jerusalemreise mit einem kürzeren Aufenthalt und der anschließenden Passion. Daraus ergibt sich eine etwa anderthalbjährige Tätigkeit in der Öffentlichkeit.

Als historisch gesichertes Faktum gilt die Hinrichtung Jesu. Der Tod durch Kreuzigung entspricht dabei dem römischen Strafrecht für politische Verbrecher, die selbst nicht römische Staatsbürger waren. Als Grund der Verurteilung kann somit der im Prozess vor Pilatus ausgesprochene Vorwurf, Jesus habe als »König der Juden« gelten wollen, angesehen werden (Mk. 15, 2. 9. 12. 18; Mt. 27, 11. 29. 37; Lk. 23, 3. 37 f.; Joh. 18, 33. 37. 39 und Joh. 19, 3. 12. 14). Das Todesjahr wäre je nach Datierung seines öffentlichen Wirkens etwa 29/31.

■ **Die Verkündigung Jesu** Was die Texte des N. T. vermitteln, sind der religiöse Anspruch und die Botschaft Jesu, wie sie von seinen Anhängern erfahren und überliefert worden sind. Grundlegend ist dabei die Verwurzelung Jesu in der jüdischen Tradition. Er ist geprägt von der frühjüdischen Apokalyptik mit ihren messianischen Erwartungen und versteht sich als Reformer Israels. Zentrales Thema seiner Botschaft ist das »Reich Gottes«, die »Königsherrschaft Gottes« (griechisch basileia tou theou). In Mk. 1, 15 wird seine Predigt in zwei Sätzen zusammengefasst: »Die Zeit ist erfüllt, das Reich Gottes ist nah. Kehrt um, und glaubt an das Evangelium.« Ähnlich wie Johannes der Täufer tritt Jesus als prophetischer Prediger auf. Er geht jedoch über die jüdische Tradition hinaus, indem er die jüdischen Motive in seiner Predigt radikalisiert und sich selbst als eschatologische Gestalt, als endzeitlichen Prediger und Heilsmittler versteht. Vor dem Horizont des kommenden »Reiches Gottes«, das nach Jesu Worten schon jetzt angebrochen ist und in seiner Person wirksam wird, schreibt er sich selbst eine soteriologische Funktion zu und fordert zur »Nachfolge« auf (»implizite Christologie«). Es lassen sich keine messianischen Selbstbezeichnungen Jesu nachweisen; er hat jedoch von sich in der dritten Person als »dem Menschensohn« gesprochen.

Im Unterschied zu messianischen Strömungen im Judentum ist das von Jesus verkündigte »Reich Gottes« keine politische Größe, sondern meint eschatologisches Heil im umfassendsten Sinn, das Ende des Bösen und den Beginn der Heilszeit. Dieses »Reich Gottes« ist nicht rein zukünftig, sondern wird durch Jesus, in seiner Person und in seinem Wirken, schon jetzt zur Geltung gebracht. Für jene, die Jesus »nachfolgen«, bedeutet dies, schon jetzt – ungeachtet der bestehenden Verhältnisse – aus der Gegenwart des göttlichen Heilswillens heraus zu leben. Charakteristisch für die Verkündigung Jesu sind die zahlreichen Gleichnisse, in denen narrativ die Nähe des »Reiches Gottes« beschrieben wird. Der demonstrativen Verstärkung dienen die Wunder Jesu. Über ihren historischen Kern gibt es in der exegetischen Forschung keinen Konsens. Ein großer Teil, weitgehend nach einem in der Antike auch sonst üblichen Schema ausgestaltet, ist der theologischen Interpretation durch die späteren Gemeinden zuzuschreiben. Wahrscheinlich ist jedoch, dass zumindest die »Dämonenaustreibungen« (Mk. 1, 21–28; 4, 35–41; 5, 1–20; 9, 14–29) als Zeichen der nahegekommenen »Königsherrschaft Gottes« und der Überwindung der Herrschaft des Satans auf den historischen Jesus zurückgehen. Das Wirken der Dämonen erscheint dabei v. a. in der inneren Zerstörung des Menschen, die durch Jesu Auftreten und Verhalten aufgehoben wird. Dem entsprechen sein unbefangener Umgang mit Menschen aller gesellschaftlichen Schichten und Gruppen, seine Offenheit für Außen-

Jesus.
Auf die Auferstehung Jesu Christi von den Toten in aller Herrlichkeit gründet sich die Hoffnung der Christen auf das kommende Reich Gottes (»Die Auferstehung«, Fresko von Raffael, 1519; Rom, Vatikanische Sammlungen).

Jesus

seiter und von der Gesellschaft Ausgestoßene und die Freiheit, mit der er sich über religiöse und gesellschaftliche Verdikte hinwegsetzt.

Jesus trat mit dem Anspruch auf, »Macht«, »Vollmacht« (griechisch exousia) zu besitzen, ein Anspruch, der messianische Implikationen in sich barg. Deutlich wird dies in den Drohworten, Entscheidungsrufen, Seligpreisungen und Nachfolgesprüchen, die zum ältesten Überlieferungsgut des N.T. gehören und nur messianisch verstanden werden können, dann in der Unmittelbarkeit des Gottesverhältnisses Jesu, die in der unbefangenen Anrede Gottes als Vater (»Abba«) zum Ausdruck kommt und in krassem Gegensatz zur jüdischen Reserviertheit gegenüber einer Benennung Gottes überhaupt steht, und nicht zuletzt in seiner Freiheit gegenüber den höchsten religiösen Instanzen seiner eigenen jüdischen Tradition. Von daher bestimmt sich auch die jesuanische Ethik, wie sie in der neutestamentlichen Überlieferung zum Ausdruck kommt. Ihr höchstes Prinzip ist die Liebe, die Gottes- und die Nächstenliebe (Mt. 22, 35–40, Joh. 13, 34 f.), die sich beide schon im A.T. finden (5. Mos. 6, 4 f., 3. Mos. 19, 18), bei Jesus aber zum Angelpunkt jeglicher Frömmigkeit und Ethik werden. Maßstab für jedes ethische Handeln ist das Wohl des Menschen über alle Grenzen und Standesunterschiede hinweg, so etwa im Gleichnis vom barmherzigen Samariter (Lk. 10, 30–36). Konturen gewinnt diese Einstellung v.a. im Vergleich mit der alttestamentlich-jüdischen Gesetzesfrömmigkeit. Das »Gesetz« wird von Jesus nicht abgeschafft, sondern durch das Liebesgebot und eine strikte Orientierung am Menschen radikalisiert und damit erst »erfüllt« (Mt. 5, 17; vgl. die Bergpredigt, Mt. 5–7). Diese »Verschärfung« des Gesetzes durch eine Reduktion auf das für den Menschen Wesentliche bildet die Voraussetzung für die im Frühchristentum dann vollzogene Emanzipation vom jüdischen Gesetz. Die »Freiheit« vom Gesetz wird später ein zentrales Thema der paulinischen Theologie (z.B. Gal. 5, 1–6).

■ **Neutestamentliche Christologie** Die ersten Anhänger Jesu fühlten sich durch Jesus selbst und seine Botschaft existenziell angesprochen, »ins Herz getroffen« (Apg. 2, 37). Dieses Getroffensein reichte über den Tod Jesu hinaus: Trotz des Scheiterns Jesu verkündigten sie seine Sache weiter und bezeugten damit ihre Erfahrung der bleibenden Geltung der »Sache Jesu«. Der Glaube an die »Auferstehung« (→Auferstehung Christi) brachte zum Ausdruck, dass für jene, die Jesus »nachfolgten«, die Geschichte Jesu nicht mit seinem Tod am Kreuz zu Ende war. Unmittelbar nach Jesu Tod bildeten sich Gemeinden und diese begannen unter Juden, später dann auch unter Nichtjuden zu missionieren. Damit verbunden war zum einen die Entstehung und Pflege einer jesuanischen Tradition (zunächst durch die Sammlung von Jesusworten und Berichten über sein Auftreten, später durch deren literarische Fixierung), zum anderen die Herausbildung einer Christologie, in der das Bekenntnis zu Jesus als dem »Heilsmittler« formuliert und reflektiert wurde. Die christologischen Ausdrucksformen entwickelten sich dabei in Abhängigkeit von den kulturell verschiedenen Heilsvorstellungen der Menschen, denen Jesus als Antwort auf ihre Heilsfrage vermittelt werden sollte (→Soteriologie). Die verschiedenen kulturellen Einflüsse spiegeln sich schon in den »Hoheitstiteln«, mit denen Jesus im N.T. belegt wird: »Messias« und »Menschensohn« stammen aus der jüdischen Soteriologie, während die hellenistische Tradition v.a. die »Göttlichkeit« Jesu betont, wie es in der Formulierung »Sohn Gottes« und in der »Logos«-Vorstellung (Joh. 1, 1–18; →Logos) zum Ausdruck kommt.

■ **Jesus im Judentum** Für die meisten Juden galt Jesus von Nazareth bis ins Mittelalter als ein Betrüger und Zauberer, der als Begründer einer götzendienerischen Religion zugleich auch ein Veranlasser der Judenfeindlichkeit gewesen sei. Eine neue Sichtweise setzte im 18. Jh. ein. Seither setzen sich jüdische Theologen mit der Person Jesu besonders unter dem Blickwinkel auseinander, dass sie seine jüdische Herkunft und den jüdischen Hintergrund seines öffentlichen Wirkens hervorheben. In dieser Betrachtungsweise erscheint Jesus als ein jüdischer Apokalyptiker, als Begründer einer jüdischen Sondergemeinschaft, aber auch (z.B. unter Verweis auf Mt. 5, 17 f.) als ein der Thora fest verbundener Gesetzeslehrer (Rabbi). Jüdischem Denken strikt entgegenstehend und nicht nachvollziehbar ist dagegen die christliche Auffassung von Jesus als dem Christus (→Messias) und Erlöser und seine damit verbundene christologische Kennzeichnung als Sohn Gottes. Den Unterschied zwischen christlichem und jüdischem Verständnis Jesu beschreibt der jüdische Autor Schalom Ben-Chorin mit dem Satz: »Der Glaube Jesu eint uns, der Glaube an Jesus aber trennt uns.«

Jesus.
Jesus kam nach christlichem Glauben als Erlöser der Welt und Verkünder der Gottesherrschaft. Er forderte die Umkehr des Menschen von seinem sündigen Leben und verkündete Gott als den liebenden Vater, der sich um den Einzelnen kümmert und sich um die »Verlorenen« bemüht. Das Foto zeigt die Christus-Statue auf dem Corcovado in Rio de Janeiro (Brasilien).

Jesus Sirach

■ **Jesus im Islam** Der Islam zählt Jesus (arabisch Isa) zu den Menschen, die Allah als seine Propheten auserwählt hat, wodurch sie ihm in besonderer Weise nahestehen (Sure 2,87; 3,45 f.). Er ist der letzte von Allah erwählte Prophet vor Mohammed. Der Koran bestreitet allerdings seinen Kreuzestod (Sure 4,157). Die Muslime erkennen Jesus als einen durch seinen Glauben vorbildhaften Menschen an. Die christliche Vorstellung der Gottessohnschaft Jesu ist jedoch mit dem islamischen Glaubensbekenntnis unvereinbar.

■ **Jesus im Hinduismus und Buddhismus** Zahlreiche hinduistische Denker sehen in Jesus einen großen Lehrer und spirituellen Führer (Guru) in der Geschichte der Menschheit. Seine Lehre hat besonders Ram Mohan Roy, den Begründer der religiösen Reformbewegung →Brahmasamaj, und Mahatma Gandhi beeindruckt, die Jesus als einen großen Lehrer der →Ahimsa ansah und als Hindu dessen Bergpredigt gleichrangig neben die »Bhagavadgita« stellte. Der populäre Hinduismus des Volkes reiht Jesus wie auch andere große religiöse Persönlichkeiten (z. B. Buddha) in die Reihe der zahlreichen Gestaltwerdungen des Göttlichen auf der Erde (Avatara) ein, wobei jedoch das geschichtlich Einmalige der Person Jesu fast vollständig hinter die Manifestation des all-einen Göttlichen (Brahman) zurücktritt. Innerhalb des Buddhismus wird Jesus als ein Mensch, der die Liebe zu seinen Mitmenschen über sein eigenes Leben stellte, als Bodhisattva verehrt.

Jesus Sirach, Abk. **Sir.**, in der Vulgata **Ecclesiasticus**, apokryphe Schrift des Alten Testaments. Ihr eigentlicher Titel lautet nach der Unterschrift in Sir. 50, 27 und dem späteren Nachsatz in Sir. 51, 30: »Buch des Jesus, des Sohnes Eleazars, des Sohnes Sirachs«. Die Schrift gehört zur Gattung der jüdischen »Weisheitsliteratur«. Sie enthält neben Gebeten, Hymnen und Unterweisungen über Ursprung, Wesen und Einfluss der Weisheit v. a. Mahnungen und Sprüche über die wahrhaft religiöse Lebensauffassung und Ratschläge für rechtes Verhalten, gerichtet an Personen verschiedenen Alters und Standes. Zwischen 180 und 170 v. Chr. in Hebräisch verfasst, wurde das Buch Jesus Sirach um 132 v. Chr. in Alexandria ins Griechische übersetzt und war seit dem 5. Jh. nur in dieser Übersetzung und deren Tochterversionen bekannt. 1896 fand man in der Synagoge (Genisa) von Fustat (Alt-Kairo) erstmals hebräische Textfragmente verschiedener Handschriften. Weitere Fragmente wurden in Qumran (1947) und in Masada (1964) gefunden, sodass bis heute etwa drei Fünftel des hebräischen Originaltextes rekonstruiert werden konnten.

Jeziden, →Jesiden.

JHWH, lateinische Umschrift der hebräischen Schreibweise des Gottesnamens →Jahwe (Tetragramm), auch als →Jehova gelesen.

Jimmu-tennō ['dʒimmu-], legendärer Gründer des japanischen Kaiserhauses und des japanischen Reiches. Er soll 711–585 v. Chr. gelebt haben und gilt als Abkömmling der Sonnengöttin Amaterasu. Der Sage nach wurde Jimmu-tennō auf Kyūshū geboren, das er 667 v. Chr. zur Eroberung des Ostens verließ. Nach Unterwerfung des Landes Yamato bestieg er dort angeblich am 1. Tag des 1. Monats 660 v. Chr. (nach heutigem Kalender 11. 2. 660 v. Chr.) den Thron.

Jinismus [dʒ-], →Jainismus.

Jiva [dʒ-; von Sanskrit jiv »leben«], *Hinduismus:* die in einem Körper lebende Seele, d. h. der sterbliche Mensch, der sich mit seinem Körper identifiziert und somit an den Kreislauf von Geburt und Tod gebunden ist.

Jivamukta [dʒ-; Sanskrit »zu Lebzeiten befreit«], *Hinduismus:* ein Mensch, der schon während seiner irdischen Existenz Befreiung (Moksha) von Nichterkenntnis (Avidya), von der Identifikation mit seinem Körper (Jiva), von dualistischem und kausalem Denken und von der Welt der Erscheinungen (Maya) erlangt hat.

Jnana [dʒ-; von Sanskrit jna »Wissen«, »Erkenntnis«], *Hinduismus:* die Erkenntnis der letzten Wirklichkeit, nach der das individuelle Selbst des Menschen (Atman) und das geistige Absolute (Brahman) eine Einheit bilden. Jnana bezeichnet einen geistig-religiösen, mit Meditation verbundenen Weg des Menschen zur Erlösung. Die →Bhagavadgita stellt **Jnanamarga**, den »Weg der Erkenntnis«, als einen von drei möglichen Heilswegen dar.

Joachim von Fiore, **Joachim von Floris**, italienischer Theologe und Ordensgründer, * Celico (bei Cosenza) um 1130, † San Giovanni in Fiore (bei Cosenza) 1202; war zunächst Zisterzienser und gründete um 1190 einen eigenen Orden, die Florenser oder Floriazenser, der im späten 16. Jh. jedoch wieder mit den Zisterziensern vereinigt wurde. Theologisch einflussreich war seine apokalyptische Geschichtsdeutung. Den Verlauf der Menschheitsgeschichte sah er als Aufeinanderfolge dreier Reiche oder Zeitalter: Nach der alttestamentlichen »Zeit des Vatergottes« und der neutestamentlichen, in Jesus Christus angebrochenen »Zeit des Sohnes« mit der »Kirche des Petrus«, deren Ende Joachim für das Jahr 1260 voraussagte, erwartete er als drittes Reich die »Zeit des Geistes« mit der »Kirche des Johannes«. Diese sah Joachim als eine Mönchskirche, in der das Evangelium ganz erkannt und gelebt wird, als eine Zeit des Friedens, in der die Bergpredigt erfüllt wird und der »Geist der Armut« zum Durchbruch kommt.

Diese Geschichtsdeutung (Joachimitismus, Joachitismus) wurde im späten 13. Jh. von den franziskanischen Spiritualen weitergeführt. Der italienische Volkstribun Cola di Rienzo (* 1313, † 1354) deutete den Joachitismus ins Politische um und bereitete so den politischen

---

Joachim von Fiore
* um 1130, † 1202

■ gründete als Zisterzienser einen eigenen Orden

■ gewann seine Einsichten in mystischen Erleuchtungen

■ sah die Geschichte als Aufeinanderfolge dreier Zeitalter, deren letztes er für 1260 erwartete

■ beeinflusste mit seinem Geschichtsverständnis die europäische Geistesgeschichte bis in die Gegenwart

Messianismus der Neuzeit vor. Die Wirkungsgeschichte lässt sich über Georg Wilhelm Friedrich Hegel und Friedrich Wilhelm von Schelling bis in die politische Geschichte der Gegenwart nachweisen. (→Chiliasmus)

Jobeljahr [von hebr. yôvel »Widderhorn« (das zu Beginn eines solchen Jahres geblasen wurde)], **Jubeljahr, Halljahr, Erlassjahr,** Bezeichnung für das heilige Jahr der Juden. Nach 3. Mos. 25, 8–54 sollte nach sieben Sabbatjahren (49 Jahre) das 50. als Jobeljahr feierlich begangen werden, verbunden u. a. mit Schuldenerlass, Freilassung der israelitischen Sklaven und Rückgabe von verkauftem Boden.

Jochanan, Jochanan ben Zakkai, jüdischer Gesetzeslehrer des 1. Jh. n. Chr., Schüler Hillels. Die Aussichtslosigkeit des jüdischen Kriegs erkennend, erwirkte er noch vor der Zerstörung des Tempels (70) von den römischen Behörden die Erlaubnis zur Eröffnung eines Lehrhauses in Jamnia, das unter ihm zum Zentrum des rabbinischen Judentums wurde. Als dessen geistiger Führer erhielt Jochanan den Ehrentitel »Rabban« (»unser Meister«).

Jōdo-shinshū [dʒoːdo ʃinʃu; japan. »die wahre Schule des Reinen Landes«], Kurzbezeichnung **Shinshū,** eine der Hauptschulrichtungen des Amida-Buddhismus (→Amitabha), begründet 1224 von dem japanischen Mönch Shinran Shōnin.

Jōdo-shū [dʒoːdo ʃu; japan. »die Schule des Reinen Landes«], von Hōnen Shōnin (*1133, †1212) begründete buddhistische Schulrichtung, deren geistiges Fundament die meditative Rezitation des Namens →Amitabhas bildet.

Joel [hebr. »Jahwe ist Gott«], Prophet der nachexilischen Gemeinde in Jerusalem. Über sein Leben ist nichts bekannt.

Das biblische **Buch Joel** gehört zum →Zwölfprophetenbuch. Es hat apokalyptischen Charakter und entstand wahrscheinlich im 4. Jh. v. Chr. Es beschreibt in Kapitel 1 und 2 gegenwärtige Naturkatastrophen wie Heuschreckenplage und Dürre als Vorzeichen des nahenden »Tages Jahwes«. Aufrufe zur Einkehr und Buße verbinden sich mit Zusagen kommenden Heils für das Volk. Kapitel 3 kündigt die Ausgießung des Geistes Jahwes auf die ganze judäische Bevölkerung an. Kapitel 4 verheißt das Endgericht über die Fremdvölker und Segen für Juda und Jerusalem.

Joga, →Yoga.

Johanna, Päpstin, Frau Jutte, eine Frau aus Mainz (nach anderer Tradition aus England). Sie soll nach Quellen aus dem 13. Jh. als Mann verkleidet in Athen studiert haben, wegen ihrer großen Gelehrsamkeit 855 zum Papst gewählt worden und nach 2½ Jahren auf dem Heiligen Stuhl während einer Prozession niedergekommen und gestorben sein.

Während bis zum 15. Jh. die Päpstin als historisches Faktum allgemein akzeptiert war, wurde v. a. im Jahrhundert nach der Reformation um ihre Historizität polemisch gestritten. Erste literarische Hinweise finden sich im 11. und 13. Jh. bei den Chronisten Marianus Scotus und Martin von Troppau, aber auch Boccaccio, Hans Sachs oder Achim von Arnim haben sich des Stoffs angenommen.

Johannes, Johannes der Evangelist, Apostel, Bruder von Jakobus dem Älteren, Sohn des Zebedäus. Er gehörte zu den Zwölf (den »Aposteln«) um Jesus und wird in der Tradition meist mit dem »Lieblingsjünger« (Joh. 13, 23) gleichgesetzt. Nach Jesu Tod war er mit Petrus und Jakobus, dem »Herrenbruder«, einer der führenden Männer der Jerusalemer Urgemeinde (Gal. 2, 9).

Die altkirchliche Überlieferung berichtet, er sei (vermutlich nach 70) nach Ephesus gegangen, habe dort die Christengemeinde geleitet und sei unter Kaiser Domitian auf die Insel Patmos verbannt worden, wo er die »Apokalypse des Johannes« verfasst habe. Nach dem Tod Domitians sei er nach Ephesus zurückgekehrt, habe das Johannesevangelium geschrieben und sei um 100 in hohem Alter gestorben. Zur späteren legendarischen Ausgestaltung seines Lebens gehört, dass er auf wunderbare Weise dem Martyrium durch Verbrennen in einem Kessel siedenden Öls entgangen sei und dass er einen Becher Gift nach dessen Segnung unbeschadet ausgetrunken habe.

Die Verfasserschaft des Johannesevangeliums wurde schon sehr früh Johannes zugeschrieben, und zwar von dem Kirchenlehrer Irenäus von Lyon (*um 140 [?], †um 200) mit Berufung auf Polykarp von Smyrna († 150), der noch ein Schüler Johannes' gewesen sein soll. Nach den Erkenntnissen der exegetischen Forschung ist dies jedoch nicht haltbar, zumal »Apokalypse« und Johannesevangelium sicher nicht vom gleichen Verfasser stammen. – Heiliger (Tag: 27. 12.).

Johannesbriefe, drei →Katholische Briefe, die theologisch dem Johannesevangelium nahestehen. Inhaltlich setzen sich der 1. und 2. Johannesbrief v. a. mit der Abwehr von Irrlehren auseinander. Der 3. Johannesbrief mahnt zur Gastfreundschaft gegenüber reisenden christlichen Predigern. Der 1. Johannesbrief, häufig als Mahnschreiben bezeichnet, ist der Form nach kein Brief, sondern eine selbstständige Schrift. Seine Verfasserschaft ist ungeklärt. 2. und 3. Johannesbrief stammen vermutlich vom selben, ebenfalls unbekannten Verfasser. Wahrscheinlich zwischen 100 und 150 verfasst, wurden die Johannesbriefe erst spät in den Kanon des N. T. aufgenommen. Die altkirchliche Tradition schrieb alle drei Johannesbriefe dem Apostel Johannes zu.

Johannes Chrysostomos [ç-], griechischer Kirchenlehrer und Patriarch von Konstantinopel, *Antiochia am Orontes zwischen 344 und 354, † Komana (bei Kayseri) 14. 9. 407;

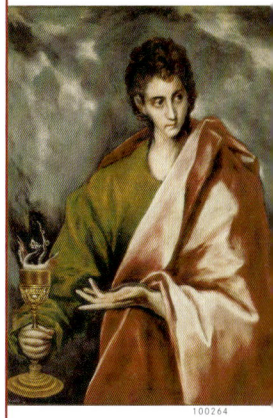

Johannes. Johannes gilt als Lieblingsjünger Jesu und soll in der Jerusalemer Urgemeinde eine bedeutende Rolle gespielt haben. Er wird außerdem als Verfasser des Johannesevangeliums, der Johannesbriefe und der Apokalypse genannt (»Johannes Evangelista«, Gemälde von El Greco, 16. Jh.; Madrid, Prado).

Johannes
→ **GEO** Dossier
Wer war Jesus?, Bd. 15

Johannes der Täufer

Johannes der Täufer
→ **GEO** Dossier
Wer war Jesus?, Bd. 15

Johannesevangelium
→ **GEO** Dossier
Wer war Jesus?, Bd. 15

erhielt eine hellenistische Ausbildung. 372 getauft, lebte er zunächst als Mönch, war 386–397 Prediger in Antiochia und wurde 398 gegen seinen Willen zum Bischof von Konstantinopel gewählt. Konflikte mit dem Kaiserhaus führten jedoch schon 404 zu seiner Absetzung und Verbannung an die armenische Grenze.

Theologisch zählt Johannes zu den Vertretern der antiochenischen Schule, die sich durch eine historisch orientierte Bibelauslegung auszeichnete und in den christologischen Streitigkeiten des 4. und 5. Jh. die strenge Geschiedenheit der göttlichen und menschlichen Natur Christi verfocht. Als Bischof war er v. a. als Seelsorger tätig. Sein Schrifttum ist das umfangreichste in der griechischen Patristik. Die erste Stelle nehmen dabei seine Predigten ein (z. B. die 21 »Säulenreden« von 387), die ihm bald nach seinem Tod den Beinamen »Chrysostomos« (Goldmund) einbrachten. In der Kirchengeschichte gilt er als einer der bedeutendsten Prediger des christlichen Altertums und genießt v. a. in der orth. Kirche eine große Verehrung. Weitere Schriften befassen sich mit der mönchischen Askese und dem Ideal der Jungfräulichkeit. Aus der Zeit seiner Verbannung sind über 200 Briefe erhalten.

Die Chrysostomosliturgie (→Liturgie) geht wahrscheinlich nicht auf ihn zurück. – Heiliger (Tag: 13. 9.).

Johannes der Täufer, prophetischer Bußprediger; nach Lk. 1, 5 ff. Sohn des Priesters Zacharias. Außer dem N. T., das ihn als »Vorläufer« Jesu Christi darstellt, berichtet der jüdische Geschichtsschreiber Josephus Flavius über ihn (»Antiquitates Judaicae« XVIII 5, 2). Er trat um 28 n. Chr. öffentlich auf und hatte ähnlich wie andere Propheten in dieser Zeit einen Jüngerkreis um sich. Charakteristisch für ihn waren seine asketische Lebensweise in der Wüste, die Mahnung zu Buße und »Umkehr« angesichts des bevorstehenden Reiches Gottes und die Taufe als Zeichen der Sündenvergebung. Dieser Taufe durch Johannes unterzog sich auch Jesus, der eine Zeit lang wohl zu den Jüngern des Johannes gehörte. In der Forschung ist umstritten, ob zwischen Johannes und der Gemeinde von Qumran Verbindungen bestanden. Nach Mk. 6, 14–29 wurde Johannes von König Herodes Antipas gefangen genommen und – angeblich auf Wunsch von Herodes' Frau Herodias und deren Tochter Salome – enthauptet. Seit dem 4. Jh. wird sein Grab in Samaria verehrt, während zugleich mehrere Städte den Anspruch erhoben, das Haupt des Johannes zu besitzen: Konstantinopel, Emesa (heute: Homs) und Damaskus.

Heiliger (Tag: 24. 6.). Die orth. Kirche gedenkt des Johannes an mehreren Tagen: 24. 6. (Geburt), 29. 8. (Enthauptung), 23. 9. (Empfängnis), 24. 2. (Entdeckung des Hauptes) und 25. 5. (Beisetzung des Hauptes in Konstantinopel).

Johannes Duns Scotus, Philosoph und Theologe des Mittelalters, →Duns Scotus.

Johannes|evangelium, Abk. **Joh.**, Schrift des N. T.; jüngstes der vier kanonischen Evangelien, das im neutestamentlichen Kanon an vierter Stelle steht. Seine Verfasserschaft sowie Ort und Zeit der Abfassung sind nicht sicher geklärt. Wahrscheinlich entstand es zwischen dem Ende des 1. Jh. und 150 in Syrien (?) oder Kleinasien (?). Die in der kirchlichen Tradition seit Ende des 2. Jh. angenommene Autorschaft des Apostels Johannes hat die exegetische Forschung als unhaltbar erwiesen.

In seinem Aufbau und theologischen Gedankengang hebt sich das Johannesevangelium deutlich von den Synoptikern ab. Es ist nicht vorrangig an der Schilderung des Lebens Jesu interessiert, sondern an dessen theologischer Deutung. In seiner Terminologie und Gedankenführung sowohl vom griechischen Denken wie auch von einem Jesusbild beeinflusst, das Berührungspunkte mit der Gnosis aufweist, erscheint Jesus Christus als der Fleisch gewordene »Logos« (Joh. 1, 1–18), der die Herrlichkeit Gottes offenbart und zur Glaubensentscheidung auffordert. Typisch sind in diesem Zusammenhang die apodiktischen Offenbarungsreden Jesu mit ihren »Ich-bin«-Worten (z. B. Joh. 8, 12; 14, 6; 15, 1), aber auch der das Evangelium durchziehende Gegensatz zwischen Glaube und Unglaube, der in dualistischen Wendungen (Licht–Finsternis, Wahrheit–Lüge, leben–in Sünde sterben usw.) erläutert wird. Gegenüber den Synoptikern enthält das Johannesevangelium an nicht überliefertes textliches Sondergut, z. B. das Weinwunder in Kana (Joh. 2, 1 ff.), das Gespräch Jesu mit der Frau am Jakobsbrunnen (Joh. 4), die Auferweckung des Lazarus (Joh. 11) und die Fußwaschung Jesu (Joh. 13, 1–17).

Johannes Paul II., Papst (1978–2005), früher **Karol Wojtyła,** * Wadowice (Woiwodschaft Kleinpolen) 18. 5. 1920, † Rom 2. 4. 2005; studierte ab 1938 Philosophie und Literatur in Krakau und 1942–51 Theologie in Krakau und

---

Johannes der Täufer   Vorfahr der Mandäer

In der gnostischen Täufersekte der Mandäer ist Johannes der Täufer eine zentrale Gestalt. So kennen die Mandäer sehr umfangreiche Tauf- und Wasserreinigungsrituale, die neben einem altpersischen Erbe auch auf die Tauftätigkeit des Johannes zurückzuführen sind. Daran knüpfen sich Spekulationen, dass Johannes der Initiator einer eigenen gnostischen Täuferbewegung gewesen sei, als deren Erbe die Mandäer angesehen werden können. Das mandäische Hauptwerk »Ginza« (»Schatz«) berichtet im zweiten Buch von Geburt und Taufe des Johannes sowie der Taufe Christi. Im fünften Buch wird der Tod des Johannes überliefert: Der mandäische Welterlöser Manda d'Haje begibt sich als dreijähriges Kind zu Johannes und begehrt von ihm die Taufe. Doch ein Lichtglanz umstrahlt ihn, und die Wasser des Jordan weichen zurück. Daran erkennt Johannes den kommenden Erlöser und bittet um seine Handauflegung. Diese Handauflegung scheidet die Seele des Johannes von seinem Körper.

Rom. 1946 erhielt er die Priesterweihe und war ab 1953 Professor für Moraltheologie an der kath. Universität Lublin. 1958 wurde er Weihbischof, 1964 Erzbischof von Krakau und 1967 Kardinal. Als Papst wurde er am 13. 5. 1981 bei einem Attentat auf dem Petersplatz in Rom schwer verletzt. Johannes Paul II. war der erste polnische und seit Hadrian VI. (1522/23) der erste nicht italienische Papst. Sein Pontifikat prägten besonders pastoral bestimmte Reisen, die ihn auf alle Kontinente führten; insgesamt waren es 104 Auslandsreisen. Geschichtliche Bedeutung erlangte die Reise in sein Heimatland Polen 1979, der erste Papstbesuch in einem kommunistischen Staat, der in seiner Folgewirkung den Zerfallsprozess der kommunistischen Staats- und Gesellschaftsordnungen in Europa in den 1980er-Jahren wesentlich mitinitiiert hat.

Das Pontifikat Johannes Pauls II. ist nach dem von Pius IX. (1846–78) das zweitlängste der Kirchengeschichte. Zu seinen Höhepunkten zählen die feierliche Einleitung des dritten Jahrtausends der Kirchengeschichte durch das Heilige Jahr 2000, das am 12. 3. 2000 in der Peterskirche vorgetragene Schuldbekenntnis und die Vergebungsbitte für Verfehlungen und Irrtümer in der Geschichte der Kirche, die Papstreise in das Heilige Land (Jordanien, Israel, Westjordanland) vom 20. bis 26. 3. 2000 und die Gebete für den Frieden und für Verständigung 1986 und 2002 in Assisi, an denen auf Einladung Johannes Pauls II. Vertreter zahlreicher Religionen teilnahmen. Für seine Verdienste um die Wiedergewinnung der geistigen Einheit und Identität Europas wurde Johannes Paul II. 2004 mit dem erstmals vergebenen außerordentlichen Karlspreis ausgezeichnet. Johannes Paul II. veröffentlichte vierzehn Enzykliken und nahm 1 338 Selig- und 482 Heiligsprechungen vor.

Wie seine Vorgänger Paul VI. und Johannes Paul I. hielt auch Johannes Paul II. an den Positionen des 2. Vatikanischen Konzils fest, hob allerdings stärker als sie in Fragen der Leitung der in ihren Frömmigkeitsformen und kulturellen Prägungen vielgestaltigen Weltkirche die zentrale Bedeutung des Papstamtes (als die Weltkirche einigende universelle kath. Größe) und dessen höchste Leitungs- und Lehrautorität hervor. Seine persönliche Frömmigkeit war von traditionellen Frömmigkeitsformen, v.a. der Marienverehrung, geprägt. Gesellschaftspolitisch und sozialethisch hielt Johannes Paul II. immer und mit nicht nachlassender Vehemenz gegen den den Menschen die Freiheitsrechte verweigernden Kommunismus wie gegen einen sozial ungezügelten Kapitalismus die Positionen der kath. Soziallehre weltweit in der Diskussion. Inner- wie außerhalb der kath. Kirche umstritten und einer künftigen historischen Wertung und Einordnung vorbehalten bleiben seine theologisch-rigorose Ablehnung der Zulassung von Frauen zum Priesteramt und der Aufhebung der Zölibatsverpflichtung für Priester sowie seine strikten Positionen in bestimmten ethischen Fragen (z. B. Empfängnisverhütung, Schwangerschaftsabbruch und Homosexualität).

Weltweit hat sich Johannes Paul II. bei Christen und Nichtchristen Achtung und Anerkennung als eine der großen religiösen Persönlichkeiten des 20. Jh. erworben, deren moralische und geistige Autorität weit über die Grenzen der eigenen Religionsgemeinschaft ausstrahlte. Die kath. Kirche leitete im Juni 2005 das Seligsprechungsverfahren für Johannes Paul II. ein.

Johannes Scotus Eriugena, Johannes Scotus Erigena, irischer Theologe und Philosoph, * in Irland (Scotia maior) 1. Viertel des 9. Jh., † um 877; wirkte um 850 im Reichsteil Karls des Kahlen im Umfeld der Hof- und Kathedralschule von Laon, war Lehrer der freien Künste, Kommentator und Übersetzer von Schriften des Dionysius Areopagita, des Kirchenvaters Maximus Confessor und des Gregor von Nyssa.

Johannes' Hauptwerk »De divisione naturae« (»Über die Einteilung der Natur«) ist ein systematischer Gesamtentwurf, in dem christliche Elemente mit neuplatonischen und irisch-keltischen verbunden werden. Es will darstellen, wie alles Sein sich entfaltet: Aus Gott, der Allursache (natura quae creat et non creatur), gehen emanativ die ewigen Ideen hervor (natura quae et creatur et creat), in denen Gott sich und damit die Welt denkt und die ihrerseits als Urbilder für die sinnlich wahrnehmbare Welt fungieren (natura quae creatur et non creat). Ziel dieses Weltprozesses bildet die Rückkehr der gesamten Schöpfung zum göttlichen Ursprung (natura quae nec creat nec creatur). Bemerkenswert sind der dynamische Gottesbegriff, der eine Entwicklung in Gott nicht ausschließt, die positive Einschätzung von Materie, Mensch und Welt sowie die Thematisierung des Problems von Raum und Zeit. Methodisch bedeutsam ist die konsequente Anwendung der Logik. Des Monismus verdächtigt, wurde »De divisione naturae« 1210 und 1225 kirchlich verurteilt.

Johannes vom Kreuz, Juan de la Cruz [ˈxu̯an ðe laˈkruθ], eigtl. **Juan de Yepes [y] Álvarez,** spanischer Mystiker, Kirchenlehrer und Dichter, * Fontiveros (Provinz Ávila) 24. 6. 1542, † Úbeda 14. 12. 1591; trat 1563 in den Karmeliterorden ein und schloss sich unter dem Einfluss Theresias von Ávila der strengen Richtung des Ordens an (»Unbeschuhte Karmeliten«). Sein Lebensweg war bestimmt von den heftigen internen Auseinandersetzungen um die Zukunft des Karmeliterordens. Seine zahlreichen Schriften, die in der Tradition der abendländischen Mystik stehen, aber auch arabische Einflüsse erkennen lassen, sind geprägt

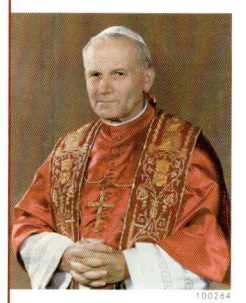

Johannes Paul II.

Johannes Paul II.
→ GEO **Dossier**
Glaube, Liebe, Hoffnung?, Bd. 15

von seinen Leiden (mehrmalige Gefangennahme durch Gegner innerhalb des Ordens, Folterung, Flucht). Ihre Hauptthematik bilden die Gotteserfahrung und die Erfahrung der Gottverlassenheit, die »dunkle Nacht der Seele«, die, nachdem man sie durchstanden hat, schließlich zur mystischen Vereinigung mit Gott führt. – Heiliger (Tag: 14. 12.).

Johannes von Damaskus, Johannes Damascenus, griechischer Theologe und Kirchenlehrer, * Damaskus zwischen 650 und 670, † im Kloster Mar Saba (bei Jerusalem) vor 754; wurde um 700 Mönch und Presbyter. Während des so genannten Bilderstreits in den Ostkirchen verteidigte er die Bilderverehrung und schuf die theologische Basis für den sie betreffenden Entscheid des 2. Konzils von Nicäa (787). Johannes ist Verfasser von dogmatischen, antihäretischen, asketischen, exegetischen und hagiografischen Schriften sowie wahrscheinlich Autor der Legende »Barlaam und Josaphat« aus dem 6. Jahrhundert. Er gilt außerdem als der bedeutendste Dichter (Melode) von liturgischen Hymnen, so genannten Kanones. Von großer Bedeutung ist sein Werk »Quelle der Erkenntnis«, eine grundlegende systematische Darlegung der Glaubenslehre der orth. Kirche unter Berücksichtigung der Kirchenväter und -lehrer. – Heiliger (Tag: 4. 12.).

Johannes XXIII., Papst (1958–63), früher **Angelo Giuseppe Roncalli,** * Sotto il Monte (bei Bergamo) 25. 11. 1881, † Rom 3. 6. 1963; war seit 1925 im päpstlichen Auftrag in Bulgarien, Griechenland und in der Türkei tätig, 1944–53 Nuntius in Paris, ab 1952 ständiger Beobachter des Heiligen Stuhls bei der UNESCO und 1953–58 Patriarch von Venedig. Am 28. 10. 1958 wurde er zum Papst gewählt. Seine historisch bedeutungsvollste Tat war die Ankündigung (25. 1. 1959) und Eröffnung (11. 10. 1962) des 2. Vatikanischen Konzils. Gegen vielfache Widerstände war sein Pontifikat geprägt von einem Geist der Offenheit und Erneuerung (»Aggiornamento«), dem Bemühen um eine zeitgerechte Verkündigung des Evangeliums und einem neuen Verständnis des Papstamtes: Durch sein kollegiales Verhalten stärkte er die Rolle der Bischöfe. Er entwickelte ökumenische Beziehungen zu anderen christlichen Kirchen (zusammen mit Kardinal Augustin Bea) und nahm Kontakte zu Vertretern östlicher Staaten auf. Weltweite Beachtung fanden seine Sozialenzyklika »Mater et Magistra« (15. 5. 1961) und die Enzyklika »Pacem in terris« (11. 4. 1963) über die Grundlagen eines friedlichen Zusammenlebens der Völker. – Am 3. 9. 2000 wurde Johannes XXIII. seliggesprochen.

Jom Kippur [hebr.], **Versöhnungstag,** einer der höchsten jüdischen Feiertage und letzter der mit dem Neujahrstag →Rosch ha-Schanah einsetzenden zehn Bußtage. Ursprünglich war er mit einem kultischen Versöhnungsritual im Tempel verbunden (3. Mos. 16), durch das die Sünden der Israeliten gesühnt werden sollten: Nach dem Sündenbekenntnis und einem Schlachtopfer im Tempel wurden die Sünden symbolisch auf einen Bock (»Sündenbock«) übertragen und dieser in die Wüste getrieben. Seit der Zerstörung des Tempels wird der Jom Kippur als strenger Fast- und Bußtag begangen. Zum synagogalen Gottesdienst gehören →Kol nidre, Sündenbekenntnis, fünfmaliges Beten des Achtzehn-Bitten-Gebets (→Schemone Esre) und zum Abschluss das Blasen des →Schofar.

Jona, Jonas, israelitischer Prophet, der im 8. Jh. v. Chr. König Jerobeam II. die Ausbreitung seines Reiches ankündigte (2. Kön. 14, 25). Er wird mit der Hauptperson des Buches Jona identifiziert.

Das **Buch Jona** gehört zum →Zwölfprophetenbuch und entstand zwischen 400 und 200 v. Chr. Es enthält zwei novellistisch miteinander vereinigte Prophetenlegenden: 1) Jona entzieht sich Jahwes Auftrag, Ninive zur Buße zu rufen, durch die Flucht. Er wird zur Stillung eines seinetwegen entfesselten Sturmes von den Schiffern ins Meer geworfen, von einem großen Fisch verschluckt und von diesem an Land gespien. 2) Jona geht nach Ninive, wo die Bevölkerung seinem Bußruf wider Erwarten Folge leistet.

Jörd, altnordische Mythologie: ursprünglich wohl eine bisweilen auch als Riesin aufgefasste Erdgöttin und Personifikation der »Mutter Erde«, aus der auch die Götter hervorgegangen sind. In der Liederedda erscheint sie dann lediglich als Tochter und Gattin Odins und als Mutter von Thor. Nach der Prosaedda stammen die ersten Götter (Odin, Vili und Vé) alle von einer (Erd-)Riesin ab, die hier jedoch den Namen »Bestla« trägt.

Josel von Rosheim, Josef ben Gerschon Loans, Fürsprecher der deutschen Juden während der Reformationszeit, * Mittelbergheim (Elsass) um 1480, † Rosheim im März 1554. 1509/10 von der unterelsässischen Landjudenschaft zu ihrem »Vorsteher und Leiter« gewählt, gelang es ihm, diese im Bauernkrieg 1525 durch sein Verhandlungsgeschick vor Übergriffen des Bauernheeres zu bewahren. Seit 1530 »Befehlshaber und Regierer der gemeinen Judenheit im Reich«, erwirkte er die Durchsetzung einer Judenordnung auf dem Reichstag zu Augsburg (1530). 1544 erlangte er im so genannten Speyerer Privileg weitgehende Rechtssicherheit für die deutschen Juden.

Joseph [hebr., eigtl. »Er (Gott) möge (die Kinder Jakobs) vermehren«], biblischer Patriarch, Sohn Jakobs und der Rahel (1. Mos. 30, 24) und Hauptgestalt der biblischen Josephsgeschichte (1. Mos. 37–50). In ihr wird erzählt, dass Joseph, von seinen Brüdern an ismaelitische Händler verkauft oder von midianitischen Händlern mitgenommen, als Sklave in das Haus Potiphars, eines hohen ägyptischen

---

Johannes XXIII.
* 1881, † 1963

- wurde erst mit fast 77 Jahren zum Papst gewählt
- gilt als größter Erneuerer auf dem Heiligen Stuhl der Neuzeit
- setzte sich für die Ökumene ein
- berief das 2. Vatikanische Konzil ein und eröffnete es 1962

Joseph
→ GEO Dossier
Wer war Jesus?, Bd. 15

Staatsbeamten, kam und dort zum Verwalter aufstieg. Unter dem Verdacht des Ehebruchs mit der Frau Potiphars wurde er eingekerkert und betätigte sich im Gefängnis als Traumdeuter. Dem Pharao deutete er dessen Träume von sieben fetten und sieben mageren Kühen, sieben dicken und sieben dünnen Ähren auf je sieben bevorstehende fruchtbare und unfruchtbare Jahre. Joseph wurde zum Wesir ernannt, sorgte durch Errichtung von königlichen Vorratshäusern für Nahrung in den Hungerjahren und verstärkte dadurch die Abhängigkeit der Großgrundbesitzer von der Krone. Seinem Vater und seinen elf Brüdern räumte er das Land Gosen als Aufenthaltsort ein. Jakob gewährte Josephs Söhnen Manasse und Ephraim gleiches Erbrecht wie seinen eigenen Söhnen.

Die aus verschiedenen Quellen kunstvoll komponierte Josephsgeschichte stammt aus der Königszeit. Obwohl Joseph als legendärer Ahnherr des israelitischen Stammes Joseph und seiner Untergruppen Manasse und Ephraim gilt, ist ein geschichtlicher und stammesgeschichtlicher Hintergrund der Erzählung unwahrscheinlich. Literarisch handelt es sich um eine weisheitlich geprägte Führungs- und Beispielgeschichte, in der Jahwe den exemplarischen Weisen durch Anfechtung und Leid aus kleinen Verhältnissen zu Macht, Reichtum und Ehre führt.

Joseph, der Mann Marias, der Mutter Jesu. In den Kindheitsgeschichten erscheint er als Nachfahre Davids und aufgrund der Jungfrauengeburt nur als Pflegevater Jesu. An anderen Stellen des N. T. gilt er als sein natürlicher Vater (Joh. 1,45; 6,42). Zweimal wird der Vater Jesu ohne Namen, nur als »der Zimmermann« eingeführt (Mt. 13,55; Mk. 6,3, mit unsicherem Text). Nach Mt. 2,1.22–23 wohnte Joseph in Bethlehem und zog erst nach Nazareth, um Jesus zu schützen. Nach der älteren Auffassung gehört Jesu Familie nach Nazareth und ist Jesus dort geboren.

Die kirchliche Verehrung von Joseph ist im Orient seit dem 7. Jh., im Abendland seit dem 9. Jh. nachweisbar. – Heiliger Tag: 19. 3. (als Patron der Arbeiter seit 1955 auch am 1. 5. verehrt).

Josephus Flavius, eigtl. **Joseph ben Mathitjahu,** jüdischer Geschichtsschreiber, *Jerusalem 37/38 n.Chr., †Rom um 100; schloss sich nach anfänglicher Gegnerschaft im jüdischen Krieg dem Flavier Vespasian an und erwarb dessen Gunst durch Prophezeiung der Kaiserkrone (69 n.Chr.), woher auch sein Beiname stammt. Ein Jahr später ging er mit Titus nach Rom und beschrieb dort zunächst in sieben Büchern den jüdischen Krieg bis zum Fall der Feste Masada (»Bellum Judaicum«), dann in 20 Büchern die jüdische Geschichte von der Urzeit bis 66 n.Chr. (»Antiquitates Judaicae«). Seine Werke wurden v.a. in christlichen Kreisen tradiert. Umstritten ist seine Erwähnung Jesu, die wahrscheinlich eine frühe Interpolation ist.

Joseph von Arimathaia, Joseph von Arimathia, Mitglied des jüdischen Hohen Rates zur Zeit Jesu, der dort dem Todesbeschluss nicht zustimmte (Lk. 23,50 f.). Er setzte den Leichnam Jesu in einem Felsengrab bei, das er für sich selbst bestimmt hatte (Mt. 27,57–60). – Heiliger (Tag: 17. 3.).

Josua [hebr. eigtl. »Jahwe ist Hilfe«], **Jehoschua,** in der Vulgata **Iosua,** nach 5. Mos. 31,14.23 der Nachfolger des Mose und Anführer der israelitischen Stämme bei der Landnahme in Palästina. Der historische Josua war ein ephraimitischer Kriegsheld, der im 12. Jh. v.Chr. bei der Landnahme der mittelpalästinensischen Stämme seinen Ruf begründete, sodass er nachträglich als Führer von ganz Israel erscheint.

Das **Buch Josua** ist Teil des Deuteronomiums und beschreibt die Eroberung des Westjordanlandes und die Verteilung Palästinas an die Stämme Israels. Die sich geschichtlich über mehrere Jahrhunderte erstreckende, sowohl kriegerische wie friedliche Abschnitte einschließende Landnahme Israels wird dabei in schematisierender Darstellung (unhistorisch) als Abfolge kriegerischer Eroberungen dargestellt. Der Erzählungsteil des Buches (2–11) wurde erst am Ende der Königszeit aus Einzelgeschichten zusammengestellt. Kapitel 6 schildert die Eroberung Jerichos. Die Grenzbeschreibungen und Ortslisten (13–21) stammen aus verschiedenen Perioden der Geschichte Israels bis zur Zeit des Königs Josia (7. Jh. v.Chr.).

Jötun, *altnordische Mythologie:* allgemeine Bezeichnung für die Riesen (neben den eher abwertenden Bezeichnungen »Thurs« und »Troll«). Ihr Reich Jötunheim lag nach Darstellungen in der Edda östlich der bewohnten Welt (Midgard), wurde in der späteren Prosaliteratur jedoch nach Norden verlegt.

Juan Diego Cuauhtlatoatzin [ˈxu̯an -], mexikanischer Heiliger, Indio, *Cuauhtlithan bei Tenochtitlán (seit 1521 Mexiko) um 1474,

Jom Kippur. Verbunden mit dem höchsten jüdischen Fest Jom Kippur ist der Brauch des Kapparot. Dabei schwingt man ein Huhn über dem Kopf, auf das symbolisch die Sünden des vergangenen Jahres übertragen werden (hier ein ultraorthodoxer Jude im Jerusalemer Vorort Mea Shearim).

Jubeljahr

† in seiner Klause auf dem Berg Tepeyac (heute Guadalupe Hidalgo) 31.5.1548; entstammte einer aztekischen Familie und erhielt bei seiner Taufe durch die ersten Franziskanermissionare in Mexiko (1524) den Namen Juan Diego. 1531 erlebte er auf dem Berg Tepeyac mehrere Marienvisionen und erhielt nach der kirchlichen Überlieferung von Maria ein Gnadenbild, das er in ihrem Auftrag dem Bischof von Neuspanien Juan de Zumarraga (*1476, †1548) überbrachte, der am Erscheinungsort eine Kapelle errichten ließ und damit den heute über Mexiko hinaus für ganz Lateinamerika bedeutenden Wallfahrtsort Guadalupe Hidalgo begründete. – 1990 wurde Juan Diego Cuauhtlatoatzin selig-, 2002 (als erster Indio in der Kirchengeschichte) heiliggesprochen.

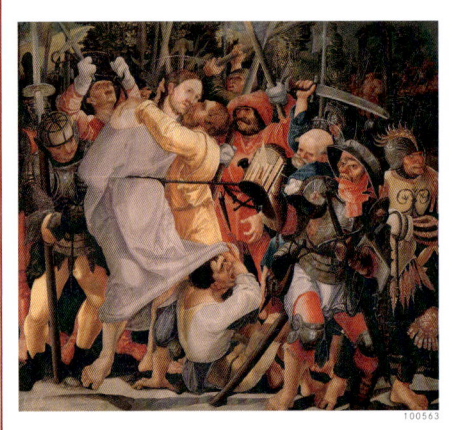

Judas. Der Judaskuss ist längst sprichwörtlich geworden. Der Kuss zur Begüßung war das verabredete Zeichen, mit dem der Jünger Judas Jesus für 30 Silberlinge an die römischen Soldaten verriet (»Gefangennahme Christi«, Altarbild von Wolf Huber, um 1530).

Jubeljahr, →heiliges Jahr, →Jobeljahr.

Jubiläenbuch, Kleine Genesis, Leptogenesis, pseudepigrafische (apokryphe) Schrift des A.T., die in äthiopischer Übersetzung vollständig erhalten ist und fragmentarisch im hebräischen Original. Das Jubiläenbuch ist eine Bearbeitung von 1. Mos. (Genesis) und 2. Mos. 1–12. Die behandelte Zeit wird nach Jubiläen, Zeiträumen von 49 Jahren (→Jobeljahr), periodisiert. Das Jubiläenbuch dürfte im 1. Jh. v. Chr. in essenischen Kreisen entstanden sein. Fragmente wurden in Qumran gefunden.

Juda, biblischer Patriarch; nach 1. Mos. 29,35 der vierte Sohn des Jakob und der Lea, der in der jüdischen Tradition als Ahnherr des gleichnamigen israelitischen Stammes gilt.

Juda, israelitischer Stamm, der sich nach der Einwanderung in Palästina zwischen Bethlehem und Hebron auf dem »Gebirge Juda« und im westlich vorgelagerten Hügelland (Judäa) angesiedelt hatte. Zu geschichtlicher Bedeutung kam der Stamm durch die Wahl Davids zum König (2. Sam. 2,1–11). Nach der Reichsteilung unter Salomos Sohn Rehabeam (926 v. Chr.) behauptete das Reich, inzwischen um Teile des Südlandes (Negev) erweitert, als Südreich Juda seine Selbstständigkeit als eigener Staat. Als das Nordreich →Israel 722 v. Chr. assyrische Provinz wurde, ruhte die nationale Entwicklung auf dem der davidischen Dynastie treu gebliebenen Juda, das sein Territorium im 7. Jh. unter Josia nach Norden um den Stamm Benjamin vergrößerte. 587 v. Chr. wurde die Eigenstaatlichkeit durch das neubabylonische Großreich beendet. Nach dem Exil bildeten Judäer und Benjaminiten die jüdische Gemeinde unter persischer Oberhoheit, die ihre Benennung »jüdisch« vom Stamm und Staat Juda erhielt.

Juda Halevi, jüdischer Dichter und Philosoph, →Jehuda ben Samuel Hallevi.

Judaisierende, allgemeine Bezeichnung für Christen, die – häufig aus kirchenkritischen Motiven – verstärkt auf jüdische oder alttestamentliche Vorstellungen und Gebräuche zurückgriffen; im engeren Sinn Anhänger einer Bewegung, die im 15. Jh. in der Ukraine und in Weißrussland entstand und – von humanistischen, antitrinitarischen und hussitischen Einflüssen bestimmt – die liturgisch-hierarchischen Züge der russisch-orth. Kirche ablehnte.

Judas, Judas Ischariot, Judas Iskarioth, einer der zwölf Jünger (»Apostel«) Jesu (Mk. 3, 19). Der Beiname wird verschieden gedeutet: Angehöriger der Sikarier, einer militanten antirömischen Sekte, oder wahrscheinlicher »Mann aus Karioth« (in Süd-Judäa). Aus historisch nicht geklärten Gründen verriet er Jesus an die jüdische Behörde und erhängte sich (Mt. 27, 3–5), als er die Folgen seiner Tat erkannte. Über sein Ende, das schon früh legendarisch ausgeschmückt wurde, berichten außerdem Apg. 1, 15–20 und Papias (*um 64, † nach 130) in seinem fragmentarisch erhaltenen Werk »Logion kyriakon exegeseis«.

Judas, Judas Makkabi, Judas Makkabäus [hebr. »der Hammerartige«], Sohn des Priesters Mattathias aus dem Geschlecht der Hasmonäer, der nach dem Tod seines Vaters den Befreiungskampf der Juden gegen die hellenistische jüdische Adelspartei und deren Protektoren, den Seleukidenherrscher Antiochos IV. Epiphanes und seinen Nachfolger, leitete. Er schlug die seleukidischen Truppen, nahm 164 v. Chr. den Jerusalemer Tempel ein und weihte ihn neu. Seither feiern die Juden das Fest →Chanukka. Der Statthalter des Königs Demetrios I. Soter, Bakchides, schlug den Aufstand endgültig nieder und tötete Judas Makkabi 161 v. Chr. bei Elasa. Der Bericht über seine Taten im 1. Buch der Makkabäer ist im Ganzen geschichtlich. Das 2. Buch der Makkabäer ist eine Zusammenfassung aus dem Geschichtswerk des Iason von Kyrene (*um 150, † um 100 v. Chr.), der vielleicht noch aus eigenem Erleben in Palästina die Taten des Judas Makkabi schilderte. (→Makkabäer)

Judasbrief, Abk. **Jud.,** einer der →Katholischen Briefe. Verfasser ist nach Jud. 1 Judas,

Knecht Jesu Christi, Bruder des Jakobus. An »die Berufenen« gerichtet, »die in Gott dem Vater geliebt und für Jesus Christus bewahrt sind« (Judenchristen?), warnt der Verfasser vor Irrlehrern, Spöttern und Lästerern Jesu Christi, die an den christlichen Liebesmahlen teilnahmen (Jud. 12). Der Judasbrief könnte im 1. Jh. (?) verfasst worden sein und ist inhaltlich mit dem 2. Petrusbrief verwandt.

Juden, zunächst Bezeichnung der Angehörigen des Stammes Juda, nach dem Babylonischen Exil (587–538 v. Chr.) des Volkes Israel insgesamt; heute die Angehörigen der jüdischen Gemeinschaft in aller Welt (→Judentum).

Judenbad, rituelle jüdische Reinigungsstätte, →Mikwe.

Judenchristen, Christen, die sich unter Bewahrung ihrer jüdischen geschichtlichen und religiösen Identität zu Jesus Christus als dem Messias bekennen. Mit der in der christlichen Kirchengeschichtsschreibung entstandenen Bezeichnung »Judenchristen« werden dort bis heute die Christen jüdischer Herkunft in der Urkirche bezeichnet, die an den Vorschriften des jüdischen Zeremonialgesetzes wie Beschneidung, Sabbatheiligung, Speisegebote, Tempelbesuch u. a. festhielten. Gegenüber den Christen nicht jüdischer Herkunft (Heidenchristen) prägten sie zunächst die entstehenden christlichen Gemeinden. Ihr Denken, und damit auch ihr nicht spannungsfreies Verhältnis zu den Heidenchristen, spiegelt sich in den Schriften des N. T., und zwar besonders in der Apostelgeschichte und in den Paulusbriefen sowie in den »Pseudoklementinen« und in mehreren apokryphen Evangelien wider. Seitens des Judentums wurden die Judenchristen Ende des 1. Jh. aus der jüdischen Synagogengemeinschaft ausgeschlossen.

Die christusgläubigen Juden, die ihre religiöse Selbstständigkeit bewahrt haben, bezeichnen sich heute selbst als **messianische Juden.** Seit dem 19. Jh. gründeten sie eigene Gemeinschaften. Die ab der zweiten Hälfte des Jahrhunderts in verschiedenen Ländern entstandenen nationalen judenchristlichen »Allianzen« (erstmals 1866 in England) schlossen sich 1925 zur Internationalen Judenchristlichen Allianz (»International Hebrew Christian Alliance«) zusammen, die 1990 in »Internationale Messianisch-Jüdische Allianz« (»International Messianic-Jewish Alliance«) umbenannt wurde. Nationale messianisch-jüdische Allianzen bestehen in 15 Ländern (1996). Die Zahl der messianischen Juden, die sich in eigenen Gemeinden und Hauskreisen versammeln, wird weltweit auf etwa 140 000 geschätzt; davon etwa 80 000 in den USA und 4 000 in Israel.

Die traditionellen jüdischen Feste werden als von Gott eingesetzte Feste gefeiert, wobei Bezug auf die Heilsgeschichte Jesu Christi genommen wird. Die wöchentliche Gottesdienstfeier findet am Sabbat statt. Glaubenssymbol in den Gottesdiensträumen ist in der Regel die Menora anstelle des Kreuzes, das im jüdischen Bewusstsein – für messianische Juden als äußeres (nicht als theologisches) Symbol – untrennbar mit der geschichtlichen Judenverfolgung verbunden ist. Über die Verbindlichkeit der Einzelvorschriften des jüdischen Gesetzes gibt es unterschiedliche Auffassungen.

Judenkäppchen, umgangssprachlich für →Kippa.

Judenstern, im Nationalsozialismus Bezeichnung für den →Davidstern.

Judentum, Bezeichnung für die Religion des »Volkes Israel« sowie für die Gesamtheit derer, die ihr als ethnische und religiöse Gemeinschaft angehören. Der jüdische Glaube ist die älteste monotheistische Religion und Mutterreligion von Christentum und Islam.

■ **Begriffsgeschichte** In der Bibel werden mit dem hebräischen Wort »jehudi« ursprünglich die Bewohner des Reiches Juda (z. B. 2. Kön. 16, 6; Jer. 32, 12) oder der Provinz Judäa (z. B. Est.) bezeichnet. Aufgrund der führenden Stellung Judäas nach dem Babylonischen Exil wurde **Jude** zur allgemeinen Bezeichnung für die Angehörigen Israels, Selbstbezeichnung blieb jedoch Israel und Israelit (so etwa in den biblischen Büchern Tob., Jdt., Sir.). Der Begriff »Jude« war zunächst nur bei Nichtjuden üblich und wurde erst in der Diaspora in Anpassung an den herrschenden Sprachgebrauch auch zur jüdischen Selbstbezeichnung. In der Diaspora kam zudem der Name »Hebräer« auf – allgemein als archaisierender Ehrenname der Juden, im engeren Sinn als Bezeichnung für die Aramäisch sprechenden Juden Palästinas im Gegensatz zu den Diasporajuden.

Nach rabbinischer Tradition ist Jude, wer von einer jüdischen Mutter abstammt oder nach orth. Norm (»rite«) zur jüdischen Religion übergetreten ist. Die Verbindung von

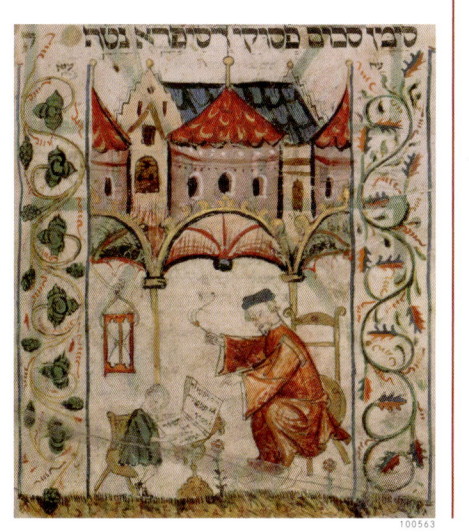

Juden
→ GEO Dossier
Wer war Jesus?, Bd. 15

Juden
→ GEO Dossier
Das heilige Herz des Zorns, Bd. 16

Judentum
→ GEO Dossier
Wer war Jesus?, Bd. 15

Judentum. Die Thora ist nicht nur Weisung für das gesamte jüdische Volk, sondern auch Textgrundlage für alle Einzelbelehrungen im jüdischen Leben, etwa der Kinder durch ihre Eltern oder »der Toren durch die Weisen«, wie es heißt. Sehr früh gab es daher bereits Thoraschulen, in denen die Wissbegierigen mit der Heiligen Schrift vertraut gemacht wurden (jüdische Buchmalerei, Frankreich, 14. Jh.; London, British Library).

Judentum

Volkszugehörigkeit und Religion ist seit der Aufklärung nicht mehr unumstritten. Während sich bis heute liberalere Richtungen des Judentums allein als Religionsgemeinschaft verstehen, wurde v. a. in manchen zionistischen Kreisen der nationale Aspekt in den Vordergrund gestellt. Selbstverständnis der Juden und religiös-kulturelle Entwicklung des Judentums sind geprägt von der durch die Diaspora bedingten ständigen Existenz als Minderheit. Die dadurch notwendige Auseinandersetzung mit der nicht jüdischen Umwelt (als Abgrenzung oder Assimilation) brachte unterschiedliche Ausformungen des Judentums mit jeweils besonderen sprachlichen, kulturellen und liturgischen Merkmalen hervor: Im Mittelalter bildete sich die heute noch bestehende Teilung in **orientalisches Judentum**, **aschkenasisches Judentum** (→Aschkenas) und **sefardisches Judentum** (→Sefarad) heraus. Eine Sonderstellung nehmen die isolierten jüdischen Gemeinschaften im Jemen, in Indien (→Beni Israel), China und Äthiopien (→Falascha) ein. Im 19. Jh. kam es in Europa (sekundär auch in Zielländern europäisch-jüdischer Auswanderung) aufgrund der unterschiedlichen Haltungen gegenüber Emanzipation und Aufklärung zum Gegensatz zwischen **Westjudentum** und **Ostjudentum**, wobei sich das im Westen dominierende liberale **Reformjudentum** und das **konservative Judentum** im Sinne der Aufklärung für eine weitgehende Assimilation öffneten, während die in Osteuropa vorherrschende Orthodoxie an traditionellen Orientierungen und strikter Thorafrömmigkeit festhielt.

■ **Verbreitung** Die komplizierte Diasporageschichte des Judentums brachte trotz Betonung gemeinsamer Abstammung und religiös-sozialer Isolation ethnisch große regionale Unterschiede mit wechselnden Schwerpunkten. Zunächst dominierten Palästina, Ägypten, Babylonien, im Hochmittelalter dann Babylonien, Nordafrika, Spanien und Südfrankreich, im Spätmittelalter und in der Neuzeit schließlich Osteuropa. Im 19. Jh. setzten aufgrund russischer Pogrome ab 1882 eine starke Westwanderung aus Osteuropa in die USA und eine schwächere Palästinasiedlungsbewegung ein. Unter der nationalsozialistischen Herrschaft (1933–45) wurden rund sechs Millionen Juden ermordet. Nur wenigen gelang die Emigration in unbesetzte europäische Staaten, nach Übersee oder Palästina. Nach der Gründung des Staates Israel (1948) wanderten viele Juden aus Osteuropa und die meisten Juden aus den arabischen Ländern nach Israel aus, daneben v. a. in die USA. Von den heute weltweit rund 14,4 Millionen Juden leben rund 6,4 Millionen in Nordamerika (davon rund 6 Millionen in den USA), rund 4,7 Millionen in Israel, rund 1,2 Millionen in den Ländern der EU (besonders in Frankreich und in Großbritannien) und etwa eine knappe Million in der Gemeinschaft Unabhängiger Staaten (besonders in Russland und in der Ukraine). Die jüdischen Gemeinden in Deutschland zählen rund 100 000 Mitglieder.

■ **Grundlehren** Das Judentum kennt keine formale dogmatische Normierung seines Glaubensgutes, besitzt jedoch normative Glaubenslehren. Grundlegend und unverzichtbar ist die Vorstellung von der Einheit und Einzigkeit Gottes, der die Welt seinen Willen durch die Offenbarung am Sinai kundgetan hat. Die Welt ist Schöpfung Gottes, ihr Sinn ist die Verwirklichung des Guten. Der Mensch steht Gott ohne Mittler gegenüber. Er besitzt die Freiheit, das Gute, d. h. den Willen Gottes, zu tun oder sich von ihm abzuwenden und zu sündigen. Durch bußfertige Umkehr vermag der Mensch sich der Verfallenheit an die Welt zu entziehen. Seine Aufgabe ist es, das gesamte Leben zu heiligen, sodass kein Unterschied zwischen religiösem und weltlichem Bereich besteht. Die Verwirklichung des »Reiches Gottes« bedeutet das Kommen des Messias, der messianischen Zeit und die Errichtung eines allumfassenden Friedensreiches. Das traditionelle Judentum glaubt an eine jenseitige Vergeltung der guten und bösen Taten und an die Auferstehung der Toten. Wichtig ist jedoch die Bewährung im Diesseits. Glauben und Vertrauen genügen nicht, entscheidend für jüdische Frömmigkeit ist das Tun, der Gehorsam gegenüber dem göttlichen Gebot. Oberster ethischer Wert ist die Gerechtigkeit. Die sittlichen Pflichten sind in der →Thora, in der Verkündigung der Propheten und in der Auslegung der Tradition festgelegt.

Im Laufe der jüdischen Geschichte hat es eine Reihe von Systematisierungsversuchen gegeben. Philon von Alexandria legte die Thora im 1. Jh. v. Chr. mittels platonischer und stoischer Gedanken aus. In der spätantiken rabbinischen Literatur begegnen listenartige Aufzählungen irriger Glaubensüberzeugungen. Moses Maimonides suchte im Mittelalter die Polarität Vernunft–Offenbarung mithilfe der aristotelischen Philosophie zu lösen. Er verfasste ein aus 13 Artikeln bestehendes »Glaubensbekenntnis«. Samson Raphael Hirsch schuf im 19. Jh. das System, das bis heute im konservativen Judentum fortlebt: Der absolute Gehorsam gegenüber dem offenbarten Gesetz bewirkte das Aufgehen der Völker in Israel. Das liberale Judentum stellt die jüdische Religion v. a. als ethischen Monotheismus dar, indem es sich an (aus der christlichen Dogmatik bekannten) Begriffen wie Liebe Gottes, Sünde, Gnade, Gerechtigkeit orientiert. Martin Buber sieht die Geschichte als Dialog zwischen Gott und Kreatur. Der amerikanische jüdische Theologe Richard Lowell Rubenstein (*1924) geht von der Erfahrung der Abwesenheit Gottes aus und interpretiert Bibel und Tradition anhand existenzialer und psychoanalytischer Kategorien. Die Gründung des Staates Israel nötigte zu ei-

Rechte Seite: Luftaufnahme von Jerusalem mit dem Tempelberg

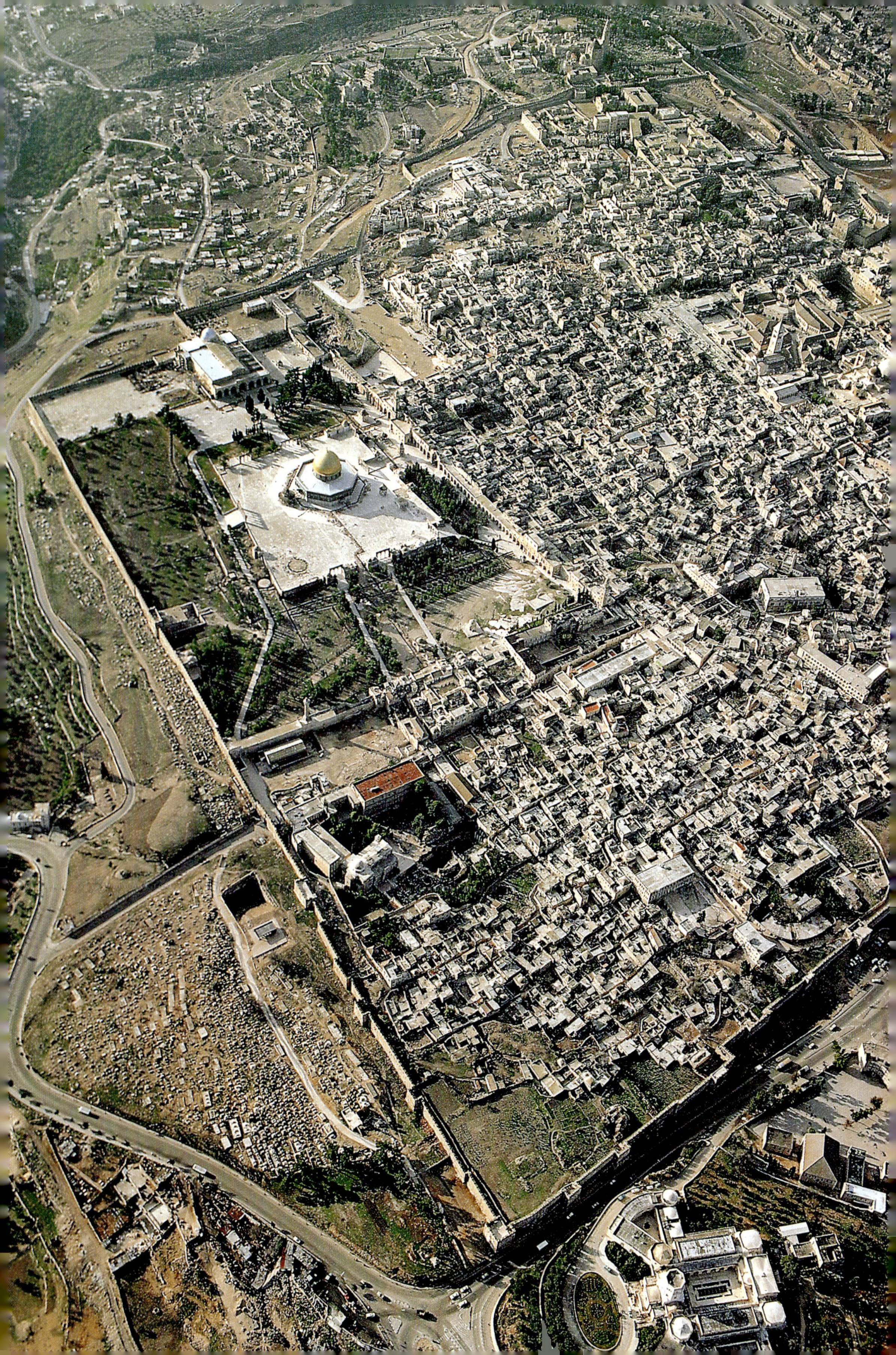

Judentum

ner Neubesinnung auf das Verhältnis der Juden zum »Gelobten Land«. Der von Mordecai Menahem Kaplan vertretene Rekonstruktionismus lehrt, dass das Judentum zwei Pole besitzt, die ihm beide unentbehrlich sind, Israel und die Diaspora. Letztere ermöglicht ihm, durch kulturellen Austausch mit anderen Völkern die Tradition lebendig zu erhalten.

■ **Religiöses Leben** Das religiöse Leben bestimmen die in der Thora enthaltenen oder daraus abgeleiteten Gebote, von denen die →Beschneidung und die Heiligung des →Sabbats grundlegend sind. Von den humanitären Geboten heben sich die Reinheitsvorschriften und Speisegebote ab. Als rituell unrein gelten die Berührung mit Blut und Körperausscheidungen sowie Gebrechen und Hautkrankheiten. Die Reinigung geschieht durch »lebendiges«, nicht geschöpftes Wasser. Die Speisegebote verbieten u. a. den Verzehr von Schweinefleisch, jeglichen Blutgenuss (daher ist das →Schächten als Schlachtmethode erforderlich) sowie die Aufbewahrung und Verarbeitung von »Milchigem« zusammen mit »Fleischigem«.

Vom Reformjudentum werden die Reinheits- und Speisegebote heute nicht mehr streng befolgt. Im Staat Israel sind sie für öffentliche Einrichtungen jedoch verbindlich. Soweit das religiöse Leben an ein Datum geknüpft ist, wird es durch den lunisolaren jüdischen →Kalender geregelt. Ort gottesdienstlichen Handelns sind häuslicher Kreis und Synagoge. Im Mittelpunkt des synagogalen Gottesdienstes steht die Lesung der Thora im jährlichen (im Reformjudentum: dreijährigen) Zyklus, die durch eine Prophetenlesung ergänzt wird. Predigt in der Landessprache ist heute üblich. Die ältesten und wichtigsten Gebete sind das →Schema (Höre Israel) und das →Schemone Esre (Achtzehngebet). Beim Gebet trägt der orth. Jude Gebetsriemen (→Tefillin) und Gebetsmantel (→Tallit) sowie eine Kopfbedeckung (→Kippa). Zu einem orth. Gottesdienst sind zehn religionsgesetzlich volljährige männliche Gemeindemitglieder nötig. Religionsgesetzlich volljährig und damit gebotspflichtig wird ein Knabe mit dem vollendeten 13. Lebensjahr (→Bar-Mizwa). Grundsätzlich kann jedes männliche Gemeindemitglied alle Kulthandlungen übernehmen. Dem Rabbiner (hebräisch rabbî »mein Meister«) sind keine besonderen Funktionen im Gottesdienst vorbehalten. Seine vornehmste Aufgabe ist es, religionsgesetzliche Fragen zu entscheiden. Träger des religiösen Lebens ist die Gesamtheit der Gemeinde. Da es keine autoritative oberste Instanz gibt, ist jede Gemeinde in der Gestaltung ihres religiösen Lebens selbstständig. Zu ihren Obliegenheiten gehören der Gottesdienst in der Synagoge, Religionsunterricht, Sozialfürsorge sowie die Sorge dafür, dass denjenigen, die die Speisegesetze halten wollen, hierzu die Möglichkeit gegeben wird. Orth. Gemeinden unterhalten das rituelle Bad (→Mikwe) zur Befolgung der Reinheitsgesetze.

Höhepunkte des religiösen Lebens sind die Feste. In ihrem Mittelpunkt steht die Erinnerung an heilsgeschichtlich bedeutsame Ereignisse der jüdischen Vergangenheit: →Passah erinnert an den Auszug aus Ägypten, →Schawuot an die Sinai-Offenbarung, das →Laub-

---

Judentum Das Reformjudentum

Im Gefolge der Aufklärung entwickelte sich v. a. in Deutschland und in den USA das Reformjudentum. Es war von der Überzeugung getragen, dass es erlaubt und geboten sei, den überlieferten Kult zu erneuern und an die lokalen Gegebenheiten anzupassen. Die überlieferten Gebete, die die Rückkehr ins Gelobte Land oder die Wiedereinführung des Tempels und der Tieropfer erbaten, schienen mittlerweile problematisch. Man war bestrebt, stärker auf nationale Eigenheiten einzugehen und etwa die Landessprache im Synagogengottesdienst zuzulassen. Die Synagoge, ursprünglich ein bloßer Versammlungsraum, wurde nach protestantischem Vorbild als Gotteshaus gestaltet. Auch die Rolle der Frau in der Gemeinde sollte aufgewertet werden. Der Innenraum der Synagoge in der Oranienburger Straße in Berlin (Farblithografie, um 1870; Berlin, Berlin-Museum) mit ihrem großen Chorraum spiegelt das reformjüdische Programm wider. Die 1866 eingeweihte, damals größte Synagoge wurde 1938 in der »Reichspogromnacht« in Brand gesetzt und 1943 zerbombt.

Judentum

hüttenfest (eigentlich ein Erntedankfest) an das Wohnen in den Hütten nach dem Aufbruch aus Ägypten, →Chanukka an die Wiedereinweihung des Tempels und das →Purimfest an die Rettung der persischen Juden nach Est. 9, 20–32. →Jom Kippur ist als »Versöhnungstag« Buße und Gebet gewidmet. Der 9. Aw dient der Trauer und dem Gedenken an die Tempelzerstörung. Die Orientierung am Heilshandeln Gottes in der Geschichte bildet die Grundlage jüdischer Theologie und Religiosität. Umgekehrt hat sich die religiös-kulturelle Eigenart des Judentums im Verlauf der Geschichte und in Wechselwirkung mit den jeweiligen sozialen und politischen Gegebenheiten herausgebildet, sodass die politische Geschichte der Juden in Palästina und in der Diaspora sowie ihre religiöse Entwicklung eng miteinander verbunden sind.

Judentum. Die Thora ist die Heilige Schrift des Judentums. Die Schriftrollen werden üblicherweise durch einen Thoramantel oder einen festen Thoraschrein geschützt, in dem sie fest montiert sind (Foto mit einer Szene in Jerusalem).

■ **Frühzeit und Zeit des ersten Tempels**
Nach jüdischer Tradition beginnt die Geschichte Israels mit Jahwes Verheißung von Land und Nachkommenschaft an Abraham (1. Mos. 13, 14–18) und dem zwischen Jahwe und Abraham geschlossenen →Bund (1. Mos. 17, 9 ff.). Die zwölf Söhne Jakobs, des Nachfahren Abrahams, gelten als Stammväter des Gesamtvolkes. Als heilsgeschichtlich wichtigstes Ereignis erscheint der Auszug aus Ägypten (Exodus) unter Führung des Mose mit der Offenbarung am Sinai als Höhepunkt: Gott gibt seinem Volk durch Mose die Thora (das Gesetz) und erneuert den mit Abraham geschlossenen Bund (2. Mos. 34, 10). Die Erfüllung der Thora wurde von da an verstanden als die Verwirklichung der Gottesherrschaft im Leben wie in der Geschichte Israels.

Die Frühgeschichte Israels verlief aber, soweit dies historisch rekonstruierbar ist, komplexer. Aus verschiedenen, aus den benachbarten Wüsten in die westjordanischen Gebirge und das Ostjordanland eingedrungenen semitischen Halbnomadenstämmen entwickelte sich erst allmählich eine nationale Einheit. Die politische Einigung erfolgte mit der Anerkennung Sauls als König. Entscheidend für das religiöse wie auch politische Selbstverständnis Israels wurden dann die Erfahrungen mit dem Königtum Davids und Salomos: Gott als König, Jerusalem als religiöser sowie politischer Mittelpunkt, betont noch durch den Bau des Tempels unter Salomo, die Figur Davids als Idealherrscher auch der Zukunft und der Glaube an Israels Geschichte als maßgeblichen Kern der Weltgeschichte sind Grundvorstellungen aus der Königszeit. Die Teilung des Reiches 926 v. Chr. in das davidische Südreich Juda und das Nordreich Israel, vollends dann der Untergang des Nordreichs förderten die Idealisierung der Vergangenheit und die Ansprüche Judas und Jerusalems auf die Repräsentanz Gesamtisraels. Ihren Höhepunkt fand diese Entwicklung in der Kultreform des Josia (7. Jh. v. Chr.) mit der Konzentration des Kultes auf Jerusalem. Die Tendenz zu einer solchen Einengung »Israels« bei gleichzeitigem Gesamtvertretungsanspruch verstärkte sich nach dem Untergang des Reiches Juda und der Zerstörung des ersten Tempels im Babylonischen Exil (587–538 v. Chr.). Gleichzeitig führten der Verlust des Landes und die Notwendigkeit, Jahwe als einzigen Gott auch außerhalb der nationalen Grenzen zu behaupten, in der Zeit des Exils zur Herausbildung eines expliziten, auch theoretischen →Monotheismus. Der Gott Israels als universal einziger Gott über die Beschränkung auf Israel hinaus findet sich ausdrücklich erstmals im 6. Jh. v. Chr. bei Deuterojesaja (Jes. 40–55).

■ **Zeit des zweiten Tempels** Nach dem Sieg des Perserkönigs Kyros des Großen über die Babylonier (539 v. Chr.) war den Juden seit 538 v. Chr. die Rückkehr aus dem Exil erlaubt. Viele der unter König Nebukadnezar II. Deportierten waren im babylonischen Kernland geblieben. Jene, die nun (v. a. seit 520 v. Chr.) zurückkamen, verstanden sich als Träger der authentischen jüdischen Tradition und bestimmten in der Folgezeit den Charakter des Judentums. Kultischer Mittelpunkt wurde der wieder aufgebaute und 515 v. Chr. vollendete (zweite) Tempel in Jerusalem. Politisch war Judäa zunächst noch der persischen Provinz Samaria zugeordnet. 445 v. Chr. konnte dann der Statthalter Nehemia die Selbstständigkeit Judäas gegenüber Samaria durchsetzen. Gleichzeitig führten Nehemia und der jüdische Gesetzeslehrer Esra eine Reform des Kultes im Sinne der priesterlichen Exilsfrömmigkeit durch, wodurch die Samaritaner auch religiös ausgegrenzt wurden: Mischehen mussten aufgelöst werden, die Absonderung vom »Götzendienst« der Umwelt wurde betont durch die Vorschrift der Sabbatheiligung und der Beschneidung sowie durch zahlreiche rituelle Speise- und Reinheitsgebote. Neben den Tempelgottesdienst trat die im Exil üblich gewordene Zusammenkunft zum gemeinsamen Thorastudium und Gebet. Judäa wurde eine nach der Ordnung der Thora verwaltete Theokratie mit einem Hohepriester und dem Synedrion (Hoher Rat) an der Spitze. Trotz der

Judentum

politischen Abhängigkeit gewährten ihm die Eroberer eine weitgehende innere Autonomie.

Nach günstiger Entwicklung in frühhellenistischer Zeit unter den Ptolemäern und Seleukiden kam es zur Zeit des Seleukidenkönigs Antiochos IV. Epiphanes (175–164 v. Chr.) zu einem schweren Konflikt. Hellenisierende Juden in Jerusalem suchten mit Unterstützung des Königs eine Reform und die Anerkennung Jerusalems als hellenistische Polis durchzusetzen, wogegen eine breite antihellenistische Sammelbewegung Widerstand leistete. Die Krise spitzte sich zu, als Antiochos nach einem Feldzug nach Ägypten einen Teil des Tempelschatzes zur Sanierung der Staatsfinanzen benutzte und zudem von den Juden Jerusalems eine weitere Hellenisierung verlangte. Er stellte die Beachtung der Thora unter Strafe, entweihte den Tempel, indem er dort auch syrisch-hellenistische Kulte zuließ, und forderte von den Juden die Teilnahme an diesem synkretistischen Kult. Für diese bedeutete das Götzendienst. Vor seinem Tod widerrief Antiochos zwar die Religionsedikte, doch die Makkabäer, die führende Familie des Aufstandes, setzten den Kampf fort und erreichten schließlich die innenpolitische Unabhängigkeit Judäas. Eine besondere Rolle spielten dabei die Brüder Judas Makkabi, Jonatan und Simon: 164 v. Chr. eroberte Judas Makkabi Jerusalem und weihte den Tempel neu, Jonatan erreichte die Ernennung zum Hohepriester und Regenten von Judäa, Simon erkämpfte schließlich 141 v. Chr. die Souveränität. Die späten Makkabäer (Hasmonäer) regierten als Hohepriester und Könige. In dieser Periode profilierte sich sowohl in der Rezeption des Hellenismus als auch durch die internen Konflikte der Charakter des Judentums. Dabei kam es zur Ausbildung verschiedener Religionsparteien: die Sadduzäer als Vertreter der priesterlich-aristokratischen Führungsschicht; Gruppen mit apokalyptischen und revolutionären Tendenzen, darunter die Essener und die Gemeinde von Qumran, dann auch die militanten Zeloten und Sikarier; schließlich die gemäßigten Pharisäer, v. a. Laien aus der Mittelschicht mit thoragelehrtem Bildungsideal und mehr realpolitischem Sinn, die von den extremen Gruppen heftig kritisiert wurden.

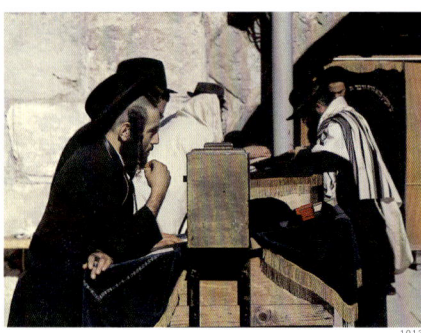

Bei aller religiösen Abgrenzung öffnete sich das Judentum doch in weiten Teilen der hellenistischen Kultur. Im ganzen Mittelmeergebiet entstanden griechischsprachige jüdische Siedlungen (die größte in Alexandria), wobei eine Tempelsteuer die Diaspora an Jerusalem band. Die hellenistische Umwelt stand dem Judentum zumeist offen und interessiert gegenüber, sodass dieses sogar erfolgreich missionarisch tätig sein konnte. Eine wichtige Rolle kam dabei der Übersetzung der hebräischen Bibel ins Griechische (→Septuaginta) zu. Zahlreiche Nichtjuden schlossen sich dem Judentum an: als Proselyten, die sich beschneiden ließen und damit den Juden gleichgestellt waren, oder als »Gottesfürchtige« (darunter viele Frauen), die am Judentum, besonders an seinem Monotheismus, interessiert waren, auch am Gottesdienst teilnahmen, aber nicht zum Judentum übertraten.

Die römische Herrschaft begann mit dem Eingreifen Roms in den judäischen Bürgerkrieg und der Eroberung Jerusalems 63 v. Chr. durch Pompeius. Hohepriester blieb bis 37 v. Chr. ein Hasmonäer, die politische Macht lag beim romtreuen Feldherrn Antipater, Vater des tyrannischen, aber als Herrscher erfolgreichen Vasallenkönigs Herodes des Großen (37–4 v. Chr.). Rom teilte nach dessen Tod sein Reich zunächst unter die Söhne auf. Ab dem Jahr 6 n. Chr. wurde Judäa unmittelbar verwaltet, mit dem Synedrion unter dem Vorsitz des Hohepriesters als höchster innerjüdischer Instanz. Zunehmende Konflikte mit der römischen Herrschaft gipfelten 66 n. Chr. in einem Krieg, der 70 n. Chr. mit der Zerstörung des Tempels endete. Von nun an galt Rom (später mit der christlichen Weltmacht überhaupt identifiziert) für das Judentum als das in der apokalyptischen Vision des Buches Daniel (Dan. 7,23) genannte »Vierte Weltreich«, auf dessen Untergang die messianische Heilszeit folgen sollte. Weitere vergebliche lokale Revolten verfestigten dieses Geschichtsbild: 115–117 n. Chr. in Nordafrika, Ägypten, Zypern, Syrien und 132–135 n. Chr. unter Bar Kochba in Judäa.

■ **Talmudische Periode** Aus den Niederlagen gingen die pharisäischen Gruppen als einzige handlungsfähige hervor. Sie wurden Bestandteil der rabbinischen Bewegung, deren Schultradition zentrale Bedeutung für das Judentum bekam. Grundlage dieser Tradition war neben der schriftlichen Thora die nach traditioneller Auffassung gleichfalls durch Gott am Sinai geoffenbarte mündliche Thora (→Halacha). Das gesamte Leben sollte als Heiligung verstanden werden, um in Übereinstimmung mit Gottes Willen zu leben und schließlich die Heilszeit bzw. Gottesherrschaft herbeizuführen. Nach der Zerstörung des Tempels wurde die Synagoge mit Thoraschrein und Thorarollen als Heiligtum der Ort des öffentlichen Gottesdienstes. An die Stelle des Opfer-

Judentum. Im Gebet halten die Juden Zwiesprache mit ihrem Gott Jahwe (betende Juden am Grab König Davids in Jerusalem).

dienstes traten Lehre und Gesetzesfrömmigkeit. Im Mittelpunkt standen das Lesen und Vergegenwärtigen der heiligen Schriften, v. a. der Thora. Die →Tannaiten, Gesetzeslehrer vom 1. bis 3. Jh., kodifizierten die rabbinischen Schultraditionen. Hillel wurden die sieben Schriftdeutungsregeln zugeschrieben. Er lehrte, dass das Gebot der Nächstenliebe die Erfüllung des Judentums sei. Sein Schüler Jochanan ben Sakkai errichtete nach 70 n. Chr. in dem südlich von Joppe gelegenen Jamnia (Yavne) ein Lehrhaus. Um ihn sammelte sich ein Kreis von Gelehrten, der die Aufgaben des Synedrions an sich zog, soweit dies die Römer zuließen. So entstand ein neuer Mittelpunkt geistigen Lebens. Der bisher nur mündlich überlieferte Lehrstoff, die Halacha, wurde nach Materien geordnet und in Form eines Gesetzbuches in der hebräischen →Mischna dargestellt. In der Provinz Galiläa entstanden die Gelehrtenschulen von Sepphoris und Tiberias als neue geistige Zentren. Die Amoräer (Sprecher, Interpreten), Gesetzeslehrer im 3.–5. Jh. in Palästina und Babylonien, erklärten die Mischna. Ihre kontroversen Traditionen wurden systematisch in der aramäischen →Gemara gesammelt. Mischna und palästinische Gemara bildeten den im frühen 5. Jh. vollendeten palästinischen →Talmud. Der babylonische Talmud wurde zwischen dem 6. und 8. Jh. abgeschlossen und wurde Ausgangspunkt für die Neugestaltung der jüdischen Frömmigkeit sowie für spätere Versuche, das Leben in der Diaspora zu ordnen. Tannaiten und Amoräer verfassten ferner die Midraschim (→Midrasch), Sammlungen gesetzlicher, exegetischer und homiletischer Auslegung der biblischen Texte. Eine liturgische Gebetsordnung und die liturgische Dichtung (→Pijut) bestimmten den Gottesdienst. Dazu kam ein Zyklus von traditionellen Fasttagen und Festen.

Als sich die Lage im Westen unter christlich-byzantinischer Herrschaft verschlechterte, gewannen die rabbinischen Schulen Babyloniens an Bedeutung. In Babylon, jüdische Kolonie schon seit dem ersten Exil, fanden die Juden seit 150 n. Chr. Zuflucht vor den Römern. Sie lebten in autonomen Gemeinden unter einem Exilarchen, der sie vor der Regierung vertrat.

Die Saboräer (Meinende, Erklärer) hatten während des 7. und 8. Jh. in Babylon einen wesentlichen Anteil an den letzten Redaktionsphasen des Talmuds. In Pumbedita und Sura bestanden seit 589 bedeutende Gelehrtenschulen, deren Oberhaupt, der Gaon, dem Exilarchen unterstellt war. Der bedeutendste Gaon, Saadja, war Religionsphilosoph, Exeget und Grammatiker. Er verfasste auch das erste hebräische Wörterbuch. Den frühen Geonim ging es v. a. um die Auslegung der Thora, die dann für die Juden in der gesamten Diaspora richtungweisend war. Seit dem 9. Jh. stand hingegen unter dem Einfluss der griechisch-arabischen Kultur das Interesse im Vordergrund, das Judentum philosophisch zu erfassen (jüdische Philosophie). Die Masoreten, jüdische Gelehrte in Babylon und Palästina vom 7. bis 10. Jh., sicherten durch die Fixierung einer Vokalisationstradition die Aussprache der Bibel (→Masora) und legten die Einteilung der Leseabschnitte fest.

■ **Mittelalter** Nach der arabisch-islamischen Eroberung bot der »Omar-Vertrag« den so genannten Buchreligionen Judentum und Christentum (→Ahl al-Kitab) eine beschränkte Toleranz, die den Juden eine weitgehende Integration in den arabischen Kulturraum ermöglichte. Erleichtert wurde dies durch die Übernahme des Arabischen als Umgangsspra-

---

Judentum

Zahl der Juden weltweit
rd. 13,6 Mio., davon rd. 5,2 Mio. in Israel

große jüdische Gemeinschaften (bis 200 000 Juden) außerhalb Israels
USA (rd. 5,7 Mio.)
Frankreich (rd. 600 000)
Kanada (rd. 370 000)
Russland (rd. 300 000)
Großbritannien und Nordirland (rd. 280 000)
Argentinien (rd. 200 000)

Hauptrichtungen
orthodoxes Judentum
konservatives Judentum
Reformjudentum
Rekonstruktionismus (»Reconstructionism«)

Hauptfeste
Rosch ha-Schanah (Neujahrsfest, gefeiert am 1./2. Tischri; September/Oktober)
Jom Kippur (Versöhnungstag, gefeiert am 10. Tischri; September/Oktober)
Sukkoth (Laubhüttenfest; September/Oktober)
Simchat Thora (Fest der Freude an der Thora, gefeiert am 22./23. Tischri; September/Oktober)
Chanukka (Lichterfest; Dezember)
Purim (Losfest; Februar/März)
Passah (Fest der ungesäuerten Brote; März/April)
Schawuot (Wochenfest; Mai/Juni)

heilige Stätten (Auswahl)
Jerusalem (Klagemauer)
Hebron (Patriarchengräber in der Höhle von Machpela)
Bethlehem (Grab der Rahel)
Karmel (Höhle des Propheten Elias)

wichtige Erinnerungsstätten jüdischer Geschichte in Israel
Masada
Tiberias (Gräber bedeutender jüdischer Gelehrter)
Yad Vashem

che anstelle des seit dem 5. Jh. v. Chr. üblichen Aramäischen. In Analogie zur arabischen Sprachpflege kam es aber auch zu einer Renaissance der hebräischen Sprache und den Anfängen einer jüdischen Hebraistik. Die Schulen Babyloniens prägten auf der Basis des babylonischen Talmuds die ganze Diaspora. Für zwei bis drei Jahrhunderte dominierte kulturell das Judentum des arabischen Raumes und Spaniens, mit Ausstrahlungen auf Südfrankreich und Italien.

Im christlichen Bereich war die Ausgangslage diffuser. Vom Römischen Reich blieb das schrumpfende Byzanz mit einigen italienischen Gebieten und insoweit auch der alte Rechtsstatus der Juden trotz christlicher Einschränkungen erhalten. In den übrigen Nachfolgereichen wurde diese alte Rechtsbasis durch Privilegien, die vom jeweiligen Herrscher aus ökonomisch-fiskalischen Erwägungen an Einzelne und Gruppen erteilt wurden, ersetzt. Um diese Privilegierten herum kristallisierten sich Gemeinden mit innerer Autonomie. Die Zuordnung zum christlichen Herrscher konnte je nach Interesse und Machtlage Schutz, aber auch Gefährdung bei Interessenkonflikten bedeuten und war stets von Spannungen innerhalb der christlichen Kirche abhängig. Das Judentum war zwar als einzige Minorität geduldet, wirkte aber deshalb umso fremder, sah sich zunehmender Feindschaft ausgesetzt und diente oft als Sündenbock. Die jüdischen Gemeinden wurden durch die Judenverfolgung während der Kreuzzüge 1096 und 1147/49 schwer getroffen und waren zur Zeit der Pestepidemie von 1348/49 erneut blutigen Verfolgungen ausgesetzt. Aus den meisten Erwerbszweigen verdrängt, durch Zünfte und Grunderwerbsverbote aus vielen Berufen ausgeschlossen, boten Kleinhandel, Pfandleih- und Geldgeschäft nur eine schmale Existenzbasis für die wachsenden, sozial überlasteten Gemeinden. Im ausgehenden Mittelalter erfolgte die sukzessive Vertreibung der Juden aus fast allen bedeutenderen deutschen Städten. Seit dem 15. Jh. wanderten daher viele nach Osteuropa (zunächst v. a. nach Polen) aus. In den innerhalb der slawischen Umwelt weitgehend unter sich lebenden jüdischen Gemeinden entwickelte sich eine eigene Kultur.

Im mediterranen Bereich, wo das Judentum anfangs sozial weitgehend integriert war, entfaltete es in Auseinandersetzung mit der islamischen Kultur eine breite theologisch-wissenschaftliche Tätigkeit. Das jüdische Recht wurde durch Talmudkommentare und Kompendien systematisiert. Grundlegend wurden der Talmudkommentar von Solomo ben Isaak (genannt Raschi), die Kompendien des Isaak ben Jakob Alfasi (Nordafrika, *1013, †1103) und Maimonides sowie des Jakob ben Ascher (Toledo, *1270 (?), †1340). Das letzte große Gesetzeskompendium →Schulchan Aruch verfasste Josef Karo (*1488, †1575). Die Kommentare zur Bibel spiegeln die unterschiedlichen Orientierungen im Judentum: Neben traditionellen midraschartigen Werken begegnen neue Wort- und Texterklärungen, auch speziell sprachlich, philosophisch oder kabbalistisch orientierte.

Da im christlichen Bereich eine gemeinsame Kultursprache fehlte – Latein war nur die christliche Kloster- und Schulsprache –, lag die Auseinandersetzung mit der herrschenden Kultur weniger nahe. Theologisch dominierten anfangs neuplatonische Tendenzen, vulgarisiert auch in der Volksfrömmigkeit. Aristotelismus und Averroismus blieben einer Eliteschicht vorbehalten, die auf heftige Abwehr bei den im aschkenasischen Judentum dominierenden Traditionalisten stieß. Integrierend wirkte die →Kabbala, die trotz neuplatonischer Basis sich mit traditionellen Mitteln artikulierte und schließlich als jüdische Tradition schlechthin galt. Sie prägte die Frömmigkeit bis zur Aufklärung.

■ **Frühe Neuzeit** Die Vertreibung aus Spanien (1492) und Portugal (1496) wurde im Judentum als Epochenmarke und als Anzeichen des nahen Endes empfunden. Das Osmanische Reich, religiös tolerant und an wirtschaftlicher Entwicklung interessiert, bot vielen Emigranten Asyl, und so entstanden in Griechenland, Kleinasien und Palästina blühende sefardische Gemeinden, die jedoch mit dem Niedergang des Reiches im 18. Jh. wieder verfielen.

Im Westen (v. a. in Amsterdam, Hamburg, London und in Übersee) entstanden sefardische Kolonien, die im Fernhandel eine wichtige Rolle spielten und wie die »Hofjuden«, die von den Herrschern Mitteleuropas als Berater in Finanz- und Versorgungsfragen angestellt und entsprechend privilegiert waren, eine gewisse Emanzipation und Säkularisierung vorwegnahmen. In Osteuropa, wo die Juden zunächst vom polnischen König Privilegien erhalten hatten, folgte auf eine Blütezeit im 16. Jh. nach den Kosakenrevolten von 1648 und der pseudomessianischen Bewegung des Sabbatianismus (um 1666), welche die ganze Diaspora erfasst hatte, ein sozialer Verfall bei rapidem Bevölkerungszuwachs.

Aus den Aschkenasim ging im 18. Jh. das Ostjudentum hervor, mit seiner lange Zeit das Bild des Judentums prägenden Kultur: strenge Frömmigkeit und weltabgewandte Lebensweise, weitgehende Abschließung gegenüber den Einflüssen der Moderne, traditionell festgelegte Kleidung und Haartracht, Leben im Stetl. Die soziale und geistig-religiöse Krise förderte die Ausbreitung des mystischen Chassidismus, der als volkstümliche Bewegung zunächst in scharfer Gegnerschaft zur Orthodoxie der rabbinischen Gelehrtenschicht stand. Auch im Westen waren die Gemeinden machtlos gegenüber der wachsenden Armut und den sozialen Problemen. Der aufgeklärte Absolutismus und jüdische Aufklärer strebten daher nach »Verbesserung« der Juden im Sinne sozialen und fiskalischen Nutzens mit entsprechend größeren Rechten.

■ **Aufklärung und Emanzipation** Die Erschütterung durch den Sabbatianismus bereitete im Judentum Mittel- und Westeuropas den Boden für die Aufklärung (→Haskala), deren Ziele die Regeneration der hebräischen Sprache und Literatur, gegenwartsbezogene Erziehung und Assimilation waren. Diese blieben jedoch nicht ohne innerjüdischen Widerstand. Religiös rückten Aufklärer und Reformer den Akzent von Thorafrömmigkeit und kabbalistischer Mystik auf den ethischen Monotheismus eines prophetischen Judentums. Die messianische Hoffnung wurde durch den Glauben an den moralischen Fortschritt der Menschheit mit dem Judentum als Vorreiter ersetzt. Dem Christentum als Mischung aus Judentum und Heidentum fiel dabei die Aufgabe der missionarischen Vermittlung zu. Im Reformjudentum erfolgten Angleichungen an christliche Bräuche und eine weitreichende Preisgabe jüdischer Traditionen, gemäßigter auch im konservativen Judentum und z. T. in der Neoorthodoxie.

Die Emanzipation traf insoweit auch auf innerjüdische Vorbehalte, als mit einer Gleichstellung der Verzicht auf die Gemeinde- und Rechtsautonomie und somit die weitgehende Aufhebung des jüdischen Rechts zugunsten des staatlichen Einheitsrechts verbunden waren. Im revolutionären Frankreich wurde der jüdischen Minderheit 1791 die Emanzipation durch Verleihung vollen Bürgerrechts gewährt, in den USA bereits 1776 mit dem Virginia Bill of Rights. Die deutschen Staaten verfolgten demgegenüber eine Politik, die den Juden eine rechtliche Gleichstellung nur schrittweise zugestand und dies zudem jeweils von der Entwicklung ihrer sozialen und kulturellen Verhältnisse abhängig machte. Nach schwerem Rückschlag im Ergebnis des Wiener Kongresses ab 1815 schritt die Emanzipation daher in den einzelnen Staaten nur allmählich und in uneinheitlichem Verlauf voran. Schließlich wurde 1871 die rechtliche Gleichstellung der Juden im Deutschen Reich vollendet (in Belgien 1831, den Niederlanden 1848, Großbritannien 1858, Italien 1870, Schweiz 1874). Als Gegenreaktion entstanden antisemitische Parteien und Gruppen, bald auch mit rassistischen Tendenzen. Der moderne →Antisemitismus verhinderte so im Zusammenwirken mit konservativ-christlichen und nationalistischen, aber auch sozialistischen Ressentiments trotz weitgehender kultureller und nationaler Assimilation der jüdischen Bevölkerung eine volle Auswirkung der in Mittel- und Westeuropa erreichten Emanzipation.

■ **1882 bis 1948** Russland (mit dem Großteil Polens) betrieb gegenüber seiner starken jüdischen Minderheit eine widersprüchliche Politik, förderte jüdische Aufklärer und Assimilanten und beschränkte zugleich Niederlassung und Rechte, gedeckt durch kirchlich-nationalistische Kräfte. Nach den judenfeindlichen Pogromen von 1881/82 resignierten die Aufklärer. Die jüdische Aufklärung und deren Assimilationsprogramm erwiesen sich als gescheitert. Der russische Arzt und Schriftsteller Leon Pinsker (*1821, †1891) gab 1882 mit der Losung »Autoemanzipation« (Emanzipation als Nation) den Anstoß zu einer Palästina-orientierten nationalen Bewegung, die im Bunde mit Religiösen später die 1897 gegründete zionistische Bewegung auf Palästina und die hebräische Sprache festlegte. Ferner entstanden sozialistische Strömungen: antizionistische (jiddischsprachige), die die Lösung der jüdischen Frage in der klassenlosen Gesellschaft, z. T. auch im Sinne nationaler Autonomie (Territorial- oder Personalautonomie) erhofften, zionistische mit dem Ziel einer jüdischen Idealgesellschaft, vorgeformt in Kibbuz-Kollektivsiedlungen, sowie anarchistische Gruppen. Zugleich nahm die Attraktivität revolutionärer Bewegungen zu.

Die Selbstdefinition als Nation mit Anspruch auf Territorium und Staatsbildung, wie sie von der zionistischen Bewegung vertreten wurde, widersprach den Positionen der assimilierten Mehrheit im Westen und auch den religiösen Überzeugungen der Orthodoxie. Doch der moderne Antisemitismus und v. a. die nationalsozialistische Herrschaft in Deutschland und Europa (1933–45) mit ihren Massenmorden bestätigten das zionistische Anliegen, während der optimistische Glaube an den moralischen Fortschritt der Menschheit zerbrach. Die Balfour-Deklaration von 1917 förderte den Zionismus, während die britische Mandatsmacht in Palästina nach 1920 gegenüber der zionistischen Siedlungsbewegung eine widersprüchliche und phasenweise oppressive Politik verfolgte. Auch außerhalb Palästinas verstärkte sich die Identifizierung vieler Juden mit dem Zionismus. Dieser umfasste politisch das ganze Spektrum der Parteien, religiös jedoch nur eine kleine orth. Partei (Mizrachi).

Die Ermordung eines Drittels des gesamten Judentums während der nationalsozialistischen Judenverfolgung durch die Schoah (Holocaust) bestärkte die zionistische Bewegung. Die Pioniergesellschaft des jüdischen Palästina (Jewish Agency for Palestine) und der 1948 nach UN-Beschluss gegründete Staat Israel boten die Möglichkeit der freien Selbstentfaltung und der Selbstbestimmung. Die zionistischen Pioniere Palästinas wurden trotz ihrer religiösen Indifferenz zu Leitbildern für ein neues jüdisches Selbstbewusstsein. Diese religiöse Indifferenz ermöglichte in Palästina/Israel ein orthodoxjüdisches Religionsmonopol, das sich aus koalitionspolitischen Gründen weiter verfestigte.

Das Judentum der Gegenwart wird heute in Erscheinung und Entwicklung von den Juden

Jugendreligionen

Israels und den Juden in den USA (organisiert in vier Denominationen) bestimmt. Im Mai 1991 wurden die letzten 15 000 Falascha aus Äthiopien nach Israel gebracht.

Dachorganisation der Juden in 70 Ländern ist der World Jewish Congress. Analog existieren der Europäische Jüdische Kongress und der Zentralrat der Juden in Deutschland.

■ **Siehe auch**
SACHBEGRIFFE →Bar-Mizwa · Chanukka · Chassidismus · Haskala · Israel · Kabbala · koscher · Menora · Midrasch · Mischna · Passah · Rabbiner · Sabbat · Schema · Synagoge · Talmud · Thora · Zionismus
PERSONEN →Abraham · Baal Schem Tov · Baeck, Leo · Ben-Chorin, Schalom · Buber, Martin · David · Ibn Gabirol · Jehuda ben Samuel Hallevi · Maimonides, Moses · Mendelssohn, Moses · Mose · Philon von Alexandria · Rosenzweig, Franz · Saadja · Sabbatai Zwi · Salomo · Scholem, Gerhard

Jugendreligionen, in den 1970er-Jahren übliche Bezeichnung für religiös-weltanschauliche Gruppen und Bewegungen, die in den 1960er-Jahren gegründet wurden und v. a. unter Jugendlichen großen Zulauf fanden. Heute wird vorwiegend der Begriff →neue Religionen verwendet.

julianischer Kalender, →Kalender.

Jünger, einem religiösen Meister zugeordnete Schüler, die in unterschiedlicher Form und Strenge an dessen Weisungen gebunden sind. Im Gegensatz zum Verhältnis Lehrer–Schüler steht die persönliche Bindung zwischen Meister und Jünger im Vordergrund.

Im N. T. werden genannt (Mk. 2, 18): die Jünger von Johannes dem Täufer, die Jünger der Pharisäer und die Jünger Jesu. Zu Letzteren gehören speziell die zwölf →Apostel. Nach Jesu Tod wurde Jünger zur Bezeichnung für alle, die in der →Nachfolge Christi stehen.

Jungfrauengeburt, Parthenogenese, die in vielen Kulturen anzutreffende Vorstellung, dass Götter oder außerordentliche Menschen (Heroen, Könige, Heilige) auf übernatürliche Weise, ohne vorhergehende geschlechtliche Zeugung, geboren werden. Oft ist damit eine Idealisierung der Jungfräulichkeit verbunden. Die »Unversehrtheit« der Gebärenden auch während und nach der Geburt wird betont. Nach einer Überlieferung ging Buddha in Gestalt eines weißen Elefanten in den Leib der Maya ein und aus ihrer Seite wieder aus. Nach ägyptischer Vorstellung wurden die Pharaonen durch Vereinigung des Gottes Amun-Re mit der Königin gezeugt, und Alexander der Große galt als durch einen Blitzstrahl empfangen. Die Vorstellung einer sowohl vater- als auch mutterlosen Zeugung findet sich in der griechischen Religion für Dionysos, Pallas Athene und Aphrodite. Auch nordamerikanische Indianerstämme kennen die ungeschlechtliche Zeugung eines Gottes oder Heilbringers.

Im *Christentum* erhielt die Vorstellung einer Jungfrauengeburt in der Person der Mutter Jesu, Maria, eine besondere Bedeutung. Das Prädikat der Jungfräulichkeit bezeichnet nach den Glaubensbekenntnissen der alten Kirche die Zeit vor, in und nach der Geburt und bezieht sich auf die Kindheitsgeschichten Jesu. Die heutige Theologie versteht die Aussagen über Jungfräulichkeit nicht mehr als eine organisch-physische Zustandsbeschreibung, sondern primär heilsgeschichtlich-christologisch als Legitimierung der »Gottessohnschaft« Jesu. Ähnlich heißt es in Hebr. 7, 3 von der Herkunft Jesu: »ohne Vater, ohne Mutter, ohne Stammbaum«.

Jüngstes Gericht, Endgericht, auf die jüdische Apokalyptik zurückgehende und vom Christentum und Islam (arabisch jaum ad-din, »Tag des Gerichts«) weiter ausgebildete Vorstellung von einem umfassenden endzeitlichen im Jenseits stattfindenden Gericht Gottes. Das Eingreifen Gottes in die Geschichte, ursprünglich gedacht als Segen und Rettung, wird im A. T. für den »Tag Jahwes« erwartet. Seit Amos 5, 18 ff. wird der **Jüngste Tag** als Tag des Gerichts (des Zornes Gottes über sein Volk) verstanden, der von Schrecken und Finsternis begleitet ist. Das Gericht erstreckt sich auf den gesamten Kosmos und bringt eine endgültige Bewertung des menschlichen Lebens, die Entscheidung über Heil oder Verwerfung. In den späten Texten des A. T., im N. T. sowie im Koran verbindet sich damit der Glaube an die Auferstehung der Toten (Dan. 12, 2 f.; Apk. 20, 11–15, Sure 6, 30 f. u. a.). Nach neutestamentlicher Vorstellung wird Christus als der endzeitliche Weltenrichter im Jüngsten Gericht die Gerechten von den Ungerechten scheiden (Mt. 25, 31 ff.).

Juno [zu iuvenis »Jüngling«], **Iuno,** römische Göttin, die vermutlich ursprünglich als die göttliche Verkörperung der jugendlichen Kraft der Frau galt (entsprechend dem →Genius des Mannes). Ihr konnten daher verschiedene Sondergottheiten angeglichen werden. So wurden verehrt: die **Iuno Fluonia** (Kraft der monatlichen Reinigung), die **Iuno Pronuba** (Brautführerin), die **Iuno Opigena** (die den Frauen bei der Geburt beisteht) und v. a. die Geburtsgöttin **Iuno Lucina** (die den Neugeborenen ans Licht hilft). Entsprechend wurde Juno früh mit dem regelmäßigen Wechsel der Mondgestalt in Verbindung gebracht und die Kalenden waren ihr heilig. Ihr bedeutendstes Fest fand an den Nonae Caprotinae (7. Juli) statt.

Als Stadtgöttin wurde Juno in vielen Gemeinden Mittelitaliens verehrt (u. a. in Gabii, Falerii, Veji, Perusia, Teanum Sidicinum, Aesernia), wo sich starke etruskische Einflüsse zeigen, die z. T. auf griechische Ursprünge zurückgehen. Als **Iuno Regina** hatte sie ihren Sitz in Rom v. a. auf dem Kapitol gemeinsam mit Jupiter und Minerva (Kapitolinische Trias).

Juno wurde mit der griechischen →Hera gleichgesetzt.

Jünger
→ **GEO** Dossier
Wer war Jesus?, Bd. 15

Jupiter   Iuppiter Capitolinus

Der oberste römische Gott Jupiter trug mehrere Beinamen, je nachdem, in welcher Funktion er verehrt wurde. Als »größter« und bester Gott«, als Iuppiter Optimus Maximus, hatte er in Rom einen Zentraltempel auf dem südwestlichen Gipfel des Kapitolinischen Hügels, nach dem er auch Iuppiter Capitolinus genannt wurde. In dem Tempel gab es drei Nischen, in deren mittlerer sich ein Bild des Jupiter aus Ton mit den göttlichen Herrscherinsignien auf einem Elfenbeinthron befand: der Blitzstrahl in seiner Rechten, das Adlerzepter in seiner Linken, ein goldener Kranz und gestickte Gewänder. In den Nischen neben ihm befanden sich Standbilder der Juno und der Minerva (hier Kopien der Kultbilder im Statuettenformat, gefunden in Italien). Vor dem Tempel fanden die großen römischen Spiele in den Iden des September statt, bei dem die höchsten Staatsbeamten vor den Götterbildern bewirtet wurden. Diese wurden dann auf Triumphwagen zum Circus Maximus gefahren, wo »in ihrer Gegenwart« Spiele, Schaukämpfe und Theateraufführungen stattfanden. Später veranstaltete man zu Ehren der Sieger Triumphzüge, wobei ihre Gesichter mit Mennige rot bemalt wurden ebenso wie das Gesicht der Jupiterstatue beim Umzug.

Junzi [chines. »Edler«], Ideal des Konfuzianismus, auf das alle Erziehung und Ausbildung zulaufen soll. Der »Edle« im Sinne des Konfuzianismus ist eine umfassend gebildete und maßvolle Persönlichkeit, die sich stets ethisch vorbildlich verhält und ihre Kenntnisse und Fähigkeiten in den Dienst der Allgemeinheit bzw. des Staates stellt. In der »Charaktervervollkommnung« (Xiu Ji) überwindet der Junzi sowohl Egozentrik als auch Askese und Weltentsagung (gegen das Ideal des Daoismus und Buddhismus). Seine gesellschaftspolitische Hauptaufgabe besteht darin, die politisch Verantwortlichen zu »korrigieren«, wenn sie vom ethischen Weg des →Dao abweichen.

Jupiter, latein. **Iuppiter,** auch **Diovis,** altrömischer Gott des lichten Himmels, daher auch **Lucetius** (Lichtbringer) genannt. Sein Name geht auf dieselbe indogermanische Wurzel zurück wie das lateinische Wort für Tag (dies), wie der Name des griechischen Gottes Zeus sowie die lateinische Bezeichnung deus (Gott) und divus (Himmlischer). Ihm waren die Vollmondtage (Iden) heilig, und als dem Gott der Witterung wurden ihm zu Ehren die Winzerfeste gefeiert (Meditrinalia, Vinalia). Er trat als Blitzgott (Fulgur) auf, brachte als **Iuppiter Tonans** Gewitter und als **Iuppiter Pluvialis** Regen. Als alles schauender Himmelsgott wurde er zum Beschützer von Recht und Treue, den man in feierlichen Schwüren anrief.

Seine Kultstätten befanden sich v. a. auf Hügeln und Bergen, besonders das Heiligtum des »besten und größten Jupiters« **(Iuppiter Optimus Maximus)** auf dem Kapitol in Rom, das sich zum sakralen Mittelpunkt des gesamten Römischen Reiches entwickelte. Hier wurde Jupiter als politischer Schirmherr des römischen Staates mit Juno (Regina) und Minerva zur Kapitolinischen Trias vereinigt. Bis zum Ende des Römischen Reiches galt der kapitolinische Jupitertempel als Wahrzeichen der römischen Macht. Jupiter wurde dem griechischen Zeus gleichgesetzt.

Justin, latein. **Justinus,** Philosoph und Märtyrer, * Flavia Neapolis (Palästina) um 100, † Rom 165; frühchristlicher Apologet. Nachdem er in seiner Jugend Hörer bei verschiedenen philosophischen Lehrern gewesen war, kam Justin später auch mit der christlichen Lehre in Berührung und ließ sich vermutlich im Alter von 30 Jahren taufen. In Rom gründete er eine eigene Philosophenschule und versuchte als einer der ersten christlichen Denker, die christliche Offenbarungslehre mit der griechischen Philosophie zu verbinden. Er lehrte eine christliche Philosophie mittelplatonischer Prägung. Im Zentrum seines Denkens stehen Gott als »Vater des Alls« und der subordinatianisch (als zweite, untergeordnete Dimension des Göttlichen) gedachte göttliche Schöpfungsmittler (griechisch »Logos spermatikos«). Von seinen Werken sind zwei »Apologien« erhalten und der »Dialog mit dem Juden Tryphon«. – Heiliger (Tag: 1. 6.).

Justitia, Iustitia, altrömische Personifikation der Gerechtigkeit, die von den Römern der griechischen Dike gleichgestellt wurde.

Juturna, →Iuturna.

Juventas, →Iuventas.

K

Ka [ägypt.], für die alten Ägypter eine dem Menschen innewohnende Kraft, die ihn am Leben erhält. Auf seine schützende Funktion weisen die ausgestreckten Arme hin, die das Zeichen für den Ka bilden. Oft wird der Ka getrennt vom Menschen als selbstständige Wesenheit dargestellt und kann sich auch in einer Statue verkörpern. Vom Verstorbenen sagte man, dass er »zu seinem Ka geht«, dass er sich also im Jenseits wieder mit ihm vereinigt.

Kaaba [arab. »Würfel«], **Kaba,** ein in Mekka im Mittelpunkt der Großen Moschee gelegenes Gebäude aus Stein von 12 m Länge, 10 m Breite und 15 m Höhe. Es ist das Ziel der allen Muslimen vorgeschriebenen Pilgerfahrt (→Hadjdj) und höchstes Heiligtum des Islam (»Haus Gottes«), welches die Gebetsrichtung (Kibla) der Gläubigen vorgibt. Die Kaaba umschließt einen leeren, fensterlosen Raum, dessen Dach im Innern von drei hölzernen Säulen gestützt wird; er ist an besonderen Pilgertagen zugänglich. An der südöstlichen Ecke neben dem Eingang in 1 m Höhe ist ein als heilig geltender Meteorit (Hadjar al-Aswad, »schwarzer Stein«) eingemauert. Die Kaaba ist mit einem schwarzen Tuch (Kiswa) bedeckt, das in der Zeit der Wallfahrt durch ein weißes ersetzt wird.

Bereits in vorislamischer Zeit war die Kaaba ein Heiligtum, in dem zahlreiche Gottheiten verehrt wurden. Ihre Bildnisse zerstörte Mohammed später. Erst seit 629 war es ihm und seinen Anhängern gestattet, den von ihm verkündeten einen Gott in der Kaaba zu verehren. Kalif Al-Walid I. ließ um 700 eine Halle mit Marmorsäulen und Goldmosaiken um die Kaaba errichten; der Moscheecharakter entstand durch Erweiterungen des Hofes im 16. Jahrhundert.

Kabbala [hebr. qabbalah »Überlieferung«], esoterisch-spekulative Richtung mit mystischer Frömmigkeit im Judentum. Die Kabbala knüpft an die traditionelle jüdische Exegese an und verbindet diese mit religionsphilosophischen Spekulationen und mystischen Vorstellungen, so z. B. den Gottesnamen und die Thora. Für die **Kabbalisten** ist das kabbalistische Lehrsystem eine Lehre göttlichen Ursprungs und stellt innerhalb der jüdischen Tradition die tiefste Auslegung der Bibel dar.

■ **Geschichte** Als erste kabbalistische Schrift gilt das Buch Bahir, entstanden im 12. Jh. in Südfrankreich. Hier und später v. a. in Spanien wurde das Grundsystem der Kabbala als exklusive Geheimlehre weiterentwickelt. Im Spätmittelalter gewann sie v. a. durch das »Buch Sohar« (»Lichtglanz«), entstanden Ende des 13. Jh., weitere Verbreitung.

In der folgenden Zeit verbanden sich popularisierte Kabbala, messianische Hoffnungen, Volksglaube und Magie (Zahlenmystik). Diese Spätkabbala, auch »lurianische Kabbala« nach der Schule Isaak Lurias (*1534, †1572) und Chajim Vitals (*1543, †1620) genannt, verbreitete sich von Safad (Galiläa) aus in der ganzen Diaspora. Sie geriet nach 1666 infolge der Bewegung des Pseudomessias Sabbatai Zwi (Sabbatianismus) und später durch die Aufklärung in Misskredit, lebt aber, z. T. sogar mit dem modernen Weltbild verbunden, in orth. Zirkeln und im Chassidismus weiter.

Darüber hinaus faszinierte die Kabbala in Spätmittelalter und Neuzeit auch christliche Denker, die kabbalistische Grundgedanken und Motive mit christlichen Trinitätsspekulationen verknüpften. Einflussreiche christliche Kabbalisten waren Giovanni Pico della Mirandola (*1463, †1494), Johannes Reuchlin (»De arte cabalistica«, 1517) und Johann Christian Knorr von Rosenroth (»Cabbala denudata«, 1677–84).

■ **Lehre** Die Kabbala basiert v. a. auf einem neuplatonischen Weltbild mit teilweise gnostisch-dualistischen Zügen, das mit Vorstellungen der jüdischen Tradition verbunden wird. Originell ist die Annahme von zusammenwirkenden göttlichen Kräften (Sefirot), die aus der jenseitigen Gottheit (»'En Sof«) hervorgehen und alles Geschehen »unten«, d. h. in den geistigen Zwischenstufen und in der materiellen Welt, bestimmen. Der Kabbalist erkennt hinter dem Sichtbaren das Geschehen in den »Sefirot« und beeinflusst es durch seine Frömmigkeit positiv, während Israels Sünden neben anderen bösen Mächten Unheil verursachen. Durch die Forschung Gerhard Scholems sowie allgemeine mystisch-religiöse Strömungen erwachte im 20. Jh. erneut ein breiteres Interesse an der Kabbala.

Kaaba
→ **GEO Dossier**
Das heilige Herz des Zorns, Bd. 16

Kaaba
→ **GEO Dossier**
Allahs größtes Aufgebot, Bd. 16

Kabbala
→ **GEO Dossier**
Das heilige Herz des Zorns, Bd. 16

Kaaba.
Die Kaaba in der Großen Moschee von Mekka ist das Haupttheiligtum des Islam. Sie steht im Mittelpunkt der jährlich stattfindenden großen Wallfahrt. Die Miniatur zeigt in stilisierter Form die Säulenumgänge und Minarette der Moschee, um die Kaaba das Gelände zur Umrundung sowie u. a. die Quelle Samsam (türkische Miniatur, um 1620; Jena, Universitätsbibliothek).

Kabbala Das zehnfaltige Gottesbild

Die zehn Manifestationen des göttlichen Denkens, Wollens, Handelns und Fühlens werden in der Kabbala als Sefirot bezeichnet und nach der Aufzählung der Attribute Gottes in 1. Chron. 29, 11 und Spr. 3, 19 benannt. Sie werden symbolisch den Zweigen des Baumes, den Gliedern des Menschen oder den Schalen der Nuss zugeordnet. Der Sefirot-Baum (rechts), das Kernstück der Kabbala, begreift Gott als androgyne Ganzheit. Die mittlere Vertikale als Ausgleich der weiblichen und männlichen Sefirot ist wiederum polar. Die Sünde bewirkt die Trennung der männlichen (1, 6, 9) und weiblichen (10) Manifestationen der Gottheit, und die guten Werke bewirken ihre heilige Hochzeit. Die letzte, die zehnte Sefira ist das weibliche Reich oder die Einwohnung (Malchut oder Schechina), die die Mischung der Emanationen aus dem symbolischen Phallus des sefirotischen Organismus empfängt und in die Schöpfung leitet. Der kabbalistische Sinn des Rituals und der Werke besteht in der Wiederherstellung der innergöttlichen Einheit. Der Kabbalist fühlt sich für das Heil der Welt verantwortlich.

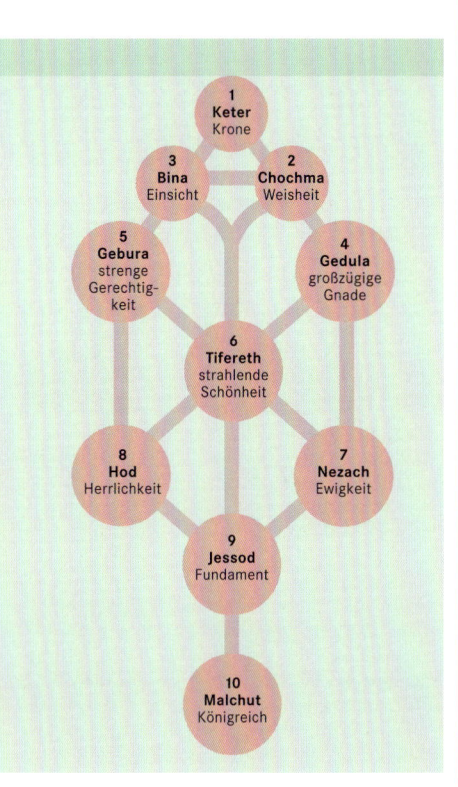

1 Keter Krone
2 Chochma Weisheit
3 Bina Einsicht
4 Gedula großzügige Gnade
5 Gebura strenge Gerechtigkeit
6 Tifereth strahlende Schönheit
7 Nezach Ewigkeit
8 Hod Herrlichkeit
9 Jessod Fundament
10 Malchut Königreich

Kabir, indischer Mystiker und Dichter, * Benares (heute Varanasi) um 1440, † Maghar (Uttar Pradesh) 1518; bemühte sich, Hindus und Muslime zu versöhnen. Zu seinen Anhängern, den **Kabirpanthis** (»Nachfolger Kabirs«), gehörte u. a. der indische Mystiker und Dichter Dadu Dayal. Kabirs zahlreiche, in Althindi verfassten Verse, die in ihrer Echtheit oft umstritten sind, werden noch heute viel gelesen.

Kabod [hebr. »Ehre«, »Herrlichkeit«], in der jüdischen Tempeltheologie die kultische Gegenwart Gottes, die später auch »Shekinah« genannt und v. a. als Lichtglanz aufgefasst wurde. Im Mittelalter wurde er z. T. als erschaffene Offenbarungsgestalt verstanden, die die jenseitige Gottheit gegenüber der Welt repräsentierte.

Kachinas [kaˈtʃiːnas, kaˈtsiːnas], Ahnengeister der Puebloindianer, v. a. der Hopi, im Südwesten der USA. Sie gelten als wohlwollende Mittler zwischen Menschen und übernatürlichen Mächten, indem sie Regen (= Fruchtbarkeit) bringen und – ganz allgemein – auf das Wohl der Dorfgemeinschaft Einfluss haben. In zeremoniellen Tänzen werden die Kachinas von maskierten und kostümierten Männern verkörpert. Kleine hölzerne Nachbildungen, die **Kachinapuppen,** dienen den heranwachsenden Knaben als Lernmittel. Die Holzpuppen sind kunstvoll geschnitzt, farbenprächtig bemalt und oft mit Federn u. a. Materialien geschmückt. Es gibt Hunderte von verschiedenen Kachinadarstellungen.

Kadampa, Schule des →tibetischen Buddhismus.

Kadi [arab. qāḍī »Richter«], in den islamischen Ländern Richter der religiösen Gerichtsbarkeit. In der Türkei ist das Amt seit der Trennung von Kirche und Staat (1922) abgeschafft. In den arabischen Staaten bezeichnet Kadi heute Richter aller Gerichtsbarkeiten.

Kafir [arab. »Ungläubiger«], im Islam Bezeichnung für einen Nichtmuslim.

Kaftan, langer, enger, geknöpfter Oberrock der orth. Juden.

Kagura, shintoistische Ritualtänze mit Gesang (Kagura-uta) und orchestraler Begleitung, die von alters her bei örtlichen Schreinfesten in Japan aufgeführt **(Satokagura)** und seit der frühen Heianzeit (9. Jh.) auch am Hof gepflegt wurden **(Mikagura).**

Kagyüpa [-dʒypa], Schule des →tibetischen Buddhismus.

Kailas, tibetisch **Kangrinboqê Feng,** Berg im westlichen Transhimalaja, Tibet, der den Hindus als Sitz des Gottes Shiva heilig ist und Ziel zahlreicher Pilgerfahrten ist. Der Kailas wird auch im Buddhismus als hl. Berg verehrt.

Kain [hebr. vielleicht »Schmied«], biblische Gestalt; nach 1. Mos. 4,1 der erstgeborene Sohn von Adam und Eva und Bruder des Abel. Die Erzählung vom Brudermord Kains greift den Gegensatz zwischen Sesshaften und No-

Kailas
→ GEO Dossier
Dem Himmel ganz nah, Bd. 16

Kairouan

Kairouan. Die Stadt ist eine der Pilgerstätten des Islam. Die große Moschee geht auf eine Gründung des Feldherrn Okba ibn Nafi zurück. Das quadratische Minarett wurde Vorbild für zahlreiche Moscheen Nordafrikas.

maden auf: Kain ist Bauer, Abel Hirte. Als beide Gott ein Opfer darbringen – Kain von den Früchten des Feldes, Abel von den Erstlingen seiner Herde –, blickt Gott wohlgefällig auf Abels Opfer, aber nicht auf das Opfer Kains. Aus Zorn über diese Missachtung erschlägt daraufhin Kain seinen Bruder (1. Mos. 4, 8). Zur Strafe wird er von Gott zum rastlosen Umherirren verdammt.

Bei den in Kanaan angesiedelten Israeliten galt Kain wahrscheinlich als Ahnherr der Keniter, deren halbsesshafte Lebensweise als Strafe für ein früheres Vergehen angesehen wurde. Das **Kainszeichen**, durch das Kain vor der Blutrache geschützt wurde (1. Mos. 4, 15), entsprach möglicherweise einer bei Beduinen üblichen Tätowierung.

Kairouan [kaɪruˈaːn, kɛrˈvan, französ.], arabisch **Al-Qairawan**, nach Mekka, Medina und Jerusalem die vierte hl. Stadt des Islam in Zentraltunesien und bedeutender Wallfahrtsort.

Kairouan, die erste arabische Stadtgründung in Nordafrika, wurde zwischen 663 und 670 von dem arabischen Feldherrn Okba ibn Nafi als Heerlager und Karawanenplatz angelegt und erlebte im 9. und 10. Jh. als Residenz der Aghlabiden, Fatimiden und Sanhajiden eine Blütezeit. 1057 von den Beni Hilal zerstört, verlor es seine Hauptstadtfunktion, wurde im 13. Jh. von den Hafsiden wieder aufgebaut und im 18. Jh. von den Husainiden vergrößert. Kairouan ist mit der Großen Moschee bis heute religiös-geistiges Zentrum des östlichen Maghreb.

Kaiserkult, die kultische Verehrung der Kaiser im alten Rom. Seit 7 v. Chr. wurde in Rom der →Genius des Augustus zwischen den Lares compitales (→Laren) verehrt. In allen Städten des Imperiums entstanden Tempel der Dea Roma, neben der der Genius des jeweiligen Kaisers (nicht also die Person des Kaisers) zu verehren war. Der Kaiserkult war demnach lebendige Religion. So wurde etwa der Name des Kaisers Bestandteil der Eidesformel. Erst gegen Ende des 2. Jh. n. Chr. wurden auch Vorstellungen des orientalischen Gottkönigtums aufgenommen. Der Kult des verstorbenen Kaisers (Consecratio, Konsekration) knüpfte in Rom an die Vergöttlichung des toten Caesar an. Die Bezeichnung Caesars als Gott ging auf alle späteren als göttlich verehrten Kaiser über. Nur zögernd verzichteten Kaiser Konstantin I., der Große, und seine Nachfolger auf die Formen der kultischen Verehrung; an deren Stelle trat das Hofzeremoniell. (→Herrscherkult)

Kala [»Zeit«, »der Schwarze«], ein Name des indischen Todesgottes Yama, aber auch Name eines seiner Begleiter. Sein Attribut ist die Schlinge. Das Furchterregende seiner Gestalt wird in der indischen Kunst bisweilen durch weit aufgerissene Augen und Fangzähne angedeutet. **Mahakala** (»die große Zeit«) als destruktiver Aspekt Shivas stellt die zerstörerischen kosmischen Kräfte dar.

Kalachakra [-tʃ-; Sanskrit »Rad der Zeit«], einer der beliebtesten Tantratexte des tibetischen Buddhismus, der neben yogischen Lehren eine esoterische Weltgeschichte und eine eschatologische Endschlacht enthält. Angeblich hat der Buddha das Kalachakra dem König des mythischen Reiches Shambhala mitgeteilt. Im Kalachakra findet sich der Kalender des Sechzigerzyklus (wie in China), der im Jahre 1027 in Tibet eingeführt wurde. Der Text hat drei Aspekte, einen »äußeren« (Geschichte u. a.), einen »inneren« (esoterischen) und einen »anderen« (yogische Vollendungsstufen).

Kalam [arab. »Rede«, »Disput«, »Erklärung«], **Qalam,** *islamische Theologie:* die frühe Theologie, die v. a. im 8./9. Jh. von den rivalisierenden Theologenschulen der →Mutasiliten und →Ascharīten geprägt wurde. Der Kalam lehrt die absolute Einheit Gottes, die jede anthropomorphe Deutung seiner Eigenschaften ausschließt, die Willensfreiheit des Menschen und damit seine Verantwortlichkeit für seine Taten, einen Atomismus im Zusammenhang mit der Schöpfungslehre und – methodisch – den Primat des Vernunftbeweises vor dem Tatsachenbeweis. Der Kalam hatte beachtlichen Einfluss auch auf die Entwicklung der jüdischen Philosophie (Saadja). Entschieden bekämpft wurde er vom jüdischen Philosophen Moses Maimonides, der jedoch in seiner Auseinandersetzung mit dem Kalam zugleich dessen systematischste Darstellung bot.

Kalender [mittellatein., zu latein. calendae »erster Tag des Monats«, übertragen »Monat«]. Eine möglichst exakte Kalenderberechnung gehörte zu den frühesten wissenschaftlichen Leistungen der Pflanzerkulturen. Er diente der Berechnung des lebensnotwendi-

Kalender

gen Vegetationszyklus und der periodisch wiederkehrenden Flussüberschwemmungen. Sowohl in Mesopotamien und Ägypten als auch in China, Japan und Altamerika gehörte die Kalendererstellung zu den vornehmsten sakralen Pflichten des Herrschers und der Priesterkaste. Der Herrscher/Priester garantierte mit der Berechnung des Jahreslaufs die zyklische Erhaltung der kosmischen Ordnung, deren Hüter auf Erden er war. Sehr oft hatte die Kalendererstellung auch Orakelfunktion zur Errechnung günstiger Zeitpunkte für Kulturleistungen wie Tempel- und Dammbauten oder Kriegszüge. Außergewöhnliche Ereignisse wie Sonnen- und Mondfinsternisse galt es vorauszuberechnen und zu deuten, da sich ihr unvorhergesehenes Auftreten destabilisierend auf die Sakralordnung auswirken konnte.

Die verbreitetsten Kalenderberechnungen sind der **Sonnenkalender,** der das Sonnenjahr mit 365,2422 Sonnentagen zu 24 Stunden und zwölf synodischen Monaten mit durchschnittlich 29,5306 Sonnentagen berechnet, sowie der **Mondkalender,** wobei das Mondjahr 354 Tage und zwölf synodische Monate mit abwechselnd 29 und 30 Tagen hat. Es ist um elf Tage kürzer als das Sonnenjahr, weshalb sich der Jahresbeginn des Mondjahres innerhalb von etwa 33 Jahren durch alle Jahreszeiten bewegt. Der **Lunisolarkalender** berücksichtigt sowohl den Wechsel der Mondphasen als auch den Ablauf der Jahreszeiten.

■ **Alter Orient** Schon in den frühen Kulturen des Alten Orients zeigt sich eine Vermischung von wissenschaftlichen Erkenntnissen und religiös-sakralen Deutungen bei den Kalenderberechnungen der Priester und Magier-Astronomen. Zur Zeit König Hammurapis von Babylon (1728–1686 v. Chr.) finden sich Berechnungen nach dem Lunisolarkalender.

Die *Ägypter* verwendeten seit dem 4. Jt. v. Chr. das Sonnenjahr mit 365 Tagen in zwölf Monaten zu je 30 Tagen mit fünf Zusatztagen. 238 v. Chr. führten die Ptolemäer alle vier Jahre einen Schalttag ein.

■ **Indien** Noch heute existieren in Indien über 20 verschiedene Ausgangstermine für die Jahresberechnung sowie ein Nebeneinander von Jahresläufen verschiedener Längen (354, 360 oder 366 Tage). Die aus 15 Tagen bestehenden Monate werden in zwei Hälften mit je 15 hellen und dunklen Tagen (Tithis) eingeteilt, die Tage selber in 30 Einheiten (Muhartas). Das Erscheinen des Neumondes wird mit Opferzeremonien vorbereitet. Die Jahreseinteilung im alten Indien ist stark mit der Berechnung von Götter- und Menschenjahren sowie der Deutung einer »verfallenden« und kürzer werdenden Zeit bis zum Ende und der Erneuerung des Kosmos verknüpft. So entspricht etwa ein Tag des Gottes Brahma vier Milliarden Menschenjahren. Die kosmologischen Kalenderberechnungen, besonders die Einteilung der Zeitalter (Yugas), wurde auch vom Buddhismus weitgehend übernommen.

■ **China** Der Lunisolarkalender der Chinesen ist stark mit der Fünf-Elemente-Lehre und Zahlenkombinationen der kosmischen Ordnung verknüpft, besonders mit dem zwölfteiligen Tierkreiszyklus. Jeweils 60 Tage werden zu einer Einheit zusammengefasst. Das Jahr hat $365\frac{1}{4}$ Tage in Monaten zu 30,4 Tagen. In zyklischen Perioden werden Schaltmonate hinzugefügt. Das Neujahr richtet sich nach dem Neumond und beginnt zwischen dem 21. Januar und 20. Februar. Die Jahre werden mit bestimmten Tieren verbunden (2003: Schaf, 2004: Affe, 2005: Hahn, 2006: Hund, 2007: Schwein, 2008: Ratte, 2009: Ochse, 2010: Tiger).

■ **Altamerika** Die mesoamerikanischen Hochkulturen besaßen hoch entwickelte Kalendersysteme, die alle Aspekte des Lebens durchdrangen, besonders die Opferzeremonien und Erntezyklen. Die frühen Kulturen kombinierten ein Ritualjahr mit 260 Tagen (13 × 20 Tage) mit einem Sonnenjahr aus 18 Monaten zu je 20 guten und fünf Unheil bringenden Tagen. Die Maya entwickelten zusätzlich ein System der Zeitzählung, mit dem historische Daten fixiert wurden. Es begann mit dem (fiktiv angesetzten) 6. 9. 3114 v. Chr. und enthielt fünf Perioden der Zeiteinteilung zwischen einem und 144 000 Tagen. Nur von den Maya sind in Amerika genaue schriftliche Fixierungen der Zeitberechnung erhalten. Ihre eigenen »Kalenderpriester« genossen höchste Privilegien.

■ **Judentum** Der jüdische Kalender folgt seit dem 4. Jh. n. Chr. dem Lunisolarjahr mit zwölf Mondmonaten zu je 29 oder 30 Tagen. Um ihn dem Sonnenjahr anzugleichen, wird alle 19 Jahre ein Schaltmonat (Adar II) hinzugefügt. So gibt es Normaljahre mit 353 (»mangelhaften«), 354 (»regelmäßigen«) und 355 (»überzähligen«) Tagen und entsprechende

Kalender. Nach den Zeitangaben in der hebräischen Bibel errechnete der jüdische Kalender, ein Lunisolarkalender mit einem Jahreslauf von zwölf Mondmonaten, das Jahr 3761 v. Chr. als Jahr der Schöpfung und damit als Beginn der jüdischen Zeitrechnung. Die Kalenderseite entstammt einer jüdischen spanischen Bibelhandschrift (um 1301; Paris, Bibliothèque Nationale de France).

Kalender

Kalender. Alle vorkolumbischen Hochkulturen Amerikas besaßen ein hoch entwickeltes Kalendersystem. Bei den meisten Völkern oblag die kosmische Kalenderberechnung speziellen »Kalenderpriestern«, die sehr hohes Ansehen besaßen. Das Bild zeigt den fast 4 m hohen Kalenderstein der Azteken, der vor dem Haupttempel der aztekischen Hauptstadt Tenochtitlán stand.

Schaltjahre mit 383, 384 und 385 Tagen. Im 10. Jh. wurde der Beginn der Zeitrechnung auf das Jahr 3761 v. Chr. als Beginn der göttlichen Weltschöpfung festgelegt. Der jüdische Tag hat 24 Stunden und beginnt um 18 Uhr. Die Woche hat sieben Tage, der siebte Tag ist Ruhetag (Sabbat) als »Tag des Herrn«.

■ **Griechenland** Nach frühen Mondjahrberechnungen führte Meton von Athen um 500 v. Chr. den nach ihm benannten »Metonischen Zyklus« eines Sonnenjahres ein, bei dem in Perioden von 19 Jahren (= 6940 Tage) zwölf Jahre mit 13 Monaten und sieben Jahre mit zwölf Monaten zu je 29 oder 30 Tagen folgten. Der Metonische Kalender war später auch Grundlage für die Berechnung des Osterfestes in der orth. Kirche.

■ **Rom** In pragmatischer Ausrichtung am Jahreslauf wurden in der Frühzeit des römischen Kalenders willkürlich Schaltmonate eingeschaltet. Das Jahr begann am 1. März, was sich in den deutschen Monatsnamen von September bis Dezember (römisch siebter bis zehnter Monat) erhalten hat. Im Jahre 46 v. Chr. führte Julius Caesar eine wegweisende Kalenderreform ein, die »Geschäftstage« (lateinisch dies fasti) von den späteren Wochentage von »nicht geschäftlichen Tagen« (lateinisch dies nefasti; die späteren Ruhetage) unterschied. Er übernahm weitgehend das ägyptische Sonnenjahr mit 365,25 Tagen, mit Anhängung eines Schalttages an den Februar alle vier Jahre. Julius Caesar und seinem Nachfolger Augustus zu Ehren wurden die Monate Juli und August benannt. Die ersten Tage jedes Monats hießen »calendae« (Kalenden). Mit dieser Reform entstand der lange gültige julianische Kalender, der das Neujahr auf den 1. Januar verlegte. Im Jahre 321 führte Kaiser Konstantin I., der Große, die Siebentagewoche nach jüdischem Vorbild ein.

■ **Christentum** Mit Übernahme der römischen Verwaltungsstrukturen übernahm das Christentum auch den julianischen Kalender, der das ganze Mittelalter über in Geltung blieb. Ein besonderer Streit in der frühen Kirche war die unterschiedliche Berechnung des Ostertermins in Ost- und Westkirche. Das Konzil von Nicäa (325) legte den Frühlingsanfang auf den 21. März fest. Da die Westkirche das Osterfest auf den Sonntag nach dem ersten Frühlingsvollmond setzte, wurde Ostern ein beweglicher Feiertag. Die christliche Zeitrechnung beginnt mit dem Jahr eins, dem (in der frühen Kirche angenommenen) Jahr der Geburt Christi. Seit dem 6. Jh. bürgerte sich die Bezeichnung »im Jahre des Herrn« (Anno Domini, Abk. AD) für die Jahreszählung ein.

Die Kirche des Mittelalters stellte für die Jahresablauf den **römischen Kalender** (Calendarium Romanum) auf, in dem die christlichen Feiertage verzeichnet sind. Dieser wurde mehrfach reformiert und aktualisiert (zuletzt 1970 durch Papst Paul VI.). Neben den hohen Kirchenfesten und Marienfeiertagen wird jeder Tag bestimmten Heiligen und Märtyrern zugeordnet, die regional unterschiedlich verehrt und gefeiert wurden.

■ **Gregorianischer und bürgerlicher Kalender** 1582 führte Papst Gregor XIII. in den kath. Ländern den reformierten **gregorianischen Kalender** ein. Die protestantischen Länder übernahmen den neuen Kalender zwischen 1700 (Deutschland) und 1752 (Großbritannien)/1753 (Schweden), die Sowjetunion 1918 und die Länder Ost- und Südosteuropas 1923/24. Die orth. Kirche widersetzte sich lange Zeit der Kalenderreform. Seit 1923/24 gilt der gregorianische Kalender in den meisten Kirchenbereichen, etwa in Griechenland, Alexandrien und Antiochien, was jedoch zu heftigen Kämpfen und Abspaltungen führte. Kleinere orth. Kirchen wie Serbien und Georgien und die Mönchsrepublik Athos halten am julianischen Kalender fest. Da der Unterschied inzwischen 13 Tage beträgt, feiern einige orth. Kirchen das Weihnachtsfest am 7. Januar.

Der gregorianische Kalender bildet die Grundlage des heutigen **bürgerlichen Kalenders** in Europa, Amerika, Australien und einem Großteil Afrikas. Die Jahre werden mit der (angenommenen) Geburt Christi von eins »nach Christus« (inzwischen auch: »unserer Zeit«) bis heute gezählt, die Jahre vor dem Jahr eins als Jahre mit der Angabe »vor Christus« (auch: »vor unserer Zeit«). Ein Jahr null existiert nicht. Verschiedene Versuche geschichtlicher Revolutionen, besonders der Französischen Revolution im Jahre 1793, eine

■ **Islam** Der islamische Kalender ist ein reiner Mondkalender. Das Jahr hat 354 Tage in 12 Monaten mit 29 oder 30 Tagen. Der (neue) Tag beginnt bei Sonnenuntergang des vorangegangenen Tages. Alle 30 Jahre werden elf Schalttage (Jahre mit 365 Tagen) hinzugefügt. Im Koran (Sure 9, 36 f.) wird die Einschaltung von Ausgleichsmonaten zur Anpassung an das Sonnenjahr ausdrücklich verboten. Die islamische Zeitrechnung beginnt mit der Hidjra Mohammeds nach Medina am 15./16. Juli 622 nach Christus.

Kali [Sanskrit »die Schwarze«], in Indien, v. a. in Bengalen, verehrte »schwarze Göttin«, die auch als »göttliche Mutter« und Emanation der Göttin Durga und des Gottes Shiva betrachtet wird. Dem orth. Hinduismus ursprünglich fremd, fand sie wohl erst über den Shaktismus als Gattin Shivas Eingang in das Hindupantheon. Die indische Ikonografie beschreibt Kali als furchterregend, von dunkler Hautfarbe, mit wildem Blick und weit heraushängender Zunge. Vielarmig, hält sie mit dem Tod und/oder dem Gott Shiva assoziierbare Embleme wie Schädelschale, -keule, Schlinge und Dreizack sowie ein Hackmesser und den Kopf eines Dämons. Um den Hals trägt sie eine lange Girlande aus Menschenschädeln (Kapala), um die Hüften einen Gürtel aus abgeschlagenen Armen. Sie wird tanzend oder in sexueller Vereinigung mit Shiva dargestellt, bisweilen auf dem am Boden liegenden Shiva stehend. Entgegen dem im Hinduismus sonst recht strikten Verbot der Tierschlachtung werden der Göttin Kali Tieropfer dargebracht.

Kalif [mittelhochdt. kalîf, von arab. ḫalīfa^h »Nachfolger«, »Stellvertreter«], seit Mohammeds Tod 632 der offizielle Titel seiner Nachfolger in der Herrschaft über die muslimische Gemeinschaft **(Kalifat),** zu dem seit 634 der Titel Amir al-muminin (»Beherrscher der Gläubigen«) trat. Daneben konnte Kalif im islamischen Bereich Stellvertreter aller Art bezeichnen und war gelegentlich auch Personenname.

Nach sunnitischer Auffassung musste der Kalif von einem Kollegium führender Persönlichkeiten gewählt werden. Voraussetzung für die Wählbarkeit war, dass er dem arabischen Stamm der Koraisch (dem Mohammed entstammte) angehörte und keine körperlichen oder geistigen Mängel besaß. Die Anerkennung der Wahl erfolgte durch Treuegelöbnis der obersten Würdenträger des Staates. Der Kalif hatte die Pflicht, den Bestand des islamischen Herrschaftsgebietes (Dar al-Islam) zu bewahren, es zu erweitern und die islamische Rechtsordnung zu sichern. Im Glaubenskrieg (→Djihad) führte er den Oberbefehl. Die Nennung seines Namens in der Freitagspredigt bedeutete, dass man ihn als legitimes Oberhaupt anerkannte. Der Kalif hatte jedoch keine Autorität in Glaubens- und Rechtsfragen.

Von den Schiiten wurde das sunnitische Kalifat niemals anerkannt. Nur die ismailiti-

Kalif.
Die Stellung des Kalifen als Vorsteher der Gemeinde wandelte sich vom Stellvertreter Mohammeds zum »Schatten Gottes auf Erden« (Miniatur aus der »Geschichte Mohammeds und der ersten vier Kalifen«; Paris, Bibliothèque Nationale de France).

Kali Babarischer Kult einer Geheimsekte

Noch im 18. Jahrhundert waren in Indien Menschenopfer üblich, und selbst heute noch sind an bestimmten Festtagen blutige Tieropfer ein fester Bestandteil des Kali-Kults (Darstellung der schwarzen Kali aus Rishikesh, Indien). Seit dem Mittelalter operierte in Indien eine gefürchtete Geheimsekte von Kali-Anhängern, die als Thugs oder Phansigaren (hergeleitet vom Hindiwort für »Schlinge«) bekannt waren. Sie trugen einen Schal um ihre Hüften und schlossen sich ahnungslosen Pilgergruppen an, um die Teilnehmer auf ein bestimmtes Zeichen hin mit ihren Tüchern, die sie den Opfern von hinten um den Hals schlangen, blitzschnell zu erdrosseln. Anschließend verstümmelten und entstellten sie ihre Opfer und vergruben sie in der Erde. Dann feierten sie diese Opfer für die Kali in Zeremonien, die Tuponee hießen, wobei sie der Göttin bestimmte Speisen opferten. Ihre weitverzweigten und durchorganisierten Bünde wurden seit Mitte des 18. Jahrhunderts von den Briten verstärkt verfolgt, bis der »Thuggismus« Mitte des 19. Jahrhunderts als ausgerottet galt. Doch gab es vereinzelte spektakuläre Thug-Morde noch in den ersten Jahrzehnten des 20. Jahrhunderts.

K | Kalixtiner

Kalif: Kalifen bis 1258

Die vier rechtgeleiteten Kalifen

Abu Bakr	632–634
Omar I.	634–644
Othman ibn Affan	644–656
Ali ibn Abi Talib	656–661

Die Omaijaden

Die Sufjaniden

Moawija I.	661–680
Jesid I.	680–683
Moawija II.	683

Die Merwaniden

Merwan I.	684–685
Abd al-Malik	685–705
Walid I.	705–715
Suleiman	715–717
Omar II.	717–720
Jesid II.	720–724
Hischam	724–743
Walid II.	743–744
Jesid III.	744
Ibrahim	744
Merwan II.	744–749/750

Die Abbasiden

Abu l-Abbas	749/750–754
Mansur Abu Djafar	754–775
Al-Mahdi	775–785
Al-Hadi	785–786
Harun ar-Raschid	786–809
Mohammed al-Amin	809–813
Al-Mamum	813–833
Al-Mutassim	833–842
Al Wathik	842–847
Al-Mutawakkil	847–861
Al-Muntassir	861–862
Al-Mustain	862–866
Al-Mutass	866–869
Al-Muhtadi	869–870
Al-Mutamid	870–892
Al-Mutadid	892–902
Al-Muktafi	902–909
Al-Muktadir	909–932
Al-Kahir	932–934
Al-Radhi	934–940
Al-Muttaki	940–944
Al-Mustakfi	944–946
Al-Muti	946–974
Al-Tai	974–991
Al-Kadir	991–1031
Al-Kaim	1031–1075
Al-Muktadi	1075–1094
Al-Mustashir	1094–1118
Al-Mustarschid	1118–1135
Ar-Raschid	1135–1136
Al-Muktafi	1136–1160
Al-Mustandjid	1160–1170
Al-Mustadi	1170–1180
An-Nasir	1180–1225
Al-Sahir	1225–1226
Al-Mustanssir	1226–1242
Al-Mustassim	1242–1258

Die Omaijaden in Spanien

Abd ar-Rahman III. (seit 912 Emir)	929–961
Hakam (Al-Hakam) II.	961–976
Hischam II.	976–1009
Verfall (sechs Herrscher)	1009–1031

schen Fatimiden (909–1171) nahmen den Kalifentitel an.

Nach dem Tod Mohammeds wurde Abu Bakr der erste der **vier rechtgeleiteten Kalifen,** dessen Verdienst die Wahrung von Mohammeds Lebenswerk war. Sein Nachfolger Omar I. (634–644) ist als der eigentliche Begründer und Organisator des islamischen Großreiches anzusehen, das sich über ganz Arabien, Syrien und Palästina, Mesopotamien, Iran, Ägypten und das angrenzende Nordafrika ausdehnte. Bei der Ermordung des dritten Kalifen, Othman (656), und der Doppelwahl von Ali Ibn Abi Talib und Moawija I. aus der Dynastie der Omaijaden zerbrach die innere Einheit: Die Spaltung in Sunniten, Schiiten und Charidjiten besteht bis heute. Auf die bedeutende Kalifendynastie der Omaijaden (661–749) mit dem Zentrum Damaskus folgte die der Abbasiden (749–1258), zu der u. a. Harun ar-Raschid gehörte. Ihr Herrschaftssitz war Bagdad. Danach gab es diverse »Schein- bzw. Schattenkalifate« in Kairo, die jedoch nicht in der ganzen islamischen Welt anerkannt waren. Mit der türkischen Eroberung Kairos 1517 ging der Kalifentitel auf den osmanischen Sultan über. Nach dem Zusammenbruch des Osmanischen Reiches im Ersten Weltkrieg wurde das Kalifat abgeschafft.

Kalixtiner, die gemäßigten →Hussiten.

Kali-Yuga [Sanskrit »Weltperiode der Kali«], letztes der vier hinduistischen Weltzeitalter (→Yuga), als dessen Anfang das Jahr 3102 v. Chr. angenommen wird und das noch andauert. Das Zeitalter der Kali wird vom Bösen beherrscht und ist die Zeit des Weltuntergangs.

Kalkin, die zehnte, noch nicht erschienene und für die Zukunft erwartete Inkarnation (→Avatara) des indischen Gottes Vishnu.

Kalvari|enberg [latein. calvaria »Hirnschale«, »Schädel«], **Schädelstätte,** die Kreuzigungsstätte Jesu; →Golgatha.

Kalvinismus, der →Calvinismus.

Kama [Sanskrit »Sinnesverlangen«, »sexuelle Begierde«], im »Atharvaveda« der zum Gott erhobene Drang zum Guten, in nachvedischer Zeit der dem Eros und Cupido entsprechende, mit zahlreichen Attributen und Namen ausgestattete indische Liebesgott **(Kamadeva).** Er gilt u. a. als Sohn der Lakshmi oder als dem Herzen des Schöpfergottes Brahma entsprungen. Kama wird mit einem Zuckerrohr- oder Blütenbogen dargestellt, dessen Pfeile aus Blüten bestehen und dessen Sehne aus Bienen gebildet ist. Auf Kamas Standarte befindet sich ein Makara, sein Reittier ist ein Papagei. Von Shiva, dessen vollkommene Askese er störte, verbrannt und nur noch als rein mentales Bild wieder zum Leben erweckt, heißt er auch »Ananga« (»der Körperlose«). Kama ist eines der obersten Lebensziele des Hinduismus (→Purushartha).

Kamakura, Stadt auf Honshū, Japan, mit bedeutenden buddhistischen Tempeln und Klöstern sowie Shintō-Schreinen. Zwei der fünf großen Tempel der Rinzai-Schule des

Zen-Buddhismus sind noch weitgehend erhalten: Kenchōji (ursprünglich 1253, im 17. Jh. infolge eines Brandes erneuert) und Engakuji (1282). Der Kriegsgottheit Tsurugaoka Hachimangū wurde 1191 ein Schrein errichtet, weiter blieben der bronzene »Große Buddha« (1252; Höhe 11,36 m) im Kotokuin und der Zengarten des Suizenji erhalten.

Kamauro, außerliturgische Kopfbedeckung der Päpste, der →Camauro.

Kami, Zentralbegriff des japanischen Shintō, der sprachlich wahrscheinlich mit dem Ainu-Wort für »Gott«, »Kamui«, zusammenhängt. Kami ist im Shintō Bezeichnung für alles religiös Verehrungswürdige.

Kamikaze [japan. »göttlicher Wind«], ursprünglich Bezeichnung für die beiden Taifune, die 1274 und 1281 die Invasionsflotte des chinesischen Yüan-Kaisers Kubilai Khan vor Japan vernichteten. Die Kamikaze galten seither als Zeichen des göttlichen Schutzes Japans vor fremden Invasoren. Im Zweiten Weltkrieg war Kamikaze die Bezeichnung für die freiwillige Selbsttopferung (japanisch jibaku) japanischer Kampfflieger, die sich ab Oktober 1944 mit ihren sprengstoffbeladenen Maschinen auf US-Kriegsschiffe im Pazifik stürzten.

Kami no michi [-mitʃi; »Weg der Kami (Gottheiten)«], japanische Form für den sino-japanischen Begriff →Shintō.

Kana|an, historischer Begriff für die syrisch-palästinensische Küste, im A.T. das gesamte Land westlich des Jordan (1. Mos. 10, 18 f.), in das Abraham gezogen ist (1. Mos. 12, 5 ff.). Der Name **Kanaanäer** (auch **Kanaaniter**) ist Sammelbegriff für die vorisraelitische Bevölkerung des Landes. Diese lebte in voneinander unabhängigen Stadtstaaten, die nach 1200 v. Chr. weitgehend untergegangen sind, die Reste der kanaanäischen Bevölkerung wurden in der Königszeit von Israel aufgesogen. Die materielle Kultur Israels war stark von den Kanaanäern abhängig. In der Religion kam es zu einer lang andauernden Auseinandersetzung mit den Gottheiten des Landes (Baal, Astarte u. a.), die mit der Durchsetzung des Monotheismus, d. h. der alleinigen Verehrung Jahwes, endete.

Kanchipuram [kænˈtʃiːpərəm], bis 1949 **Conjeeveram,** hl. Stadt des Hinduismus und Pilgerort in Südindien. Die Pallavadynastie erbaute hier seit 700 n. Chr. den Kailasanatha, einen der frühesten shivaitischen Steinbautempel mit Überresten originaler Bemalung, der auch Vorbild für den Monolithtempel in Elura war. Er liegt wie der vishnuitische Vaikunthaperumal (8. Jh.) inmitten von Höfen, die durch Umfassungsmauern mit Nischen oder einen inneren Säulenumgang begrenzt sind. Der aus der Colazeit stammende vishnuitische Vandararajatempel (12. Jh.) mit siebenstöckigem Torturm (Gopura) und Säulenhalle (Mandapa) wurde unter den Königen von Vijayanagar erneuert. Sie errichteten auch den shivaitischen Ekambareshvaratempel, den größten der Stadt, mit mächtigem Torturm und Säulenhalle.

Kandschur [tibet. »Übersetzung des (Buddha-)Wortes«], **Kangyur,** Sammlung heiliger Schriften des tibetischen Buddhismus, →Tandschur und Kandschur.

Kannon, Kwannon, japanischer Name des →Avalokiteshvara. Als Plastik wird er häufig mit elf Köpfen oder tausendarmig dargestellt, stehend und mit Weidenzweig in der Hand. Kannon ist als Begleiter des Amitabha (japanisch Amida) am Lotossitz oder auch an der kleinen Amidafigur in seinem Stirnreif erkennbar.

Kanon [griech.-latein. »Regel«, »Norm«, »Richtschnur«, eigtl. »gerade Stange«], 1) *Religionswissenschaft und Theologie:* Bezeichnung für die Sammlung der für den Glauben einer Religionsgemeinschaft maßgeblichen Bücher (heiligen Schriften), so z. B. die Veden im Hinduismus, das Avesta im Parsismus, Tandschur und Kandschur im tibetischen Buddhismus und der Koran im Islam. Im Judentum bilden Pentateuch, Propheten- und Geschichtsbücher die hebräische Bibel, während sich der Kanon der christlichen Bibel aus dem Alten Testament, das weitgehend der hebräischen Bibel entspricht, und dem Neuen Testament zusammensetzt.

Die Entstehung des **alttestamentlichen Kanons** vollzog sich in mehreren Jahrhunderten. Der jüdische Kanon der hebräischen Bibel (aus christlicher Sicht als »protokanonische« Schriften bezeichnet) wurde um 100 n. Chr. von pharisäischen Kreisen festgelegt. Dabei wurden die in der griechischen Übersetzung (Septuaginta) darüber hinaus enthaltenen Texte (1. und 2. Makk., Tob., Jdt., Baruch, Weish., Sir.) als nicht kanonisch abgelehnt. Die Christen übernahmen die Septuaginta einschließlich dieser »deuterokanonischen« Texte bis auf einige Ausnahmen (z. B. 3. Esra) als die für sie maßgebliche Fassung des Alten Testaments. Obwohl sich manche Kirchenväter, wie z. B. Hieronymus, für den reduzierten jüdischen Kanon aussprachen, wurde unter dem Einfluss Augustinus' 393 das umfangreichere Verzeichnis der Schriften für kanonisch erklärt. Diese Entscheidung wurde auf den Konzilien von Florenz (1441) und Trient (1546) bestätigt. Martin Luther ging vom Kanon der hebräischen Bibel aus, nahm aber die deuterokanonischen Bücher als »Apokryphen« in den Anhang seiner Bibelübersetzung auf.

Anlass für die Herausbildung des **neutestamentlichen Kanons** waren die Abgrenzung der Christen gegenüber häretischen Bewegungen (v. a. gegenüber den Anhängern Marcions) sowie die Notwendigkeit, aus der Vielzahl der Schriften, die seit dem 2. Jh. – meist unter dem Namen eines Apostels – im Umlauf waren, jene

Kanaan. Die Götter Kanaans standen wie fast alle altorientalischen und antiken Götter und Glaubensvorstellungen in enger Verbindung zu der Lebenswirklichkeit der Menschen. Die negativen Aspekte verkörperte etwa Reschef, der als Bringer von Krankheit und Krieg galt (Haifa, Universität).

auszuscheiden, die nicht dem »Kanon der Wahrheit« entsprachen (→Apokryphen). Kriterium für die Auswahl war die Frage, inwieweit eine Schrift bereits in Liturgie und Predigt Verwendung fand und zur Erbauung der Gemeinde beitrug. Die endgültige Fixierung des neutestamentlichen Kanons erfolgte im 4. Jh.: die 27 Schriften des N. T. werden erstmals im Osterfestbrief des Athanasios von 367 aufgezählt.

2) *Kirchenrecht:* **Canon,** Abk. C., c., Plural **Canones,** Abk. cc.; Rechtsvorschrift des altkirchlichen (z. B. Konzilsbeschlüsse) und des neuzeitlichen kath. Kirchenrechts (besonders die Einzelvorschriften des Corpus Iuris Canonici und des Codex Iuris Canonici). **Kanonsammlungen** sind Sammlungen kirchlicher Rechtsvorschriften vor dem »Decretum Gratiani«.

Kanonisation, die →Heiligsprechung.
kanonisches Recht, →Kirchenrecht.
Kant, Immanuel, deutscher Philosoph, *Königsberg (heute Kaliningrad) 22. 4. 1724, † ebd. 12. 2. 1804; eine der zentralen Gestalten der europäischen Aufklärung.

■ **Leben** Kant stammte aus einem pietistischen Elternhaus. Er studierte 1740–45 an der Universität Königsberg (hauptsächlich Mathematik und Physik) und arbeitete 1746–55 als Hauslehrer, später als Privatdozent für Philosophie an der Königsberger Universität. 1766–72 war er Unterbibliothekar an der königlichen Schlossbibliothek, 1770 Professor für Logik und Metaphysik in Königsberg, 1786 und 1788 Rektor. 1796 beendete er seine Vorlesungstätigkeit. Kant hat den Raum um Königsberg nie verlassen.

■ **Werk** In der philosophischen Entwicklung Kants werden eine vorkritische und eine kritische Periode unterschieden. Die vorkritische Position Kants ist zunächst gekennzeichnet durch Rezeption und Fortentwicklung des philosophischen Rationalismus. Um 1760 setzte eine skeptische Neuorientierung seines Denkens ein. In dieser Zeit lehnte Kant die →Gottesbeweise ab. Die 1770 zum Antritt seiner Professur verfasste Dissertation bildet den Übergang zu seiner kritischen Philosophie.

Kant wollte mit seiner »Kritik der reinen Vernunft« (1781) eine »kopernikanische Wende« in der Philosophie herbeiführen, indem er den seiner Meinung nach naiven Glauben des →Rationalismus an die Objektivität der Erkenntnis kritisiert. Er weist nach, dass Metaphysik als Wissenschaft im Sinn einer Lehre von Gott, Welt und Seele unmöglich ist, da in metaphysischen Sätzen der »Bereich möglicher Erfahrung« überschritten (»transzendiert«) wird. Kants Theorie der Erfahrung lässt die Rede von Gott, Welt, Seele als von diesen Orientierungsmitteln unabhängigen Gegenständen (»Ding an sich«) der theoretischen Erfahrung nicht mehr zu. Gott, Welt, Seele haben für Kant als »Ideen« einen regulativen und praktischen Charakter als Aufforderungen, die systematische Einheit theoretischer Überlegungen herzustellen. Als »Postulate der praktischen Vernunft« führen sie zur Sicherung der Existenz Gottes, der menschlichen Freiheit und der Unsterblichkeit der Seele.

In der praktischen Philosophie entwickelt Kant eine autonome Moralbegründung im »kategorischen Imperativ«. Gott und Kirche spielen keine Rolle mehr bei der Begründung der Moral, können aber eine Hilfe bei der Erfüllung der Pflichten sein.

Kantillation [latein.], solistischer Sprechgesang beim Gottesdienst in der Synagoge, wobei durch modellartige melodische Wendungen Mitte und Ende eines Verses, gelegentlich auch der Textanfang, musikalisch betont werden, während die übrigen Stellen lediglich im Rezitationston wiedergegeben werden.

Kantor [latein. cantor »Sänger«], seit dem Mittelalter der kirchliche Vorsänger und Leiter der Schola Cantorum. In den ev. Kirchen heißt der Leiter des Kirchenchores, der für die musikalische Gestaltung des Gottesdienstes und die Kirchenmusik im Allgemeinen verantwortlich ist, Kantor.

Im *jüdischen Gottesdienst* übernimmt die Funktion des Kantors der →Chasan.

Kanushi [japan. ursprünglich für »Schamane«], japanische Shintopriester beiderlei Geschlechts, die die Shintozeremonien an den Schreinen leiten. Sie gelten als »Medien« der Götter (Kami) und entstammen oft angesehenen Priesterfamilien mit 50 bis 100 Generationen von Priestern. Die Kanushi absolvieren eine mehrjährige Ausbildung, sind in der Regel verheiratet und haben Familien. Seit der Heian-Zeit (794–1185) tragen sie bei den Zeremonien Gewänder, bei denen Weiß als Farbe der Reinheit dominiert, sowie verschiedenartige Kopfbedeckungen, die ihren Rang anzeigen. Zu den Insignien der Kanushi gehört außerdem ein flaches Holzzepter (Shaku).

Kanzel [althochdt. kancella, von latein. cancellus, Pl. cancelli »Einzäunung«, »Schranken«], in der Kirche der erhöhte Standort für die Predigt, der über eine Treppe erreichbar und von einer Brüstung umgeben ist. Die Kanzel befindet sich innerhalb des kirchlichen Raums oder außerhalb des Bauwerks (Außenkanzel).

Die Funktion der Kanzel übernimmt in der Moschee der →Minbar, in der Synagoge der →Almemor.

Kapelle [althochdt. kapella, von mittellatein. cap(p)ella »kleines Bethaus«, eigtl. »kleiner Mantel«], ursprünglich ein Verehrungs- und Aufbewahrungsraum der Cappa, des legendären Mönchsgewands des Martin von Tours, im Königspalast in Paris.

Immanuel Kant
(Porträt von Gottlieb Doebler, 1791; Duisburg, Museum der Stadt Königsberg)

Seit dem Spätmittelalter wird die Bezeichnung angewandt auf ein für gottesdienstliche Handlungen bestimmtes kleines Gebäude.

Kapitol, latein. **Capitolium, Capitolinus mons,** Name des kleinsten der sieben Hügel Roms mit zwei Kuppen, von denen ursprünglich nur die südliche den Namen Capitolium trug. Hier befand sich der Tempel der Göttertrias Iuppiter Optimus Maximus Capitolinus, Juno und Minerva (Kapitolinische Trias), der 509 v. Chr. geweiht wurde. Mit seiner Errichtung wurde das Kapitol religiöser und politischer Mittelpunkt der Stadt Rom und später des Römischen Reiches.

Da das Kapitol als Inbegriff römischer Staatsreligion und des religiösen Schutzes über Rom die Funktionen des Staatskultes trug, wurden seit dem 2. Jh. v. Chr. auch in römischen Kolonialstädten Capitolia eingerichtet (Brescia, Cosa bei Vulci, Cumae, Pompeji, Verona u. a.) und seit dem 2. und 3. Jh. n. Chr. im Bereich fast des ganzen römischen Imperiums (Griechenland, Gallien, Spanien, Nordafrika).

Kaplan [mittelhochdt. kaplān, von mittellatein. capellanus »Kapellengeistlicher«], ursprüngliche Bezeichnung für den Kleriker an der fränkischen Hofkapelle, dann auch allgemein für Geistliche an Kapellen. Heute bezeichnet Kaplan einen Kleriker, der die Seelsorge für eine bestimmte Gemeinschaft oder einen besonderen Kreis von Gläubigen versieht, im deutschen Sprachgebrauch auch einen »Hilfspriester« (lateinisch vicarius cooperator), der für eine Pfarrei bestellt und dem Pfarrer untergeordnet ist.

Kaplan [ˈkæplən], Mordecai Menahem, amerikanischer Rabbiner und Religionsphilosoph, * Švenčionys (Litauen) 11. 6. 1881, † New York 8. 11. 1983; Begründer des jüdischen →Rekonstruktionismus.

Kappadoki|er, drei große Kappadokier, in der *Kirchen- und Theologiegeschichte* die sich auf ihre Heimat beziehende Sammelbezeichnung der drei östlichen Kirchenväter Basilius der Große, Gregor von Nazianz und Gregor von Nyssa.

Karäer [hebr. qarāʾīm, wohl »Leute der (hl.) Schrift«, zu qarā »lesen«, »zitieren«, »verkünden«], im mesopotamischen Judentum des 8. Jh. unter Anan ben David (um 760–770) entstandene jüdische Sondergemeinschaft. Sie hatte großen Zulauf und umfasste in der Folge weite Teile des orientalischen Judentums. In Konkurrenz zum rabbinischen Judentum tretend, erkannten die Karäer allein die hebräische Bibel an und lehnten die »mündliche Thora« (Mischna und Talmud) – und damit die Autorität der Rabbinen – ab. Die Karäer entwickelten eine vom Talmud unabhängige Gesetzestradition mit z. T. strengeren Bestimmungen, zu denen z. B. Beschneidung, Ehe nur innerhalb der Gemeinschaft, Sabbatruhe und rituelle Reinheit gehören. Teile der Karäer vertraten eine strenge asketische Frömmigkeit, andere übernahmen für ihre Kritik des rabbinischen Judentums Bildungstraditionen aus dem Islam und trugen so zur Entwicklung einer jüdischen Philosophie bei. Maßgeblich wurde ihre Pflege der biblischen Textüberlieferungen (→Masora) und des Hebräischen.

Durch die rabbinischen Autoritäten, den Gaon Saadja und Moses Maimonides, im Orient mehr und mehr verdrängt, wurden Ende des 11. Jh. Konstantinopel, später auch die Krim (13. Jh.) und Litauen (14. Jh.) zu Zentren der Karäer. Wie im Russischen Reich, wo es 1897 rund 12 900 Karäer gab, galten sie auch während der nationalsozialistischen Herrschaft in Europa nicht als Juden. Ihr Schicksal in der Sowjetunion nach 1945 (Deportation zusammen mit den Krimtataren) ist weithin ungeklärt. Heute leben die meisten Karäer in Israel (rund 12 000), dazu wohl noch wenige Hundert (?) in der Türkei und in Polen sowie eine geringe Zahl in der südlichen Ukraine. Eine kleine karäische Gemeinde besteht in Litauen.

Karbala, →Kerbela.

Kardec [-ˈdɛk], Allen, eigtl. **Hippolyte Léon Denizard Rivail,** französischer Schriftsteller und Spiritist, * Lyon 3. 10. 1804, † Paris 31. 3. 1869; wuchs in der Schweiz auf und lebte später als Schriftsteller in Paris. In seiner Lehre, die in der Folge eine weite Verbreitung fand und als **Kardecismus** heute besonders in Lateinamerika (Brasilien) verbreitet ist, verband Kardec den Spiritismus mit dem Reinkarnationsgedanken. (→Okkultismus, →Spiritismus)

Kardinal [kirchenlatein. cardinalis episcopus »wichtigster (der Hauptkirche in Rom am nächsten stehender) Geistlicher«, von latein.

Kardinal. Kardinäle, die höchsten geistlichen Würdenträger der katholischen Kirche nach dem Papst, können nur von diesem ernannt werden. Das Foto zeigt Kardinal Joseph Höffner (* 1906, † 1987) bei einer Predigt auf dem Aachener Katholikentag 1986.

Kardinal   Das Konklave

Wenn ein Papst stirbt, ist es die Aufgabe der Kardinäle, seinen Nachfolger zu bestimmen. Wenn der Kardinal-Kämmerer der Römischen Kirche offiziell den Tod des Papstes festgestellt hat, zerbricht er dessen Ring, versiegelt die Amtsräume und legt den Tag der Papstwahl fest. Die Kardinäle schließen sich im Konklave, dem »abgeschlossenen (versiegelten) Raum«, völlig von der Außenwelt ab und wählen in geheimen Wahlgängen den neuen Papst. Die Wahlzettel werden nach jedem Wahlgang in einem Ofen mit präpariertem Stroh verbrannt. Solange schwarzer Rauch aufsteigt, hat die Wahl keine Entscheidung gebracht. Erst wenn weißer Rauch aufsteigt, wird der Konklaveraum geöffnet und den Gläubigen wird verkündet: »Habemus Papam! – Wir haben einen Papst!« Der Brauch des Konklaves geht auf das Jahr 1241 zurück. Damals konnten sich die Kardinäle nicht auf einen Kandidaten einigen, woraufhin der römische Senat die Papstwähler kurzerhand mit Waffengewalt in einen Raum bringen und diesen zumauern ließ. Ohne Essen und Trinken starben oder erkrankten damals viele der Kardinäle. Das Verfahren des Einschließens, das eine Einflussnahme weltlicher Mächte von außen verhindern soll, wurde beibehalten.

Kardinaltugenden

Kardinal
→ **GEO Dossier**
Gott und die Welt, Bd. 16

cardinalis »vorzüglich«], in der kath. Kirche die höchsten kirchlichen Würdenträger nach dem Papst, die ausschließlich von ihm ernannt werden, und seine engsten Mitarbeiter in der Leitung der Kirche (→Kurienkongregationen, →römische Kurie). Das vornehmste Recht der Kardinäle ist seit 1179 die Papstwahl (Konklave). Die 1586 auf 70 festgelegte Zahl der Kardinäle wird seit 1958 überschritten, um Vertreter aller Erdteile in das Kardinalskollegium aufnehmen zu können. So betrug die Zahl nach dem Konsistorium vom 24. 3. 2006 193 Kardinäle.

Als Obergrenze der zur Papstwahl berechtigten Kardinäle legte Paul VI. die Höchstzahl 120 fest. Wer zum Kardinal erhoben werden soll, muss die Priesterweihe empfangen haben und soll, wenn er noch nicht Bischof ist, die Bischofsweihe empfangen. Für die Wahrnehmung von Papstwahl und Funktionen in den ständigen Einrichtungen der römischen Kurie und des Vatikanstaates gilt eine Altersgrenze von 80 Jahren. Kirchenrechtlich unterstehen die Kardinäle ausschließlich der Jurisdiktionsgewalt des Papstes.

Karfreitag.
Am Karfreitag wird der Leiden und des Todes Christi am Kreuz gedacht. Seit Beginn des 17. Jh. werden zu diesem Anlass Prozessionen veranstaltet, in denen die Bürger die Stationen des Leidens Jesu Christi verkörpern (hier im Jahr 2000 in Bensheim, Kreis Bergstraße).

Kardinaltugenden, latein. **Virtutes cardinales, Virtutes principiales,** seit Ambrosius die Bezeichnung für die vier Haupttugenden Weisheit (griechisch sophia, lateinisch sapientia), Tapferkeit (griechisch andreia, lateinisch fortitudo), Besonnenheit (griechisch sophrosyne, lateinisch temperantia) und Gerechtigkeit (griechisch dikaiosyne, lateinisch iustitia), die sich in systematischer Ausgestaltung erstmals bei Platon finden. Dieser stellte die Gerechtigkeit über die anderen Kardinaltugenden.

Ambrosius berücksichtigte die Kardinaltugenden in der Bibelexegese als Topoi allegorischer Schriftdeutung. In ähnlicher Weise taten dies auch Hieronymus, Augustinus, Beda und Hrabanus Maurus. Thomas von Aquino integrierte die Kardinaltugenden in die Ausgestaltung seiner Morallehre. In seiner Verknüpfung von antiker Philosophie und christlicher Theologie verband er die antiken Kardinaltugenden mit den drei theologischen Tugenden Glaube, Liebe und Hoffnung (1. Kor. 13, 13). Im 17. Jh. fasste der niederländische Philosoph Arnold Geulincx als Kardinaltugenden Fleiß, Gehorsam, Gerechtigkeit und Demut, später Friedrich Schleiermacher Weisheit, Liebe, Besonnenheit und Tapferkeit. In der kath. Moraltheologie blieb die klassische Einteilung bis in unser Jahrhundert erhalten.

Karfreitag [mittelhochdt. harvrītac, zu althochdt. chara »Trauer«, »Buße«], **Stiller Freitag,** der Freitag in der Karwoche, Todestag Jesu. Er gilt in den ev. Kirchen als höchster Feiertag, ist aber erst seit dem 2. Vatikanischen Konzil auch kath. Feiertag. Traditionell wird er als Bußtag mit Fasten und Verzicht auf die Eucharistie begangen. Karfreitag und Ostern als Erinnerung an Leiden und Auferstehung Jesu Christi wurden bereits seit Mitte des 2. Jh. feierlich ausgestaltet. Nach der lateinischen Liturgie, in der sich noch alte Elemente erhalten haben wie das Schweigen von Glocken und Orgel oder die liturgische Farbe Rot statt Schwarz, besteht die Feier am Nachmittag aus einem Wortgottesdienst, der der Passionsgeschichte nach dem Johannesevangelium gewidmet ist, den »großen Fürbitten« und der Enthüllung und Verehrung des Kreuzes. In den Ostkirchen beziehen die Gottesdienste des Karfreitags u. a. die großen Horen und die Übertragung des Epitaphs Jesu Christi (Tuch mit der Darstellung Jesu im Grabe) vom Altar vor die Ikonostase ein.

Karitas [latein., zu carus »lieb«, »wert«, »teuer«] **Caritas,** im N. T. die umfassende Bezeichnung für die Liebe als Wesen und Handeln Gottes und als Lebensvollzug der Christen. Wirksam wird die christliche Karitas in der tätigen Nächstenliebe. Maßgebend für die Soziallehre und Ethik der mittelalterlichen Theologie (z. B. bei Thomas von Aquino) war die Unterscheidung von sieben »leiblichen« und sieben »geistlichen« Werken der Barmherzigkeit. Die neuzeitliche Theologie versteht Nächstenliebe im Rückgriff auf das N. T. vor allem als »Dienst« (griechisch diakonia), der am Vorbild Jesu orientiert ist (Mk. 10, 45; 1. Joh. 4, 7–11) und sich sowohl in individueller Hilfeleistung als auch im Einsatz für die solidarische und (sozial) gerechte Gestaltung der Gesellschaft – beides verbunden mit christlicher Verkündigung – verwirklicht.

Seine institutionalisierte Form fand der Gedanke der Karitas in der kath. Kirche in den nationalen Caritasverbänden (in Deutschland der Deutsche Caritasverband e. V.) und ihrer 1951 gegründeten internationalen Dachorganisation Caritas Internationalis (Sitz: Rom). Institutioneller Träger der Karitas in den ev. Kirchen ist in Deutschland das Diakonische Werk.

Karlstadt, eigtl. **Andreas Rudolf Bodenstein,** reformatorischer Theologe, *Karlstadt 1486, †Basel 24. 12. 1541; führte 1519 zusammen mit Luther die »Leipziger Disputationen« gegen Johannes Eck, die den endgültigen Bruch mit dem Papsttum einleiteten, und war während dessen Wartburgaufenthalt maßgeblich an der Radikalisierung der reformatorischen Bewegung beteiligt. Er feierte Weihnachten 1521 die erste »Deutsche Messe« und leitete mit seiner Schrift »Vom Abtun der Bilder« den Wittenberger Bildersturm (1522) ein. 1523 schaffte Karlstadt als Pfarrer in Orlamünde in seiner Gemeinde die Bilder, die Orgel und die Kindertaufe ab. Er forderte auch die Abschaffung von Privatmessen und Ordensgelübden sowie die Priesterehe. Seine Bestreitung der Realpräsenz Christi führte zum Abendmahlsstreit zwischen Luther und Zwingli. 1524 nach heftigen Auseinandersetzungen mit Luther aus Kursachsen ausgewiesen, fand Karlstadt Aufnahme bei Zwingli in Zürich und hatte seit 1534 eine Professur für A. T. in Basel inne.

Karma [Sanskrit »Tat«], **Karman,** zentraler Begriff des Hinduismus, Jainismus und Buddhismus, der das universelle Gesetz bezeichnet, nach dem das Leben eines Menschen die Folge seiner Handlungen in einem früheren Leben darstellt, ebenso wie seine Handlungen in seinem gegenwärtigen Leben mögliche Ursache für die Form eines späteren Lebens sind. Die Lehre vom Karma findet sich erstmals in den älteren Upanishaden, wo sie etwa gleichzeitig mit der Lehre von der Wiedergeburt auftritt. Alle Wesen, auch die Götter, unterliegen dem Karma. Als Träger des Karmas von Geburt zu Geburt wird meistens ein feinstofflicher Körper angenommen, der bei der Zeugung in den Mutterleib eingeht.

Alle drei Religionen lehren verschiedene Wege, dem durch das Karma bedingten Kreislauf von Geburt, Tod und Wiedergeburt (→Samsara) zu entrinnen.

Karma Kagyü [-dʒy], eine Gruppe innerhalb der tibetischen Kagyüpa-Schule (→tibetischer Buddhismus), die den Diamantweg (Vajrayana) lehrt. Basistexte sind tantrische Schriften und Autobiografien der großen Meister der Schule. Sie verbreitete sich im Westen ausgehend von dem Dänen Ole Nydahl (*1941), der 1972 ein erstes Zentrum in Kopenhagen gründete. Gegen ihn wird u. a. der Vorwurf des Rassismus erhoben. Der »Buddhistische Dachverband Diamantweg der Karma-Kagyü-Linie« ist der größte Einzelverband in der »Deutschen Buddhistischen Union«. Weltweit gibt es über 250 Kagyü-Zentren in Europa, Russland, USA, Südamerika und Australien.

Karmapa-Lama [zu Sanskrit Karma und tibet. bla-ma »der Obere«], das Oberhaupt der Karmapa-Kagyüpa-Schule des tibetischen Buddhismus, die sich als die das →Karma (die »Heilsaktivität«) aller Buddhas vereinende »Schule der autoritativen Überlieferung« beschreibt. Der Karmapa-Lama nimmt in der Hierarchie des tibetischen Buddhismus nach dem Dalai-Lama und dem Pantschen-Lama die dritte Stelle ein und verkörpert dessen älteste Reinkarnationslinie (begründet 1110; →Tulku). Nach dem Tod des 16. Karmapa-Lama (1981) kam es infolge der Inthronisation von zwei Knaben – in Tibet und in Indien – zum 17. Karmapa-Lama zu einer Spaltung der Karmapa-Kagyüpa-Schule. Während Thaye Dorje von dem dänischen Lama Ole Nydahl (*1941) unterstützt wird, hält der Dalai-Lama Urgyen Trinley für authentisch.

Karmaten, islamischer Geheimbund ismailitisch-schiitischer Richtung. Die Karmaten traten unter Führung von Hamdan Karmat gegen Ende des 9. Jh. im südlichen Irak auf und griffen von dort nach Syrien, Khorasan, dem Pandschab und Arabien über. In Ostarabien errichteten sie einen Bahrain und Hasa umfassenden eigenen Staat (894–1078). Sie terrorisierten von hier aus die Arabische Halbinsel, nahmen 930 Mekka ein und raubten den schwarzen Stein der Kaaba, der 951 auf Drängen des Fatimidenkalifen zurückgegeben wurde. Nach 1250 verschwinden ihre Spuren.

Karnak, oberägyptisches Dorf am Ostufer des Nils, das mit dem 3 km entfernten →Luxor über dem Ostteil der altägyptischen Hauptstadt →Theben liegt. Die drei Tempelkomplexe von Karnak nahmen den nördlichen Teil von Theben-Ost ein. Hauptheiligtum ist der große Tempel für den Reichsgott Amun aus der 18. Dynastie mit der Festhalle Thutmosis' III. und dem 6. Pylon vor dem Hof mit geringen Resten des Tempels des Mittleren Reichs. Er wurde in der 19. Dynastie um den Großen Säulensaal und in der Spätzeit um die heutige Fassade (1. Pylon) erweitert.

Der Amuntempel ist großräumig mit einer Ziegelmauer umwallt. Innerhalb der Umwallung befinden sich weitere vier Pylone als Teil der Prozessionsstraße, der hl. See u. a. Anlagen, insbesondere der klassische Tempel des

Karnak.
Dem Reichstempel von Karnak galt über zwei Jahrtausende lang die besondere Aufmerksamkeit der Pharaonen. Ihn zu erweitern und auszustatten war heilige Pflicht. So wurde der Komplex des Amun-Re-Tempels zur architektonischen Umsetzung der Geschichte Ägyptens seit 2000 vor Christus.

Karma
→ **GEO** Dossier
Tod am Ganges, Bd. 16

Chons, dessen Bau unter Ramses III. begonnen wurde, und der Tempel des Ptah. Außerhalb der Umwallung entstanden in der 18. Dynastie eine eigene Tempelanlage für die Göttin Mut, ferner eine Anlage für den Gott Month und ein Atontempel des Echnaton.

Karneval [italien. carnevale, vielleicht in volksetymologischer Umdeutung von mittellatein. carnelevale »Fleischwegnahme« (latein. carne vale »Fleisch, lebe wohl«) oder von mittellatein. carrus navalis »Schiffskarren«, »Schiff auf Rädern«; kirchenlatein. dominica ante carnes tollendas »Sonntag vor der Fleischenthaltung«], *Christentum:* Sonntag vor Aschermittwoch, ursprünglich der Tag vor der vorösterlichen Fleischenthaltung, der dann auf eine längere Zeit gesteigerten Lebensgenusses vor dem Fasten erweitert wurde.

Karttikeya [-j-, Sanskrit], **Skanda, Guha,** in Südindien **Subrahmanya, Murugan,** *Hinduismus:* in der älteren Literatur durch die Vermittlung des Feuergottes (Agni) geborener Kriegsgott. Nach einigen Texten sind die Krittikas, die Plejaden, seine Mütter. Sein Name ist auch mit dem Monat Karttika verbunden, der für Kriege als besonders günstig gilt. Im späteren Hinduismus wird er als Sohn des Gottes Shiva bzw. der Göttin Uma-Parvati verehrt. Er wird oft sechsköpfig und mit einem Pfau als Reittier dargestellt.

Karuna [Sanskrit »Erbarmen«, »Mitleid«], im Buddhismus das mit der tätigen Zuwendung verbundene Mitleiden mit allen Lebewesen, das als zentrale Eigenschaft aller Buddhas gilt. Karuna bildet als **Mahakaruna** (das »große Erbarmen«) das zentrale Gebot des Mahayana-Buddhismus und wird durch die ihre eigene Erlösung zurückstellenden Bodhisattvas verkörpert, wobei das helfende Mitleiden (Karuna) immer mit dem unmittelbar-intuitiven Begreifen des wahren Wesens der Welt (Prajna) verbunden ist.

Karwoche [von althochdt. chara »Trauer«, »Wehklage«], **Stille Woche, Heilige Woche,** Woche vor Ostern von Palmsonntag bis Karsamstag, die in allen christlichen Kirchen dem Gedächtnis an Leiden und Sterben Jesu Christi gewidmet ist. Haupttage sind Palmsonntag, Gründonnerstag, Karfreitag und Karsamstag. Im Zentrum der Liturgie steht die Passionsgeschichte, die sonntags (nach Mt.), dienstags (Mk.), mittwochs (Lk.) und freitags (Joh.) verlesen wird. Üblicherweise schweigen von Gründonnerstagabend bis zur Feier der Auferstehung Christi die Kirchenglocken.

Kaste [französ., von portugies. casta (Bezeichnung für die abgeschlossenen Stände in Indien), zu latein. castus »keusch«, »rein«], soziale Kategorie der Hindugesellschaft. Im Hinduismus versteht man unter Kaste eine Gruppe, die sich nach außen durch Endogamie (Heirat nur innerhalb der Kaste) und Kommensalität (das Gebot, nur mit Mitgliedern der eigenen Kaste zusammen zu essen) abgrenzt. Die Zugehörigkeit zu einer Kaste wird durch die Geburt bestimmt. Traditionell sind den Kasten bestimmte berufliche Tätigkeiten zugeordnet. Ferner wird eine Kaste durch gemeinsame Sitten und Gebräuche zusammengehalten sowie durch kastenspezifische Verpflichtungen, die jeder Einzelne zu erfüllen hat (→Dharma).

Der Ursprung des Kastensystems liegt im Dunkeln. Nicht unwesentlich bei seiner Entwicklung scheint das Bestreben der nach Indien einwandernden Arier gewesen zu sein, gegenüber der unterworfenen Urbevölkerung ihre Reinheit zu bewahren. Dafür spricht die Einteilung in vier »varna« (indischer Ausdruck für Kaste, der »Farbe« bedeutet): Brahmanen (Priester), Kshatriyas (Krieger), Vaishyas (Bauern und Handwerker) und Shudras (Knechte). Diese Gliederung erscheint zum ersten Mal in einem späten Hymnus des Rigveda. Die Angehörigen der drei oberen »varna« stehen als »zweimal Geborene«, d. h. als diejenigen, die durch eine religiöse Zeremonie in das Studium des Veda eingeführt sind, den Knechten gegenüber, denen die Kenntnis des Veda verschlossen bleibt. Im Laufe der Zeit bildeten sich z. B. durch Mischehen von Angehörigen verschiedener »varna« und durch Aufnahme fremder Gruppen immer neue Kasten heraus, sodass die Vierereinteilung mehr und mehr aufgegeben wurde. Die Zahl der Kasten in Indien wird heute auf etwa 3 000 geschätzt. Außerhalb des Kastensystems stehen die Kastenlosen oder Parias.

Kastor, *griechische Mythologie:* einer der →Dioskuren.

Kasuistik [zu latein. casus »Fall«, »Vorkommnis«], in der *Ethik* die Erörterung über eine zu treffende Entscheidung in Fällen, in denen über die Anwendung sittlicher Normen Zweifel bestehen. Voraussetzung für eine Kasuistik ist das Bestehen einer Sittenlehre mit grundsätzlich fest umrissenen Prinzipien oder Normen, die auf konkrete Handlungssituationen angewendet werden sollen. So gibt es etwa Kasuistik im Konfuzianismus und Buddhismus, im Abendland zuerst in der Stoa.

Judentum und *christliche Theologie:* Charakteristisch ist die Kasuistik für das Judentum, das in seiner rabbinischen Schultradition bei der Auslegung des Gesetzes (Thora) anhand konkreter, in den Disputen der rabbinischen Akademien aber meist konstruierter Fälle sowohl um einen Ausgleich zwischen Thora, Mischna, Gemara und anderen gesetzlichen Traditionen als auch darum bemüht ist, der jüdischen Gemeinde in ihrem jeweiligen geschichtlich-gesellschaftlichen Umfeld die Gesetzeserfüllung zu ermöglichen bzw. zu erleichtern.

Über judenchristliche Vorstellungen im N. T. fand die Kasuistik Eingang in die christ-

Kaste
→ **GEO Dossier**
Tod am Ganges, Bd. 16

liche Theologie und beeinflusste zunächst durch die stark schematisierten Bußbücher (Sündenkataloge für den Gebrauch der Beichtväter) die rechtlich ausgerichtete Bußpraxis des Mittelalters, verselbstständigte sich dann jedoch – trotz theoretischer Rückbindung an systematischer Theologie und Mystik – in der kath. Moraltheologie des 17./18. Jh., v. a. unter dem Einfluss der Jesuiten, zu einem System der Feststellung des ethischen Minimums, also des eben noch Erlaubten.

Die protestantische Ethik betont aufgrund der reformatorischen Vorstellung von der Überwindung des Gesetzes durch das Evangelium im Gegensatz zu einer kasuistisch orientierten Normenethik die Autonomie und Freiheit der sittlichen Entscheidung des Einzelnen (»Situationsethik«).

Katechese [zu griech. katéchēsis »mündlicher Unterricht«], die Vermittlung der christlichen Botschaft. Im weiteren Sinn bezeichnet Katechese jegliche Art von Glaubensverkündigung, im engeren Sinn die Weitergabe christlicher Lehre an neue Kirchenmitglieder, in der alten Kirche die Unterweisung erwachsener Taufbewerber (**Katechumenen**) und später auch den Unterricht getaufter Kinder. Besonders gefördert wurde die Katechese seit der Reformation und der kath. Reform. – Werkzeug der Katechese ist der Katechismus.

Katechismus [kirchenlatein., von griech. katēchismós »Unterricht«, »Lehre«], in der alten Kirche und im Mittelalter allgemeine Bezeichnung für christliche Glaubensunterweisung und seit dem 16. Jh. im engeren Sinne Bezeichnung für das dabei gebrauchte Buch, das in Frage und Antwort die wichtigsten christlichen Lehren zusammenstellt.

Schon aus der Zeit Martin Luthers sind etwa 30 gedruckte Katechismen bekannt, u. a. einer von Erasmus von Rotterdam (1512). Wegweisend für die weitere Entwicklung der Katechese wurden jedoch die Katechismen Luthers: der **Große Katechismus** »an alle Pfarrherrn und Prediger« und der **Kleine Katechismus** an die »… Hausväter« (beide 1529). Sie behandeln u. a. die Zehn Gebote, Glaubensbekenntnis, Vaterunser, Taufe, Abendmahl, Beichte und Gebete.

In Anlehnung an Luthers Katechismen entstanden der reformierte **Heidelberger Katechismus** (1563) und die **Genfer Katechismen** Johannes Calvins (1537 und 1545). Die kath. Kirche setzte ihnen den »**Catechismus Romanus**« (1566) entgegen, eine umfassende Darstellung des Glaubensstoffes für die Pfarrer, sowie die Katechismen (Großer und Kleiner) des Petrus Canisius, bestimmt für die Gläubigen. 1992 präsentierte Papst Johannes Paul II. in Rom offiziell den neuen »**Katechismus der kath. Kirche**« (»Weltkatechismus«), der den Charakter eines grundlegenden Handbuches der kath. Glaubens- und Sittenlehre hat und als gesamtkirchlicher Katechismus an die Stelle des »Catechismus Romanus« getreten ist.

Neue deutsche **Erwachsenenkatechismen** sind der von der Deutschen Bischofskonferenz herausgegebene zweibändige »Katholische Erwachsenenkatechismus« (1985, 1994) und der von der Vereinigten Evangelisch-Lutherischen Kirche Deutschlands (VELKD) herausgegebene »Evangelische Erwachsenenkatechismus« (2000).

Unter den Katechismen der *orth. Kirche* ist besonders der von Filaret (* 1782, † 1867) für die russisch-orth. Kirche verfasste Katechismus hervorzuheben.

Katharer [griech. »die Reinen«], eine der größten religiösen Bewegungen des Mittelalters. Die Herkunft des im 12. Jh. belegten Namens ist unklar. Die Katharer selbst nannten sich »veri christiani« oder »boni christiani« (wahre oder gute Christen) oder »boni homines« (gute Menschen). Zeitgenössische Bezeichnungen waren auch Manichäer (→Manichäismus), Patarener (in Italien) und Albigenser (in Frankreich).

Erstmals im Rheinland nachweisbar (Köln 1143), breiteten sich die Katharer im 12. und 13. Jh. in Mittel-, West- und Südeuropa aus, wobei Südfrankreich und Oberitalien ihre Zentren wurden. Motive ihrer Entstehung waren die Kritik an der Verweltlichung des Klerus und an den Mängeln der Seelsorge und Theologie sowie der Ruf nach einer »armen« Kirche und das Streben nach einem apostolischen Leben. Als kirchenkritische Bewegung lehnten sie Ehe, Eid, Bilder-, Heiligen- und Reliquienverehrung sowie den Kriegsdienst ab.

■ **Lehre** Theologisch ist die Lehre der Katharer, die v. a. durch Wanderprediger vermittelt wurde, von den →Bogomilen und von auf die →Paulikianer zurückgehenden manichäischen Gedanken beeinflusst. Diese Einflüsse waren vermutlich von abendländischen Kaufleuten oder Kreuzfahrern in den Westen gebracht worden. Als heilige Schrift galten den Katharern lediglich das N. T. (v. a. Joh. und Apk.) sowie die Psalmen und einige der Propheten des Alten Testaments. Grundlegend für die katharische Lehre war der Dualismus von zwei einander entgegengesetzten, fast gleich starken Prinzipien, einem guten (Gott) und einem bösen (Satan), wobei v. a. die Katharer in Süd- und Südwestfrankreich und Oberitalien, deren Gemeinschaften am längsten bestanden, sich die bogomilische und manichäische Auffassung zu eigen machten, der Schöpfer der Körperwelt sei nicht Gott, sondern der Satan. Infolgedessen verachteten sie alles Leibliche. Jesus Christus war nach ihrer Vorstellung kein wirklicher Mensch, seine körperliche Existenz nur vorgespiegelt und sein Tod nur scheinbar. Vielmehr sei er ein den Menschen als Führer zur Erkenntnis des

Katechismus
→ GEO Dossier
Warum glaubt der Mensch?, Bd. 15

Katechismus. In Katechismen werden die wichtigsten Glaubensgrundsätze des Christentums niedergelegt. Neben Erwachsenenkatechismen wurden auch solche für Kinder verfasst, so der »Catechismus oder Kinderpredigten« des lutherischen Theologen Andreas Osiander (Titelholzschnitt von Johann Petreius, Nürnberg, 1533).

Katharina von Alexandria

Guten aus dem Himmel gesandter Engel gewesen.

■ **Organisation** Innerhalb der Katharer gab es die Unterscheidung in »Credentes« (Gläubige) und »Perfecti« (Vollkommene). Letztere galten als Geistträger und nur sie bildeten die »wahre Kirche«, die »Gemeinschaft der Heiligen«. Zentraler Ritus der Katharer war das »Consolamentum« (Tröstung), eine »Geisttaufe« als eine Kombination aus Taufe, Ordination, Beichte, Buße und Absolution, bei der der künftige »Perfectus« sich zu einem asketischen Leben, insbesondere zu sexueller Enthaltsamkeit, verpflichtete. Auch Frauen konnten zu »Perfectae« ordiniert werden, die jedoch in den kirchlichen Funktionen den Männern nicht gleichgestellt waren.

Organisatorisch waren die Katharer in sechs Diözesen aufgeteilt, die von Bischöfen, gewählt aus den »Perfecti«, geleitet wurden. Die höchste Lehrinstanz war das Konzil der »Perfecti«.

Zu den Anhängern der Katharer zählte fast der ganze Adel Okzitaniens. Als die Grafen von Toulouse und von Foix Partei gegen die römische Kirche und den König von Frankreich ergriffen, kam es im Zuge der **Albigenserkriege** zu einem Blutbad in Béziers (1209). Nach der letzten bewaffneten Verteidigung der Lehre, die mit der Kapitulation der Burg Montségur 1244 endete, flüchteten viele französische Katharer vor der Inquisition in die Lombardei. Um 1300 erlebten die Katharer in Südfrankreich einen letzten Aufschwung. Gründe für den Rückgang der Bewegung waren nicht nur die Verfolgung durch die Inquisition, sondern auch die Ausbreitung der Bettelorden, v. a. der Franziskaner.

Katharina von Alexandria, Märtyrerin, † Anfang des 4. Jh.; Patronin der Philosophen und einer der 14 Nothelfer. Eine griechische Urfassung der Katharina-Legende scheint im 6./7. Jh. im oströmischen Kulturkreis entstanden zu sein. Ihr Kernstück ist die als »Passio« bezeichnete Geschichte von Katharinas Martyrium unter Kaiser Maxentius (oder Maximinus Daia) zu Alexandria, nachdem sie einen theologischen Disput mit dem Kaiser und 50 heidnischen Philosophen geführt hatte. Da das Rad zerbrach, auf dem Katharina gerädert werden sollte, wurde sie mit dem Schwert enthauptet. Ihr Leib, so berichtet die Legende, sei von Engeln auf den Sinai gebracht worden (→Katharinenkloster). Neben die »Passio« trat im westlichen Kulturkreis als »Conversio« die Geschichte von Katharinas Bekehrung durch einen frommen Einsiedler und von ihrer mystischen Vermählung mit Christus.

Im Mittelalter galt Katharina als die nach der Gottesmutter Maria ranghöchste Heilige. Sie gilt als Patronin zahlreicher Berufsgruppen: u. a. der Buchdrucker, Friseure, Gelehrten (Juristen, Philosophen, Theologen), Näherinnen, Spinnerinnen und Studenten sowie auch der Bibliotheken und Hochschulen. – Heilige (Tag: 25. 11.).

Katharina von Siena, eigtl. **Caterina Benincasa,** Mystikerin, * Siena um 1347, † Rom 29. 4. 1380; gehörte zum Dritten Orden der Dominikaner. Sie war karitativ tätig, unternahm Reisen und führte eine umfangreiche Korrespondenz, von der mehr als 380 Briefe erhalten sind. Ihr literarisches Hauptwerk ist »Dialog, Gespräch von Gottes Vorsehung«. Durch mystische Erfahrungen der unmittelbaren Nähe Gottes bewusst, sah sich Katharina beauftragt, in die Politik und Weltgeschichte einzugreifen. Eines ihrer Hauptanliegen war, Papst Gregor XI. zu bewegen, aus Avignon wieder nach Rom zurückzukehren (1377). Seit 1970 trägt Katharina den Ehrentitel »Kirchenlehrerin«. Sie ist Patronin des Dominikanerordens, Italiens und der Stadt Siena; seit 1999 auch Patronin Europas. – Heilige (Tag: 29. 4.).

Katharinenkloster, Dornbuschkloster, Sina͏̈ikloster, griechisch-orth. Kloster am Fuß des Djebel Musa auf der Halbinsel Sinai, Ägypten, das seit 869 als Bischofssitz bezeugt und seit 1575 selbstständiges Erzbistum ist. Das wohl seit dem 3./4. Jh. bestehende Kloster soll nach einer alten Überlieferung ursprünglich Jakobus dem Älteren geweiht gewesen sein, dessen Reliquien im 8. Jh. nach Spanien gebracht wurden, während das Kloster dem Patronat Katharinas von Alexandria, deren Reliquien von dem nahe gelegenen Katharinenberg ins Katharinenkloster überführt wurden, unterstellt wurde. Der Name Katharinenkloster ist seit dem 14. Jh. belegt. Als heiligster Ort des Klosters gilt die »Kapelle des brennenden Dornbuschs«, die sich hinter dem Chor der Basilika befindet. Nach der Legende soll dort der Dornbusch gestanden haben, in dem Jahwe sich Moses als Gott Israels offenbarte (2. Mos. 3, 2–6).

Katharsis [griech. »Reinigung«], die Maßnahmen und der Vorgang, die den Menschen in den Zustand der →Reinheit versetzen sollen. In der Mystik ist sie die erste Stufe (»Läuterung«, lateinisch »purgatio«) des dreistufigen mystischen Aufstiegs zur Gottheit.

Kathedrale [von mittellatein. ecclesia cathedralis »zum Bischofssitz gehörende Kirche«, zu griech. kathédra »Stuhl«, »Sessel«], Hauptkirche eines kath. Bistums oder eines entsprechenden kirchlichen Territoriums mit Sitz des Bischofs. Sie wird in Deutschland und Italien meist Dom genannt.

katholisch [griech. katholikós »alle betreffend«, »allgemein«], ursprünglich kein spezifisch theologischer Begriff, der im N.T. als Charakteristikum für die Urgemeinde nicht belegt ist. Innerhalb der christlichen Ekklesiologie beschreibt die »Katholizität« im Sinne ihrer räumlich und zeitlich universalen Sendung neben »Einheit«, »Heiligkeit« und

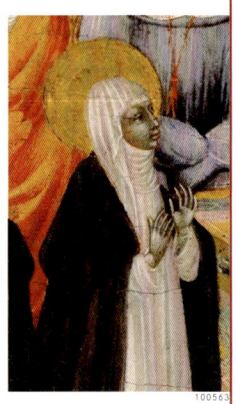

Katharina von Siena. Die Ordensfrau fühlte sich durch mystische Erfahrungen Gott nah und sah sich beauftragt, in Politik und Weltgeschichte einzugreifen (Ausschnitt aus einem Gemälde von Giovanni di Paolo, um 1447/49).

Katharsis
→ **GEO Dossier**
Allahs größtes Aufgebot, Bd. 16

katholische Kirche

»Apostolizität« eines der vier Wesensmerkmale der Kirche. In diesem Sinn wird die Kirche erstmals von Ignatius von Antiochia »katholisch« genannt. Seit dem 3. Jh. wurde katholisch immer stärker zur Abgrenzung der Christen gegenüber häretischen Gruppen und zur Betonung der eigenen Rechtgläubigkeit verwendet und 381 in das nicänokonstantinopolitanische Glaubensbekenntnis (→Nicänisches Glaubensbekenntnis) aufgenommen. Durch das Religionsedikt des Theodosius (380) erhielt der Begriff eine reichsrechtliche Bedeutung.

Die enge Verbindung von Kirche und römischem Imperium führte dazu, dass »römisch-katholisch« zur Bezeichnung der kath. Kirche wurde. Im Gegensatz dazu verstanden die Reformatoren »katholisch« nicht als konfessionelle Größe, sondern als umfassende geistige »Gemeinschaft der Heiligen«. Seit der Kirchenspaltung im 16. Jh. wurde katholisch jedoch mehr und mehr zur Bezeichnung einer Konfession. Neuere Theologie versucht die Begriffe »katholisch« und »evangelisch« aus ihrer konfessionellen Verengung zu lösen und sie wieder als Wesensmerkmale des universellen Christentums dialektisch aufeinander zu beziehen (Hans Küng).

Katholische Briefe, Sammelbezeichnung für sieben Briefe des N.T. (Jak., 1. und 2. Petr., 1., 2. und 3. Joh., Jud.). Im Gegensatz zu den Paulusbriefen und den deuteropaulinischen Schriften sind sie nicht nach den Adressaten, sondern nach ihrem vermeintlichen Verfasser benannt. Wohl um bzw. nach 100 im 2. Jh. entstanden, war ihre Aufnahme in den neutestamentlichen Kanon z. T. lange umstritten. Sie sind inhaltlich sowie stilistisch sehr unterschiedlich und enthalten u. a. theologische Erörterungen, Mahnungen und Trost, Warnung vor Irrlehren sowie Befestigung im Glauben. Die Bezeichnung »katholisch« ist erstmals bei Eusebios von Caesarea belegt, ihre Bedeutung ist jedoch nicht sicher geklärt. Möglich wäre »katholisch« im Sinne von »kanonisch« oder aber im Sinne von »allgemein«, da die Briefe an einen breiteren, eher unbestimmten Leserkreis (die christlichen Gemeinden allgemein?) gerichtet waren.

katholische Kirche, Selbstbezeichnung der vom Papst geleiteten christlichen Kirche, die in ihrem theologischen Selbstverständnis in besonderer Weise das Attribut →katholisch (»allgemein«, »universal«) für sich in Anspruch nimmt. Ihre konfessionskundliche Bezeichnung ist **römisch-katholische Kirche,** unter der sie seit dem 2. Vatikanischen Konzil auch offiziell am interkonfessionellen Gespräch teilnimmt. Die katholische Kirche ist die größte christliche Kirche und zählt weltweit rund 1,098 Milliarden Mitglieder, darunter über 17 Millionen in den **katholischen Ostkirchen** (→unierte Kirchen). Die katholische Kirche ist territorial gegliedert in Patriarchate, Erzdiözesen, Diözesen, Apostolische Administraturen und Exarchate (der katholischen Ostkirchen) sowie Apostolische Vikariate und Präfekturen in Missionsgebieten. Die kleinste Struktureinheit bildet die Pfarrei.

katholische Kirche. Großveranstaltungen in Rom demonstrieren die enorme Popularität der katholischen Kirche. Zum Weltjugendtag im Jahr 2000 kamen über 1,5 Millionen Pilger in die Heilige Stadt (hier drei Pilger beim Gebet im Circus maximus).

■ **Verfassung** Die katholische Kirche ist hierarchisch und episkopal verfasst. Die Grundlage ihrer inneren (Rechts-)Beziehungen bildet das kath. Kirchenrecht: für den lateinischen Ritus der Codex Iuris Canonici (1983 in Kraft getreten); für die katholischen Ostkirchen der Codex Canonum Ecclesiarum Orientalium (1990 in Kraft getreten). Dem Papst (seit 2005 Benedikt XVI.), der nach kath. Verständnis in der direkten und ununterbrochenen Nachfolge des Apostels Petrus steht, kommen der allgemeine Jurisdiktionsprimat bei der Leitung der Gesamtkirche und (seit 1870) die unfehlbare Lehrautorität in Glaubensfragen zu (→Primat des Papstes; →Unfehlbarkeit). Bei der Leitung der Gesamtkirche stehen dem Papst die →Kardinäle als seine engsten Mitarbeiter (→Kurienkongregationen; →römische Kurie) und das Kollegium der →Bischöfe als Vorsteher der Ortskirchen zur Seite, deren Einfluss mit der Schaffung der Bischofssynode durch das 2. Vatikanische Konzil wesentlich gestärkt worden ist. Als Vertretung der Gesamtkirche tritt das Bischofskollegium im Rahmen eines →Konzils auf.

Die Zugehörigkeit zur katholischen Kirche manifestiert sich für den einzelnen kath. Christen im Empfang der →Sakramente (Taufe, Firmung, Eucharistie, Buße, Krankensalbung, Priesterweihe, Ehe), unter denen Taufe und Eucharistie besondere Bedeutung zukommt. Durch das Weihesakrament (→Weihe) sind die Kleriker (→Klerus) von den →Laien unterschieden. Die Zusammengehörigkeit aller kirchlichen Aufgabenfelder wird durch die Dreizahl »Liturgia« (Gottesdienst), »Martyria« (Verkündigung), »Diako-

katholische Kirche
→ **GEO** Dossier
Warum glaubt der Mensch?, Bd. 15

katholische Kirche
→ **GEO** Dossier
Der Teufel und seine Handlanger, Bd. 15

katholische Kirche
→ **GEO** Dossier
Glaube, Liebe, Hoffnung?, Bd. 15

katholische Kirche

nia« (Dienst am Nächsten in Kirche und Welt) oder die Zweizahl »Communio« (Gemeinschaft) und »Missio« (Sendung) bezeichnet. Diese Aufgabenbereiche beziehen sich nach kath. Verständnis auf alle, die durch Glaube und Taufe »Glieder des Volkes Gottes« sind, und betonen so theologisch wie rechtlich die fundamentale Gleichheit aller Gläubigen vor allen anderen Unterscheidungen in der Kirchenverfassung.

■ **Selbstverständnis** Grundlage und Norm kath. Selbstverständnisses ist zunächst die Heilige Schrift (A. T. und N. T.). Jesus Christus, als dessen maßgebendes Zeugnis das N. T. interpretiert wird, gilt als die definitive Offenbarung Gottes in der Menschheitsgeschichte und ist Mittelpunkt des kath. Glaubens. Darüber hinaus legitimiert nach kath. Verständnis das N. T. auch die Ausbildung der Kirche und ihrer Einrichtungen sowie ihren Anspruch auf die verbindliche Auslegung der Heiligen Schrift durch das →kirchliche Lehramt. Theologisch versteht sich die katholische Kirche als die *heilige* (von Jesus Christus gestiftete), *apostolische* (in der Nachfolge der Apostel stehende) und *katholische* (weltumspannende) Kirche. Die Zugehörigkeit zur Kirche ist nach kath. Auffassung prinzipiell, nicht faktisch

katholische Kirche. Kirchenprovinzen und Bistümer in Deutschland

heilsnotwendig. Der damit verbundene exklusive Anspruch der katholischen Kirche als *der* allein selig machenden Kirche wurde jedoch durch das 2. Vatikanische Konzil, dessen insgesamt 16 Dokumente die eingehendste amtliche Reflexion des heutigen Selbstverständnisses der katholischen Kirche darstellen, in der Kirchenkonstitution im »Dekret über den Ökumenismus« dahingehend modifiziert, dass auch nicht katholische Kirchen als »Schwesterkirchen« oder »kirchliche Gemeinschaften« anerkannt werden, die der Heilige Geist als Mittel des Heils gebrauchen kann, wogegen die Fülle der Heilsmittel (Wort Gottes, Sakramente, Liturgie, kirchliches Amt, Binde- und Lösegewalt) nur in der katholischen Kirche gegeben ist.

■ **Gegenwärtige Situation** Die Situation in Afrika, Asien und Lateinamerika, wo rund drei Viertel aller kath. Christen leben, ist nach wie vor durch große karitative, in einem neuen Maße aber auch durch theologische Herausforderungen (→Kontextualisierung, Inkulturation) geprägt. Faktoren, die stark auf die katholische Kirche in Westeuropa einwirken, sind zum einen der gesellschaftliche Prozess der Säkularisierung und seine Folgen, z. B. der mit der »Entkirchlichung« weiter Teile der Gesellschaft verbundene geringer werdende Einfluss im öffentlichen Bewusstsein. Zum anderen muss sich die kath. Kirche mit von kritischen Laien und Priestern vorgebrachten Reformvorschlägen und anmahnenden Anfragen an die »Amtskirche« auseinandersetzen. Zu den Themen zählen u. a. die Rolle der Frau und insbesondere die Frauenordination, das Zölibat und die Bewertung von Sexualität und Demokratie in der Kirche. Einen Schwerpunkt der kirchlichen Arbeit in Mittel-, Südost- und Osteuropa bildeten in den 1990er-Jahren die Rekonstitution und Neuordnung der kirchlichen Organisationsstrukturen in den ehemaligen kommunistischen Staaten. Wachsende Bedeutung und päpstliche Förderung in der kath. Kirche insgesamt haben in den letzten Jahrzehnten neue, theologisch überwiegend traditionell-konservativ ausgerichtete geistliche Gemeinschaften und Bewegungen erlangt.

katho̱lische Sozia̱llehre, die kath.-theologische Reflexion der gesellschaftlichen Normen und Strukturen. Ziel der katholischen Soziallehre ist es, Orientierungs- und Handlungsnormen für die Gestaltung von Welt und Gesellschaft als menschliche Gemeinschaft vorzugeben. Grundlegend für sie ist die Verpflichtung auf die naturrechtlichen Prinzipien der Personalität, Solidarität und Subsidiarität.

Das Personalitätsprinzip sieht den Menschen, begründet in seiner Gottebenbildlichkeit und Gleichheit (1. Mos. 1, 27; Röm. 10, 12), als Träger einer von Gott verliehenen Individualität (»Person«), deren Würde unantastbar ist. Er bildet die Mitte und das Ziel der gesellschaftlichen Ordnungen und ist daraufhin angelegt, sich in freiem, vor Gott verantwortetem Handeln zu seinem und zum Wohl der Gemeinschaft zu entfalten. Die beiden daraus abgeleiteten Prinzipien beschreiben die Pflicht des Menschen zum umfassenden Füreinandereinstehen (Solidaritätsprinzip) und zur Eigenverantwortlichkeit für sich und die ihm im Rahmen gesellschaftlicher Strukturen Zugeordneten wie z. B. Familie oder Arbeitnehmer, soweit diese in seinem Vermögen liegt (Subsidiaritätsprinzip), wobei die Grundsätze der sozialen Gerechtigkeit, die Sozialpflichtigkeit allen Eigentums und der Rechtsanspruch eines jeden Menschen auf ein für ihn und seine Familie hinreichendes Eigentum bindend sind. Umstritten ist, inwieweit die katholische Soziallehre gesellschaftliche Strukturen verändern oder bewahren soll.

Die katholische Soziallehre hat sich im 19. Jh. als Reaktion auf die gesellschaftlichen Umbrüche und Konflikte im Kontext von Industrialisierung, sozialer Frage und Arbeiterbewegung entwickelt. Der Mainzer Bischof Wilhelm Emmanuel von Ketteler verband den Appell an die individuelle Gesinnungsethik mit Vorschlägen für eine sozialpolitische Reform. Adolf Kolping sah in Gesellenvereinen und einer berufsständischen Ordnung ein geeignetes Mittel der Selbsthilfe. Die Amtskirche machte sich diese Auffassungen nach längerem Zögern in mehreren päpstlichen Sozialenzykliken zu eigen, die sich mit der Arbeiterfrage (»Rerum novarum«, 1891), den sozialen Verhältnissen (»Quadragesimo anno«, 1931; »Mater et magistra«, 1961) und der Entwicklung der Völker (»Populorum progressio«, 1967) befassten. Wegweisend war die Pastoralkonstitution des 2. Vatikanischen Konzils »Gaudium et spes«. Papst Johannes Paul II. veröffentlichte drei Sozialenzykliken: »Laborem exercens« anlässlich des 90-jährigen Jubiläums der Enzyklika »Rerum novarum« (1981), »Sollicitudo rei socialis« (Die soziale Sorge der Kirche, 1987) und »Centesimus annus« (Das hundertste Jahr. Über die katholische Soziallehre, 1991).

Katholizi̱smus, seit dem 18. Jh. übliche Bezeichnung der Gesamtheit der von der kath. Kirche und ihrer Lehre im jeweiligen geschichtlichen Kontext inspirierten Anschauungen, Haltungen und Aktivitäten. Sie ist erstmals im 16. Jh. belegt und wurde später häufig als Pendant zum →Protestantismus verstanden. Im engeren Sinn seit dem 19. Jh. in den kath. Verbänden und Organisationen repräsentiert, wird der Katholizismus als kultureller, politischer und sozialer Katholizismus wirksam. Heute wird Katholizismus im allgemeinen Sprachgebrauch synonym mit kath. Kirche gebraucht.

Katholizismus
→ **GEO Dossier**
Glaube, Liebe, Hoffnung?, Bd. 15

K Katze

Katze, hl. Tier Ägyptens. Im Neuen Reich (1552–1070 v. Chr.) galt die Katze als Erscheinungsform des Sonnengottes Re, der als »Großer Kater« die Apophis-Schlange vernichtet. Dazu wurde sie mit Hathor, Bastet, Mut und anderen ursprünglich löwengestaltigen Göttinnen verbunden, bei denen sie nun im Gegensatz zur Löwin den gnädigen, besänftigten Aspekt der Gottheit verkörperte, den man durch besondere Rituale beschwor. Die Katze spielte daher eine große Rolle im Tierkult der Spätzeit, wovon neben Amuletten in Katzenform v. a. die zahlreichen Statuetten aus Bronze zeugen. In Bubastis, Heliopolis und vielen anderen Orten gab es Friedhöfe mit Katzenmumien, die z. T. in eigenen Särgen aus Bronze oder Holz beigesetzt wurden.

Keduscha [hebr. »Heiligung«], jüdisches Gebet, das bei der Wiederholung der →Schemone Esre durch den Vorbeter in die dritte Benediktion (Segensspruch) als hymnischer Höhepunkt eingeschaltet wird. Die Keduscha gehört zu den wichtigsten Teilen des jüdischen Gottesdienstes. Sie gruppiert sich um die Verse Jes. 6, 3 (Heilig, heilig, heilig …), Esra 3, 12 (Gelobt sei …) und Ps. 146, 10 (Der Herr wird regieren …).

Kelch [althochdt. kelich, von latein. calix »Trinkbecher«], das bei der Feier des Abendmahls bzw. der Eucharistie zur Aufnahme des Weines verwendete liturgische Gefäß. Zu ihm gehört die Schale für die Hostien (Patene).

Theologisch umstritten war seit dem Spätmittelalter die Frage, ob auch Laien die Kelchkommunion empfangen durften. Der meist aus Edelmetall hergestellte Kelch bestand ursprünglich aus Fuß, Knauf (Nodus) und Trinkschale (Cuppa).

keltische Religion: Götter (Auswahl)		
Abnoba	Epona	Ogmios
Arduinna	Esus	Sequana
Artio	Grannus	Sirona
Belenus	Litavis	Sucellus
Belisama	Lug	Sulis
Branwen	Manannán	Taranis
Brigantia	Mannus	Tarvos
Cernunnos	Maponos	Trigaranus
Dagda	Matronen	Teutates
Donn	Nehalennia	

keltische Religion. Kulturelle und religiöse Verhältnisse betreffend, bezieht man die Bezeichnung »keltisch« zum einen auf die von antiken Autoren als Kelten bezeichneten Völker der vorrömischen Eisenzeit Mitteleuropas (Festlandkelten), zum anderen auf die keltischsprachigen Völker Großbritanniens und Irlands (Inselkelten). Die Religion der Festlandkelten kennen wir in erster Linie durch Nachrichten antiker Autoren (v. a. Poseidonios, * um 135, † um 51 v. Chr., und Caesar), Inschriften religiösen oder magischen Inhalts in keltischer oder lateinischer Sprache, Überreste von Kultstätten, Opfer- und Weihegaben sowie Kultbilder aus Stein und Holz. Nur bei den Inselkelten und dort vor allem in Irland haben vorchristliche religiöse Vorstellungen Eingang in die Literatur gefunden, wobei jedoch christliche Einflüsse prägend wirkten.

Von den vielen Hundert inschriftlich bezeugten keltischen Göttern der Antike besaßen die weitaus meisten eine rein lokale oder regionale Bedeutung. Die überregionale Verbreitung einzelner Götter wie z. B. →Epona ist auf römischen Einfluss zurückzuführen und darf folglich nicht in die vorrömische Zeit zurückgespiegelt werden. Die insgesamt seltene Erwähnung einheimischer Götter durch antike Autoren – wie z. B. →Teutates, →Esus und →Taranis bei dem römischen Dichter Lukan (* 39 n. Chr., † 65) – ist nach Ausweis der Inschriften ebenfalls kein Beleg für deren herausgehobene Stellung. Auffällig sind der enge Bezug der Götter und Göttinnen zur Landschaft (zahlreiche Fluss- und Bergnamen sind zugleich Götternamen) und die große Bedeutung von Tieren als Attribute oder Erscheinungsformen von Göttern. Weit verbreitet sind kaiserzeitliche Weihealtäre für Götterpaare, wobei der männliche Partner häufig mit einem römischen Gott (meistens Mars, Merkur oder Apollo) gleichgesetzt wurde. In der mittelalterlichen irischen und walisischen Literatur erscheinen die vorchristlichen Götter in der Regel vermenschlicht als Sagengestalten aus einer fernen Vergangenheit.

Im Mittelpunkt des Kults stand das gemeinschaftlich vollzogene Opfer als zentrale Form der Kommunikation zwischen Menschen und Göttern, ferner die Zeichendeutung (Mantik) zur Erforschung des göttlichen Willens. Antike Autoren betonen in diesem Zusammenhang die große Bedeutung von Priestern (→Druiden).

Zahlreiche Kultstätten der vorrömischen Zeit wurden später mit römischen Tempeln überbaut.

Kemosch [hebr.], Hauptgott der Moabiter, der außer in der Bibel (4. Mos. 21, 29; Jer. 48, 7–13) u. a. auch in assyrischen Quellen erwähnt wird.

Kephas [aramä. »Fels«], Beiname des Apostels →Petrus.

Kerbela, Karbala, Stadt im Irak, neben Nedjef der bedeutendste Wallfahrtsort der Schiiten mit den Grabmoscheen von Husain, dem Sohn des Kalifen Ali, und dessen Halbbruder Abbas, die beide 680 bei Kerbela den Tod fanden.

Kerygma [griech. »das durch den Herold (kéryx) Ausgerufene«], allgemeine Bezeichnung für Botschaft und Predigt im Neuen Tes-

keltische Religion. Nur wenige Fundstücke oder ehemalige Kultorte geben heute noch über die keltische Religion Auskunft. Doch lebt die christianisierte keltische Bilderwelt etwa in den Steinkreuzen auf dem Friedhof in Monasterboice in Irland fort.

tament. Formal lassen sich dabei unterscheiden die Heilsbotschaft Jesu (Mt. 12, 41), die Verkündigung der nachösterlich ausgesandten Apostel (Lk. 24, 47), die auf eine – nach eigenem Verständnis – unmittelbare Offenbarung zurückgehende Predigt des Paulus (1. Kor. 15, 11 f.) sowie im weiteren Sinn die neutestamentliche Botschaft überhaupt. Die Einsicht, dass der die Heilsbotschaft verkündigende Jesus nach seinem Tod und seiner Auferstehung selbst zum verkündigten Heilsträger »Christus« wurde, führte zu der für die historisch-kritische Exegese grundlegenden Unterscheidung zwischen »historischem Jesus« und »kerygmatischem Christus« und zur Erkenntnis, dass anhand der weitgehend in den Vorstellungen der Zeit entsprechende »mythische« Sprache gekleideten Texte des N. T. kein Zugang zum historischen Jesus, wohl aber zum eigentlichen Gehalt seiner Verkündigung möglich ist.

Die dialektische Theologie und hier v. a. Rudolf Bultmann unternahm es, durch die »Entmythologisierung« des N. T. das christliche Kerygma als das sich immer neu ereignende und den Hörer treffende Wort Gottes für das Selbstverständnis des heutigen Menschen fruchtbar zu machen. Diese (alleinige) Ausrichtung auf den kerygmatischen (= verkündigten) Christus war in der Konsequenz mit einer Abwertung des Interesses am historischen Jesus verbunden, was als theologisch nicht gerechtfertigt kritisiert worden ist.

Ketteler, Wilhelm Emmanuel Freiherr von, kath. Bischof, *Münster 25. 12. 1811, †Burghausen 13. 7. 1877; zuerst Jurist, wurde 1844 Priester und 1850 Bischof von Mainz. Er war Mitglied der Frankfurter Nationalversammlung (1848/49) und des Reichstags (1871/72). Kirchenpolitisch hat er in Auseinandersetzung mit dem Staatskirchentum durch seine Predigten, Reden und Schriften die Forderung nach rechtlicher und kultureller Autonomie der Kirche im Bewusstsein der kirchlich gesinnten deutschen Katholiken verankert, wobei er ein Gegner der Staatskirche blieb. In sozialer Hinsicht erkannte Ketteler, die Ideen Adolf Kolpings mit verarbeitend, früh die Bedeutung der sozialen Frage und bereitete die unter Leo XIII. vollzogene Wendung der kath. Kirche zu sozialpolitischer Tätigkeit von Deutschland aus vor. Auf dem 1. Vatikanischen Konzil (1870) war er ein Gegner der Unfehlbarkeitserklärung, unterwarf sich aber dem Konzilsbeschluss.

Ketzer [mittelhochdt. kether, von mittellatein. catharus, Katharer], im Spätmittelalter entstandene Bezeichnung für die Anhänger einer von der kirchlichen Lehre abweichenden Lehre (→Häresie). Schon in der frühen Kirche wurden Häretiker (etwa seit der 2. Hälfte des 3. Jh.) von Synoden verhört und abgeurteilt. Auch wurde über die Gültigkeit einer in einer häretischen Gemeinde gespendete Taufe im »Ketzertaufstreit« diskutiert.

Zu einer breiten Ketzerbewegung kam es jedoch v. a. im Mittelalter mit der Entstehung einer religiösen Laienbewegung, zu der neben den →Waldensern auch die ebenfalls der Ketzerei verdächtigten →Beginen gehörten. Ihre Aufrufe zur Buße und Reinigung der Seelen gipfelten in dem Leitgedanken der »Vita apostolica« (dem Ideal des apostolischen Lebens) als Vorbild und Norm wahrhaft christlichen Lebens, dessen Grundsätze sie in Predigten unter der Bevölkerung verbreiteten. Darüber hinaus forderten radikale Anhänger vom Klerus Verzicht auf irdische Güter und weltliche Macht. Auch Kleriker sollten »Pauperes Christi« (»Arme Christi«) sein, als die sich die Ketzer unter Hinweis auf das Vorbild Jesu verstanden.

Innerhalb der Ketzerbewegung gingen die Meinungen v. a. in der Frage auseinander, ob schon die Entscheidung für die »Vita apostolica« zur Predigt – dem damaligen Medium schlechthin – ermächtige oder ob das kirchliche Amt, die Ordination, notwendige Voraussetzung dafür sei. Dem Papst und den Bischöfen galten unbefugte Predigt (Laienpredigt) und Widerspruch gegen die Sakramentenlehre durchgängig als Anzeichen für Ketzerei. Nachdem die Kurie bis ins 12. Jh. zur Frage der Ketzerei nicht grundsätzlich Stellung genommen hatte, erfolgte erst durch Papst Lucius III. am 4. 11. 1184 im Einvernehmen mit Kaiser Friedrich I. ein allgemeines Edikt, in dem die Durchführung regelmäßiger Inquisitionen durch die Bischöfe angeordnet wurde. Seit dem 13. Jh. wurde die Verfolgung der Ketzer zunehmend verschärft, wobei das Vorgehen der unter

Kerbela. In der irakischen Stadt Kerbela, südlich von Bagdad, befindet sich die Grabmoschee des Imams Husain, der im schiitischen Islam als Märtyrer verehrt wird. Er kam im Jahr 680 in der Schlacht von Kerbela um. Hier richteten die Omaijaden unter seinen Anhängern ein grausames Massaker an.

Wilhelm Emmanuel Freiherr von Ketteler

Ketzer
→ GEO Dossier
Glaube, Liebe, Hoffnung?, Bd. 15

Ketzer
→ GEO Dossier
Gott und die Welt, Bd. 16

K Khamenei

Papst Gregor IX. zur päpstlichen Behörde erhobenen →Inquisition gegen Ketzer weitgehend auch auf die Verfolgung der Hexen übertragen wurde.

Khamenei [xamə'neɪ], **Chamenei** [-'neɪ], Hodjatoleslam Ali, iranischer Geistlicher und Politiker, * Meschhed 1940; lehrte in Meschhed islamisches Recht und war seit 1963 aktiv in der Widerstandsbewegung gegen Schah Mohammed Resa und mehrfach in Haft. Nach dem Sturz des Schahs gehörte er dem Revolutionsrat an und vertrat Ayatollah Khomeini im Obersten Verteidigungsrat. Khamenei war 1979 Mitbegründer der Islamischen Republikanischen Partei (IRP). Als Leiter des »Freitagsgebets« war Khamenei stark an der Radikalisierung des fundamentalistisch-islamischen Regierungssystems beteiligt. 1981–89 war er Staatspräsident und wurde nach dem Tod Khomeinis vom islamischen »Wächterrat« zum obersten geistlichen Führer Irans ernannt.

Khomeini [xɔ'meɪni; nach seinem Geburtsort], **Chomeini,** Ruhollah Mussawi Hendi, iranischer Schiitenführer (Ayatollah), Gründer der Islamischen Republik Iran, * Khomein (Zentral-Provinz) 17. 5. 1900, † Teheran 3. 6. 1989; stammte aus einer alten Gelehrtenfamilie, studierte v. a. islamisches Recht und erwarb die Fähigkeit zur Auslegung des Rechts auf der Grundlage des Korans. Politisch bekämpfte Khomeini schon früh die Reformen Resa Schahs und Mohammed Resas, die er als Versuch der systematischen Zerstörung der islamischen Kultur wertete. 1963 wurde er verhaftet, 1964 des Landes verwiesen (Exil in Irak). Seit 1978 in Frankreich, steuerte Khomeini von dort aus eine Aufstandsbewegung gegen den Schah und kehrte nach dessen Sturz am 1. 2. 1979 nach Iran zurück. Nach Einsetzung eines Revolutionsrates und einer ihm ergebenen Regierung baute Khomeini im Gesellschafts- und Regierungssystem auf, das sich – auf der Basis einer fundamentalistisch bestimmten Deutung des Korans – streng an islamischen Grundsätzen ausrichtete. Am 1. 4. 1979 rief er in Kum (Ghom) die »Islamische Republik Iran« aus. In der Verfassung vom Dezember 1979 legte er die führende Rolle der schiitischen Geistlichkeit fest und fügte – gestützt auf die schiitische Auffassung vom Imamat – das Amt des »Fakih« (Führer der Nation) als letzte Instanz in allen politischen und religiösen Fragen ein. Er selbst übernahm diese Rolle.

Die Repräsentanten der Monarchie, religiös und politisch Andersdenkende (z. B. Angehörige der Bahai-Religion) ließ er inhaftieren und viele von ihnen hinrichten. Im Streit zwischen gemäßigten und radikalen Verfechtern der Islamisierung von Staat und Gesellschaft unterstützte er die Letzteren und trug damit entscheidend zur Radikalisierung des Systems der »Islamischen Republik« bei.

Kibla [arab.], die islamische Gebetsrichtung, die Richtung, in die die Muslime beim Gebet blicken (zunächst nach Jerusalem, später nach Mekka). In der Moschee ist die nach Mekka ausgerichtete Kiblawand durch eine kostbar ausgestattete Gebetsnische (→Mihrab) bezeichnet.

Kierkegaard ['kɪrkəgart, dän. 'kɛrgəgɔːr], Søren Aabye, dänischer Theologe, Philosoph und Schriftsteller, * Kopenhagen 5. 5. 1813, † ebenda 11. 11. 1855; zunächst durch die lutherische Theologie der dänischen Kirche beeinflusst, studierte er Theologie und Philosophie und war Magister und Prediger in Kopenhagen. Von Oktober 1841 bis März 1842 hörte Kierkegaard in Berlin bei Friedrich Wilhelm von Schelling dessen Vorlesung gegen Georg Wilhelm Friedrich Hegel. Dann lebte er als Schriftsteller in Kopenhagen.

Durch scharfe Polemiken gegen das zeitgenössische Christentum geriet Kierkegaard in zunehmend schärferen Gegensatz zur dänischen Amtskirche, der er wie den christlichen Kirchen überhaupt eine Entstellung und Verkehrung des biblischen Christentums vorwarf.

■ **Lehre** Zentral in seinem Werk sind die Begriffe der Existenz und der Angst, denen die Begriffe der Freiheit und der Entscheidung zugeordnet werden. Existenz versteht Kierkegaard als Sein in der Zeit, als Werden des je Einzelnen, nur als menschlichen Seinsvollzug beschreibbar, als »Synthese des Endlichen und des Unendlichen«, des Zeitlichen und des Ewigen. Nach einer ersten, ästhetischen Stufe, die durch Passivität und Reflexion gekennzeichnet ist, folgt eine zweite Stufe des Ethischen, die der Mensch über das offene Eingeständnis der Verzweiflung erreicht und in der er Abstand zur Passivität des ästhetischen Genießens gewinnt. Die intendierte »Synthese des Endlichen und Unendlichen« kann der Mensch aber auch auf dieser Stufe nicht erreichen. In der Angst, allein zu sein vor der freien Wahl der Möglichkeiten, wird er sich der Grenze der Freiheit bewusst. Auf der Stufe des Religiösen, die zunächst nur tiefer in das Alleinsein führt, erfährt der Mensch, dass endgültiger Aufstieg aus der Angst und ihrer Folge – der Verzweiflung – der Gnade Gottes bedarf. Dabei ist der Glaube angesichts der Bedrohung durch den Verlust des Ewigen ein Glaube an das Absurde (das Paradox des Religiösen).

Kierkegaard wendet sich gegen Hegel, indem er auf die Unfähigkeit des Menschen zur Transzendenz hinweist. Ein abgeschlossenes System des Denkens sei allein Möglichkeit Gottes. Insofern sind die Grundlagen der Existenzdeutung Kierkegaards traditionell christlich. Sie überwindet den Zwiespalt zwischen Endlichem und Unendlichem, in dem der existierende Mensch steht, indem sie die Synthese des Zwiespalts ergänzend als bleibende Auf-

Khomeini.
Der iranische Schiitenführer Ayatollah Khomeini kehrte 1979 nach 15-jährigem Exil in den Iran zurück und gründete im selben Jahr die »Islamische Republik Iran«.

Søren Kierkegaard

gabe, als das Sichverhalten zum Unendlichen, zur Bestimmung des Menschen nimmt.

■ **Wirkung** Der Einfluss Kierkegaards zu Lebzeiten war gering. Erst im 20. Jh. knüpften die dialektische Theologie (Karl Barth, Friedrich Gogarten u. a.) und in stark modifizierender Weise die Existenzphilosophie (u. a. Martin Heidegger) und die Vertreter der negativen Dialektik (z. B. Theodor W. Adorno) an sein Denken an.

Kinnara [Sanskrit »was für ein Mensch?«], weibliche Form **Kinnari,** indische Bezeichnung für ein mythologisches Wesen mit Vogelunterleib und menschlichem Oberkörper. Die Kinnara gelten als himmlische Musikanten und werden häufig als Begleiter von Götter- und Buddhafiguren dargestellt.

Kioto, →Kyōto.

Kippa, Kippah [hebr. »Kappe«], jiddisch und polnisch **Jarmulke,** auch **Jarmakel** (beide wohl zu französ. arme »mittelalterliche runde Mütze«, oder Verballhornung zu hebr. jere me-elohim »Ehrfurcht vor Gott«), auch jiddisch **Kappel** (zu latein. caput, »Kopf«), die kleine und flache kappenförmige Kopfbedeckung der jüdischen Männer (»Judenkäppchen«), die pflichtgemäß – aus Ehrfurcht vor Gott – während des Gebets, in der Synagoge, auf dem Friedhof und von frommen Juden zu Hause für die Sabbatfeier (deshalb auch **Schabbes** oder **Schebbes** genannt), von orth. Juden auch unter Pelzmütze oder Hut getragen wird, wobei die Orthodoxie die ständige Kopfbedeckung des Frommen fordert. Die unterschiedlichen Farben, Formen und Materialien lassen häufig die politische und religiöse Richtung des Judentums erkennen, welcher sich der Kippaträger zuordnet.

Kirche [althochdt. kiricha, von spätgriechisch kyrikón »Gotteshaus«, zu älter kyriakón, eigentlich »das zum Herrn gehörende (Haus)«, zu kýrios »Herr«], griechisch **Ekklesia,** lateinisch **Ecclesia,** Bezeichnung für die im Gefolge des Lebens Jesu entstandene verfasste Glaubensgemeinschaft rund um das Mittelmeer, die aber auch auf regionale (syrische oder lateinische Kirche) oder lokale Ausprägungen (Kirche Roms, Antiochiens usw.) angewendet werden kann. Im Deutschen wie auch im Englischen (church) ist Kirche auch Bezeichnung eines dem öffentlichen Gottesdienst gewidmeten Gebäudes. Die theologische Lehre von der Kirche wird als **Ekklesiologie** bezeichnet.

■ **Begriffsbestimmung** Das N. T. hat das Wort ekklesia aus der Septuaginta, der griechischen Übersetzung des A. T., übernommen, wo es das hebräische Wort qahal (= »Volk« Gottes) umschreibt. In christologischer Umdeutung verstehen sich die frühen Jüngergemeinden als Kirche Jesu Christi. Hierbei wird ekklesia zunächst noch (so bei Paulus und im Matthäusevangelium) wechselweise für die Einzelgemeinde und für die universale Kirche benutzt. Im letzteren Sinn findet es sich in den Evangelien nur an einer einzigen Stelle (Mt. 16,18), während die Kirche in den späteren Schriften (Apg. und Pastoralbriefe) stärker reflektiert wird. Im N. T. wird Kirche grundlegend als »Jüngerschaft« Jesu verstanden, die zugleich gemeindebildend ist. Die bald einsetzende Ausformung von Lehre und Praxis, Sozialisationsformen und Institutionen hat demgegenüber dienenden Charakter. Auch historisch ist die Entstehung von Kirche als Folge des Wirkens Jesu anzusehen.

Ihre Glieder, die Christen, verstehen sich als Jünger, die in der →Nachfolge Christi stehen und die weltweite Gemeinschaft der an Jesus Christus Glaubenden bilden.

Im Lauf der Kirchengeschichte sind zahlreiche regional, kulturell, theologisch und institutionell unterschiedlich geprägte Kirchen entstanden, sodass man Kirche heute theologisch als das Mit- und Ineinander der universalen Kirche aller Christen und ihrer verschiedenen geschichtlichen Gestaltwerdungen beschreiben kann, die als »Teilkirchen« meist in der Folge theologischer und/oder kirchenpolitischer Auseinandersetzungen entstanden sind. So bildeten sich in den Auseinandersetzungen um den →Monophysitismus nach dem Konzil von Chalkedon (451) in Lehre und Organisation eigenständige orientalische Kirchen aus. 1054 trennten sich die vier ostkirchlichen Patriarchate von der lateinisch-abendländischen (kath.) Kirche (→Morgenländisches Schisma). Die kirchliche Einheit der lateinischen Kirche brach mit der Reformation auseinander, in deren Ergebnis sich mit den protestantischen Kirchen und der anglika-

Kippa. Zur jüdischen Gebetskleidung gehört neben den Gebetsriemen und dem Gebetsmantel die Kippa als Kopfbedeckung. Ein jüdischer Junge liest an der Klagemauer in Jerusalem aus seinem Gebetbuch.

Kirche. Von Anfang an versuchte die Kirche, allen Gläubigen Funktionen innerhalb der kirchlichen Hierarchie zuzuweisen. Heute ist die Mitwirkung der Laien selbst im pastoralen Bereich unverzichtbar. Die Miniatur aus dem Werk »Scivias« der Hildegard von Bingen zeigt »Die Kirche und ihre Glieder« (12. Jh.; aus dem Rupertsberger Codex).

Kirche

nischen Kirche eigenständige Zweige des abendländischen Christentums bildeten. Nach dem 1. Vatikanischen Konzil (1869–70) trennten sich die Alt-Katholiken von der kath. Kirche. Seit Anfang des 20. Jh. entstanden und entstehen in Afrika, Asien und Ozeanien zahlreiche so genannte →unabhängige Kirchen.

Die heutige *kath. Theologie* beschreibt die Kirche als das »Volk Gottes«; als solches ist sie die vom Heiligen Geist gestiftete Gemeinschaft des Heiligen, vereint unter dem gleichen Bekenntnis, den gleichen Sakramenten und der in der apostolischen Nachfolge stehenden Hierarchie. Die *orth. Theologie* begreift Kirche besonders als den (mystischen) Leib Christi, der sich in der zeitlichen irdischen Kirche, die Abbild der ewigen himmlischen Kirche ist, in Raum und Zeit entfaltet. Für das *lutherische Verständnis* ist Kirche »die Versammlung der Glaubenden, in denen das Evangelium unverfälscht verkündet und die Sakramente (Taufe und Abendmahl) in rechter Weise verwaltet werden« (→Augsburgisches Bekenntnis). Für die *reformierte Kirche* und die *Freikirche* ist – in der Tradition des N.T. – die um Wort und Sakrament versammelte Gemeinde Kirche im vollgültigen Sinn. Grundlage aller Kirchen ist die in den gemeinsamen Wurzeln begründete christliche Glaubenslehre in ihrer Gesamtheit, wodurch sich die Kirchen von den im Kontext des Christentums entstandenen und durch Sonderlehren und »Neuoffenbarungen« geprägten →Sekten mit »christlichem« Selbstverständnis unterscheiden. Theologisch ist diese Abgrenzung allerdings in manchen Fällen, z. B. bei den →unabhängigen Kirchen, schwierig durchzuführen.

■ **Soziologische Merkmale** Religionssoziologisch sind für Kirchen folgende Merkmale kennzeichnend: eine interne Rollendifferenzierung, v. a. die Differenzierung in geistliche Amtsträger (Kleriker) und Laien; der rationale Charakter ihrer Organisation, d. h. die weitgehende Eliminierung nicht rationaler, z. B. ekstatischer Elemente; eine religiöse Sozialisierung des Individuums während seines ganzen Lebens sowie ein universaler Geltungsanspruch, indem die Kirchen sich als Organisationsmöglichkeit prinzipiell jedes Individuums verstehen und die in ihnen herrschenden Normen als grundsätzlich allgemeingültig ansehen.

■ **Entstehung der Kirche** Die Entstehung der Kirche wird nicht unmittelbar auf Jesus zurückgeführt. Denn Jesus hat die Kirche nicht im eigentlichen Sinn gegründet, vielmehr in seiner Predigt eine Reform Israels (und nicht eine Kirche aus Juden und Heiden) angestrebt und seinen Anspruch auf Gesamtisrael, die »Zwölf Stämme«, symbolisch durch Berufung des Zwölferkreises dokumentiert. Er teilte die »Naherwartung«, d. h. den Glauben an den Anbruch der »Königsherrschaft Gottes« zu seinen Lebzeiten, sodass er nicht für eine weitere Zukunft plante. Die Schwierigkeiten der Trennung der Kirche von der Synagoge und die Auseinandersetzungen der jungen Kirche um die Aufnahme von Heiden und die Bedingungen ihrer Missionierung (Paulus) zeigen, dass man sich in dieser Frage nicht auf Jesus berufen konnte.

Dennoch gibt es in der Exegese einen Konsens, dass die »nachjesuanische« Gründung der Kirche keinen Bruch mit dem Leben Jesu darstellt, sondern dort vorgegebene Ansätze unter neuen Fragestellungen aufgreift und weiterführt. Als Hinweise hierfür dienen u. a. die Eigenart der Jüngerkreise Jesu, die nicht auf Gesetz und Tempel, sondern auf die Person Jesu im Sinne von Nachfolge und Jüngerschaft ausgerichtet waren, womit der Tendenz nach die Trennung vom Judentum grundgelegt war, außerdem die Radikalität des Anspruchs Jesu und die Relativierung von Gesetz und Tempel zugunsten entschiedener Humanität, sodass ethnische Restriktionen der Sache nach überflüssig wurden. Die frühe Kirche verstand sich zunächst – im Licht der Naherwartung – als Kirche der »Endzeit«. Erst allmählich wuchs das Bewusstsein, dass sie sich auf längere Zeit einrichten musste (Enteschatologisierung).

■ **Entstehung der kirchlichen Ämter** Die innere Struktur und Organisation der Kirche entfaltete sich erst allmählich. Am Anfang stand eine Reihe von »Diensten«, die damals notwendig waren: Apostel (Missionare), Lehrer, Propheten, Diakone und in der Verwaltung Tätige (vgl. 1. Kor. 12, 28–30; Apg. 6). Mit Stabilisierung der Gemeinden wurde ihre »Leitung« immer wichtiger. Hierfür orientierte man sich an den jüdischen Synagogengemeinden, denen ein Gremium von »Ältesten« vorstand. So entstand das Amt des Presbyters, für das zunächst gleichbedeutend die hellenistische Bezeichnung episkopos verwendet wurde. Diese kollegiale »Presbyterialverfassung« war längere Zeit noch umstritten (vgl. etwa die »bruderschaftliche Gemeinde« im Matthäusevangelium), konnte sich aber bis zum frühen 2. Jh. durchsetzen. Diese Ämter hatten noch keine sakrale, also »priesterliche« Bedeutung. Bald schon hatten – z. B. in Kleinasien – die Sprecher des Ältestenkollegiums eine besondere Kompetenz erwerben können. Für sie speziell wurde jetzt der Begriff »Episkopos« (Aufseher, »Bischof«) angewandt. Diese bischöfliche Verfassung wurde bis Ende des 2. Jh. im Großteil der Kirche übernommen, sodass es von da an neben einer Fülle anderer Funktionen ein dreigliedriges (Diakonat, Presbyterat, Episkopat) Leitungsamt (→Klerus) gab. Die Einsetzung in ein kirchliches Amt (→Weihe) erfolgte in der im Römischen Reich verbreiteten Form der Handauflegung, zunächst durch die Mitpresbyter, später durch den Bischof oder durch Nachbarbischöfe.

Rechte Seite:
Die Kathedrale in Etschmiadsin, Sitz des Katholikos der Armenischen Apostolischen Kirche, ist die älteste christliche Kirche Armeniens; sie wurde im 4. Jh. gegründet.

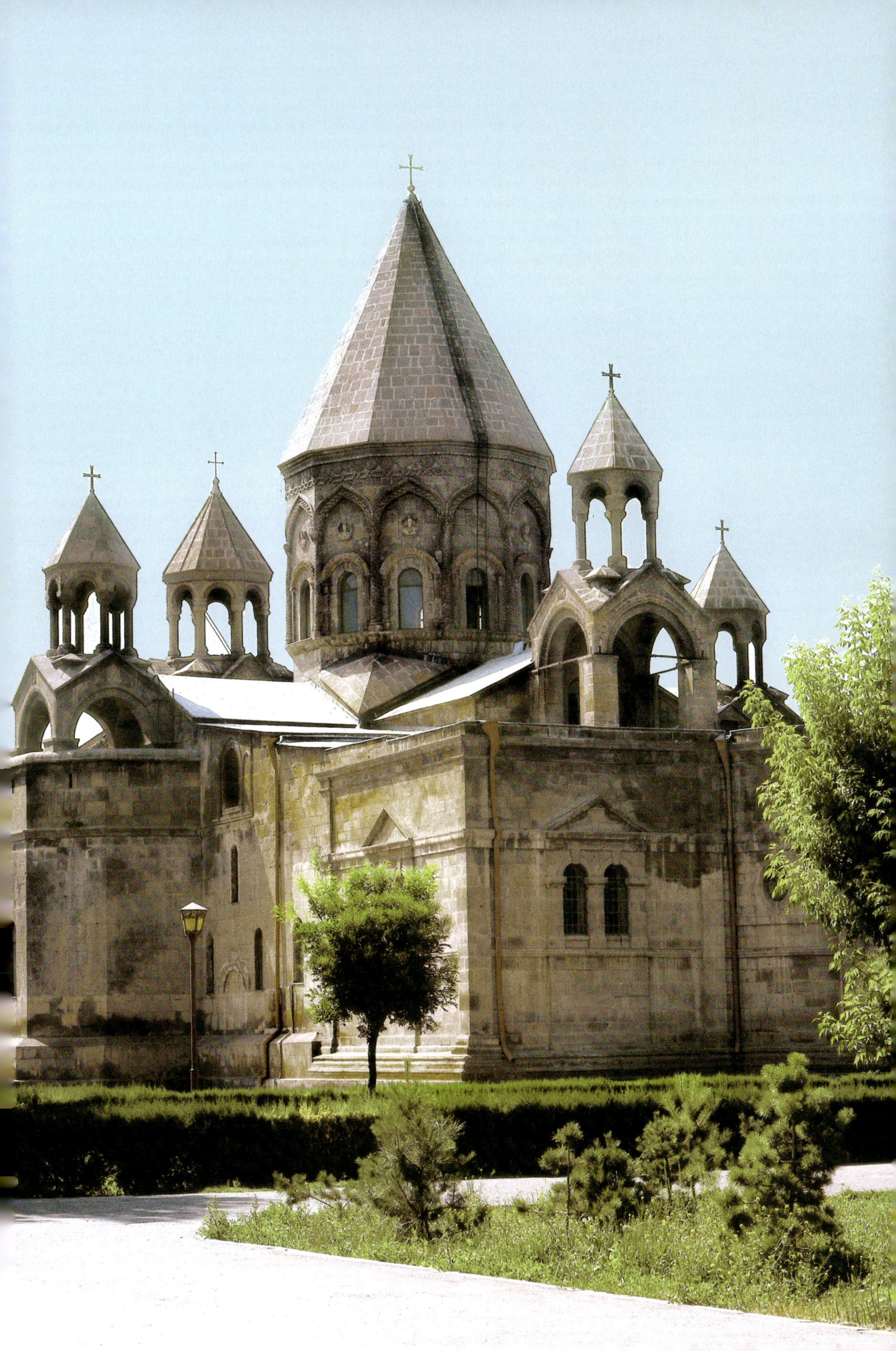

Kirche

Parallel dazu kam es – unter dem Einfluss der jüdischen und hellenistischen Umwelt – zur Übertragung kultisch-priesterlicher Vorstellungen auf die christlichen liturgischen Feiern und ebenso auf das Priester- und Bischofsamt. Während es noch zur Zeit des Paulus üblich war, die Eucharistie im häuslichen Kreis zu feiern, wobei der Hausvater den Vorsitz übernahm, wurde die Leitung der Eucharistiefeiern jetzt ausschließlich Aufgabe der Priester und Bischöfe.

Kirche. Die Buchmalerei aus dem »Sachsenspiegel«, einem mittelalterlichen Rechtsbuch, zeigt den thronenden Christus bei der Vergabe kirchlicher Ämter. Um das Recht der Investitur und der Belehnung von Geistlichen entbrannte die erste große Auseinandersetzung zwischen Kirche und Staat im Mittelalter (um 1350; Dresden, Landesbibliothek).

■ **Geschichtliche Entwicklung im Altertum** Die zunächst kleinen christlichen Gemeinden, die sich in Palästina und im angrenzenden syrisch-kleinasiatischen Raum, bald aber rund ums Mittelmeer bildeten, sahen sich als eine einzige Kirche, obwohl sie keine organisatorische Einheit kannten. Dennoch gab es einige »universale« Strukturen: das Bewusstsein gemeinsamer Jüngerschaft, die Verbreitung von Bekenntnisformeln ebenso wie von häretischen Strömungen, die Rezeption von A. T. und zunehmenden Teilen des N. T. in den Gemeinden, soziale und karitative Hilfe und anderes. Seit Ende des 2. Jh. begann man, strittige Fragen von Lehre und Disziplin auf regionalen Synoden zu diskutieren und zu entscheiden. Mit der konstantinischen Wende wurden auch »ökumenische«, d. h. weltweite, Konzile möglich, die Fragen regelten, die die ganze Kirche betrafen: Nicäa 325, Konstantinopel 381, Ephesus 431 und Chalkedon 451. Erst im Lauf der Zeit bildeten sich großräumige Strukturen aus in Anlehnung an die römische Reichsstruktur: Stadtgemeinden mit Umland (Bistümer), gruppiert um größere »Metropolen« (Metropolitansitze, »Erzbistümer«), einige zentrale und zugleich »apostolische« Städte als Zentren großer Regionen (»Patriarchate«).

Vor Konstantin gab es im Osten drei Patriarchate (Jerusalem, Antiochien, Alexandrien), im Westen eines (Rom), im 4. Jh. kam im Osten noch die neue Reichshauptstadt Konstantinopel hinzu. Die antike Kirche war also »polyzentrisch« organisiert, wenn man von der seit Konstantin wachsenden Bedeutung des Kaisers selbst absieht. Im traditionellen theologischen Sprachgebrauch wird dies ausgedrückt durch der vier Wesensmerkmale der Kirche: Einheit, Heiligkeit, Katholizität, Apostolizität. Die Zugehörigkeit wurde durch die Taufe begründet und in der christlichen Gemeinschaft gelebt.

■ **Entwicklung nach der konstantinischen Wende** Mit zunehmender Ausbreitung bildete die Kirche eine komplexe organisatorische Struktur aus, die weitgehend der Verwaltungsstruktur des Römischen Reichs entsprach. Das Christentum war in den ersten Jahrhunderten eine Stadtreligion. Bischöfe leiteten mit ihren Presbytern die Stadtgemeinden, von denen aus das Umland allmählich missioniert wurde. Entsprechend der Verwaltungsstruktur des Römischen Reiches konnten die Bischofssitze größerer Städte kirchliche Mittelpunkte für eine Reihe umliegender Bistümer werden (Metropolitansitze). Bischöfe in kulturellen und politischen Zentren (zuerst Antiochia, Alexandria, Rom, Jerusalem und später Konstantinopel) herrschten über große Provinzen (Patriarchate).

Die →konstantinische Wende (313) führte zur rechtlichen Gleichstellung des Christentums mit den übrigen Religionen; es wurde in der Folge von den Kaisern (mit Ausnahme von Julian »Apostata«) durch die Vergabe von Privilegien massiv gefördert. Die Kaiser ihrerseits griffen in theologische Diskussionen ein, beriefen Konzile ein und leiteten sie. Der endgültige Durchbruch zum Staatskirchentum erfolgte unter Theodosius I. und schuf für die Kirche eine grundsätzlich neue Situation. Den Christen boten sich nun vielfältige Möglichkeiten der Einflussnahme auch auf das öffentliche Leben. Gleichzeitig war der Wandel des Christentums zur »Massenreligion« auch mit einer Veräußerlichung des Glaubens verbunden, da sich unter den neuen gesellschaftlichen Zwängen viele taufen ließen, die kein unmittelbares Interesse am Christentum hatten.

Kultur und Wissenschaften im Römischen Reich waren in den ersten christlichen Jahrhunderten von griechischem Denken und der griechischen Sprache bestimmt. So war entsprechend auch das griechisch geprägte Christentum mit seinen Zentren in der östlichen Reichshälfte innerkirchlich dominierend und brachte die wesentlichen Dogmen der christlichen Antike hervor (→Christologie, Lehre von der →Trinität). Eine lateinische Theologie entwickelte sich zunächst (seit 200) in Nordafrika. Nach der Erhebung von Byzanz zur Reichshauptstadt (330) verließ die Griechisch sprechende Elite Rom, sodass sich dort die (im »Volk« lebendig gebliebene) lateinische Sprache wieder durchsetzen konnte. So bildete sich in der Folge das lateinisch-westliche (abendländische) Christentum heraus, dessen Eigenart in herausragender Weise durch Augustinus und Papst Leo I. geprägt worden ist.

Das wachsende Ansehen Roms als der führenden christlichen Gemeinde des Westens wurde gefestigt, als Kaiser Konstantin I. dem römischen Bischof den kaiserlichen Lateranpalast als Residenz schenkte. Die römische Kirche wurde mehr und mehr zum religiösen und – v. a. seit dem Zerfall des Römischen Reiches im 5. Jh. – auch politischen Zentrum des Westens. Innerhalb der abendländischen Kirchen setzten sich gegen die Konkurrenz des →Arianismus sowie des keltisch geprägten Christentums (→iroschottische Kirche) die römisch-lateinische Theologie und Kirchenstruktur mit dem Primat des römischen Bischofs als »Papst« unter den Germanen und (romanisierten) Kelten durch, endgültig dann in der angelsächsischen Mission unter Bonifatius und in der karolingischen Zeit. Unterschiede in Sprache und Mentalität sowie dogmatische Differenzen (über das →Filioque und die →Bilderverehrung) führten zu einer zunehmenden Entfremdung zwischen der abendländischen und der – v. a. durch die islamischen Eroberungen seit dem 7. Jh. geschwächten – byzantinischen Kirche, deren Schlusspunkt 1054 die formelle Trennung durch das →Morgenländische Schisma bildete.

■ **Kirche im Mittelalter** Charakteristisch für die Kirche des frühen Mittelalters ist das enge Verhältnis von Kirche und Staat. Das Bündnis des Papstes mit den fränkischen Königen führte zur Schaffung des Kirchenstaates und damit zur Sicherung einer weitgehenden politischen Unabhängigkeit Roms. Durch die in römischen und germanischen Rechtsauffassungen begründete Einrichtung der Eigenkirche, also der Kirche im Besitz weltlicher Herrschaft, war auch auf den mittleren und unteren Ebenen, zwischen Fürsten und Bischöfen sowie zwischen Adel und Pfarrklerus oder Klöstern, eine enge Verbindung gegeben: Fürsten und Könige hatten geistliche, der Klerus auch weltliche Aufgaben; v. a. seit Otto I. wurden viele Bischöfe und Äbte auch zu Landesherren (ottonisch-salisches Reichskirchensystem).

Das damit angelegte Spannungsverhältnis zwischen weltlichen und geistlichen (Macht-)Ansprüchen trat in der Folge in den Auseinandersetzungen zwischen dem römischen (deutschen) Kaisertum und dem Papsttum immer stärker hervor und erfuhr im →Investiturstreit mit der Bannung Heinrichs IV. durch Papst Gregor VII. (1077) seine schärfste Zuspitzung. Unter dem Leitbegriff der »Libertas Ecclesiae« (»Freiheit der Kirche«) wollte Gregor den von Cluny ausgehenden Reformideen (→kluniazensische Reform) in der Gesamtkirche Geltung verschaffen (gregorianische Reform) und strebte die Überwindung der Vergabe kirchlicher Ämter und der Einweisung in sie durch weltliche Herren (Laieninvestitur) sowie der in der Kirche allgemein üblich gewordenen Käuflichkeit kirchlicher Ämter (Simonie) und der Priesterehe an.

Innerkirchlich wurden Simonie und – auf dem 1. Laterankonzil 1123 – die bis dahin zwar verpönte, aber geduldete und allgemein verbreitete Priesterehe verboten und auf dem 2. Laterankonzil 1139 für ungültig erklärt (→Zölibat), nach außen führte der Investiturstreit nach langen Auseinandersetzungen im Wormser Konkordat (1122) zu einem Kompromiss, der den Interessen von Kaiser und Papst gerecht werden sollte. Im Verlauf dieser Auseinandersetzungen kam es erstmals zu einer gedanklichen und »politischen« Unterscheidung von geistlichem und weltlichem Bereich, von Staat und Kirche, wenn auch ihr Verhältnis noch lange umstritten blieb und Papst (»geistliches Schwert«) und Kaiser (»weltliches Schwert«) weiterhin um die Oberhoheit im Heiligen Römischen Reich kämpften.

Das Papsttum erreichte den Höhepunkt seiner weltlichen Macht unter Bonifatius VIII., der in der Bulle »Unam sanctam« (1302) den Vorrang der geistlichen vor der weltlichen Macht postulierte, geriet jedoch im Ergebnis der Auseinandersetzungen mit den staufischen Kaisern in eine weitgehende Abhängigkeit vom französischen Königtum. Frankreich erzwang die Umsiedlung der Päpste von Rom nach Avignon (Avignonisches Exil, 1309–76).

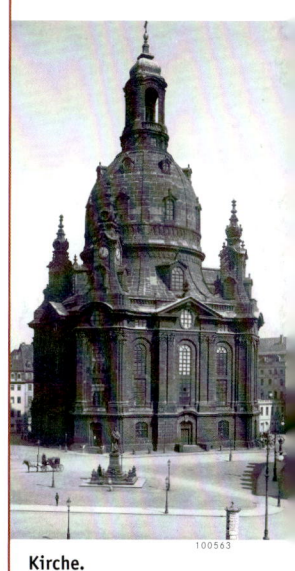

Kirche Vom Zehnten zur Kirchensteuer

Bereits seit dem 5. Jahrhundert forderte die Kirche eine Vermögensabgabe der Laien zum Unterhalt des Klerus und berief sich dabei auf das alttestamentliche Zehntgebot, wie es etwa in 3. Mos. 27, 30 zu finden ist.
Heute sind Kirchensteuern in Deutschland die Haupteinnahmequelle der evangelischen wie der katholischen Kirche. Spenden und Kollekten, Gebühren, privatwirtschaftliche Einnahmen und staatliche Zuwendungen tragen zum Haushalt bei. Entstanden im Gefolge der Säkularisation nach dem Reichsdeputationshauptschluss (1803), als die Kirchen ihre Kirchengüter und endgültig auch das Zehntrecht verloren und die begünstigten Landesfürsten die Verpflichtung zu Ausgleichszahlungen übernahmen, ist das Kirchensteuersystem heute in Deutschland in Artikel 140 des Grundgesetzes verfassungsrechtlich garantiert. Die staatlich unterstützte Beitragspflicht der Kirchenmitglieder besteht nur in Deutschland, der Schweiz und den skandinavischen Ländern. Die Kirchensteuer entfällt bei Kirchenaustritt.

Kirche.
Oftmals spiegelt sich in den Kirchenbauten der Wandel der Zeiten, wie etwa in der Dresdner Frauenkirche (erbaut 1726–38), die im Februar 1945 bei alliierten Fliegerangriffen zerstört und in jüngerer Zeit als Mahnmal des Friedens und der Völkerverständigung wiedererrichtet wurde (Foto um 1890).

Kirche

Zwei Jahre später, 1378, kam es im Gefolge einer Doppelwahl von Päpsten zum →Abendländischen Schisma als einer schweren Krise des Papsttums.

Das 15. Jh. stand im Zeichen innerkirchlicher, von den Reformkonzilen getragener Bestrebungen, die auf eine geistliche Erneuerung der Kirche abzielten, jedoch die mit weltlichen Machtansprüchen der Kirche permanent gegebene Krise (»Verweltlichung«) nicht überwinden konnten. Kirchenkritische Impulse waren seit dem 13. Jh. auch von den Armutsbewegungen (→Armut) ausgegangen, die z. T. radikale Kritik an der Kirche übten und alternative Modelle des Christseins praktizierten. Einige dieser Bewegungen wurden als häretisch bekämpft (die Waldenser und v. a. die Katharer), andere, wie die →Bettelorden, konnten in die Kirche integriert werden. Die Anliegen dieser sich auf die Bibel berufenden kritischen Strömungen lebten in den Reformbewegungen des Spätmittelalters wieder auf und mündeten in die Reformation.

■ **Konfessionalisierung der Neuzeit** In der →Reformation zerfiel die Einheit der abendländischen Kirche. Ein eher zufälliger Anlass, die Ablasspredigt zur Finanzierung der Peterskirche in Rom, veranlasste Martin Luther zu einer grundsätzlichen Kritik an der Kirche, die bald zur förmlichen Trennung, zur Entstehung von ev. Gemeinden und, ab 1525, lutherischen Landeskirchen führte. In der deutschen Schweiz (Zürich) hatte ab 1519 die Reformation durch Ulrich Zwingli Fuß gefasst, dessen Bewegung später in den Sog des Genfer Reformators Johannes Calvin geriet. Der Calvinismus breitete sich v. a. in Frankreich (→Hugenotten), im nordwestlichen Europa und auch in Deutschland aus. Ein weiteres Schisma entstand 1535 durch die Loslösung der →Kirche von England, die einerseits kath. Traditionen weiterführte, mehr und mehr aber auch reformatorisches Gedankengut aufnahm.

Die Reformatoren kritisierten die Missstände in der kirchlichen Praxis, wollten jedoch zunächst keine neue Kirche gründen, sondern über ihre »Reform an Haupt und Gliedern« die dem Evangelium gemäße Kirche wiederherstellen. Theologisch stellten sie dabei die Bibel als die einzige Offenbarungsquelle (sola scriptura), Jesus Christus als den alleinigen Heilsgrund (solus Christus) in den Mittelpunkt und hoben die →Rechtfertigung des Menschen allein aus Gnade (sola gratia) und seine »Gerechtigkeit« allein im Glauben (sola fide) sowie das allgemeine Priestertum der Gläubigen, das den Verkündigungs- und Seelsorgeauftrag aller Christen meint, hervor.

Auf kath. Seite griff das →Tridentinum (1545–63), durch das eine theologische Neubesinnung und Reform in der kath. Kirche eingeleitet wurde, zentrale Anliegen der Reformation auf (z. B. im Rechtfertigungsdekret), bekräftigte aber gegen die Reformatoren die Notwendigkeit eines besonderen Priestertums und die hierarchische Kirchenstruktur, die seither ein Spezifikum des kath. Bekenntnisses ist und als auf »göttliches Recht« gegründet angesehen wird. Eine tiefer gehende theologische Durchdringung der durch die Reformation angestoßenen ekklesiologischen Fragen – besonders das Amt des Papstes betreffend – wurde vom Konzil von Trient jedoch noch nicht geleistet. Dies erfolgte erst auf den beiden Vatikanischen Konzilen.

Charakteristisch für die Kirche der Neuzeit ist ihre zunehmende Konfessionalisierung. Die einzelnen Kirchen gründen als →Konfessionen auf ihren jeweiligen Bekenntnissen, die mit unterschiedlichen Kirchenverfassungen verbunden sind. Seit dem 16. Jh. haben sie – mit in den verschiedenen Epochen wechselnder Intensität – gerade die Unterscheidungslehren in den Mittelpunkt gestellt, während das Gemeinsame zurücktrat. Die konfessionellen Spannungen führten in der 2. Hälfte des 16. und im 17. Jh. zu Kriegen und Bürgerkriegen: zum Kampf gegen die Hugenotten in Frankreich, zum Dreißigjährigen Krieg in Deutschland, zu blutigen Auseinandersetzungen in England, den Niederlanden, in Ungarn, Polen und Schweden. Unter dem Einfluss der Aufklärung sowie im ev. Raum des Pietismus trat das konfessionalistische Denken etwas zurück, lebte aber im 19. Jh. erneut auf.

Für die kath. Kirche mit ihren weitgehend auf ihrer Autonomie bestehenden Nationalkirchen brachten die Französische Revolution und die Politik Napoleons I. große Veränderungen. Im französischen Konkordat von 1801 (ähnlich im Konkordat für die »Italienische Republik«, 1803) erzwang Napoleon die Absetzung des gesamten französischen Episkopats durch den Papst und eine Neugliederung der Bistümer. Im Reichsdeputationshauptschluss (1803) wurde die deutsche kath. Kirche praktisch enteignet (Säkularisation). 1809 wurde der Kirchenstaat Frankreich angegliedert. Die Neuordnung Europas auf dem Wiener Kongress (1815) ließ die Säkularisation bestehen und sprach kath. Gebiete Preußen zu, stellte aber den Kirchenstaat wieder her. Viele Katholiken, die unter protestantischen Landesherren lebten, suchten jetzt eine Stütze im Papsttum. Ähnlich orientierten sich die geschwächte französische Kirche und die kath. Minderheiten in Ländern wie Großbritannien und den Niederlanden an Rom. Neben dieser auf Rom und den Papst ausgerichteten Bewegung des »Ultramontanismus« (von mittellateinisch ultramontanus, »jenseits der Berge«, d. h. jenseits der Alpen) verbreitete sich im Katholizismus Europas, gefördert durch die Päpste, eine defensive Haltung gegenüber allen Neuerungen und ein restauratives Beharren auf alten Mentalitäten und Formen. Vor diesem Hintergrund konnte Papst Pius IX. auf dem 1. Vatikanischen Konzil 1869–70 die Dogmatisierung von Primat und Unfehlbarkeit des Papstes durchsetzen, was allerdings zur Abspaltung der Alt-Katholiken führte.

Die konfessionalistische Neubelebung im Protestantismus ist in besonderer Weise mit der im 18. Jh. einsetzenden →Erweckungsbewegung verbunden, aus der heraus v. a. im englischen Sprachraum unabhängige Gemeinschaften entstanden (→Methodisten, →Adventisten, Katholisch-Apostolische Gemeinden, →Mormonen), die sich zu eigenständigen Kirchen und Religionsgemeinschaften entwickelten. Im deutschen Protestantismus wurde der konfessionelle Gedanke besonders durch das Neuluthertum und die →Altlutheraner repräsentiert.

■ **Neuere Entwicklungen** In der ersten Hälfte des 20. Jh. war die Haltung der Kirche, insbesondere in den beiden Weltkriegen, von weitgehender Loyalität und Staatstreue geprägt. Besonders die ev. Kirche hatte sich in dem protestantisch-preußisch geprägten Deutschen Reich nach 1871 als eine Art Staatskirche empfunden. Aus der Skepsis sowohl der kath. als auch der ev. Kirche gegenüber der Demokratie der Weimarer Republik und einem traditionellen Antisozialismus ergab sich die anfänglich wohlwollend-duldende Haltung zum Nationalsozialismus. Die weitere Verstrickung der Kirchen in die nationalsozialistische Politik wird allgemein unter dem Begriff →Kirchenkampf gefasst und polarisierte sich auf ev. Seite in der →Bekennenden Kirche und den →Deutschen Christen. Nach 1945 empfanden beide Kirchen ihr weitgehendes Versagen im Kampf gegen den →Antisemitismus und die Massenvernichtung der Juden im →Holocaust.

Die Entwicklung der interkonfessionellen Beziehungen im 20. Jh. ist eng mit der der »ökumenischen Bewegung« verbunden, deren Bestrebungen, die konfessionelle Trennung der Kirche zu überwinden, die kath. Kirche – ungeachtet einzelner kath.-ökumenischer Initiativen – bis in die 1950er-Jahre offiziell ablehnend gegenüberstand. Dabei wurde die theologische Berufung auf die Schlüsselgewalt Petri mit dem Anspruch verbunden, allein die zum Heil notwendige (»allein selig machende«) Kirche zu repräsentieren. Die ökumenische Öffnung der kath. Kirche wurde durch das 2. Vatikanische Konzil vollzogen und in ihren Grundsätzen in der Kirchenkonstitution und im Dekret über den Ökumenismus formuliert. Auf dieser Grundlage begreift sich die kath. Kirche seither selbst als Teil der ökumenischen Bewegung. In Verbindung mit der Ausrufung des Jahres 2000 zum hl. Jahr hat sich Papst Johannes Paul II. für eine Erneuerung und neue Qualität der Beziehungen zwischen den Kirchen ausgesprochen und dies in der Ökumeneenzyklika »Ut unum sint« (»Dass alle eins seien«) sowie in dem an die Ostkirche gerichteten Apostolischen Schreiben »Orientale lumen« (»Licht aus dem Osten«) formuliert.

Dem besseren gegenseitigen Verstehen der Kirchen untereinander dienen zahlreiche seit Ende der 1960er-Jahre durchgeführte interkonfessionelle (Lehr-)Gespräche. Dem in ihrem Zusammenhang vielfach geäußerten Wunsch nach größerer Kirchengemeinschaft und künftiger kirchlicher Einheit stehen als Hauptprobleme die unterschiedlichen Kirchenbegriffe und die Frage der gegenseitigen Anerkennung der Ämter, dabei v. a. der nach römisch-kath. Verständnis mit dem römischen Bischofsamt verbundene Anspruch auf Unfehlbarkeit und Jurisdiktionsprimat, sowie die nach wie vor weiter bestehenden theologischen Lehrdifferenzen (z. B. Sakramentenverständnis, Frauenordination) entgegen. Die mögliche Bedeutung des Papstamtes in einer künftigen geeinten Kirche ist seit Mitte der 1990er-Jahre Gegenstand der ökumenischen Diskussion geworden und dabei im Grundsatz als »Petrusdienst an der Einheit aller Getauften« beschrieben worden. Dagegen wurde in einem zentralen Punkt, der Rechtfertigungslehre, eine ökumenische Übereinstimmung festgestellt.

Kirchlich und theologisch gegenläufige Bestrebungen haben ihre Basis in der kath. Kirche in traditionalistischen Gemeinschaften wie dem »Engelwerk« (Opus Angelorum) oder im Opus Dei und innerhalb der protestantischen Kirche in den so genannten fundamentalistischen Sammlungsbewegungen und Gruppierungen, die besonders in den USA über einen hohen Organisationsgrad verfügen. Die in jüngster Zeit zu beobachtenden antiökumenischen Tendenzen innerhalb der orth. Kirche stehen in unmittelbarem Zusammenhang mit der Rekonstitution und Neuordnung der kirchlichen Strukturen der kath. Kirche in den ehemaligen kommunistischen Staaten Mittel-, Südost- und Osteuropas und der nach 1990 dort einsetzenden protestantischen Mission, die von orth. Seite als »Errichtung kirchlicher Parallelstrukturen« und »Proselytenmacherei« in traditionell ihren Kirchen zugehörigen Territorien angesehen werden.

Die innere Entwicklung der Kirchen in den früheren klassischen Missionsgebieten Afrika, Asien und Ozeanien, wo heute, v. a. im Protestantismus, zahlreiche selbstständige junge Kirchen und →unabhängige Kirchen in geschichtlich und soziokulturell ganz unterschiedlich geprägten Lebensräumen bestehen, wird zunehmend durch die theologische Reflexion der geschichtlichen, kulturellen, sozialen, politischen und wirtschaftlichen Gegebenheiten ihrer Lebensräume (Kontextualisierung, Inkulturation) sowie durch eigene Formen des gottesdienstlichen und gemeindlichen Lebens bestimmt. In den Ländern, in denen die Kirchen in einer Minderheits- oder Diasporasituation leben, tritt die Notwendigkeit des Dialogs und einer Kooperation zwischen den Religionen als ein wesentliches Moment hinzu.

Kirchenbann, frühere Bezeichnung für →Exkommunikation.

Kirchengebote, *kath. Kirche:* im weiteren Sinn alle Vorschriften des Kirchenrechts; im engeren Sinn die für alle kath. Christen verbindlich vorgeschriebenen fünf grundlegenden Gebote des kirchlichen Lebens: Sonntags- und Feiertagsheiligung, Messbesuch, Einhaltung der Fasttage, jährliche Beichte und Osterkommunion.

Kirchengeschichte, 1) die auf der Jüngerschaft Jesu und die Erfahrung seiner Auferstehung gründende und in der Jerusalemer Urgemeinde ihren Anfang nehmende Geschichte der →Kirche und des →Christentums;
2) die wissenschaftliche Erforschung dieser historischen Entwicklung. Ob die Kirchengeschichte eine genuin theologische Wissenschaft oder eher eine historische Teildisziplin ist, wird kontrovers diskutiert. Einzeldisziplinen der Kirchengeschichte sind u. a. Frömmigkeits-, Papst-, Reformations-, Missionsgeschichte, Kirchengeschichte der einzelnen Länder.

Kirchenjahr, seit dem 16. Jh. übliche Bezeichnung für die Gesamtheit der auf ein Jahr verteilten kirchlichen Feste. Grundlage des Kirchenjahrs ist das wöchentliche Gedächtnis des Todes und der Auferstehung Jesu Christi am Sonntag, dem »Tag des Herrn«, der schon von den ersten Christen als solcher gefeiert wurde. Seit dem 2. Jh. wird zusätzlich das Osterfest als Jahrgedächtnis begangen, das im 3. Jh. zu einem **Osterfestkreis** mit der Himmelfahrt Christi (40 Tage nach Ostern) und Pfingsten (50 Tage nach Ostern) als Abschluss und einer vorausgehenden Fastenzeit mit Beginn am Aschermittwoch erweitert wurde. Analog dazu bildete sich in der abendländischen Kirche mit der Einführung von Weihnachten und Epiphanie als Jahrgedächtnis der Geburt und Offenbarung Jesu im 3./4. Jh., denen seit dem 5. Jh. der Advent als weihnachtliche Vorbereitungszeit vorausgeht, ein eigener **Weihnachtsfestkreis** heraus. Das Kirchenjahr begann im Laufe der Kirchengeschichte zu verschiedenen Terminen (z. B. an Ostern). Gegenwärtig gilt in den Kirchen abendländischer Tradition der 1. Advent, in den Ostkirchen der 1. 9. (Indiktion, d. h. Gedenken an das erste Auftreten Jesu in Nazareth) als Beginn des Kirchenjahres.

Kirchenkampf. Die Bezeichnung Kirchenkampf entstand zunächst 1933/34 in der ev. Kirche, um die innerkirchlichen Auseinandersetzungen um den »evangeliumsgemäßen« Weg, v. a. zur Abwehr des Führungsanspruchs der →Deutschen Christen (DC) seitens der entstehenden →Bekennenden Kirche, zu benennen. Zunehmend wurde der Begriff dann ausgeweitet auf den allgemeinen Kampf der Kirchen gegen Ideologie und Praxis des Nationalsozialismus. Er gilt heute (nicht unumstritten) als Bezeichnung für die Geschichte der Kirchen im nationalsozialistischen Deutschland (1933–45).

■ **Nationalsozialismus und Kirchen** Trotz ideologischer Vorbehalte waren die Kirchen 1933 bereit, sich weitgehend in die politischen Interessen des nationalsozialistischen Staates einbinden zu lassen und dessen Kampf gegen den »gottlosen« Bolschewismus zu unterstützen. Der Nationalsozialismus sah aber im Christentum einen unliebsamen Widerpart, der ihn bei seiner systematischen Indoktrinierung der Bevölkerung zu behindern vermochte.

Mit der ab 1934 propagierten »Entkonfessionalisierung des öffentlichen Lebens« kam es zu sich verschärfender Diskriminierung von Christentum und Kirchen. Ab 1938 setzten sich in der nationalsozialistischen Kirchenpolitik immer stärker antikirchliche Kräfte durch, die von der Unvereinbarkeit von Christentum und Nationalsozialismus ausgingen und die Trennung von Staat und Kirche propagierten (Martin Bormann, Joseph Goebbels, Rudolf Heß, Alfred Rosenberg). Vor allem SS, SD und Gestapo forcierten fortan den Kirchenkampf (besonders Heinrich Himmler und Reinhard Heydrich). Die Kirchen wurden endgültig auf den innerkirchlichen Wirkungsraum beschränkt. 1940 verkündete Hitler einen »Burgfrieden« mit den Kirchen für die Dauer des Krieges und verschob die Lösung der Kirchenfrage auf die Zeit nach dem Zweiten Weltkrieg.

Die Kirchen traten dem Vorwurf der Staatsfeindlichkeit entgegen und betonten ihre grundsätzliche politische Loyalität. Ihr Kampf gegen den Nationalsozialismus war v. a. ein Kampf um die eigene Freiheit und Autonomie. Dennoch protestierten sie nicht nur um ihrer Selbstbehauptung und Verfolgung willen, sondern griffen vereinzelt in Hirtenbriefen oder Eingaben an staatliche Stellen auch die Ideologie, v. a. die Rassenlehre, und die offenkundigen Menschenrechtsverletzungen des Regimes direkt an (u. a. Denkschrift der 2. Vorläufigen Leitung der Bekennenden Kirche 1936, Enzyklika Pius' XI. »Mit brennender Sorge« 1937, »Menschenrechtshirtenbrief« 1942, Hirtenbrief über die Zehn Gebote 1943). Einige kirchliche Amtsträger und einzelne Christen schlossen sich auch der Widerstandsbewegung an, so z. B. Dietrich Bonhoeffer, Alfred Delp (*1907, †1945) und Eugen Gerstenmaier (*1906, †1986). Trotz des ge-

Kirchenkampf

meinsamen Gegners kam es zu keiner engeren Zusammenarbeit der Kirchen. Das ambivalente Verhalten der Amtskirche gegenüber der nationalsozialistischen Genozidpolitik (Holocaust) wurde nach 1945 als Versagen kritisiert und mittlerweile von den offiziellen Kirchen als solches anerkannt.

■ **Evangelische Kirche** Der Kirchenkampf entbrannte an der Umbildung des Deutschen Evangelischen Kirchenbundes (DEK) zur Deutschen Evangelischen Kirche. Schon ab Mai 1933 kam es zu schweren Auseinandersetzungen, als die nationalsozialistische Kirchenpartei der DC in der Deutschen Evangelischen Kirche die Verschmelzung von Christentum und Nationalsozialismus propagierte und in ihr die Führung beanspruchte. Mit massiver Unterstützung durch Hitler und die NSDAP erreichten die DC im Sommer und Herbst 1933 den nationalsozialistischen Durchbruch in der ev. Kirche und konnten die Schlüsselpositionen besetzen, etwa mit Wahl und Einsetzung des »Reichsbischofs« Ludwig Müller am 27. 9. 1933. Im September 1933 rief Martin Niemöller zur Gründung eines Pfarrernotbundes auf, und in einigen der von den DC beherrschten Landeskirchen traten freie Bekenntnissynoden zusammen. Die Landeskirchen Bayern, Hannover und Württemberg brachen mit der Führung der Reichskirche. Die verschiedenen Kreise und Gruppen der kirchlichen Opposition vereinigten sich im Frühjahr 1934 zur Bekennenden Kirche, die auf ihrer ersten Bekenntnissynode die →Barmer Theologische Erklärung verabschiedete (29. 5. 1934). Im Oktober 1934 trat die Bekenntnissynode ein zweites Mal zusammen und proklamierte das kirchliche Notrecht. Am 16. 7. 1935 berief Hitler einen Reichskirchenminister (Hanns Kerrl), der das Gegeneinander konkurrierender Kirchenleitungen in der ev. Kirche beseitigen und auf diese Weise den Kirchenkampf beenden sollte. Zu diesem Zweck wollte Kerrl die bisherigen Kirchenleitungen überall durch – von ihm gebilligte – »Kirchenausschüsse« ersetzen. Das gelang jedoch nur auf Reichsebene und für die Landeskirchen Preußen, Sachsen, Hessen-Nassau, Kurhessen-Waldeck und Schleswig-Holstein. In den übrigen Landeskirchen konnten sich die »intakten« oder die deutsch-christlichen Kirchenleitungen halten.

Die Ausschusspolitik Kerrls und Zoellners führte zu tief greifenden Konflikten innerhalb der Bekennenden Kirche. Als sich zeigte, dass die Ausschusspolitik Zoellners auch im Kirchenministerium keinen Rückhalt mehr hatte, trat der Reichskirchenausschuss im Februar 1937 zurück. Mit weiteren Neuordnungsversuchen kam Kerrl nicht mehr zum Zuge. Das Leitungsschisma in der ev. Kirche blieb bis zum Ende des Zweiten Weltkrieges bestehen. Der Kirchenkampf fand sein Ende mit der Neuordnung des ev. Kirchenwesens 1945/48 (→Evangelische Kirche in Deutschland).

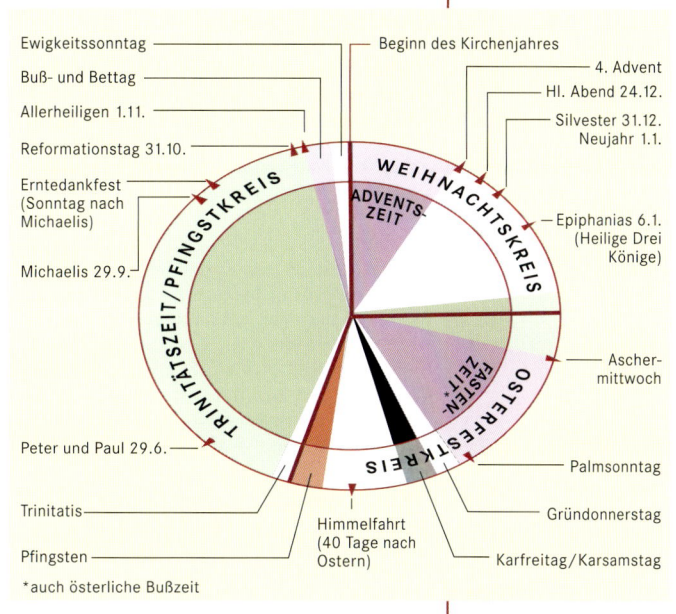

■ **Katholische Kirche** Der deutsche Katholizismus verfügte in der Weimarer Republik mit der Zentrumspartei und der Bayerischen Volkspartei über ein eigenes Instrument zur Wahrung seiner kirchlich-politischen Interessen. Als Hitler im März 1933 zusicherte, den Einfluss der kath. Kirche im öffentlichen Leben und ihren Rechtsstatus zu wahren, war das Zentrum bereit, dem Ermächtigungsgesetz zuzustimmen und damit die Weimarer Reichsverfassung zu suspendieren.

Der Abschluss des Reichskonkordats 1933 zwischen dem Heiligen Stuhl und dem Deutschen Reich wurde vonseiten des Heiligen Stuhls mit dem Ziel abgeschlossen, die kath. Kirche und ihre Einrichtungen in Deutschland gegenüber dem Totalitätsanspruch des nationalsozialistischen Staates zu sichern. Dafür wurde die von Hitler unabdingbar geforderte »Entpolitisierung« des Klerus zugestanden. Das Reichskonkordat stärkte Hitlers außenpolitisches Prestige, brachte ihn aber auch einem innenpolitischen Ziel näher, indem es Geistlichen und Ordensleuten jegliche politische Betätigung verbot und damit den »politischen Katholizismus« ausschaltete. Spätestens ab Herbst 1933 wurde deutlich, dass Hitler nicht daran dachte, seine Zusicherungen einzuhalten. Der Kirchenkampf der kath. Kirche wurde somit zum Abwehrkampf gegen nationalsozialistische Übergriffe. Dabei zeigte sich der Katholizismus geschlossener als der Protestantismus. Deutsch-christliche Theorien fanden im Katholizismus keinen Widerhall, die Organisation der kath. Kirche blieb im Ganzen intakt. Seit 1938, verstärkt aber in den Kriegs-

Kirchenjahr. Das Kirchenjahr im Christentum: Bestimmten Festen oder Zeiten werden so genannte liturgische Farben zugeordnet: Violett ist die Bußfarbe (Advent, Fastenzeit), Grün die Farbe der Sonntage außerhalb der Weihnachts- und Osterzeit, Rot die Farbe von Pfingsten und den Märtyrerfesten, Schwarz die Farbe des Karfreitags und Weiß die Festfarbe.

Kirchenlehrer

jahren, waren insbesondere kath. Amtsträger von Zwangsmaßnahmen des nationalsozialistischen Regimes bis hin zu Inhaftierung und Einlieferung in Konzentrationslager betroffen. 1941 wurden 123 Ordenskomplexe aufgelöst und enteignet (Aktion »Klostersturm«). Am offensten stellten sich Kardinal Michael von Faulhaber und Bischof Clemens August Graf von Galen gegen die nationalsozialistische Vernichtungspolitik. Darüber hinaus beteiligten sich Katholiken an Widerstandsgruppen wie der »Weißen Rose« bzw. leisteten gegenüber der nationalsozialistischen Indoktrination Widerstand.

Kirchenlehrer, lateinisch **Doctores Ecclesiae**, im Unterschied zu den auf altchristliche Zeit beschränkten →Kirchenvätern Bezeichnung für bestimmte normgebende (rechtgläubige) Theologen und dogmatische Autoritäten aus allen Zeiten der Kirche. Im Verlaufe der Lehrstreitigkeiten um Arianismus und Monophysitismus ging die Kirche erstmals dazu über, den Nachweis der Rechtgläubigkeit durch Zitatensammlungen von Kirchenlehrern zu erbringen.

Im 16. Jh. setzte, beginnend mit Thomas von Aquino (1567), vor dem Hintergrund der aufstrebenden theologischen Fakultäten und Orden eine vom Papsttum gesteuerte Reihe von Ernennungen von Kirchenlehrern als Repräsentanten kirchlicher Lehre ein. In neuester Zeit gab man die ehemalige Beschränkung des Titels auf Kleriker auf: 1970 wurden mit Theresia von Ávila und Katharina von Siena erstmals Frauen zu Kirchenlehrern erhoben. Gegenwärtig werden 33 Kirchenlehrer verehrt.

Kirchenrecht, lateinisch **Ius ecclesiasticum**, die Gesamtheit der von den christlichen Kirchen zur Regelung des innerkirchlichen Lebens erlassenen Vorschriften. Im Unterschied zum Staatskirchenrecht ist das Kirchenrecht eigenständiges (nicht staatliches) Recht. Vom Selbstverständnis der einzelnen Kirche abhängig, ist das Kirchenrecht unterschiedlich ausgestaltet und greift in den Einzelkirchen auf unterschiedliche Rechtsquellen zurück.

Das *kath. Kirchenrecht* (**kanonisches Recht**) wurde seit dem 2. Vatikanischen Konzil überarbeitet und liegt seit 1983 in der erneuerten Fassung des →Codex Iuris Canonici vor. Quellen des kath. Kirchenrechts sind außerdem die »Acta Apostolicae Sedis«, das Amtsblatt des Apostolischen Stuhls, sowie für das partikulare Kirchenrecht in Deutschland, Österreich und der Schweiz die Amtsblätter der einzelnen Diözesen.

Der 1929 begonnene Prozess der Kodifizierung des Kirchenrechts der unierten Ostkirchen kam 1990 mit der Veröffentlichung und Inkraftsetzung eines einheitlichen ostkirchlichen Gesetzbuches, des »Codex Canonum Ecclesiarum Orientalium«, zum Abschluss.

Das *ev. Kirchenrecht* ist keine einheitliche Größe. Allgemein wird es bestimmt und begrenzt durch die im A. T. und N. T. als »Gesetz und Evangelium« enthaltenen Weisungen. Konkretisiert wird es durch die Bekenntnisschriften und Ordnungen der Landeskirchen. Gesetze und Verordnungen der ev. Kirchen finden sich in Amtsblättern, Rechtssammlungen und Schreiben kirchlicher Behörden.

In den *Ostkirchen* ist das kanonische Recht vom Kirchenrecht zu unterscheiden. Ersteres erstreckt sich auf das innere Leben der Kirche, ihren Aufbau unbeschadet ihrer staatsrechtlichen Stellung, das zweite betrifft die äußere Ordnung und ihre Stellung im staatlich-gesellschaftlichen Rahmen. Aus den einzelnen Kanones (kirchliche Bestimmungen) entstand der griechische Nomokanon. Er bildete die Grundlage aller kirchenrechtlichen Einzelord-

---

Kirchenlehrer und Kirchenväter
(Auswahl in chronologischer Reihenfolge)

Athanasios (* 295, † 373)
Ephräm der Syrer (* um 306, † 378)
Kyrill von Jerusalem (* um 313, † 386)
Hilarius von Poitiers (* um 315, † 367)
Basilius der Große (* um 330, † 379)
Gregor von Nazianz (* 330, † 390)
Ambrosius (* um 340, † 397)
Johannes Chrysostomos (* zwischen 344 und 354, † 407)
Hieronymus (* um 347, † 419 [420?])
Augustinus (* 354, † 430)
Petrus Chrysologus (* um 380, † 450)
Kyrill von Alexandria († 444)
Leo (* 461)
Gregor I. (* um 540, † 604)
Isidor von Sevilla (* um 560, † 636)
Johannes von Damaskus (* zwischen 650 und 670, † vor 754)
Beda Venerabilis (* 672/673 [auch 673/674], † 735)
Petrus Damiani (* um 1007, † 1072)
Anselm von Canterbury (* 1033, † 1109)
Bernhard von Clairvaux (* um 1090, † 1153)
Antonius von Padua (* 1195, † 1231)
Albertus Magnus (* um 1200, Köln † 1280)
Bonaventura (* 1217 [1221 ?], † 1274)
Thomas von Aquino (* 1224 oder 1225, † 1274)
Katharina von Siena (um 1347, † 1380)
Theresia von Ávila (* 1515, † 1582)
Petrus Canisius (* 1521, † 1597)
Johannes vom Kreuz (* 1542, † 1591)
Roberto Bellarmino (* 1542, † 1621)
Laurentius von Brindisi (* 1559, † 1619)
Franz von Sales (* 1567, † 1622)
Alfons von Liguori (* 1696, † 1787)
Theresia von Lisieux (* 1873, † 1897)

nungen der verschiedenen orth. Kirchen. Die →Autokephalie der orth. Kirchen bewirkt, dass es Rechtsquellen gibt, die der gesamten Orthodoxie angehören, und andere, die nur für den Bereich einer einzelnen Kirche gelten.

Kirchenspaltung, →Schisma.

Kirchenväter, seit dem 4. Jh. aufkommender Ehrentitel für zahlreiche Kirchenschriftsteller des 2. bis 7. Jh., die sich durch theologische Gelehrsamkeit und Rechtgläubigkeit auszeichneten und kirchliche Anerkennung erfuhren. Durch die Kirchenväter wurde die beginnende christliche Theologie dauerhaft mit dem Erbe der griechisch-römischen Kulturwelt verschmolzen. Ihre Autorität wurde – neben der Heiligen Schrift – besonders im Mittelalter zur Untermauerung theologischer Thesen oder zum Erweis der Rechtgläubigkeit von Lehrinhalten herangezogen (Autoritätsbeweis) und bildet einen wesentlichen Pfeiler der kirchlichen – später kath. – Lehre von der Tradition. Die Väterzeit endet im lateinischen Westen mit Isidor von Sevilla und Beda, im Osten mit Johannes von Damaskus.

Kirche und Staat, →Staat und Kirche.

Kirche von England, anglikanische Kirche, englisch **The Church of England, Established Church, Anglican Church,** die englische Staatskirche und »etablierte Nationalkirche« Englands; Mutterkirche der aus ihr hervorgegangenen Kirchen der →Anglikanischen Kirchengemeinschaft.

■ **Organisation** Oberhaupt (»Supreme Governor«) der Kirche von England ist der regierende Monarch. In seinem Namen ernennt der Premierminister aus den von der Kirche vorgeschlagenen Kandidaten die Bischöfe, an deren Spitze der Erzbischof von Canterbury (seit 2002 Rowan Williams) als Primus inter Pares steht. Ihm folgen im Rang der Erzbischof von York, Diözesan-, Suffragan- und Hilfsbischöfe. Der Erzbischof von Canterbury ist auch Vorsitzender der Vollversammlung der anglikanischen Bischöfe, der so genannten Lambeth-Konferenz. Grundlage für Gottesdienst und Bekenntnis bilden die Bibel und das →Common Prayer Book. Die Kirche von England gliedert sich in die Provinzen Canterbury (31 Diözesen) und York (13 Diözesen). Zur Provinz Canterbury gehört auch die Diözese Europa (Kathedralsitz: Gibraltar). Die beiden Erzbischöfe sowie 24 Bischöfe haben von Amts wegen einen Sitz im Oberhaus.

■ **Anfänge und erste Abspaltungen** Die Kirche von England entstand in ihrer äußeren und juristischen Gestalt, als Heinrich VIII. sich 1534 vom Papst lossagte und durch das Parlament in der Suprematsakte zum »irdischen Oberhaupt der Kirche von England, genannt Anglicana Ecclesia« erklären ließ. Dieser Bruch erfolgte zunächst aus persönlichen und politischen Gründen. Den Anlass bot seine Scheidung von Katharina von Aragonien. An theologischen Neuerungen war der König selbst hingegen nicht interessiert. Unter der Regierung Eduards VI. (1547–53) erhielten Verfassung und Theologie der Kirche von England jedoch durch den Einfluss des Erzbischofs von Canterbury, Thomas Cranmer (*1489, †1556), schon bald eine calvinistische Prägung. Nach einer kurzen Restauration des Katholizismus unter Maria I. (1553–58) wurde die Kirche von England unter Elisabeth I. (1558–1603) im Sinne der reformatorischen Lehre endgültig gefestigt. Grundlage für Gottesdienst und Bekenntnis wurden das ursprünglich von Cranmer verfasste Common Prayer Book in seiner Gestalt von 1552 (mit wenigen Änderungen) und die Thirty-nine Articles (»39 Glaubensartikel«), die z. T. wörtlich an das Augsburgische Bekenntnis und die Confessio Virtembergica anklingen, aber auch calvinistische (Prädestination und Abendmahl) und episkopale (Gliederung in Erzbischöfe, Bischöfe, Priester und Diakone) Züge tragen.

Ungeachtet der ev. Ausrichtung ihres Bekenntnisses verstand sich die Kirche von England als Teil der kath. Kirche und behielt auch kath. Traditionen bei, so v. a. die Theologie der hierarchischen Ämter und der dazu notwendigen Ordination und den Anspruch, mit dem Bischofsamt in der apostolischen Sukzession zu stehen. Die Fortführung kath. Formen führte zu schweren Auseinandersetzungen: 1567 begann die Separation der →Puritaner, die auf eine »Reinigung von den Resten des römischen Götzendienstes« drangen. Ihr Programm verband sich mit der politischen Forderung der Demokratie. Nach heftigen kirchlichen und politischen Kämpfen siegte mit der Enthauptung Karls I. die puritanische Richtung unter Führung Oliver Cromwells (*1599, †1658) über die staatskirchliche (1649) und setzte eine presbyterianisch-republikanische Herrschaftsform durch. Die Kirche von England war offiziell abgeschafft. Unter der Restauration Karls II. (1660–85) setzte das Parlament die Kirche von England in ihre durch Elisabeth I. fixierte Stellung wieder ein. Die bischöfliche Verfassung und das Common Prayer Book in der mehr oder weniger bis heute gültigen Fassung von 1662, die trotz vieler Zusätze und Veränderungen im Wesentlichen die gleiche wie 1552/59 ist, bildeten erneut den Angelpunkt des Lebens der Kirche von England.

Durch die Toleranzakte von 1689 wurde Protestanten (Presbyterianern, Baptisten, Kongregationalisten) Glaubensfreiheit gewährt. Im 18. Jh. trennten sich unter John (*1703, †1791) und Charles Wesley (*1707, †1788) die von Luther und dem deutschen Pietismus beeinflussten →Methodisten von der Staatskirche. Seit 1791 wurden auch die römischen Katholiken, seit 1813 die Unitarier toleriert.

kirchliches Lehramt. Das kirchliche Lehramt steht für die Autorität, die die katholische Kirche für die Vermittlung der Glaubenslehren für sich und ihre Würdenträger in Anspruch nimmt. Eine Form der Unterweisung in Glaubensfragen ist der Katechismus. Der abgebildete Stich aus dem 19. Jahrhundert ziert den Katechismus von Papst Leo XIII. und soll die enge Verbundenheit des kirchlichen Lehramtes mit der Botschaft Christi ausdrücken.

■ **19. Jahrhundert bis heute** Durch Erneuerungsbewegungen im 19. Jh., die evangelikale →Erweckungsbewegung und die an der kath. Tradition orientierte →Oxfordbewegung, wurden sowohl die durch ein evangelikales Selbstverständnis geprägte **Low Church** als auch die das kath. Erbe bewahrende **High Church** innerhalb der Kirche von England gestärkt. Als eine dritte Richtung entwickelte sich unter dem Einfluss der historisch-kritischen Theologie die liberale **Broad Church Party**, die religiöse Toleranz forderte und v. a. ethisch und sozial orientiert war. Alle drei Richtungen prägen bis heute die Kirche von England. Das Staatskirchentum besteht auch heute prinzipiell fort, wobei es jedoch in einzelnen Bereichen zunehmend formalen Charakter angenommen hat. Beschlüsse der Generalsynode zu Fragen der theologischen Lehre und der Liturgie bedürfen seit 1974 nicht mehr der Zustimmung des Parlaments. Grundlegende Entscheidungen in der jüngeren Geschichte der Kirche von England waren die Aufnahme des Dialogs mit der kath. Kirche, der 1966 durch den Besuch des Erzbischofs von Canterbury Michael Ramsey (*1904, †1988) bei Papst Paul VI. in Rom offiziell eingeleitet wurde, die 1980 erfolgte Einführung des »Alternative Service Book« als alternativer Gottesdienstordnung zum Common Prayer Book und die von der Generalsynode der Kirche von England 1992 getroffene Entscheidung, Frauen zum Priesteramt zuzulassen. Nachdem das Unterhaus dieser Entscheidung 1993 zugestimmt hatte, wurden am 12. 3. 1994 erstmals Frauen zu Priesterinnen geweiht, was innerhalb der Kirche von England zu heftigen Spannungen führte. Die kath. Kirche und die orth. Kirchen sehen in der Frauenordination eine Belastung ihrer Beziehungen zur Kirche von England und ein Hindernis für die mögliche Einheit der Kirchen.

Kirche von Schottland, →Schottische Kirche.

Kirche von unten, eine v. a. innerkatholische Bewegung, die den allen gemeinsamen Glauben im Gegensatz zur hierarchischen Kirchen- und Seelsorgestruktur eigenverantwortlich leben will. Hierzu gehören in Lateinamerika die im Kontext der →Befreiungstheologie entstandenen Basisgemeinden sowie in der westlichen Welt Christengruppen, die ein demokratisches, ökumenisches und kritisches Christentum in kleinen Gemeinschaften leben wollen, ohne sich von den traditionellen Kirchen zu trennen. In Deutschland gibt es mittlerweile lockere Organisationsformen.

kirchliches Lehr|amt, in der *kath. Kirche* die »Instanz«, der als Verkörperung der Lehrautorität, die den Aposteln von Jesus Christus selbst zugesprochen worden ist, die authentische Bewahrung, Weitergabe, Entfaltung und Auslegung der Glaubensinhalte in letzter Verbindlichkeit obliegt. Träger des kirchlichen Lehramts sind der Papst, das ökumenische Konzil und die regierenden Bischöfe, die es durch kirchliche Sendung auch an die mit Lehr- und Verkündigungsaufgaben Beauftragten delegieren (z. B. Priester, Theologieprofessoren, Katecheten). Zur Beratung des Heiligen Stuhls in wichtigen Lehrfragen besteht seit 1969 bei der Glaubenskongregation und unter dem Vorsitz ihres Präfekten die »Internationale theologische Kommission« (»Commissione Teologica Internazionale«).

Das Selbstverständnis der *ev. Kirchen* schließt ein kirchliches Lehramt nach kath. Verständnis aus. Richtschnur für Verkündigung und Erklärung der Lehre sind das Evangelium und die Bekenntnisschriften. Praktisch ist jedoch auch in den ev. Kirchen die Lehrverkündigung der Autorität der kirchenleitenden Organe (v. a. des Bischofs) unterworfen.

GEO Dossier
Geheimnisse des Glaubens

■ **Religiösität**   Seite 354
Warum glaubt der Mensch?

Von Christian Schüle (Text)
und Giorgia Fiorio (Fotos)

■ **Mensch und Mythos**   Seite 374
Wer war Jesus?

Von Cay Rademacher (Text)
und Wieslaw Smetek (Illustrationen)

■ **Voodoo**   Seite 402
Der Teufel und seine Handlanger

Von Gabriele Riedle (Text)
und Cristina Garcia Rodero (Fotos)

■ **Dalai Lama**   Seite 420
Der gute Mensch von Lhasa

Von Gabriele Riedle (Text)
und Manuel Bauer (Fotos)

■ **Schamanismus**   Seite 436
Unterwegs in magischen Welten

Von Wolfgang Büscher (Text)
und Pascal Maître (Fotos)

■ **2000 Jahre Christentum**   Seite 456
Glaube, Liebe, Hoffnung?

Von Jörg-Uwe Albig (Text) und Abbas (Fotos)

Religiosität

Warum glaubt der Mensch?

Ferner können sich zwei Menschen kaum sein als der Muslim, der in einem See in Mali die rituelle Reinigung vollzieht, und der Jesuitenbruder in Krakau. Und doch kreist beider Leben um die gleiche Mitte: um Gott. Glaube ist global, er existiert in allen Kulturen. Aber gibt es auch ein weltweit gültiges Prinzip von Religiosität?

GEO Dossier

Religiosität

Text:
Christian Schüle
Fotos:
Giorgia Fiorio

Zwischen Himmel und Erde, Leben und Tod – am Karfreitag wird im Dorf San Pedro Cutud, im Norden der Philippinen, ein Mann ans Kreuz geschlagen. Wegen ihrer **radikalen Sühnepraktiken** sind Christen in dieser Region von der katholischen Kirche exkommuniziert worden

Sie waren gekommen, um zu spüren. Sie waren gekommen, das MEHR zu erfahren. Sie waren gekommen, Sinn zu suchen. Sie fanden ihn auf dem Marienfeld zu Köln, am 21. August 2005. Die Pilger der globalisierten Jugendkultur trugen Hüftjeans, Tops und Turnschuhe. Sie jubelten in Sprechchören »Be-ne-detto!« und klatschten in die Hände wie Fußballfans in der Kurve Süd. Sie erlebten die mittelalterlich anmutende Inszenierung eines spätmodernen Events. 8 263 akkreditierte Journalisten und weltweit 250 Millionen Fernsehzuschauer beobachteten den organisierten Ausbruch einer angekündigten Massenmystik von 1,1 Millionen Wallfahrern aus 188 Nationen. Es war der größte Gottesdienst, den Deutschland je erlebt hat.

Der Papst: ein Star? Das ist er, weil sich Zeitgenossen, egal welchen Alters, welcher Schicht, welchen Geschlechts, offenbar nach Mythen und Ritualen sehnen; nach Autorität und Authentizität; nach einer Leitfigur und Projektionsfläche für Zuverlässigkeit und Wahrhaftigkeit. In der Personifizierung des mächtigsten geistigen Amtes erfüllt der Papst die Sehnsucht nach Haltung und Einheit von Wort und Tat – und als höchster Repräsentant der katholischen Kirche, der ältesten globalen Institution, jene nach kultischer Verehrung.

In den Buchhandlungen türmen sich Papstbücher mit besten Absatzraten, und als Toptitel einer der größten deutschen Buchhandelsketten ist der »Katechismus der Katholischen Kirche« ausgelegt. Christliche Schulen können sich, vor allem im Osten Deutschlands, vor Anmeldungen kaum

retten. »Jesusfreaks« organisieren Messen in ausrangierten Fabrikhallen mit Liverock, Bier und Lebenslust. Bibelkreise boomen, immer mehr Jugendkirchen entstehen.

Auch der Ratsvorsitzende der Evangelischen Kirche in Deutschland, Wolfgang Huber, schwärmt von der Rückkehr der Religion. Der Glaube, sagt er, sei wieder in der Mitte der Gesellschaft angekommen. Und Jürgen Habermas, der religiös unmusikalische Propagandist der praktischen

Die bunten Blumen der Spiritualität blühen wie nie zuvor. Die Spätmoderne: ein Supermarkt voller Sinnangebote

Vernunft, akzeptiert die Religion als Sinnstiftung gegen die Sinnentleerung der Moderne nicht nur – er rief sie 2001 in seiner Rede zur Verleihung des Friedenspreises des Deutschen Buchhandels zum Thema »Glauben und Wissen« geradezu an.

Wie aber geht all dies zusammen mit dem Phänomen, dass die etablierte Kirche hierzulande nicht von dieser starken Sehnsucht nach spiritueller Heimat profitiert und das Christentum als Institution in einen Prozess der Erosion geraten ist? In Europa, vor allem in Deutschland, ist die Zahl der Kirchenaustritte auf gleichbleibend hohem Niveau; aus der katholischen Kirche sind zum Beispiel im Jahr 2004 insgesamt 100 000 Menschen aus-, aber nur 4 000 neu und 9 000 wieder eingetreten. Das Wissen über Pfingsten, Ostern, Weihnachten geht verloren; Traditionen als religiös motivierte Weltbezüge haben sich in den vergangenen 50 Jahren mehr und mehr aufgelöst. Und selbst die christliche Beerdigungskultur verfällt, während die Zahl der anonymen Bestattungen zunimmt.

Die Antwort darauf lautet: Zwischen Religion und Religiosität existiert ein bedeutsamer Unterschied. Religion ist nämlich die gemeinschaftliche, tradierte Form religiösen Verhaltens; Religiosität hingegen individuelle spirituelle Erfahrung.

Und die bunten Blumen der Spiritualität blühen wie nie zuvor. Die Spätmoderne: ein Supermarkt vielfältiger Glaubens- und Heilsangebote. Jeder Mensch kann heute über sein privates Himmelreich verfügen, ohne mit der Institution Kirche in Konflikt zu geraten. Geborgenheit sucht der Einzelne nicht mehr nur bei einem christlichen Gott, sondern im Glauben ans Allerlei: an Schutzengel, Zauberer, Orakel, an buddhistische Reinkarnation und schamanistische Naturbeseelung, an evangelikales Charisma und positives Denken.

Die »Multioptionsgesellschaft« leistet sich einen Multioptionsglauben: »Die Religionszugehörigkeit des Einzelnen ist heute keine unwiderruflich feststehende Tatsache«, schreibt der amerikanische Soziologe Peter Berger, »keine Gegebenheit, an der er ebenso wenig etwas ändern kann wie an seinem genetischen Erbe; sie wird zu einem Produkt jenes Prozesses, in dem er seine Welt und sein Selbst konstruiert und konstituiert.«

Um der Religiosität als subjektiver Sinnstruktur auf die Spur zu kommen, schlug der amerikanische Psychologieprofessor William James 1902 in seinem Vorlesungszyklus »The Varieties of Religious Experience« vor, »nach den ursprünglichen Erfahrungen zu suchen«, die allen Gläubigen und allen Religionen als Muster zugrunde liegen. So lässt sich nach dem fragen, was Christentum, Islam, Judentum, Buddhismus, Hinduismus, Konfuzianismus, Daoismus, Sikhismus, Shintoismus, Animismus und den Naturreligionen zugrunde liegt. Nach dem kleinsten gemeinsamen Nenner also von Religiosität. Nach der anthropologischen Grundkonstante: Warum glaubt der Mensch?

Der **Tanz muslimischer Derwische** in der Alaadin-Moschee in der türkischen Stadt Konya folgt einer strengen Choreografie. Der rechte Arm reckt sich in den Himmel, bereit, Gottes Gnade zu empfangen. Die linke Handfläche ist der Erde zugewandt, symbolisch gibt sie die göttlichen Wohltaten weiter. Sich drehend, links, um das Herz herum, umarmt der Sufi in Liebe die gesamte Menschheit

DER MENSCH GLAUBT, WEIL ER SICH DAS LEBEN NICHT ERKLÄREN KANN? Mögen sich soziale Umstände geändert, Wertvorstellungen umgestülpt, Revolutionen ereignet haben – entscheidend ist, dass der Glaube an sich nie verschwunden ist. Allerdings ist das Phänomen Glaube in einer Zeit zum Thema der Mediengesellschaft geworden, in der technisch nicht zu bändigende, rational unfassbare und existenziell bedrohliche Ereignisse sich häufen: Tsunami, Dürren und Jahrhundertfluten; Hurrikane und Erdbeben. Vogelgrippe, Aids. Terror, Angst und die Angst vor der Angst. Ein Angriff auf das Vertrauen, das frühere Gesellschaften in göttliche Weisheit und Fügung legten und das heutige Gesellschaften in Wissenschaft und Technik haben.

Oder eben: hatten. Denn wenn die moderne Lebenswelt außer Kontrolle gerät, Energieblackouts Städte wie New York in atavistisches Dunkel werfen, unerklärliche Börsencrashs die Fundamente unserer Wirtschaftsordnung erschüttern, teuflische Seuchen ausbrechen, gegen die medizinisches Hightech kein Kraut weiß – dann geht auch der Glaube an die rationale Beherrschbarkeit der Welt verloren.

Die »Entzauberung der Welt«, die, wie der Soziologe Max Weber Anfang des vergangenen Jahrhunderts prophezeite, mit dem fortschreitenden Prozess der Verwissenschaftlichung, Rationalisierung und Bürokratisierung einhergehe, ist also nicht eingetreten. Der Mensch des 21. Jahrhunderts rebelliert gegen die »mechanisierte Versteinerung« einer nur noch rational begriffenen Welt.

Und so stehen Religiosität und Glaube heute, auf dem Höhepunkt der Wissensgesellschaft, auf der Agenda von Kultur und Wissenschaft an hoher Stelle. Je größer das scheinbare Wissen, desto größer wird auch sein scheinbarer Gegensatz, der Glaube. Oder: Je mehr wir zu wissen glauben, desto weniger glauben wir an das Wissen.

Was zurzeit, im Angesicht des Widerspruchs von scheinbar höchster Logik und größtem Defizit an Sinn aus den Nischen an die Oberfläche der westlichen Industriestaaten kommt, ist deshalb die alte Suche des Einzelnen nach Antworten auf existenzielle Fragen: Wer bin ich? Was ist der Sinn

Das Wissen um die eigene Zufälligkeit: Ist es nur durch Glauben zu ertragen?

des Lebens? Denn unerträglich ist dem Menschen seit jeher der Verdacht, er sei ein Produkt des Zufalls. Austauschbar. Entbehrlich. Von niemandem erwartet. Der Mensch weiß, dass er ist, aber nicht sein müsste.

Geburt, Leben, Leiden, Tod. Und danach? Der Fragende braucht eine einleuchtende Erklärung, um seine Nichtnotwendigkeit aushalten zu können. Ist das Wissen um die eigene Zufälligkeit nur durch Glauben zu ertragen? »Ohne einen subjektiven Sinnhorizont geht es nicht«, sagt der Münchner Theologe und Philosoph Friedrich Wilhelm Graf, »Individuen brauchen kohärente Deutungsmuster.« Der Mensch sucht, unabhängig von seinem Kulturkreis, seiner Konfession, seinem Wohlstand, nach einem letzten, unhintergehbaren Grund. Er muss für sich die Frage »Warum?« beantworten.

Der Mensch will das, was ihm geschieht, verstehen. Er will begreifen, um zu erklären. Erklären, um vorherzusagen. Vorhersagen, um das Vorhergesagte zu kontrollieren, möglichst perfekt.

Der Mensch glaubt, weil er spüren will?

Auf dem Benediktushof im Dorf Holzkirchen bei Würzburg treffen sich seit zwei Jahren Manager, Lehrer, Studenten, Rentner, Arbeiter – Menschen aller Schichten aus ganz Europa: um zu schweigen. Sie su-

Strenge religiöse Regeln prägen den Alltag der Muslime. Fünfmal am Tag verneigen sich Gläubige gen Mekka, wo auch immer sie gerade sein mögen. Dieser malische Nationalgardist verrichtet sein **Mittagsgebet in der Sahara**. Die rituelle Waschung, die jedem Gebet vorausgeht, hat er nur andeutungsweise mit einigen Spritzern Wasser vornehmen können

Religiosität

chen Stille, streben nach der Freiheit von immer schon gedachten Gedanken und verfestigten Vorstellungen; sie suchen Antwort auf die naiv scheinende Frage: Wer bin ich?

Im »Zentrum für spirituelle Wege« spielen Konfessionen keine Rolle. In das ehemalige Benediktinerkloster, das fast immer ausgebucht ist, kommen Menschen, die nicht unbedingt getauft, aber zutiefst religiös sind. Glaube ist ihnen praktizierte Spiritualität; im Angebot der Begegnungsstätte sind Kurse in Yoga, Qigong, Taiji Chan, Zen, Sufigesang, Alchemie der Liebe, Aikido und christlicher Kontemplation.

Spiritus Rector des Zentrums ist Willigis Jäger, ein 80-jähriger Zenmeister, Theologe und Benediktinermönch, der vor drei Jahren vom damaligen Präfekten der vatikanischen Glaubenskongregation, Joseph

Die ewigen Geister in Wasser, Stein und Baum: Der Schamane ruft sie an

Kardinal Ratzinger, mit Redeverbot belegt und für begrenzte Zeit vom Orden beurlaubt wurde. Jäger hält das angebrochene Jahrhundert für eines der Metaphysik.

»Die Frage nach dem Sinn des Lebens ist noch nie so radikal gestellt worden wie heute«, sagt Jäger. Warum gibt es das Böse? Warum hat das Sein auch eine dunkle Seite: Naturkatastrophen, Krieg, Terror, Angst? Die Kirchen und ihre Glaubensbekenntnisse haben Mühe, zufriedenstellende Antworten zu geben. Die Zersplitterung der Welt in Fragmente hat dem aufgeklärten Subjekt heute so gut wie jede Illusion genommen, es gäbe etwas, das die Welt im Innersten zusammenhält.

Bewaffnet mit langen Stöcken, den *donga*, treten **Männer vom Volk der Surma in Südäthiopien** einander gegenüber. Als Animisten glauben sie, dass Geister die Natur beseelen; für eine gute Ernte bedanken sie sich mit dem Stockkampf

Es zählt, was zählbar ist. Nichts gilt, weil alles gilt. Relativismus, scheint es, ist der Preis für Pluralismus. Deshalb sehnt sich das Individuum nach der unzählbaren Menge, nach der unmessbaren Größe. Nach Glauben als subjektiver Erfahrung. Nach Intensität. Und einem Lebenssinn, der über das Schneller!, Weiter!, Mehr! von Karriere und Besitz hinauszureichen vermag.

Auf dem Benediktushof wird selbst beim Mittagessen geschwiegen. Weil spirituelle Erfahrung nicht in Worte zu fassen, erst recht nicht in Dogmen zu gießen ist. Schweigen ist der Weg. Achtsamkeit sich selbst und der Welt gegenüber das Ziel.

Der Mensch glaubt, weil er auffahren will?

Die Derwische des islamischen Sufismus tanzen, bis ihr Ich sie verlässt; Buddhisten meditieren über die Leerheit, in der es keinen Gedanken, kein Bedürfnis mehr gibt; animistische Schamanen rufen die ewigen Geister in Wasser, Stein und Baum an, indem sie sich ihnen anverwandeln. Und immer geht es um eines allein: um die Veränderung des Bewusstseins. Um die Aufhebung des irdischen Selbst in der höchsten Konzentration. Um Ent-Werdung. Das intuitive Erfassen des Einen. Die Gotteserfahrung.

Der Fromme der Zukunft werde ein Mystiker sein, hatte der Jesuit und Theologe Karl Rahner prophezeit. Mystik – vom griechischen »myein«: sich schließen, zusammengehen – ist die Erfahrung der Einheit mit einer übergeordneten Wesenheit, erlangt mithilfe von Trance, Meditation, Gebet.

Kaum etwas entspricht dem Individualismus dieser Tage so sehr wie Mystik. Der nach den Prinzipien von Kausalität und Rationalität erzogene Gegenwartsmensch hungert nach Unmittelbarkeit.

Denn in der total vermittelten Medienwelt gibt es für jeden Blick schon ein Bild, für jede Erfahrung ein bereits beschriebenes Gefühl. Im mystischen Erlebnis der Verschmelzung hingegen ist der Mensch selbst das Medium. Der westlich-moderne Dualismus von Körper und Geist, von Außen und Innen, ist aufgehoben im Gefühl der Auffahrt zum Gipfel. Für einen, wie lang auch immer währenden Moment fühlt sich das Individuum nicht mehr überflüssig und zufällig. Vielleicht ist es in den innersten Tempelbezirk der Erfahrung eingetreten, über den sich seit je alle Religionen definieren.

An historischen Bruchstellen, immer dann, wenn Paradigmen wechseln, wenn der Mensch zur Umwertung seiner Werte gezwungen wird, entstehen mystische Bewegungen – etwa im 17. Jahrhundert, nach dem Dreißigjährigen Krieg, der Pietismus. Im 18. Jahrhundert erstarkten die Rosenkreuzer, als »vorromantische« Antwort auf die Aufklärung. Ende des 19. Jahrhunderts, im Modernisierungsschub der Industrialisierung, kommunizierten Spiritisten mit dem Übernatürlichen. Nach dem Ersten Weltkrieg gewann die anthroposophische Weltanschauung an Zulauf. Und nach dem Zweiten Weltkrieg suchten viele vom Epochenbruch des Faschismus Verstörte Antworten in asiatischen Philosophien wie dem Zenbuddhismus.

Und heute?

Religiosität

*Ein **indischer Asket**, die Haare lang und verfilzt, entsteigt dem Ganges. Der Fluss ist den Hindus heilig. Das Bad in seinem Wasser, glauben sie, tilgt ihre Sünden*

Die Metaerzählungen der Aufklärung – Fortschritt, Staat, Gerechtigkeit – sind erschüttert. Verlässliche Wertvorstellungen wie das Zusammenleben in Ehe und Familie, so geht zumindest die Rede, lösen sich auf. Die Rate der Singles ist so hoch wie nie, die Scheidungsrate ebenso, die der Arbeitslosen ohnehin. Gewissheiten von ewiger sozialstaatlicher Absicherung und der berechenbaren Erwerbsbiografie sind zerfallen.

Kriege und Armut, Achsen des Bösen – das Projekt Moderne steckt in der Sackgasse. Die Vernunft schwächelt, die Mythen der Moderne haben sich erschöpft: die politischen von Freiheit, Weltfriede und der Einigung Europas; die sozialen von Existenzsicherheit und Solidarität; der ökonomische Mythos vom immerwährenden Wachstum; der technische des Alles-ist-beherrschbar.

Der Zeitgenosse der »Risikogesellschaft« ist mystikanfällig, weil er, auf sich selbst gestellt, in kürzester Zeit Enormes zu verkraften hatte: die Revolution von 1989 und den Zusammenbruch des bipolaren Weltbildes; den Wandel der Kommunikationstechnik; den gentechnischen Eingriff ins Leben; die Verheißung von Wahlfreiheit und zugleich den Imperativ zur Eigenverantwortung; die neuartige Form des globalen Terrorismus.

Fast alle einenden Riten, die mit dem Göttlichen verbunden waren, sind im Zuge der unterkühlten Zweck-Mittel-Rationalisierung des technischen Fortschritts entwertet worden. Aber die helle Ratio allein, so scheint es immer mehr, macht nicht glücklich. Denn es herrscht das Gefühl, die Welt sei entseelt, bar der zeitlosen Weisheiten. Und so sucht das Individuum in sich selbst nach ihnen, nach Kontakt zum Übersinnlichen, sehnt es sich nach der Übersetzung des kleinen Ich ins große Ganze.

Der Mensch glaubt, weil er gemeint sein will?

Mystische Erfahrung ist die Erfahrung von Selbsttranszendenz. Das Medium zu dieser Übersteigerung des Ich: die aktive Passivität. Sich von etwas ergreifen lassen! Sich hingeben; etwas mit sich geschehen lassen. »Wir wissen nach einer solchen Erfahrung nur, dass wir etwas erfahren haben«, sagt der Soziologe Hans Joas, Leiter des Max-Weber-Kollegs in Erfurt; bis ins Kleinste auszudeuten aber sei dies nicht. »Es ist ein Grundbedürfnis des Menschen«, stimmt der Erfurter Religionsphilosoph Eberhard Tiefensee zu, »sich mit etwas zu konfrontieren, das über ihn selbst hinausgeht.«

Oft beginnt die Sehnsucht nach dem Anderen im Alter von Ende 30, wenn sich der Erwachsene existenziellen Fragen zuwendet: Soll das mein Leben gewesen sein? Was ist sein Sinn? Was ist wirklich wichtig?

Dieses Alter, sagen Religionspsychologen, ist jenes der »Konversion«, in dem bewusst erlebt wird, dass Glaube ein geistiges Vermögen ist. Der Mensch hat die Fähigkeit zu glauben, weil er das Andere denken kann, das

Sehnsucht nach Fürsorge: Zwei Drittel der Deutschen glauben an Schutzengel

Gegenteil von Sein: das Nichts. Diese Erfahrung aber macht einsam, verunsichert, bedroht. Gerade weil der menschliche Geist zu Transzendenz in der Lage ist, braucht er Sicherheit und Begrenzung.

Der Mensch glaubt, weil er, wenn er über sich hinausdenkt, eine transzendente Heimat braucht. Einen Himmel. Ein metaphysisches Dach über dem Kopf. Gott genannt. Oder Allererhabenes Wesen. Oder Seinsgrund. Oder Ewige Substanz. Der Eine Geist. Leerheit. Nirwana. Reines Bewusstsein. Prana. Aura.

Jeder denkende Mensch will Antworten bekommen. Mehr noch: Er will erkannt sein.

Der Mensch glaubt, weil er gesehen werden will?

Evolutionspsychologisch betrachtet, ist Religion die einzig funktionierende Gemeinschaftsform, die in der Lage ist, Egoismus zu reduzieren. »Egodeflation« nennt das der Trierer Religionspsychologe Sebastian Murken, der sich seit 1989 mit dem Verhältnis von Religiosität, Gesundheit und Krankheit beschäftigt.

Die Religionspsychologie, eine junge Disziplin, nennt einen der evolutionsbiologischen Vorteile des Glaubens »coping«: Als Bewohner einer transzendenten Heimat wird der Gläubige mit den Zumutungen und Bedrohungen des Alltags besser fertig – gerade weil er in der Lage sei, sich selbst zu relativieren.

Der Vorteil: größeres Wohlbefinden, Entlastung und Erleichterung durch das Sich-anvertrauen-Können. »Der Mensch hat das unstillbare Bedürfnis, gesehen zu werden«, sagt Murken, der deshalb

Täglich findet sich der Yogi zur **Morgenmeditation** auf einer Plattform vor der Stadt Varanasi ein. Der Körper gilt als Träger der Seele; ihn im Gleichgewicht zu halten, erzeugt auch innere Stärke

Religiosität

von der heilsamen Kraft des Gebetes ausgeht: »Beten ist eine geniale Erfindung, weil ich mich damit in Beziehung zu etwas Höherem setzen kann, das jederzeit verfügbar ist.«

Einem Engel, zum Beispiel. Nach einer von GEO in Auftrag gegebenen Forsa-Umfrage glauben zwei Drittel der Deutschen an die Existenz von Schutzengeln. Dass die Engelliteratur boomt, wertet der Religionspsycho-

Neurologen sagen: Religion ist ein Hirngespinst, das man messen kann

loge Murken als Beweis für die Sehnsucht nach persönlicher Fürsorge. In seinem Engel besitzt jeder seinen ureigenen Beschützer. Und der Glaube an einen solchen Beschützer entlastet. Der Gläubige fühlt sich beobachtet, geleitet, behütet.

Und Gott? Was ist geworden aus dem Vater im Himmel? Aus dieser Überinstanz?

»Gottesvergiftung« – so nannte der Psychoanalytiker Tilmann Moser seine 1976 veröffentlichte Abrechnung mit dem erbarmungslosen Rächergott, der überwacht und straft und die Seele schon in der Kindheit krank macht: Big Brother, der Du bist im Himmel.

Der Titel des Buches wurde zum totzitierten Schlagwort, Religion als Konfliktherd einer »gottesvergifteten« Gesellschaft identifiziert – auch in der Nachfolge der Theorien von Sigmund Freud, der Religion als »universelle Zwangsneurose« bezeichnete, weil der gläubige Mensch mithilfe religiöser Rituale und Gebete versuche, sexuelle Triebimpulse unter Kontrolle zu halten.

Die »ekklesiogenen Neurosen«, Zwangsstörungen und Depressionen, waren demnach auf angstmachende Bilder eines autoritären Gottes zurückzuführen. Und noch 1993 bestätigte eine empirische Untersuchung der Universität Hamburg über Gottesvorstellungen die freudianischen Thesen: Vor allem Frauen erlebten Furcht und Schuld im Angesicht eines bewertenden und strafenden Gottes, was negative Auswirkungen auf die seelische Gesundheit habe.

27 Jahre später hat Tilmann Moser ein neues Buch geschrieben: »Von der Gottesvergiftung zu einem

*Im Morgengrauen zieht dichter Nebel über dem Ganges auf. Es ist die Stunde, in der Tausende Hindus zum **rituellen Bad** in den Fluss waten. Die Schwaden verschlucken ihre Gestalten, und einen magischen Moment lang steht ein junger Gläubiger einsam im verschleierten Licht der aufgehenden Sonne*

erträglichen Gott« heißt es. Der Analytiker, selbst Atheist, konzediert darin, dass der himmlische Vater nicht nur als gnadenloser Zensor erlebt werden kann – sondern auch als verständnisvoller Freund.

Das Gottesbild hat sich modernisiert, es ist, zumindest bei den unter 40-Jährigen, antiautoritärer geworden. Andacht kann Rat suchende Zwiesprache sein – nicht mehr nur qualvolles Geständnis von Sünde. »Die Gläubigen sehen die Beziehung zu Gott wesentlich partnerschaftlicher als früher«, sagt Pater Bernhard Grom, Religionspsychologe in München. Und so denken Forscher heute »ressourcenorientiert«: Was hilft dem Menschen, seine Probleme zu bewältigen? Was verhilft ihm zu einem gelungenen Leben?

Es ist verblüffend, wie stark die Bereitschaft, einem himmlischen Wesen, bedrohlich oder gütig, zu vertrauen, von den Menschen aller Kulturen bis zum heutigen Tag bejaht wird. Vielleicht können sie auch gar nicht anders. Aus rein physiologischen Gründen.

DER MENSCH GLAUBT, WEIL GOTT IM SCHEITELLAPPEN WOHNT?

Der Geist sei zwangsläufig mystisch; mystische Erfahrung sei biologisch real, also naturwissenschaftlich messbar; religiöses Erleben habe neurophysiologische Grundlagen; ergo: Gott ist ein Produkt des Gehirns. Er wohnt im *Lobus parietalis superior*, dem Scheitellappen.

Das ist die Behauptung einer jungen Disziplin, der »Neurotheologie«, die versucht, Religiosität von einer biologischen Basis her zu verstehen.

So will etwa der amerikanische Neurologe James Austin die Zustände der Erleuchtung aus einer durch Meditation herbeigeführten Hemmung der Aktivität mehrerer subkortikaler Hirnbereiche herleiten.

So vermutet der Kanadier Michael Persinger bei Patienten mit Schläfenlappenepilepsien einen (empirisch nicht gesicherten) Zusammenhang zwischen Visionen, unerklärlichem Geruchsempfinden und mystischen

---

Nach der Vesper ist in der Dominikanerkirche in Krakau Stille eingekehrt. Im Presbyterium hält ein Bruder stumme Zwiesprache mit Gott. Polen zählt zu den wenigen Ländern Europas, in denen katholische Orden keine Nachwuchssorgen haben: Die Priesterseminare sind voll. Weltgewandt geben sich die **Salesianer**; beim Spaziergang am Rand der Stadt Krakau sprechen die Brüder über Literatur, Musik, Kinofilme

Religiosität

Vorstellungen und führt religiöse Erfahrungen auf epileptische Mikroanfälle zurück, welche die Angst vor dem Tod mindern sollen, um die Stimmung zu heben.

Und die beiden kalifornischen Neuropsychiater Jeffrey Saver und John Rabin meinen, epileptische Anfälle können Empfindungen von Ekstase, heiliger Scheu und Bekehrung, Erlebnisse von Körperlosigkeit und sogar die Wahrnehmung der Gegenwart Gottes bedingen. Ist Spiritualität also nicht mehr als eine Abnormität des Schläfenlappens? Und selbst wenn der zum Apostel bekehrte Paulus wirklich Epileptiker war: Ist Gott im doppelten Sinne des Wortes ein bloßes Hirngespinst?

Dass es eine biologische Wurzel aller religiösen Erfahrungen und einen biologischen Ursprung aller spirituellen Sehnsüchte gibt, behauptet der Radiologe Andrew Newberg und hat auch der mittlerweile verstorbene Psychiatrieprofessor Eugene d'Aquili postuliert. In ihrem 2004 auf Deutsch erschienenen Buch »Der gedachte Gott« schreiben die beiden in populärwissenschaftlicher Prosa: »Gott findet nur einen Weg in Ihren Kopf, nämlich durch die Nervenbahnen des Gehirns.«

Das Gedankengebäude von Newberg/d'Aquili ist, je nach Standpunkt, charmant einfach oder fahrlässig simpel: Alle Religionen beruhen auf Mythen; in »gewissem Sinne« ist der Scheitellappen ein wichtiger Teil des mythenbildenden Zentrums im Gehirn. Rituale können transzendente Einheitszustände hervorrufen, die sich auf den Hypothalamus auswirken. Während einer Meditation wird die Reizzufuhr durch den Hippocampus, der als Filter Beruhigungs- und Erregungsreaktionen im Gehirn reguliert, gedämpft. Die neurologischen Prozesse des Rituals machen aus Mythen gefühlte Erfahrungen. Über das religiöse Ritual wird der Mythos im Gehirn messbar – also schafft sich das Gehirn seinen Gott.

Religiosität, so die These von Newberg und d'Aquili, sei ein derart einheitliches Phänomen, dass man für verschiedene Glaubensrichtungen und Kulturen ein identisches Hirnareal ausmachen könne.

Das spärliche Versuchsdesign der Forscher sah Folgendes vor: Drei Franziskanernonnen und acht Buddhisten sollten beten oder meditieren und im Moment der größten Versunkenheit an einer Schnur ziehen, woraufhin per Kanüle ein Kontrastmittel in ihren Blutkreislauf gegeben wurde. Durch Bilder mit der SPECT-Kamera, einer radioaktive Strahlung registrierenden Hightechapparatur, wurde schließlich festgestellt, dass im oberen hinteren Scheitellappen die Durchblutung drastisch zurückging (während einer Meditation reduziert sich der Sauerstoffverbrauch offenbar um bis zu 30 Prozent).

*Der entrückte Blick des meditierenden Mannes erzählt von tiefer Vergeistigung. Mit **Yogaübungen** bereitet er seine Seele auf die rituelle Waschung im Ganges vor. Die Kälte – es ist Januar in Allahabad, und die Temperaturen liegen nur wenige Grad Celsius über null – hält keinen der hinduistischen Pilger vom Bad im Fluss ab*

Newberg und d'Aquili nannten diese Unterbindung kognitiver und sensorischer Impulse »Deafferenzierung« des links- wie rechtshemisphärischen Orientierungsfeldes im hinteren Abschnitt des Scheitellappens – jener Hirnregion, die für die Bewertung von Emotionen verantwortlich ist. Es werde dann, wie mystische Texte seit biblischen Zeiten schildern, subjektiv nur noch Raumlosigkeit erlebt, die der Geist, so Newberg und d'Aquili, »als Gefühl des unendlichen Raums und der Ewigkeit« deuten kann.

Es ist allerdings trivial, zu sagen, dass auch religiöse Emotionen neuronale Grundlagen haben: Denn Emotionen sind immer neuronal bedingt. Aus dem Aufleuchten eines bestimmten Areals im Gehirn nun aber den

VMAT2 – lautet so die Genvariation für ein spirituell erfülltes Leben?

Schluss auf Religiosität im Allgemeinen zu ziehen und daraus zu folgern, Gott sei dem Menschen immanent, ist eine mehr als gewagte These. Nicht nur, weil sich parietale Minderdurchblutung und frontale Höherdurchblutung in allerlei anderen Studien ebenfalls messen lassen.

Der Münchner Hirnforscher Ernst Pöppel bestätigt zwar, dass Meditation und Trance eine »rechtshemisphärische Aktivität in jenem Teil des Gehirns aufweisen, das mit emotionaler Bewertung zu tun hat«. Die Behauptung, dass es ein Glaubensmodul im Gehirn gibt, hält er jedoch für Unsinn. »Es wird lediglich ein Raum-Zeit-Muster aktiviert, das typisch ist, wenn bestimmte Seelenzustände repräsentiert werden.« Es ließen sich bei Meditationen die gleichen starken Thetawellen messen wie während eines Orgasmus oder eines intensiven Schmerzerlebnisses.

Ihr Land erfährt einen ökonomischen Aufschwung, doch unbeirrt vom äußeren Wandel streben viele Inder vor allem nach der Läuterung ihres Innersten. 70 Millionen Hindus pilgerten im Jahr 2001 zum **Kumbh-Mela-Fest** nach Allahabad, zur größten religiösen Versammlung seit Menschengedenken. Sie erreichten die Stadt am Ganges zu Fuß, mit Karren, Bussen, Autos – oder dicht gedrängt auf einem Schiff

Religiosität

Aus den Ergebnissen differenzierter Hirnforschung lässt sich höchstens mutmaßen, dass religiöse Erfahrungen intensive emotionale Erlebnisse sind, die unterhalb des kortikalen Mantels im limbischen System, der entwicklungsgeschichtlich ältesten Hirnregion, verankert sind. Und auch wenn man von der Repräsentation religiöser Zustände im limbischen System ausgehen kann, ist es dennoch ein Kategorienfehler, religiöses Erleben einfach mit mystischen Einheitserfahrungen gleichzusetzen, die ohnehin nur eine Minderheit von Gläubigen erlebt – und das sehr selten. Ganz abgesehen davon, dass metaphysische Annahmen (Existenz Gottes) mit physikalischen Operationen (SPECT-Messungen) auf methodisch unlautere Weise kurzgeschlossen werden. Kann es unter diesen Voraussetzungen überhaupt einen Normwert für mystische Erfahrungen und also für den Glauben geben?

Ja, wenn man daran glaubt, dass die Cytosinbase des VMAT2-Gens Gott beherbergt.

DER MENSCH GLAUBT, WEIL SEINE GENE ES IHM BEFEHLEN?
Dean Hamer, Molekularbiologe, hat als Erster das Ungeheuerliche zu sagen gewagt und das Erwartbare behauptet, als er 2004 werbewirksam annoncierte: Es gibt ein Gottesgen.

Religion, behauptet Hamer, basiere auf kulturellen Traditionen, die gelernt oder imitiert würden. Glaube aber sei Instinkt, und Spiritualität stecke deshalb im Genom des Menschen. Hamers Ziel ist die Synthese von Genesis und Genom. Er will eines der Gene ausfindig gemacht haben, die gekoppelt sind mit Selbsttranszendenz. Selbsttranszendenz stellt den Maßstab für Spiritualität, und Hamer, umstrittener Entdecker des zweifelhaften »Schwulengens«, ist davon überzeugt, dass Spiritualität auf der Grundlage der so genannten »Selbsttranszendenzskala« des Psychiaters und Genetikers Robert Cloninger im Rahmen eines Persönlichkeitstests

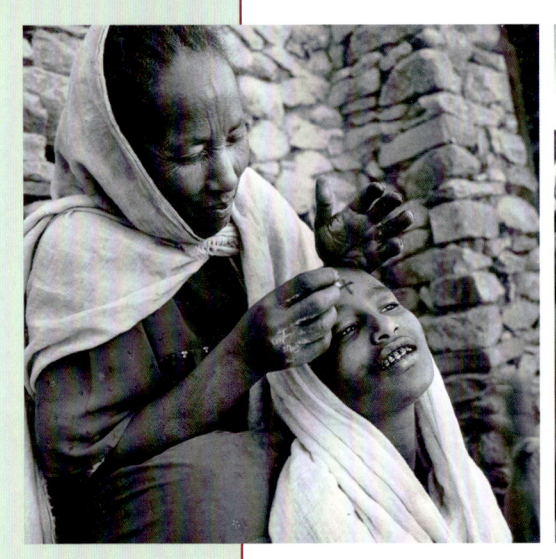

So hingegeben und demutsvoll wie diese Frau lassen sich viele Äthiopier ein Kreuz auf die Stirn tätowieren. Sie sind **orthodoxe Christen im Osten Afrikas**; ihr höchster Feiertag ist »Timkat«. Das Fest zum Angedenken an die Taufe Christi wird in Lalibela begangen, einer kleinen Stadt im Norden des Hochlandes. Mönche und Nonnen sammeln sich hier am Vorabend zur Mahnwache

gemessen werden kann. Kurz gesagt bedeutet dies: Der Mensch glaubt, weil ihm seine Gene nichts anderes übrig lassen.

Hamer und seine Kollegen untersuchten neun Gene näher, die an der Produktion von so genannten Monoaminen beteiligt sind, die die Ausschüttung von Neurotransmittern im Gehirn regulieren. Dabei stießen die Biologen auf die Genvariation VMAT2; denn bei den Probanden, deren VMAT2 eine Cytosin- statt einer Adeninbase aufwies, konnte eine direkte Verbindung zu den Angaben über ihr Gefühl der Selbsttranszendenz hergestellt werden. Die Cytosinbase des Gens VMAT2, das »Allel für Spiritualität«, hat demnach großen Einfluss auf die Art und Weise, in welchem Ausmaß das Gehirn Botenstoffe wie Dopamin, Noradrenalin oder Serotonin ausschüttet, die für Bewusstseinszustände und den emotionalen Haushalt eine Schlüsselrolle spielen.

Religiosität: Schutz vor Bluthochdruck? Vor Depression und Stress?

Natürlich ist auch Hamer klar: Selbst wenn man die biochemische Funktion aller Gene kennen würde, wüsste man noch nicht, wie sie miteinander interagieren, um einen Erbpfad zu bauen, der so komplex ist wie Spiritualität. Trotzdem behauptet er, dass »40 bis 50 Prozent der Selbsttranszendentalität erblich ist«.

Obwohl Zwillingsstudien am Londoner St. Thomas Hospital die Annahme einer genetischen Prädisposition für den Glauben zu erhärten scheinen, gibt es keinen seriösen deutschen Wissenschaftler, welcher der Idee vom Gottesgen etwas abgewinnen könnte. »Extremen Quatsch« nennt sie Hirnforscher Pöppel, »modisches Neuromarketing«.

»Ich behaupte«, beharrt dagegen Dean Hamer, »dass eine der wichtigsten Aufgaben, die Gottesgene in der Selektion haben, darin besteht, den Menschen mit Optimismus zu versorgen.« Und mit Gesundheit?

DER MENSCH GLAUBT, WEIL ES IHN GESÜNDER MACHT?
Wenn der Mensch glaubt, lebt er gesünder. So könnte es umgekehrt heißen. So hat zum Beispiel der amerikanische Psychologe David Larson alle zwi-

Der Legende nach hält ein Haar von Buddha – es soll sich in der kleinen Stupa befinden – den **Goldenen Fels in Myanmar** im Gleichgewicht. Nur Männer dürfen den schmalen Steg queren und den Stein mit Blattgold verzieren

Religiosität

schen 1978 und 1989 erschienenen Untersuchungen zweier Psychiatriefachjournale auf den Zusammenhang zwischen Glauben und psychischer Gesundheit ausgewertet und kommt zu dem Fazit: Religiosität wirke sich in 84 Prozent der Fälle positiv auf die Gesundheit aus, in 13 Prozent neutral und nur in drei Prozent abträglich.

Religiosität: Schutz vor Bluthochdruck? Vor Depression? Garant längerer Lebenserwartung?

Näher liegend als dieser schnelle Schluss ist die Betrachtung der Verhaltensweisen und Lebensumstände jener Menschen, die – absichtslos und nicht mit dem Ziel der Herzinfarktvermeidung – mit einem festen, religiös geprägten Wertekanon leben. Gläubige Menschen rauchen weniger, trinken weniger Alkohol und nehmen seltener Drogen. Sie erfahren soziale Unterstützung in Pfarrgemeinden und genießen bessere Krankenpflege in ihren Familien. Und Glaube befähigt offenbar auch, emotionale Belastungen besser zu bewältigen, die eigenen Nöte ins Gebet zu nehmen, Stress abzubauen und damit das Immunsystem weniger zu beanspruchen.

Gesundheit ist also allenfalls Effekt, nicht Grund von Religiosität. Allerdings reicht ja auch das, um Forscher wie den Amerikaner Harold

Erhöht Frömmigkeit das Wohlbefinden? Oder das Bruttosozialprodukt?

Koenig für den regelmäßigen Besuch von Gottesdiensten werben zu lassen. »Die heilende Kraft des Glaubens« heißt ein Buch von Koenig. Es ist dem missionarischen Gottsucher und Aktienmakler John Templeton gewidmet.

Mit 40 Millionen Dollar im Jahr unterstützt dessen Stiftung die Versöhnung von Glauben und Wissenschaft. Der »Templetonpreis für den Fortschritt der Religionen« ist mit 1,3 Millionen Dollar höher dotiert als der Nobelpreis. Das Ziel? Den positiven Nutzen religiöser Lebensführung nachzuweisen. Auch die Universität Frankfurt am Main hat gerade 400 000 Dollar beim Templeton-Forschungskomitee eingeworben, um sich mit der biologischen Basis des Glaubens zu beschäftigen.

Wenn strenggläubiges Verhalten tatsächlich positive Effekte auf das Herz-Kreislauf-System hat, wie eine israelische Langzeitstudie feststellte, so

*Als Nomaden ziehen die **Turkana** mit ihren Viehherden durch die kargen Steppen Nordkenias. Eng ist ihre Spiritualität mit diesem entbehrungsreichen Leben verknüpft. Sie huldigen ihrem Gott, Akuj, indem sie ihm das einzig Wertvolle opfern, das sie besitzen: ein Tier. Stundenlange Tänze und Gesänge begleiten das Töten*

scheinen wichtige Belege für die These gefunden zu sein, dass Glaube auch physisch vor Problemen bewahren kann. Und sollte dies stimmen, dann ließe sich schlussfolgern, dass Glaube nicht nur ein subjektives Wohlbefinden erzeugen kann, sondern auch ein evolutionsbiologischer Vorteil ist.

Die Religionsmedizin hat sich, so scheint es, auf den Nachweis der positiven Kraft des Glaubens festgelegt; es ist auffällig, dass der Zusammenhang zwischen Religion und Gesundheit weitaus häufiger untersucht wird als der zwischen Religion und Krankheit – der logisch nicht auszuschließen wäre.

DER MENSCH GLAUBT, WEIL ER VERTRAUT?

Wenn Glaube gut für das Wohlbefinden des Einzelnen ist, ist er es auch für eine Volkswirtschaft. Das behaupten die amerikanischen Ökonomen Robert Barro und Rachel McCleary, welche die Wachstumsraten verschiedener Länder weltweit mit Angaben über religiöse Grundüberzeugungen der jeweiligen Bevölkerung ins Verhältnis gesetzt haben.

Eine Gesellschaft, deren religiöses Selbstverständnis Aufrichtigkeit, Ehrlichkeit und Anstand fördere, müsse weniger Ressourcen darauf verwenden, sich gegen Betrug abzusichern, Kriminelle zu jagen, Korruption zu bekämpfen und kleptokratische Auswüchse zu verhindern. Religiosität, so darf man Barro und McCleary verstehen, hat Auswirkungen auf das Arbeitsethos der Bürger, und die religionsökonomische Gleichung lautet: Hart arbeiten kann als gottgefällig gelten, wodurch ein höheres Bruttosozialprodukt entsteht, woraus wiederum höhere Prosperität resultiert.

Abgesehen von der Frage, welches Prosperitätspotenzial in Deutschland stecken müsste, wo der Europäischen Wertestudie 2000 zufolge 68 Prozent der Menschen an Gott glauben, wirft das eine politische Frage auf: Kann eine Gesellschaft, kann die Welt ohne Glaube überhaupt funktionieren?

Kein System funktioniert ohne Vertrauen in dasselbe. Weder das Werte-, noch das Wirtschafts- noch das Glaubenssystem. Das System ist eine Art objektive Wahrheit, seine Funktionstüchtigkeit lebenswichtig.

Die Analogie zwischen Wirtschafts- und Glaubenssystem, zwischen Geld und Glaube sind verblüffend. Der Kredit ist nicht nur sprachlich verwandt mit dem englischen Wort »credibility« (Glaubwürdigkeit) und dem lateinischen »credere« (vertrauen). Gewährt man jemandem einen Kredit, muss

Der Sprung von dem rund 30 Meter hohen Holzturm macht den Jungen zum Mann. Oder, wenn das Seil aus Lianen reißt, zum Krüppel. **Initiationsrituale** *wie dieses auf der südpazifischen Insel Pentecost gibt es in unzähligen Varianten. Sie alle forcieren die Erfahrung der Grenze zwischen Leben und Tod*

Religiosität

man an die Vertrauenswürdigkeit des Empfängers glauben. Der Nominalwert einer Metallmünze ist dabei unerheblich. Die eigentliche Währung ist Vertrauen.

Und auch wenn man zum Beispiel die Hostie mit der Münze gleichsetzt, lässt sich die christliche Lehre auf das weltliche Kreditsystem übertragen: Es gilt, an das Symbol als an eine übersinnliche Einheit zu glauben. Erst so erhält die Hostie als Leib Jesu einen Sinn; erst so erhält ein rundes Stück Metall seine Geltungskraft.

Der »homo naturaliter religiosus«, dessen Geist immerzu nach Erklärungen sucht, glaubt, weil er gar nicht anders kann. In diesem Sinne ist der Mensch von Natur aus religiös, weil er von Natur aus vertraut. »Vertrauen in die Realität gehört zur Grundausstattung des Menschen«, sagt der Hirnforscher Ernst Pöppel. Er braucht es, um in einer hoch differenzierten, hypersensiblen, auf zerbrechlichen Übereinkünften basierenden Umwelt zu überleben und zurechtzukommen. Der Mensch muss sich von vornherein auf den guten Gang der Dinge verlassen, auf die prästabilierte Harmonie. Er muss mit der Stabilität seiner Umwelt rechnen können. Denn nur Vertrauen schafft lebensnotwendige Sicherheit.

Der Münchner Religionswissenschaftler und Zenlehrer Michael von Brück sagt: Glauben ist Urvertrauen – in allen Religionen der Welt.

Wenn der Mensch also glaubt, weil er den Zufall eliminieren will, sich spüren will, ein höheres Bewusstsein erreichen will, weil er auffahren will, sich selbst transzendieren und mit dem Ganzen vereinen will, weil er gesund bleiben, gesehen werden und vertrauen will, so ist der Glaube Ausdruck eines existenziellen Willens und damit unabdingbar für die Selbstgewissheit.

Der Mensch glaubt, damit er weiß, dass er ist. Die letzte Frage, an wen er glaubt, heißt auch: Wem traut er? Was liebt er? In wen setzt er Hoffnung?

Der Mensch glaubt, weil er hoffen will?

Ist nach dem Ende der Metaphysik und dem Tod des moralischen Gottes noch religiöse Erfahrung möglich? Oder erst recht? »Gibt es eine Welt ohne Gott?«, fragt der italienische Philosoph Gianni Vattimo in seinem Buch »Jenseits des Christentums«.

Die Antwort müsste lauten: Eine Welt ohne das, was die Kulturen in ihren jeweils verschiedenen Begriffen als Gott bezeichnen, kann es nicht

Tausende Christen pilgern jedes Jahr im Januar zum **Tauffest in Lalibela**. Von den Felsterrassen der Bete-Gyorgis-Kirche, die hier, im Hochland Äthiopiens, in den Berg geschlagen wurde, haben die Gläubigen den besten Blick auf die Zeremonien. Ein Priester segnet **das Taufbecken, ein Bassin in Kreuzform**. Dann dürfen die Kinder in das geweihte Baptisterium springen

geben, solange es Bilder gibt. Bilder gibt es, solange der Mensch die Fähigkeit hat, sie zu entwerfen. Folglich gibt es, solange es Menschen gibt, Bilder, Symbole, Rituale, die Sehnsucht nach und die Erfahrung von Transzendenz. Wer an eine übergeordnete, schützende Kraft glaubt, hat immer schon den Bereich des Heiligen betreten.

Im Glauben an das Heilige als Ganzes nimmt der Einzelne selbst am Heiligen teil. Der Glaube an die Sakralität der Person ist, wie der französische Soziologe Emile Durkheim vor über 100 Jahren erkannt hat, ein Glaube an die Menschenwürde – und also auch ein Glaube an die Menschenrechte.

So könnte man Glauben als moralisch wertvoll, als eine Verheißung des Guten sehen: Der Mensch glaubt, weil er die geistige Fähigkeit hat, Mythen zu kreieren. Und die Fantasie, Idealzustände zu erschaffen, welche die bestehenden Verhältnisse transzendieren. Die Sehnsucht nach religiösen Erfahrungen wäre die Sehnsucht nach einer Ethik der Würde.

Vielleicht ist die Moral der Menschenrechte die Religion der Spätmoderne. Der Glaube ist die Gabe zur Hoffnung, dass die entworfenen Paradiese Wirklichkeit werden können. Die Hoffnung auf eine ideale Ordnung der Welt, die eines Tages kommen wird.

Die Hoffnung auf Frieden. Inneren wie äußeren. **(2006)**

■ **Siehe auch A–Z-Teil**
→ Askese · Benedikt XVI. · Böse · Buddhismus · Charisma · Esoterik · Ethik · Glaube · Gott · Hoffnung · Jesuiten · Mystik · New Age · Papsttum · Religion · Spiritualität · Sufismus

Seit Jahren besucht die italienische Fotografin Giorgia Fiorio für ihr Fotoprojekt »Das Geschenk« Glaubensgemeinschaften auf der ganzen Welt. Oft begleitet sie die Menschen über Wochen in deren Alltag, bevor das erste Bild entsteht. Der Hamburger Autor Christian Schüle beschäftigt sich seit seinem Philosophiestudium mit dem Zusammenhang zwischen Wissen und Glaube.

Wer war Jesus?

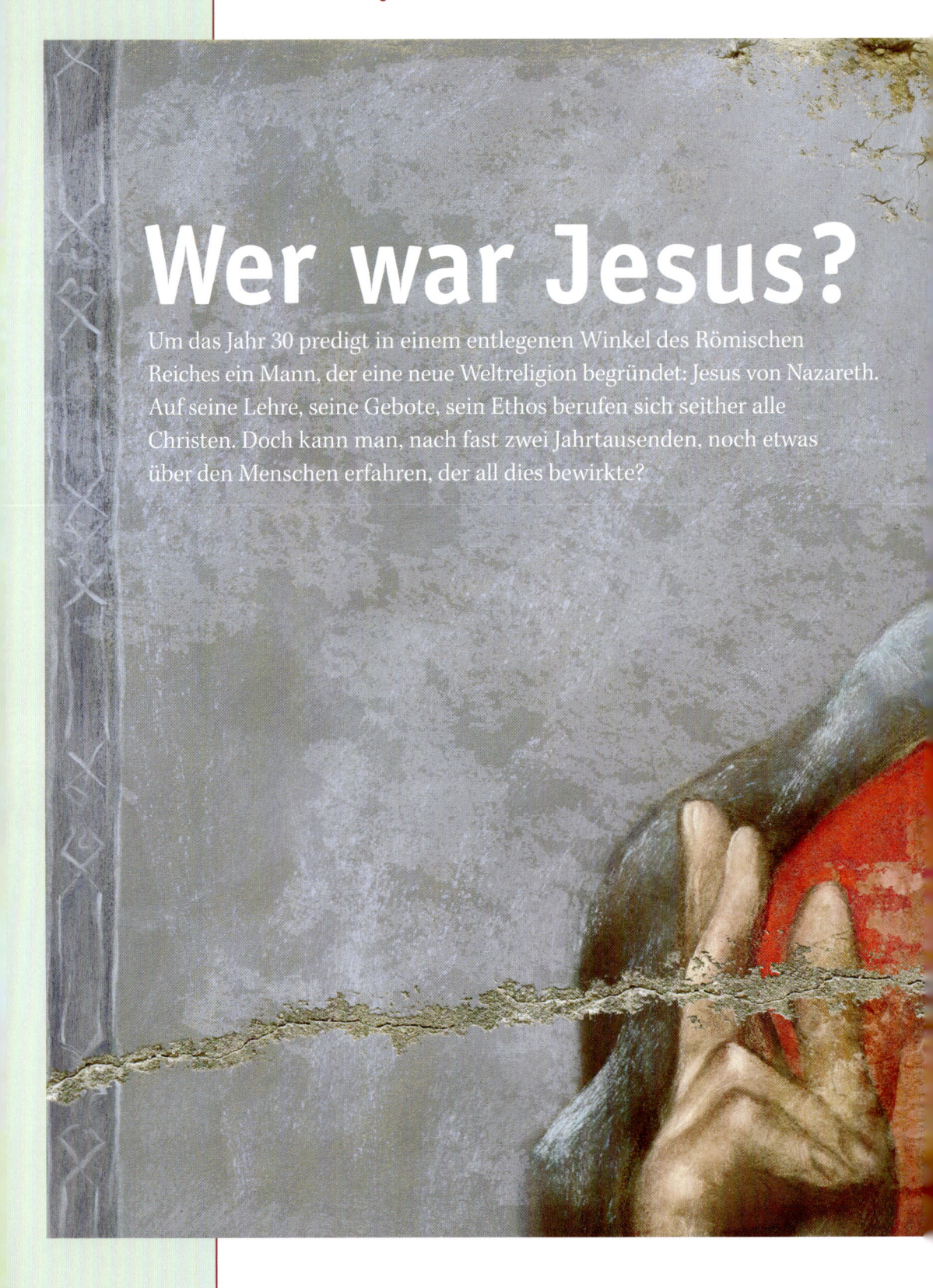

Um das Jahr 30 predigt in einem entlegenen Winkel des Römischen Reiches ein Mann, der eine neue Weltreligion begründet: Jesus von Nazareth. Auf seine Lehre, seine Gebote, sein Ethos berufen sich seither alle Christen. Doch kann man, nach fast zwei Jahrtausenden, noch etwas über den Menschen erfahren, der all dies bewirkte?

GEO Dossier

Mensch und Mythos 376

Text:
Cay Rademacher
Illustrationen:
Wieslaw Smetek

Taufe im Jordan:
Nur für kurze Zeit, vielleicht für ein paar Wochen, folgt Jesus Johannes dem Täufer. Dann beginnt er, selbst zu predigen

Pontius Pilatus, der römische Präfekt Judäas, will kein Risiko eingehen. Die Lage in Jerusalem ist angespannt; die Soldaten Roms haben deshalb alle strategischen Positionen besetzt, vor allem an den Stadttoren und in der Festung Antonia oberhalb des Tempelberges.

Doch die Stadt ist schwer zu kontrollieren. Rund um das Plateau des noch unvollendeten Tempels erstrecken sich über Hügel und Täler flache, zumeist zweigeschossige Häuser. Dazwischen ein Gewirr aus Gassen, Plätzen, schmalen Durchlässen. Rund 40 000 Menschen leben hier normalerweise, doch nun drängen sich fast viermal so viele durch die Stadt. Das Passahfest naht, eine der wichtigsten religiösen Feiern im Jahr.

Aus Jodefat und aus Gamla auf dem Golan kommen die Pilger, aus Kapernaum und Nazareth in Galiläa, aus Jericho, aus Alexandria, Griechenland und Rom. Hunderte, die zu Fuß aus Galiläa gekommen sind, waschen den Staub der Wege im Schiloach-Teich ab, andere suchen Gasthäuser für die nächsten Nächte. Manche Juden der Diaspora haben sich zusammengeschlossen und unterhalten eigene Herbergen – die jüdische Gemeinde von Rhodos etwa.

Seit zwei Wochen haben Händler im Vorhof des Tempels ihre Stände aufgebaut. Auch auf den anderen Märkten der Stadt werden Getreide, Vieh, Früchte und Holz angeboten. Aus der Oberstadt – jenem Hügel westlich des Tempelberges, wo die Priester und Adeligen residieren – weht der Duft aus der Spezerei-Manufaktur der Priesterfamilie Kathros herüber.

Doch hinter der Ausgelassenheit lauert die Rebellion. Wird das Passahfest nicht zum Gedenken an die Befreiung des Volkes Israel aus der ägyptischen Knechtschaft begangen? Und ächzt dieses Volk nicht seit Jahr-

Ihm zu Ehren entstanden Kathedralen, Hospize – und Scheiterhaufen

zehnten unter dem römischen Joch? Eine religiös erregte Menge, verhasste Besatzungstruppen, ein heiliger Tag, eine unübersichtliche Stadt – es fehlt nur noch ein Funke, um den Flächenbrand auszulösen.

Da beobachten die Soldaten auf der Jerusalemer Mauer einen Mann, der mit einer großen Anhängerschar über den Ölberg kommt und in die Heilige Stadt einzieht – einen Mann, den sie nie zuvor in Jerusalem gesehen haben.

»Hosanna!«, rufen die, die dem Unbekannten vorauseilen. »Gelobt sei, der da kommt im Namen des Herrn!«

Irgendeiner der Soldaten wird Pilatus diesen spektakulären Einzug an einem der südlichen Stadttore gemeldet haben. Es gibt keinen Bericht über dessen Reaktion, doch einiges spricht dafür, dass er zunächst abwarten will. Aber er dürfte nun alarmiert sein und noch nervöser als zuvor.

Es ist der 9. Nisan des jüdischen Kalenders, das 17. Jahr der Herrschaft des römischen Kaisers Tiberius – Sonntag, der 2. April des Jahres 30. Jener Mann, der die Römer in Alarmbereitschaft versetzt, ist Jesus von Nazareth, und er hat noch rund 120 Stunden zu leben.

DER MANN AUS GALILÄA stiftet die größte Religionsgemeinschaft der Welt. Fast zwei Milliarden Christen berufen sich heute auf ihn. Seit zwei Jahrtausenden gehen Menschen in seinem Namen in den Tod oder begehen in seinem Namen Morde. Ihm zu Ehren schickten Inquisitoren Tausende auf die Scheiterhaufen. Ihm zu Ehren errichteten unzählige Namenlose als fromme Spender und Helfer Kathedralen und Hospize, erhielten all das am Leben, was wir heute unter »Kirche« verstehen.

Doch wer war dieser Jesus von Nazareth, in dessen Namen seit zwei Jahrtausenden Liebe und Leid in die Welt kommen?

Seit rund 300 Jahren schieben Wissenschaftler jene unzähligen dunklen Schichten der Überlieferung, die uns von der Antike trennen, nach und nach beiseite, um einen Blick auf den »wahren«, den historischen Jesus zu werfen. Historiker und Theologen, Philologen und Archäologen haben aus verstreuten Funden und wiederentdeckten altjüdischen Texten, aus dem

Mauerwerk eines 2000 Jahre alten Dorfhauses und den mürben Planken eines uralten Fischerbootes, aus dem Grab eines Hohepriesters und dem Skelett eines Hingerichteten, aus Münzen, Inschriften und Gefäßen ein faszinierendes Puzzle zusammengefügt. Sie haben rekonstruiert, wie die Menschen in jener Gegend am Ostrand des Imperium Romanum damals dachten und was sie hofften, woran sie glaubten und was sie hassten.

Dieses Bild ist nach wie vor ein Fragment, aber doch präzise genug für eine Zeitreise auf den Spuren Jesu.

Die wichtigste, aber auch problematischste Quelle zum Leben und Wirken Jesu ist das Neue Testament. Jesus selbst hat keinen einzigen Text hinterlassen. Auch seine Weggefährten, unter denen sich wohl kein Gelehr-

Ausgerechnet Nichtchristen bezeugen: Jesus war kein Mythos

ter befand, haben das, was ihnen wichtig erschien, weitererzählt, nicht aufgeschrieben. Erst irgendwann zwischen den Jahren 40 und 50 haben Christen, so rekonstruieren es Philologen und Theologen aus den biblischen Texten, viele Sprüche und Gleichnisse des Mannes aus Galiläa gesammelt und niedergeschrieben. Diese »Logienquelle« aber ist längst verschollen.

Die ältesten erhaltenen Zeugnisse sind die nach dem Jahr 50 verfassten Briefe des Paulus. Dieser griechisch gebildete Jude aus dem kleinasiatischen Tarsus aber kannte Jesus nicht persönlich und wahrscheinlich auch nicht dessen Heimat Galiläa. Und es scheint ihn auch nicht sonderlich interessiert zu haben, denn er liefert, abgesehen von einer Beschreibung des letzten Abendmahles, kaum brauchbare biografische Informationen.

Die finden sich erst bei Markus, Matthäus und Lukas. Nach zwei Jahrhunderten intensiver Textforschung sind sich die meisten Wissenschaftler heute darin einig, dass Markus kurz vor dem Jahr 70 aus mündlich überlieferten Berichten seine »Frohe Botschaft« (griechisch »euangelion«) niederschrieb. Matthäus und Lukas haben, unabhängig voneinander, aus dem Markus-Evangelium, der Logienquelle und jeweils eigenem Material dann zwischen den Jahren 75 und 100 ihre Werke verfasst. Diese drei eng verwandten, so genannten synoptischen Evangelien liefern mehr Informationen als das um das Jahr 100 und wohl unabhängig von ihnen verfasste Johannes-Evangelium.

Alle vier Autoren aber sind längst Schemen geworden. Die Christen der Antike etwa hielten Lukas für einen griechischen Arzt, der Paulus auf einigen Reisen begleitete. Es finden sich zwar ein paar Indizien im Neuen Testament – Lukas schreibt an manchen Stellen »wir«, wenn er die Reisen des Paulus beschreibt; in einem Brief des Apostels wird »der Arzt Lukas« erwähnt –, doch Beweise sind das nicht.

Rund 5000 vollständige Manuskripte oder Textfragmente des Neuen Testaments aus der Antike sind bis heute entdeckt worden; das älteste ist ein um das Jahr 125 verfasster ägyptischer Papyrus mit einem Teil des Johannes-Evangeliums. Doch kein einziges Original ist erhalten. Es gibt nur antike Abschriften.

ALLE EVANGELIEN SIND IN GRIECHISCH verfasst worden, der Weltsprache der Epoche. Sie sind »Übersetzungen«, denn Jesus, der Galiläer, sprach Aramäisch. Schon die ersten christlichen Gemeinden ließen »bearbeitete« Fassungen erstellen, etwa mit einer einheitlichen Schreibweise. Um das Jahr 150 wurde das Neue Testament in seiner heutigen Form zusammengestellt. Andere alte Texte – wie die Logienquelle – wurden fortan nicht mehr kopiert und schließlich vergessen.

Die wichtigste Quelle ist also eine über 100 Jahre nach der Kreuzigung bearbeitete Textsammlung. Angesichts solcher Quellen ist es ungemein schwierig, Authentisches von später Hinzugefügtem oder Verändertem zu unterscheiden. Und Informationen, die den frühen Christen irrelevant erschienen, sind durch diese Bearbeitung oft für immer verloren gegangen. Denn auch in den seltenen Fällen, in denen doch einmal Fragmente jener

Petrus und Andreas: Die Fischer vom See Genezareth sind die ersten Jünger. Forscher haben wahrscheinlich ihr Haus entdeckt

Mensch und Mythos

später vergessenen Texte auftauchen, hilft das wenig. Das »Thomas-Evangelium« etwa, das 1945 in einer alten christlichen Bibliothek im oberägyptischen Nag Hammadi entdeckt wurde, ist in wesentlichen Abschnitten wohl noch vor dem Jahr 100 verfasst worden. Es enthält 144 Lehrsätze, jeder eingeleitet mit der Formulierung »Jesus sprach« – aber nichts sonst über den Mann aus Galiläa.

DASS JESUS ÜBERHAUPT REAL WAR und nicht ein von Gläubigen geschaffener Mythos, das bezeugen ausgerechnet Nichtchristen. Die römischen Historiker Sueton (ca. 70 bis ca. 130) und Tacitus (55 oder 56 bis ca. 120) erwähnen ihn. Am wichtigsten aber ist der jüdische Geschichtsschreiber Flavius Josephus. Er wurde im Jahr 37 oder 38 geboren, beteiligte sich 66 an einem großen Aufstand gegen Rom, lief aber bald zum Gegner über. Für die Römer schrieb er 93/94 das Werk »Jüdische Altertümer«, in dem er die Geschichte seines Volkes darstellte. Und dort berichtet er von Jesus als dem »Vollbringer ganz unglaublicher Taten und Lehrer aller Menschen«.

Kein Text allein vermittelt viel von Jesus und seiner Welt. Aber alle zusammen, kombiniert mit anderen Ergebnissen der Althistoriker und Archäologen, ergeben doch ein überraschend präzises Porträt des Mannes und seiner Epoche.

Um die Zeitenwende leben etwa 400 000 Juden in ihrer Heimat, verteilt vor allem auf zwei Regionen: Judäa, das Land rund um Jerusalem, vom Jordan bis zum Mittelmeer, und Galiläa, der kaum 40 Kilometer durchmessende Landstrich westlich des Sees Genezareth. Ihr Herrscher ist Herodes der Große, ein Emporkömmling mit heidnischem Vater und jüdischer

Die Bergpredigt: Wann und wo Jesus genau sprach, ist nicht mehr zu rekonstruieren. Es wird am Westufer des Sees Genezareth gewesen sein

Mutter, der sein politisches Schicksal an das Roms gekettet hat: Der römische Senat hat ihm den Titel »König von Judäa« verliehen; an Rom führt Herodes einen Teil der Steuern ab; römische Legionen aus der Provinz Syria können binnen Tagen in Jerusalem stehen, um ihn vor Aufständen zu schützen – oder bei Unbotmäßigkeit abzusetzen. Für Rom ist es militärisch und finanziell günstiger, einen unruhigen Landstrich wie Judäa durch einen einheimischen Klientelkönig regieren zu lassen.

Für die Juden sind es Jahrzehnte einer dreifachen Krise:
- politisch, weil sie von Herodes und damit letztlich von Rom beherrscht werden;
- kulturell, weil die griechisch-römische Zivilisation mit ihren Göttern, ihrem Handel, ihrer so ganz anderen Lebensweise (die sich beispielsweise weder um den Sabbat noch um Essensgebote schert) in Judäa und Galiläa vordringt;
- religiös, weil das auserwählte Volk Gottes offensichtlich von ebenjenem Gott verlassen worden ist – weshalb würde es von den Römern sonst so gedemütigt?

Wie aber kann es wieder erlöst werden?

Auf diese Frage gibt es viele Antworten – und auch das macht die Lage im Land so explosiv. Denn die Juden sind keineswegs geeint.

Die Lage im Land: explosiv. Man wähnt sich am Vorabend der Apokalypse

Die Sadduzäer etwa stellen die traditionelle Elite des Volkes – jene Familien, aus denen der Hohepriester des Jerusalemer Tempels stammt und die den lokalen Adel stellen. Sie empfinden sich als Hüter der Tradition. Apokalyptische Spekulationen lehnen sie ab. Und mit Rom haben sie sich arrangiert – aus ihren Reihen stammen die Würdenträger, die mit der Besatzungsmacht kooperieren. Im Volk sind sie verhasst.

Geachtet sind die Pharisäer. Sie stellen die meisten Schriftgelehrten – Männer, welche die Bücher Mose und der Propheten lesen und aus ihnen auch die Gesetze für die Gegenwart ableiten (wird das Sabbatgebot verletzt, wenn man an diesem Tag einem Kranken hilft?). Sie sind eine Elite schon deshalb, weil sie die heiligen Texte studieren.

Noch elitärer, noch strenger geben sich die asketischen Essener, deren Zentrum wohl die klosterähnliche Anlage von Qumran am Toten Meer ist. Sie sehen sich als die Auserwählten des auserwählten Volkes, als die Einzigen, die, rein im Glauben, dereinst errettet werden.

Die Sicarii und die Zeloten setzen dagegen nicht nur auf Schriftstudium und kultische Reinheit, sondern auf Gewalt und Mord. Sie kämpfen mit der Waffe für die Befreiung ihres Volkes. Sicarii – die »sica« ist ein kurzer Dolch – schleichen sich am helllichten Tag in Jerusalem an vornehme Juden heran, die mit den Römern kooperieren, und stechen sie nieder.

Mensch und Mythos

Daneben ziehen selbst ernannte Propheten, Wundertäter und Magier umher, manche mit kleinen Anhängerscharen, andere ganz allein.

Gemein ist all diesen Gruppen, mit Ausnahme der Sadduzäer, dass sie sich mehr oder weniger nah am Vorabend der Apokalypse wähnen. Es wird, glauben sie, bald den Endkampf geben, die finale Schlacht Gottes gegen das Böse, die mit der Befreiung Israels gekrönt werden wird. Ein Erlöser wird erscheinen, vielleicht schon morgen.

In diesem unruhigen Land sorgt Herodes seit dem Jahr 37 v. Chr. im Auftrag Roms für Ruhe. Mit Gewalt setzt er seine Politik, seine Bauvorhaben, seine Steuern durch; beim ersten Verdacht auf Widerstand droht die Hinrichtung. So lässt der König sogar sieben eigene Söhne ermorden, weil er sie für Verschwörer hält.

Doch als Herodes Ende März oder Anfang April des Jahres 4 v. Chr. stirbt, droht ein Flächenbrand. An vielen Orten sammeln sich Unzufriedene; Aufstände brechen los. Der Kaiser muss Truppen entsenden – und

Geburt im Stall? Anbetung der Hirten? Wohl nur eine fromme Legende

fügt das Land enger ins Imperium ein: Galiläa und die Nachbarregion Peräa werden nach mehrjährigen Wirren von Herodes Antipas beherrscht, einem der wenigen Söhne Herodes des Großen, die allen Nachstellungen entgangen sind. Judäa wird seit 6 n. Chr. von einem römischen Präfekten regiert.

Während dieser Wirren ziehen Legionäre durch Galiläa. Ihr Kommandant ist Publius Quinctilius Varus, jener Feldherr, der 13 Jahre später bei der »Schlacht im Teutoburger Wald« in Germaniens Wäldern untergehen wird. Varus zerstört auch die prachtvolle Stadt Sepphoris. Wäre seine Legion danach in Richtung Süden abgeschwenkt und rund eine Stunde marschiert, hätte sie möglicherweise ein abgelegenes Bauerndorf verwüstet – und die Weltgeschichte wäre anders verlaufen. Denn jener Weiler am Ende eines engen Tales ist Nazareth.

Als die Legionäre die Nachbarstadt Sepphoris plündern, ist Jesus von Nazareth, so vermuten die meisten Forscher heute, einige Monate alt.

Ein jeder kennt die Weihnachtsgeschichte von Lukas: Joseph und Maria brechen von ihrem Heimatort Nazareth gen Bethlehem auf, da der römische Kaiser eine Steuerschätzung befohlen hat und sich jede Familie dafür zu ihrem Stammsitz begeben muss. Dann die Geburt im Stall und die Anbetung der Hirten. Die Lukanische Geschichte ist datierbar – und leider falsch.

Dank mehrerer antiker Quellen wissen Althistoriker, dass die Steuerschätzung tatsächlich angeordnet worden ist – zwischen den Jahren 6 und 8 n. Chr. Lukas berichtet, dass Jesus ungefähr 30 Jahre alt ist, als er erstmals predigt. Sein öffentliches Wirken dauert mindestens ein Jahr, dann wird er gekreuzigt. Sollte er tatsächlich im Jahr der Steuerschätzung geboren sein, müsste die Hinrichtung frühestens 37 stattgefunden haben. Pontius Pilatus aber, der Präfekt, der ihn ans Kreuz nageln lässt, wird bereits im Jahr 36 nach Rom zurückgerufen. Die Geschichte kann also nicht stimmen.

Matthäus überliefert eine andere Version: Jesus wird in Bethlehem geboren. Doch dann ordnet Herodes nach dem Auftreten der drei Weisen die Ermordung aller Kinder unter zwei Jahren in seinem Reich an. Die Familie flieht, wartet im ägyptischen Exil den bald darauf erfolgten Tod des Despoten ab, kehrt zurück und lässt sich diesmal in Nazareth nieder.

Heidnische und jüdische Chronisten überliefern viele Beispiele der Gewalttätigkeit des Herodes, doch über einen Massenmord an Kindern berichtet niemand. Auch dies, vermuten die meisten Theologen heute, ist eine fromme Legende.

Aus Bethlehem nämlich, verkündet der Prophet Micha, werde dereinst der Erlöser kommen. Nazareth dagegen ist ein so unbedeutender Weiler, dass er im Alten Testament nicht ein einziges Mal erwähnt wird. Die meisten Wissenschaftler vermuten deshalb, dass Matthäus und Lukas ihre Geschichten erzählen, um das Wirken Jesu den alten Prophezeiungen anzupassen. Aus ähnlichen Motiven erzählen sie auch von der Jungfrauengeburt: Bei den Griechen und Römern galten außergewöhnliche Menschen als Abkömmlinge eines Gottes mit einer (Jung-)Frau. Vom Sagenhelden Herakles wurde das berichtet, aber auch von großen Herrschern.

Die wohl ursprünglich von den ersten Christen überlieferte Version schimmert noch, gleich einem Palimpsest, durch das Matthäus-Evangelium hindurch. Das beginnt nämlich: »Dies ist das Buch von der Geburt Christi, der da ist ein Sohn Davids, des Sohnes Abrahams.« Um danach all seine Vorväter aufzuzählen – bis hin zu Joseph. Diese Aufzählung ist nur dann sinnvoll, wenn Jesus einst als leiblicher Sohn Josephs angesehen wurde. Tatsächlich wird Jesus wohl als Sohn Josephs in Nazareth geboren worden sein. Und vermutlich, da es dafür mehrere Überlieferungen gibt, in der Endzeit des Herodes, also kurz vor dem Frühling des Jahres 4 v. Chr.

NAZARETH: DAS SIND EINIGE HÜTTEN aus Steinmauern, isoliert mit Stroh, Lehm und Dung. Ein paar Zisternen, eine Quelle, ein paar Mühlsteine und Kornspeicher. Neben den Hütten, an den Berghängen, Weinstöcke, Getreidefelder, Olivenbäume. Das zumindest ist alles, was Archäologen aus jener Zeit rekonstruieren können.

Gerade mal 400 Menschen werden hier gelebt haben. In wenigen Minuten wird man durch das ganze Dorf gewandert sein, auf staubigen Wegen, denn keine Straße ist gepflastert. Kein einziges öffentliches Gebäude aus dieser Zeit ist bekannt. In der Bibel wird eine Synagoge erwähnt, doch das wird ein Hof oder ein großer Raum in einer der Hütten gewesen sein.

Allerdings hat der amerikanische Archäologe Richard Freund im Sommer 2003 die These aufgestellt, ein im heutigen Nazareth schon länger bekanntes, unterirdisches Gewölbe sei einst Teil einer römischen Therme gewesen, ein Badehaus für Legionäre. Für Freund ein Indiz, dass Nazareth zur Zeit Jesu Stützpunkt für ein paar hundert römische Soldaten war – und damit eine recht bedeutende Stadt. Martin Peilstöcker, ein deutscher Archäologe in der Israelischen Antikenverwaltung, ist dagegen, wie die meisten Fachleute, skeptisch: Die These seines amerikanischen Kollegen sei ein »frommer Wunsch«, die Ruine könne man gar nicht mehr genau datieren, wahrscheinlich aber stamme sie aus der Zeit der Kreuzfahrer.

Eines der Häuser in Nazareth wird Joseph gehört haben und dessen Frau Maria. Jesus (aramäisch: Jeschua, »Gott hilft«) ist der älteste Sohn. Er hat vier Brüder – Jakobus, Joses, Judas, Simon – und mindestens zwei namentlich nicht bekannte Schwestern. »Tekton« sei Joseph gewesen, berichten die Evangelien, was unzureichend mit »Zimmermann« übersetzt wird. »Baumeister« wäre besser – ein Handwerker, der mit Steinen und Stroh genauso umgehen kann wie mit Holz. Und vielleicht wird nicht einmal das dem Beruf gerecht. Griechische Dokumente jener Epoche – etwa Rechnungen und Verwaltungsberichte – erwähnen einen Tekton auch beim Schleusenbau, bei der Instandhaltung von Schöpfrädern oder der Ausbesserung eines Sattels. Jesus wird, als erstgeborener Sohn, das Handwerk seines Vaters erlernt haben. So, wie es die Tradition vorsieht.

Was sonst seine Kindheit, seine Jugend, seine frühen Erwachsenenjahre bestimmt – alles Spekulation. Nichts davon ist in den Evangelien zu finden, nicht einmal, wie Jesus ausgesehen hat (die ersten Bildnisse werden einige Jahrhunderte nach der Kreuzigung gemalt).

In einem Weiler wie Nazareth wird ein Tekton kaum sein Auskommen finden. Also kann man vermuten, dass Joseph – und dann, als sein Gehilfe, auch Jesus – im benachbarten Sepphoris gearbeitet hat. Diese Stadt nämlich wird nach der Verwüstung durch Varus prachtvoll wieder aufgebaut. Jesus kennt also möglicherweise aus eigener Anschauung den Prunk einer hellenistischen Stadt. Vielleicht lernt er auch Griechisch, zumindest rudimentär. Andererseits kann er, wie wohl all seine Mitbürger in Nazareth, nur in gewissem Umfang lesen und schreiben. In der Synagoge werden ihm Ältere die Geschichten der Thora und die Weissagungen der Propheten erzählen und er wird sie auswendig gelernt haben.

Das alles ist zwar nicht beweisbar, aber plausibel, weil es so oder ähnlich in unzähligen Fällen vorkam, weil die Söhne in Galiläa eben so aufwuchsen.

WAS ABER IST DAS UNGEWÖHNLICHE? Wer oder was treibt Jesus schließlich hinaus aus Nazareth? Was formt ihn in den immerhin gut 30 Jahren, die er dort verbracht hat?

Die Sadduzäer und die Priester werden sich weder für Nazareth noch für seine Bewohner je interessiert haben. Den Rigorismus der Pharisäer wird Jesus später immer kritisieren – unwahrscheinlich, dass er ihnen je nahe gestanden haben könnte.

Ist Jesus Essener gewesen? Ein reizvoller Gedanke, dass es den jungen Mann aus Galiläa, beseelt von religiösen Idealen, irgendwie von Nazareth bis ans Tote Meer nach Qumran verschlagen haben könnte, wo er die Schriften studiert hat. Tatsächlich glauben die Essener, wie es auch Jesus später predigen wird, an die baldige Herrschaft Gottes. Allerdings erst für die nahe Zukunft, während er sie bereits in der Gegenwart angebrochen sieht. Und den Essenern sind der Tempel, das Priestertum, die kultische Reinheit wichtig – Themen, die Jesus eher gleichgültig sind. Die Essener sehen sich als Elite der Reinen, Jesus dagegen wird sich später den Unreinen, den Zöllnern und Prostituierten zuwenden.

Ein unerhörtes Geschehen: Der älteste Sohn lässt die Familie im Stich

War er also vielleicht ein Zelot? Auch diese politischen Eiferer geben ja gerade den Armen, den Verachteten Hoffnung. Und sie sind, wie Jesus, zum Martyrium, zum Tod für ihre Sache bereit. Doch sie kämpfen und morden dafür – was Jesus um jeden Preis ablehnt.

Sind Jesus die radikalen Positionen möglicherweise durch die Umstände seines Lebens aufgezwungen worden? Der (unter Fachkollegen allerdings umstrittene) Theologe Gerd Lüdemann interpretiert eine Passage im ältesten Evangelium so. Markus (der im Übrigen über Geburt und Jugend Jesu kein Wort verliert) berichtet, wie Jesus später in Nazareth predigt und ihn seine ehemaligen Mitbürger »Sohn der Maria« nennen. Das, so der deutsche Forscher, sei auffällig, denn üblich sei in jener Zeit die Vatersbezeichnung, also »Sohn des ...« Gilt Jesus deshalb in Nazareth doch nicht als Sohn des Joseph?

Ist er also ein illegitimes Kind, ist seine Mutter bei seiner Geburt noch unverheiratet gewesen? Für die Nazarener wäre dies ein Zeichen vorehelicher Sünde. Hätte dies nicht dazu geführt, dass Jesus in jenem winzigen Dorf von allen als Außenseiter angesehen wurde? Und würde das nicht erklären, wieso er sich später gerade den Außenseitern zuwandte und die Eliten so scharf ablehnte?

Einigermaßen sicher ist nur, dass Jesus, wohl im Jahre 28 oder 29, etwas Unerhörtes tut: Er verlässt seine Familie.

Joseph ist um diese Zeit wahrscheinlich schon tot, zumindest

Einzug in Jerusalem: Die Verehrung seiner Anhänger macht Jesus bei Pontius Pilatus verdächtig

Mensch und Mythos

wird er in den Evangelien danach nicht mehr erwähnt. Wenn der Vater aber verstorben ist, hat der älteste Sohn die Pflicht, für die Mutter und die Geschwister zu sorgen. Wer seine Familie in dieser Situation verlässt, der verstößt gegen das vierte Gebot und verhält sich nach den Maßstäben der Zeit so unmoralisch und rücksichtslos wie ein Mörder oder Ehebrecher. Vor allem seine Brüder scheinen Jesus dies nicht verziehen zu haben. Als er schon bekannt ist, gehen, so berichtet Markus, »die Seinen aus und wollten ihn halten; denn sie sprachen: Er ist von Sinnen.«

Die Althistoriker werden wohl niemals erfahren, weshalb Jesus damals Nazareth verlassen hat – aber die Evangelien berichten, wohin er ging: zu Johannes dem Täufer. Der ist einer jener Prediger aus dieser unruhigen Zeit: ein Prophet, der am Jordanufer vor dem drohenden Weltengericht warnt – und nur den Bußfertigen, die sich von ihm taufen lassen, die Ewigkeit verspricht.

Dem Lukas-Evangelium zufolge tritt Johannes »im 15. Jahr des Kaisertums Kaisers Tiberius« auf, wahrscheinlich zwischen Herbst 28 und Herbst 29. Die Evangelisten berichten über ihn, ebenso Flavius Josephus. Schnell scharen sich Anhänger um den Mann, der am Wüstensaum über das Ende der Welt predigt – und über die moralischen Verfehlungen des Herrschers. Doch der ständig drohende Aufruhr im Land wird Johannes zum Verhäng-

Die Vertreibung der Händler aus dem Tempel: Mit dieser Tat fordert Jesus mächtige Männer in Jerusalem heraus

nis. Aus Angst vor dem demagogischen Talent des Täufers lässt Herodes Antipas den selbst ernannten Propheten kurzerhand exekutieren.

Da ist Jesus aber bereits weitergezogen. Für eine kurze Zeit, vielleicht nur ein paar Wochen, gehört der Mann aus Nazareth zu den Anhängern des Johannes. Er lässt sich von ihm taufen, doch wohl unmittelbar danach löst er sich von ihm. (Jesus selbst hat nie jemanden getauft.)

Im Frühjahr 29 verkündet in Galiläa ein neuer Prediger seine Botschaft.

BERGPREDIGT, GLEICHNISSE, WUNDER – was um Jesus danach geschieht, gehört zum überlieferten Kanon des Abendlandes. Doch die Evangelisten bleiben in ihren Ortsbeschreibungen vage und in der Chronologie unbestimmt. Seriös zu rekonstruieren ist Folgendes: Jesus predigt wahrscheinlich nur etwa ein Jahr lang. Er zieht durch einen Teil Galiläas, markiert durch die Städte Kapernaum–Bethsaida–Chorazim, ein Dreieck am See Genezareth, das in vier bis fünf Stunden umwandert werden kann. In dieser winzigen Region predigt er; hier erzählt er die Gleichnisse; hier finden, wenn überhaupt, die Wunder statt.

Mit anderen Worten: Jesus ist von seiner Herkunft her, der Dauer seines Wirkens und dem Ort seines Auftretens in jeder Hinsicht eine Randfigur. Insofern ist es nicht verwunderlich, dass die annähernd zeitgenössischen heidnischen Autoren, dass Roms adelige Politiker und Schreiber wie Tacitus und Sueton so wenig von seinem Auftreten berichten. Es ist vielmehr erstaunlich, dass sie ihn überhaupt erwähnen.

In den Evangelien ist es einfach: Jesus tritt auf, befiehlt jedem der von ihm erwählten Jünger »Folge mir nach!« – und sie verlassen Familien, Haus und Hof und schließen sich ihm an. Dass sich ihm Menschen tatsächlich bedingungslos ergeben, ist sehr wahrscheinlich. Schließlich werden einige von ihnen noch Jahrzehnte nach der Kreuzigung in seinem Namen in den Tod gehen, etwa Petrus. Aber für jenen ersten Schritt zur Jüngerschaft wird wohl eine simple Aufforderung allein nicht ausgereicht haben.

Petrus und dessen Bruder Andreas, die ersten beiden Jünger, sind nach der Johannes-Version auch Anhänger, zumindest Sympathisanten von Johannes dem Täufer. Es ist also nicht auszuschließen, dass Jesus seine beiden wichtigsten Gefolgsleute schon dort getroffen und für sich gewonnen hat.

Zumindest wird das Haus des Fischers Petrus in Kapernaum am Ufer des Sees Genezareth zu einer Art Basislager für Jesus: ein Refugium, in dem er sein zweites Wunder vollbringt (die Heilung der Schwiegermutter Petri), in das er sich zwischen seinen Wanderungen immer wieder zurückzieht – und das Archäologen womöglich wiederentdeckt haben.

1906 fanden sie unter einer byzantinischen Kirche antike Reste, die freilich erst zwischen 1968 und 1998 von franziskanischen Archäologen genauer untersucht wurden. Die frommen Forscher legten unterhalb des byzantinischen und den Ruinen eines noch älteren, spätantiken Gotteshauses die Reste eines Wohngebäudes frei. Kapernaum war zur Zeit Jesu eine blühende Fischerstadt am See Genezareth mit rund 1 000 Einwohnern.

Die Franziskaner fanden unter der Kirche ein rund 2000 Jahre altes Haus: eine Ansammlung blockförmiger Gebäude aus Lehm, Stroh und Holz, die einen Innenhof umschlossen. Einer der Räume aber war anders als die anderen: Immer wieder war er in der Antike neu verputzt worden – und in den Lehmputz waren Hunderte Graffiti in Griechisch, Syrisch, Hebräisch und Latein eingeritzt.

Es waren fromme Wünsche christlicher Pilger, die wohl schon seit dem 2. Jahrhundert dieses Haus besuchten. Das ist noch kein Beweis, aber doch ein recht plausibles Indiz dafür, dass die frühen Christen niemals vergaßen,

Seine Wunder sind ihm wichtig – fast so wichtig wie die Predigten

wo das Haus des Petrus gelegen hatte – und dass spätestens ein Jahrhundert nach seinem Tod Wallfahrten dorthin stattfanden und dieser Raum vom Profanen ins Sakrale erhoben wurde.

Mit Kapernaum schafft sich Jesus eine Basis, die besser zugänglich ist als Nazareth. Kapernaum liegt in der Nähe der Via Maris, einer Fernstraße, die bis nach Syrien und Ägypten führt. Einem Römer wäre diese Ansiedlung zwar immer noch barbarisch vorgekommen: die ungepflasterten, planlos angelegten Gassen höchstens drei Meter breit, keine Kanalisation, keine einzige öffentliche Latrine, der Hafen ein paar Steinmolen am Ufer. Dennoch sind die dort lebenden Fischer, nach den Maßstäben Galiläas, durchaus wohlhabend.

Im Januar 1986, als der See Genezareth auf einem historischen Tiefstand war, wurden im Bodenschlamm die Reste eines antiken Bootes entdeckt. Es war ein Fischerboot, und es stammte, wie Radiokarbondatierungen des Holzes ergaben, aus dem ersten nachchristlichen Jahrhundert. Das Boot war rund acht Meter lang gewesen, hatte einen Mast und Segel. Der Kiel war aus libanesischer Zeder, die Planken waren aus Pinien- und anderem lokalen Holz, zum Teil verzapft, zum Teil einst von eisernen Nägeln zusammengehalten. An Bord lagen noch ein paar alte irdene Gefäße und eine Öllampe.

Das Boot konnte mindestens 13 Menschen tragen. 13 Menschen – das sind der Fischer und ein Dutzend angeheuerte Männer, Sklaven oder Familienmitglieder. Ein Zeichen dafür, dass der Beruf des Petrus durchaus profitabel war und zumindest mehr Menschen ein Auskommen sicherte als etwa ein kleiner Bauernhof. Der Fischer, der Jesus als Erster folgte, war also kein armer Mann.

Von den anderen Jüngern kennen die Historiker kaum mehr als die Namen. Simon der Zelot – ein politischer Eiferer, der dann zu Jesus übergelaufen ist? Philippus – ein Jude mit griechischem Namen und vielleicht auch griechischer Muttersprache? Judas Iskariot – ein »Mann aus Kerioth«, einem Ort östlich des Toten Meeres? Oder eine Anspielung auf

»sicarius«, also darauf, dass auch er eine radikale Vergangenheit hat? Oder erst ein viel später von den Evangelisten eingefügter Beiname: »Mann der Falschheit«?

DIE MEISTEN ANHÄNGER SIND WAHRSCHEINLICH, wie ihr Anführer, einfache Menschen aus Galiläa gewesen. Es ist in der Antike üblich, dass sich jüdische Schüler einem berühmten Schriftgelehrten oder Rabbi anschließen. Unter seinen Anhängern hat Jesus zwölf Männer, die Apostel, herausgehoben – in Anspielung auf die symbolische Dutzendzahl, etwa auf die legendären zwölf Stämme des Volkes Israel. Aber auch diese Zahlensymbolik ist nicht ungewöhnlich.

Außergewöhnlich dagegen ist, dass Jesus auch viele Frauen folgen. Die Gesellschaft ist patriarchalisch: Zehn Männer sind zur Gründung einer Synagogengemeinschaft notwendig, aber keine einzige Frau; Frauen dürfen nicht aus der Thora lesen, im Jerusalemer Tempel ist ihnen nur ein Hof reserviert; sie dürfen nicht als Zeugen vor Gericht aussagen.

Die Frauen gehören von Anfang an, wie alle Evangelisten hervorheben, zu den eifrigsten Gefolgsleuten Jesu. Maria aus Magdala, einer Stadt auf halbem Weg zwischen Nazareth und Kapernaum, die Jesus von »sieben Dämonen« (also womöglich einer schweren Krankheit) heilt, wird die Bekannteste unter ihnen.

Ungewöhnlich ist ferner, dass die Jünger mit ihm herumziehen, statt mit Jesus an einem Ort eine Gruppe zu bilden. Ein Skandal aber ist die Herauslösung aus den Familien. »Wer Vater oder Mutter mehr liebt denn

Letztes Abendmahl: Jesus hat es, so datieren viele Forscher, am 6. April des Jahres 30 mit seinen Jüngern gefeiert

Mensch und Mythos

mich, der ist mein nicht wert!«, fordert Jesus von seinen Anhängern. Er selbst rechnet sich zu den »Verschnittenen«, die ehelos bleiben, um allein Gott zu dienen.

Für die Bauern, Hirten und Fischer müssen dieser Mann und seine Anhänger beunruhigend fremd und dabei doch seltsam vertraut wirken: fremd, da die Gruppe brotloser Menschen von Almosen lebt und ohne Wanderstock herumzieht, denn so ein Stecken könnte als Waffe gedeutet werden und damit das Liebesgebot verletzen. Vertraut, weil in so einem kleinen Land wohl jedermann Jesus oder einen seiner Anhänger gekannt haben wird – und weil Jesus ja nur einer von vielen ist, die herumziehen und predigen. Und Wunder tun.

Wunder gehören zur Vorstellungswelt der Antike. Sie werden »Machttaten« oder »Zeichen« genannt. Manche Rabbis können Wunder vollbringen, aber auch ein griechischer Gott wie Asklepios, in dessen Tempel sich Kranke zum Heilschlaf niederlassen. Viele alltägliche Ereignisse werden erst durch die Überlieferung zu Wundern – und aus einem Festmahl mit vielen Anhängern eine »Speisung der Fünftausend«.

Doch Jesus soll auch Kranke geheilt haben – nur können Mediziner heute kaum mehr rekonstruieren, ob jemand, der als »besessen« oder »gelähmt« galt, nun tatsächlich physisch krank war (und die Suggestionskraft des Wunderheilers körpereigene Heilungsprozesse in Gang setzte), ob es sich um eine psychische Krankheit handelte oder nur um psychosomatische Beschwerden.

K<small>EINER DER ANTIKEN</small> G<small>EGNER</small> J<small>ESU</small> hat dessen Wunder je bestritten. Sie gelten als so bedeutsam, dass man sie der Nachwelt überliefert und nicht ernsthaft infrage stellt. Aber für Jesus sind die Wunder nicht annähernd so wichtig wie seine Predigten. Die Gleichnisse, die Belehrung, die Ermahnung, die Rede – das ist es, was vor allem zählt.

Und da gibt sich der Mann aus Nazareth umstürzlerisch. Die Schmähung des Reichen – »Es ist leichter, dass ein Kamel durch ein Nadelöhr gehe, denn dass ein Reicher ins Reich Gottes komme!« – bleibt nicht die einzige Äußerung dieser Art. Mit seiner Missachtung des Reichtums provoziert er die Eliten seiner Zeit, die Großgrundbesitzer, die Adeligen, die Priester, denn auf sie sind diese Worte gemünzt. Den Kult, die Rituale, die Reinheitsgebote des Judentums beurteilt Jesus dagegen weniger streng.

Sabbatheilung? »Der Sabbat ist um des Menschen willen gemacht, und nicht der Mensch um des Sabbats willen.«

Bestrafung des Ehebruchs, eines, zumindest bei der Frau, todeswürdigen Verbrechens? »Wer unter euch ohne Sünde ist, der werfe den ersten Stein auf sie.«

Die Pflicht, die Toten zu beerdigen? »Folge du mir und lass die Toten ihre Toten begraben.«

Diese Geringschätzung der Tradition kann als Aufforderung zum Umsturz verstanden werden. Denn durch all diese Bräuche unterscheiden sich die Juden seit Jahrhunderten von ihren Nachbarn: Nicht nur durch den Glauben, sondern auch durch das Sabbatgebot, durch die kosheren Speisen, durch die Beschneidung und weitere Bräuche grenzen sie sich von den oft übermächtigen Fremden ab und schaffen ein Zusammengehörigkeitsgefühl über Jahrhunderte, über Zeiten des Exils und der Diaspora hinweg. All das infrage zu stellen ist Verrat am religiösen Verständnis der Mehrheit

Lange entgeht Jesus der Verfolgung. Weil er so erfolglos ist?

seines Volkes. Jesus ist Jude, seine Anhänger sind Juden, er predigt vor Juden (und lehnt es ausdrücklich ab, zu den Heiden zu gehen). Doch er fordert von seinen Anhängern, auf vieles von dem zu verzichten, was seit Jahrhunderten das Judentum ausmacht.

Aber zählen all die Traditionen noch, wenn man sich in der Endzeit befindet? Wie Johannes der Täufer erwartet auch Jesus das apokalyptische Ringen zwischen Gut und Böse. Doch anders als alle anderen Prediger glaubt Jesus nicht, dass Gottes Herrschaft nah, sondern dass sie bereits da sei: Mit ihm, mit seinem Wirken, breche die Herrschaft Gottes an. So zumindest lassen sich seine Aussagen deuten. Wer ihm folge, der werde errettet; wer seine Botschaft ablehne, der werde beim Jüngsten Gericht verdammt.

Er sieht sich wohl als »Menschensohn« – ein rätselhafter Name, der vielleicht auf einige apokalyptische Schriften des Alten Testaments zurückgeht. Bei Daniel etwa heißt es, dass einer, der aussieht »wie eines Menschen Sohn«, dereinst von Gott die Macht über die Völker erhalten werde.

Lässt er sich auch »Messias« nennen? Es gibt zu seiner Zeit im Judentum viele Vorstellungen von jenem künftigen »Gesalbten«: Das mag ein König sein, ein Prophet oder ein Hohepriester – jedenfalls ein Mensch, der Gott geweiht ist und für das Volk Israel das Heil herbeiführt. Wie aber und wann, darüber wird heftig gestritten.

Im Neuen Testament lässt sich Jesus von seinen Jüngern als »Messias« anreden. Im Thomas-Evangelium, das auf eine sehr alte mündliche Überlieferung zurückgeht, fehlt dagegen dieser Begriff. So ist es möglich, dass Jesus sich, zumindest öffentlich, nie auf diesen Begriff festgelegt hat. Geleugnet haben wird er ihn aber auch nicht – und seine ganze Lehre läuft darauf hinaus, dass man ihn als Messias sieht.

Das aber ist die größte Provokation: Wenn jener Zimmermannssohn beansprucht, der Messias zu sein, dann kann nur erlöst werden, wer ihm folgt. Dann ist Jesus die oberste Autorität des Judentums. Das werden die Priester nicht gern vernommen haben und die Römer schon gar nicht. Doch anders als Johannes der Täufer wird Jesus zunächst nicht verfolgt. Das mag daran liegen, dass sich sein Wirken auf eine von Jerusalem so abgelegene Gegend wie Galiläa beschränkt und er dort die größten Städte meidet.

Oder daran, dass Jesus so erfolglos ist.

Mensch und Mythos

Manches deutet darauf hin, dass er nach rund einem Jahr an einem toten Punkt angekommen ist. Er zieht, begleitet von einer vielleicht zwölfköpfigen, vielleicht auch etwas größeren Anhängerschar, durch die Orte am Ufer des Sees Genezareth und verkündet dort die frohe Botschaft vom heraufziehenden Reich Gottes. Nach ein paar Monaten wird jeder in der Region von ihm gehört haben – manche werden ihm glauben, andere nicht. Und dann? Nichts.

Nichts hat sich geändert. Der Sabbat wird geheiligt wie eh und je; die Pharisäer legen die Schriften aus; die Essener bekämpfen die Pharisäer, die Sadduzäer paktieren mit dem Statthalter; Herodes Antipas regiert von Kaisers Gnaden, und Pilatus hält in Cäsarea Hof.

Matthäus und Lukas überliefern, dass Jesus die Städte Galiläas verflucht, weil sie »sich nicht gebessert« hätten – auch Kapernaum: »Die du bis an den Himmel erhoben bist, du wirst in die Hölle hinuntergestoßen werden!« Und in seiner Heimatstadt Nazareth wundern sich seine ehemaligen Mitbürger über den Zimmermannssohn, der nun predigt – und werfen ihn dann aus der Synagoge.

Irgendwann im Frühjahr des Jahres 30 fasst Jesus den Entschluss, zum Passahfest nach Jerusalem zu ziehen. Vielleicht ist dies die konsequente Entwicklung seines Wirkens, von der Provinz zum Zentrum des Glaubens. Womöglich aber ist dies nichts als die Verzweiflungstat eines Mannes, der in seiner Heimat gescheitert ist.

Pontius Pilatus hält über Jesus Gericht: Roms Präfekt ist bekannt für seine Rücksichtslosigkeit

Ende März des Jahres 30 bricht Jesus auf. Die Datierung ist einigermaßen klar – eindeutiger zumindest als alles andere im Leben Jesu. Er wird, berichten die Evangelien, am Tag vor Sabbat gekreuzigt, während der Vorbereitungen zum Passahfest. Die Angaben sind zum Teil widersprüchlich, doch viele Indizien deuten darauf hin, dass in jenem Jahr das Passahfest genau auf einen Sabbat fällt, die Kreuzigung also unmittelbar davor stattfindet.

Das Passahfest wird am 15. Nisan gefeiert. Die Daten des jüdischen Mondkalenders wandern durch den heute gebräuchlichen Sonnenkalender, ändern sich also von Jahr zu Jahr. In der fraglichen Zeit fällt der 15. Nisan zweimal auf einen Sabbat, und zwar in den Jahren 30 und 33. Da Jesus aller Wahrscheinlichkeit nach nur ein Jahr wirkte, kann allein das frühere Datum stimmen. Der 15. Nisan 30 fällt auf den 8. April – so lassen sich die letzten Tage Jesu recht genau bestimmen.

Nach vier oder fünf Tagen wird er die mit Pilgern überfüllte Metropole erreicht haben. Er steigt in einem Rasthaus in Bethanien ab, einem Ort östlich hinter dem Ölberg, knapp drei Kilometer von Jerusalem entfernt.

Die biblischen Berichte sind voller Todesahnungen Jesu. Doch fast alle Forscher vermuten heute, dass diese Worte erst von den Evangelisten hineingeschrieben worden sind. Tatsächlich habe er in Jerusalem Schwierigkeiten mit den Priestern und Pharisäern erwartet, nicht aber sein Ende. Andererseits wirken seine Taten kurz darauf wie eine Bewerbung zur Hinrichtung.

AM 5. APRIL DES JAHRES 30, drei Tage nach seinem Einzug in Jerusalem, provoziert Jesus im Tempel, dem Allerheiligsten des jüdischen Volkes, einen Aufruhr – ausgerechnet kurz vor dem höchsten jüdischen Feiertag und unter den Augen der römischen Besatzer.

Der Tempel, dessen Bau Herodes der Große begonnen hat, ist ein künstlicher Monolith aus hellen, behauenen Steinen, in denen die Sonne je nach Tageszeit immer neue Reliefs zaubert (Bilder sind, getreu einem Gebot Gottes, tabu). Am Südrand des Plateaus, das sich aus dem Häusermeer Jerusalems erhebt, führen Treppen nach oben, im Westen gelangen die Priester und Adeligen von ihren Residenzen in der Oberstadt über eine arkadenförmige Brücke direkt zum Tempelbezirk – erhöht und abgetrennt vom einfachen Volk. Das mit Vorhängen abgetrennte Allerheiligste ist von einem Kranz säulengeschmückter Höfe umgeben. Der große Vorhof ist auch den Heiden zugänglich, dahinter liegen die Bezirke – getrennt nach Frauen, Männern, Priestern –, die den Juden vorbehalten sind.

Selbst die Römer respektieren diesen Ort. An den Tempelschranken ziehen Inschriften in Griechisch und Latein jedem Nichtjuden unmissverständlich die Grenze: »Kein Fremder darf die Schranke und die Höfe um den Tempel betreten. Wer auch immer (es dennoch tut) und ergriffen wird, der hat sich selbst den Tod zuzuschreiben, der darauf folgen wird.«

Im Vorhof der Heiden haben Händler und Geldwechsler ihre Stände aufgeschlagen, wahrscheinlich einfache Tische, Buden und Zelte aus ein paar Brettern und Stoffbahnen. Die Händler sind für den Tempel fast so wichtig wie die Priester. Denn nur in Jerusalem können vor Gott gültige Opfer vollzogen werden – und bei den Händlern im Hof können Lämmer und andere reine Opfertiere erworben werden. Da täglich morgens und nachmittags geopfert wird, sind ständig Gläubige hier, die Tiere kaufen, um sie Priestern zu übergeben, welche die Tiere schlachten und auf die Flammen des Altars legen. Ohne Händler keine Opfer. Ohne Opfer kein Kult.

Die Einzelheiten bleiben unklar. Doch Jesus muss an jenem 5. April irgendwann im Strom der Pilger auf den Tempelplatz gestiegen sein, vermutlich umgeben von seinen galiläischen Anhängern. Und dort stößt er die Tische der Händler und Geldverleiher um. Niemand weiß, wie viele von ihnen er ins Chaos stürzt und wie er aus dem Aufruhr aus umherirrenden Tieren, fluchenden Händlern und zornigen Pilgern wieder entkommt.

Diese von den Evangelisten überlieferte »Reinigung« des Tempels haben Christen später so verstanden, dass Jesus den Tempel vom profanen Mammon gereinigt habe. Doch die Händler sind tatsächlich keinesfalls Vertreter weltlichen Kommerzes, sondern notwendig für den religiösen Kult. Indem Jesus sie angreift, greift er das Herz des Tempels an. Das ist keine Reinigung, das ist ein Akt des Niederreißens, ein prophetisches Zeichen, dass das Ende dieses Tempels und seiner Rituale gekommen und das Reich Gottes nah sei. Eine Tat, welche, anders als die Predigten, Gleichnisse und Wunder, von den Priestern nicht länger ignoriert werden kann.

Jesus wird plötzlich zur Gefahr für die Sadduzäer. Sie stellen den Hohepriester; ihre Autorität gründet sich auf den Tempelkult – auch ihr Vermögen: Die kultisch begründete Tempelsteuer bringt Geld. Was Jesus an jenem Tag unternimmt, ist ein Frontalangriff gegen die Elite des Judentums.

Mit dem Angriff auf die Tempelhändler besiegelt Jesus sein Schicksal – nicht etwa mit seiner Lehre, nicht mit der Bergpredigt und der Erweckung von Toten, nicht mit Gleichnissen und der provozierenden Ablehnung von vielen althergebrachten Bräuchen. Erst mit diesem Akt kaum 48 Stunden vor Beginn des Passahfestes macht er sich den Hohepriester Kaiphas zum Todfeind. Hätte er diese eine Provokation unterlassen, Jesus wäre vielleicht nie gekreuzigt worden – und seine Lehre, sein Wirken, seine Person wären möglicherweise längst vergessen.

DER HOHEPRIESTER KAIPHAS und der Präfekt Pilatus sind ein seit Jahren eingespieltes, machtbewusstes Tandem. Kaiphas aus Beth Meqoschesch hat Karriere gemacht, weil er einst die Tochter eines Hohepriesters heiratete. Seit zwölf Jahren hat er selbst das höchste religiöse Amt inne.

Im November 1990 ist bei Arbeiten im Friedenswald, südlich der heutigen Jerusalemer Altstadt, das Grab der Kaiphas-Familie entdeckt worden. Der israelische Archäologe Zvi Greenhut und der Anthropologe Joe Zias untersuchten das im ersten nachchristlichen Jahrhundert immer wieder zu Bestattungen genutzte Grab mit Blick auf den Berg Zion. Sie entdeckten insgesamt 63 Skelette, verteilt auf zwölf Ossuarien – aus Kalkstein geschnittene Särge, in denen die Juden einst die Knochen ihrer Toten beisetzten, nachdem das Fleisch verwest war.

Ein durch extravagante Blütenmuster geschmücktes Ossuarium, eines der feinsten, die je entdeckt worden sind, trägt den Namen des Kaiphas selbst. In ihm bargen Greenhut und Zias die Skelette dreier Kinder, eines männlichen Jugendlichen, einer erwachsenen Frau und eines Mannes von rund 60 Jahren – wahrscheinlich die Knochen des Hohepriesters.

Pontius Pilatus ist seit dem Jahr 26 »Praefectus Iudaeae«. Er ist ein »eques«, ein Ritter, Angehöriger der zweithöchsten römischen Gesellschaftsschicht. Einer seiner Vorfahren gehörte zu den Verschwörern, die Julius Cäsar an den Iden des März umbrachten. Er residiert in einem Palast im Küstenort Cäsarea und begibt sich nur zu besonderen Anlässen nach Jerusalem – etwa zum alljährlichen Passahfest.

Pilatus gilt als unnachgiebig, bestechlich, gewalttätig, hart, räuberisch und grausam. Überliefert ist, dass er vergoldete Feldzeichen der Soldaten nach Jerusalem bringen lässt. Dort erregen die verhassten Abbilder des Kaisers den Zorn der Menge so sehr, dass Protestierende in Cäsarea sich erbieten, lieber alle hingerichtet zu werden, als diese Bildnisse in Jerusalem zu dulden. Schließlich gibt Pilatus nach. Überliefert ist auch, dass er in seiner Amtszeit mindestens einen Aufstand blutig unterdrücken lässt und ein Massaker anordnet.

Pilatus wird im Jahr 36 wegen fortgesetzter Gewalttätigkeiten von seinem Posten abberufen und nach Rom zitiert, wo ihm der Prozess droht. Doch ehe er sich verantworten muss, stirbt der Kaiser. Danach scheint das Verfahren im Sande verlaufen zu sein – und Pilatus verschwindet aus der Geschichte.

Kaiphas verliert ebenfalls im Jahr 36 sein Amt (es sind die Römer, die bestimmen, wer in Jerusalem Hohepriester wird) – ein Indiz dafür, wie eng die Schicksale dieser beiden Männer miteinander verwoben sind.

Nach dem Affront im Tempel wird es wohl Kaiphas sein, der Jesus ausschalten will, denn diese Aktion richtet sich direkt gegen ihn. Todesurteile aber kann nur Pilatus verkünden. Wieso Jesus nicht sofort verhaftet wird – schließlich bewachen Trupps der jüdischen Tempelpolizei das Heiligtum –, ist nicht klar. Möglicherweise kann er im Durcheinander entkommen, möglicherweise zögert Kaiphas, ihn in aller Öffentlichkeit zu verhaften, weil er in der erhitzten Atmosphäre Jerusalems einen Aufstand befürchtet.

Kreuzweg: Der Verurteilte muss, so will es römisches Gesetz, sein Blutgerüst selbst zur Hinrichtungsstätte schleppen

Andererseits muss Jesus seit dieser Tat klar sein, dass ihm der Tod droht. Im Gasthof von Bethanien, in dessen Obergeschoss er mit seinen Jüngern das letzte Mahl einnimmt, spricht er Worte, die der Theologe Jürgen Roloff die »am häufigsten wiederholten, am meisten umrätselten und am dichtesten interpretierten der Menschheitsgeschichte« genannt hat. Was Jesus wirklich erzählt, was er prophezeit oder angeordnet haben mag, lässt sich nicht mehr im Detail klären – zu dicht, zu sehr von späteren Interessen geleitet sind die Übermalungen, die eingefügten Texte der Evangelisten.

Die Magistrate sitzen zu Gericht. Der Vorwurf: Aufruhr gegen Rom!

Klar scheint nur zu sein, dass Jesus im Angesicht des Todes seine Jünger auf einen Bund einschwört und ihnen die baldige Herrschaft Gottes voraussagt. Klar ist zudem, dass Jesus nicht einen Augenblick daran denkt, nach Galiläa zurückzukehren und dort abzuwarten, bis sich die Aufregung in Jerusalem gelegt hat. Stattdessen geht er noch einmal in den Garten Gethsemane im Kidrontal östlich des Tempels, um zu beten. Dort wird er von einem Trupp der Tempelpolizei verhaftet. Es ist Mitternacht. Noch 15 Stunden.

Vielleicht ist Verrat im Spiel. Vielleicht hat Judas ihn tatsächlich an den Hohepriester für 30 Silberlinge verkauft oder aus Enttäuschung verraten. Vielleicht sind dessen Dienste notwendig gewesen, damit die Tempelpolizei weiß, wo sie Jesus zu suchen hat; vielleicht sogar, wen sie suchen muss: Ist der Judaskuss nicht ein Indiz dafür, dass Jesus selbst jetzt noch bei den Menschen von Jerusalem so unbekannt ist, dass man Helfer braucht, um ihn zu identifizieren?

Der Gefangene wird sofort zu Kaiphas geschleppt, entweder zum Anwesen des Hohepriesters in der Oberstadt oder zum Versammlungshaus des Synhedrions in der Nähe des Xystosplatzes. Hier warten Kaiphas und zumindest ein Teil des 71 Köpfe zählenden Synhedrions – des jüdischen Hohen Rates aus Priestern, Adeligen und Gelehrten, der beherrscht ist von Sadduzäern, auch wenn einige Pharisäer dazugehören.

Kaiphas muss die Affäre schnell hinter sich bringen. Wenn am Abend dieses gerade angebrochenen Tages Posaunen erschallen, werden sie den Beginn des Sabbats anzeigen – und den Beginn des Passahfestes. Hinrichtungen gelten danach als kultisch unrein. Doch das Synhedrion darf in Kapitalverbrechen keine Urteile sprechen. Also lässt der Hohepriester eine Anklageschrift vorbereiten. Diesem Ziel allein dient das Verhör, in dem Jesus dazu gebracht wird, sich als Messias zu bekennen oder zumindest nicht zu leugnen, dass er es sei.

Ein paar Stunden später wird er von der Tempelpolizei vermutlich zum Herodespalast am heutigen Jaffator geschleppt, wo Pilatus residiert. Der Vorwurf in der Anklageschrift ist nicht religiöser, sondern politischer Natur: Aufruhr gegen Rom.

Die römischen Magistrate sitzen meist am frühen Morgen zu Gericht. Also wird auch Jesus wohl schon beim ersten Dämmerlicht gefesselt vor Pilatus stehen – wahrscheinlich auf dem Vorplatz des Palastes, in dem Pilatus auf dem *bema* sitzt, dem Richterstuhl. Römische Bürger können gegenüber den Urteilen von Magistraten beim Kaiser appellieren, für die Untertanen ohne dieses Privileg dagegen ist die erste zugleich die letzte Instanz. Auch für Jesus.

Die Evangelisten, die als Einzige über diesen Tag berichten, haben später den Prozess aller Wahrscheinlichkeit nach mit einer klaren Intention wiedergegeben: Pilatus wird da als zögernder Richter gezeichnet, der seine Hände in Unschuld wäscht, der Jesus gar am liebsten per Amnestie freigelassen hätte. Und es seien »die Juden« gewesen, die auf dem Todesurteil bestanden hätten.

Doch so ist es wahrscheinlich nicht gewesen. Denn als Markus und dessen Nachfolger ihre Texte schrieben, hatten sich die Christen gerade vom Judentum gelöst und waren zu dessen Gegnern geworden, während sie zugleich eifrig neue Anhänger unter den Heiden warben – also auch unter den Römern, ebenjenen, die Jesus letztlich auf die Richtstätte gebracht hatten.

Einen kurzen Prozess im wahrsten Sinne des Wortes wird Pilatus gemacht haben, wie unzählige Male davor und danach. Er spricht Jesus wohl der »seditio« (des Aufruhrs) oder der »perduellio« (des schweren Landfriedensbruches) schuldig. In jedem Fall wird der letzte Satz, den Jesus von ihm vernimmt, die Formel gewesen sein: »Du wirst das Kreuz besteigen.«

Jesus wird danach sofort, wie es römischer Brauch ist, von den Soldaten des Exekutionskommandos abgeführt. Sie dürfen seine Kleidung behalten; sie verspotten den Verurteilten; sie geißeln ihn mit dem »horribile flagellum« – einem Lederriemen, der mit Knochenstücken, Stacheln oder Bleiklumpen bestückt ist und tiefe Wunden reißt.

Blutüberströmt und nackt wird er anschließend, mit zwei weiteren Verurteilten, durch die Gassen Jerusalems getrieben. Er trägt den Kreuzbalken. Vor ihm hat ein Soldat den »titulus« aufgepflanzt, jenes Schild, auf dem das Verbrechen des Delinquenten verkündet wird: INRI, »Jesus von Nazareth, König der Juden«. Vom Palast wird es wohl durch die Oberstadt gehen, hinaus am Gennathtor beim Hippikusturm, bis nach Golgatha, der »Schädelstätte« – einer Hügelkuppe inmitten eines alten Steinbruchs nördlich der Stadt.

Hinrichtungen sind Spektakel, an denen das Volk mit wollüstigem Schrecken teilnimmt – es gibt kein Indiz dafür, dass es diesmal anders gewesen sein könnte. Anhänger wird Jesus kaum gesehen haben. Wenige Frauen sind bei ihm, stehen zumindest später in der Nähe des Kreuzes, unter ihnen Maria Magdalena. Die Jünger aber sind alle geflohen. (Und es bleibt ein Rätsel, warum Pilatus und Kaiphas, da sie Unruhen befürchten, nicht auch diese rechtzeitig verhaften und exekutieren lassen.) Es ist, berichtet Markus, etwa 9 Uhr morgens, als Jesus ans Kreuz genagelt wird. Die Kreuzigung ist die entehrendste, die schändlichste, die qualvollste Todesstrafe im römischen Recht. So werden Verbrecher und Sklaven hingerichtet. Das Kreuz ist kaum höher als der Delinquent: ein kreuz- oder T-förmiges Gerüst, an welches das Opfer gebunden oder genagelt wird.

DER ISRAELISCHE ARCHÄOLOGE Vassilios Tzaferis entdeckte im Juni 1968 in Jerusalem das Grab einer wohlhabenden Familie aus dem ersten nachchristlichen Jahrhundert – zu der aber auch ein Verbrecher oder Aufständischer gehört haben muss. Denn das Skelett eines Mannes namens Jehochanan (er muss Mitte 20 gewesen sein) zeigte Spuren einer Kreuzigung: In seinem rechten Fersenbein steckte ein rund elf Zentimeter langer Eisennagel, dessen Kopf mit einer Holzplatte verbreitert worden war.

Tzaferis vermutet, dass Jehochanan ans Kreuz genagelt wurde. Die Platte unter dem Nagelkopf sollte dafür sorgen, dass der Delinquent seine Füße nicht von dem Nagel reißen konnte. Doch als nach dem Tod die Leiche abgenommen wurde, löste sich der Nagel nicht aus dem Knochen, denn er hatte sich im harten Olivenbaumholz des Kreuzes beim Einschlagen so verbogen, dass er nun wie ein Widerhaken geformt war. Also bestattete seine Familie den Hingerichteten mitsamt dem Nagel, der noch immer im Fuß steckte, der Holzplatte und einem abgesägten Teil des Kreuzes. Da die Arme und Hände Jehochanans andererseits unverletzt blieben, vermutet Tzaferis, dass sie an die Querbalken gebunden worden waren.

Doch ob gebunden oder genagelt: Das Qualvollste an der Kreuzigung ist nicht die Befestigung am Gerüst, sondern die ausgestreckte Haltung. Das Opfer muss sich mit den gefesselten oder genagelten Beinen irgendwie abstützen, denn mit seinen weit ausgestreckten Armen wird es ersticken, sobald der Körper nach unten absackt.

Der Todeskampf – jenes verzweifelte Wechselspiel von Erschöpfung, die den Körper nach unten sacken lässt, und Ersticken, das ihn sich wieder aufbäumen lässt – kann stunden-, manchmal tagelang dauern. Es gilt als Akt der Gnade, wenn die Wachsoldaten, der Warterei schließlich überdrüssig, dem Gekreuzigten die Beinknochen zerschlagen, so dass er hilflos absackt und nach einigen Minuten erstickt.

Jesus hält sechs Stunden durch. Es gibt Augenzeugen für sein Sterben: die Wachmannschaft auf Gol-

Golgatha: Nur einige weibliche Anhänger folgen Jesus zum Kreuz, die Jünger aber sind aus Jerusalem geflohen

gatha, vielleicht Schaulustige auf der Jerusalemer Mauer, von der aus man einen guten Blick auf die Gekreuzigten hat, und schließlich Maria Magdalena und andere Frauen aus seiner Anhängerschaft. Sie allein sind die einzigen Gläubigen, die bis zuletzt bei ihm sind. Sie sind es auch, die Jesus plötzlich rufen hören: »Mein Gott, mein Gott, warum hast du mich verlassen?« Das ist kein Zeichen der Verzweiflung, sondern der Anfang des Psalms 22, eines jüdischen Sterbegebets. Doch ihm fehlt schon die Kraft, um es noch zu vollenden. »Aber Jesus schrie laut und verschied«, berichtet Markus lakonisch. Es ist ungefähr 15 Uhr am 7. April 30.

Hätte Jesus noch 20 Jahre weiter gepredigt und Wunder getan – gut möglich, dass er heute längst vergessen wäre. Wäre er hingerichtet und verscharrt worden – gut möglich, dass sich seine Anhängerschaft zerstreut hätte wie die Johannes des Täufers, dessen Bewegung mit seinem Tod endete. Doch was jetzt, nach der Kreuzigung, geschieht, wird zum Gründungsmythos einer neuen Weltreligion.

Meist bleiben Gekreuzigte im Römischen Imperium hängen, den Raben zum Fraß, dem Volk als abschreckendes Beispiel. Selbst die Würde eines eigenen Grabes wird ihnen verwehrt – nur nicht in Judäa. Unbestat-

9. April 30, früh am Morgen. Die Frauen erschrecken: Das Grab ist leer

tete Leichname, glauben die Juden, verletzen die Reinheit des Landes. Nicht aus Mitleid mit den Toten, sondern aus Sorge um die kultische Reinheit werden auch Verbrecher schnell beerdigt.

Die Evangelien berichten, dass Joseph von Arimatäa, ein frommer Jude und Mitglied des Synhedrions, bei Pontius Pilatus die Freigabe des Leichnams erbittet. Das Grab des Joseph von Arimatäa liegt bei Golgatha, wahrscheinlich eine in den Felsen gehauene Kammer, die mit einem Stein verschlossen wird. Hier wird Jesus ohne besondere Zeremonie beigesetzt, noch ehe die Posaunen den Sabbat verkünden.

Am frühen Morgen des 9. April dann nähern sich Maria Magdalena und wahrscheinlich zwei oder drei weitere Frauen dem Grab, denn sie wollen den Toten nun, nach dem Sabbat, mit Ölen salben. Das Grab aber ist leer.

Was ist an jenem Morgen des 9. April 30 geschehen? Dass etwas geschehen sein muss, ist unbestritten, denn ohne Auferstehung gäbe es kein Christentum. Erst dieses selbst die antike Gläubigkeit sprengende Wunder ist so etwas wie der Urknall des Christentums, sein Anfang, seine Begründung und Legitimation: Jesus hat den Tod überwunden, und wer ihm folgt, dem wird dies auch gelingen. Was für eine grandiose Hoffnung!

Doch worauf beruht sie?

Die Evangelien liefern, wie so oft, widersprüchliche Berichte. Jesus sei den Jüngern in Jerusalem erschienen oder auf dem Weg zum Dorf Emmaus oder in Galiläa (und habe dort sogar Fisch mit ihnen verspeist).

Mensch und Mythos

Oder: Von den Jüngern hätten ihn zuerst zwei gesehen, deren Namen niemand nennt. Oder: Nur Petrus habe ihn getroffen. Allen Überlieferungen gemeinsam ist nur, dass es die Frauen um Maria Magdalena sind, die das leere Grab entdecken.

Haben einige Anhänger Christi den Leichnam heimlich irgendwo anders verscharrt, um mit dem Wunder des leeren Grabes die Schmach der Kreuzigung wettzumachen? Um auch weiterhin um Gläubige zu werben?

Eher unwahrscheinlich, denn es ist offensichtlich, dass Petrus und die anderen tatsächlich an die Wiederauferstehung glauben – und bereit sind, dafür in den Tod zu gehen. Wer aber würde um einer selbst fabrizierten Fälschung willen zum Märtyrer werden?

Gegen diese Version spricht auch, dass es Frauen sind, die das leere Grab entdecken. Das Zeugnis einer Frau gilt im Judentum viel weniger als das eines Mannes. Hätte jemand betrügen wollen, er hätte dafür gesorgt, dass ein Mann das leere Grab bezeugt hätte.

IST JESUS VIELLEICHT GAR NICHT TOT, als er vom Kreuz genommen wird? Schließlich hing er »nur« sechs Stunden und wird wohl eilig begraben. Hat man da in der Hast vielleicht nicht bemerkt, dass er noch atmet? Verschwindet also aus dem Grab kein Toter, sondern ein Lebender? Doch wie hätte Jesus mit zernagelten Füßen nach Emmaus wandern oder geschunden, wie er war, am See Genezareth Fische verspeisen können?

Die Theologen Gerd Lüdemann und Alf Özen halten es für möglich, dass Petrus, der Jesus verlassen hat, von Schuld und Trauer zermürbt ist und plötzlich in einer glorreichen Vision Trost findet – einer Vision, in der ihm Jesus leibhaftig erscheint. Allerdings hätten dann noch andere Anhänger diese psychologische Disposition aufweisen müssen, denn Petrus ist nicht der Einzige, der fortan verkündet, ihm sei Jesus erschienen.

Für Wissenschaftler, die wissen und nicht glauben wollen, bleibt die Auferstehung letztlich rätselhaft. Denn auch sie müssen erkennen, dass Petrus und viele andere Anhänger Jesu von dessen Auferstehung überzeugt sind – so überzeugt, dass sie dafür sogar zum Sterben bereit sind.

Erst die Auferstehung macht aus ihnen Christen. Nichts, das Jesus sie gelehrt hätte, kein Wunder, das er in ihrem Beisein wirkte, kein Gleichnis überwältigt sie so wie dieses Ereignis. Als er noch lebte und verhaftet wurde, da sind sie geflohen und wären vielleicht nie wieder zusammengekommen. Doch nun, nach der Auferstehung, versammeln sie sich wieder, organisieren sich und ziehen missionierend umher.

20 Jahre später existiert eine erste christliche Gemeinde in Rom, sind die Gläubigen aus einer Randregion des Reiches im Herzen des Imperiums angekommen. Später helfen ihnen die Evangelien bei ihrer Mission im Römischen Reich. Die Juden, von denen sich die Christen nun absetzen wollen, werden in diesen Überlieferungen geschmäht – obwohl Jesus doch selbst Jude war. Die Römer dagegen, deren Seelen die Christen gewinnen wollten, werden entlastet – obwohl Jesus von ihnen gekreuzigt wurde. Und

seine Geburtsgeschichte wird verändert, damit Jesus als Mann aus Bethlehem und damit Erfüller alter Prophezeiungen galt – obwohl er doch aus Nazareth stammt.

Die Änderungen sind zahlreich, manchmal grob, manchmal subtil, letztlich erfolgreich. Nicht mit dem historischen Jesus gewinnen die Christen neue Anhänger, sondern mit dem Jesus der Evangelien.

Und doch schimmert selbst heute, nach fast zwei Jahrtausenden, noch etwas vom Staunen, von der Hoffnung, vom Glauben derjenigen durch, die ihm noch zu Lebzeiten begegnet sind – und auch von jenem Schauder, jenem namenlosen Schrecken, den einer erzeugt, dessen Wesen wir nicht zu ergründen vermögen.

Markus etwa endet mit einem hoffnungsvollen Bericht von der Erscheinung des Auferstandenen und seiner Himmelfahrt. Doch in den frühesten Handschriften dieses ältesten der Evangelien fehlen diese Verse – offensichtlich sind sie später eingefügt worden, um den Text zu glätten, ihn den anderen Evangelien anzupassen.

Denn eigentlich endet die Geschichte bei Markus mit dem offenen Grab: Maria Magdalena und zwei anderen Frauen verkündet dort »ein Jüngling, der ein langes, weißes Kleid anhatte«, dass Gott Jesus vom Tod erweckt habe. Doch rätselhaft und dunkel ist dann das ursprüngliche Ende der »Frohen Botschaft«:

»Und sie gingen schnell heraus und flohen von dem Grabe; denn es war sie Zittern und Entsetzen angekommen; und sagten niemand etwas, denn sie fürchteten sich.« **(2004)**

■ **Siehe auch A–Z-Teil**

→ Apostel · Auferstehung Christi · Bergpredigt · Essener · Golgatha · Gott · Israel · Jerusalem · Johannes der Täufer · Judentum · Kreuzigung Jesu Christi · Maria · Messias · Paulus · Pharisäer · Prophet · Qumran · Sabbat · Wunder

Cay Rademacher ist Geschäftsführender Redakteur des Geschichtsmagazins GEO EPOCHE und hat sich zum wiederholten Mal auf die Spuren biblischer Gestalten begeben. Der Illustrator Wieslaw Smetek ließ sich für seine Darstellungen von antiken Fresken in römischen Katakomben inspirieren. Wissenschaftliche Beratung: Dr. Wolfgang Zwickel, Professor für Altes Testament und Biblische Archäologie, Universität Mainz.

Voodoo

Der Teufel und seine Handlanger

In Haiti herrschen die Geister des Voodoo – und ein politisches Schreckenssystem. Deshalb geben die Menschen der Bedrohung Gestalt. In religiösen Ritualen und im Karneval

GEO Dossier

In Herzen und Köpfen sind wir noch immer Sklaven geblieben, sagen viele Haitianer. Und die **Bilder der Unterdrückung** werden im Karneval wieder lebendig: Geschundene Körper taumeln durch die Straßen; Angstgeschöpfe, halb Leibeigene, halb Teufel, versuchen, sich zu befreien

Voodoo

Text:
Gabriele Riedle
Fotos:
Cristina Garcia Rodero

Ich habe den Teufel gesehen. Und seine Handlanger. Wann? Wo? In der Kleinstadt Jacmel? In der Hauptstadt Port-au-Prince? Draußen im Wald? Drinnen im städtischen Gewühle? In der Bretterbude? Im Palast? Im Karneval, der in dieser Woche wie verzweifelt durch die Straßen tobt? Im Alltagsleben, das sich, genauso verzweifelt, dahinschleppt? Vor Tagen? Oder erst gerade eben, in dieser Nacht, bei der Voodoozeremonie in dem kleinen Palmenwäldchen außerhalb von Jacmel, aus dem ich jetzt davonlaufe, Feuerschein im Rücken, Wurzelungetüme unter den Füßen, Äste im Gesicht? Schwer zu sagen. Erst einmal bloß weg hier! Weg aus diesem Wald!

Den Geistern des Voodoo zu Ehren ziehen Pilger zum **Wasserloch von Sankt Jakob** im Norden Haitis. In Trance lassen sie dort Kalebassen mit brennenden Holzscheiten schwimmen: als Geschenke für die dunklen Mächte

SO VIELES MÜSSTE MAN JA ERKLÄREN. Warum die Menschen in Haiti von Geistern und von finsteren Mächten umzingelt sind. Warum ihnen so oft Schweißperlen auf der Stirn stehen. Warum sie sich innerlich ducken und Schutz suchen. So wie ich in dieser Nacht.

Vielleicht müsste man wissen, wie das Böse in die Welt kam. Aber es ist einfach da. Wie soll man es erklären? Wie sollen sich die Menschen dagegen schützen?

Wohin ich auch komme: immer die gleiche Frage. Aber jeder gibt andere Antworten.

Der Satan, ja, der existiert, das ist ganz klar, sagt Monseigneur Guy Poulard, katholischer Bischof der Provinz Jacmel an der Südküste Haitis, ein aufrechter Mann, bedeutender Regierungskritiker, Liebhaber der Naturwissenschaften, Kenner der Philosophen. Er weiß, dass es so viele Dinge gibt, die auch die Wissenschaften nicht erklären können. So lässt er zu Ehren des Höchsten und zur Abwehr allen Übels gerade eine kleine Sixtinische Kapelle aus Beton in seinen ländlichen Garten am Rande des Städtchens bauen, wo er dann den Leib Christi in einer Oblate anbeten wird, um den Sieg des Guten über das Böse herbeizubeschwören.

Wir brauchen das Böse, ohne das Böse gibt es kein Gutes, und die Welt wäre eine weiße Fläche, sagt wiederum Pierre Sanctus, der Voodoohexer, des Bischofs entfernter Nachbar hier draußen in diesem Wald hinter Jacmel, aus dem ich nun flüchte.

Ti-Pierre, der kleine Pierre, wie man ihn immer noch nennt, obwohl die Adepten in Haiti und selbst die Exilanten in Miami und Montreal wissen, wie groß er ist, hat seinen riesigen Tempel, ebenfalls aus Beton wie die Six-

Vielleicht, sagen manche, braucht dieses Land eine Katastrophe

tinische Kapelle des Bischofs, den Teufeln des Voodoo geweiht. Er entzündet statt Kerzen fürchterliche Feuer, verspritzt nicht Wasser, sondern Kerosin und überlässt dem Bösen seinen Leib, auf dass es in ihn fahre und aus ihm spreche. Weil es besser ist, sich mit dem Teufel zu verbünden, statt gegen ihn zu kämpfen. Und als Ti-Pierre das sagt, erscheint es mir fast logisch. Nach allem, was ich bis dahin gehört habe. Wie soll man gegen etwas kämpfen, was nicht richtig zu greifen und ohnehin stärker ist?

Aber vielleicht wird auch dieses kühnste aller Bündnisse und diese radikalste aller Schutzmaßnahmen nichts nutzen. Vielleicht ist alles schon zu spät, und es gibt keinen Schutz mehr. In Haiti. Für Haiti.

Wie viele Kulturen sind untergegangen in der Weltgeschichte; es gibt Länder, die einfach verschwinden – vielleicht braucht Haiti eine Katastrophe. Das sagt der berühmte Maler und Dichter Franketienne. Er ist krank, er ist verzweifelt, er reibt sich mit der Hand über das Gesicht – dort in Port-au-Prince in seinem Garten hinter einer Mauer, die höher ist als sein Haus und doch nicht gegen den Gestank von draußen schützt. Aber wenigstens muss er dort das Böse nicht sehen.

Mir aber begegnet das Böse seit Tagen, seit Wochen überall. Es ist allgegenwärtig in diesem zerstörten, gewalttätigen, hoffnungslosen Land, dem ärmsten der westlichen Hemisphäre – und die abgrundtiefe ökonomische Krise verschlimmert sich jeden, wirklich jeden Tag. Erst gestern wieder, als die Preise für Treibstoff von Staats wegen erneut drastisch erhöht wurden.

Denn damit wurde auch der Betrieb von Stromgeneratoren, Kerosinkochern, Lastwagen und auch von Sammeltaxis teurer – sodass selbst jene, die noch Arbeit haben, die Fahrt dorthin kaum mehr bezahlen können. Ganz zu schweigen von den Lebensmitteln fürs Abendessen: Durch die gesteigerten Produktions- und Transportkosten sind sie fast unerschwinglich geworden.

500 Jahre schon herrschen Unglück und Schrecken in Haiti. Erst Kolonialismus und Sklaverei. Dann die Diktaturen. Jetzt das Regime des Präsidenten Jean-Bertrand Aristide, das die Leute inzwischen noch furchtbarer finden als alle vorigen.

Und immer: Mühsal, Missgunst, Verrat, Armut. Schmutz. Zerstörung. Krankheit. Willkür. Unterdrückung. Verfolgung. Tod.

In den Dörfern. In den Städten.

Armselig sind die Dörfer, und um sie herum ist das bergige Land fast nackt, die fette Pracht der Tropen längst weggeholzt, die Plantagen verschwunden. Nun trotzen die Kleinstbauern ihm nicht einmal mehr das Nötigste für den eigenen Gebrauch ab – während es langsam, ganz lang-

Die Geister haben spitze Köpfe. Der neidische Nachbar hat sie geschickt

sam ins Meer hinunterrutscht. Und in den Städten ist der koloniale Zauber längst erstickt unter Schrott, unter stinkendem und brennendem Müll und unter den viel zu vielen Menschen ohne Schutz, ohne Arbeit, ohne regelmäßigen Strom, ohne trinkbares Wasser, ohne saubere Luft zum Atmen, ohne Geld für die nächste richtige Mahlzeit. Dafür sind die Menschen voller Angst vor der nächsten Nacht oder dem Tag darauf.

Weil niemand weiß, was alles passieren kann. Auf den Straßen, auf denen immer wieder Schüsse fallen und Barrikaden brennen. In den Häusern der Kranken und der gerade noch Gesunden. In den Hütten derer, die noch das Nötigste haben, um halbwegs zu überleben. In den Verschlägen der Ärmsten der Armen, die nur noch Dreck fressen.

Man kann das Böse fühlen, riechen, sehen. Aber noch einmal: Wie sollen sich die Menschen dagegen schützen?

Überall heißt es: Geh hier nicht hin, geh dort nicht hin. Hier sind die Geister, dort die Chimären. Die Geister des Voodoo, die Chimären der Regierung – so nennt man jene Hungerleider, die als Terrorkommandos für die Herrscher des Diesseits arbeiten. Manchmal heißen sie auch Partisanen der Macht oder Armée Cannibale. Hauptsache, die Menschen zittern vor ihnen und damit vor der Regierung, die sie gekauft hat für ein paar warme Mahlzeiten. Der Bürgermeister von Jacmel hat das so ausgedrückt: Wenn man einem Hund eine Woche lang nichts zu essen gibt, frisst er entweder kleine Kinder oder er wird Chimäre.

Die Geister schickt dir dein neidischer Nachbar, sie werden dir um Mitternacht auf den Wegkreuzungen begegnen, sagen die Leute, sie haben lange Ohren und spitze Köpfe, und sie werden dich packen und holen, und du wirst tot sein, aber nicht richtig, denn du wirst ihnen dienen müssen, als Zombie für alle Zeit.

Die Chimären jedoch wirst du bei Tage treffen. Sagenhafte Ungeheuer, die du nicht erkennen wirst. Sie sehen so aus wie du, sitzen neben dir im

Sammeltaxi, gehen hinter dir durch die Straßen, und plötzlich prügeln sie auf dich ein. Weil du dich über die Benzinpreise beklagt hast oder einfach so, damit alle sehen, dass das Böse überall ist und es keinen Sinn hat, dagegen aufzumucken. Du wirst dich ducken, nicht nur innerlich, Schweiß wird auf deiner Stirn stehen, und dann wirst du mittags auf der Straßenkreuzung liegen und tot sein, aber richtig, und deine Chance, den Herrschern des Diesseits zu dienen, wirst du für immer vertan haben.

So kann niemand gehen, wohin er will. Es sei denn außer Landes, auf einem jener Seelenverkäufer, die nicht selten untergehen, noch bevor sie vor Miami von der Küstenwache aufgebracht werden könnten.

Und fast keiner, der hier bleibt, kann wagen, seine eigenen Worte zu sprechen. Manche wiederholen die Gebete der katholischen Kirche, manche repetieren die Parolen der Macht, manche stammeln die Reden der Geister, die in ihre Körper fahren und sich aus ihren Münder artikulieren. Und manche sprechen und leben alle diese entfremdenden Sprachen gleichzeitig und wissen gar nicht mehr, wer sie selbst sind.

Rennen morgens in die Kirche, loben mittags auf Demonstrationen gegen Bezahlung die Regierung, tanzen nachts in den Voodootempeln, damit ein Schutzgeist auf sie hernieder komme, schieben Maske vor Maske – in mehrfachem Synkretismus. Um irgendwie doch noch einen Weg zu finden durch die Bedrohungen der Tage und der Nächte, des Diesseits und des Jenseits. Denn dies ist ein Land, das nicht leben und nicht sterben kann. Wie jene Menschen, die nachts von den Geistern geholt werden.

Los lauf, hat man mir vorhin im Wald gesagt. Höchste Zeit. Sie sind schon unterwegs.

Wann genau Haiti von den Geistern geholt wurde, ist unklar, aber dass sie gekommen sind, nicht verwunderlich. Es geht einfach nicht, mehr als eine Million Menschen auf einem Kontinent zusammenzutreiben, sie in Schiffe zu pferchen, die Hälfte sterben zu lassen, die andere Hälfte dann irgendwo in einem anderen Kontinent auf einer Insel wieder abzusetzen, sie zu schinden und auszubeuten bis aufs

---

Die Teufel sind in Haiti überall – und im Karneval zeigen sie sich als **gehörnte oder geflügelte Kreaturen.** Sie sind nicht nur Fabelwesen aus den Mythen der Vergangenheit, sondern auch poetischer Ausdruck der Bedrohungen, die jeder täglich erfährt: Not, Armut, Krankheit, Tod

Voodoo

Blut – und dann zu erwarten, dass sich aus all dem noch einmal ein halbwegs intaktes Gemeinwesen entwickelt.

Vielleicht sind die bösen Geister der Vergangenheit zu stark, vielleicht sind sie nicht wieder auszutreiben.

Nachts, wenn die uralte Stille auf Haiti drückt, schlagen die Lebenden noch immer die Voodootrommeln, zelebrieren die Religion ihrer Vorfahren, singen Lieder, sprechen Formeln, opfern Tiere für die Seelen der Toten von damals. Um tags darauf wieder durch das Leben zu schleichen. Sklaven, die wir noch immer sind in den Köpfen und in den Herzen. So klagt der Bischof Poulard, so klagt der Künstler Franketienne – 199 Jahre nachdem der neu gegründete Staat die bösen Geister für einen Moment gebannt zu haben schien.

WELCHE HOFFNUNGEN HATTE MAN in diesen neuen Staat gesetzt! République d'Haiti. Ein Kind der Französischen Revolution. Die erste schwarze Republik der Welt. Das erste unabhängige Land Lateinamerikas. Man feierte die Befreiung vom Bösen: von den weißen Herren, von der Sklaverei, der Rechtlosigkeit, der Entmenschlichung.

Und noch heute, in diesen Karnevalstagen, hängen überall an den Häusern in den Städten die Pappmachéporträts der siegreichen Generäle des Sklavenheeres von damals: schwarz glänzende Gesichter, prächtige Epauletten, goldene Tressen, ausladende Generalshüte, quer auf den Köpfen wie bei Napoleon. Aber neben den Freiheitshelden grinsen die Teufel, und sie blecken die Zähne in wulstigen Fratzen.

2004 will die Regierung den 200. Jahrestag der Staatsgründung mit allem Pomp zelebrieren. Um sich zu schmücken mit den längst verratenen Errungenschaften eines historischen Moments in fernster Vergangenheit.

Die Philosophen sagen, dass die Menschen zwei große Machttechniken entwickelt haben, um mit dem Bösen umzugehen: den Staat und die Religionen.

Der Staat hält es im Zaum durch feste Regeln des Zusammen-

---

*Mag der Teufel im Karneval auch weiß und unschuldig aussehen – er wird doch ein **Dämon** bleiben. Im politischen Leben kann er sich als Menschenfreund gerieren, selbst wenn er eine Schreckensgestalt ist*

lebens, die Religionen versuchen, Macht über das Böse zu bekommen und die Menschen zu beschützen durch den Bund mit dem Absoluten.

Die wichtigsten Religionen in Haiti sind Katholizismus und Voodoo. Der Staat ist, nominell, eine Republik. Aber alle drei haben sich dem, was sie niederhalten wollten, längst anverwandelt, sind im Kampf gegen das Böse selbst böse geworden.

Der Staat zumindest versucht das schon lange nicht mehr zu verbergen: Wir müssen das Böse mit Bösem bekämpfen – das haben die zahllosen diktatorischen Regierungen immer wieder wörtlich verkündet. So haben die Menschen gelernt, dass das Böse auch mitten in Port-au-Prince sitzt, dort, wo das Palais Présidentiel über dem kurz geschnittenen Rasen leuchtet im stolzen republikanischen Weiß der französischen Aufklärung.

In dieses Palais war in den 1990er-Jahren doch noch einmal die Hoffnung eingezogen. Als Jean-Bertrand Aristide, der katholische Armenpriester aus den Slums von Port-au-Prince, Präsident wurde. Für einen Augenblick dachten die Menschen, nun hätten sie einen Schutz, nun werde alles gut, nun sei das Böse am Ende.

Doch Aristide hat das Priesteramt aufgegeben, die Hoffnung hat sich schnell verflüchtigt, seine scheinbare Liebe zur öffentlichen Armut in die zu privatem Reichtum verwandelt. Nach außen mimt er, erfolglos, aber hartnäckig, immer noch den Demokraten. Aber längst beschäftigt der Präsident diese informellen Terrorkommandos und Killertrupps, deren Chefs angeblich mehr zu sagen haben als die Minister. Und, so heißt es, diverse Voodoohexerinnen und -hexer.

Aristide, das ist selbst der Teufel, er trinkt das Blut von Menschen. Das höre ich immer wieder. Und die, die sprechen, senken dann ihre ohnehin

Aristide: der Teufel? Oder ein Durchschnittsdiktator im Freizeithemd?

schon leisen Stimmen, reißen die Augen auf, drehen sich unwillkürlich ein wenig nach rechts und nach links, um sich zu vergewissern, dass sie außer mir auch wirklich niemand hört.

Schließlich sehe ich ihn selbst. Aristide in seiner persönlichen Gestalt. Er zeigt sich dort im Herzen von Port-au-Prince, wo die Geräusche und die Gerüche Haitis, sein Glück, sein Unglück, sein Leben aufgehört haben, wo nur noch cremefarbene Wände, Böden aus spiegelblankem Marmor, Lüster aus Kristall und schwere Vorhänge sind. Aristide steht da, ein winziger Mann im Freizeithemd des Durchschnittsdiktators mit blau abgesetzten Schulterstücken und Hüftbündchen im Stil der DDR-Volkspolizei.

Es ist sehr still in dem riesigen Saal. Obwohl Aristide eine Handvoll Menschen hat zusammenrufen lassen, um die Eröffnung des Karnevals zu feiern. Dafür hat die Regierung angeblich 1,5 Millionen US-Dollar unters

Volk geworfen. Jetzt werden alle Anwesenden mit je einem halben Glas Sekt freigehalten, an die kostümierten Karnevalsköniginnen und -könige kleine Geschenke verteilt. Ferner wird die höchstamtliche Ankündigung ausgegeben, dass sich im kommenden Jubiläumsjahr sowohl Reichtum als auch Gesundheit in Haiti verdoppeln werden – auch wenn niemand weiß, welchen Reichtum Aristide verdoppeln will, und auch nicht, wer mit doppelter Gesundheit beglückt werden soll. Dennoch lassen die erstarrten Königinnen und stummen Könige auf Aristides Aufforderung hin Haiti schüchtern hochleben. Dann wird es wieder still.

Später sagen die, denen ich von dieser Szene erzähle: Oh, du hast ihn also tatsächlich gesehen.

Der liebe Gott steh uns bei, was soll noch aus uns werden?!

Und während sie sprechen, schlagen in den Karnevalszügen auf den Straßen unzählige geflügelte Teufel ihre Schwingen zusammen, der Knall von Peitschen treibt taumelnde Geschöpfe vor sich her, und mit Pech

Peitschen knallen, Ketten rasseln, Sklaven taumeln – Karneval auf Haiti

beschmierte Sklaven in rasselnden Ketten sinken auf die Knie. Denn im Inneren der Menschen leben lauter Bilder, die immer wieder sichtbar werden müssen – und in denen vom Teufel vereinigen sich die Ängste der Vergangenheit und die der Gegenwart.

Wie man mit dem Satan umgehen muss, weiß Monseigneur Guy Poulard, der katholische Oberhirte über die Schutz suchenden Seelen des Bistums Jacmel – katholisch sind in Haiti fast alle, auch die Anhänger des Voodoo. Es ist nämlich so, sagt der Bischof: Wo immer wir den Teufel finden, müssen wir gegen ihn kämpfen ohne Furcht! Wie Priester eben so reden. Besonders, wenn sie in einem bequemen Schaukelstuhl in einem gepflegten tropischen Garten sitzen, wo Hühner herumspazieren und ein paar Pfauen. Nur dass Poulard weiß, wovon er spricht.

Und der Bischof hat aus den Fehlern der Kollegen gelernt. Denn die katholische Kirche kennt den Teufel gut, sehr gut. Das Original aus dem Jenseits hat sie schon immer bekämpft, mit seinen Imitatoren im Diesseits dagegen oft paktiert. Mit den Kolonisatoren. Mit den Diktatoren.

Der Katholizismus kam einst mit einer Armee ins Land. Er hat nicht das Gute hervorgebracht, sondern, das sagen besonders die enttäuschten Jungen, das Böse: die Sklaverei, die Unterentwicklung, die Intoleranz. Die Kirche hat die Anhänger des Voodoo verfolgt, deren Trommeln zerschlagen und deren Heiligtümer zerstört – obwohl die Voodoogläubigen längst Jesus und Maria, die katholischen Heiligen und die katholischen Engel in ihren Götterpantheon mit aufgenommen hatten. Denn sehet, hatte die Kirche gesagt, der Voodoo ist die Kraft des Bösen. Und nicht etwa die Armut ist es oder die Unterdrückung.

Noch immer ruft das Land neben den Voodoogöttern und -geistern auch die katholischen Mächte um Hilfe an: mit den Sammeltaxen zur »Göttlichen Allmacht«, den Schneidereien zur »Unbefleckten Empfängnis«, den Getränkekiosken zur »Heiligen Dreifaltigkeit«. Auch wenn die Kirche die Menschen nie beschützt hat. Genauso wenig wie der Staat – dem mit Aristide ja nun ein abtrünniger Priester vorsteht.

BISCHOF POULARD ZUMINDEST WEISS, wie der Teufel heute aussieht. Er trägt, sagt er, das Gesicht der Korruption und des staatlichen Drogenhandels, der Armut und des Analphabetismus, der Rechtlosigkeit und der Anarchie, die gewisse Leute schüren, um andere massakrieren zu können. Dennoch gibt es Studenten, Akademiker, Geschäftsleute, Journalisten, Künstler, die gegen diesen Satan kämpfen, und sei es nur, indem sie den Mund aufmachen und ihn beim Namen nennen – um andere vor ihm zu beschützen. Sie selbst aber sind dann völlig schutzlos. Auf sie wartet täglich der Tod. Wenn ihre Häuser brennen, wenn die Bremsen ihrer Fahrzeuge versagen, wenn auf sie geschossen wird.

Aber auf all diese Gefahren können wir keine Rücksicht nehmen, sagt der Bischof in seinem Schaukelstuhl. Man hat uns auf die Probe gestellt. Und es gibt genug Menschen, die bereit sind, für ihr Land zu sterben. Er selbst offensichtlich eingeschlossen. Dann wippt er ein wenig vor und zurück. Wie, um sich seiner eigenen Gelassenheit erneut zu versichern.

Nicht nur der Tod ist allgegenwärtig, auch die Toten bleiben als übernatürliche Wesen präsent. Deshalb pilgern Voodoogläubige am christlichen **Allerheiligentag** auf die Friedhöfe, um mit den Geistern aus dem Totenreich, mit dem Grabkranz auf dem Kopf, Kontakt aufzunehmen

Voodoo

Und für alle Fälle entsteht ja in der Ecke des Gartens dieses Sixtinische Kapellchen. Als Zeichen der Hoffnung, die, sagt Poulard, die Kirche immer aufrecht erhalten muss – und auch, weil der Katholizismus das Magische unmöglich dem Voodoo allein überlassen kann. Und wenigstens die Kerzen, das Weihwasser und die Hostien werden den Teufel hoffentlich zittern machen. Wenn schon die sonstigen Bemühungen des Bischofs und seiner Brüder und Schwestern im aufklärerischen Geiste womöglich nichts nutzen. Nicht ihr Mut, nicht ihr Einsatz. Für das geliebte, sterbende Land. Und auch diesen letzten Halbsatz sagt Poulard, wie alle vorigen, ohne Pathos.

Aber vielleicht werden am Ende trotz allem nur die Teufel überleben. Die aus den Städten und die aus dem Wald.

PIERRE SANCTUS, DEN HEXER, treffe ich zum ersten Mal bei Tage. Ti-Pierre aus dem Wald bei Jacmel: Kann man einen Hexer nett finden? Sympathisch? Angenehm im Umgang?

Wo er doch aussieht wie die Unschuld selbst! Dieses Jungengesicht inmitten der Kulisse seines Kultes: den Totenschädeln; den rot-seidenen Flaggen mit schwarzen Kreuzeszeichen; der ausgebrannten Feuerstelle mit dem rußgeschwärzten und schwer mit Ketten behängten Eisenkreuz in der silbrigen Asche; dem mehrfach mannshohen Betonkruzifix, das, wie die riesige offene Versammlungshalle und der Tempel selbst, angestrichen ist in Feuerrot und Schwarz, den Farben des Teufels, dem all dies geweiht ist.

> Im Angesicht des Vergänglichen wird das Leben umso ekstatischer gefeiert. Die **Geister der Friedhöfe,** sagt man, schwingen obszöne Reden und tanzen schweinische Tänze – und die Zeremonien, die für sie an Allerheiligen abgehalten werden, arten oft aus in wilde sexuelle Vergnügungen

Ti-Pierre, 24 Jahre alt, sitzt in seiner rot-schwarzen Hexerarbeitskleidung lächelnd auf einem Klappstuhl in der leeren Versammlungshalle. Vor der Halle brechen Sonnenstrahlen durch die Zweige der Palmen. Zwischen den kultischen Zeichen auf dem Sandboden des ausgedehnten Geländes ein paar Arbeiter: Sie werkeln, hacken, schaffen Ordnung. Kein Grund zu größerer Beunruhigung. Das ist Haiti. Das ist seine Normalität. Die Normalität des Voodoo. Fast habe ich mich schon an sie gewöhnt.

Ich brauche ja nur auf der Straße mit kleinen Mädchen zu sprechen: Was möchtet ihr einmal werden? Voodoopriesterinnen! Ihre Mütter zerren mich ins Haus, zeigen bunte Kunstdruckgemälde der Jungfrau Maria, die sie verehren als Liebesgöttin Ezili Fréda, und Postkartenbilder von Petrus mit seinen Schlüsseln zur Himmelspforte – das ist Gott Legba, sagen die Mütter, er öffnet die Schranken zur mystischen Welt. Die Götter und Geister werden die Menschen beschützen. Zu Hause. Auf dem Weg zur Arbeit. Und selbst im Karneval.

Deshalb versichern sich die Mütter, die Väter, die Kinder des Beistands der Geister, ehe sie sich ins Gewühle begeben – und manchmal kommen Legba oder Ezili Fréda sogar auf sie hernieder mitten im Geschiebe und Gedränge. Das ist gut, so sind die Menschen nicht allein, nicht ausgeliefert den Gefahren. Auf die staatliche Ordnungsmacht hingegen wollen sie sich nicht verlassen – und schon gar nicht auf den guten Willen der entfesselten Massen, die von Lautsprecherwagen aufgefordert werden, sich ruhig zu verhalten und niemanden zu töten.

Überall sind in diesem Karneval die Songs der Groupes Racines zu hören, jener Bands, die an die Wurzeln der haitianischen Kultur anknüpfen. Sie trommeln die alten Voodoorhythmen, spielen mal traditionelle, mal moderne Instrumente und singen politische Texte: Wir sind kein Zombievolk!… Die Zukunft liegt in den Händen der Geister und in jenen der wertvollen Menschen!… Wir müssen das Land retten!… Lassen wir die Bösen doch reden, neben den Geistern sind wir die Herren im Haus!… All diese trotzigen Sätze klirren aus scheppernden Boxen durch die Straßen.

Unterdessen sitzen in den unzähligen Häusern mit den roten Fahnen auf dem Dach die Voodoopriesterinnen und -priester. Monsieur Edner etwa, der Automechaniker und Priester mit eigener Visitenkarte.

Der hat in seinem Haus gleich zwei heilige Räume: einen für den Voodooaltar, einen weiteren für sein kleines Freimaurerkabinett. In dem einen arbeitet er mit Schwarzer Magie, in dem anderen mit Weißer – also mit

*Doppeltes Glück durch doppelten Glauben: Beim **Marienfest an einem Wasserfall** im Norden Haitis wird auch die Voodoogöttin Ezili Fréda um Hilfe angerufen. Maria soll hier nur einmal erschienen sein, Ezili Fréda zeigt sich dagegen immer aufs Neue – wenn sie Besitz von den Körpern im heiligen Wasser ergreift*

Voodoo

In der Trance verlieren die Menschen ihre Persönlichkeit und werden Sprachrohr jenes Gottes, von dem sie besessen sind. Die Haitianer sind daran gewöhnt, nicht Herren ihrer selbst zu sein – auch das politische System zwingt sie, nicht das zu sagen, was sie denken

Engeln und dem lieben Gott. Aber die Schwarze Magie werde viel häufiger nachgefragt. Denn mit der Freimaurerei, wie er sie versteht, könne man nur Gutes tun, mit Voodoo dagegen könne man auch töten, und das sei manchmal leider, leider nötig, wenn die Feinde zu stark würden.

Madame Aimée wiederum, die alte Priesterin, an der sich alles schüttelt, wenn sie in Trance fällt, die bereit ist, ihren Körper den Geistern zu überlassen und damit deren Macht zu empfangen – Madame Aimée würde niemals einen Menschen töten. Tiere jedoch tötet sie regelmäßig, so wollen es die Geister. Dafür kann Madame die schrecklichsten Krankheiten heilen. Alle, sagt sie. Alle, außer Aids.

Die Geister oder die Götter – denn wo ist der Unterschied – können dir alles geben, sagen die Leute: Gesundheit, wo es keine Ärzte gibt; Geld, wo du keine Arbeit findest; Liebesglück, wo niemand dich will; Schutz gegen Angrei-

Wir sind Schwarze, sagen die Studenten. Wir brauchen den Voodoo

fer und Feinde, wo du dich nicht aus eigener Kraft wehren kannst. Die Hoffnung des Menschen ist das Fleisch der Götter, sagen die Philosophen.

Voodoo ist eine sehr diesseitige, eine bäuerliche Religion. Sie organisiert das irdische Leben, solange es andauert, und will nicht bis nach dem Tod auf Wohlstand warten, auf Glück, auf Erlösung von den Übeln. Die Menschen wollen ein besseres Schicksal: jetzt! Voodoo, die Machttechnik der Ohnmächtigen gegen die Unbill des Daseins.

Und vielleicht, so hoffen die Jungen, werden die Geister sogar einem Land eine Zukunft geben, das sonst keine mehr hat. So ist für die Studenten der Soziologie und der Philosophie, die eines glühenden Karnevalsnachmittags in einem Seminarraum an der Universität von Port-au-Prince sitzen, Voodoo die letzte Alternative. Die Religion des Widerstandes gegen das ganze Unglück des eigenen Landes – und der globalisierten Welt dazu.

Voodoo, sagen sie, war einmal ländliche Lebens- und Arbeitsorganisation mit Trommeln, Gesängen und dem Priester als Oberhaupt der Großgemeinschaften. Zusammenleben im Zeichen des Voodoo hieß: miteinander teilen, Brüderlichkeit, Respekt, Toleranz, soziale Verantwortung – aber natürlich auch Kampf. Das ist es, sagen die Studenten, was wir auch in unseren Städten wieder brauchen. Denn wir sind Schwarze, wir sind Haitianer. Ein bisschen Indigenismus, wie man die Besinnung der Ethnien auf ihre Traditionen mittlerweile nennt, könne Haiti nicht schaden.

Und ihr Professor, der als schwarzer Haitianer in Frankfurt am Main in den 1968er-Aufbruchsjahren bei einem Schüler des Philosophen Theodor W. Adorno die Dialektik der Aufklärung gelernt hat, lächelt milde über das Engagement seiner Studenten. Dann sagt er etwas über die Konzeption des Göttlichen, das immer das Ergebnis einer Notwendigkeit sei – der, sich zu schützen, und, im Voodoo, auch der, Feinde zu töten.

INDESSEN SPIELT DRAUSSEN IM HOF eine Voodooband zum Studentenkarneval auf. Die Band heißt Boukman Eksperyans, Boukmans Erfahrung. Nach dem Voodoopriester Boukman, der in einer Augustnacht des Jahres 1791 mit einer gewaltigen Zeremonie den Kampf der Sklaven gegen die französischen Kolonisatoren in Gang gesetzt hat. Die Studenten würden gern mit der Band durch die Straßen ziehen. Aber sie bleiben hinter den Mauern des Institutsgeländes, weil sie fürchten, draußen von der Polizei oder von den Chimären zusammengeschossen zu werden.

Denn auch die Regierung kennt vor allem jene Notwendigkeit: Feinde zu töten, besonders die Klugen, vor denen sie am meisten Angst hat. Die restlichen werden tödlich umarmt: Kurze Zeit nach dem Karneval wird Voodoo, die alte Geheimreligion, offiziell vom Staat anerkannt – um ihr den letzten Hauch von Widerständigkeit zu nehmen. Wo die Hofpriester offenbar ohnehin schon lange im Präsidentenpalast aus und ein gehen und

Gewalt, wie sie die Geister ausüben: Wer besessen wird, verliert die Kontrolle, zuckt, zittert, unterwirft sich dem Willen der fremden Macht. Dennoch sind solche Zustände willkommen. Wie hier, wo nach dem Glauben der Menschen die **Geister aus dem Wasserfall der Jungfrau von Mont Carmel** unter ihnen weilen, um Gutes zu tun

Voodoo

der Voodoo vielleicht doch nicht mehr dem Volk gehört, wie die Studenten noch behauptet haben.

Aber nicht erst damit ist der gute, der soziale, der brüderliche, der romantische Voodoo der Studenten wiederum böse geworden. Denn auch diese Religion geht zweifelhafte Bündnisse ein. Auch sie paktiert manchmal mit dem Teufel.

So wie Ti-Pierre, der Mann mit dem Jungengesicht, der in seiner rot-schwarzen Arbeitskleidung auf dem Klappstuhl freundlich lächelnd im Wald bei Jacmel sitzt. Für ihn ist das Böse schon lange relativ geworden, kein Grund, sagt er, sich zu fürchten. Jetzt, wo er sich in sein Schicksal gefügt hat. Wo er Hexer geworden ist, statt Ingenieur, wie er es sich einst gewünscht hat. Wo er mit jenem Teufel, den sein Großvater ihm als Erbe hinterließ, verbündet ist. Jetzt, wo er keine Angst mehr haben muss und ihm nie wieder Schweißperlen auf der Stirn stehen werden.

DER GROSSVATER HATTE DEN TEUFEL GEKAUFT, wie man hier sagt. Er wollte Geld, er wollte Macht, er wollte Schutz gegen Feinde und Konkurrenten. Er brauchte die Hilfe der Geister: der bösen, der wilden, der schwer bezähmbaren. Die man Teufel nennt und deren diesseitige Adepten, Gehilfen, Vollstrecker die Hexer sind. So wurde auch Ti-Pierres Großvater Hexer – und er wurde reich und unangreifbar.

Aber sein Teufel verlangte einen hohen Preis: das Leben seiner Kinder und Kindeskinder, die entweder sterben sollten – oder ihm dienen. Jetzt

*Die finsteren Mächte der Vergangenheit haben das Land noch immer im Griff – nicht nur, wenn im Karneval die **Sklaven** wieder erscheinen. Denn die Geschichte lastet schwer auf Haiti: Bis heute ist aus der ehemaligen Kolonie der Entwurzelten und Entrechteten kein intaktes Gemeinwesen entstanden*

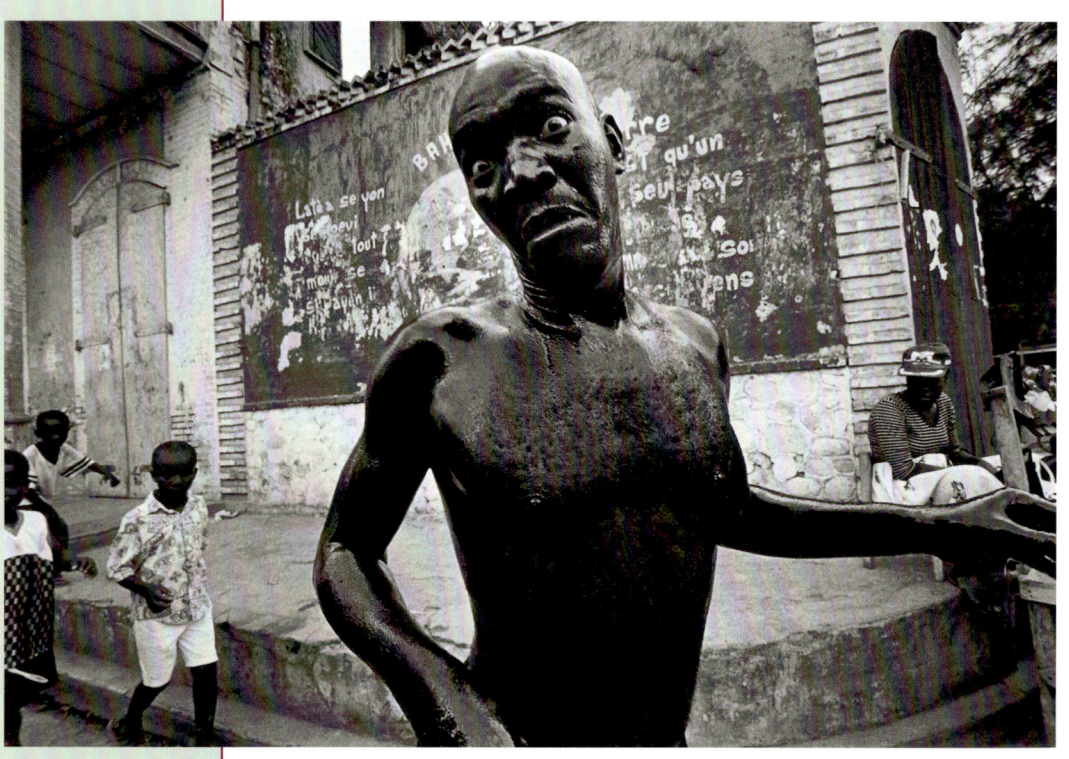

und für alle Zeiten. Denn wenn das Böse erst einmal in der Welt ist, wird es für immer bleiben.

Wie hatte sich Ti-Pierre zuerst gesträubt! Er wusste, was er zu tun haben würde. Hasste die Aussicht, Tieren die Augen ausstechen, sie bei lebendigem Leib verbrennen zu müssen. Hasste die Unfälle und die Krankheiten, die er herbeiführen sollte, um Menschen einzelne Gliedmaßen zu nehmen, oder sie gar zu töten. Denn die Teufel sind unerbittliche Buchhalter, ihre Dienste rechnen sie um in totes Fleisch. Sieben Menschenleben hat Ti-Pierre seinem Teufel nun jährlich zu liefern, um nicht selbst sterben zu müssen. Abgerechnet wird am Stichtag, dem 27. Dezember. Sieben Tote durch Unfälle, Krankheiten, scheinbare Zufallsmorde, die andere begehen, weil er, der Hexer, es so will.

Heute, sagt Ti-Pierre in ruhigstem Tonfall, macht mir das alles nichts mehr aus, heute verdanke ich dem Teufel alles. Leben. Autos. Häuser. Heute ist auch Ti-Pierre Sanctus, der kleine heilige Pierre, reich. Damals, als Halbwüchsiger, als er des Großvaters Erbe antreten sollte, war er weggelaufen. Von seiner Familie. Aus Jacmel. Vom Voodoo. Bald schon irrte er, allein, abgerissen und wahnsinnig geworden durch Port-au-Prince, wo er Abwasser aus den Pfützen soff. Einer von zigtausend Jungen, die aus der Provinz in die Hauptstadt geraten sind. Ein Schicksal von unzähligen.

Nur dass Ti-Pierre wusste, woran sein Elend lag: Man darf sich gegen das Böse nicht auflehnen, man kann den Teufeln nicht entgehen. Da gab er alles auf, woran er bisher geglaubt hatte: die Hoffnung auf das Gute, die Liebe zum Leben. Kehrte zurück nach Jacmel. Schlug sich auf die richtige Seite. Auf die des Bösen. Um sich davor zu schützen durch Anverwandlung. Vielleicht, sagt er, werde ich nach meinem Tod selbst ein Teufel.

Noch immer lächelt Ti-Pierre dieses unschuldige Lächeln. Aber was sind schon Unschuld und Schuld, Lachen, Weinen, Freude, Trauer, wenn man nicht Herr seiner selbst ist. Wenn das ganze Leben eine Frage der richtigen oder falschen Bündnisse ist. Wenn selbst der Tod nur ein Spiel ist, wie Ti-Pierre sagt. Lächelnd, versteht sich.

Allerdings ist er müde. Seit morgens um fünf Uhr ist er auf den Beinen. Eine Trance nach der anderen. Immer wieder ist sein Teufel in ihn gefahren. So etwas strengt an. Aber er kann sich nun einmal vor Kundschaft kaum retten. Sieben Termine hatte er heute schon. Neun stehen noch aus. Die Leute brauchen dringend Geld, sagt er, sie haben jede Menge Feinde und Konkurrenten. Ich besorge ihnen das eine und beseitige die anderen, mache sie krank, töte sie. Die Kunden werden nicht nur mich bezahlen,

Verehrung, Gaben, Opfer haben alle Toten verdient – besonders aber Zwillinge. Auch sie werden wegen ihrer göttlichen Macht kultisch verehrt. So ist in der surrealen Gegenwart Haitis die Zahl der übernatürlichen Wesen quasi unbegrenzt

Voodoo

Weil die Geister den Menschen ähnlich sind, brauchen auch sie regelmäßige Nahrung. **Tieropfer** gehören fast zu jeder Zeremonie. Denn hungrige Geister könnten sich gegen die Menschen wenden, anstatt ihnen zu helfen

sondern auch den Teufel. Mit dem Tod ihres liebsten Kindes. Aber das wissen sie, und sie nehmen es in Kauf.

Aus Not? Aus Gier? Aus Gleichgültigkeit? Aus Fatalismus? Aus Verzweiflung?

Ti-Pierre steht auf, geht quer durch die Versammlungshalle hinüber zu einem der Nebenräume und verschwindet hinter einem rot-seidenen Vorhang. Als er zurückkehrt, hat er ein paar Fotos in der Hand. Von zwei weißen Amerikanern, Vater und Sohn.

Den habe ich aus dem Gefängnis in Miami befreit, sagt Ti-Pierre und zeigt stolz auf das Foto des Sohnes. Er hatte lebenslänglich, mein Auftrag kam vom Vater. Er zahlte mir 157 000 US-Dollar, ich musste lebendige Ochsen verbrennen, sie haben fürchterlich geschrien, aber eines Nachts lag der Sohn wieder daheim in seinem Bett. Mehr kann ich dazu nicht sagen. Nur eines: Das Böse kennt keine Hautfarbe und keine Landesgrenze. Das Böse ist global.

Dann gibt er mir seine Hand und seine Handynummer und lädt mich ein zu seiner nächtlichen Zeremonie.

Am Anfang der Nacht, ehe ich den Tempel erreiche und die Dunkelheit vor mir steht wie eine Wand, erinnere ich mich an Franketienne, den Dichter aus Port-au-Prince.

An die Katastrophe, von der er sprach und auf die jeder wartet. Und die doch jeder verhindern will auf seine Art.

Denn selbst wenn nichts mehr nutzt, wenn der Hungeraufstand endlich losbricht, wenn auf der Straße jeder jeden töten wird und, wie Franketienne sagt, Haiti nichts anderes mehr sein wird als ein riesiger Mülleimer mit einem Berg von Leichen – wenn also all das, was der Künstler ausmalt und auch jeder andere für möglich hält, passieren wird, morgen, oder spätestens übermorgen: Wer will schon aufgeben vor der Zeit?

Und bis dahin pflegen die Menschen ihre religiösen und weltlichen Strategien, um mit diesem furchtbaren Leben irgendwie doch noch zurechtzukommen. Auch wenn alle Versuche, das Böse zu überwinden, bisher doch nur wieder das Böse hervorgebracht haben.

So bin ich in diesen dunklen Wald gekommen. Und in dieser Nacht, als die Trommeln die Geister rufen, als sie begrüßt werden mit schrillen Pfiffen, als die eingeweihten Frauen und Männer singen und tanzen und darauf warten, dass auch sie besessen werden, in dieser Nacht im Wald bei Jacmel riecht das Böse nicht nach Müll, es riecht nach Kerosin.

Mit Kerosin entzündet der Hexer in seinen roten Hosen und in seinem roten, altmodischen Gehrock ein riesiges Feuer, verspritzt dann Flasche um Flasche auf dem Boden, holt neue, setzt schließlich an, trinkt, ein einziger langer Zug, dann noch eine Flasche und noch eine, er säuft und säuft, und das Böse in ihm schreit immer noch nach Kerosin. Das Böse, das jetzt Gestalt, Gesicht, Körper bekommen hat: den Körper von Ti-Pierre. Den es nun nicht mehr gibt als Person, sondern nur noch als Hülle für seinen gierigen Teufel, der die vielen Liter Kerosin schluckt, als seien sie Wasser.

Der Teufel verzerrt die Züge des gerade noch jungen Mannes, den Mund, die Augen, die Stirn, sodass das Antlitz alt und faltig geworden ist. Er lenkt seine Glieder, die Beine und die nackten Füße, die herrisch durch den Staub der weiten Versammlungshalle schreiten, während die Hände und Arme gebieterisch eine Machete schwingen. Und der Teufel im Gehrock kommandiert alle herum. Die Musiker mit ihren Trommeln, ihren Pfeifen, ihren Bambuströten, ihren Muschelhörnern. Die Tänzerinnen, die Tänzer mit ihren rot-schwarzen Kleidern, ihren seidenen Fahnen, ihren in der Trance verdrehten Augen.

Sie weichen zur Seite, sie verneigen sich, sie gehen in die Knie: vor einem zynischen und sadistischen Regisseur des Bösen, wie jemand gesagt hat – allerdings im Zusammenhang mit dem Präsidenten Aristide. Auch der ist irgendwann ein ganz anderer geworden. So wie Ti-Pierre, der nette, der hoffnungsvolle junge Mann, der jetzt nicht mehr existiert.

Aber in dieser Nacht fürchtet sich niemand mehr. Weil das Böse sichtbar ist. Weil es den Menschen gehört für einen Augenblick. Aber nur den Eingeweihten. Allen anderen kann es schlecht ergehen.

Los, renn, hat jemand gesagt. Ich bin gerannt. Und renne noch immer.
(2003)

■ Siehe auch A–Z-Teil
→ Befreiungstheologie · Böse · Charisma · Geister · Hexe · katholische Kirche · Magie · Opfer · Satan · Synkretismus · Teufel · Wodu

Die preisgekrönte spanische Fotografin Cristina Garcia Rodero beschäftigt sich schon lange mit religiösen Traditionen, Ritualen und Festen. Haiti bereiste sie über ein Dutzend Mal. GEO-Redakteurin Gabriele Riedle hatte in Haiti erneut den Eindruck, dass es auf der Welt relativ wenige politische und zivilisatorische Modelle gibt, die halbwegs zukunftstauglich sind.

Dalai-Lama

Der gute Mensch von Lhasa

Wenn er Gebete murmelt, halten Tausende den Atem an. In jedem Land ist sein Besuch ein Medienereignis. Denn der Dalai-Lama gilt als Erleuchteter, als Beispiel für inneren und Kämpfer für äußeren Frieden: ein 70 Jahre alter Flüchtling, der seine besetzte Heimat vielleicht nie mehr wiedersehen wird – und der dennoch fröhlich ist

GEO Dossier

Das **Nubra-Tal im nordindischen Ladakh**: einer der wenigen ursprünglichen Orte mit tibetischer Kultur, die der Dalai-Lama noch besuchen kann. Hier herrscht nicht die angespannte Konzentration der westlichen Buddhisten, die sich gelehrig auf die Texte vorbereitet haben – hier ist die Religion Alltag

Dalai-Lama

Text:
Gabriele Riedle
Fotos:
Manuel Bauer

Auch auf Reisen beginnt der Tag des Dalai-Lama morgens früh um 3.30 Uhr. Nach der **ersten Meditation** serviert ihm sein jüngerer Bruder Mehl aus gerösteter Gerste zum Frühstück: das traditionelle tibetische »tsampa«

Hier in Toronto hat er eine Schneise in die Zeit und in den Raum geschlagen. Irgendwann gegen sechs Uhr morgens hat er sich einfach hingesetzt. Hat Platz genommen auf der großen, menschenleeren Bühne des National Trade Centre, erheblich früher als geplant, aber irgendetwas scheint ihm gesagt zu haben, dass es Zeit war, Zeit zu beten – je früher, desto besser, um jede Minute des Tages zu nutzen.

Natürlich hat man ihn nicht allein hierher kommen lassen; ein paar hohe Mönche aus seinem Gefolge und die Leibwächter sind sofort aufgesprungen und haben ihn begleitet. Aber außer ihnen ist um diese frühe Uhrzeit noch niemand in der Messehalle, sodass er vor leeren Stuhlreihen sitzt.

Schon kurz nach sieben jedoch beginnt sich der riesige Raum zu füllen. Gegen neun ist fast die Hälfte der Stühle besetzt. Zwei-, dreitausend Menschen sind jetzt in der Halle: buddhistische Mönche und Nonnen, die meisten mit asiatischen Gesichtern, aber einige auch mit europäischen Zügen; Tibeter, die im kanadischen oder nordamerikanischen Exil leben; schließlich Gläubige, Bewunderer, Neugierige aus Kanada und aus allen Teilen der Welt.

Erst in vier oder fünf Stunden, am frühen Nachmittag, wird es hier weitergehen – mit einer Zeremonie, die sich über viele Tage hinzieht. Dann wird die Bühne voller Mönche sein. Rote Kutten, gelbe Mützen, Trompeten, Pauken, Becken, Glocken zur Fortsetzung der Kalachakra-Initiation.

Kalachakra heißt »Rad der Zeit« und ist ein außerordentlich komplexes, außerordentlich langwieriges und selbst den Eingeweihten kaum völlig verständliches Ritual. Es dient der Aktivierung des »Samens der Erleuchtung«, der nach Auffassung des tibetischen Buddhismus in jedem Lebewesen schlummert. Und es soll Frieden bringen, dem einzelnen Menschen und der ganzen Welt. Denn das ist das Ziel allen buddhistischen Strebens.

Jahrhundertelang war die Kalachakra-Initiation eine geheime Zeremonie für eine geschlossene Gesellschaft in einer geschlossenen, uralten und kaum veränderlichen Welt: In der ganz neuen Welt in Toronto werden nun

Er ist der Mittelpunkt eines eigenen, mehr inneren als äußeren Raumes – und doch mit der Menschheit vernetzt

jedoch 7000 Menschen unten auf den Stuhlreihen sitzen. Aber bis dahin, bis zum frühen Nachmittag, gibt es auf diesem trostlosen, ganz und gar nüchternen Messegelände nichts zu tun und nichts zu sehen und zu hören.

Außer ihm. Außer dieser Gestalt, die dort, klein und vollkommen in sich versunken, seit Tagesanbruch neben zwei anderen Mönchen auf dem Boden sitzt: Tenzin Gyatso, der 14. Dalai-Lama, der »Ozean der Weisheit«, das geistige und weltliche Oberhaupt der Tibeter, zu Füßen seines eigenen Thrones, verloren auf der riesigen Bühne im Neonlicht.

Murmelnd. Den Oberkörper hin und her wiegend. Betend. Eine Szene von nicht mehr reduzierbarer Schlichtheit – und gerade deshalb von merkwürdiger Größe. Ein Mensch allein, und doch verbunden mit allen Lebewesen.

Denn das ist eine der wichtigsten Grundvorstellungen des tibetischen Buddhismus: dass nichts und niemand für sich existiert, sondern alles wie in einem riesigen ökologischen System miteinander zusammenhängt – fast so, als wäre die Welt ein einziger umfassender Körper, in dem der Dalai-Lama dort oben auf der Bühne mit allen anderen Geschöpfen organisch vernetzt ist. »Was man anderen tut«, hat er immer wieder erklärt, »fügt man deshalb auch sich selbst zu«, und alle Handlungen würden Auswirkungen auf das Ganze haben – nicht nur die konkreten Taten, sondern auch die Gebete.

Indessen lassen unten in der Halle Tibeter in feierlichen Kleidern die Perlen ihrer Gebetsketten durch die Finger gleiten, Frauen drehen ihre Gebetsmühlen, und einige junge Kanadier in Sportbekleidung üben Niederwerfungen, um ihren Egoismus und ihren Stolz zu bekämpfen – 2000, 3000 nacheinander, so viel der Körper aushält und so lange, bis die Hingabe aus dieser Bewegung ihnen tatsächlich in Fleisch und Blut übergegangen ist.

Die meisten Anwesenden aber sitzen einfach nur so da – an diesem Morgen und auch an den kommenden der insgesamt zehn Tage, die der Dalai-Lama in Toronto weilt. Drei, vier, fünf Stunden heilsamer Ereignislosigkeit, in denen der Rhythmus und die Geschwindigkeit der sichtbaren Welt außer Kraft gesetzt sind und nur wichtig ist, dass er da ist: »Seine Heiligkeit der Dalai-Lama«, wie die Gläubigen sagen, Mittelpunkt eines eigenen, mehr inneren als äußeren und deshalb »heiligen« Raumes mit eigener Zeit.

Zehn Tage für ein einziges Ritual, fünf, sechs Stunden am Tag für Gebete, oder besser: um Gebeten zuzusehen. Zeitspannen von fast schon verrückter Opulenz, gemessen an unserem beschleunigten, enteigneten Alltag – aber noch nicht einmal Wimpernschläge im Zyklus der unendlich vielen Wiedergeburten, die jeder Einzelne schon hinter sich und auch noch vor sich hat.

Er hat 13 Leben und 13 Tode hinter sich – ein mittelalterlicher Herrscher in einem der letzten Gottesstaaten

So wird im National Trade Centre von Toronto nun allmählich »der Geist ruhig«, wie eine junge Tibeterin sagt, und dann gerät der Mensch, wie ein Deutscher, ein Arzt, hinzufügt, »in einen Schwebezustand«. Und natürlich, das sagt er auch, könne man das alles hier nicht verstehen. Aber darum gehe es vielleicht gar nicht.

Zu Neujahr 1956, drei Jahre vor der Flucht des Dalai-Lama aus Tibet, verkündet eines seiner Staatsorakel, dass »der Glanz des Wunscherfüllenden Juwels«, wie man ihn auch nennt, eines Tages »im Westen leuchten« werde. Der Dalai-Lama ist da gerade 21 Jahre alt, und er versteht das damals so, dass er in jenem Jahr nach Indien reisen werde – denn das Nachbarland erscheint von Tibet aus gesehen nicht nur geografisch, sondern auch, was die Entwicklung betrifft, geradezu westlich. Europa oder gar Amerika jedoch haben ihre eigene Logik, ihre eigenen, gefräßigen, kapitalistischen Gottheiten, ihre eigenen Wünsche, und an Juwelen interessiert vor allem der Marktwert. Was also sollten die Welt des Dalai-Lama und die westliche Hemisphäre jemals miteinander zu tun haben?

Schließlich ist Tenzin Gyatso, geboren 1935, bis in die 1950er-Jahre hinein einer der letzten Theokraten in einem der letzten Gottesstaaten dieser Erde gewesen: wie seine Vorgänger erzogen und ausgebildet zum mittelalterlichen Herrscher eines mittelalterlichen Landes – eines geschlossenen, überschaubaren, stetigen Universums, dessen Hauptstadt Lhasa ist.

Schon als Kind hat man ihn dort auf den Thron im Potala-Palast gesetzt – so wie zuvor die meisten seiner 13 Vorgänger, als deren Reinkarnation er gilt. Der 14. Dalai-Lama hat also bereits 13 Wiedergeburten, 13 Leben und 13 Tode hinter sich und verkörpert so die direkte Fortsetzung einer über 500-jährigen Vergangenheit, in der sich in Tibet nichts Grundsätzliches verändert hat.

Es hat Zeiten der Blüte und des Niedergangs gegeben, aber ansonsten fegte der eisige Wind über die Schneeberge und über die Wüsten und Steppen ganz nah am Himmel; die Menschen beteten und lebten nach den Sternen, tranken Tee mit Yak-Butter und aßen Brei aus geröstetem Gerstenmehl. Die meisten waren Bauern oder Nomaden, aber ein Viertel von ihnen lebte in mächtigen und reichen Klöstern, und kaum ein Fremder betrat das Land. So war die Entfernung zwischen Lhasa und den westlichen Metropolen wesentlich größer als die zwischen Lhasa und dem Mond – denn der ist immerhin ein göttliches Wesen und den Tibetern vertraut wie ein Familienmitglied.

Doch dann näherte sich von Osten her eine Katastrophe. 1950 begannen die chinesischen Nachbarn mit ihrem Einmarsch in Tibet. Es wurde die größte Landnahme nach dem Zweiten Weltkrieg – und im Laufe der folgenden 50 Jahre verloren, so schätzt der Dalai-Lama heute, 1,2 Millionen Tibeter durch die chinesische Besatzung ihr Leben.

Dabei ging es nicht nur um die Aussicht, Tibet wirtschaftlich ausbeuten zu können. Vor allem wollten Mao Zedong und die ihm nachfolgenden starken Männer China möglichst groß und auch außenpolitisch möglichst mächtig haben. Dazu musste Tibet »in den Schoß des Mutterlandes« zurückkehren, wie es die chinesische Propaganda formulierte.

DAS ENDLOSE TIBETISCHE MITTELALTER war Anfang der 1950er-Jahre plötzlich vorüber; über Nacht hatte die Zeit zu rasen begonnen, und in diesen Jahren erlebte die alte tibetische Welt eine ungeheuerliche Explosion.

1956, als das Orakel spricht, steht Tibet bereits vollständig unter chinesischer Gewaltherrschaft. Ende der 1950er-Jahre sind Zehntausende tot: verhungert oder bei Kämpfen und Aufständen getötet. Unzählige sind für immer in den Gefängnissen verschwunden, Tausende auf der Flucht. Als legitimer Staatschef hat der blutjunge Dalai-Lama – im Alter von 15 Jahren für volljährig erklärt – jahrelang um eine Einigung mit den Chinesen gerungen. Vergebens.

Es gibt keine PR-Abteilung des Dalai-Lama. Aber er weiß, wie seine Person, seine offene Art auf **die westlichen Medien** *wirken. Und er nutzt das bewusst, um im Sinne der Tibeter politischen Druck zu erzeugen*

Dalai-Lama

Im März 1959 bricht Tenzin Gyatso unter dramatischen Umständen tatsächlich nach Indien auf. Nicht zu einer kurzen Reise, sondern ins Exil. Seit 1960 lebt er in Dharamsala am Südhang des Himalaja. Auf dem Gelände eines Klosters am Rande einer Siedlung von Tibetern, die ihm in die Fremde gefolgt sind. Ein Flüchtling unter Flüchtlingen, inzwischen staatenlos seit 45 Jahren. Aber längst leuchtet, ganz nach der Prophezeiung, sein »Glanz im Westen« – und nicht nur dort, sondern auch in allen anderen Himmelsrichtungen. Und fast ist es, als wäre der Dalai-Lama allgegenwärtig.

Zum tibetischen Neujahr konsultiert der Dalai-Lama seine **Staatsorakel**. Deren Weissagungen haben vor allem dann Gewicht, wenn Fachleute in einer Frage nicht zu klaren Empfehlungen gekommen sind. Zur exakten Interpretation werden die in Trance gesungenen oder gezischten Antworten auf Tonband aufgenommen

GESTERN TORONTO, HEUTE BOSTON, morgen Tokio, Oslo oder Zürich. Die immer gleiche wohltemperierte Welt der Großveranstaltungen, der Sporthallen, der Kongresszentren, der Großbildleinwände. Dann aber auch Ulan-Bator: das Geschiebe und Gedränge der mongolischen Buddhisten, die sich verwandt fühlen mit den Tibetern. Und die ihren Dalai-Lama, dem die Mongolen einst den Namen »Ozean der Weisheit« gegeben haben, berühren, umarmen, drücken wollen wie ein Familienmitglied – weshalb sie so lange zerren und ziehen, bis es ihnen endlich gelingt.

Anschließend womöglich die feuchte Hitze des südindischen Tieflandes oder die staubigen Höhen Ladakhs, Kilometer um Kilometer im Fahrzeugtross über endlose Passstraßen durch das Spalier der Gläubigen. Fast wie bei der Tour de France säumen sie schon weit außerhalb der Ortschaften die Ränder der Straßen – wegen eines einzigen Augenblickes, eines kurzen Grußes durch die Fensterscheibe des Fahrzeugs, eines schnellen Segens im Vorbeifahren.

So ist der Dalai-Lama ständig unterwegs, von einer Wirklichkeit zur nächsten, ein weltweiter Handlungsreisender des Optimismus – etwa 60 Länder hat er schon besucht, viele davon mehrfach, manche, wie etwa die USA, immer und immer wieder.

Von überall her gehen Einladungen und Anfragen in der kleinen Kanzlei in Dharamsala ein. Man bittet den Dalai-Lama, Rituale zu zelebrieren, Feierstunden beizuwohnen, an Konferenzen teilzunehmen, Vorträge zu halten, Preise und Ehrendoktorwürden entgegenzunehmen. Und den meisten Bitten kommt er nach, nimmt mehr Termine an, als er eigentlich absolvieren kann.

Aus innerer Verpflichtung, sagen seine Mitarbeiter. Weil er stets versuche, den Leuten entgegenzukommen. Um ihnen zu helfen und ihnen beizustehen. Denn dazu ist der Dalai-Lama da; deshalb wurde er nun schon zum 14. Mal geboren; das ist die Hauptaufgabe seines Daseins als Mensch, das er freiwillig gewählt hat. Schließlich ist er anders als andere Lebewesen.

Die sind gezwungen, wieder und wieder auf die Welt zu kommen – im endlosen Kreislauf der Wiedergeburten. Und immer wieder leben heißt: immer wieder leiden. Lauter Illusionen und schreckliche Enttäuschungen.

Auf indischen Pilgerwegen oder in Manhattans Straßen – der Verfechter der Gewaltlosigkeit wird immer von **Bewaffneten** beschützt. Ein Widerspruch. Und eine Notwendigkeit

»Solange fühlende Wesen leben, solange möge auch ich verweilen, um das Leid der Welt zu vertreiben«

Verzweiflung darüber, dass alles vergänglich ist. Vergebliche Versuche, Menschen, Dinge, Zustände festzuhalten, und umso bitterere Erfahrungen, dass das unmöglich ist. Ewig wird das so weitergehen.

Es sei denn, man arbeitet an sich. Mit guten Taten, guten Gedanken und klarem Geist. So kann es, nach unendlich vielen weiteren Leben, vielleicht eine Erlösung geben: das Ende aller Täuschungen, das vollständige Bewusstwerden des Geistes – die Erleuchtung, durch die der Mensch zum Buddha wird. Danach folgt das Nirwana – das Ende des Kreislaufs der Wiedergeburten, die Aufhebung jeglichen Leidens, das endgültige Verlöschen.

Der Dalai-Lama hat diesen langwierigen Prozess, zumindest nach der überlieferten Glaubensvorstellung, lange hinter sich. Wie alle Lamas – so nennen die Tibeter ihre spirituellen Meister – ist er längst ein Buddha. Er ist also weit genug entwickelt, um ins Nirwana eingehen zu können. Doch aus

Dalai-Lama

Mitleid mit den anderen Lebewesen hat er sich dagegen entschieden.

So ist er ein Bodhisattva geworden: ein Erleuchteter, der menschliche Gestalt annimmt, um allen anderen Wesen zu helfen. Um ihnen Vorbild zu sein und ihnen zu zeigen, wie sie spirituell weiterkommen können. »Solange Raum und Zeit bestehen«, lautet eines seiner Gebete, »solange fühlende Wesen leben, solange möge auch ich verweilen, um das Leid der Welt zu vertreiben.«

Die Menschen danken es ihm. Und verehren ihn als Verkörperung des Avalokiteshvara, des Buddhas des Mitgefühls, der eine Art »Gottheit« im komplexen tibetischen Götterhimmel ist. Aber er ist bei ihnen auf Erden seit über 600 Jahren, ist geistiger Beistand und als Führer des mächtigen Gelbmützen-Ordens seit Langem auch weltliches Oberhaupt. Das erste Mal geboren 1391, das bisher letzte Mal

*Der Dalai-Lama zieht die **Grundlinien eines Mandalas** mit buntem Sand. Tagelang werden Mönche es zur symbolischen Heimat für 722 Gottheiten ausgestalten – und sofort wieder zerstören*

Der Dalai-Lama ist vieles gleichzeitig: Philosoph und Staatsmann, politischer Flüchtling – und ein Buddha

1935 – jedes Mal ein anderer Körper, immer dasselbe Bewusstsein, jetzt lebendig in einem Bauernsohn aus der östlichen Provinz Amdo, den ein Suchtrupp von Mönchen aufgrund von mannigfaltigen Zeichen und Prüfungen im Alter von zwei Jahren als 14. Reinkarnation des Dalai-Lama erkannt hat.

Und dessen Mitgefühl zum ersten Mal in der Geschichte nicht nur ideell, sondern auch ganz konkret grenzenlos geworden ist.

Inzwischen kennt die ganze Welt sein Lächeln, die zu Gruß und Segen vor der Brust erhobene rechte Hand, seine vier Impfnarben am nackten rechten Oberarm – ein mittelalterlicher Herrscher, der zu einem postmodernen Engel geworden ist, das wunscherfüllende Juwel, das allen erscheinen kann, die ihn, wofür auch immer, brauchen. Nomaden und Stadtneurotikern, Analphabeten und Nobelpreisträgern, Ohnmächtigen und Übermächtigen, Gläubigen und Skeptikern.

So hat unsere komplizierte, ausdifferenzierte Welt, die längst zu groß geworden ist für einen gemeinsamen Gott und mitunter zu aufgeklärt und zu gebildet für Gott überhaupt, also doch einen Heiligen für alle. Denn auch er selbst ist ja so vieles gleichzeitig: Religionsführer und Friedensnobelpreisträger, Philosoph und Staatsmann, berühmtester politischer Flüchtling der Welt – und womöglich eben ein Buddha. Seit er 1989 den

Friedensnobelpreis erhalten hat, gehört der Dalai-Lama zur Kerngruppe der letzten moralischen Instanzen auf der Erde, zuständig für die ganz großen Fragen: Weltfrieden. Menschenrechte. Gerechtigkeit. Und: Sinn. Dabei ist er entschieden weniger dogmatisch als der verblichene Johannes Paul II., spiritueller als Nelson Mandela, weltgewandter und intellektueller als einst Mutter Teresa, weniger unter diplomatischem Anpassungsdruck als Kofi Annan.

Ähnlich wie diese moralischen Instanzen wird auch der Dalai-Lama verehrt, weil die Zeitgenossen, zumindest die westlichen, all das in ihm zu finden glauben, was die Welt der Politik, der Wirtschaft und der Bewusstseinsindustrie ihnen niemals wird geben können. Und mögen Menschen in der Regel eher die Skrupellosen bewundern und die Virtuosen des Muskelspiels – lieben werden sie am Ende eben doch die Gutherzigen, die Großzügigen, die Selbstlosen. Einen also wie den Dalai-Lama.

FRÜHMORGENS IN DHARAMSALA, Ortsteil McLeod Ganj, am Amtssitz des Dalai-Lama im nordindischen Exil, nahe der tibetischen Grenze. Es ist Ende Februar 2005. Die Betonsiedlung am Südhang des Himalaja scheint vor Kälte zu zittern. 1 800 Meter Höhe, Felswände hinter den Häusern, Abgründe vor den Fenstern, oben Tibet, unten Indien, überall Schnee, keine Heizung weit und breit und hin und wieder auch kein Strom in »Little Lhasa«. Im Dalai-Lama-Land in den Bergen.

Ein merkwürdiger Ort, quasi auf exterritorialem Gebiet: Denn Indien und die Stadt Dharamsala sind zwar nur 600 Höhenmeter und zehn Straßenkilometer weiter unten im Tal, aber doch wie aus der Welt. Etwa 7 000 Einwohner mag die Siedlung haben, die übergroße Mehrheit Tibeter, darunter 3 000 Mönche und Nonnen.

Mehr als 140 000 Tibeter leben im Ausland – viele in Nepal und Bhutan, manche in der Schweiz und in Kanada, die meisten jedoch in eigenen Siedlungen in Indien. McLeod Ganj, einst Standort britischer Kolonialtruppen, ist ihre Hauptstadt im Exil: eine Zuflucht

Manche sagen, der Dalai-Lama könne Regenbögen über sich erscheinen lassen. Hier ist es nur eine Leuchtröhre im Hotel, wo er mit EU-Parlamentariern darüber gescherzt hat, dass manche beim Meditieren vor allem eines wollen: **heilig aussehen**

Dalai-Lama

der Heimatlosen, der unvollständigen Familien, der elternlosen Kinder, der verwaisten Säuglinge in den Gitterbetten im Kinderdorf am Ortsrand, der tibetischen Neuankömmlinge im Schlafsaal des Übergangsheims unweit der Post.

NOCH IST ES DUNKEL an diesem Morgen, aber die Sträßchen sind schon voller Bewegung. Lauter Schatten, undeutliche Silhouetten. Mönche und Nonnen in dünnen Tüchern, tibetische Laien in traditionellen Kleidern, westliche Pilger in Daunenjacken und tief ins Gesicht gezogenen Wollmützen – alle sind unterwegs, alle eilen in die gleiche Richtung. Dorthin, wo es hell ist, wo unzählige Lämpchen leuchten. Ans Ende der Straße, an den Rand des Ortes, ins Namgyal-Kloster.

Heute und an den folgenden Tagen wird der Dalai-Lama zu ihnen sprechen. Zwei Wochen lang erteilt er täglich mehrere Stunden lang eine öffentliche Unterweisung. Jeden Morgen und jeden Nachmittag nimmt er Platz auf seinem Thron, im Freien, an der Stirnseite der Terrasse des nüchternen Klosterbaues aus den 1970er-Jahren.

Dann spricht er in die Kälte hinaus. Über »Lamrim Chenmo«, den »Stufenweg zur Erleuchtung«, einen klassischen tibetischen Text des berühmten buddhistischen Gelehrten Tsongkhapa aus dem 14. Jahrhun-

*Vor dem Frühstück trainiert der Dalai-Lama auf seinem **Laufband**, eine Viertelstunde lang, den Gebetskranz immer griffbereit, weil er auch beim Sport meditiert*

dert – aber eigentlich auch über das Leben im dritten Jahrtausend.

Während der junge Tag bleich und frostig aus der Tiefe den Steilhang hinaufkriecht und seine Nebelfetzen über der Siedlung schweben lässt, drängen sich auf der großen Terrasse und in den Winkeln des Klosters die Gläubigen und die Suchenden, die Lernenden und die Zweifelnden. Vielleicht 3000 Mönche, Laien, Tibeter, westliche Besucher. Flüchtlinge allesamt. Die Tibeter, die Westler – und ja der Dalai-Lama selbst. Vor Unterdrückung und Zerstörung die einen, vor der Sinnlosigkeit ihres Lebens und vor ihrer Fortschrittsdepression die anderen.

Die beiden Enden des Elends unserer Zeit – hier zu Füßen des Dalai-Lama, im Nirgendwo zwischen Tibet, Indien und dem Westen verbinden sie sich miteinander. Die Zuhörer sitzen auf dem nackten Betonboden, dicht an dicht, Knie an Knie, Körper an Körper. Über Stunden halten sie aus, und irgendwann kriecht die Kälte in ihnen hinauf. Manche werfen sich nieder, wo immer sie ein Plätzchen dafür finden, den ganzen Körper der

Mehr als 30 Jahre war der Tibeter **Jigme Sangpo** in chinesischer Haft. Bei seiner Audienz bringt er kaum einen Ton heraus. Erst als der Dalai-Lama sich im Wettstreit mit seinem ehrfürchtigen Besucher ebenfalls immer tiefer bückt, lachen beide

Der Unwissende, sagt er, kann sogar noch auf dem Sterbebett einen ersten Schritt tun – hin zum Guten

Länge nach auf den Beton. Und die, deren Glieder nicht mehr mitmachen oder denen der Westen und die Aufklärung eben doch noch in den Knochen stecken, gehen wenigstens innerlich ein wenig in die Knie.

Indessen lauschen sie dem gutturalen Tibetisch der Lautsprecherstimme des Dalai-Lama. Oder dem weichen, tastenden Englisch der Simultanübersetzung eines Mönchs aus seinem Gefolge. Sie wird per Ultrakurzwelle übermittelt – weshalb die westlichen Besucher Kopfhörer tragen und kleine Transistorradios in der Hand und mit den Armen rudern, um so nach der besten Position für den besten Empfang suchen.

Und sicher wird heute jeder Einzelne etwas anderes wahrnehmen von dem, worüber der Dalai-Lama spricht. Er hat mit dem »Stufenweg der Erleuchtung« einen Grundlagentext als Gegenstand seiner Unterweisung ausgesucht, der berücksichtigt, wie unterschiedlich die Wünsche, die Fähigkeiten und die Lebenssituationen der Menschen sind.

In diesem Text gibt Tsongkhapa, der große Gelehrte, recht konkrete Anweisungen: etwa für Praktizierende auf einer niedrigen Stufe der spiri-

*Auf dem Weg zu einem Kloster in Indien segnet der Dalai-Lama eine **blinde tibetische Frau** aus der Menge. Er muss solche Begegnungen selbst suchen – denn im Gegensatz zu manchen Westlern würden ihn Tibeter nie von sich aus berühren*

tuellen Entwicklung, die aber die Voraussetzungen schaffen wollen für eine glücklichere Wiedergeburt. Oder für solche mit mittleren spirituellen Kapazitäten, die nun aus dem Kreislauf der Wiedergeburten und des Leidens befreit werden möchten. Aber auch für die ganz wenigen, die schon sehr weit fortgeschritten sind, die höchste Stufe der Erkenntnis erreicht haben und nun die vollständige Erleuchtung zum Nutzen aller Lebewesen anstreben.

So spricht der Dalai-Lama mehrere Stunden lang, ohne Manuskript, ohne Unterbrechung. Erläutert die Kostbarkeit des Lebens als Mensch – denn »nur den Menschen ist es möglich, den Geist zu entwickeln und den Hang zu Zerstörung und Selbstüberschätzung durch bessere Einsicht abzulegen«.

Erklärt, wie auch die Unwissendsten noch in ihrer letzten Stunde auf dem Sterbebett einen ersten Schritt tun, etwas Gutes entwickeln und sich von ihren Freunden und Verwandten Mantras ins Ohr flüstern lassen können. Legt dar, weshalb die positive Energie jeder guten Tat und jedes einzelnen rezitierten Mantras bis ans Ende der Tage erhalten bleibt. Malt aber auch Leiden aus und Höllen, kalte, heiße. Ob die allerdings real sind oder nur illusionär, ist fraglich – so fraglich wie alles, was wir für gegeben und für Realität halten.

Die Tibeter sind nervös: Was kommt nach dem Dalai-Lama? Noch mehr Gewalt und Unterdrückung?

Ein ausufernder Diskurs also, der hin und her wandert zwischen einfachen Ratschlägen für einfache Menschen und den schwer auslotbaren Tiefen theologischer und philosophischer Feinheiten: Anders als die meisten seiner Vorgänger hat Tenzin Gyatso den höchsten Grad als Doktor der Metaphysik erreicht und zählt zu den größten Gelehrten in der Geschichte des tibetischen Buddhismus.

Und während ihm in viele Verästelungen der Gedanken sicher nur die Gelehrten folgen können, die anderen Doktores der Metaphysik, die hohen Lamas und die Mönche mit den höchsten Weihen, die eingehüllt in gelbe Tücher über ihren roten Kutten ganz vorn um den Thron sitzen, wendet sich der Dalai-Lama auch immer wieder an all die Frommen, die nicht so viel von ihrer Religion wissen, aber umso hingebungsvoller glauben. An die tibetischen Männer mit den ernsten und faltigen Gesichtern, die unaufhörlich ihre Mantras vor sich hin murmeln. An die Frauen mit den dicken Brillen, die nicht schreiben und nicht lesen können.

Mehr als alles andere erhoffen sie sich die Segnung durch seine schiere Anwesenheit. Einige von ihnen sind sogar den weiten Weg aus Tibet hierher gekommen, nur um für ein paar Tage in seiner Nähe zu sein. Zu Fuß. Heimlich. Über die höchsten Berge der Welt. Immer mit dem Risiko, von chinesischen Patrouillen gefasst zu werden.

Für sie ist der Dalai-Lama so etwas wie ein Vater – durchaus auch ein weltlicher. Und so gibt er seinen Landsleuten manchmal ganz und gar irdische Ratschläge. Etwa: »Wascht euch hin und wieder.« Oder: »Arbeitet ordentlich – wobei ihr euch ruhig auch ein Beispiel an den Chinesen nehmen könnt.« Vor allem aber: »Seid nicht traurig, dass ich im Moment nicht zurückkommen kann nach Tibet.« Dann weinen die Männer, die sich am nächsten Tag wieder auf den Weg hinauf ins Eis machen werden.

WIE LANGE DIESE ZWISCHENZEIT jetzt schon andauert. 45 Jahre Warten. Darauf, dass sich etwas ändert, dass etwas besser wird. Dass das Leben im Exil zu Ende ist. Für den Dalai-Lama und für alle anderen Tibeter.

Aber noch immer kommen täglich neue Flüchtlinge, McLeod Ganj wächst und wächst. Neue Betonbauten überall, aber wieder nichts Endgültiges, wieder nichts für die Ewigkeit. Und die älteren Gebäude verfallen bereits wieder – die Fröste des Winters haben die Fassaden zerrissen, und der sommerliche Monsun hat sie fleckig und schimmelig gemacht.

Gläubige säumen den Weg, wo immer die Entourage des Dalai-Lama entlanggeht: Ein Dutzend Sekretäre, Ärzte, Dolmetscher und Protokollmönche folgen jedem seiner Schritte

Dalai-Lama

Noch harren die Tibeter aus. Seid geduldig – das hat ihnen der Dalai-Lama wieder und wieder gesagt. Und während manche dennoch fast wahnsinnig werden vor unterdrückter Wut und Verzweiflung, üben sich die meisten tatsächlich in Gleichmut. Denn, so sagen sie, wir können ja nichts tun und haben den Chinesen nicht viel anzubieten. Aber langfristig, da wird sich alles zum Guten wenden – kein Unrecht kann für immer andauern. Auch das hat ihnen der Dalai-Lama immer wieder erklärt und sogar mit philosophischer Logik hergeleitet.

Dennoch werden langsam selbst besonnene Tibeter nervös. Der Dalai-Lama hat eine gute Konstitution. Aber was kommt nach ihm?

Nach der Tradition wird er ja in einem neuen Körper wiedergeboren – auch wenn Tenzin Gyatso schon die Möglichkeit erwogen hat, dass die Kette der Reinkarnationen an ihr Ende kommen und die »Institution des Dalai-Lama«, wie er sagt, eines Tages aufhören werde zu bestehen. Aber selbst wenn ein paar Jahre nach dem Tod des 14. Dalai-Lama irgendwo ein kleiner Junge gefunden wird, den die zuständigen Lamas als 15. Wiedergeburt anerkennen, wird es viele Jahre dauern, bis er erwachsen ist.

Wer soll die zersplitterte Welt der Tibeter solange zusammenhalten?

Vielleicht, so befürchten manche, wird es dann Gewalt geben. Dass vor allem die jungen Tibeter bisher noch stillhielten, liege nur an der Autorität und an der integrativen Kraft des Dalai-Lama. Doch täglich werde die Lage in ihrem Land verzweifelter – auch deshalb, weil dort inzwischen mehr Chinesen als Tibeter lebten.

Nach der abendlichen Dusche sieht der Dalai-Lama fern. Das TV-Gerät steht im **Hausaltar** – direkt unter den Regalen mit tibetischen Schriften

Längst weiß der Dalai-Lama, dass der Kampf um einen unabhängigen tibetischen Staat verloren ist. Seit mehr als 15 Jahren strebt er deshalb nur noch nach einer Autonomie Tibets innerhalb Chinas. Zum Missfallen nicht weniger seiner Landsleute. Andererseits nennt ihn die chinesische Führung weiterhin einen gefährlichen Separatisten. Zwar konnten in den vergangenen Jahren zwei Sondergesandte wiederholt nach Peking reisen, aber das blieben vertrauensbildende Maßnahmen ohne konkrete Ergebnisse. Die Optimisten unter den Tibetern sehen schon das als Fortschritt.

Auch die Chinesen müssten ein Interesse daran haben, endlich voranzukommen. Wenn der Dalai-Lama erst tot sei, hätten sie keinen Ansprechpartner mehr. Und es gäbe niemanden, der Verhandlungsergebnisse auch durchsetzen könnte.

Solange es jedoch noch geht, wird Tenzin Gyatso, der 14. und womöglich sogar letzte der Dalai-Lamas, versuchen, seinem Volk beizustehen. Er wird seine Gesundheit pflegen und jeden Morgen spirituelle Übungen machen für ein langes Leben. Dann beten – auch für die Chinesen: »Denn gerade sie benötigen unser Mitgefühl.«

Indessen sprechen Tibeter in aller Welt unzählige Male die gleichen Sätze, veröffentlicht auf der Internet-Homepage der Exilregierung: »Möge Tenzin Gyatso, Beschützer des Schneelandes, hundert Äonen leben. Mögen Segnungen auf ihn herniederregnen, auf dass seine Bemühungen ungehindert gelingen.«

Und wenn das alles nichts hilft?

Nur Geduld! »Alle Tibeter«, sagt Samdhong Rinpoche, Professor für buddhistische Philosophie und Ministerpräsident der Exilregierung in Dharamsala, »sind entschlossen, noch Hunderte Jahre an der Lösung der tibetischen Frage zu arbeiten.« **(2005)**

Jemand hat dem Dalai-Lama eine Puppe geschenkt – weil sie ihm ähnlich sehe. Seine Residenz steht voller solcher **Präsente,** mitgebracht von den zahlreichen Reisen in alle Welt

■ Siehe auch **A–Z-Teil**
→ Buddha · Buddhismus · Charisma · Dalai-Lama · Lhasa · Meditation · Nirvana · Reinkarnation · Spiritualität · tibetischer Buddhismus

Über drei Jahre hat der Schweizer Fotograf Manuel Bauer den Dalai-Lama immer wieder begleitet – und war durchaus darauf gefasst, hinter dem Glanz der buddhistischen Lichtgestalt zumindest ein paar menschliche Schwächen zu entdecken. Aber: Fehlanzeige. GEO-Redakteurin Gabriele Riedle ist durch die Beschäftigung mit Buddhismus und Askese zur Frühaufsteherin geworden.

Schamanismus

Unterwegs in magischen Welten

Am Fuß eines heiligen Berges in Nepal meditiert der »König vom Kalinchok«, ein berühmter Heiler: Dies ist das Herzland der Schamanen. Alljährlich erklimmen sie hier zu Hunderten die Steilhänge, um neue Kraft zu empfangen. Ein GEO-Team hat sich dem Zug angeschlossen

GEO Dossier

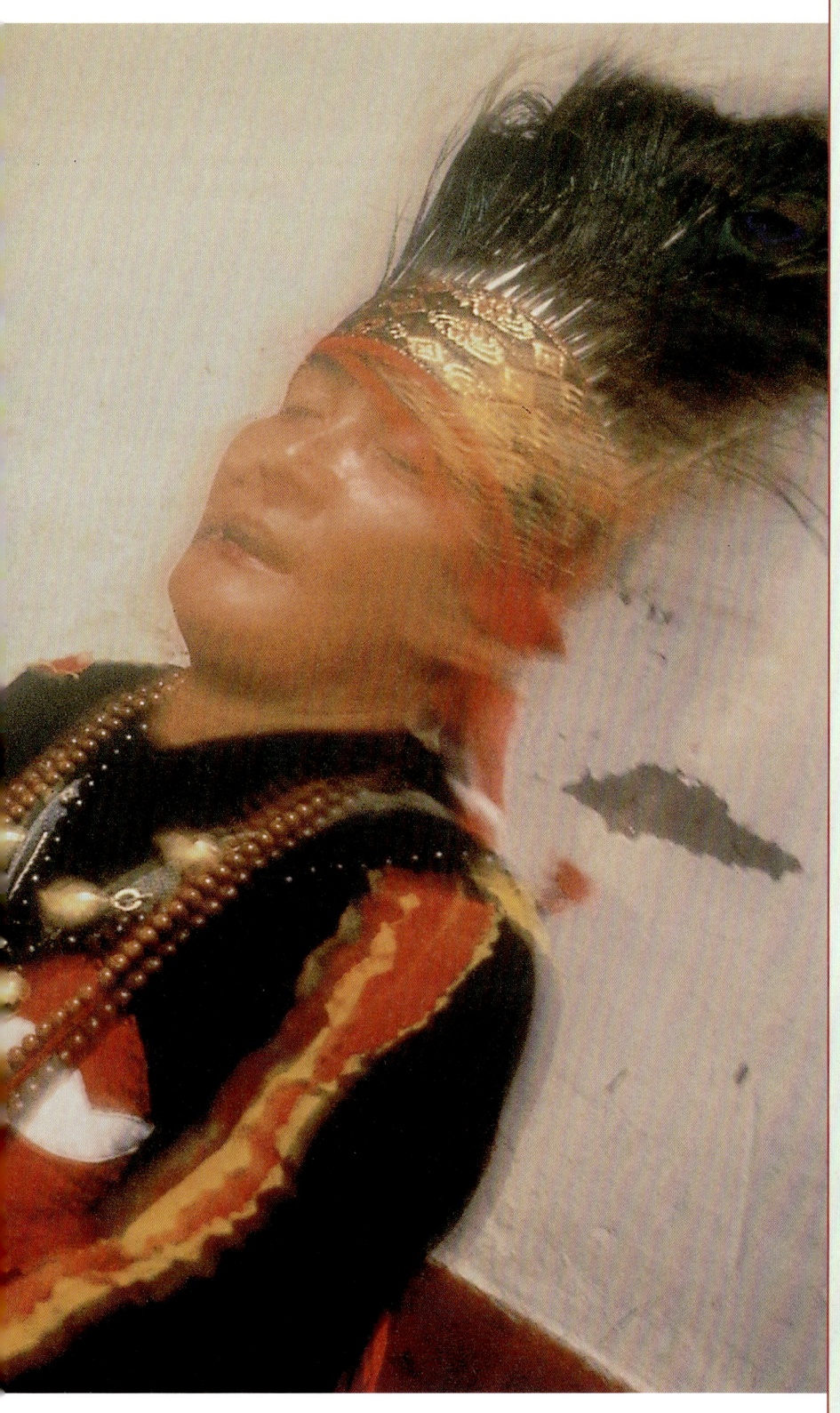

Indra Gurung ist ein in ganz Nepal bekannter Schamane. Beschwörungsformeln sowie stundenlanges rhythmisches Trommeln haben ihn in **tiefe Trance** versetzt, die ihn aus seinem Körper »hinaustreten« lässt – eine magische Praxis aus der steinzeitlichen Welt der Jäger, Nomaden und Tiergeister

Schamanismus

Text:
Wolfgang Büscher
Fotos:
Pascal Maître

In unklaren, von der westlichen Medizin psychosomatisch genannten Fällen erzielen **schamanische Behandlungsmethoden** oft erstaunliche Erfolge. Über diese Kranke, die Lähmungserscheinungen zeigt, schlägt der Heiler kochendheiße Tücher

Saun. Das muss die Reisesaison der Verrückten sein. Regen, Regen, Regen. Berghänge in Bewegung. Stürzende Wasser. Grau schäumt uns der Bhote Kosi entgegen – der Tibetfluss. Die Straße nach Lhasa schmiegt sich ihm an, und das Keuchen und Schaukeln unseres Busses lullt den Vorsatz ein, nur ja keinen Berg, keinen Blick zu verpassen. Die Karte auf dem Knie hält sich an die Namen, die Peter Aufschnaiter, Heinrich Harrers Gefährte, Orten und Bergen gegeben hat. Unsere in Kathmandu ausgestellten *trekking permits* nennen als Ziel: Kalinchok.

S<small>AUN, DAS IST DIE DÜSTERE</small>, die gottverlassene Zeit. In diesem Monat – Juli/August nach unserem Kalender – nehmen die Götter ihren Jahresurlaub. Sie ziehen sich zur Meditation in die untere Welt zurück, ins Reich der Schlangen, und lassen die Menschen schutzlos in höchster Gefahr. Bei uns im Westen heißt es: Der Schlaf der Vernunft gebiert Ungeheuer. Über so viel Unverstand kann der Mensch des Himalaja nur den Kopf schütteln. Der Schlaf der Götter ist es doch, der die Dämonen gebiert: Unheil, Krankheit, Tod.

Aber in sechs Tagen ist er überstanden, dann wird die Rückkehr der Götter gefeiert. Diesem Tag gehen wir entgegen – und seiner wahrlich höchsten Feier auf dem Berg Kalinchok. Auf dessen engem Gipfelplateau, über 3 800 Meter hoch, sollen sich Jahr für Jahr viele Dutzend Schamanen zum Vollmondfest einfinden, um dem großen Gott Shiva Blumen und der Berggöttin Kalinchok Mai Tiere zu opfern und wieder frische Schamanenkraft zu empfangen.

Was ist ein Schamane? Er hat Umgang mit Göttern, aber er ist kein Priester. Er heilt, aber er ist kein Arzt. Er kann großes naturmedizinisches Wissen haben, aber das allein macht ihn nicht aus. Er ist derjenige Bauer oder Tagelöhner im Dorf, der gerufen wird bei Unheil, Krankheit, mitunter auch Tod. Der erkennt, ob ein Dämon dahintersteckt. Wenn nein, schickt er den Kranken zum Arzt. Wenn ja, geht er in Trance.

In Trance gehen heißt: getragen vom Schlag der Schamanentrommel hinübergehen in die Sphäre der Götter, Geister, Dämonen. Trance ist kein Egotrip und hat mit Selbsterfahrung nicht das Geringste zu tun. Der westliche Seminar-»Schamane«, der sich trommelnd und tanzend selbstverwirklichen will, ist ein groteskes Missverständnis.

Schamane ist auch kein Lehrberuf. Ein Schamane wird durch einen Gott berufen, einen Geist. Erst danach lernt er den Rest bei einem älteren Kollegen. Er hat für sein Dorf da zu sein, und die Dörfler nutzen es weidlich

Der Schamane: jener Dorfbewohner mit dem Transitvisum für die Geisterwelt

aus. Sie rufen ihn, und er muss kommen und die halbe Nacht trommeln und heilen, für ein Säckchen Reis, für ein paar Rupien. Der Schamane ist viel billiger als der Arzt und oft bettelarm. So überschwenglich der Nepalese mit Göttern und Religionen umgeht, so pragmatisch wählt er seinen Heiler. Doktor, Schamane, Lama – je nach Krankheit, Geldbeutel und Angebot.

Für sein Dorf ist der Schamane derjenige mit dem Transitvisum für die Geisterwelt. Der mit dem Phurba, dem hölzernen Geisterdolch, der die Dämonen in Schach hält, körperlich oder seelisch Kranke heilt, eine unerklärliche Pechsträhne beendet, einen bösen Fluch abwehrt. Er ist der Kundschafter, der Parlamentär, den sie über die unsichtbare Grenze schicken, um zu erkunden, welcher böse Geist sie hier quält und was zu tun ist, ihn zu vertreiben oder zu versöhnen. Denn dass diesseitiges Unheil eine jenseitige Ursache hat, gilt als ausgemacht.

Einst über die ganze Erde verbreitet, ist der Schamane heute noch in Nischen zu finden. In Süd- und Mittelamerika, in Afrika, Australien und weiten Teilen Asiens. Aber nirgendwo sonst tritt er noch so alltäglich und zugleich so archaisch auf wie in den Bergen Nepals. Wenn er eine Gestalt aus der frühen Höhle der Menschheit ist, dann liegt diese Höhle im Himalaja. Ihn zu suchen, sind wir hier.

Wir sind da. Eine Autostunde vor Tibet beginnt Nepals schamanisches Herzland. Barabise, das Grenznest, ist ein Spalier aus kleinen Läden voll chinesischer Massenware in einem engen Tal, durch das der Fluss aus Tibet donnert. In strömendem Regen packen unsere Sherpa Zelte, Ersatzkleidung, Proviant in ihre Bastkiepen um.

Wir kaufen große Vorräte an Regenschirmen, Keksen, Badelatschen aus Kanton und schlagen uns in die steile Lücke zwischen zwei Häusern.

Steigen und steigen, halbnackt, durch warmen Regen und jungen Reis. Oder nehmen ein Schweißbad unterm Cape. Bauern kommen uns entgegen, Frauen, Kinder, die Früchte in Bastkiepen nach Barabise tragen, meist barfuß. Kleine Höfe am Pfad, Terrassenfelder, Ziegen, Wasserbüffel, Ganja baumhoch.

Vor mir schnauft ein Mensch in Baseballmütze und giftgrünen Shorts, um den Hals eine gürtellange Mala aus 108 Holzperlen. Ein amerikanischer New-Age-Typ auf Nepaltrip? Es ist Indra Gurung, Schamane aus Kathmandu. Wir hatten ihn vor einer Woche getroffen, gähnend, an uns und der Welt anscheinend desinteressiert. Neben ihm auf dem Sofa saß die Herzlichkeit in Person, sie trug ein rotes Blumenkleid und eine Handtasche. Eine Hausfrau? Maile Lama, Schamanin.

Indra stammt aus einem entlegenen Bergdorf in Westnepal, Maile aus einem im Osten. Mit etwa zehn Jahren wurden beide kraftvolle, bekannte Jhankri, wie die Schamanen auf Nepali heißen. Mit 18 versuchten sie, ihrer Berufung zum Heilen und einem Leben in Armut davonzulaufen. Indra

Regen machen, mit Göttern kämpfen: Die stärksten Mantras sind verloren

erfüllte sich den Traum von einem Einkommen, das ihm Heirat und Kinder erlaubte – er wurde Polizist. Bis ihn ein Polizist aus seinem Dorf lauthals erkannte. Sein Offizier machte große Augen. »Ein Jhankri in meiner Truppe? Hör mal, Gurung, meiner Frau geht es gar nicht gut.« Bald war alles wieder wie im Dorf. Einmal Schamane, immer Schamane. Heute praktizieren Indra und Maile in Kathmandu.

Tagelang haben sie unsere Fragen beantwortet und uns jede Nacht an ihren Ritualen teilnehmen lassen, unter einer Bedingung: »Wir sagen euch, was wir noch keinem gesagt haben, aber unsere Mantras bleiben tabu.« Kein Schamane würde sie preisgeben. Sie sind der Kern seines magischen Wissens, die Merseburger Zaubersprüche des Himalaja. Je mehr und je mächtigere Sprüche er hat, desto mächtiger der Heiler. Die stärksten Mantras, sagt Indra, seien verloren: Regen machen. Auf dem Geisterdolch fliegen. Mit Göttern kämpfen. »Man« heißt im Sanskrit »denken, im Sinn haben«. Die Endung »-tra« bedeutet »Werkzeug, Gerät«. Denkzeug also, magische Wirkformel.

Es dämmert, als die Sherpa unser erstes Nachtlager aufschlagen, zu ihrer Freude bei einem Shivatempel – zu der unsrigen 1 000 Meter über der Waschküche von Barabise.

Für einen Hindu ist Shiva der hohe, hochkomplexe Gott mit den 1 008 Namen: phallisch-entzückt, dann wieder asketisch-entrückt, auf Himalajagipfeln meditierend, dann wieder mitleidig heilend, ein andermal sich an Ganjakraut berauschend. Der, dessen kosmischer Tanz immer neue Welten schafft und vernichtet, sich selbst dabei zuschauend, unbewegt.

Für den Schamanen ist Shiva der Urschamane. Indra behauptet, Schamanen hätten den Gott schon gekannt, bevor es Brahmanen gab – in der Steinzeit. Dafür gibt es Indizien. Der Schamanismus ist präreligiös, keine Religion in unserem Sinne. Älter als die Hochreligionen, die mit der Sesshaftigkeit, den Städten kamen und zwischen Mensch und Gott Theologien stellten und Priester. Er ist eine magische Praxis aus der Welt der Jäger, Nomaden, Tiergeister. Er atmet Unmittelbarkeit im Verkehr zwischen Menschen und Göttern, ist ein rituelles Geben und Nehmen, wie es die Maler steinzeitlicher Höhlen erlebt und auszudrücken versucht haben mögen.

Hoch über Kathmandu liegt die Tempelanlage mit der riesigen Swayambunath-Stupa. In ihrem Schatten steht Gott Shiva in seiner fürchterlichen Gestalt. Er trägt die alte, schreckliche Kette aus Menschenschädeln. Sie steht für die Köpfe getöteter Dämonen. In der Linken hält er die Kapala, die Schale aus einem Menschenschädel, und in der Rechten die Ritualwaffe, die Kartika. In die Schale ruft er die Dämonen, mit der Waffe tötet er sie. Ihr Blut trinkt er, um ihr Wissen aufzunehmen. Denn Dämonen sind nicht nur bösartig, sondern auch gewöhnlich gut informiert. Unter Shivas Füßen liegt ein besiegter Dämon in Menschengestalt. Der vierarmige Gott, der Werden und Vergehen der Welt tanzt, tanzt auch den Dämonen auf dem Kopf herum, tanzt sie zurück in die Unterwelt, tanzt sie tot. Und nichts anderes tut sein Schüler, der Schamane, in Trance. Es geht beim Heilen immer darum, den verantwortlichen Dämon zu bannen.

Im zivilen Leben ist der Schamane Hindu oder Buddhist, aber wenn er zur Trommel greift, ist das ohne Bedeutung.

EINE FRISCHE OPFERSCHALE liegt am Weg, darin Reis, Mais, Minze, Blüten, die Lebenssymbole, und vier rote Fuchsschwanzblüten: die vier Himmelsrichtungen. Der kleine Kegel aus Lehm symbolisiert die vertikale Weltachse, den Weltenberg Meru. Die schamanische Kosmologie in einer Blätterschale. Sie war vergangene Nacht der Altar eines Jhankri und wurde,

Zum Aufstieg auf den Kalinchokgipfel legen die meist armen Schamanen ihre **Tracht** an, eine Art Berufskleidung. Die wichtigsten Utensilien sind **Trommeln** – häufig demoliert nach den vielen Nächten, in denen die Heiler von Dorfbewohnern geholt wurden, um in einer akuten Notlage zu helfen

Schamanismus

wie üblich, nach dem Ritual aus dem Haus geschafft. Minuten später treffen wir die Bäuerin, um deren Heilung es gegangen ist. Sie fühlt sich schon besser, müsse sich aber noch ein paar Tage gedulden. Erst dann zeige das Ritual seine volle Wirkung. Die Symptome ihres Leidens waren typische Anlässe, den Jhankri zu rufen: Fieber, Unruhe, Schmerzen unklarer Art.

Bald darauf, im Weiler Karthali, steht er vor uns, ein kleiner, dürrer Mann in dreckigen Shorts, das Hemd so mürbe, dass es die nächste Wäsche kaum überstehen kann. Seinen Tupi, den aus einer rückenlangen Haarsträhne geflochtenen Zopf – Liebesbezeugung des Shivaadepten an den Gott mit den langen Locken –, hat er um den Kopf gerollt.

Ein aus unerfindlichen Gründen **gelähmter Mann** wird ins Dorf Karthali getragen. Dort reibt der Schamane, nach langen **Beschwörungen** und Tänzen, ein Huhn über den Körper des Kranken, um dessen Leiden und Dämonen auf das Tier zu bannen. Dann wird das Huhn geköpft – die Dämonen sterben. Wie viele von ihnen an der Erkrankung beteiligt waren, wird aus dem Dotter eines aufgeschlagenen Eies gelesen

Tej Bahadur Yonjon, der arme Bauernschamane, trägt genau das Los, das Maile und Indra nach Kathmandu getrieben hat. Wird er zu entfernten Patienten gerufen, muss er alles liegen und stehen lassen und Tagelöhner anheuern, die ihm die Feldarbeit abnehmen. Dann kehrt er zurück mit einem Beutel Reis als Lohn.

Yonjon lädt uns zu einer Heilung ein, nach Sonnenuntergang, »wenn die Dämonen reisen«. Von denen kriege er oft die besten Informationen über die Ursache einer Krankheit. »Sie sind so gierig. Für ein paar Opfergaben plaudern sie alles aus.«

DIE SHERPAHERBERGE von Karthali steht hart am Weg und bietet ein paar roh gezimmerte Betten im Untergeschoss an; oben ist sie eine Art Kneipe, die sich als idealer Posten erweist. Hier läuft uns das Traumpaar unserer Wallfahrt in die Arme. Er ein zierlicher Bergbauer, sie eine hagere, hellwache Schönheit. Um die 57 sind die beiden, ganz genau wissen sie es nicht. Sie sind Sherpa. Dieses Hochgebirgsvolk ist mit den Tibetern verwandt, und tibetisch ist auch die Mimik. Will Mingmar Sherpa Höflichkeit bezeugen, streckt er uns die Zunge heraus. Er ist ein sehr höflicher Mann.

Wie respektvoll sich alles vor ihm verneigt! Er spricht kurz, lebhaft, edelheiser, entschieden. Man bedeutet uns, er sei der mächtigste, angesehenste Schamane der Kalinchokregion. In der Herberge, bei einer Schale sämig-säuerlichem Bier, Chhang, schildert er im Schneidersitz, was ihm vor zehn Minuten geschah. »Eine große Schlange liegt uns quer im Weg. Ich werde wütend. Ziehe das Messer, will ihr den Kopf abschlagen.« Er greift nach seinem Khukuri, dem großen Krummmesser, das jeder Bergbewohner im Gürtel trägt. »Dann denke ich: Halt, das hat doch etwas zu bedeuten. Die Schlange ist doch mein Lehrer. Ich bitte sie um Verzeihung. Sie gibt den Weg trotzdem nicht frei. Wir müssen um ihren Schwanz herumgehen.«

Mingmar Sherpa sieht uns nachdenklich an. Jahr für Jahr ist er auf den Kalinchok gestiegen. Diesmal wollte er zum kleineren Fest am heiligen See Dudh Kunda. Dann gab ihm die Schlange ein Zeichen. Und dann traf er uns. »Ihr seid weit gereist, um zu erfahren, was wir Schamanen tun. Ich bin nur ein Bauer. Was kann ich dafür, dass ich diese seltsamen Fähigkeiten habe. Ich mag darüber nicht reden. Kommt und seht.«

Er weist uns an, Hühner und Ziegen zu kaufen, weibliche Opfertiere, denn die Berggottheit Kalinchok Mai ist weiblich. Ja, er wird mit uns gehen. Genau genommen: Er lädt uns ein, mit ihm zu gehen – drei Fremde können schlecht den Königsschamanen vom Kalinchok zu dessen Audienz laden.

Die Nacht kommt schnell. Yonjons Haus ist aus rohen Steinplatten gefügt, durchdrungen vom strengen Aroma von Ziegen, Qualm, Weihrauch und Schweiß. In einer Kuhle im Lehmboden rußt ein offenes Feuer und wirft einen flackernden Schein auf gut 40 Gesichter. Männer, Frauen, Kinder hocken, stehen, drängen sich in dem niedrigen, stickigen Raum um das Feuer, um Yonjon und Danashing Tamang, einen zweiten Schamanen, um den mit Zweigen von Nachtjasmin geschmückten Altar.

Er saust durchs Tor des Bewusstseins. Jetzt ist er drüben. Er reist

In dieser Nacht geht es nicht um Migräne und Liebeskummer, es geht um Leben und Tod. Der Patient wirkt niedergeschlagen, verängstigt. Sein Blick fliegt, seine Brust flattert, seine Stirn ist nass. Der Fall ist ernst: Paralyse der Beine. Er kann nicht mehr gehen. Ein Mann hat ihn huckepack hergetragen. In der Klinik in Kathmandu hat man ihm nicht helfen können.

Es beginnt ein Drama in zwei Akten. Trancereise und Heilung. Oder für uns Westler: Diagnose und Therapie. Yonjon hat Shorts und Hemd gegen sein Schamanenkleid vertauscht und seinen Tupi, seinen Zopf, entrollt. Er schlägt auf seiner Trommel einen langsamen Rhythmus, dazu spricht er Mantras der Anrufung. Er bittet seine göttlichen Helfer um Einlass in deren Welt. »Holt mich. Kommt auf mich. Reitet mich.«

Wie dunkel sein Gesicht jetzt ist. Wir haben das Phänomen in Kathmandu jede Nacht bei Indra und Maile beobachtet: die Verwandlung der ganzen Person. Schon die Kleidung, die Glockenketten quer über der Brust verwandeln Yonjon. Kaum hat er alles angelegt, gerät er in Vibration. Als er, auf dem Boden sitzend, zu trommeln beginnt, wird das Schütteln stärker, erfasst die Beine, bald den ganzen Körper. Yonjon schließt die Augen und atmet tief.

Jetzt ein Rhythmuswechsel. Der Schamane drischt auf seine alte, auf tausend Trancereisen krumm geschlagene Trommel ein wie ein von allen

Erlkönigen gejagter Reiter auf sein Pferd. Überhaupt der Eindruck des Reitens. Erst Schritt. Dann hebt und senkt es ihn – Trab. Jetzt ein kurzer, scharfer Galopp. »Hosch! Hosch!« Er saust durchs Tor des Bewusstseins. Sein Trommeln beruhigt sich. Er ist drüben. Er reist.

Yonjons Ausdruck ist völlig verwandelt. Wo eben noch die Lach- und Sorgenfalten des kleinen Bauern waren, tritt eine Stirnader hervor, stark wie ein Kabel. Eben noch ein Bauer, eben noch hier, jetzt Geistreiter durch eine Welt, von der wir Zuschauer nur den Abglanz auf seinem Gesicht sehen. Es ist maskenhaft, abwesend, dann wieder wendet es sich nach oben, unten, zur Seite – wie das eines Reiters, der seinen Weg durch die Wildnis sucht.

Tod oder Leben – das Ei eines Huhns wird das Schicksal verkünden

Sosehr ich mich bemühe, jedes Detail zu erfassen – der Reporter weiß, dass er nicht weiß, was hier vorgeht. Ich könnte jetzt meine Arme verschränken, mich auf Europas überlegenen rationalen Geist besinnen und sagen: ein Wunderheiler plus Hokuspokus. Aber das klänge wie Pfeifen im Dunkeln, überheblich, feige. Ich gestehe mir ein: Vor meinen Augen spielt sich etwas Uraltes ab. Was ich sehe, haben andere vor Hunderten, vielleicht Tausenden Jahren so ähnlich gesehen. Aber ich bin nicht da, wo Yonjon jetzt ist, und ich sehe nicht, was er sieht.

Wieder wechselt der Rhythmus. Yonjon spricht das Reisemantra. Es schützt und lenkt ihn auf seinem Weg. Eine Art Atlas der Geisterwelt. Im Unterschied zur chaotischen Besessenheit des Mediums beim Voodoo kontrolliert der Schamane seine Trancereise. Nur so ist es möglich, gemeinsam zu reisen.

Yonjon bittet Wesen, die nur er sieht, um Beistand für den Kranken, um Rat, wie ihm zu helfen sei. Jemand wischt ihm den Schweiß vom Gesicht. Er merkt es nicht. Er taucht kurz aus der Trance auf. Man reicht ihm ein Hühnerei, er bespricht es, der kalkweiße Patient verfolgt es gebannt. Das Ei wird sein Schicksal verkünden. Tod oder Leben. Es wird die Hauptrolle spielen bei »jokhana«, der Diagnose.

Schamanen kennen zwei Arten: »tharo jokhana« und »guru jokhana«. Tharo Jokhana geht schnell, ohne Trance: Pulsfühlen, Reiszählen, Wasser- und Schwarzer-Spiegel-Diagnose. Nichts hat das mit westlicher Medizin zu tun, auch das Pulsnehmen nicht. Der Schamane tastet mit der Fingerkuppe das Handgelenk ab wie ein Sensor und murmelt die Namen der bösen Geister: Bhuta, Pareta, Chheda, Bheda, Mari Masana, Dankini, Shanki. Er wartet auf den kleinen Impuls, der ihm verrät, wer der Übeltäter ist.

Auch die anderen Methoden sind das, was Europäer magische Praktiken nennen. Die Zahl der Reiskörner und das plötzliche Kochen des Wassers in der Schale geben die Art der Krankheit preis, verraten, welcher Dämon, welcher Fluch dahintersteckt. Und der schwarze Spiegel bringt die Wahrheit eines Verbrechens ans Licht. Er ist die mit Holzkohle und Tinte bestrichene Handfläche eines Mediums, eines Kindes, dem etwa die Frage nach dem Dieb gestellt wird. »Wen siehst du in deiner Hand? Wie sieht er aus?«

Guru Jokhana ist tiefer, schwieriger. Der Schamane wendet sich an seinen Guru: »Hier ist jemand, mit dessen Seele ich in die andere Welt reisen werde. Was ist mit ihm? Stirbt er? Kann ich ihn heilen? Wie? Sag mir die Wahrheit.«

DIE SCHWIERIGE WAHRHEIT IST, so hat uns Indra erklärt, dass die Götter und Geister nicht immer die Wahrheit sagen. Der Schamane muss, um sicher zu gehen, doppelt und dreifach reisen und fragen, oftmals die ganze Nacht hindurch. Erst wenn er überall die gleiche Antwort findet, kehrt er zurück. Manchmal reden die Geister wie Affen, wie Vögel. Dann fragt er den Patienten, dessen Seele auf dem Sozius mitgereist ist, was sie gesagt haben, denn der versteht sie.

Führt das alles zu nichts, ist Riechdiagnose die letzte Chance. Der Schamane verwandelt sich in Trance in ein wildes Tier. Ausgestattet mit hochempfindlichem Geruchssinn, beschnüffelt es den Kranken wie ein Tiger, wie ein Wildschwein, um die Krankheit zu erriechen. Uralte Erinnerungen an die umherschweifende Jägerhorde, an den Verkehr mit Tiergeistern, an die Höhle der Menschheit und ihre Bilder.

Yonjon ist zurück. Danashing Tamang, sein Assistent, setzt sich zu dem Kranken, schneidet Stückchen seiner Fuß- und Fingernägel ab, mischt sie in der Opferschale mit sieben Sorten Reis. Jetzt wird das Huhn gereicht. Es hat

*Wieder einmal hält Yonjon, der mit Tochter und Enkelkind zusammenlebt, sein **spiritistisches »Notarztbesteck«** in den Händen. Wieder einmal ist er von einer Familie gerufen worden, die weitab in den Bergen wohnt. Ein mühsamer Marsch steht ihm bevor, das Los vieler Schamanen*

Schamanismus

Mingmar, der Schamane, bittet um Vergebung, die Maske tragen zu wollen, die vor ihm auf dem Altar ruht: Sie ist die Schreckensgestalt Shivas, und sobald Mingmar sie anlegt, wird er zu Mahakala, dem wichtigsten Schamanengott Nepals, der als »Dämonenkiller« gilt

in den Händen eines Jungen still auf seinen letzten Auftritt gewartet und letzte Körner gepickt. Es wird an Kopf und Füßen gewaschen und mit roter Farbe bestreut. Yonjon spricht dazu Heilmantras.

Danashing packt das Huhn bei den Beinen und tanzt mit ihm um den Kranken. Bestreicht ihn mit dem Huhn, setzt es auf seinen Kopf, damit es die Krankheit aus ihm heraus und auf sich zieht, schreit die bösen Geister an – »Raus, raus!« – und tanzt jetzt wilder. Das Huhn gackert empört. Einige Jungen lachen. Zwei ältere Frauen halten sich fest und folgen dem Tanz mit offenem Mund. Der heilige Schrecken vor den Mächten, die in diese Hütte gerufen worden sind, steht in ihren Mienen. Das Huhn wird so lange mit Wasser bespritzt, bis es sich schüttelt. Das ist das Zeichen: Ich bin bereit.

Ein Junge mit Krummmesser übernimmt das Huhn. Ein kurzes, erregtes Palaver: Hier oder draußen opfern? »Draußen!« Das Huhn wird am Boden ausgestreckt, das Messer hackt mehrmals zu. Kopf ab. Ein Helfer schlägt das Ei auf und reicht es Yonjon. Der liest im Dotter, und jeder liest mit. Ist ein Fleck zu sehen? Daran erkennt der Schamane die Krankheit. Ein Raunen geht durch die Menge: »Fünf Flecke!« So etwas hat man noch nicht gesehen. Der Fall ist wirklich todernst. Yonjon meint trotzdem, er könne helfen. »Aber das dauert seine Zeit.«

Es gehe ihm besser, wird der Kranke nach einer Woche unserem Bergführer berichten. Einen Monat später wird er ihm schreiben: »Mir geht es gut, und ich bete zu Gott Pashupati für Euch. Ich habe Tausende Rupien ausgegeben, um geheilt zu werden, aber die Ärzte haben es nicht geschafft.« Nach dem Heilritual an jenem Abend in Yonjons Hütte sei er allmählich gesund geworden. »Ich bin jetzt zu 100 Prozent geheilt. Ich bin so dankbar. Ich habe ein neues Leben geschenkt bekommen. Ich kann wieder über diese Erde gehen. Nun hoffe ich, auch Arbeit zu finden.«

DIE MASKE. RITUALE, TROMMELN, Segenswünsche, langer Abschied von Karthali. Alle vier Schamanen des Ortes tanzen für uns im Regen. Zwei gehen mit, unser Zug wächst. Ist der Weg leicht, ist er ein vager Strich durch sumpfige Almwiesen, an dem Blutegel Spalier hocken. Kommt es hart, kommt das Wasser von oben und unten. Im Dauerregen den Bergbach hinauf. Den wievielten? Die wievielte Furt?

Seit Stunden steil bergan. Steigen, atmen, triefen, nicht denken. Ein vegetativer Zustand, nicht unangenehm. Gehen in Wolken, Hüpfen von Stein zu Stein. Kaum Sicht. Die Luft wird dünner, das Atmen schwer. Vierter Tag. Wir müssen Tempo machen, wenn wir übermorgen auf dem Gipfel sein wollen. Unsere Sherpa hüpfen wie Bergziegen die glitschigen Hänge hinauf, meist barfuß, jeder seinen Zentner Gepäck im Kreuz. Von dem vogelleichten Mingmar und dessen leichtfüßiger Frau nicht zu reden.

Gegen Mittag Rast auf knapp 3 000 Meter, bei einer Gumpa, einem tibetisch-buddhistischen Kloster. Die aufgesparte Erschöpfung des sechsstündigen scharfen Aufstiegs bricht sich Bahn. Letzte verschwimmende Eindrücke: Tschörten, Gebetsfahnen, Gesichter. Dann sinkt der Mann aus dem deutschen Flachland rücklings hin und halluziniert. Die neblige Gumpa, der Platz unter dem Vordach gleitet ins Zimmer der Kindheit hinüber, die

Was habe ich gesehen? Wirklich Shiva? Der Schamane strahlt und nickt

Erschöpfung in Fieber, die Stimmen der Sherpa, die das Essen bereiten, werden zu den halbvergessen-vertrauten Küchengeräuschen des Elternhauses.

Jemand sitzt neben mir. Mingmar, zerfurcht, tief ein- und ausatmend, Mantras murmelnd, auf mich pustend. Seine Hand fährt über mich, mit brennenden Räucherstäbchen, als scheuchte sie etwas fort. Dann entgleitet er. Wo er gesessen hat, sitzt jetzt eine andere Gestalt, in gleicher Haltung, aber größer als er. Ein schwarzer, gesichtsloser Schattenriss, unscharf wie hinter Milchglas. Dann wieder Mingmar: »Lasst ihn zwei Stunden liegen, dann ist er in Ordnung.« Nach einer Stunde stehe ich auf. Erleichterte, forschende Blicke. »Geht's?« Es geht. Und es geht gleich weiter. Der Regen, der scharfe Anstieg, die dünne Luft – alles wie zuvor, wieder stundenlang bis in die Dämmerung. Ohne Halluzinationen.

Sie kommen nicht wieder, so hoch wir auch steigen. Mingmar geht vor mir. Ab und zu dreht er sich um. Bei einer Rast erzähle ich ihm von der schwarzen Gestalt. Er schweigt, wiegt den Kopf, zeigt die tibetische Zunge. Ich insistiere: »Wer war das? Der Tod?« Mingmar zeigt mit aufgerichtetem Daumen auf mich wie ein zufriedener Fußballtrainer. »Er hat ihn gesehen.« Wen, Mingmar? »Guru Rinpoche.« Shiva? Er strahlt und nickt.

Dann legt er mühelos Tempo zu. Er will in Phatang auf uns warten, in seiner einsamen Almbaude. Es dunkelt, als unser Zug aus dem Nebel der Bergwälder auftaucht. Dunkel ist auch Mingmars Gesicht. Da steht er im fußlangen weißen Rock, darüber trägt er eine enge rote Blumenbluse, neben seinem Tupi hängt der Federbalg eines kleinen Himalajavogels. Er opfert der Maske. Er hat uns von ihr erzählt und zugesagt, sie für uns zu tragen, was ihn einige Überwindung gekostet habe – und lange Gebete, für die er den Vorsprung gebraucht hat.

Es ist die Maske des Mahakala, einer furchterregenden Gestalt Shivas. Schrecken soll die Dämonen bei ihrem Anblick befallen. Schamanen, die das Gesicht des Gottes tragen dürfen, sind selten. Rund hundert Sherpaschamanen gibt es in dieser Region. Einer von ihnen darf es. Mingmar.

Da ist sie. Ochsenblutrot, hervorquellende Augen, die Hauer gebleckt, ein Doppelschopf aus schwarzem und rotbraunem Yakschwanzhaar hängt von ihr herab. Sie ist dreimal so groß wie sein Kopf. Sehr mächtig sei sie, sehr gefährlich, flüstert man uns zu.

Mingmar kniet und betet vor ihr: »Beschützer der Welt, der die Dämonen tötet. Ich will jetzt dein Gesicht ohne Grund tragen. Bitte vergib mir.« Er nimmt die Trommel. Dreht sie, atmet auf sie, beginnt sie zu schlagen, tastend wie ein improvisierender Musiker. Dann singt er. Wir haben viele Schamanen erlebt, deren Mantras Gemurmel sind, allenfalls Singsang. Mingmar

In Tibet verbrennen sie ihre Toten. Aber ein Schamane wird begraben

singt wirklich. Er singt wunderbar. Phrasiert, umspielt seinen mit der Präsision eines Schlagzeugers getrommelten, treibenden Vierviertelschlag. Sein Ritual ist reine Musik, ihr Refrain ein lang gezogener, beinahe klagender, melancholischer Ton. »Hoooh!« Er bittet um die Maske, sein Helfer setzt sie ihm auf. Er trägt jetzt Mahakala. Einmal im Jahr tanzt Mingmar unter ihrer Last durchs Dorf, durch die Häuser, um sie zu reinigen.

In gewissen Nächten geht er allein, mit nichts als der Maske bekleidet, zu dem Platz, auf dem die Toten verbrannt werden. Ein Patient leidet unerklärliche Qualen. Mingmar fragt, ob im Dorf jemand gestorben sei. Ja, heißt es dann, der und der. Dann steht Mingmar solch eine Nacht bevor. Nackt erscheint er auf dem Kampfplatz, in der einen Hand einen rituellen Speer, in der anderen die uralte Schenkeltrompete aus dem Oberschenkelknochen eines toten Schamanen. Er bläst sie. Er ruft auf ihr die Dämonen herbei. Es ist ein Kampf Mann gegen Dämon. Mingmar singt starke Mantras, die ganze Nacht hindurch, bis der Quälgeist sich stellt. Mingmar sagt: »Du bist tot. Hau ab.« Der Geist des Toten beharrt: »Nur, wenn ich einen mitnehme.« Mingmar: »Du gehst, oder ich töte dich.«

Mingmar heilt und kämpft nicht nur, er begleitet auch die Sterbenden. Er liest ihnen das gesamte tibetische Totenbuch. »Aber nicht wie ein Lama, der nur liest. Ich geleite sie hinüber in die andere Welt.« Drei Arten der Bestattung zählt er auf: »Die meisten Toten werden verbrannt. Nur Schamanen und Lamas werden begraben, in sitzender Stellung. Man wartet drei Jahre lang, ob ihr Geist auf einen Nachfolger übergeht.« Und dann ist da die tibetische Sitte, Tote zu zerstückeln und sie den Geiern zu überlassen. »Das geschieht selten und nur mit sehr jung Verstorbenen.«

Mingmar ist Tibet viel näher als Indien. Geografisch, ethnisch, geistig. Er ist eine Gestalt aus der Zeit vor der Scheidung von Religion und Magie, von Priester und Heiler. Er ist einer der letzten Priesterschamanen.

Früh um vier im Zelt, erste Stimmen des nächsten Tages. Zwei Vögel unterhalten sich lebhaft. Ein Wasserfall donnert. Gegen fünf rühren sich Mingmars Hunde, kurz nach sechs die Trommeln. Sie waren nur wenige Stunden still. Gestern haben die Schamanen den ganzen Weg getrommelt, bis in die Nacht. Dazu der Pilgergesang der Frauen: »Saio, saio. Saio le bomba saio.« Das heißt vieles. Hier heißt es: gute Reise zum Kalinchok. Er schenke unseren Schamanen Kraft.

Wir kommen nur schleppend voran. Alle halbe Stunde Stopp vor einer frommen Barrikade. Eine herbeigeschleppte Bohle dient als Altar. Blumen, Opferschale, Weihrauch. Dazu Kartoffeln und reichlich Rakshi, selbst gebrannten Reisschnaps, und Chhang für die Schamanen. Die Bergler erbitten ihren Anteil am Glück und Kraft spendenden Segen unseres Zuges zum Berg der Götter. Bedürfte es einer Demonstration, wie lebendig, wie populär Schamanismus ist – dies wäre sie.

Wie wird man Schamane? Erstens: Man ist es schon, hat es »von der Gebärmutter her« und lernt den Rest in Träumen. Ein seltener Weg. Der zweite ist üblicher: Familientradition – die Schamanenkraft des Vaters geht auf Sohn oder Tochter über, die der Familiengott im Traum beruft. So

Einmal im Jahr zieht Mingmar unter einem Antlitz des Urschamanen Shiva durchs Dorf. Die **rituell »belebte« Maske des Gottes** soll den Ort spirituell reinigen. Diese uralte Tradition findet sich in ähnlicher Form bis heute auch in den Maskenumzügen der westlichen Welt

Schamanismus

war es bei Yonjon und Mingmar. Der dritte Weg bringt, so heißt es, die mächtigsten Heiler hervor. Er ist der abenteuerlichste.

I<small>N DIESEN</small> B<small>ERGEN LEBTE</small> ein siebenjähriges Mädchen in einem Dorf namens Chhipchhipé. Eine Lautmalerei, die das stete Tropfen des Wassers wiedergibt, passend für den Ort einer märchenhaften Initiation. Im Herbst 1956 hütete das Mädchen ihres Vaters Kühe. Der war Schamane, aber nur ein kleiner, der Heilkräuter kannte, aber nur wenige Mantras.

Eines Abends saß das Kind im Kuhstall. Die Nacht kam, das Feuer erleuchtete einen kleinen Kreis. Das Kind schaute auf und sah gegenüber einen alten, kleinen, haarigen Mann am Feuer sitzen. Sah, wie er mit bloßer Hand in die heiße Asche griff und drei Häufchen aufschüttete. Eines links, eines rechts, eines vor sich. Dann war er weg. Sie erzählte es dem Vater. Der sagte: »Du spinnst. Hier ist kein bärtiger Alter.« Sie zeigte ihm die drei glühenden Aschehaufen. »Das kann ich doch unmöglich getan haben.«

Ihr Großvater, Schamane auch er und einsichtiger, machte Jokhana mit ihr, die Diagnose. Resultat: Das Kind wies alle Symptome einer künftigen Schamanin auf – und keiner kleinen. Denn ein normales Kind wäre vor dem Alten am Feuer schreiend davongelaufen. Und dass der Berggeist erschien, deutete auf Großes hin.

In seiner ersten Trance sprach das Mädchen: »Ich bin…« Sagte uralte, nie gehörte Namen längst gestorbener großer Schamanen seiner Familie.

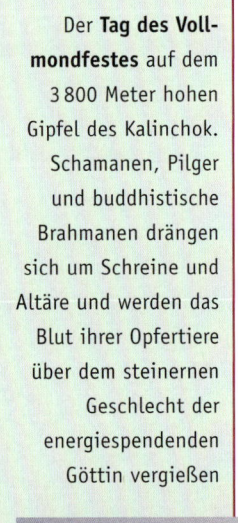

*Der **Tag des Vollmondfestes** auf dem 3 800 Meter hohen Gipfel des Kalinchok. Schamanen, Pilger und buddhistische Brahmanen drängen sich um Schreine und Altäre und werden das Blut ihrer Opfertiere über dem steinernen Geschlecht der energiespendenden Göttin vergießen*

»Ich bin – sie alle.« Ein Jahr später, das Mädchen war jetzt acht, nahm die Mutter es mit zur Wiese beim Wasserfall, Heu machen. Es spielte hinter deren Rücken, Mutter und Tochter unterhielten sich. Aber irgendwann antwortete das Kind nicht mehr.

Der Haarige war wieder da. Winkte dem Mädchen »Komm, komm«, und es folgte ihm durch den Wasserfall in eine prächtige Höhle, deren Eingang nicht größer war als eine Hand. Sie sei etwas hypnotisiert gewesen, erzählt uns die erwachsene Frau vier Jahrzehnte später, aber nicht stark. »Ich musste ja für kurze Zeit meine Mutter vergessen und die ganze Welt draußen. Ich hörte und sah alles ganz klar. Angst hatte ich nicht – er geleitete mich doch.« Er? »Ban Jhankri.« Der Wilde Schamane also. Der Berggeist, den Shiva beauftragt, Berufene zu initiieren. Er nahm dem Kind den schamanischen Hippokrateseid ab. »Das Versprechen, alles, was Heilung sucht, zu heilen. Menschen, Tiere, auch Pflanzen, auch Wasser.«

Falsche Schamanen, die Unheil anrichten, sind oft weiblich: Hexen

Das Mädchen lieferte ein genaues Phantombild: etwa einen Meter groß, langes schwarzes Kopfhaar, bauchlanger schwarzer Bart, schwarze Augen. Körperhaar braun wie ein Orang-Utan. Hüftab in Hirschhaut gekleidet, vom gefleckten Himalajahirsch. Die Füße nach innen verdreht, jeweils vier Zehen. In der Höhle goldene Tempel, Paläste, zugleich ein schamanisches Terrarium und Treibhaus. Alle heilkräftigen Pflanzen und Tiere waren da. Der Geist selbst aß sie niemals. Dem Kind gab er einen Frosch zu essen. »Aber auf dem Handrücken. Niemals reicht er etwas im Handteller.« Aus purem Gold auch sein Ritualgerät: Phurba, Altar, Trommel, Glocken, Schneckenhorn, Feuerzange, Ammonit. Vajra – der Donnerkeil. Trisula – der Dreizack. Und die hundertachtteilige Mala für die 108 anzurufenden Hilfsgeister – ein hundertachttrippiges Schlangenskelett.

Die schamanische Begabung des Mädchens war in Chhipchhipé offenkundig, nur sein Onkel traute ihm nicht und wollte es testen: Wuchs da eine Heilerin heran oder eine Bokshi – eine Hexe? Falsche Schamanen, die Unheil anrichten, sind meist weiblich. Die Kleine sprang vor dem Onkel aus dem Fenster. »Ban Jhankri fing mich auf.« Und kidnappte sie zum dritten Mal. »Er brachte mich in den Wald, etwa zwölf Kilometer entfernt. In fünf Minuten waren wir da. Ich ging, aber es war, als ob ich flöge.«

Im Wald absolvierte das Mädchen einen Intensivkurs. »Alles musste ganz schnell gehen. In ein paar Minuten lehrte er mich Hunderte, Tausende Mantras.« Dann erklärte er dem Kind, von nun an könne er es nicht mehr leibhaftig treffen. Es müsse sich selbst einen Lehrer suchen, der seine Ausbildung vollende. »Aber wenn du Fragen hast, denk an mich. Dann komme ich im Traum zu dir.« Guru des Mädchens wurde ihr endlich bekehrter Onkel. Es lernte zwei Jahre bei ihm. Als es zehn wurde, hatte Chhipchhipé eine neue

Schamanin. Deren Stern ging über Ostnepal auf. Wir kennen sie schon. Dies war die Geschichte von Mailes Initiation.

Aufwachen in der Almhütte einer jungen Sherpafamilie. Der erste Blick aus der Tür gleicht dem Moment, wenn ein Flugzeug durch die Wolken stößt. Endlich Himmel, wenn auch vorerst verhangen. Endlich heraus aus der Nebelsuppe, durch die wir seit Tagen aufsteigen. Wir sind über den Wolken. Um acht Uhr erreichen wir ein Plateau auf etwa 3 500 Meter Höhe. Die Fernsicht löst Freudenschreie aus. Erstmals zeigen sich uns die Majestäten vom Dach der Welt. Die Schneezacken der Langtankette. Die Annapurnaspitzen.

Unser Zug wird immer festlicher, immer länger. Sherpa und Jhankri haben sich Bergblumen ins Haar gesteckt. Nur der arme Indra leidet schrecklich an einem faustgroßen Furunkel, der dort sitzt, womit der Mensch sitzt. Bei jeder Rast verrenkt Indra sich stöhnend auf der Suche nach einer Ruhestellung. Abends jedoch, trommelnd und trancereisend mit den anderen Schamanen, reitet er stundenlang auf seinem Furunkel, als wäre der ein Daunenkissen.

Lächerlich – der große Heiler wird mit einem Furunkel am eigenen Hintern nicht fertig? Der, erklärt er uns, sei kein Fall für den Schamanen, sondern für den Arzt. »Kein Dämon im Spiel?« Indra schüttelt tapfer den Kopf. Er muss die Qual ertragen bis Kathmandu. Bis zum Arzt und dessen

Shivas Gefährtin fiel vom Himmel. Ihr Herz landete auf dem heiligen Berg

Skalpell. Umgekehrt rufen die westlich ausgebildeten Ärzte der Hauptstadtklinik Indra, wenn ihre Kunst versagt. Etwa bei unklaren, im Westen psychosomatisch genannten oder chronischen Fällen.

Indras Spezialität ist die Behandlung psychisch kranker Frauen. In solchen Fällen sieht man den sonst so unauffälligen Mann im Schamanenkleid, Malas und Glockenketten kreuzweise über der Brust, mit Pfauenkrone, Trommel und Geisterdolch durch die Flure der Klinik gehen, sieht alle Türen sich wie von Geisterhand vor ihm öffnen, sieht den tiefen Respekt in den Mienen der Ärzte vor dem einige Jahrtausende älteren Kollegen Jhankri. Fehlt nur die Anrede: Herr Professor.

Der Weg ist jetzt ein kaum mehr wahrnehmbarer poröser Pfad am Steilhang. Links die Wand, rechts der Abgrund, vielleicht 2 000 Meter tief. Plötzlich bricht der Pfad ab. Kriegt der Saun uns doch noch? Der Hang ist jetzt nur noch bedrohlich loses Geröll – ein Erdrutsch. Ein falscher Tritt, und es gäbe kein Halten mehr. Wortlos, traumwandlerisch tänzelt ein Sherpa nach dem anderen mit seiner Zentnerlast über den tödlichen Hang. Nur hinüber, bevor wieder Regen einsetzt und das Geröll glitschig macht. Es dämmert, als eine Wegbiegung sich als die letzte erweist und den ersten Blick auf den Gipfel preisgibt.

Ja, so ist er uns geschildert worden: ein schmales Plateau am Ende eines nach allen Seiten steil abfallenden Gipfelgrats. Der Schrein ist ein archaischer Schattenriss vor einem urzeitlichen Regenhimmel und erinnert zugleich an den wirren Antennensalat auf einem Wolkenkratzer: Tausende von Dreizacken, den Feldzeichen Shivas, gegen den Himmel gereckt.

MINGMAR IST GLÜCKLICH. Er ist hier, der Schlange sei Dank, ist Shiva ganz nahe und der Berggöttin Kalinchok Mai. Er redet nicht gern über sich. Zu einem nüchternen, systematischen Interview ist er, anders als Indra, ganz und gar unfähig. Fragen fasst er als Bitte auf, etwas vorzutragen. Gespräche mit ihm geraten zu Rezitationen aus einem mythischen Versepos. Wenn der kleine alte Mann mit dem zerfurchten Gesicht redet, spricht ein verliebter Poet: »Wir bringen der Göttin die Liebe der Schamanen. Wir bringen ihr drei Arten Milch. Von der weißen Kuh, von der weißen Ziege, vom weißen Frosch.«

Frösche geben keine Milch, Mingmar, und sind auch nicht weiß. Er nickt. Zeigt sein zerklüftetes Lächeln, die tibetische Zunge. »Wir bitten sie: Verzeih, wir haben nur zwei Arten Milch. Die vom weißen Frosch haben wir nicht gefunden. Gestatte, dass wir stattdessen Wasser vom weißen Stein nehmen. Von deiner Quelle auf dem Kalinchok.« Er spricht von der rätselhaften Gipfelquelle. Sie entspringt auf dem höchsten Punkt des Kalinchok, unter dem Shivaschrein.

Die Botschaft seines Gleichnisses ist: Wir Schamanen sind Menschen. Wir können vieles, aber die Götter müssen das Ihre dazu tun. Und was tun sie dazu? »Shakti – Schamanenkraft, Energie.« Wer gibt die? »Wir gehen zuerst zu Kalinchok Mai, sie ist die Mutter, sie nährt uns. Dann gehen wir zu Shiva, zum Lehrer. Von ihm ist die Maske, er sendet die Träume, die Kraft.«

Und warum an Vollmond? Mingmar antwortet mit einem anderen Vers seines schamanischen Urepos: »Shiva trug Parvati über die Erde, seine geliebte, von Feinden zerstückelte Gefährtin. In seinem rasenden Schmerz

*Schamanismus als Ritual von Geben und Nehmen, als Transitvisum in die Geisterwelt: Gläubige segnen ihren **Besitz** (oben), bevor sie zum **Shivatempel** aus Dreizacken und Glocken pilgern, um dort zu opfern*

Schamanismus

merkte er nicht, wie sie herabfiel, Stück um Stück. Wo eines hinfiel, spross ein Heiligtum. Auf den Kalinchok fielen ihr Herz und ein Teil ihrer Vulva, der kleinere, du weißt schon.«

Morgen ist der Tag, an dem das geschah und begangen wird. Morgen wird Shiva über den Berg Schamanenkraft im Überfluss ausgießen. »Was habt ihr für ein Glück, hier zu sein. Jeder Wunsch, der von Herzen kommt, wird morgen erfüllt.« Wir lagern am Kamm, der sich zum Gipfel aufschwingt auf einer nach links und rechts steil abfallenden Bergwiese, auf die Yaks ihre gewaltigen Haufen gesetzt haben. In Europa wäre auf dieser Höhe ewiges Eis. Hier in den Subtropen ist auf fast 4 000 Metern noch alles grün, buschig, waldig. Der Schrein dort drüben liegt schon wieder in Wolken.

Lange vor Sonnenaufgang steigt Mingmar zum Bach hinab, steigt ganz hinein, reinigt sich. Ich gehe zum Gipfel. Wo der schmale Grat endet, führt eine Eisentreppe über einen letzten trennenden Abgrund. Das Gipfelplateau ist rund sechs Meter breit und 30 Meter lang. Vorn steht eine Wellblechhütte. Die Regierung ließ sie errichten, als Polizeiwache. Sie ließ auch das Geländer um den Gipfel bauen. Beides war wohl nötig. Es soll immer wieder zu Kämpfen gekommen sein, bei denen einzelne Pilger vom überfüllten Gipfel in den Abgrund stürzten.

Der Kalinchok steht frei im weiten Bergland. Nach allen Seiten fällt er Tausende von Metern steil ab. Um halb sechs reißt der Himmel auf. Ihre Majestäten erscheinen pünktlich zum Fest: die Annapurna-Parade. Manaslu, der Dreigezackte. Strahlend weiß Ganesh Himal. Nur einer macht sich rar hinter Wolken, der höchste, der Everest. Über die Bergwelt, über den Kalinchok, über uns ergießt sich, lange entbehrt, Sonne im Überfluss. So muss es sein, wenn Shiva sein Shakti ausgießt. Sieben Pfade führen herauf. Aus der nebligen Tiefe der Täler kommen Pilger gezogen, Trommeln, tanzende Jhankri vorweg, Opfertiere. Der Shivaschrein liegt in der Mitte. Ein großer Hügel aus rostigen Trisulas. Kinder springen auf ihm herum, klauben Münzen auf, bunte Bänder, hingeworfene Gaben aller Art. Shiva mag kein Blut, nur Blumen und Früchte, Ganja und Schnaps.

Alles drängt zum anderen Schrein am Ende des Plateaus. Zur Göttin. Von ihr kommen die Tiere kopflos zurück – sie fordert ihr altes, blutiges Recht. Ihr Schrein sind zwei Steine, ein niedriger und eine Stele. Sie trieft vor Blut. Vor ihr werden den zweibeinigen Tieren die Hälse durchgeschnitten, Hühnern zumeist. Die Ziegen führt man vor den niedrigen Stein, blutig auch er. Die Kunst besteht darin, den Schnitt so zu führen, dass der erste Blutstrahl den Stein trifft, die Vulva, die hier herabgefallen ist. »Du weißt schon, der kleinere Teil.« Parvatis Klitoris. Und das blutige Bild erscheint, doch nicht auf dem Opferstein. Es erscheint jedes Mal, wenn das Messer sein Werk tut. Es ist die runde, blutig klaffende Vulva, die der Opfernde in den nach hinten gebogenen Hals der Ziege schneidet.

Verwegene Gestalten drängen heran. Löchrige Hosen, struppige Häupter. Wilde Gesichter, die sich nie vor einem Spiegel haben rechtfertigen müssen, heilige Male aus Kuhdung und Opferblut auf der Stirn. In Schaffellwesten, den Krummdolch im Gürtel sind sie von ihren Almen heraufgekommen, vorweg ihre Schamanen. Dämonentöter, die vor Hunderten von Jahren kaum anders aussahen.

Die Schamanen tragen von langem Gebrauch gerupfte Pfauenfederkronen und uralte, geflickte Trommeln. Keine ist auch nur annähernd rund. Eine ist ganz platt gehauen, in wer weiß wie vielen Nächten. Einer pfeift zum Trommelschlag einen scharfen, weittragenden Pfiff. So pfeifen sie nach ihrem Vieh in den Bergen. Sie besetzen den Gipfel. Es ist ihr Tag. Ein alter Brahmane – er erinnert an Gandhi mit seinem asketischen Leib, seiner runden Brille – hat sich mit den Seinen in die Wellblechwache zurückgezogen und liest verzückt aus der Bhagavat-Gita, dem Katechismus der Hindu. Mingmar beachtet ihn nicht. »Dies ist der Berg der Schamanen. Sie haben ihn gefunden, lange vor den Brahmanen. Sie haben ihn in Visionen gesehen.« Er hat der Göttin geopfert, jetzt tritt er vor Shivas rostigen Schrein, unter dem die nie versiegende Quelle strömt, das sprudelnde Zeichen seiner Gegenwart. Seine Sherpa sind um ihn. Alles macht dem alten Mann in der roten Bluse und dem weißen Rock ehrfürchtig Platz.

Er betet ein in seiner Einfachheit und Inbrunst ergreifendes Bauerngebet. »Wir leben in den Bergen. Lass sie immer weiß sein, die Felder immer grün. Dir gehört alles, die ganze Erde. Wir bitten dich, gib uns, deinen Kindern, davon, was nötig ist. Einen Tropfen Wasser. Ein Stück Kleidung. Ein Korn Reis. Ein Stück Geld. Gib uns Glück. Und gib uns – die Kraft.«

Gegen neun ziehen immer noch singende, trommelnde Pilger herauf. Mohan Rai, unser Bergführer, schaut misstrauisch zum Himmel. Und wirklich, noch vor Mittag steigt eine dunkle Wand herauf und verhüllt die Szene wie ein Vorhang. Minuten später sind Gipfel und Schrein, eben noch in der Sonne, wieder eingenebelt. Wir steigen ab, so schnell und so tief es geht, aber der Monsun holt uns ein, der Weg endet, wie er begann, mit Regen, Sturzbächen, Blutegeln.

Egal, wir waren oben. Wir waren auf dem schamanischen Gipfel. Wir haben mehr gesehen und erlebt, als wir zu träumen wagten.

Wir nehmen Abschied von unseren Sherpa. »Namaste«, rufen sie, »namaste!« Das heißt: »Ich grüße den Gott in dir.« **(1999)**

■ Siehe auch **A–Z-Teil**
→ Buddhismus · Dämonen · Geister · Hinduismus · Initiation · Lamaismus · Magie · Mantra · Maske · Meditation · Opfer · Schamane · Shiva · Wallfahrt

Der GEO-Reporter Wolfgang Büscher und der Ethnopharmakologe Christian Rätsch, sein im Schamanismus erfahrener Begleiter, ließen sich während ihrer Recherchen selbst in Trance versetzen – der Schamane Indra Gurung führte sie. An der Dankeszeremonie auf dem Kalinchok beteiligte sich auch Fotograf Pascal Maître.

2000 Jahre Christentum

Glaube, Liebe, Hoffnung?

Das Christentum ist die dominierende Religion auf Erden: Knapp zwei Milliarden Menschen sind getauft. Ein GEO-Team reiste 1999 um die Welt; und auch wenn manches Kirchenamt inzwischen neu besetzt ist, gilt doch mehr denn je die Erkenntnis der Journalisten: Das Unternehmen Jesus muss sich der Globalisierung stellen

GEO Dossier

Als wären Jesus und seine Jünger eben erst vom **letzten Abendmahl** aufgestanden: Refektorium eines von Franziskanern geführten Waisenhauses in Jerusalem

Text:
Jörg-Uwe Albig
Fotos:
Abbas

Kloster des heiligen Paulus, Ägypten: Ein koptischer Mönch, dem Wunderkräfte zugesprochen werden, empfängt Gläubige, um sie zu segnen. Seit über 1 500 Jahren suchen die Kopten ihren eigenen Weg zu Gott – einst im Streit mit der Mehrheitskirche, heute verfolgt von islamischen Fundamentalisten

Sie lassen nicht locker. Eine kleine Ewigkeit lang liegen sie sich in den Armen. Ein katholisches Gesicht am evangelischen Hals, ein evangelisches am katholischen Hals. Der Bischof fasst die Schultern des Pfarrers, der Pfarrer den Ärmel des Bischofs. So stehen sie und lassen einander nicht los.

Vergessen die Würde, die starren Unterschriften am polierten Tisch. Feurig zerrt der Katholik den weißen Talar des Lutheraners, der Lutheraner den schwarzen des Katholiken. Bischof Walter Kasper, Sekretär des Päpstlichen Rates für die Einheit der Christen, und Pfarrer Ishmael Noko aus Simbabwe, Generalsekretär des Lutherischen Weltbundes, rütteln und schütteln einander wie Judoka, während die Orgel singt. Und durch die Augsburger Sankt-Anna-Kirche braust ein minutenlanger Applaus, der in dieser Kirche so unerhört ist wie das Dokument, das er feiert.

DAS DOKUMENT SEI EIN »MEILENSTEIN«, sagt der Papst. »Allein aus Gnade«, sagt das Dokument, »im Glauben an die Heilstat Christi, nicht aufgrund unseres Verdienstes, werden wir von Gott angenommen.« Eine Sensation: Der Satz läuft schließlich auf Martin Luthers »sola fide« und »sola gratia« hinaus, die vor fast 500 Jahren die Spaltung der Konfessionen einleiteten.

»Allein durch den Glauben (fides)« und, daraus folgend, »nur durch die Gnade (gratia)«, lehrte Luther, erlange der Mensch das Himmelreich – nicht durch gute Werke und schon gar nicht durch Geld (»Ablass«), mit dem

sich die Katholiken seit Papst Leo X. vom Fegefeuer loskaufen konnten: Sodomie zwölf Dukaten, Elternmord vier. Die Folge dieser Rebellion waren hundert Jahre Schlachten: Feldzüge des katholischen Kaisers Karl V. gegen seine abtrünnigen Fürsten, Hugenottenverfolgung in Frankreich, der Dreißigjährige Krieg.

Endlich, am Reformationstag 1999, haben katholische und lutherische Kirche nun auch ihren kalten Krieg abgerüstet, gehen tastend aufeinander

Der allmächtige Markt – er zwingt selbst den Glauben zum Marketing

zu. Und als schließlich der Bischof und der Pfarrer ihre Namen unter die »Gemeinsame Erklärung zur Rechtfertigungslehre« setzen, klatscht die Gemeinde und singt »Großer Gott, wir loben dich«; evangelisches Gesangbuch Nummer 331, katholisches Gesangbuch Nummer 257.

Es geschieht nicht mehr oft, dass Gott in diesen Breiten Applaus bekommt. In Deutschland glauben an seine Existenz nur noch 45 Prozent aller Bürger. Jedes Jahr verlieren die beiden Großkirchen in Deutschland zwischen 300 000 und 400 000 Seelen – eine Stadt wie Mannheim. Im Osten zählen sie gerade noch ein Viertel der Bevölkerung hinter sich.

Auch das Ohr der Mächtigen haben die Kirchen längst verloren: Mag die Caritas Armut in Deutschland anprangern, mögen Katholiken und Protestanten gemeinsam Arbeitslosigkeit und Sozialabbau verdammen oder Menschenwürde für Flüchtlinge einklagen – die Politik würdigt und winkt ab. Dafür wachsen Sekten und Psychogruppen, raunen 800 000 Esoteriker und 50 000 Wahrsager, feiern Medien und Populärkultur schaudernd die »Lust am Bösen«, während »die Unlust am Glauben«, wie Roms Chef-Glaubenshüter Joseph Kardinal Ratzinger klagt, »auf allen Seiten zunimmt«.

»Die Kirchen können sich in einer zunehmend säkularisierten Welt die Spaltung nicht mehr leisten«, sagt Bischof Kasper. »Dabei kann ein Dienst der Einheit in einer globalisierten Weltsituation für alle Kirchen ein Segen sein.«

Globalisierung – die Kirchen haben verstanden.

Die Geo-Ökonomie, die in den 1990er-Jahren Unternehmen und Volkswirtschaften quer über den Erdball in gnadenlose Konkurrenzkämpfe verstrickt hat, lässt niemanden mehr in Ruhe. Kapitalströme schießen von Kontinent zu Kontinent, reißen Regierungen und Gesellschaftsordnungen in ihre Strudel, vernetzen die Welt zu einem einzigen Markt. Mit Hightechkommunikation und grenzenlosem Freihandel hat der »Turbokapitalismus«, wie ihn der amerikanische Wissenschaftler Edward Luttwak nennt, die »Herrschaft über jeden Aspekt des Lebens« erlangt – wie könnten die Kirchen sich dem entziehen?

2 000 Jahre lang hat das Christentum Krisen und Erfolge überstanden. Es hat Anfechtungen durch Verfolgung und Aufklärung, durch Ketzerei und die eigene Macht überlebt – und ist dabei stetig gewachsen: Zwei Mil-

Sevilla, Spanien: Jedes Jahr ziehen während der Karwoche Vermummte durch die Straßen der Stadt, um an das Martyrium Jesu Christi zu erinnern und so für ihre Sünden zu büßen. Die an den Ku-Klux-Klan erinnernde Verkleidung stammt aus dem 16. Jahrhundert und soll die Identität der Büßer verbergen

liarden Menschen, ein Drittel der Weltbevölkerung, sind getauft; allein die katholische Kirche konnte im 20. Jahrhundert ihre Mitgliederzahl verdreifachen, hat etwa in Afrika von 1,7 auf 110 Millionen Anhänger zugenommen.

Zum Ende des zweiten Jahrtausends nach Christus aber hat sie es mit einer Welt zu tun, in der alles überall hergestellt und vermarktet werden kann – deren Ränder sich plötzlich in Mittelpunkte verwandeln. Missionsstationen werden zu Standorten; ein allmächtiger Markt zwingt selbst den Glauben zum Marketing; weltumspannender Wettbewerb hetzt auch Ideen gegeneinander auf; Deregulierung und Flexibilisierung stellen alle Institutionen infrage – nicht zuletzt die christlichen Kirchen.

Die hatten zwar von Anfang an die Globalisierung im Programm (»Gehet hin und lehret alle Völker«, Mt. 28, 19). Nun aber hat sich der welt-

Die Globalisierung: Sie machte den Christen schon im Mittelalter Beine

umfassende Geltungsanspruch des Christenglaubens verweltlicht. Überall draußen rückt die Welt zusammen; bündeln sich auch die Kräfte, die sie bewegen; verschmelzen Daimler und Chrysler, Hoechst und Rhône-Poulenc, Dasa und Aérospatiale.

Und die Kirchen?

Zwar ist der Segen der Ökumene, von dem Bischof Kasper spricht, noch nicht Synergie. Doch ist der Einheitswille der Kirche auch in den Chefetagen gewachsen, auf Konferenzen in Delhi, Nairobi, Vancouver – die Belegschaft aber trabt oft mühsam hinterdrein, mitunter protestierend, wie vor jeder drohenden Fusion.

Noch in der Vorwoche der Augsburger Erklärung haben 243 evangelische Theologieprofessoren in einem offenen Brief die »Verwässerung evangelischer Lehraussagen« beklagt und vor der »allmählichen Rückkehr aller Christen unter das römisch-katholische Dach« gewarnt. Die »Vereinigung der Initiativkreise katholischer Laien und Priester« wiederum befürchtet die Zurichtung der Dogmen zu »zeitbedingter Manövriermasse« – kurz, die Anpassung an den Zeitgeist.

»Jesus wollte sein Volk sammeln«, verteidigt Bischof Kasper das Einigungswerk. »Er wollte die Einheit aller Christen. Das war sein Testament. Die Globalisierung«, sagt er, »ist nur der äußere Anlass.«

Schon einmal, zum Ausklang des Mittelalters, hat eine Globalisierung der Christenheit Beine gemacht. Im 14. und 15. Jahrhundert, als erstmals Warenströme die gesamte östliche Hemisphäre vernetzten, Gewürznelken von den Molukken nach Schottland reisten, Gold aus dem Süden Afrikas nach Burma und Pelze aus Russland nach Andalusien; als in Florenz der Kapitalismus geboren wurde und der Handel die ganze Welt eroberte – da kam Europa der Kirche abhanden.

»Eine wilde Verachtung des Klerus (war) die Signatur des Zeitalters«, schrieb der Kulturhistoriker Egon Friedell. In England predigten die Anhänger des John Wyclif gegen Papsttum und Reliquiendienst, und der Prager Reformator Jan Hus wollte den Glauben ganz aus dem prächtigen Gefängnis der Kirchen befreien: »Das geziemendste und größte Stift und Gotteshaus, darin Gott soll angebetet werden«, schrieb er, »ist die Welt.«

Und die hatte für mehr Raum als für die eine heilige Kirche, die »Una Sancta Catholica«. 100 Jahre, nachdem Hus auf dem Scheiterhaufen starb, veröffentlichte Martin Luther seine 95 Thesen.

LUTHER, DER MÖNCH AUS DER SÄCHSISCHEN PROVINZ, war ein frohes Kind der Globalisierung: »Wer hat auch je solch Kaufmannschaft gesehen«, jubelte er, »die itzt umb die Welt fähret und alle Welt verschlinget?«

Der Mann aus Wittenberg war auch ein Mann der neuen Medien: Die eben erfundene Buchdruckerkunst nutzte Luther für die blitzartige Verbreitung von 3000 Exemplaren seiner Übersetzung des Neuen Testaments,

*Längst hat sich das Christentum in zahllose Konfessionen und Denominationen aufgeteilt. Zu den archaischsten gehören jene amerikanischen Gläubigen, die in **Jerusalem** strikt nach der Bibel leben, für tägliches Studium deren Verse auf dem Handrücken tragen und darauf warten, dass Gott sie aufruft, den im Jahre 70 zerstörten Tempel wieder aufzubauen*

die der Info-Elite die Kluft zwischen Gotteswort und Kirchenbrauch vor Augen führen konnte. »Der Gutenbergmensch«, notierte Egon Friedell, »triumphiert(e) über den gotischen Menschen.«

Und schließlich war Luther ein Prophet der neuen Wirtschaftsform: Die Betonung des Individuums in der Reformation, ihr Bekenntnis zu »innerweltlicher Askese« und Arbeit, begründete, wie der Soziologe Max Weber 1920 darlegte, den Siegeszug von Bürgertum und Kapitalismus.

Vor allem die Lehre des französisch-schweizerischen Protestanten Johannes Calvin, das Los jedes Menschen sei von Gott vorherbestimmt und Wohlstand also ein Zeichen besonderer Gnade, nahm der aufstrebenden Unternehmerschicht das schlechte Gewissen.

AUS DEM CALVINISMUS wuchs der Puritanismus der »Pilgerväter«, die 1620 auf der »Mayflower« nach Amerika auswanderten. Und wenn heute der »Turbokapitalismus« vor allem in den USA unangefochten regiert, so liegt das, glaubt der Wissenschaftler Edward Luttwak, nicht zuletzt am »starken Einfluss calvinistischer Werte«.

In der New Yorker Times Square Church ist der Kapitalismus zur Liturgie geworden. Gleich nebenan ragen Konzern-Dome auf: Viacom-Tower, Morgan-Stanley-Haus und Bertelsmann-Building; schräg schlägt der Broadway eine Entertainment-Schneise durch den Business-Distrikt. Einst war auch die Times Square Church ein Theater – nun spielt hier eine Religion ihre Musicals.

Ein Dorf der Dogon, Mali: Ein christlich getaufter Junge bereitet ein Tieropfer vor. Wie andere missionierte Völker haben auch die Dogon manche ihrer angestammten Rituale beibehalten. Christentum und Animismus vereinen sich bei ihnen zu einem neuen, synkretistischen Glauben

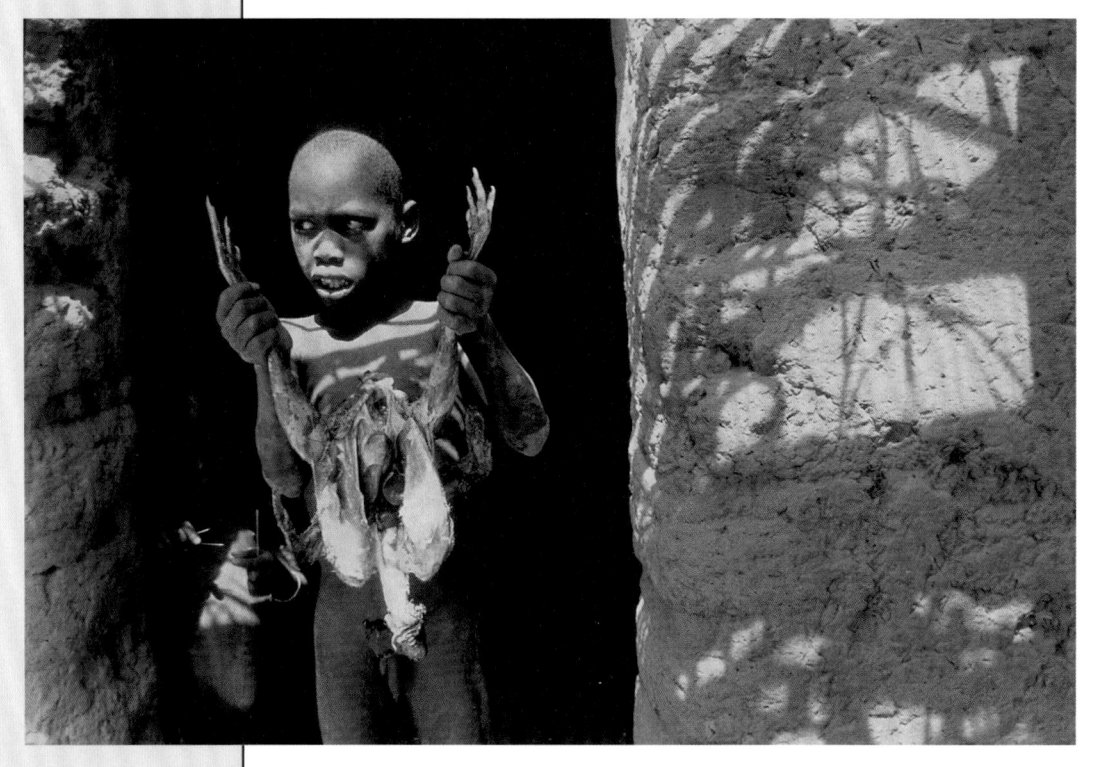

Als der Vorhang sich zur stuckbeschwerten Decke hebt, jubiliert auf der Bühne ein Chor von 65 Engeln, gehüllt in weiße Gewänder mit goldenen und violetten Streifen, per Multivisionswand verdoppelt und ins Übermenschliche gebläht. Das Saxophon haucht, Bass, Orgel, Klavier und Schlagzeug swingen hinterher. 2000 Gläubige schrauben sich und ihre Stimmen in die Höhe, wunderbar geleitet von der Schrift auf der Videowand; ein himmlisches Karaoke.

Pastor Carter Conlon, der Anzug schillernde Zweithaut, Gesicht aus der Requisite Hollywoods, ein Lächeln aus purer Zahnpasta, steht am gläsernen Pult und fordert Spenden. »Gott ist so gut«, ruft er. »Praise the Lord!« Und während die Band von Neuem einsetzt, kreist schon der weiße Styroporeimer durch die Reihen, in denen es nach Parfum und Kokosaroma riecht, und füllt sich mit grünen Scheinen: »Halleluja!«

Rechts neben der Bühne sitzen die Nebenrollen; 30 Gebissreihen strahlen in harter Freude. Jedem Mitwirkenden sein Solo: Eine Hochglanzschwester erzählt von der Bekehrung einer Mörderbande in Guatemala, ein Beau von der Erleuchtung eines Drogensüchtigen in einem New Yorker Restaurant – missionarische Seifenopern voller Tränen und Triumphe. Mobiltelefone schrillen; das Publikum stöhnt, jubelt, klatscht.

»Megachurches« in den USA: Rundumservice für die Vorstadtseelen

Aufgeräumt führen Pastor Conlon und sein grauhaariger Amtsbruder durch das Programm, durch ihre Revue. Zwischen den Nummern ein Kessel Buntes: Frohlocken des Chors, gezirkelte Ekstasen, schmelzende Operettenarien. Keine Predigt, kein Bibeltext, keine Zeit: The show must go on.

Wenn die nackten Kirchen der Reformierten ein Abbild der Manufakturen des jungen Kapitalismus waren, dann sind »Megachurches« wie die Times Square Church die Einkaufszentren der spirituellen Dienstleistungsgesellschaft. Über 400 dieser religiösen Supermärkte mit mehr als 2000 Besuchern pro Woche haben in den vergangenen zehn Jahren ihr Filialnetz über die USA gespannt, sich mit Vorliebe in den Schlafstädten der Peripherien festgesetzt, zwischen Wal-Mart und Taco Bell.

Hier überziehen sie die entwurzelte Vorstadtseele mit einem Rundumservice; umwerben sie mit Restaurants und Kindergärten, öffnen ihr Schulen, Basketballteams und Bowlingbahnen, lehren sie den Umgang mit

Rund fünf Millionen Menschen strömen Jahr für Jahr nach **Lourdes,** wo im Februar 1858 die Jungfrau Maria einem jungen Mädchen erschienen sein soll. Viele der Pilger sind schwer krank und hoffen auf Wunderheilungen. Bis heute hat die katholische Kirche mehr als 60 solcher Genesungen offiziell anerkannt

Sokolo, ein Dorf in Mali: Pater Henri Cavrois vom Orden der Weißen Väter hält eine Messe unter freiem Himmel, gemäß dem bald 2000 Jahre alten Missionsauftrag Christi: »Gehet hin und lehret alle Völker und taufet sie im Namen des Vaters und des Sohnes und des Heiligen Geistes« – eine frühe Form der Globalisierung, wenn man so will

Kuchen und Computern, vermitteln Partner und Jobs.

Die »Megachurches« sind Großunternehmen. Zwölf Millionen Dollar zieht die Willow Creek Community Church bei Chicago (15 000 Besucher pro Wochenende) jährlich aus dem Klingelbeutel. Dogmen sind hier Nebensache, Christus ist auch nur ein Mitarbeiter mit vielseitigem Anforderungsprofil.

»Wir machen nichts anderes als die Shopping Malls, die den Town Square ablösen«, sagt Reverend Nelson Price, Hirte von 8 000 Seelen an der Roswell Street Baptist Church in Marietta, Georgia. Im flexibilisierten Amerika der Jahrtausendwende, in dem man, freiwillig oder nicht, den Job wechselt wie Wohnort oder Softdrink, gehorcht auch die Religion den Gesetzen des nervösen, wankelmütigen Markts. Rund 1 200 christliche Konfessionen sind im Angebot, darunter allein 75 baptistische Kirchen, für Feinschmecker noch bis zu 3 000 Sekten. Über 50 Prozent der Kirchenmitglieder sind schon mindestens einmal von einer Konfession zur anderen konvertiert: Laufkundschaft in einem Land, das mehr Kirchen als Kneipen hat.

Die Vielzahl der Staaten, aus denen Nordamerikas Pioniere in den Gründertagen der Nation einwanderten, sorgte von Anfang an für ein bun-

»Wenn ihr um einen Wohnwagen betet, dann vergesst nicht, die Farbe zu nennen«

tes Sortiment an Glaubensrichtungen. 1920 beschrieb der Soziologe Max Weber die Kirchen in den USA weniger als Heilsstätten denn als Klubs, deren Mitgliedschaft Kreditwürdigkeit bezeuge.

So ordnet sich die amerikanische Gesellschaft noch heute nach »Denominationen«: Anglikaner, Griechisch-Orthodoxe, Kongregationalisten und Presbyterianer führen die soziale Skala an, der Mittelstand ist katholisch oder lutherisch, und für die Ärmsten reicht es noch zu einer Pfingstkirche.

Im Zeitalter der Privatisierung verlieren nun auch hier die großen Traditionsfirmen Kunden an kleine Anbieter. Die Abtrünnigen schließen sich meist lokal begrenzten Gemeinden an, jungen »evangelikalen« Sekten – oder den rechten Eiferern der Christian Coalition, die mittlerweile den Kampf um »moralische Fragen« wie Abtreibung, Pornografie und Homosexualität um die Werte des Neoliberalismus erweitert haben: Verstärkt predigen die Rechtsaußen von »God's Own Country« inzwischen niedrigere Steuern, privates Schulwesen und Arbeitsdienst für Sozialfälle.

»Die Leute wollen keine konfessionellen Etiketten mehr«, hat Reverend Jess Moody gelernt, Pastor einer ehemaligen Baptistenkirche im kalifornischen San Fernando Valley: »Alles, was sie wissen wollen, ist: Was springt für mich dabei raus?« Und so strich er, bestärkt von Marktanalysen, den Baptismus aus dem Kirchennamen, mied fortan die Begriffe »Erlösung« und »Bekehrung« und brachte dafür »Kwikscan« in Umlauf, eine Crash-Bibel: in 15 Stunden Lesezeit von der Genesis zur Offenbarung.

NOCH IMMER ENTSTEHEN KIRCHENGEMEINSCHAFTEN, spalten sich ab, gründen sich neu. Ein Vermehrungswunder wie die Speisung der Fünftausend in der Bibel; eine Diversifizierung, die irgendwann wahrscheinlich jedem einzelnen Kunden ein Credo nach Maß anbieten können wird – getreu dem Slogan der Unitarian Universalist Church: »Statt mich einer Religion anzupassen, habe ich eine Religion gefunden, die sich mir anpasst.«

Die Obrigkeit hält sich, in alter Freihandelstradition, aus allem heraus. Seit über 200 Jahren befiehlt die Verfassung die Trennung von Kirche und Staat, eine Kirchensteuer gibt es nicht. Doch je staatsferner die Kirchen, desto religiöser das Volk – bis hinauf zum Baptisten Bill Clinton, der den Amerikanern einen »Neuen Bund« anbot: wie einst Gott den Menschen in Jesus Christus.

»In God we trust« steht auf jeder Dollarnote. Tatsächlich ist die Verquickung von Gnaden- und Zahlungsmittel symptomatisch für ein Land, in dem »pursuit of happiness«, die Verfolgung der persönlichen Wunsch-

---

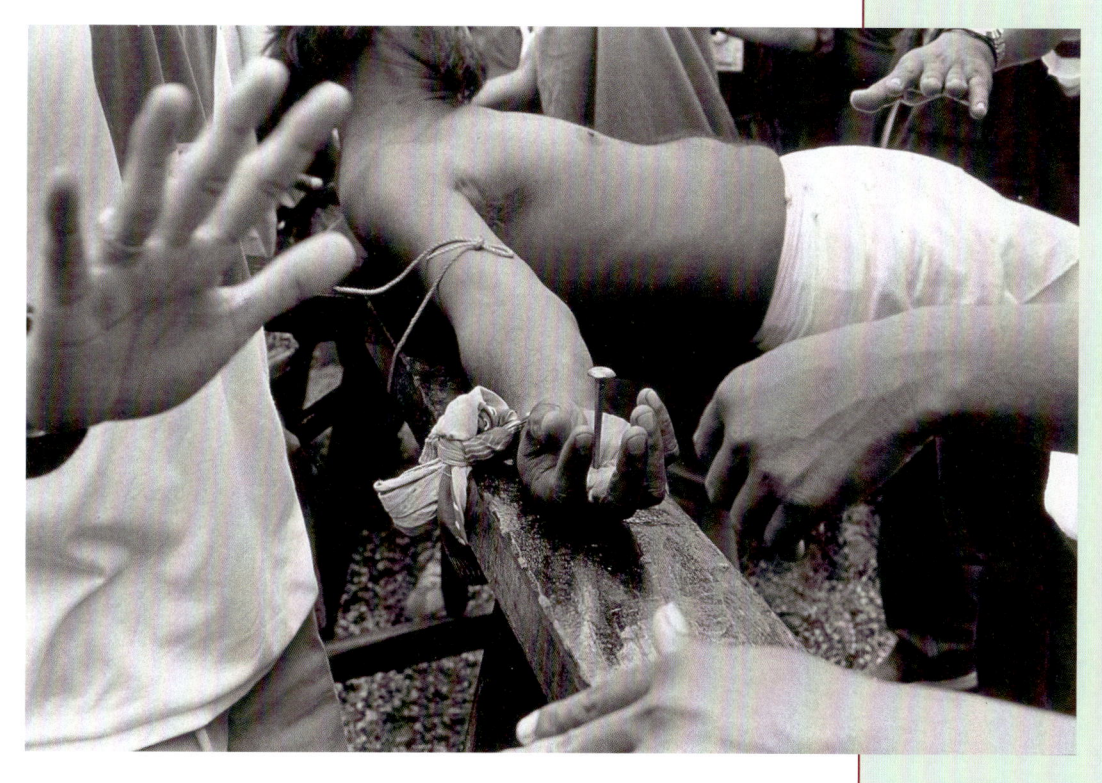

Jedes Jahr zu Ostern spielen die Bewohner von **Santa Lucia auf den Philippinen** den Leidensweg Christi nach – einschließlich der Kreuzigung Jesu. Die Philippinen, von 1565 bis 1898 unter spanischer Dominanz, sind heute mit 65 Millionen Gläubigen das fünftgrößte christliche Land auf Erden

erfüllung, nicht nur Verfassungsgrundsatz ist, sondern Motor der Religion. Auch der Ölprinz John Davison Rockefeller war überzeugt, »dass die Fähigkeit, Geld zu machen, eine Gabe Gottes ist«.

Heute beten die Zungenredner der Pfingstkirche Assemblies of God – trotz der Sexskandale ihres vormaligen Fernsehpredigers Jim Bakker mit zweieinhalb Millionen Mitgliedern eine der wachstumsstärksten Kirchen der USA – erfolgreich um Beförderungen, Mercedeslimousinen und Dollarfluten. Bakker, zwischenzeitig Besitzer eines Luxushotels, eines Vergnügungsparks in South Carolina, einer Hundehütte mit Klimaanlage und anderer Segensbeweise, hat ihnen Mut gemacht: »Wenn ihr um einen Wohnwagen betet, vergesst nicht, Gott zu sagen, in welcher Farbe.«

EINE DERART PRAGMATISCHE RELIGION widersteht auch den Strudeln der Globalisierung. Sie rauscht sogar auf den Wellenkämmen mit: Anfang der 1990er-Jahre gaben 95 Prozent der US-Bürger an, sie glaubten an Gott; neun von zehn besitzen eine Bibel – auch wenn nur eine Minderheit auf Befragen einen der vier Evangelisten nennen konnte. Selbst die Katholiken, Kundenwünschen nicht immer aufgeschlossen, legen zu; sie allerdings nutzen die großen Wanderungen der Globalisierung und importieren ihre Klientel aus Asien und Lateinamerika.

Dennoch fehlt es insbesondere der katholischen Kirche – und das im Land der McJobs – an Personal. Ende der 1990er-Jahre amtierten in den USA noch knapp 48 000 katholische Priester: 10 000 weniger als 1975, Ten-

*Am Ende des Gottesdienstes in seinem kleinen Zelt schleudert der baptistische **Erweckungsprediger Gary Corbin in Boston, USA,** Bibelverse in die Gemeinde. Männer wie er unterstützen die ultrakonservative Christian Coalition, die unter anderem mit Antiabtreibungskampagnen Druck auf Politiker auszuüben versucht*

denz fallend. Ursache dafür sei – so die Vermutung von Beobachtern – nicht zuletzt die jahrhundertealte Tradition, die verheiratete Männer vom Amt ausschließt.

»Der multinationale Konzern«, rügte der »Spiegel« vor gut einem Jahr in seiner allweihnachtlichen Katholikenschelte, »huldigt mittelalterlichen Wahrheiten und steht unter altertümlich zentralistischer Führung – und daran krankt er.«

Unter der Herrschaft des Turbokapitalismus sind es die glasharten Formeln der Modernisierer und Deregulierer, die weltweit die Marktverluste der Katholiken begleiten: Reformstau! Stillstand! Blockade!

Selbst Kirchenfunktionäre wie Kardinal Ratzinger, Chef der römischen Glaubenskongregation, klagen heute über »zu viel Bürokratie«. An manchen Tagen sieht der Kardinal die Zukunft der Katholiken sogar im »downsizing«, wie die Manager sagen: in der »Minderheitenkirche«, den »scheinbar bedeutungslosen, geringen Gruppen«, der Gemeinde »im Senfkorn-Zeichen«.

Jeden Mittwoch um halb elf hat der welthöchste Beamte der römischen Kirche, 3500 direkte Untergebene im Vatikan, Sprechstunde; bei schlechtem Wetter im Audienzsaal, bei gutem vor dem Petersdom. Pilgerschlangen fädeln sich durch Berninis Kolonnaden in die Stuhlreihen, Brautpaare im Hochzeitsornat rauschen zur Empore hinauf, eine Hundertschaft Roll-

Der Papst atmet schwer. Lautsprecher wehen das Schnaufen über den Platz

stuhlfahrer bremst links neben dem roten Baldachin, polnische Pilger recken sich und schwenken Sonnenblumen. Aus den vorderen Reihen, wo das Blasorchester des Münchner Hauptbahnhofs sitzt, steigt die Bayernhymne auf, prallt auf das Lourdeslied der französischen Wallfahrer vor dem Glockenturm, springt über zum Choir of St. Mary aus Connecticut und den Caprifischern Vilsbiburg. Vermischt sich mit dem Gewisper, das durch die Reihen läuft: Der Papst kommt!

Die Pilger stehen längst auf den Klappstühlen. Sie sehen eine weiße Kappe, die über den Köpfen schwebt, umflattert von Taschentüchern und Applaus. Im ersten Gang nimmt der Elektrowagen des Papstes die Rampe zur Bühne, lädt die zerbrechliche Fracht in den Stuhl unterm roten Baldachin. »In nomine patris et filii et spiritus sancti«, klirrt es aus Lautsprechern: im Namen des Vaters und des Sohnes und des Heiligen Geistes.

Oapan, Mexiko: Junge Mädchen treffen sich auf Einladung des Pfarrers in der Dorfkirche, um rituelle Tänze ihrer aztekischen Ahnen vorzuführen. Einst haben Vertreter der katholischen Kirche an der brutalen Auslöschung der alten Kulturen mitgewirkt – heute helfen sie mancherorts, deren fragmentarische Überreste zu bewahren

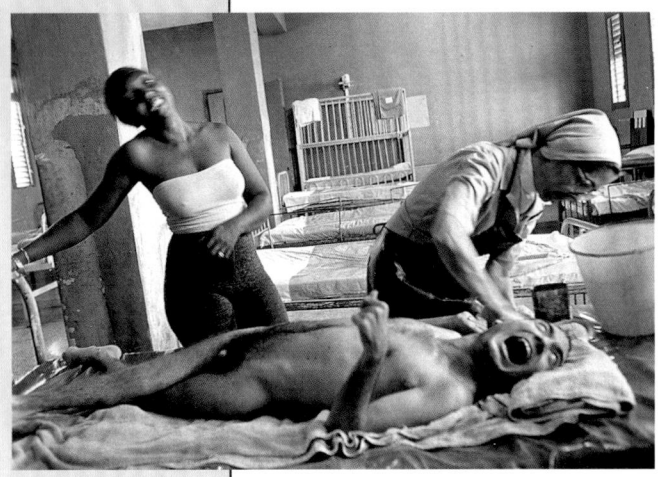

Diese **kubanische Nonne** kümmert sich um geistig behinderte Patienten. Das Bemühen um Barmherzigkeit stand von Anbeginn im Zentrum des christlichen Glaubens – und sorgt auch heute noch dafür, dass es in vielen Ländern der Erde vor allem die Männer und Frauen der Kirche sind, die sich den Schwachen und Kranken zuwenden

Eine gebrochene Stimme zittert über den Platz. Eine schwebende Girlande aus schierer Einsamkeit. Konsonanten bröseln zwischen den Zähnen. Krumm sitzt Johannes Paul II. in seinem Stuhl, der rote Umhang rutscht übers weiße Gewand. Zäh und elfsprachig umkreist er Johannes 13, Vers 34: »Ein neu Gebot gebe ich euch, dass ihr euch untereinander liebet, wie ich euch geliebet habe.« Hier spricht kein Demagoge, sondern ein alter, kranker Vater. Die Großfamilie, 70 000-köpfig, bringt Blumen und Ständchen. Der Papst atmet schwer. Die Lautsprecher wehen das Schnaufen über den weiten Platz.

»Mir gefällt der Papst immer besser, je schwächer er wird«, sagt Monsignore Don Antonio Tedesco, seit 25 Jahren Leiter des deutschsprachigen Pilgerzentrums in Rom. »Schließlich ist er Nachfolger eines schwachen Menschenfischers aus Galiläa, der gescheitert ist. Ein Diener der Diener Gottes. In der Schwäche«, sagt Don Antonio, »liegt die Energie.«

Ist die katholische Kirche zu schwach für den Ruck? Zu verkalkt für den Turbokapitalismus? Zu langsam, trotz Papst als Global Player, für einen Datenkosmos, in dem ein paar Börsenminuten die Wirtschaft ganzer Kontinente ins Wanken bringen können? Zu doktrinär für eine zweckrationale Warengesellschaft, die »im Grunde nur die Ideologie der Ideolo-

Das Volk Jesu: Es wurde stark in der Verfolgung, in den Löwengruben

gielosigkeit« feiert, wie Bischof Kasper schon vor 20 Jahren beklagte? Belastet mit uralten Lehrtraditionen, wankt die Kirche durch eine entzauberte Welt, die kein Dogma mehr gelten lässt als das der Effizienz.

Doch Tradition, das weiß jede Markenfirma, ist auch Kapital. Und gerade die Schwerkraft dieser katholischen Überlieferung ist es, die dem bröckelnden Bau noch immer Stabilität verleiht. »Das hat für die katholische Kirche ein erhebliches Gewicht«, sagt Bischof Kasper. Eine Tradition, die 2 000 Jahre alt ist, von fortgesetzter Verehrung poliert und abgerieben zugleich wie der Fuß der Petrusstatue im Petersdom. Eine Tradition, die sich ja erst nach und nach all den Ballast auflud, der es ihr heute so schwer macht: den Zölibat (1139), die Unfehlbarkeit des Papstes (1870).

Schon am Anfang dieser Tradition stand so etwas wie eine Globalisierung, wenn auch eine erzwungene: der Exodus einer Gruppe von Judenchristen um den jungen, weltoffenen Stephanus, der die verknöcherte Tradition der jüdischen Gemeinde zu Jerusalem anprangerte – und dafür von orthodoxen Juden gesteinigt wurde. Seine Anhänger flohen aus der Stadt und wurden Missionare: »Die nun zerstreuet waren«, erzählt die Apostelgeschichte, »gingen um, und predigten das Wort.« Die Streitfrage, ob ein Mensch Jude sein müsse, um Christ werden zu können, entschied schließlich Petrus auf dem Apostelkonzil 48/49: Wenn der Herr nun einmal auch Nichtjuden bekehre – »wer bin ich, dass ich Gott hindern könnte?«.

PETRI MACHTWORT WAR der entscheidende Schritt von der jüdischen Sekte zur Religion, die Wende zur Weltkirche. Andreas predigte nun in Griechenland, Bartholomäus in Indien, Mesopotamien und Armenien, Johannes in Kleinasien, Matthias in Äthiopien, Petrus in Rom. »Jedes fremde Land ist ihnen Vaterland«, schrieb ein Zeitgenosse über die Frühchristen, »und jedes Vaterland fremd.«

Es war die glorreiche Zeit der Ohnmacht, die Zeit der Mobilität. Eine Religion ohne Tempel, wandernd auf den Straßen, die im Römischen Reich schier unendlich waren. Die keinen Ort hatte, sondern nur die Schrift, die zwischen den Kontinenten flottierte – ein antiker Cyberspace.

In der Verfolgung, in den Löwengruben, wurde das Volk Jesu stark: Jedem Martyrium folgten Dutzende Bekehrungen. Noch im 2. Jahrhundert gab es in Rom höchstens ein paar tausend Christen – im frühen 4. Jahrhundert jedoch, als Kaiser Konstantin den neuen Glauben annahm und offiziell legalisierte, war schon ein Drittel der Römer bekehrt.

Kampf der Konfessionen: In **Craigavon, Nordirland,** tragen Männer eine junge Frau zu Grabe, darunter der Freund des Mädchens (Mitte). Das Mädchen war Katholikin; und es wurde im Haus seines protestantischen Freundes ermordet. Von protestantischen Extremisten, die diese interkonfessionelle Liebe nicht duldeten

Kaiser Theodosius machte 380 n. Chr. die einstige Untergrundsekte zur Staatskirche – und damit schuldfähig: Aus Verfolgten wurden bald Verfolger. Heiden wurden aus dem Staatsdienst entfernt, die Philosophin Hypatia in Alexandria vom christlichen Pöbel gesteinigt, Abweichler gestraft. Das Christentum war in der Welt angekommen.

Nun begann seine jahrhundertelange Liaison mit der Staatsmacht – eine Hassliebe, die ihm Stärkung war und Verhängnis zugleich. Immer wieder hat die Kirche Herrscher ein- und wieder abgesetzt, hat die Politik benutzt und sich von ihr benutzen lassen, hat Dissidenten gejagt und Eroberungen begleitet. Doch nun, zur zweiten Jahrtausendwende, da die Informationsgesellschaft keine Ecke der Welt mehr unangetastet lässt, hat sich die Organisation der Beichtväter selbst zur Beichte entschlossen – noch vor einem Jahrzehnt ein undenkbarer Vorgang.

»Die Kirche muss aus eigenen Initiativen die dunklen Seiten ihrer Geschichte überprüfen und im Licht des Evangeliums bewerten«, schrieb Johannes Paul II. 1994 an seine Kardinäle. Und so hat er für das Heilige Jahr 2000 nicht nur den bis zu 40 Millionen erwarteten Pilgern Sündenablass versprochen: Die Kirche selbst soll zu Kreuze kriechen.

INQUISITION, CONQUISTA, KOLLABORATION MIT FASCHISTEN – »wegen jenes Bandes, das uns im mystischen Leib miteinander vereint«, schrieb der Papst, »tragen wir alle die Last der Irrtümer und der Schuld derer, die uns vorausgegangen sind«. Auf Knien müsse die Kirche Gott um Vergebung bitten. Schon 1700 Jahre zuvor hatten ja andere die Konsequenz aus dem Seelenhandel gezogen, den die Kirche mit der Macht einzugehen drohte. Während der Glaube die Welt gewann, wandten die Frömmsten in Ägypten der Welt den Rücken. In der Wüste, zwischen Sand und rissigem Stein, fanden sie als Mönche die Schwerelosigkeit der Urgemeinde wieder.

Wer auf der Asphaltstraße vom Roten Meer kommt, sieht das Kloster des heiligen Antonius schon von Weitem aus der Ebene ragen wie eine Fata Morgana. Eine Verwerfung in der Wüste; ein Massiv aus Sand, Wasser und Stroh, gerahmt von Palmholz. Auch hinter den Mauern setzt sich die Stille der Einöde fort. Nur der Wind pfeift durch die Dattelpalmen im Klostergarten.

Bis Mitte des 19. Jahrhunderts war das Kloster lückenlos von der Welt getrennt – selbst das Eingangstor war vermauert; eine Seilwinde hob die Mönche ins Innere. Die Mauer wies die Anfechtungen ab und die Beduinen, die regelmäßig das Kloster berannten. Gerade bauen die Mönche eine weitere

Die **Werkstatt eines Herrgottschnitzers in Janitzio, Mexiko.** In manchen ärmeren Provinzen des Landes lebt noch heute die marxistisch geprägte »Befreiungstheologie« fort

Mauer: zum Schutz vor militanten Islamisten, die derzeit besonders in Oberägypten die Christen drangsalieren.

Doch Heimsuchungen zieren den Eremiten. Die Legende feiert die Qualen des heiligen Antonius, Sohn aus gutem Hause, der nach dem Tod seiner Eltern der Aufforderung Jesu im Matthäus-Evangelium folgte: »Willst du vollkommen sein, so gehe hin, verkaufe, was du hast, und gib's den Armen, so wirst du einen Schatz im Himmel haben.«

Hier, auf diesem Fleck Nichts, versuchte ihn der Teufel, lockte ihn mit Gut und unreinen Gedanken, hetzte ihm Hyänen auf den Hals und Albwesen, halb Esel, halb Mensch. Antonius aber blieb der Askese und der Wüste treu bis zum Tod, etwa 356. Bald darauf bauten seine Anhänger hier das erste christliche Kloster der Welt.

Um »den Kampf des Antonius aufzunehmen«, lebt Vater Jakob in einer Zelle außerhalb der Mauern. Denn: »Je mehr die Menschen reden, desto mehr entfernen sie sich von Gott.« Sein Kampf ist das vierte von fünf Sta-

Die Angebote einer Dienstleistungsgesellschaft – zwischen Fastfoodreklamen wirbt in **Alabama, USA,** eine Tafel für Jesus Christus, den »Spender der Hoffnung«

Demut, Armut, Feindesliebe – der Eremit konserviert uralte Tugenden

dien des Eremitentums, die sein geistlicher Vater, Patriarch Schenuda III., festgelegt hat: Noch heiliger ist nur noch die gänzliche Abkehr von den Mitmenschen, irgendwo in einer Höhle, deren Ort allein Gott weiß.

Morgens um drei spricht Vater Jakob die Mitternachtspsalmen, die Hymnen über den Auszug des Volkes Israel, endlich die Namen der Heiligen unter Berücksichtigung Mariens, der Erzengel und der Märtyrer. Und während dann die anderen Mönche an ihr Tagwerk gehen, vertieft sich Jakob schon wieder in die Schrift oder wandelt sinnend durch die Wüste.

Seine Mahlzeiten sind Brot, Tomaten, mitunter ein paar Bohnen vom Gaskocher, seine Nächte Siege über die Furcht: In den ersten Tagen seiner Einsamkeit gaukelte noch ein Karton im Wind ihm den Besuch des Satans vor, ein Müllsack eine reißende Bestie. Inzwischen wurden ihm selbst Skorpione zu Kameraden, ganz wie dem heiligen Antonius, der zu den Tieren sprach, damit sie ihn verschonen.

Nur sonnabends und sonntags kehrt er ins Kloster zurück. Wie Fliegen in Bernstein sind hier die Tugenden der Urkirche konserviert, die das Christentum draußen immer wieder vergessen hat: Die Demut. Die

Washington, D.C.: Mehrere zehntausend »Promise Keepers« treffen sich im Footballstadion, um zu beten und ihre Sünden zu beichten. Die ausschließlich männlichen Mitglieder der Organisation geloben, bibelfest zu leben, gute Väter zu sein und treue Ehemänner

Armut. Die Feindesliebe. »Wenn deine Feinde hungrig sind, gib ihnen zu essen«, sagt Vater Elarion und zeigt die Luke, durch welche die Mönche einst anstürmende Beduinen mit Nahrung besänftigten. Heute halten sie die nomadischen Nachbarn mit medizinischer Betreuung gewogen.

Fast 2000 Jahre alt sind die Formeln, die beim Abendgebet durch die Apostelkirche schweben, Sätze in einer fast vergessenen Sprache, gemurmelt von Mönchen in schwarzen Kutten und bestickten Kopftüchern, von weiß gewandeten Novizen. Wie die koptische Sprache, ein Zweig des Altägyptischen, ist auch der »monophysitische« Glaube der Kopten ein Relikt der Zeitenwende. Er ist,

Standort Ostasien: für Firmen und für Kirchen sehr zu empfehlen

wie die Alten sagen, direkt ererbt vom Evangelisten Markus. Und er besagt, dass Jesus Gott war und Mensch zugleich – und zwar in einer einzigen Natur. Auf dem Konzil von Chalkedon 451 aber wurde dieser Glaube von der christlichen Mehrheit als Irrlehre verurteilt: Das Konzil dekretierte, der Heiland sei zwar tatsächlich Gott und Mensch zugleich – aber in zwei Naturen, beide unvermischt und unzertrennlich.

Die wenigen koptischen Klöster, die von einst 365 übrig blieben, sind Museen des alten Glaubens – wenn auch Museen auf dem Standard der Informationsgesellschaft: Einige der gut 30 Computer, mit denen das Antonius-Kloster ausgerüstet ist, können sogar Koptisch lesen und schreiben. Fast alle jüngeren Mönche haben eine Universitätsausbildung; auch Vater Elarion ist graduiert, in englischer Literatur.

Doch Wissen gewinnen sie der Welt nur ab, um es ihr zu entziehen. Kein Telefondraht verknüpft das Kloster mit dem Leben hinter der Wüste. Das Internet, warnt Vater Elarion, würde die Abkehr von der Welt zunichte machen. Er ist sich selbst und seinem Herrgott genug: Wo viele westliche Mönche zur Mission ausschwärmen, bescheiden sich die koptischen Brüder mit dem wahrhaftigen Leben. Ein unzeitgemäßes Modell. Die »stabilitas loci«, die Ortsbeständigkeit, die auch der heilige Benedikt um 529 mönchsverbindlich erklärte – ein Hohn auf die Flexibilität. Welch eine Standortpolitik: Während die Konzerne Jobs und Fabriken in Billiglohnländer und Wachstumsmärkte verschieben, streben die Mönche des heiligen Antonius weg von aller Infrastruktur.

Das internationale Kapital aber gehorcht keinen Ordensregeln. »Zum ersten Mal in der Geschichte der Menschheit«, sagt Lester Thurow, Professor am Massachusetts Institute of Technology, kann »alles überall jederzeit produziert und verkauft werden«; fertigt Siemens Glühbirnen in Mexiko, Transformatoren in Ungarn, Glasfaserkabel in Indonesien.

Und kein Schwellenland zieht so viel Kapital an wie China. In Windeseile spickten multinationale Konzerne in den 1990er-Jahren das Land mit Tochterfirmen und Joint Ventures. »Globale Investitionen«, verkündete die UN-Welthandels- und Entwicklungshilfekonferenz, »folgen dem wirtschaftlichen Aufschwung.«

AUCH DIE KIRCHEN PROFITIEREN MITTLERWEILE vom Standort Ostasien. Denn in den Aufsteigerökonomien des Fernen Orients, die ohne Regel in den Himmel wachsen, steigt der Bedarf nach spirituellem Überbau. »Wir dürfen als Christen China nicht den Touristen und Wirtschaftsleuten überlassen, die jetzt fast in einem Goldrausch dorthin pilgern«, hat Bischof Walter Kasper vor fünf Jahren nach einer Chinareise gesagt, als die Multis gerade dreimal so viel Geld dorthin pumpten wie nach Großbritannien.

Heute jagt in China auch das religiöse Bruttosozialprodukt in die Höhe, florieren und konkurrieren Konfuzianismus, Taoismus, Buddhismus mit zahllosen Sekten und Gebetsgrüppchen auf dem neu eröffneten Markt; holt sich auch das Christentum ein Vielfaches jener Seelen zurück, die es im Westen verliert.

»Jesus lebt«, klingt es nachts unter Palmen. »Jesus lebt, halleluja!« Paul schlägt die Saiten der Gitarre. 16 junge Leute verschränken die Beine im Sand und halten einander an den Händen. Das Meer brandet an den Strand der Tropeninsel Hainan, der Wind fährt durch die Palmen, und Paul, bürgerlich Liang Zihua, Angestellter einer Luftfrachtgesellschaft, blickt in die Sterne und singt den Gospel auf Chinesisch. »Danke, Gott, dass du nach China gekommen bist«, ruft er zum Himmel. »Danke, Gott, dass du auf diese Insel gekommen bist.« Stimmen setzen ein, überlagern sich, finden Echos in der Runde, schwellen zur Ekstase. »Wir beten für die Regierung. Wir beten für die Behörden. Wir beten auch für solche Menschen, die Christen bestrafen und töten. Gib diesen Menschen die Kraft, das Böse zu überwinden.«

Das Böse hat eine Geschichte. Spätestens seit dem Opiumkrieg Mitte des 19. Jahrhunderts, als Großbritanniens Waffen Kaufleute und Missionare ins Land zwangen, war Chinas Verhältnis zur Christenheit unhaltbar geworden, ein Ping-

In **Macedonia, Alabama,** gehören Klapperschlangen zum Gottesdienst. Die Gemeinde hält sich an Markus 16, 17–18: »In meinem Namen... werden sie Schlangen mit den Händen hochheben; und wenn sie etwas Tödliches trinken, wird's ihnen nicht schaden.« Angeblich sind seit 1930 rund 40 Gläubige an Schlangenbissen gestorben

pong der Gewalt. Christen galten als Invasoren; zudem als intolerant, seit Papst Benedikt XIV. im Jahre 1742 Konfuzianismus und Ahnenkult als »Götzendienst« geächtet hatte.

1897, nach der Ermordung zweier Missionare, besetzten die Deutschen den Hafen Tsingtau (heute Qingdao). 1900 entlud sich der Hass der Chinesen gegen die »fremden Teufel« im Boxeraufstand. Der deutsche Gesandte wurde ermordet, Christen wurden massakriert; zur Strafe besetzte eine internationale Eingreiftruppe Peking.

Nach der Revolution 1949 vertrieb Mao Zedong die Missionare, die er »spirituelle Aggressoren« nannte, und ließ dafür chinesische »patriotische« Kirchen beider Konfessionen zu, deren katholischen Mitgliedern aber jeglicher Kontakt zur römischen Mutterkirche verboten war.

Noch weiter gingen die Aktivisten der Kulturrevolution. Sie schlossen fast alle Gotteshäuser und Klöster, töteten Priester und Nonnen. Erst 1979 lüftete Deng Xiaoping wieder den Deckel. Seither – die Verfassung von 1982 schützt »normale religiöse Aktivitäten« – haben die staatlich akzeptierten Kirchen über 37 000 Gotteshäuser eröffnet, blühen trotz Einschüchterung auch die inoffiziellen »Hauskirchen«, sollen gar 50 Millionen Chinesen die Taufe empfangen haben. Und auf der Insel Hainan, der Sonderwirtschaftszone vor Chinas südlicher Küste, gedeiht nun auch der Import der guten Botschaft.

Das Stimmenknäuel am Strand ist jetzt kein Gebet mehr, sondern ein Schlachtruf. »Gott«, schreit einer in die Nacht, »du bist die Kraft. Gott, bitte stoppe die Korruption. Wir beten für China. Danke, Gott, dass du China so liebst. Du bist der einzige Befreier. Halleluja!«

Vor 14 Jahren hörte Paul zum ersten Mal von Jesus. Da war er 16. Die amerikanische Ärztin, die ihn im Krankenhaus behandelte, bekehrte erst seine Mutter, dann ihn. Im Gymnasium hielt ihn ein afrikanischer Englischlehrer zum Bibelstudium an – einer der etwa 10 000 christlichen Aktivisten aus dem Ausland, von denen die Hälfte aus Amerika stammt.

Seit Chinas Regierung, vollauf beschäftigt mit dem Aufbau der Wirtschaft, kein Geld mehr für Schulen und Krankenhäuser in der Provinz übrig hat, strömen Missionare, die es offiziell nicht geben darf, wieder verstärkt ins Land – als Ärzte, Sozialhelfer, Pädagogen. Die Mehrheit der fremden Lehrer in China arbeitet im Auftrag christlicher Organisationen.

Paul wurde Ministrant, lauschte im Radio Missionssendungen aus Hongkong, fand im Internet Homepages amerikanischer Pfingstgemeinden. 1998 machte er sich selbstständig: Für zwei Dutzend Gläubige, meist vom Festland, betreibt er auf Hainan seine »Hosianna-Kirche«, zwei Gottesdienste pro Woche; sonntags im Haus, mittwochs am Strand. Eines Tages, hofft er, kann er den Job am Flughafen aufgeben.

Die 25-jährige Hotelrezeptionistin, die sich Melinda nennt und Paul an diesem Abend zuhört, nickt. Sie erinnert sich noch gut an die Warnung ihres Vaters: »An Jesus Christus glauben nur die armen Leute.« Aber die

Zeit der »Reischristen«, die sich im 19. Jahrhundert von ihrer Bekehrung Zugang zu westlichen Futtertrögen versprachen, ist vorbei.

Heute geht es nicht um Reis, sondern um Know-how: Die »Kulturchristen«, eine einflussreiche Elite außerhalb der offiziellen Kirchen, wollen mit christlicher Ethik Korruption und Parteifeudalismus zu Leibe rücken – mit, wie es einer ihrer Köpfe formuliert, den »in der christlichen Zivilisation wurzelnden Prinzipien von Demokratie und Wissenschaft«. Anders als im 19. Jahrhundert, als die Christenideale den Taiping-Bauernaufstand mit seiner agrarkommunistischen Stoßrichtung beseelten, dienen sie heute als Katalysator der Marktwirtschaft.

»China erlebt eine christliche Renaissance«, sagt Josef Homeyer, katholischer Bischof von Hildesheim und Vorsitzender der Bischofskonferenzen der EU. »Auch Korea, Indien und die Philippinen bekommen ein immer größeres Gewicht in der Kirche. Das hängt zusammen mit der wirtschaftlichen Stärkung. Das Interesse am Christentum wächst, weil sich weltweit die Entwicklung von Wissenschaft und Technik analog vollzieht.«

Und während Siemens längst Software von indischen Programmierern fertigen lässt, lagert sich auch die intellektuelle Avantgarde der Katholiken,

Akobo, Sudan: Ein Junge vom Volk der Nuer trägt das Zeichen Christi. Wenige Länder werden so von Religionsgegensätzen zerrissen wie dieses Land am Nil, in dem eine muslimische Mehrheit im Norden die christliche Minderheit im Süden blutig unterdrückt

Die neuen Medien und der Missionar alter Schule – welch ein Gegensatz

die 460 Jahre alte Societas Jesu, immer mehr nach Asien aus: Bald wird es in Indien mehr Jesuiten geben als in den USA, mehr in Indonesien und auf den Philippinen als in Deutschland.

Hatte Afrika um 1900 gerade einige Dutzend einheimische Priester, sind es heute rund 14 000. Schon dreht der Bekehrungsdrang, der einst europäische Hundertschaften zu den Heiden in Savanne und Regenwald trieb, sich um: Der Generalsekretär der afrikanischen Bischofskonferenzen bot bereits an, seine Missionare nach Europa zu schicken. Alarm bei Berlins »Katholischer Kirchenzeitung«: »Deutschland wird Missionsland«.

Das ist das große, gnadenlose Gesetz der Globalisierung: Alles ist überall. Doch mit den Märkten wächst auch für die Kirchen der Wettbewerb. Jedem Vorstoß ins Neuland folgt ein neuer Konkurrenzkampf, jedes eroberte Terrain ist zugleich unsicheres Gelände.

Auf dem brasilianischen Glaubensmarkt etwa, jahrhundertelang vom katholischen Monopol beherrscht, haben sich flinke, flexibilisierte Konkurrenten breitgemacht, die kein Dogma beschwert. Die Explosion der Medien hat den Missionar alter Schule mit Gebetbuch und Machete überflüssig gemacht – und so kann ein Mann in New York per Telefon und TV das fünftgrößte Land der Welt bewegen: Edir Macedo, einst Katholik und Lotterieangestellter in Rio de Janeiro, jetzt Herr der Igreja Universal do Reino de Deus, der »Weltkirche des Königreichs Gottes«.

Von New York aus dirigiert er schätzungsweise 8000 Tempel, etwa acht Millionen Seelen in Brasilien und – weltmarkttauglich! – vier Millionen in 70 weiteren Ländern; daneben herrscht er über 80 Firmen, 26 Radiostationen, vier Verlage, einen TV-Sender und ein Vermögen von einer Milliarde Dollar.

Zur »Noite de Abrão«, zur »Abrahamsnacht« in Rios Maracanã-Stadion, der größten Fußballarena der Welt, will Macedo leibhaftig aus dem Äther zur Erde hinabsteigen, so wie er es verkündet hat. Seit Stunden sind

Handel mit Gott: Die Gläubigen zahlen. Und fordern eine Dividende

alle Zufahrtsstraßen verstopft; doch keiner hupt, keiner schimpft: Über den Blechkarawanen schwebt Gesang in Moll. »Heiliger Geist, berühre mich«, hauchen Fahrer und Passagiere aus rostigen Bussen und verbeulten VW-Käfern, die Augen geschlossen, die Hände durch die Fenster gen Himmel gereckt.

Menschenschlangen winden sich, Hand in Hand, zwischen den Stoßstangen hindurch. Geistliche in dunklen Anzügen schwenken Pappschilder mit handgemalten Namen von Dörfern in der Baixada Fluminense, Rios blutigem Hinterland, in dem man schneller stirbt als im Kosovo.

Um Mitternacht hat sich das Stadion, aus Sicherheitsgründen zugelassen für 160000 Besucher, mit 200000 Hoffenden gefüllt; 50000 irren noch draußen herum. Ein abgerissenes Heer in Gummisandalen und mottenzerfressenen T-Shirts, hohlwangig und schattenäugig. Beinamputierte auf Klappstühlen, Kinder auf nacktem Beton zwischen Teddys, Windelpaketen und Guarana-Limonade für die lange Nacht.

Ein Spalier von Frauen umkränzt den makellosen Rasen, uniformiert in weißen Blusen, blauen Röcken, blauen Halstüchern mit dem Schriftzug »Universal«. Als sich der gelbe Helikopter mit dem Logo des Sekten-Fernsehsenders »Rede Record« glorios langsam ins

*Ein protestantischer Evangelist verkündet in einer Einkaufsmeile von Seoul die biblische Botschaft. In **Süd-Korea** wie auch China und Indien ist das Christentum seit Jahren auf dem Vormarsch*

Rund senkt, fassen sich die Hostessen an den Händen und stemmen sich gegen den Wind der Rotoren. »O Bispo!«, rufen die Gläubigen verzückt. »Der Bischof!«

Geschmeidig springt Macedo aus dem Hubschrauber, läuft zur Bühne, greift zum Mikrofon. »Dies ist die Abrahamsnacht«, sagt er. »Ihr seid hier, um zu opfern, wie Abraham bereit war, seinen Sohn auf Gottes Befehl zu opfern. Aber ihr seid auch hier, weil ihr etwas fordert von eurem Gott, der lebendig ist, kein Bild aus Holz oder Stein.«

Ein vielstimmiges Jammern braust auf, ein Stammeln unter Tränen, ein Crescendo des Schmerzes.

»Ihr seid das Volk Israel, das auserwählte Volk! Gott will nicht, dass ihr ein unwürdiges, erbärmliches Leben führt! Ihr, die ihr auf der Straße lebt, eure Kinder zum Betteln schicken müsst – fordert von eurem Gott heute nacht die Wende in eurem Leben! Der lebendige Gott will euch Wohlstand bringen!«

Das Stadion summt. Fäuste steigen, Füße stampfen auf Beton. Das Stadion ist bereit für den Handel.

»Ihr müsst Gott euer Leben opfern! Ihr müsst euer Herz Jesus verschreiben! Hebt eure rechte Hand zum Zeichen, dass ihr Gott euer Leben schenkt! Und als Symbol dafür legt einen Geldschein hinein!«

Mit Stoffsäcken schwärmen die Hostessen zur Ernte aus. »Tudo entregarei«, jubelt die Band, die den Einsatz begleitet: »Alles geb ich her.« Die Nacht ist lang, die Kette der Opfer darf nicht abreißen. »Gebt eure Spende nur den Frauen in den Universaluniformen«, mahnt der Bischof. Und als der Morgen graut, schwebt er mit seinem Helikopter in den Himmel.

Am Boden bleiben Kleinaktionäre Gottes, in der brennenden Hoffnung auf Dividende. Trotz seiner Unwirklichkeit ist dieser Handel heute für viele Arme verführerischer als die katholische »Befreiungstheologie«, die in den Siebzigern und Achtzigern Solidarität und politische Aktion in die Gemeinden trug. Marxistische Analysen ergänzten damals die Bergpredigt, christliche »Basisgruppen« klärten die Armen über ihre Lage auf und kämpften mit Losungen aus der Bibel gegen gesellschaftliches Unrecht.

Hier und da flammt ihr Geist noch auf, fährt etwa in Samuel Ruiz, den pensionierten Bischof von Chiapas, der bettelarme Indianer im Kampf um Land und faire Kaffeepreise unterstützt. Doch warum Wohlstand von den Reichen fordern, wenn Gott ihn auch direkt auszahlen kann?

JEDES JAHR VERLIERT DIE KATHOLISCHE KIRCHE in Brasilien, dem größten katholischen Land der Welt, mehr als 600 000 Gläubige – während protestantische Sekten wie die Igreja Universal sich rasant ausbreiten. Jahr für Jahr wechseln in Lateinamerika drei Millionen Katholiken zu den Predigern im feinen Zwirn, die ihnen Aufstieg durch harte Arbeit, Disziplin und Gottes Subventionen versprechen.

Das ist die Religion des Turbokapitalismus. Und heute, da sogar der konservative Papst immer wieder den Neoliberalismus verdammt und die wachsende Kluft zwischen Arm und Reich beklagt, ist der erbitterte

Glaubenskampf in Lateinamerika, der Verdrängungswettbewerb zwischen katholischer Kirche und protestantischen Sekten, auch zum politischen Armageddon geworden.

Seit 1980 fütterte die CIA evangelische Sekten mit Geld und Personal, um die Befreiungstheologie zu schwächen; in Guatemala stellten Sektenmitglieder sogar zweimal den Staatschef. Das amerikanische Wirtschaftsmagazin »Forbes« feierte die »Evangelikalen« als antimarxistische, prokapitalistische Massenbewegung im Hinterhof Washingtons – himmlische Contras. Doch deren Hauptfeind bleibt die große Konkurrenz, der Vatikan. Und wenn ein Prediger der Igreja Universal vor TV-Kameras eine Marienstatue zertrampelt, hilft es den Katholiken wenig, dass sie im

Nicht mehr die Herkunft prägt den Glauben. Sondern der Weltmarkt

Gegenzug Bilder vom Sektenchef Macedo auf dessen Yacht veröffentlichen, einen Drink und eine unbekannte Dame in Händen. Denn: So, genau so würden die Armen ja auch gern leben.

Der verschärfte Konkurrenzkampf der Glaubensangebote hat die alten Grenzen der Welt verwischt. Im Jahre 1054, als sich die christliche Welt in zwei Hälften spaltete, war die Erde noch übersichtlich: in Rom die Westkirche, in Konstantinopel die Ostkirche, deren Schwerpunkt nach der Eroberung der Stadt durch die Osmanen 1453 nach Moskau wanderte.

Jetzt, der Eiserne Vorhang ist passé, dringen westliche Kirchen und Sekten mit Medienmacht und Dollars in östliche Seelen; wirft der orthodoxe Patriarch Alexij II. auch den Katholiken vor, ihm Gläubige abzuwerben. Und in England, das Heinrich VIII. 1534 von Rom ablöste, weil der Papst ihm die Scheidung verbot, wechseln jährlich über 5000 Anglikaner zur traditionelleren katholischen Kirche. Seit die Globalisierung die Souveränität der Nationalstaaten aushöhlt, prägt nicht mehr die Herkunft eines Menschen dessen Glauben, sondern der Weltmarkt.

Und so denken nun auch deutsche Protestanten in Reichweiten und Zuwachsraten, an »Effizienzsteigerung« und »Qualitätssicherung«, lernen von der Wirtschaftsberatungsfirma McKinsey »Kundenorientierung« und legen die Frohe Botschaft in die Hände des Münchner Consultingbüros Keysselitz (»Sie sind in Not. Was tröstet Sie?«), der Frechener Agentur Lauk & Partner (»Misch dich ein«) oder des Medienbüros Schröder + Schrömps, das dem Kirchenkreis Berlin-Reinickendorf rätselhafte Plakate mit Pinguinen oder einem nackten Mann im Schrank entwarf. »Die Kirche muss ihre Rolle in der Marktwirtschaft annehmen«, erklärte dazu tapfer der Reinickendorfer Pfarrer Werner Rohrer.

»Der Markt hat sich in eine große Gottheit verwandelt«, sagt der brasilianische Franziskanerpater Leonardo Boff, in den 1980er-Jahren einer der Köpfe der Befreiungstheologie. »Er hat seine eigene Hierarchie und seine Evangelisten. Dieses System funktioniert für vielleicht 1,5 Milliarden Menschen« – die Gewinner der Globalisierung. »Aber was ist mit den anderen viereinhalb Milliarden auf der Welt?«

SONNTAGMITTAG: 180 MENSCHEN SIND in die House of the Lord Pentecostal Church an Brooklyns Atlantic Avenue gekommen: Verlierer des amerikanischen Wirtschaftswunders, Junkies, Wohlfahrtsempfänger, allein erziehende Mütter. Der Vorleser mahnt die Gemeinde, Epheser vier, Vers 17, »dass ihr nicht mehr wandelt, wie die andern Heiden wandeln in der Eitelkeit ihres Sinnes«. Und Pastor Herbert Daughtry erzählt von seiner Demonstration gegen den Ku-Klux-Klan. »Meidet Menschen, die sich nicht verantwortlich zeigen für das Seelenheil und das soziale Wohl ihrer Mitmenschen.« Ein Babyfläschchen kullert über den Kirchenboden.

Früher war Reverend Daughtry Vorsitzender der afroamerikanischen Menschenrechtsorganisation Black United Front. Heute hilft seine Kirche Müttern, deren Kinder bei Bandenkriegen oder Scharmützeln mit der Polizei getötet wurden – Frauen wie Ammie Council. Seit 1988 die Ordnungsmacht ihren 17-jährigen Sohn erschossen hat, ist die Gemeinde ihr Halt. »Ohne die Kirche hätte ich dieses Erlebnis nie verkraftet.« Milde Gaben gleiten in farbig umrandete Kuverts: Die blauen Umschläge sind für das Gehalt des Reverends bestimmt, die grünen für den Erhalt des Gebäudes, die roten für das Sozialprogramm.

Aber im House of the Lord spekuliert die Barmherzigkeit nicht auf Rendite; sie wird nicht investiert, sondern verschwendet. »Wir leben nicht nur spirituell nach den Geboten der Bibel, sondern auch sozial und politisch«, sagt Reverend Daughtry. »Die Gebote fordern auch gesellschaftliche Gerechtigkeit. Die Bibel ist ein lebendes Buch, kein toter Text.«

Nach dem Gottesdienst gibt es im Erdgeschoss Brathähnchen, Reis und Maisbrot. »Früher habe ich immer darauf geachtet, was ich von anderen Menschen bekomme«, sagt Jerry King, Versicherungskaufmann aus Brooklyn. »Jetzt achte ich darauf, was ich geben kann.«

Natürlich hat das House of the Lord in Brooklyn, New York, die Caritas nicht erfunden. Aber ohne das Christentum hätte es wohl nie jenen Sozialstaat gegeben, den der Markt jetzt in die Enge drängt. »Was ihr dem geringsten meiner Brüder getan habt, das habt ihr mir getan« – dieser Satz Jesu, für den Philosophen Ernst Bloch Manifest des christlichen »Liebeskommunismus«, war eine Revolution in einer antiken Welt, in der die Armen

Salvador, Brasilien: ein Mädchen im Engelskostüm. Nach den USA bilden die 158 Millionen gläubigen Brasilianer die zweitgrößte christliche Nation der Erde

nichts wert waren und die Gleichheit aller Menschen vor Gott ein Skandal.

Im Mittelalter sorgte die Massenbewegung der Imitatio Christi, die durch das Einfühlen in die Schmerzen Jesu das Mitleid mit dem Nächsten entwickelte, für die ersten Kranken- und Armenhäuser. Fast unabsichtlich haben die Christen auch den Individualismus erfunden, den Pazifismus und die Gleichberechtigung der Völker und Geschlechter: »Hier ist kein Jude noch Grieche, hier ist kein Knecht noch Freier, hier ist kein Mann noch Weib«, schrieb Paulus an die Galater, »denn ihr seid allzumal einer in Christo Jesu.«

Und so gnadenlos auch die Christen den Gesetzen der Globalisierung unterworfen sind – vielleicht liegt in der zweckfreien Verbindlichkeit ihres Glaubens zugleich eine Chance für die Welt, der neoliberalen Zwangslogik zu entkommen. »Denn die göttliche Torheit ist weiser, als die Menschen sind«, schrieb Paulus an seine Korinther, »und die göttliche Schwachheit ist stärker, als die Menschen sind.«

Und vielleicht ist es gerade der alte, ewiggestrige Karol Wojtyla aus Wadowice, dessen allgegenwärtiges Bild der Schwäche am radikalsten jenen Wert bestreitet, der dem Turbokapitalismus heilig ist: Power. Ein Bild, das den Kurienkardinal Ratzinger schon an seinem Herrn Jesus Christus irritiert hat: »Warum bleibt er so ohnmächtig? Warum herrscht er nur auf diese ganz merkwürdig schwache Art, eben als Gekreuzigter, als einer, der selbst gescheitert ist?«

»Bigger is better«, sagt Donald Trump, der New Yorker Bau-Tycoon. »Profit, Profit, Profit«, sagt Jürgen Schrempp, der Daimler-Chrysler-Chef.

Der Papst aber sitzt krumm auf dem Petersplatz und singt mit brechender Stimme seine Einsamkeit. Und atmet schwer.

»Meine Kraft«, sagt Jesus Christus, »ist in den Schwachen mächtig.« (2000)

Ein Mann vom Volk der Dogon in Mali mit einem **Kreuz aus Lehm** – immer noch einem der machtvollsten Symbole auf Erden

■ Siehe auch A–Z-Teil

→ Askese · Baptisten · Befreiungstheologie · Benediktregel · Christentum · Dogma · Esoterik · Evangelische Kirche in Deutschland · Glaube · Gott · Johannes Paul II. · katholische Kirche · koptische Kirche · Luther · Mission · Ökumene · Papsttum · Puritaner · Reformation · Säkularisierung · Zölibat

Der aus dem Iran stammende Fotograf Abbas arbeitet seit 1995 an seinem Projekt »Christen in aller Welt«. Jörg-Uwe Albig lebt als Schriftsteller und Reporter in Berlin. Unterstützt wurde er bei seinem Report von Michael Cornelius, Michael Ende, Karim El-Gawhary und Gerhard Waldherr. Beratung: Ernst Artur Albaum.